KB088052

완역

성
리
대
전

❾

이 저서는 2010년 정부(교육과학기술부)의 재원으로 한국연구재단의 지원을 받아 수행된 연구임(NRF-2010-322-A00065)

性理大全

완역
성리대전 ❾

윤용남·이충구·김재열·윤원현
추기연·이철승·심의용·김형석
이치억·김현경 역주

學
諸子
歷代

學古房

성리대전 총목차

性理大全書目錄 성리대전서 목록

6

學十四 학 14

論詩 논시

[56-1-1]

問："詩可學否?"

程子曰："既學時, 須是用功, 方合詩人格. 既用功, 甚妨事. 古人詩云, '吟成五箇字, 用破一生心', 又謂'可惜一生心, 用在五字上'. 此言甚當. 某素不作詩, 亦非是禁止不作, 但不欲爲此閑言語."[1]

물었다. "시詩를 배울 수 있습니까?"

정자程子가 대답하였다. "배우고 났을 때는 반드시 노력을 하여야 비로소 시인의 격조에 합하게 된다. 노력을 하고 나서는 매우 일에 방해가 된다. 옛사람의 시에 말하기를 '다섯 글자 읊어 이루느라고, 평생 마음 허비하였네.'[2]라고 하였고, 또 '애석하게도 평생 마음을 다섯 글자 짓는 데에 두었구나.'라고 하였으니 이 말이 매우 마땅하다. 나는 평소 시를 짓지 않는데 또한 금지하여 짓지 않는 것이 아니라 다만 이 한가로운 말을 만들고 싶지 않아서이다."

[56-1-2]

"邵堯夫詩云, '梧桐月向懷中照, 楊柳風來面上吹.' 眞風流人豪也."[3]

(정자程子가 말하였다.) "소요부邵堯夫[邵雍]의 시에 '오동나무 스민 달빛이 품속에 비추고, 버드나무 스친 바람이 얼굴에 불어오네.'[4]라고 하였으니 진실로 풍류의 호걸이다."

---

1 『二程遺書』 권18
2 '다섯 글자 … 허비하였네.' : 『御定全唐詩』 권648에 方干의 작품 「貽錢塘縣路明府」로 실려 있다. '五箇字'는 '五字句'로 되어 있다.
3 『二程外書』 권11

[56-1-3]

"石曼卿詩云, '樂意相關禽對語, 生香不斷樹交花.' 此語形容得浩然之氣."[5]

(정자程子가 말하였다.) "석만경石曼卿[6]의 시에 '즐거운 뜻이 서로 얽혀가며 새는 말을 주고받고, 풍기는 향내가 끊임없이 나무에 꽃이 어울렸네.'[7]라고 하였으니 이 말은 호연지기浩然之氣를 형용한 것이다."

[56-1-4]

龜山楊氏曰 : "作詩不知風雅之意, 不可以作詩. 詩尙諷諫, 唯言之者無罪, 聞之者足以戒, 乃爲有補. 若諫而涉於毁謗, 聞者怒之, 何補之有? 觀蘇東坡詩, 只是譏誚朝廷, 殊無溫柔敦厚之氣, 以此人故得而罪之. 若是伯淳詩, 則聞者自然感動矣. 因擧伯淳和溫公諸人禊飮詩云, '未須愁日暮, 天際是輕陰', 又泛舟詩云, '只恐風花一片飛', 何其溫柔敦厚也!"[8]

구산 양씨龜山楊氏가 말하였다. "시를 지으면서 풍아風雅[9]의 뜻을 모르면 시를 지을 수 없다. 시는 넌지시 규간함諷諫을 숭상하니, 말하는 이는 죄가 없고 듣는 이는 경계할 수 있어서[10] 도움이 있게 되는 것이다. 만일 규간하였는데 비방에 걸리거나 듣는 이가 노한다면 무슨 도움이 있겠는가? 소동파蘇東坡의 시를 살펴보면 다만 조정을 비난하고 조금도 온유溫柔하며 돈후敦厚한 기상이 없어서 이 때문에 사람들이 죄를 줄 수 있었다. 백순伯淳[程顥]의 자의 시와 같은 것은 듣는 사람이 자연히 감동하게 된다. 이어서 백순이 온공溫公(사마광) 등 여러 사람들과 계禊를 맺어 술 마시는 시를 들어 들어보면 '해가 저물어서가 아니라, 하늘가의 가벼운 구름 탓이네.'[11]라고 하였고, 또 범주泛舟 시를 들어보면 '다만 바람에 꽃 한 조각이 날까 우려되네.'[12]라고 하였으니, 얼마나 온유하며 돈후한가!'

[56-1-5]

"君子之所養, 要令暴慢邪僻之氣, 不設於身體. 陶淵明詩所不可及者, 冲澹深粹出於自然. 若曾用力學詩, 然後知淵明詩非著力之所能成. 私意去盡, 然後可以應世."[13]

---

4 '오동나무 스민 … 불어오네.' : 『擊壤集』 권20 「首尾吟」

5 『二程外書』 권11

6 石曼卿(994~1041) : 宋나라 사람 石延年. '曼卿'은 字. 관직은 祕閣校理, 太子中允에 이르렀다. 석만경의 시는 歐陽脩의 文, 杜默의 歌와 함께 三豪로 일컬어졌다. 저술에 『石曼卿詩集』이 있다.

7 '즐거운 뜻이 … 어울렸네.' : 『宋文鑑』 권24에 「金鄕張氏園亭」으로 실려 있다.

8 『龜山集』 권10 「語錄」

9 風雅 : 『詩經』의 「國風」과 「大雅」·「小雅」를 말함. 또한 널리 『詩經』을 가리키기도 한다.

10 시는 넌지시 … 있어서 : 『詩經』「周南序」의 "윗사람은 풍으로 아랫사람을 교화하고, 아랫사람은 풍으로 윗사람을 풍자하되, 비유하는 글을 사용하여 넌지시 규간하므로, 말하는 이는 죄가 없고, 듣는 이는 경계할 수 있기 때문에 풍이라 한다.(上以風化下, 下以風刺上, 主文而譎諫, 言之者無罪, 聞之者足以戒, 故曰風.)"에서 인용한 것이다.

11 '해가 저물어서가 … 탓이네.' : 『二程文集』 권1 「陳公廙園修禊事席上賦」

12 '다만 바람에 … 우려되네.' : 『二程文集』 권1 「郊行卽事」

(구산 양씨龜山楊氏가 말하였다.) "군자가 수양하는 것은 포악, 태만, 사악, 편벽한 기운을 몸에 베풀지 않게 하는 것이다.[14] 도연명陶淵明의 시를 따라갈 수 없는 것은 충담冲澹하여 매우 순수함이 자연스러움에서 나온 것이다. 만일 힘써 시를 배워본 적이 있다면 도연명의 시가 집착한 노력으로 이룰 수 없는 것을 알게 될 것이다. 사사로운 뜻이 다 없어진 뒤에야 세상에 응대할 수 있다."

[56-1-6]

朱子曰: "'詩者, 志之所之, 在心爲志, 發言爲詩'. 然則詩者, 豈復有工拙哉! 亦視其志之所向者高下如何耳. 是以古之君子, 德足以求其志, 必出於高明純一之地, 其於詩固不學而能之. 至於格律之精粗, 用韻屬對比事遣辭之善否, 今以魏晉以前諸賢之作考之, 盖未有用意於其間者, 而況於古詩之流乎! 近世作者乃始留情於此, 故詩有工拙之論, 而葩藻之詞勝, 言志之功隱矣."[15]

주자朱子가 말하였다. "'시詩는 뜻이 가는 바이니, 마음에 있으면 뜻이고 말로 나오면 시이다.'[16]라고 하였다. 그렇다면 시가 어찌 다시 솜씨 나고 솜씨 나지 않는 것이 있겠는가! 또한 시인의 뜻이 지향하는 것이 어떻게 높은지 낮은지를 볼 뿐이다. 이 때문에 옛날의 군자는 덕이 뜻을 추구하기에 충분하여 뜻이 반드시 고명하고 순일한 경지에서 나와서 시에 대해서는 본디 배우지 않고서도 잘 지었던 것이다. 격률格律의 정치함과 거칢, 운韻을 사용함, 대우를 맞춤, 사실을 비유함, 말을 운용하는 것의 잘잘못에 대해서는 지금 위魏‧진晉 이전의 여러 문인들의 작품을 가지고 살펴보면 그 속에 뜻을 둔 이들이 없었거늘 하물며 옛 시에 대해서야 말할 것이 있겠는가? 근세의 작자들이 비로소 이 격률格律에 마음을 두었으므로 시에 솜씨 나고 솜씨 나지 않는다는 논의가 있게 되었고, 화려한 문장이 우세하게 되어 시言志[17]의 공은 감춰지게 된 것이다."

[56-1-7]

或言: "今人作詩多要有出處."

曰: "'關關雎鳩', 出在何處?"[18]

어떤 이가 말하였다. "요즘 사람들은 시를 지을 때에 대부분 출처를 요구합니다."

(주자가) 말하였다. "'사이좋게 우는 저 물새여.'[19]라는 구절은 출처가 어디에 있는가?"

· ·

13 『龜山集』 권10 「語錄」
14 포악, 태만 … 것이다. : 『禮記』「樂記」의 "惰慢邪僻之氣, 不設於身體."에서 '惰'를 '暴'로 바꾸어 쓴 것이다.
15 『朱文公文集』 권39 「答楊宋卿」
16 '詩는 뜻이 … 시이다.' : 이는 『詩經』「周南序」의 "詩者, 志之所之也, 在心爲志, 發言爲詩."에서 '也'를 줄여 인용한 것이다.
17 시言志 : '言志'는 시의 다른 말이다. 『書經』「舜典」의 "시는 뜻을 말한 것이다.(詩言志.)"에서 유래한 것이다.
18 『朱子語類』 권140, 1조목
19 '사이좋게 우는 … 물새여.' : 『詩經』「周南‧關雎」

[56-1-8]

"古樂府只是詩, 中間却添許多泛聲. 後來人怕失了那泛聲, 逐一聲添箇實字, 遂成長短句, 今曲子便是."[20]

(주자가 말하였다.) "고악부古樂府는 다만 시인데 중간에 많은 범성泛聲[21]을 첨가하였다. 후대 사람들은 그 범성을 잃을까 두려워하여 하나의 소리마다 실자實字를 첨가하여 마침내 장단구長短句를 이룩하였으니, 지금의 곡자曲子[22]가 바로 그것이다."

[56-1-9]

"作詩間以數句適懷亦不妨. 但不用多作, 盖便是陷溺爾. 當其不應事時, 平淡自攝, 豈不勝如思量詩句? 至其眞味發溢, 又却與尋常好吟者不同."[23]

(주자가 말하였다.) "시를 지을 때 간간이 몇 구절로 마음속에 맞게 하는 것은 해롭지 않다. 다만 많이 지으면 안 되니, 빠져들기 때문이다. 사물에 응대하지 않을 때는 평담하여 스스로 단속하니 어찌 시구를 생각하는 것을 이겨내지 못하겠는가? 참다운 맛이 넘쳐 나오게 되면 또한 평소 읊기를 좋아하던 것과는 다르다."

[56-1-10]

"古詩須看西晉以前, 如樂府諸作皆佳. 杜甫夔州以前詩佳, 夔州以後, 自出規模, 不可學. 蘇黃只是今人詩, 蘇才豪, 然一衮說盡,[24] 無餘意. 黃費安排."[25]

(주자가 말하였다.) "고시는 반드시 서진西晉 이전의 것을 읽어야 하니, 악부樂府 등 작품이 모두 아름답다. 두보杜甫는 기주夔州 이전의 시는 아름답고, 기주 이후는 규모規模로부터 나와서 배울 수가 없다.[26] 소식蘇軾·황정견黃庭堅은 다만 요즘 사람들의 시뿐인데, 소식은 재주가 호방하지만 한꺼번에 모두 쏟아 내어 남음이 없었다. 황정견은 안배하기에 힘을 썼다."

---

20 『朱子語類』 권140, 67조목
21 泛聲: 음악을 연주할 때 박자를 맞추기 위하여 가볍게 곁들이는 虛聲. 散聲 또는 和聲이라고도 한다.
22 曲子: 詞曲이나 散曲 등의 韻文
23 『朱子語類』 권140, 68조목
24 衮: 『朱子語類』 권140, 4조목에는 '滾'으로 되어 있다.
25 『朱子語類』 권140, 4조목
26 杜甫는 夔州 … 없다. : 唐나라 시인 杜甫가 安祿山의 난리를 피하여 처음에는 蜀나라로 들어가서 成都에 살면서 嚴武의 참모로 있다가 大曆 초년에 엄무가 죽고 촉 땅이 혼란에 빠지자 강을 따라 내려와서 夔州의 동쪽 지역으로 옮겨 살았는데 이때부터 시가 더욱 노성해졌다고 한다.(『舊唐書』 권190下 「文苑傳·杜甫」) 그러나 위에서는 夔州 이전의 시가 아름답다고 반대로 설명하고 있다.

[56-1-11]

"『選』中劉琨詩高. 東晉詩已不逮前人, 齊梁益浮薄. 鮑明遠才健,[27] 其詩乃『選』之變體. 李太白專學之, 如'腰鎌刈葵藿, 倚杖牧鷄豚.' 分明說出簡倨強不肯甘心之意. 如'疾風衝塞起, 砂礫自飄揚, 馬毛縮如蝟, 角弓不可張,' 分明說出邊塞之狀, 語又俊健."[28]

(주자가 말하였다.) 『문선文選』에서는 유곤劉琨[29]의 시가 고품高品이다. 동진東晉 시대의 시는 이미 이전 사람들에게 미치지 못하고, 제齊·양梁은 더욱 경박하다. 포명원鮑明遠[30]은 재주가 웅건雄健하고, 그의 시는 『문선』의 변체이다. 이태백李太白이 오로지 그를 배웠으니, 예컨대 '허리에 찬 낫으로 아욱과 콩잎을 베고, 지팡이를 짚어가며 닭과 돼지를 치네.'[31]와 같은 것은 강건하여 마음에 달가워하지 않는 뜻을 분명하게 말하였다. 예컨대 '빠른 바람이 찌르듯 변방에서 일어나, 모래자갈이 절로 흩날리네. 말 털은 고슴도치인양 줄어 붙고, 뿔 장식 활은 당길 수 없네.'[32]와 같은 것은 변방의 상황을 분명하게 말하였는데 시어詩語가 더욱 빼어나고 힘차다."

[56-1-12]

"陶淵明詩平淡, 出於自然. 後人學他平淡, 便相去遠矣. 某後生見人做得詩好, 銳意要學, 遂將淵明詩平側用字, 一一依他做. 到一月後, 便解自做, 不要他本子, 方得作詩之法."[33]

(주자가 말하였다.) "도연명陶淵明의 시의 평담平淡함은 자연스러움에서 나온 것이다. 후대 사람들이 그의 평담함을 배웠으나 거리가 멀다. 어느 후학은 사람을 만나면 시 짓기를 잘 했는데, 마음을 집중하여 배우려고 하다가 마침내 도연명 시의 평측平側[平仄]으로 글자를 사용하여 하나하나 그를 따라 지었다. 한 달이 된 뒤에는 스스로 짓는 법을 이해하여 도연명의 견본이 필요 없이[34] 바야흐로 시 짓는 법을 터득하게 되었다."

---

27 健: 대본에는 '健'으로 되어 있다.

28 『朱子語類』권140, 5조목

29 劉琨: 晉나라 사람, 자는 越石. 惠帝 때의 社稷之臣으로, 左思·郭璞과 함께 東晉의 3대 詩傑로 꼽힌다.(『晉書』 권62 「劉琨列傳」)

30 鮑明遠: 남북조 시대 宋나라 鮑照. '明遠'은 자. 詩文에 능하였다. 臨海王 劉子頊이 荊州刺史로 있을 때 前軍參軍이 되어 書記를 관장하였으므로 세상에서 鮑參軍으로 호칭하였다. 문집 『鮑明遠集』 10권이 전한다.(『宋書』 권51 「劉義慶列傳」)

31 '허리에 찬 … 치네.': 『鮑明遠集』 권3 「代東武吟」

32 이 시는 「代出自薊北門行」에서 인용한 것으로 『鮑明遠集』 권3에 수록되어 있다.

33 『朱子語類』권140, 6조목

34 도연명의 없이: 원문 '不要他本子'에 대해 『朱子語類考文解義』 제38에는 "견본이 없이 스스로 변화하여 아름다움을 이루는 것이니 이것은 比擬하여 변화의 오묘함을 이룬 것이다.(不要本子, 無本子而能自變化成文, 此乃擬議以成變化之妙.)"라고 하였다.

[56-1-13]

"蘇子由愛『選』詩'亭皐木葉下, 隴首秋雲飛.' 此正是子由慢底句法. 某却愛'寒城一以眺, 平楚正蒼然.' 十字却有力."[35]

(주자가 말하였다.) "소자유蘇子由[蘇轍]는 『문선文選』 시의 '물가 평지는 나뭇잎 아래에 있고, 언덕 위에는 가을 구름이 나네.'[36]라는 시를 애호하였는데, 이것이 바로 소자유의 느슨한 구법句法이다. 나는 오히려 '쓸쓸한 성을 한번 바라보니, 평평한 나무숲이 푸르구나.'[37]를 애호하는데, 이 열 글자는 오히려 힘차다."

[56-1-14]

"齊梁間人詩, 讀之使人四肢皆懶慢不收拾."[38]

(주자가 말하였다.) "남북조의 제齊·양梁 시대 시인의 시를 읽으면 사지가 모두 나른해져서 수습할 수가 없게 된다."

[56-1-15]

"晉人詩惟謝靈運用古韻, 如祜字協燭字之類. 唐人惟韓退之柳子厚白居易用古韻, 如毛穎傳牙字·資字·毛字皆協魚字韻是也."[39]

(주자가 말하였다.) "진晉나라 사람의 시 중에서 사령운謝靈運만이 고운古韻을 사용하였으니, 예컨대 '호祜'자의 협운協韻[40]으로 '촉燭'자를 쓴 것이다. 당唐나라 사람 중에는 한퇴지韓退之·유자후柳子厚·백거이白居易만이 고운을 사용하였으니, 예컨대 「모영전毛穎傳」[41]에서 '아牙'자, '자資'자, '모毛'자는 모두 '어魚'자의 협운이 된 것이 그것이다."

[56-1-16]

"唐明皇資稟英邁, 只看他做詩出來, 是什麼氣魄! 今唐百家詩, 首載明皇一篇早渡蒲津關, 多少飄逸氣槩, 便有帝王底氣燄. 越州有石刻唐朝臣送賀知章詩, 亦只有明皇一首好, 有曰: '豈

. . . .

35 『朱子語類』 권140, 8조목
36 '물가 평지는 … 나네.': 『梁書』 권21 「柳惲列傳」
   ・'亭皐'는 『漢書』 「司馬相如傳上」의 "亭皐千里"의 王先謙 補注에서 "亭은 '평평하다'라고 주석해야 한다. '亭皐千里'는 평평한 물가 천 리라는 말과 같다. '皐'는 물가이다.(亭當訓平, … 亭皐千里, 猶言平皐千里. 皐, 水旁地.)"라고 하여 '평지 물가'로 풀이된다.
37 '쓸쓸한 성을 … 푸르구나.': 『文選』 권30에 謝玄暉의 시로 실려 있다.
38 『朱子語類』 권140, 9조목
39 『朱子語類』 권140, 10조목
40 協韻: 후대의 音으로 고대의 韻文을 읽을 경우 운이 맞지 않는 글자의 음을 운에 맞도록 임시로 고쳐 읽는 韻. 宋나라 때 고안되었다.
41 「毛穎傳」: 한퇴지가 붓을 擬人化하여 지은 작품 이름

不惜賢達! 其如高尙何!'"42

(주자가 말하였다.) "당명황唐明皇[玄宗]의 자품은 빼어나서 그가 지은 시를 보면 얼마나 큰 기백인가! 지금의 『당백가시唐百家詩』는 첫머리에 명황의 「일찍 포진관을 건너다[早渡蒲津關].」43 시 한 편을 수록하고 있는데, 다소 높이 빼어난 기개에 바로 제왕의 기염氣焰이 있다. 월주越州에는 당나라 신하들이 하지장賀知章에게 보낸 시가 석각石刻되어 있는데, 역시 명황의 시 한 수만이 훌륭하니, 그 시에 '어찌 현달한 이를 아끼지 않으랴! 그의 고상함이 어떠한가!'라고 하였다."

[56-1-17]

"李太白詩不專是豪放, 亦有雍容和緩底, 如首篇'大雅久不作', 多少和緩! 陶淵明詩人皆說是平淡, 據某看, 他自豪放, 但豪放得來不覺耳. 其露出本相者, 是「詠荆軻」一篇, 平淡底人如何說得這樣言語出來!"44

(주자가 말하였다.) "이태백李太白의 시는 오로지 호방한 것만이 아니고 또한 조용하며 포용하고 화평하여 느긋한 것도 있다. 예컨대 첫 편에서 '대아大雅 같은 시는 오랫동안 지은 이가 없네.'45라고 했으니 얼마나 화평하여 느긋한가! 도연명陶淵明의 시는 사람들이 모두 평담平淡하다고 하는데, 내가 본 것에 의하면 그는 본래 호방하지만 다만 호방함을 느낄 수 없을 뿐이다. 그의 본래 모습이 드러난 것은 「영형가詠荆軻」46 한 편인데, 평담한 사람이 어떻게 이러한 언어를 말할 수 있겠는가!"

[56-1-18]

"杜詩初年甚精細, 晚年橫逆不可當, 只意到處便押一箇韻. 如自秦州入蜀諸詩, 分明如畫, 乃其少作也. 李太白詩非無法度, 乃從容於法度之中, 盖聖於詩者也. 古風兩卷多効陳子昂, 亦有全用其句處, 太白去子昂不遠, 其尊慕之如此. 然多爲人所亂, 有一篇分爲三篇者, 有二篇合爲一篇者."47

(주자가 말하였다.) "두보杜甫의 시는 초년에는 매우 정세精細하지만, 만년에는 횡역橫逆을 감당할 수 없는데, 시의詩意가 이른 곳에는 한 개의 압운押韻을 하고 있다. 예컨대 진주에서 촉으로 들어가면서 지은 여러 시[自秦州入蜀諸詩]48들은 분명하기가 마치 그림 같으니 젊을 때의 작품이다. 이태백李太白의

---

42 『朱子語類』 권140, 11조목

43 그 시 전문은 다음과 같다. "鐘皷嚴更曙, 山河野望通. 鳴鑾下蒲阪, 飛斾入秦中. 地險關逾壯, 天平鎭尙雄. 春來津樹合, 月落戍樓空. 馬色分朝景, 雞聲逐曉風. 所希常道泰, 非復候繻同."

44 『朱子語類』 권140, 12조목

45 '大雅 같은 … 없네.': 『李太白文集』 권1 「歌詩五十九首」의 첫째 작품의 첫머리에 있는 구절이다.

46 「詠荆軻」: 『陶淵明集』 권4에 실려 있다. '荆軻'는 秦始皇을 살해하려고 갔다가 저격을 하였으나 실패하여 잡혀 죽은 刺客이다.

47 『朱子語類』 권140, 14조목

48 진주에서 촉으로 … 시[自秦州入蜀諸詩]: 『御選唐宋詩醇』 권10 「發秦州」라는 작품이 있고, 그 밑에 "朱熹曰,

시는 법도가 없는 것이 없고, 법도 속에 차분하니 시에 대해 성인聖人이다. 「고풍古風」두 권의 시는 대부분 진자앙陳子昻[49]을 본받았는데 진자앙의 시 구절을 모두 쓴 것도 있다. 이태백은 진자앙과의 시대가 멀지 않았는데 존경하고 흠모함이 이와 같았다. 그러나 대부분은 사람들에게 어지럽혀져서 한 편이 세 편으로 나뉜 것도 있고, 두 편이 한편으로 합해진 것도 있다."

[56-1-19]

"李太白終始學『選』詩, 所以好. 杜子美詩好者, 亦多是倣『選』詩, 漸放手. 夔州諸詩則不然也."[50]

(주자가 말하였다.) "이태백李太白은 처음부터 끝까지 『문선文選』의 시를 배웠기 때문에 그의 시는 아름답다. 두자미杜子美[杜甫]의 시에서 아름다운 것도 또한 대부분 『문선』의 시를 모방한 것이다. 그러나 점점 손을 놓으면서 기주夔州에서의 여러 시[51]들은 그렇지 않다."

[56-1-20]

問 : "李白'淸水出芙蓉, 天然去雕飾.' 前輩多稱此語, 如何?"

曰 : "自然之好, 又不如'芙蓉露下落, 楊柳月中疎.' 則尤佳."[52]

물었다. "이백의 '맑은 물에 부용芙蓉이 나니, 천연스러워 조탁하며 꾸미는 것을 버린다.'[53]를 선배들은 대부분 이 시를 칭찬하였는데 어떻습니까?"

(주자가) 말하였다. "자연스러운 것이 아름답지만, 또한 '부용芙蓉은 이슬에 지고, 버들가지는 달빛 속에 드물구나.'[54]가 더욱 아름답다."

[56-1-21]

"人多說杜子美夔州詩好, 此不可曉.[55] 魯直一時固自有所見. 今人只見魯直說好, 便却說好,

．．．．．．．．．．．．．．．．．．．．．．

'觀杜詩初年甚精細, 晩年曠逸不可當, 如自秦州入蜀諸詩, 分明如畫, 乃其少作也.'라고 하여 주자의 위의 글이 跋文으로 실려 있다. 이 중에 '晩年曠逸'이 위에서는 '晩年橫逆'으로 다르게 표현되어 있다.

49　陳子昻 : 初唐 則天武后 때의 시인. 자는 伯玉. 형식에 치우친 齊梁의 귀족적 詩風을 일소하고, 漢魏의 高雅한 시풍으로 복고할 것을 주창하여, 盛唐 시인의 선구가 되었다. 문장이 正雅하여 李白과 杜甫 이하가 모두 推宗하였다. 저서에는 『陳拾遺集』이 있다.

50　『朱子語類』권140, 15조목

51　夔州에서의 여러 시 : 『補注杜詩』권27의 「移居夔州郭」과 권29의 「秋日夔府詠懷奉寄鄭監審李賓客之芳一百韻」, 그리고 권32의 「夔州歌十絶句」등이 있다.

52　『朱子語類』권140, 16조목

53　'맑은 물에 … 버린다.' : 『李太白文集』권9 「太守良宰」

54　'부용은 이슬에 … 드물구나.' : 『古詩紀』권120에 北齊 蕭慤의 「秋思」작품으로 실려 있다.

55　此不可曉. : 이 뒤에 『朱子語類』권140, 17조목에는 "기주에서의 시는 오히려 말한 것이 정중하고 번쇄하여 그의 중년 이전의 시가 아름다웠던 것보다 못하다.(夔州詩却說得鄭重煩絮, 不如他中前有一節詩好.)"가 더

如矮人看場耳."

問：“韓退之潮州詩, 東坡海外詩, 如何?"

曰：“却好. 東坡晚年詩固好, 只文字也多是信筆胡說, 全不看道理."[56]

(주자가 말하였다.) “사람들은 대부분 두자미杜子美의 기주夔州에서의 시가 아름답다고 하는데, 이것은 이해할 수 없다. 노직魯直[57]은 한때 본래 자신의 소견이 있었다. 지금 사람들은 다만 노직이 아름답다고 하는 말을 알면 바로 아름답다고 말할 뿐이니 마치 난장이가 연극을 보는 것과 같을 뿐이다."

물었다. “한퇴지韓退之의 조주潮州에서의 시,[58] 동파東坡의 해외海外에서의 시[59]는 어떻습니까?"

(주자가) 대답하였다. “또한 아름답다. 동파의 만년의 시는 정말로 아름답지만, 다만 글자를 놓은 것이 붓 가는 대로 맡겨 말을 어지러이 해서 전혀 도리를 보지 못했을 뿐이다."

[56-1-22]

“文字好用經語, 亦一病. 老杜詩‘致遠思恐泥.’ 東坡寫此詩到此句云, ‘此詩不足爲法.’"[60]

(주자가 말하였다.) “문장에 경전經典의 용어를 즐겨 사용하는 것도 역시 한 가지 병이다. 노두老杜杜甫의 시에 ‘원대함에 이르는 데에는 장애될까 두려워함을 생각하네.’[61]라고 하였는데, 동파는 이 시를 베껴 쓰다가 이 구절에 이르러 말하기를, ‘이 시는 본받기에 부족하다.’라고 하였다."

[56-1-23]

“杜子美‘暗飛螢自照.’ 語只是巧. 韋蘇州云, ‘寒雨暗深更, 恁螢度高閣.’ 此景色可想, 但則是自在說了."

因言：“『國史補』稱‘韋爲人高潔, 鮮食寡欲, 所至之處, 掃地焚香, 閑闔而坐.’ 其詩無一字做作, 直是自在. 其氣象近道, 意常愛之."

(주자가 말하였다.) “두자미杜子美의 ‘어둠 속에 날아 반딧불이 스스로 비춘다.’[62]는 시구는 말이 공교하

있다.

56 『朱子語類』 권140, 17조목

57 魯直：송나라 黃庭堅(1045~1105)의 자. 호는 山谷道人. 書法이 뛰어나고 문장을 잘하여 蘇軾과 함께 蘇黃으로 병칭되었다.

58 韓退之의 潮州에서의 시 : 韓愈가 조주로 강등되어 가서 지은 시를 말함. 한유는 唐憲宗 때 吏部侍郎을 지냈는데, 헌종이 西域에서 부처의 사리를 들여와 경배하자, 한유가 佛骨表를 올려 강력하게 배척했다가, 헌종이 크게 노하는 바람에 겨우 죽음을 면하고서 潮州刺史로 쫓겨났다.

59 東坡의 海外에서의 시 : 蘇軾이 섬으로 귀양 가서 지은 시를 말함. 宋나라 哲宗이 친정을 시작하여 新法派가 득세하자, 소식은 惠州司馬로 좌천되었다가 중국의 가장 남쪽인 海南島의 儋耳로 유배되었다.

60 『朱子語類』 권140, 20조목

61 ‘원대함에 이르는 … 생각하네.’：『論語』「子張」의 “비록 작은 道라도 반드시 볼 만한 것이 있으나 遠大함에 이르는 데에 장애가 될까 두렵다. 이 때문에 군자는 하지 않는다.(雖小道, 必有可觀者焉, 致遠恐泥, 是以君子不爲也.)"에서 인용하면서 ‘思(생각하네.)’ 한 글자만 더한 것이다.

다. 위소주韋蘇州[63]는 '싸늘한 비에 깊은 밤 시각이 어두워가고, 나르는 반딧불은 높은 누각을 지나네.'[64]라고 하였는데, 이 풍경을 상상할 수 있지만 다만 스스로 자유롭게 말했을 뿐이다."

(주자가) 이어서 말하였다. "『국사보國史補』[65]에서 칭찬하기를 '위소주는 사람됨이 고결하고 음식을 적게 먹으며 욕심이 적었다. 이르는 곳마다 땅을 소제하고 향을 피우며 문을 닫고 정좌하였다.'고 하였다. 그의 시는 한 글자도 조작한 것이 없고 단지 자유로울 뿐이니, 그의 기상은 도에 가깝고 뜻은 늘 자애로웠다."

問 : "比陶如何?"

曰 : "陶却是有力, 但語健而意閑. 隱者多是帶性負氣之人爲之.[66] 陶欲有爲而不能者也, 又好名. 韋則自在, 其詩則有做不著處便倒塌了底.[67] 晉宋間詩多閑淡, 杜工部等詩常忙了. 陶云, '身有餘勞,[68] 心有常閑.' 乃『禮記』'身勞而心閑則爲之也.'[69]"[70]

물었다. "도연명陶淵明과 비교하면 어떻습니까?"

(주자가) 말하였다. "도연명은 도리어 힘이 있고, 시어詩語는 강건하지만 뜻은 한가롭다. 은둔하는 이는 대부분 기개를 띠고 성품을 저버리는 사람이 하는 것인데, 도연명은 정치를 하고 싶었지만 할 수 없는 사람이었고, 또 명예를 좋아하였다. 위소주韋蘇州는 자유자재하였고, 그의 시는 낙착되는 곳이 없어서 바로 무너져 버렸다. 진晉·송宋 무렵의 시는 한가롭고 담백함이 많았으나 두공부杜工部[杜甫] 등의 시는 항상 서둘렀다. 도연명이 말하기를 '몸에 남은 피로가 있으나 마음은 항상 한가로움이 있네.'라고 하였는데, 이것이 바로 『예기禮記』의 '몸은 수고롭지만 마음이 한가하면 된다.'는 것이다."

[56-1-24]

"韋蘇州詩, 高於王維孟浩然諸人, 以其無聲色臭味也."[71]

(주자가 말하였다.) "위소주韋蘇州의 시가 왕유王維·맹호연孟浩然 등보다 높은 것은 소리도 색깔도 냄새

. . . .

62 『補注杜詩』 권24의 「倦夜」에 실려 있다.

63 韋蘇州 : 당나라의 시인 韋應物을 말함. 일찍이 蘇州刺史를 지낸 인연으로 蘇州라는 호를 가지고 있다. 당시에 陶淵明에 비겨 陶韋라고 일컬었으며, 또 王維, 孟浩然, 柳宗元에 배합하여 王孟韋柳라고도 불렀다. 『韋蘇州集』이 전한다.

64 '싸늘한 비에 … 누각을 지나네.' : 『韋蘇州集』 권2 「寺居獨夜寄崔主簿」

65 『國史補』: 唐나라 李肇가 지은 『唐國史補』를 말함. 3권. 당나라 開元에서 長慶 연간에 이르는 기간 동안의 雜事를 기록한 것이다.

66 帶性負氣 : 『朱子語類』 권140, 23조목에는 '帶氣負性'으로 되어 있다. 번역은 이를 따랐다.

67 則 : 『朱子語類』 권140, 23조목에는 '直'으로 되어 있다.

68 身有餘勞 : 『陶淵明集』 권8 「自祭文」에는 "勤靡餘勞, 心有常閒."으로 되어 있다.

69 『禮記』'身勞而心閑則爲之也.' : 『禮記』에서 확인하지 못하였다.

70 『朱子語類』 권140, 23조목

71 『朱子語類』 권140, 24조목

도 맛도 없기[無聲色臭味]⁷² 때문이다."

[56-1-25]

"韓詩平易. 孟郊喫了飽飯, 思量到人不到處, 聯句中被他牽得, 亦著如此做."⁷³

(주자가 말하였다.) "한유韓愈의 시는 평이하다. 맹교孟郊는 밥을 배불리 먹은 듯하니, 남들이 이르지 못한 경지를 생각해냈다. 연구聯句⁷⁴에도 그것에 끌려가서 또한 이렇게 짓게 되었다."

[56-1-26]

"人不可無戒謹恐懼底心. 莊子說庖丁解牛神妙, 然纔到那族, 必心怵然爲之一動, 然後解去. 心動便是懼處. 韓文「鬪鷄聯句」云:⁷⁵ '一噴一醒然, 再接再礪乃!' 謂雖困了, 一以水噴之便醒. '一噴一醒.' 卽所謂懼也. 此是孟郊語, 也說得好."

又曰: "爭觀雲塡道, 助叫波翻海!' 此乃退之之豪, '一噴一醒然, 再接再礪乃!' 此是東野之工."⁷⁶

(주자가 말하였다.) "사람은 경계하고 삼가며 두려워하는 마음이 없어서는 안 된다. 장자莊子는 포정庖丁이 소를 해체하는 신묘함을 말하였지만,⁷⁷ 그러나 그러한 지경에 이르면 반드시 마음이 서글퍼져서 한번 움직인 뒤에 해체해 간다. 마음이 움직이는 것은 바로 두려운 것이다. 한유韓愈 글의「투계연구鬪鷄聯句」에서 '한 번 물을 내뿜으면 한 번 정신을 일깨우고, 다시 서로 붙어 싸워 다시 날카롭게 덤비네.'라고 한 것은 비록 피곤하지만 한 번 물을 내뿜으면 바로 정신을 일깨움을 말한다. '한번 물을 내뿜으면 깨어난다'는 이른바 두려움인데, 이것은 맹교孟郊의 말로 말한 것이 아름답다."

(주자가) 또 말하였다. "사람들이 다투어 바라보아 구름처럼 길을 메우고, 닭이 도와 우는 것은 파도가 바다에 번득이는 듯하네!'라고 했는데, 이것이 바로 한퇴지의 호방함이다. '한 번 물을 내뿜으면 한 번 정신을 일깨우고, 다시 서로 붙어 싸워 다시 날카롭게 덤비네.'라고 한 것은 바로 동야東野(맹교의 자)의 공교로움이다."

---

72 소리도 색깔도 … 없기[無聲色臭味]: 시작품의 至高한 경지를 말함. 『詩經』「大雅 · 文王」의 "하늘의 일은 소리도 없고 냄새도 없다.(上天之載, 無聲無臭.)"는 天道의 玄妙함을 형상한 말을 빌려서, 韋應物의 시가 뛰어남을 평가한 것이다.

73 『朱子語類』권140, 25조목

74 聯句: 여러 사람들의 시구를 연합하여 이루는 시체의 하나. 두 사람 이상이 모여 각자 돌아가며 한 聯句씩 읊어 하나의 시를 완성하는 시이다.

75 「鬪鷄聯句」: 싸움닭에 대한 聯句로, 『五百家注昌黎文集』권8에 보인다. 다음의 '一噴一醒然, 再接再礪乃!'는 孟郊의 연구이고, '爭觀雲塡道, 助叫波翻海!'는 韓愈의 연구이다.

76 『朱子語類』권140, 26조목

77 莊子는 庖丁이 … 말하였지만: 『莊子』「養生主」에 庖丁이 소를 잡을 때 능란한 솜씨로 칼을 놀려[遊刃] 부위 별로 해부한다는 이야기가 있다.

[56-1-27]

“李賀較恔得些(此且)子, 不如太白自在.”

又曰, “賀詩巧.”[78]

(주자가 말하였다.) “이하李賀[79]는 비교적 괴팍한 사람이니, 이태백李太白의 자유스러움만 못했다.”

(주자가) 또 말하였다. “이하의 시는 공교롭다.”

[56-1-28]

“詩須是平易不費力, 句法混成. 如唐人玉川子輩, 句語雖險恔, 意思亦自有 混成氣象. 因舉陸務觀詩: ‘春寒催喚客嘗酒, 夜靜臥聽兒讀書’, 不費力, 好.”[80]

(주자가 말하였다.) “시는 모름지기 평이하여 힘을 들이지 않으며 구법이 혼연일체가 되어야 한다. 예컨대 당나라 인물 옥천자玉川子[81]의 무리들은 구법과 시어가 비록 기괴하지만 뜻은 또한 본래 혼연일체의 기상이 있다. 그리고 육무관陸務觀[82]의 시를 거론하여 ‘봄추위에 재촉해 불러 객과 술을 맛보고, 고요한 밤에 누워 아이의 책 읽는 소리를 듣네.’[83]는 힘을 들이지 않아 좋다.”

[56-1-29]

“白樂天琵琶行云, ‘嘈嘈切切錯雜彈, 大珠小珠落玉盤’, 這是和而滛. 至‘凄凄不似向前聲, 滿座重聞皆掩泣’, 這是淡而傷.”[84]

(주자가 말하였다.) “백락천白樂天은 「비파행琵琶行」[85]에서 ‘급한 비파소리 애절한 비파소리, 큰 구슬 작은 구슬이 옥쟁반에 떨어지듯 하네.’라고 하였는데, 이것은 조화롭고도 질탕하다. ‘처량한 소리가 아까 소리

----

78 『朱子語類』 권140, 29조목

79 李賀 : 당나라의 시인. 자는 長吉. 7세 때 벌써 글을 잘 짓는다는 소문이 퍼졌으므로 韓愈와 皇甫湜이 시험하려고 찾아갔다가 즉석에서 「高軒過」라는 시를 지어내는 것을 보고는 경악했다는 고사가 전한다. 그 뒤 27세의 젊은 나이에 죽고 말았는데, 그의 시는 李商隱과 杜牧 등에게 많은 영향을 끼쳤다. 저서로는 『昌谷集』이 있다.(『新唐書』 권203 「李賀列傳」)

80 『朱子語類』 권140, 31조목

81 玉川子 : 唐나라 시인 盧仝의 호. 少室山에 은거하며 詩를 전공하였으며, 茶(차) 마시기를 즐기면서 茶歌(다가)를 지었는데 사람을 놀라게 할 만한 명구가 많다.(『新唐書』 권176)

82 陸務觀 : 南宋 시인 陸游의 자. 호는 放翁. 남송 제일의 시인으로 국가와 민족의 명운이 위태하던 시기를 살면서 조국의 山河에 대한 애정과 金나라에 대한 抗戰을 통한 失地의 회복을 바라는 애국적인 시를 쓴 관계로, 그의 시는 후일에 매우 폭넓게 읽혔다.(『宋史』 卷395 「陸游列傳」)

83 ‘봄추위에 재촉해 … 듣네.’ : 『劍南詩藁』 卷19 「題城南堂」

84 『朱子語類』 권140, 33조목

85 「琵琶行」 : 당나라 白樂天이 지은 시가. 백낙천이 潯陽湓浦에 귀양 가서 있을 때에 밤에 강 위에서 비파소리를 들었는데, 비파 타는 그 여인은 長安의 기생으로 商人에게 시집와서, 남편이 장사하러 간 사이에 비파로 시름을 하소연하는 것이었다. 백낙천이 그 말을 듣고 지어준 작품이다.

와 같지 않으니, 온 자리에 있는 이들이 거듭 듣고 모두 눈물 흘리네.'라고 한 것은 담백하면서도 서글프다."

[56-1-30]

"'行年三十九, 歲暮日斜時. 孟子心不動, 吾今其庶幾!' 此樂天以文滑稽也. 然猶雅馴, 非若今之作者村裏雜劇也!"[86]

(주자가 말하였다.) "'지내온 나이 서른아홉, 올해 끝에 해 저물 때로구나. 맹자가 마음이 동요하지 않는다고 한 것에 나도 이제 거의 (그것에) 가까이 되었구나!'[87]라고 하였는데, 이것은 백락천白樂天이 문장을 재미있게 만든 것이다. 그러나 오히려 우아하며 순수하니 지금의 작자들이 마을에서 하는 잡극과는 같지 않다."

[56-1-31]

"唐文人皆不可曉, 如劉禹錫作詩說張曲江無後, 及武元衡被刺, 亦作詩快之. 白樂天亦有一詩暢快李德裕. 樂天人多說其淸高, 其實愛官職. 詩中凡及富貴處, 皆說得口津津底涎出. 杜子美以稷契自許, 未知做得與否? 然子美却高, 其救房琯亦正."[88]

(주자가 말하였다.) "당나라 때의 문인들은 이해할 수 없다. 유우석劉禹錫은 시를 지어 장곡강張曲江(곡강은 장구령張九齡의 호)에게 후사가 없음을 말하였고, 그리고 무원형武元衡[89]이 칼에 찔린 것을 또 시를 지어 유쾌하게 표현했다. 백락천은 또 시 한 편에서 이덕유李德裕[90]의 처지를 유쾌하게 여겼다. 백락천을 사람들은 대부분 맑고 고아하다고 말하지만 사실은 관직을 좋아했다. 시에서 부귀를 말한 곳에서는 모두 말이 흥미진진하여 침을 흘린다. 두자미杜子美(두보)는 후직后稷과 설契로 자처했는데 그렇게 되는지 여부는 알 수 없다. 그러나 두자미는 오히려 고아하고, 방관房琯[91]을 구한 것이 또한 올바르다."

---

86 『朱子語類』권140, 32조목
87 '지내온 나이 … 되었구나!' : 『白香山詩集』권6 「隱几」에 보이는바, '孟子心不動'이 '四十心不動'으로 되어 있다.
   · 맹자는 "나는 40세에 마음이 동요하지 않았다.(我四十不動心)"라고 하였다 (『孟子』「公孫丑上」)
88 『朱子語類』권140, 33조목
89 武元衡 : 唐나라 재상. 憲宗 8년, 재상으로 있을 적에 조회하러 집을 나서다가 鎭州大都督府長史 王承宗이 보낸 도적에게 피살되었다.(『舊唐書』권158 「武元衡列傳」)
90 李德裕 : 당나라 武宗 때의 재상. 당나라의 몰락을 재촉한 牛李黨爭의 당사자로 李宗閔, 牛僧孺 등과 대립하였다. 840년 무종이 즉위하자 재상이 되어 藩鎭을 억누르고 위구르를 물리치는 등 치적을 남겼으나, 이종민을 축출하는 등 우승유 일파를 지나치게 탄압하여 당쟁을 격화시켰다. 결국 무종이 죽고 宣宗이 즉위하여 우승유 일파가 집권하자 崖州에 좌천되었다가 그곳에서 죽었다.(『舊唐書』권174 「李德裕列傳」)
91 房琯 : 唐나라 玄宗, 肅宗 연간의 相臣. 安祿山의 난에 戰法을 잘못 사용하여 크게 패하였다. 이에 杜甫가 상소하여 "죄가 가벼운데 대신을 파면하는 것은 온당치 않습니다." 하였는데, 황제가 노하여 두보를 치죄토록 명하였고, 재상 張鎬가 "만약 두보를 죄로 다스리면 언로가 끊깁니다."라고, 설득하여 형벌을 면하였다.(『新唐

[56-1-32]

"偶誦寒山數詩, 其一云: '城中峨眉女, 珠佩何珊珊! 鸚鵡花間弄, 琵琶月下彈. 長歌三日響, 短舞萬人看. 未必長如此, 芙蓉不耐寒'. 云: '如此類, 然有好處, 詩人未易到此.'"[92]

(주자가 말하였다.) "우연히 『한산시집寒山詩集』[93]의 시 몇 수를 읊조렸는데, 그중 한 수에 '성에 사는 아름다운 여인이여, 차고 있는 옥은 얼마나 딸랑이는가! 앵무새는 꽃 속에서 놀고, 비파를 달빛 아래에서 타네. 긴 노래 삼 일 동안 울려 퍼지고, 잠깐 춤을 모두가 바라보네. 길이 이렇게 할 필요는 없으니, 부용화는 추위를 견디지 못하노라.'[94]라고 하였다. 그리고 말하기를 '이런 시들은 매우 아름다운 것이니, 시인들이 쉽게 이 경지에 이르지 못한다.'"

[56-1-33]

"石曼卿詩極有好處, 如'仁者雖無敵, 王師固有征. 無私乃時雨. 不殺是天聲.'"[95]

(주자가 말하였다.) "석만경石曼卿[石延年]의 시는 지극히 아름다운 곳이 있다. 예컨대 '인자는 비록 상대할 수가 없지만, 왕의 군대는 실로 정벌이 있다. 사사로움이 없는 것은 때맞게 내리는 비이고 죽이지 않는 것은 하늘의 소리이다.'와 같은 것이다."

[56-1-34]

"曼卿詩極雄豪, 而縝密方嚴極好, 如籌筆驛詩: '意中流水遠, 愁外舊山靑'之句極佳, 可惜不見其全集, 多於小說詩話中略見一二爾. 曼卿胷次極高, 非諸公所及. 其爲人豪放, 而詩詞乃方嚴縝密, 此便是他好處, 可惜不曾得用!"[96]

(주자가 말하였다.) "석만경石曼卿[石延年]의 시는 지극히 웅장하고 호걸스러우면서도 엄밀하고 방정하여 지극히 아름답다. 예컨대 「주필역시籌筆驛詩」에서 '마음은 흐르는 물처럼 멀리 가고, 근심 밖에 옛 산은 푸르네'[97]와 같은 구절은 지극히 아름답다. 아쉽게도 그의 전집全集을 보지 못하고 대부분 소설小說이나 시화詩話 중에 한두 가지를 간략히 볼 뿐이다. 석만경은 회포가 매우 고상하니 일반 사람들이 미칠 수 있는 것이 아니다. 그의 사람됨이 호방하고 시어詩語는 방정하고 엄밀하니 이것이 바로 그의 좋은 점이지만 아쉽게도 쓰인 적이 없었도다!"

書』권200 「杜甫傳」)

92 『朱子語類』권140, 37조목

93 『寒山詩集』: 唐 스님 寒山이 지은 시집. 卷을 나누지 않았다.

94 '성에 사는 … 못하노라.': 『寒山詩集』

95 『朱子語類』권140, 38조목

96 『朱子語類』권140, 38조목

97 石延年의 『兩宋名賢小集』권79 「石曼卿集」에 보인다.

[56-1-35]

"山谷詩精絶! 知他是用多少工夫. 今人卒乍如何及得! 可謂巧好無餘, 自成一家矣. 但只是古詩較自在. 山谷則刻意爲之."

又曰: "山谷詩忒巧了."[98]

(주자가 말하였다.) "황산곡黃山谷[99]의 시는 정밀하고 뛰어나다! 그가 많은 공부를 했던 것을 알겠다. 지금 사람들이 잠깐 만에 어떻게 따라갈 수 있겠는가! 오묘하고 아름다워 나머지가 없으며 스스로 일가一家를 이루었다고 할 수 있다. 다만 고시古詩는 비교적 자유롭지만 황산곡은 각고刻苦의 의지로 된 것이다."

(주자가) 또 말하였다. "황산곡의 시는 특별히 오묘하다."

[56-1-36]

"陳後山初見東坡時, 詩不甚好. 到得爲正字時, 筆力高妙, 如題趙大年所畫高軒過圖云: '晚知書畫眞有益, 却悔歲月來無多!' 極其筆力."[100]

(주자가 말하였다.) "진후산陳後山[101]이 처음 동파東坡를 만났을 때는 시가 그리 좋지 않았으나 정자正字 벼슬을 할 때에 이르러 필력이 높아지고 오묘해졌다. 예컨대 「제조대년소화고헌과도題趙大年所畫高軒過圖」에서 '늙어서 서화가 진정 유익한 것을 알고, 세월이 앞으로 많지 않음을 후회하네!'와 같은 것은 그 필력이 지극하다."

[56-1-37]

"張文潛詩有好底多, 但頗率爾, 多重用字. 如梁甫吟一篇, 筆力極健, 如云'永安受命堪垂涕, 手挈庸兒是天意'等處, 說得好, 但結末差弱耳."

又曰: "張文潛大詩好. 崔德符小詩好."[102]

(주자가 말하였다.) "장문잠張文潛[103]의 시는 좋은 것이 많지만, 다만 경솔하고 중복하여 사용한 글자가

---

98 『朱子語類』 권140, 40조목
99 黃山谷(1045~1105): 黃庭堅. '山谷'은 호. 송 4대 시인의 한 사람. 洪州 分寧 사람으로, 자는 魯直이고, 호는 山谷道人, 涪翁, 豫章黃先生이다. 北宋 시대의 관리이자 書法家, 시인이다. 江西詩派의 개창자로 杜甫, 陳師道와 陳與義와 더불어 '一祖三宗'으로 일컬어진다. 또 張耒, 晁補之, 秦觀과 더불어 蘇軾 門下에서 배워 '蘇門四學士'로도 일컬어진다. 생전에 소식과 명성을 나란히 하여 세상에서 '蘇黃'으로 불렸다. 治平 4년(1067)에 進士 출신으로 벼슬은 汝州葉縣縣尉, 國子監教授, 太和縣知縣, 秘書省校書郎, 著作佐郎, 集賢校理, 秘書丞 등을 역임했다. 書法 작품으로 「寒食詩帖」·「諸上座帖」이 있고, 저서로 『山谷詞』가 있다.
100 『朱子語類』 권140, 41조목
101 陳後山: 陳師道. '後山'은 호. 송나라의 문인·시인. 자는 無己. 소식의 추천으로 벼슬에 나갔다. 저서로 『後山集』·『後山談叢』 등이 있다.
102 『朱子語類』 권140, 46조목
103 張文潛(1054~1114): 張耒. '文潛'은 자. 北宋의 관리, 문학가. 태어날 때 손바닥에 '耒'라는 글자가 있어서 이것으로 이름을 지었다고 한다. 문잠은 글자가 손바닥에 숨겨져 있다는 뜻이다. 호는 柯山, 宛丘先生, 張右

많다. 「양보음梁甫吟」과 같은 작품은 필력이 지극히 굳건한데, '영안에서 명을 받고 눈물 떨구는데, 손에 이끌린 용렬한 아이는 천연스럽네.'[104] 등의 곳은 말한 것이 아름답지만, 결말은 조금 약할 뿐이다." (주자가) 또 말하였다. "장문잠은 장편의 시가 아름답고, 최덕부崔德符[105]는 소품의 시가 아름답다."

[56-1-38]

"古人詩中有句. 今人詩更無句. 只是一直說將去. 這般詩, 一日作百首也得. 如陳簡齋詩: '亂雲交翠壁, 細雨濕青林.' '暖日薰楊柳, 濃陰醉海棠.' 他是甚麼句法!"[106]

(주자가 말하였다.) "고인의 시에는 구법이 있지만 지금 사람들의 시에는 구법이 없고 단지 곧바로 말해갈 뿐이다. 이런 시들은 하루에 백 수도 쓸 수 있다. 진간재陳簡齋[107]의 시의 '어지러운 구름은 푸른 산에 닿고, 가랑비는 푸른 숲을 적시네.' '따뜻한 날에 수양버들이 훈풍을 품고, 짙은 녹음은 해당화가 술 취하였네.'와 같은 것들은 무슨 구법인가!'

[56-1-39]

"今時婦人能文,[108] 只有李易安與魏夫人. 李有詩大畧云, '兩漢本繼紹, 新室如贅疣.' '所以嵆中散, 至死薄殷周.' 中散非湯武得國, 引之以比王莽. 如此等語, 豈女子所能!"[109]

(주자가 말하였다.) "지금 시대에 문장에 능한 부인은 다만 이이안李易安[110]과 위부인魏夫人 뿐이다. 이이안 씨의 시에 대략 이르기를 '양한兩漢은 본래 계승하였으니, 신新나라[111]는 그 속의 혹과 같네.'라고 하고, '혜중산嵆中散[112]은 죽을 때까지 은나라와 주나라를 야박하다고 하였네.'라고 하였으니, 혜중산이

史이다. 進士 출신으로 直龍閣知潤州, 太常少卿 등을 역임했다. 秦觀, 黃庭堅, 晁補之 등과 더불어 '蘇門四學士'로 일컬어진다. 저서로 『柯山集』·『宛邱集』·『柯山詩餘』 등이 있다.

104 '영안에서 명을 … 천연스럽네.' : 『疑耀』 권5 「漢昭烈顧命」에 보인다. '永安'은 昭烈(유비)이 吳나라를 치다가 크게 패하여 돌아오다가 죽은 곳이다.

105 崔德符(1058~1126) : 崔鷗. '德符'는 자. 송나라 元祐 연간의 進士. 호는 婆娑. 殿中侍御史를 역임하고 欽宗 때 諫官이 되었다. 北宋이 거의 망해가서 걷잡을 수 없게 되자 천하 일을 다스릴 수 없음을 한탄하고 얼마 뒤에 병에 걸려 죽었다.

106 『朱子語類』 권140, 49조목

107 陳簡齋(1090~1138) : 陳與義. '簡齋'는 호. 송나라 洛陽 사람. 자는 去非. 黃庭堅 및 江西派의 영향을 받았으나 南宋 초에 嶺南으로 내려온 뒤 비장하고 처량한 시풍이 杜甫와 비슷했다 한다. 저술에 『簡齋集』이 전한다.

108 今時 : 『朱子語類』 권140, 63조목에는 '本朝'로 되어 있다.

109 『朱子語類』 권140, 63조목

110 李易安(1084~1155) : 송 여류시인 李淸照. 호는 易安居士. '천고 제일의 재주 있는 여인千古第一才女'이라는 칭호가 있었다. 저술에 『李淸照集校注』가 전한다.

111 新나라 : 전한 말기 王莽이 한나라를 찬탈하고 세운 나라. 그러나 15년만에 망하고, 한왕조의 혈통을 이은 劉秀(광무제)에 의해 후한이 건국되었다.

112 嵆中散 : 晉나라 中散大夫 벼슬을 지냈던 嵆康을 말함. 竹林七賢의 한 사람이다. 혜강이 가난하게 살면서 向秀(상수)와 대장간 일을 하고 있을 때 鍾會가 명성을 듣고 찾아왔으나 예우를 하지 않자 종회가 유감을

탕왕과 무왕의 나라 얻은 것을 비난하였는데 이를 이끌어다가 왕망을 비유하였다. 이와 같은 말을 어찌 여자가 할 수 있는 것인가!'

[56-1-40]

"近世諸公作詩費工夫, 要何用? 元祐時有無限事合理會, 諸公却盡日唱和而已. 今言詩不必作, 且道恐分了爲學工夫. 然到極處, 當自知作詩果無益."[113]

(주자가 말하였다.) "근세의 여러 공들은 시를 짓는 데에 공부를 소모하는데 어디에 쓰려고 하는가? 원우元祐[114] 시기에는 할 일이 한없이 많았는데도 여러 공들은 하루 종일 시를 창화하기만 할 뿐이었다. 이제 시는 지을 필요가 없다고 말하겠으니 아마도 학문하는 공부를 분산시킬까 우려된다. 그러나 지극한 곳에 도달하면 당연히 시를 짓는 것이 과연 무익한 것임을 스스로 알게 될 것이다."

[56-1-41]

"今人所以事事做得不好者, 緣不識之故. 只如簡詩, 擧世之人盡命去奔去聲做,[115] 只是無一簡人做得成詩. 他是不識, 好底將做不好底, 不好底將做好底. 這簡只是心裏鬧不虛靜之故. 不虛不靜故不明, 不明故不識. 若虛靜而明, 便識好物事. 雖百工技藝做得精者, 也是他心虛理明, 所以做得來精. 心裏鬧, 如何見得!"[116]

(주자가 말하였다.) "지금 사람들이 일마다 잘하지 못하는 것은 알지 못하기 때문이다. 예컨대 시와 같은 경우, 온 세상 사람들이 모두 온 힘을 다해서 하지만 한 사람도 시를 제대로 짓지 못하였다. 그들은 알지 못하기 때문에 아름다운 것을 아름답지 않게 만들고, 아름답지 않은 것을 아름다운 것으로 만든다. 이것은 마음속이 번잡하여, 텅 비고 고요하지 않기 때문이다. 텅 비지 않고 고요하지 않기 때문에 밝지 않고, 밝지 않기 때문에 알지 못한다. 만약 텅 비고 고요하여 밝다면 아름다운 일을 알게 된다. 비록 모든 기능공들이 기예를 정밀하게 추구하는 사람일지라도 그의 마음이 텅 비고 이치가 밝기 때문에 하는 것이 정밀하다. 마음속이 번잡하면 어떻게 볼 수 있겠는가!"

[56-1-42]

"詩杜中人言, '詩皆原於虞歌.' 今觀其詩, 如何有此意?"[117]

품었다가 뒤에 참소하여 사형을 당하게 하였다.(『晉書』 권49)

113 『朱子語類』 권140, 69조목

114 元祐: 宋나라 哲宗의 연호. 이 당시에 黨論이 심하여 司馬光을 중심으로 한 文彦博·蘇軾·程頤·黃庭堅 등의 舊派와 王安石을 중심으로 한 新派가 심하게 대립하였으며, 그 뒤에 왕안석의 우익인 蔡京·曾布 등에 의하여 구파가 奸黨으로 몰려 元祐奸黨碑가 세워지기도 하였다.

115 奔去聲: '奔'은 거성인 경우 '힘을 다하다.'는 뜻으로 독해된다.

116 『朱子語類』 권140, 70조목

117 『朱子語類』 권140, 71조목

(주자가 말하였다.) "시 모임에 참여하는 사람이 말하기를 '시는 모두 갱가賡歌[118]에서 근원한다.'고 한다. 지금 그들의 시를 살펴보면 어찌 이런 뜻이 있는가?"

[56-1-43]

"作詩先用看李杜, 如士人治本經. 本既立, 次第方可看蘇黃以次諸家詩."[119]

(주자가 말하였다.) "시를 지을 때는 먼저 이백李白과 두보杜甫의 시를 보아야 하니 마치 선비들이 경전經典을 근본하여 공부하듯 해야 한다. 근본이 서고 나면 다음 차례로 소식蘇軾과 황정견黃庭堅을 보고, 다음 차례로 여러 작가들의 시를 보아야 한다."

[56-1-44]

"今人不去講義理, 只去學詩文, 已落第二義, 況又不去學好底, 却只學去做那不好底! 作詩不學六朝, 又不學李杜, 只學那嶢崎底. 今便學得十分好, 後把作甚麼用? 莫道更不好. 如近時人學山谷詩, 然又不學山谷好底, 只學得那山谷不好處."

(주자가 말하였다.) "지금 사람들은 의리를 강론하지 않고 단지 시문만을 배우려고 하니 이미 의리는 두 번째 의미로 추락하였다. 하물며 또 아름다운 것은 배우지 않고 단지 아름답지 않은 것을 배워서 지음에 있어서랴! 시를 지을 때 육조六朝 시대의 것을 배우지 않고 또 이백李白과 두보杜甫의 시를 배우지 않고 단지 기이한 것만을 배우려고 한다. 지금 모두 아름다운 것을 배웠다고 해도 뒤에 어디에 쓸 것인가? 아름답지 않은 것은 더 말할 것도 없다. 그런데 요즘 사람들은 황산곡黃山谷의 시를 배우지만, 또한 황산곡의 아름다운 것은 배우지 않고 단지 황산곡의 아름답지 않은 것만을 배운다."

林擇之云: 後山詩恁地深, 他資質儘高, 不知如何肯去學山谷."

曰: "後山雅健强似山谷, 然氣力不似山谷較大, 但却無山谷許多輕浮底意思. 然若論序事, 又却不及山谷. 山谷善叙事情, 叙得盡, 後山叙得較有疎處. 若散文, 則山谷大不及後山."[120]

임택지林擇之가 말하였다. "진후산陳後山[陳師道]의 시가 이렇게 심오하고, 그의 자질이 진실로 고상한데 어찌하여 기꺼이 황산곡黃山谷에게 배웠는지 모르겠습니다."

(주자가) 말하였다. "진후산의 평소 강건함은 황산곡과 비슷하지만 기력은 황산곡만큼 크지 못하고, 단지 황산곡에게 허다한 경박한 뜻이 없을 뿐이다. 그러나 일을 서술한 것을 논한다면 또한 황산곡에

---

118 賡歌: 舜임금의 조정에서 부른 唱和歌. 『書經』「益稷」에 나오는데, "대신들이 즐거우면 임금이 흥성하고 백관도 화락하리라.(股肱喜哉, 元首起哉, 百工熙哉.)"라는 순임금의 노래와 이에 皐陶가 화답한 "임금님이 밝으시면 신하들도 훌륭하여 만사가 안정되리라.(元首明哉, 股肱良哉, 庶事康哉.)"라는 노래, 또 그에 이어 더해서 부른[賡載歌] "임금님이 잗달게 굴면 신하들도 해이해져서 만사가 실패하리라.(元首叢脞哉, 股肱惰哉, 萬事墮哉.)"라는 노래를 가리킨다.

119 『朱子語類』 권140, 72조목

120 『朱子語類』 권140, 73조목

미치지 못한다. 황산곡은 정情을 잘 서술하여 서술하는 것을 다했는데, 진후산은 서술함이 비교적 소홀한 곳이 있다. 산문은 황산곡이 진후산에 크게 못 미친다."

[56-1-45]

或謂 : "梅聖俞長於詩."

曰 : "詩亦不得謂之好."

或曰 : "其詩亦平淡."

曰 : "他不是平淡, 乃是枯槁."[121]

어떤 이가 말하였다. "매성유梅聖俞[122]는 시에 뛰어납니다."

(주자가) 말하였다. "시를 아름답다고 말할 수는 없다."

어떤 이가 말하였다. "그의 시는 역시 평담합니다."

(주자가) 말하였다. "그것은 평담한 것이 아니라, 메마른 것이다."

[56-1-46]

"江西之詩, 自山谷一變, 至楊庭秀, 又再變. 楊大年雖巧, 然巧之中猶有混成底意思, 便巧得來不覺. 及至歐公, 早漸漸要說出來. 然歐公詩自好, 所以他喜梅聖俞詩, 蓋枯淡中有意思. 歐公最喜一人送別詩兩句云 : '曉日都門道, 微涼草樹秋.' 又喜王建詩 : '曲徑通幽處, 禪房花木深.' 歐公自言'平生要道此語不得.' 今人都不識這意思, 只要嵌事, 使難字, 便云好."[123]

(주자가 말하였다.) "강서江西의 시[124]는 황산곡黃山谷으로부터 한번 변하여 양정수楊庭秀[125]에 이르러 다시 변했다. 양대년楊大年[126]은 비록 교묘하지만, 교묘함 속에 오히려 혼합된 뜻이 있어서 교묘함을 느낄

121 『朱子語類』 권139, 69조목

122 梅聖俞 : 梅堯臣. 宋나라 시인. '聖俞'는 자. 河南主簿, 都官員外郎 등 말직을 지내긴 했으나 일생을 몹시 빈궁하게 살았으므로 그의 詩友였던 歐陽修가 그의 시집에 쓴 序에 "대체로 세상에 전해 오는 시들은 대부분이 옛날 곤궁한 사람들에게서 나온 것이다. … 대개 곤궁할수록 시가 더욱 공교해지는 것이니, 그렇다면 시가 사람을 곤궁하게 하는 것이 아니라, 곤궁한 사람이어야만이 시가 공교해지는 것이다.(蓋世所傳詩者, 多出於古窮人之辭也. … 蓋愈窮則愈工, 然則非詩之能窮人, 殆窮者而後工也.)"라고 하였다.

123 『朱子語類』 권140, 74조목

124 江西의 시 : 江西派의 시로, 宋나라 黃庭堅(1045~1105) 일파의 시를 말함. 송나라 초기에 번성했던 西崑의 詩風은 歐陽修・梅聖俞 등이 나와서 점차 억눌렀지만, 蘇軾이 나와 비로소 唐詩의 格律을 부흥시켰다. 소식의 후계자가 황정견으로, 황정견은 杜甫를 주로 배우고 여기에 陶潛・韓愈 등 諸家의 장점을 취하여 참신한 일파를 세웠다. 神奇를 좋아한 나머지 기상천외한 奇句로 치달아서 自然을 잃고 生硬에 빠진 점도 있지만, 그 영향은 南宋의 陸游・楊萬里・范成大 등에도 미쳤다. 황정견을 師事한 시인으로는 陳師道가 유명하다.

125 楊庭秀(?~1211) : 金나라 사람. 자는 茂才. 호는 晦曳. 大定 연간의 進士. 관직은 澤州刺史・平涼府同知에 이르렀다. 張建에게 시를 배워 文詞가 고상하였다. 『楊晦曳集』이 있었으나 전해지지 않는다. 南宋 시인 陸游에게 시 작품을 준 일이 있다.

수 없다. 구양수歐陽脩에 이르러서 점점 해설되어 나왔다. 그러나 구양수의 시는 본래 아름다웠으니, 그가 매성유梅聖兪의 시를 좋아한 까닭은 메마르고 평담한 속에 뜻이 있기 때문이었다. 구양수는 어떤 사람을 송별하는 시의 두 구절을 가장 좋아했는데 '새벽의 도성 문의 길은 시원하게 초목이 가을이로구나.'라는 것이었고, 또 왕건王建 시를 좋아했는데 '굽은 길은 그윽한 곳으로 통하고, 선방은 꽃과 나무가 우거졌네.'라는 것이었다. 구양수는 스스로 '평생토록 이러한 시구를 써보려고 하였지만 그렇게 하지 못했다.'고 말했다. 지금 사람들은 모두 이러한 뜻을 알지 못하고, 단지 깊은 일을 알려 하고 어려운 글자만 구사하면 바로 아름답다고 말한다."

[56-1-47]
"明道詩: '旁人不識余心樂, 將謂偸閑學少年.' 此是後生時氣象眩露, 無含蓄."[127]

(주자가 말하였다.) "명도明道程顥의 시에 '옆 사람은 내 마음 즐거운 것을 알지 못하고, 틈을 내어 소년을 닮아 돌아다닌다고 말하리라.'[128]고 하였는데, 이것은 젊었을 때 기상이 현혹되게 드러나 함축함이 없는 것이다."

[56-1-48]
南軒張氏曰: "作詩不可直說破, 須如詩人婉而成章. 楚詞最得詩人之意, 如言'沅有芷兮澧有蘭, 思公子兮未敢言.' 思是人也而不言, 則思之之意深, 而不可以言語形容也. 若說破如何思如何思, 則意味淺矣."

남헌 장씨南軒張氏가 말하였다. "시를 짓는 데에는 직선적으로 말해서는 안 되고 반드시 옛날 시인처럼 완곡하게 하여 아름다움을 이루어야 한다. 『초사楚詞』는 시인의 뜻을 가장 잘 드러냈으니, 예컨대 '원수엔[沅] 백지[芷]가 있고 풍수[澧]엔 난초가 있음이여, 공자를 생각하여 감히 말을 하지 못하도다.'[129]라고 말한 것이다. 이 사람을 생각하면서 말하지 못하니 생각하는 뜻이 깊어서 말로 형용할 수 없는 것이다. 만일 어떻게 생각한다 어떻게 생각한다고 말한다면 뜻이 천박해진다."

[56-1-49]
象山陸氏曰: "詩之學尚矣, 原於賡歌, 委於風雅. 風雅之變, 壅而溢焉者也. 湘纍之騷, 又其流也. 子虛長楊之賦作, 而騷幾亡矣. 黃初而降, 日以漸薄, 惟彭澤一源來自天稷, 與衆殊趣. 而淡薄平夷, 玩嗜者少. 隋唐之間, 否亦極矣. 杜陵之出, 愛君悼時, 追躡騷雅, 而才力宏厚,

. . . .

126 楊大年(974~1020): 楊億. '大年'은 字. 그는 詩賦에 능해 11세에 秘書省正者가 되고, 眞宗 때에 知制誥가 되었다. 典章制度에 특히 밝았다. 저서로 『武夷集』이 있다.
127 『朱子語類』 권93, 68조목
128 '옆 사람은 … 말하리라.': 『二程集』 1책; 『河南程氏文集』 권3, 476쪽
129 '원수[沅]엔 백지[芷]가 … 못하도다.': 『楚辭』 「九歌·湘夫人」

偉然足以鎮浮靡. 詩家爲之中興."[130]

상산 육씨象山陸氏[陸九淵]가 말하였다. "시를 배우는 것은 오래되었으니, 갱가賡歌에서 근원하여 「국풍國風」과 「대아大雅」·「소아小雅」에 이어졌다. 「국풍」과 「대아」·「소아」가 변해서는 막혀서 넘쳤던 것이다. 상루湘纍의 「이소離騷」[131]는 또한 그 부류이다. 자허부子虛賦[132]와 장양부長楊賦[133]가 지어지자 「이소」가 거의 망하였다. 황초皇初[134] 이후로는 날로 쇠퇴해졌고 오직 팽택彭澤[陶潛]의 한 근원이 천직天稷[135]에서 와서 일반 작가와 취향이 달라서 담박하며 평이함을 완미하는 이가 적었고 수隋·당唐 무렵에는 그르다고 함이 또한 극도에 달하였다. 두릉杜陵[杜甫]이 출현하여 임금을 아끼며 시대를 서러워하고 「이소」와 「대아」·「소아」를 따라 지었는데 재주와 필력이 넓으며 온후하여 위대하게 화려한 겉치레를 진정시키니 시가詩家를 중흥하였다."

[56-1-50]

西山眞氏曰: "古者雅頌陳於間燕, 二南用之房中, 所以閑邪僻而養中正也. 衛武公作抑戒以自警, 卒爲時賢相. 以楚靈王之無道, 一聞祁招愔愔之語, 凜焉爲之弗寧, 詩之感人也如此. 于後斯義浸亡, 凡日接其君之耳者, 樂府之新聲, 梨園之法曲而已, 其不蕩心而溺志者幾希."[136]

서산 진씨西山眞氏[陳澔]가 말하였다. "옛날에 「아雅」와 「송頌」은 한가할 적에 불렀고, 「주남周南」과 「소남召南」은 방중악房中樂[137]으로 사용하였기 때문에 사악함을 막아내고 중정中正을 길렀다. 위무공衛武公[138]

---

130 『象山集』 권7 「與程帥」
131 湘纍의 「離騷」: 屈原의 「離騷」를 말함. 揚雄의 「反離騷」에 "泯江 가를 따라 이 애도문을 보냄이여. 삼가 상강에서 억울하게 죽은 굴원을 애도하노라.(因江潭而記兮, 欽弔楚之湘纍.)"라고 하였는데, 이에 대한 顔師古의 주에 "죄를 짓지 않고 죽는 것을 모두 纍라 한다. 굴원은 상수에 가서 몸을 던져 죽었으므로 상루라고 한 것이다.(諸不以罪死曰纍, 屈原赴湘死, 故曰湘纍也.)"라고 하였다. 굴원이 湘水에 빠져 죽었으므로 '湘纍'는 그를 일컫는 말이 되었다.(『漢書』 권87上 「揚雄傳」)
132 子虛賦: 漢나라 司馬相如가 梁에서 노닐 때에 지은 문장 이름. 公子·子虛·烏有先生·亡是公(부시공)의 세 인물을 假說하여 問答體로 서술하였는데, 그 내용은 대략 諸侯의 遊獵에 관한 일을 서술하고 끝에는 節儉의 뜻을 기술하여 임금을 諷諫한 것이었다. 후일 漢武帝가 그것을 보고는 사마상여를 매우 稱歎했다.(『漢書』 권57上 「司馬相如傳」)
133 長楊賦: 漢나라 말기 揚雄이 지어서 황제에게 바친 작품. 長楊은 長安 부근에 있는 궁궐 이름으로, 황제가 사냥할 때 머물던 곳이다. 이 부는 墨客卿과 翰林主人이란 가공인물을 등장시켜 문답체로 지었는데, 양웅은 이 작품에서 겉으로는 황제를 한껏 추어올리면서도 사실은 묘하게 기교를 부려 신랄하게 諷諫을 하였다.(『漢書』 권87下 「揚雄傳」)
134 黃初: 三國 시대 魏文帝(曹丕)의 연호(220~226). 이 시기에는 특히 曹植(曹操 아들) 부자를 위시한 훌륭한 詩文家가 많아 黃初體라는 詩體가 이룩되기도 했다.
135 天稷: 별 이름. 農正으로, 百穀의 長이라는 뜻에서 이름을 취하였다.
136 『西山文集』 권27 「詠古詩序」
137 房中樂: 后·夫人들이 諷誦하여 그 군자를 섬기는 음악. 鐘磬의 절주를 쓰지 않고 周南·召南의 시를 絃歌하는 것을 말한다.
138 衛武公: 춘추 시대 平王 당시 衛나라 諸侯. 95세의 나이에도 늙었다고 자처하지 않고 경계하는 箴을 지어

은 「억抑」 시의 경계를 지어서 스스로 경계하고 마침내 당시 천자의 현명한 재상이 되었다. 초영왕楚靈王[139]의 무도無道함으로도 한 번 「기초祁招」 시의 온화한[愔愔] 말을 듣고 서늘해져서 편안치 못하였으니 시가 사람을 감동시킴이 이와 같다. 그 뒤에는 이 뜻이 점점 사라지고 날마다 임금의 귀에 와 닿는 것은 악부樂府의 새로운 소리와 이원梨園[140]의 법곡法曲일 뿐이니 마음이 방당해지고 뜻이 추락하지 않을 자가 적었다."

[56-1-51]

"古今詩人吟諷弔古多矣. 斷煙平蕪凄風澹月, 荒寒蕭瑟之狀, 讀者往往慨然以悲. 工則工矣, 而於世道未有云補也. 惟杜牧之王介甫高才遠韻, 超邁絶出. 其賦息嬀留侯等作, 足以訂千古是非."[141]

(서산 진씨西山眞氏[陳澔]가 말하였다.) "고금에 시인들이 풍자해 읊고 옛날을 위로한 것이 많다. 빗긴 안개 편편한 초원 서늘한 바람 맑은 달빛의 황량하고 쓸쓸한 모습은 독자들이 이따금 개탄하여 서글퍼한다. 솜씨는 솜씨가 났으나 세상 도리에 도움 되는 것이 없다. 두목지杜牧之[杜牧]·왕개보王介甫[王安石]의 높은 재주와 심원한 시운詩韻은 뛰어나게 출중하다. 「식규부息嬀賦」와 「유후부留侯賦」 등 작품은 천고의 시비를 수정하기에 충분하다."

[56-1-52]

臨川吳氏曰 : "詩之變不一也. 虞廷之歌, 邈矣弗論. 余觀三百五篇, 南自南, 雅自雅, 頌自頌, 變風自變風, 以至於變雅亦然, 各不同也. 詩亡而楚騷作. 騷亡而漢五言作. 訖于魏晉顏謝以下, 雖曰五言, 而魏晉之體已變. 變而極于陳隋, 漢五言至是幾亡. 唐陳子昂變顏謝以下, 上復晉魏漢, 而沈宋之體別出. 李杜繼之, 因子昂而變, 柳韓因李杜又變.

임천 오씨臨川吳氏[吳澄]가 말하였다. "시가 변한 것은 한 번이 아니다. 우정虞廷의 노래[142]는 멀어서 논의

. . . .

자신의 잘못을 바로잡으려고 노력하면서, 신하들에게 "내가 늙었다고 하여 버리지 말고 반드시 아침저녁으로 공경하는 마음으로 서로들 나를 경계하라.(無謂我老耄而舍我, 必恭恪於朝夕, 以交戒我.)"라고 하였는데, 『詩經』 「大雅·抑」의 시가 바로 그것이다.(『國語』 「楚語上」)

139 楚靈王 : 춘추 시대 초나라의 왕. 영왕은 子革이라는 사람으로부터 「祈招」 시의 내용을 듣고서 며칠 동안 음식을 못 먹고 잠을 못 잤다. 「祈招」 시는 周穆王이 천하를 周行하려 하자, 당시 卿士였던 祭公 謀父(모보)가 왕의 출행을 만류하고자 하여 지어 올린 시이다. 그 시에 이르기를 "기초는 온화하여 왕의 덕을 밝히는지라, 우리 왕의 법도를 생각하니 옥과 같고 금과 같네. 백성의 힘을 헤아려 취하고 방종한 마음 없으시도다.(祈招之愔愔, 式昭德音, 思我王度, 式如玉 式如金, 形民之力, 而無醉飽之心.)"라고 하였다. 기초의 祈는 周나라 때의 司馬官이고, 招는 당시 사마관의 이름이다.(『春秋左氏傳』 「昭公 12년」)

140 梨園 : 唐나라 玄宗이 俗樂을 익히게 하던 곳. 현종은 음률을 잘 아는 데다가 法曲을 무척 좋아했기 때문에, 坐部伎의 자제 300인을 선발하여 이원에서 가르치면서 聲調가 틀리면 황제가 반드시 알아채고서 바로잡곤 하였는데, 이를 일컬어 황제의 梨園弟子라고 하였다.(『新唐書』 권12 「禮樂志 2」)

141 『西山文集』 권27 「詠古詩序」

하지 못하겠다. 내가 『시경詩經』 305편篇을 살펴보건대 「남南」은 본래 「남」이고 「아雅」는 본래 「아」이고 「송頌」은 본래 「송」이고 「변풍變風」은 본래 「변풍」이며 「변아變雅」에 있어서도 역시 그러하여 각각 같지 않다. 시詩가 망하자 초楚나라 이소離騷가 지어지고 이소가 망하자 한나라 오언시五言詩가 지어졌다. 위魏·진晉의 안연지顔延之·사영운謝靈運[143] 이하에 와서는 비록 오언시라고 하더라도 위·진의 시체詩體가 이미 변하였다. 변하여 진陳·수隋에서 극도에 달하니 한나라 오언시는 여기에 와서 거의 망하였다. 당唐 진자앙陳子昂[144]은 안연지·사영운 이하를 변모시켜 위로 진晉·위魏·한漢을 회복하고, 심전기沈佺期·송지문宋之問[145]의 시체는 별도로 나왔다. 이백李白·두보杜甫가 이들을 계승하였는데 진자앙을 따라 변모한 것이고 유종원柳宗元·한유韓愈는 이백·두보를 따라 또 변모한 것이다.

變之中有古體, 有近體. 體之中有五言, 有七言, 有雜言. 詩之體不一, 人之才亦不一, 各以其體, 各以其才, 各成一家言. 如造化生物, 洪纖曲直, 青黃赤白, 均爲大巧之一巧. 自三百五篇已不可一槩齊, 而况後之作者乎!

변모한 중에는 고체古體와 근체近體가 있다. 시체詩體 중에는 오언五言, 칠언七言, 잡언雜言이 있다. 시체가 한결같지 않은 것은 사람의 재주 역시 한결같지 않아 각각 자기 시체로 각각 자기 재주로 각각 일가一家의 말을 이루었다. 마치 조물주造物主가 만물을 생성할 때에 크고 가늘며 굽고 곧으며 푸르고 누르며 붉고 흰 것이 고르게 큰 교묘한 중에 하나의 교묘함을 이룬 것과 같다. 본래 305편도 이미 고르게 할 수 없는 것이거늘 하물며 후대의 작품들이겠는가!

宋氏王蘇黃三家, 各得杜之一體. 涪翁於蘇, 迥不相同, 蘇門諸人, 其初畧不之許. 坡翁獨深器重以爲絶倫, 眼高一世, 而不必人之同乎己者如此. 近年乃或清圓偶儻之爲尚, 而極詆涪翁, 噫, 群兒之愚爾! 不會詩之全, 而該夫不一之變, 偏守一是而悉非其餘, 不合不公, 何以異漢世專門之經師也哉!"[146]

- -

142 虞廷의 노래 : 舜임금의 조정에서 부른 唱和歌로, 賡歌를 말함. 『書經』「益稷」의 "… 또 그에 이어 더해서 부른[賡載歌] "임금님이 잗달게 굴면 신하들도 해이해져서 만사가 실패하리라.(元首叢脞哉, 股肱惰哉, 萬事墮哉.)"라는 노래를 가리킨다.

143 顔延之·謝靈運 : 안연지의 자는 延年, 南朝 宋나라 사람. 벼슬은 金紫光祿大夫에 이르렀으며, 문장이 당대에 뛰어났다. 사영운은 남조 송나라 사람. 벼슬이 侍中에 이르렀고 문장이 江南에서 으뜸이었다.(『南史』「顔延之傳」 ; 『南史』「謝靈運傳」)

144 陳子昂 : 初唐의 시인. 자는 伯玉. 형식에 치우친 齊梁의 귀족적 詩風을 일소하고, 漢魏의 高雅한 시풍으로 복고할 것을 주창하여, 盛唐 시인의 선구가 되었다. 저서에 『陳拾遺集』이 있다.

145 沈佺期·宋之問 : 심전기의 자는 雲卿으로 內黃 사람이다. 칠언율시에 더욱 재능을 보였다. 송지문은 일명이 小連, 자는 延淸으로 弘農 사람이다. 그의 시는 율시에 재능을 보였는데 정이 많고 흥이 길어 성당 시풍을 일으켰다고 할 수 있다. 이 두 사람이 한 구절을 모아 한 편을 지어내면 錦繡로 문채를 이룬 것 같아서 학자들이 沈宋이라 하고, 이들의 詩體를 沈宋體라고 하였다.

146 『吳文正集』 권15 「皮照德詩序」

송宋나라 왕안석王安石·소식蘇軾·황정견黃庭堅 3가家는 각각 두보의 한 시체를 얻었다. 부옹涪翁[147]은 소식과 매우 달라서 소식 문하의 여러 시인들이 처음에는 조금도 부옹을 인정하지 않았다. 동파東坡(소식)만은 홀로 깊이 소중해하고 절륜하여 안목이 온 세상에서 높아 남이 나와 똑같이 할 필요가 없는 것이 이와 같다고 하였다. 근년에는 혹은 원만하며 특이한 것을 숭상하여 부옹을 매우 헐뜯으니, 아, 여러 아이들의 어리석음일 뿐이다! 시의 전체를 이해하지 못하고 한 번 변하지 않는다는 데에 구애되어 한 가지 옳음만 외골수로 지키면서 그 나머지를 모두 비난하여 맞지 않고 공정하지 않으니 어찌 한나라 시대의 전문적인 경사經師(경서 선생)와 다르겠는가!"

[56-1-53]
"詩雅頌風騷尙矣. 漢魏晉五言訖于陶, 其適也. 顏謝而下弗論, 浸微浸滅, 至唐陳子昂而中興. 李韋柳因而因, 杜韓因而革. 律雖始於唐, 然深遠蕭散不離於古爲得, 非但句工語工字工而可."[148]

(임천 오씨臨川吳氏[吳澄]가 말하였다.) "시詩의 「아雅」·「송頌」·「풍風」·「소騷」는 오래되었다. 한漢·위魏·진晉의 오언시는 도잠陶潛에 와서 적절하게 되었다. 안연지顏延之·사영운謝靈運 이하로는 논의하지 않아 점점 희미해지고 점점 없어졌다가 당 진자앙陳子昂에 와서 중흥中興되었다. 이백李白·위응물韋應物[149]·유종원柳宗元은 고전을 따르며 따랐고, 두보杜甫·한유韓愈는 따르면서 변혁하였다. 율시律詩는 당나라에서 시작되었으나 심원하며 한적한 것은 고전에서 벗어나지 않고 이룩하였으니 글귀가 솜씨 나고 말이 솜씨 나고 글자가 솜씨 나서 되는 것만은 아니다."

[56-1-54]
"詩以道情性之眞. 十五國風有田夫閨婦之辭, 而後世文士不能及者何也? 發乎自然, 而非造作也. 漢魏迨今詩凡幾變, 其間宏才實學之士, 縱橫放肆, 千彙萬狀, 字以鍊而精, 句以琢而巧, 用事取其切, 模擬取其似. 功力極矣, 而識者乃或舍旃而尙陶韋, 則亦以其不鍊字, 不琢句, 不用事, 而情性之眞近乎古也. 今之詩人隨其能而有所尙, 各是其是, 孰有能知眞是之歸者哉!"[150]

(임천 오씨臨川吳氏[吳澄]가 말하였다.) "시는 성정性情의 진실을 말하는 것이다. 「십오국풍十五國風」[151]은 농부와 규방 부녀자의 가사도 있는데 후세에 문사文士들이 못 따라가는 것은 어째서인가? 자연스러움에

147 涪翁: 송나라 詩人 黃庭堅. 황정견이 일찍이 涪州別駕로 貶謫되어 가서 부옹이라 自號하였다.
148 『吳文正集』 권15 「詩府驪珠序」
149 韋應物: 당나라 시인. 山水田園詩를 주로 지었으므로 陶淵明에 비겨 陶韋라고 일컬었으며, 또 王維·孟浩然·柳宗元에 배합하여 王孟韋柳라고도 불렀다. 일찍이 蘇州刺史를 지낸 인연으로 蘇州라고 부른다. 저술에 『韋蘇州集』이 전한다.
150 『吳文正集』 권17 「譚晉明詩序」
151 「十五國風」: 『詩經』의 「國風」이 15개국의 노래임을 말함

서 나오고 조작한 것이 아니기 때문이다. 한漢·위魏에서 지금 시대까지 몇 번이나 변했고 그 사이에 큰 재주와 알찬 학문하는 선비들이 종횡으로 방자하게 천만이나 모여들어 글자를 단련하여 정밀하게 하고 문구를 조탁하여 교묘하게 하였으며 용사用事를 절실하게 하고 모의模擬를 비슷하게 하였다. 노력이 지극하였으나 유식자들은 혹은 그것을 버리고 도잠陶潛·위응물韋應物을 숭상하였으니 또한 글자를 단련하지 않고 문구를 조탁하지 않으며 용사를 하지 않아도 성정의 진실은 고풍에 접근하는 것이다. 지금의 시인들은 자기 능력에 따라 숭상하는 것이 있어서 각각 자기의 옳음을 옳음으로 하니 누가 진정한 옳음을 알아서 귀결할 수 있을 것인가!

論文 논문

[56-2-1]

程子曰: "聖賢之言, 不得已也. 盖有是言, 則是理明. 無是言, 則天下之理有闕焉. 如彼耒耜陶冶之器一不制, 則生人之道有不足矣. 聖賢之言, 雖欲已得乎? 然其包涵盡天下之理, 亦甚約也. 後之人始執卷, 則以文章爲先, 平生所爲, 動多於聖人. 然有之無所補, 無之靡所闕, 乃無用之贅言也. 不止贅而已, 旣不得其要, 則離眞失正, 反害於道必矣."[152]

정자程子가 말하였다. "성현聖賢의 말은 부득이해서 한 것이다. 이 말이 있으면 이 이치가 밝아지고 이 말이 없으면 천하의 이치가 결함되는 것이다. 예컨대 쟁기 보습 질그릇 야금冶金 기물에 한결같은 제도가 없으면 사람의 살아갈 도리가 부족하게 되는 것이다. 성현이 말을 비록 안 하려고 해도 가능하겠는가? 그러나 모든 천하의 이치를 포함해서 또한 매우 간략하게 한 것이다. 후세의 사람들이 처음으로 책을 읽을 때에는 문장을 앞세우니, 평생 한 것이 번번이 성인보다 많다. 그러나 그것이 있어도 도움 될 것이 없고, 그것이 없어도 결함될 것도 없으니 쓸데없는 혹을 붙인 말일 뿐이다. 혹을 붙인 말일 뿐만 아니라 이미 그 긴요한 점을 얻지 못하였으니 진실에서 떠나 바른 것을 잃게 되어 오히려 도에 반드시 해롭다."

[56-2-2]

問: "作文害道否?"

曰: "害也. 凡爲文, 不專意則不工. 若專意, 則志局於此, 又安能與天地同其大也! 書曰, '玩物喪志.' 爲文, 亦玩物也. 呂與叔有詩云, '學如元凱方成癖, 文似相如殆類俳, 獨立孔門無一事, 只輸一作惟傳顔氏得心齋.' 此詩甚好. 古之學者, 惟務養情性, 其他則不學. 今爲文者, 專務章句, 悅人耳目. 旣務悅人, 非俳優而何?"

물었다. "작문은 도에 해롭습니까?"

152 『二程文集』 권10 「答朱長文書」

(정자程子가) 말하였다. "해롭다. 글을 짓는 것은 전념하지 않으면 솜씨가 나지 않는다. 전념하려고 하면 뜻이 여기에 국한되니 또한 어찌 천지와 그 크기를 같게 할 수 있겠는가!『서경書經』「여오旅獒」에 '기물器物을 가지고 희롱하면 본심本心을 잃어버리게 된다.[玩物喪志.]'라고 하였다. 글을 짓는 것도 기물을 가지고 희롱하는 것이다. 여여숙呂與叔(呂大臨, 1040-1092)이 지은 시에 '학문이 원개元凱[153] 같으면 바야흐로 성벽性癖을 이루고, 문장이 사마상여司馬相如[154] 같으면 배우와 거의 비슷하네. 공자의 문에는 한 가지 일도 홀로 서지 않으니, 안회顔回처럼 마음을 재계하는 데나 정성을 쏟으리라.'[155]라고 하였으니 이 시는 매우 아름답다. 옛날의 학자는 성정을 기르기에 힘썼고 그 이외는 배우지 않았다. 지금 글을 짓는 이들은 오로지 장구章句에 힘써서 사람들이 보고 듣는 것을 즐겁게 한다. 이미 사람을 즐겁게 하였다면 배우가 아니고 무엇인가?"

曰: "古者學爲文否?"

曰: "人見六經, 便以爲聖人亦作文, 不知聖人亦一作只攄發胷中所蘊自成文耳. 一作章 所謂'有德者必有言'也."

曰: "游夏稱文學, 何也?"

曰: "游夏亦何嘗秉筆學爲詞章也? 且如觀乎天文以察時變, 觀乎人文以化成天下, 此豈詞章之文也?"[156]

물었다. "옛날에 학문을 하면서 글을 지었습니까?"

(정자程子가) 말하였다. "사람들이 육경六經을 보고는 성인聖人께서도 글을 지었다고 생각하지만, 성인께서는 또한[亦][157] 가슴에 쌓인 것을 열어 절로 글을 이루게 된 것을 알지 못할 뿐[耳][158]이다. 이른바 '덕이 있는 자는 반드시 훌륭한 말이 있다.'[159]라는 것이다."

물었다. "자유子游와 자하子夏를 문학으로 일컫는 것은 무엇 때문입니까?"

(정자程子가) 말하였다. "자유와 자하가 또한 어찌 붓을 잡아 사장詞章을 배운 적이 있었던가? 또한 천문天文을 보아 시기의 변화를 살피며 인문人文을 보아 천하를 화육化育하여 이루었으니 이것이 어찌 사장의

---

153 元凱: 晉나라 杜預의 자. 두예는 『春秋左氏傳』을 읽기를 몹시 좋아하여 『春秋左傳註』를 짓기도 하였다. 일찍이 두예가 王濟는 말을 몹시 좋아하는 性癖이 있고, 和嶠는 돈을 몹시 좋아하는 성벽이 있다고 하자, 武帝가 그 말을 듣고는 두예에게 "경은 무엇을 좋아하는가?"라고 물었다. 그러자 두예가 대답하기를, "신은 『左傳』 읽기를 몹시 좋아하는 성벽이 있습니다."라고 하였다.(『晉書』 권34 「杜預列傳」)

154 司馬相如(기원전 179?~기원전 118?) 漢나라 大辭賦家. 한 무제가 우연히 「子虛賦」를 읽고 훌륭하다고 말하자, 옆에 있던 蜀郡 사람 楊得意가 자신의 고향 사람인 사마상여가 지은 것이라고 하여 발탁되었다.(『漢書』 권57上 「司馬相如傳」)

155 쏟으리라.: 원문의 '只輸'. 어느 본에는 '惟傳(전하리라)'으로 쓰여 있다.(原注)

156 『二程遺書』 권18

157 [亦]: 어느 본에는 '只(다만)'으로 되어 있다.(原注)

158 [耳]: 어느 본에는 '章(글)'으로 되어 있다.(原注)

159 '덕이 있는 … 있다.' : 『論語』「憲問」

글인가?”

[56-2-3]

“聖人文章自然, 與學爲文者不同. 如「繫辭」之文, 後人決學不得. 譬之化工生物, 且如生出一枝花, 或有剪裁爲之者, 或有繪畫爲之者, 看時雖似相類, 然終不若化工所生, 自有一般生意.”[160]

(정자程子가 말하였다.) “성인聖人의 문장은 자연스러워서 문장을 배워서 한 것과 다르다. 예컨대 「계사繫辭」의 글은 후인들이 결코 배울 수 없다. 비유하면 자연의 조화가 한 가지의 꽃을 내었을 경우 혹은 잘라오려 만든 것이 있고 혹은 그려서 만든 것이 있으면 볼 때에는 비록 비슷하더라도 결국 자연 조화가 낸 것처럼 본래 일반 생장의 뜻이 있는 것만 못하다.”

[56-2-4]

“孟子論王道便實. ‘徒善不足爲政, 徒法不能自行.’ 便先從養生上說將去. 既庶既富, 然後以飽食暖衣而無敎爲不可, 故敎之也. 孟子而後, 却只有「原道」一篇, 其間語固多病, 然要之大意儘近理. 若「西銘」, 則是「原道」之宗祖也. 「原道」却只說到道, 元未到得「西銘」意思. 據子厚之文, 醇然無出此文也. 自孟子後, 蓋未見此書.”[161]

(정자程子가 말하였다.) “맹자孟子가 왕도王道를 논한 것은 진실하다. ‘한갓 선하기만 한 것으로는 정치를 하기에 부족하고, 한갓 법만 가지고는 저절로 행하지 못한다.’[162]라고 하고 먼저 산 사람을 양육하는 것으로부터 설명해갔다. 인구가 많고 부유해지고 난 뒤에 배불리 먹고 따뜻하게 입으면서 교육이 없으면 안 되므로 교육시키게 한 것이다.[163] 맹자 이후로는 다만 「원도原道」[164] 한 편篇이 있을 뿐인데 그 말 속에는 본디 결점이 많지만 요컨대 큰 의미는 진실로 이치에 가깝다. 「서명西銘」[165]은 「원도」의 조종宗祖

....

160 『二程遺書』 권18

161 『二程遺書』 권2上

162 ‘한갓 법만 … 못한다.’: 『孟子』 「離婁上」에 보이는데, ‘徒善不足以爲政, 徒法不能以自行.’라고 하여 ‘以’가 더 있다.

163 배불리 먹고 … 것이다.: 『孟子』 「滕文公上」에 “인간에게는 도리가 있는데, 배불리 먹고 따뜻이 옷을 입어서 편안히 거처하기만 하고 가르침이 없으면 금수와 가까워진다. 이 때문에 성인이 이를 근심하여 契을 司徒로 삼아 인륜을 가르치게 하였다. 즉 부자간에는 친함이 있고, 군신 간에는 의리가 있고, 부부간에는 분별이 있고, 장유 간에는 차례가 있고, 붕우 간에는 믿음이 있는 것이다.(人之有道也, 飽食煖衣, 逸居而無敎, 則近於禽獸, 聖人有憂之, 使契爲司徒, 敎以人倫. 父子有親, 君臣有義, 夫婦有別, 長幼有序, 朋友有信.)”라는 내용에 근거한 것이다.

164 「原道」: 당 韓愈가 지은 문장 이름. 그 내용은 대략 老·佛 등 異端을 강력히 배척하고, 堯·舜·禹·湯·文·武·周·孔·孟으로 이어져 온 斯道를 극력 尊崇한 것이다.

165 「西銘」: 송나라 학자 張載(1020~1077)가 좌우명으로 삼아 쓴 글. 송대 성리학 사상을 간결하게 표현한 글로 여겨져 후대 학자들에게 많은 영향을 주었다. 장재는 제자들을 가르치던 서원에 두 개의 창문을 동서로 내고 동쪽 창문에는 「砭愚」라는 제목의 글을, 서쪽 창문에는 「訂頑」이란 글을 써서 걸었다가, 伊川 程頤의

이다. 「원도」는 다만 도道만 말하여 본래 「서명」의 뜻에 이르지 못하였다. 자후子厚(장재의 자)의 글에 근거해보면 순수함이 이 글보다 뛰어난 것은 없다. 맹자 이후로 이러한 글을 아직 보지 못하였다.”

[56-2-5]

“韓退之文不可漫觀, 晚年所見尤高.”[166]

(정자程子가 말하였다.) “한퇴지韓退之의 문장은 허술히 보아서는 안 되고, 만년에는 견해가 더욱 높아졌다.”

[56-2-6]

“退之晚年爲文, 所得處甚多. 學本是脩德, 有德然後有言, 退之却倒學了. 因學文日求所未至, 遂有所得, 如曰, ‘軻之死不得其傳.’ 似此言語, 非是蹈襲前人, 又非鑿空撰得出, 必有所見. 若無所見, 不知言所傳者何事. 「原性」等文皆少時作.”[167]

(정자程子가 말하였다.) “한퇴지韓退之의 만년에 지은 글은 터득한 것이 매우 많다. 학문은 본래 덕德을 닦는 것이고 덕이 있은 뒤에 좋은 말이 있게 되는 것인데 한퇴지는 거꾸로 말이 있은 뒤에 학문했던 것이다. 글을 배움에 의해 날마다 도달하지 못한 것을 구하여 마침내 터득함이 있었으니 예컨대 ‘맹가孟軻(맹자)가 죽자 그 전통이 끊어졌다.’[168]라고 하였으니 이 말과 같은 것은 과거 사람을 답습한 것도 아니고 또 허황하게 지어낸 것도 아니고 반드시 소견이 있는 것이다. 만일 소견이 없었다면 전한 것이 어느 일인지 말할 줄을 몰랐을 것이다. 「원성原性」[169] 등 문장은 모두 젊었을 때의 작품이다.”

[56-2-7]

“退之作「琴操」有曰,[170] ‘臣罪當誅兮天王聖明.’ 此善道文王意中事者, 前後文人道不到也.”[171]

(정자程子가 말하였다.) “한퇴지韓退之가 지은 「금조琴操」에 이르기를 ‘신臣[文王]의 죄는 당연히 주살되어야 하겠으나 천왕께서는 성스럽고 밝으십니다.’라고 하였다. 이것은 문왕의 마음속 일을 잘 말한 것이니 전후로 문학가들이 말하지 못한 것이다.”

··

지적을 흔쾌히 받아들여 「동명」과 「西銘」으로 바꾸었다.

166 『二程遺書』 권24
167 『二程遺書』 권18
168 ‘孟軻(맹자)가 죽자 … 끊어졌다.’ : 韓愈의 「原道」에 나오는 말이다.
169 「原性」 : 韓愈가 지은 문장 이름
170 「琴操」 : 『二程遺書』 권18에는 ‘「羑里操」’로 되어 있고, 『五百家注昌黎文集』 권1에는 「拘幽操文王羑里作」이라는 작품명으로 되어 있다. 周 文王이 羑里에 수감되었을 때의 일을 소재로 지은 작품이다.
171 『二程遺書』 권18

[56-2-8]

龜山楊氏曰: "作文字要只說目前話, 令自然分明, 不驚怛人, 不能得. 然後知孟子所謂言近, 非聖賢不能也."[172]

구산 양씨龜山楊氏가 말하였다. "문자를 짓는 데에는 눈앞의 이야기만 말하려 하면 자연히 분명하게 되고, 사람을 놀라게 하지 않으면 좋게 되지 않는다. 그러한 뒤에 맹자孟子가 말한 이른바 '말이 비근하다.[言近][173]는 것이 성현이 아니면 불가능한 것을 알게 된다."

[56-2-9]

"爲文要有溫柔敦厚之氣. 對人主語言, 及章疏文字, 溫柔敦厚尤不可無. 如子瞻詩多所譏玩, 殊無惻怛愛君之意. 荊公在朝論事, 多不循理, 惟是爭氣而已, 何以事君?"[174]

(구산 양씨龜山楊氏가 말하였다.) 글을 짓는 데에는 온유돈후溫柔敦厚한 기상이 있어야 한다. 임금을 대할 때의 말이나 장소章疏 문자는 온유돈후함이 더욱이 없어서는 안 된다. 예컨대 자첨子瞻[蘇軾]의 시는 비판과 조롱하는 것이 많아서 애처롭게 임금을 아끼는 뜻이 아주 없었고, 형공荊公[王安石]이 조정에서 일을 논의할 적에는 이치를 따르지 않는 것이 많아 기상을 다툴 뿐이었으니 무엇으로 임금을 섬긴 것인가?

[56-2-10]

"六經先聖所以明天道, 正人倫, 致治之成法也. 其文自堯舜歷夏商周之季, 興衰治亂成敗之跡, 捄敝通變, 因時損益之理, 皆煥然可考. 網羅天地之大, 文理象器, 幽明之故, 死生終始之變, 莫不詳諭曲譬, 較然如數一二, 宜乎後世高明超卓之士, 一撫卷而盡得之也.

(구산 양씨龜山楊氏가 말하였다.) "육경六經은 선성先聖께서 천도天道를 밝히고 인륜人倫을 바로잡아 치적을 이룬 법이 되는 것이다. 그 글은 요堯·순舜으로부터 하夏·상商·주周 말기를 거치면서 흥하며 쇠약하고 다스려지며 어지러워지고 이루며 실패한 자취와 폐단을 구제하며 변화에 통하게 하여 시대에 따라 과거 치적을 줄이며 늘인 이치를 모두 환하게 살필 수 있다. 천지의 큰 것을 망라하여 이치를 빛내고 상기象器로 재며 유명幽明의 이치와 사생종시死生終始의 변화를 자세히 일깨워주며 간곡히 비유하여 현저하게 하나둘 세는 것처럼 하지 않음이 없었으니 마땅히 후세에 고명하며 탁월한 선비들이 한결같이 책을 어루만지며 모두 터득해야 할 것이다.

予竊惟唐虞之世, 六籍未具, 士於斯時, 非有誦記操筆綴文, 然後爲學也. 而其蘊道懷德, 優入聖賢之域者何多耶! 其達而位乎上, 則昌言嘉謨, 足以亮天工而成大業. 雖困窮在下, 而潛德

---

172 『龜山集』 권13 「語錄」 4,

173 말이 비근하다[言近].: 『孟子』 「盡心下」의 "말은 비근하면서도 뜻이 원대한 것이 좋은 말이다.(言近而指遠者, 善言也.)"에서 줄여 쓴 것이다.

174 『龜山集』 권10 「語錄」

隱行, 猶足以經世勵俗. 其芳猷美績, 又何其章章也!

나는 적이 '당우唐虞(요순) 시대에 육적六籍(육경)이 아직 갖추어지지 않았는데 선비들이 이때에 암송해 기억하거나 붓을 잡아 글을 짓는 것이 없었는데도 학문을 하고, 도를 쌓아 덕을 품고 넉넉히 성인의 경지에 들어간 것이 얼마나 많은가!'라고 괴이해하였다. 영달하여 상급에 위치해서는 아름다운 계획을 선창하여 충분히 하늘의 일을 도와 큰 사업을 이룩하였다. 비록 곤궁하여 아래에 있더라도 덕을 숨기며 행실을 은미하게 하여 충분히 세상을 경륜하며 풍속을 격려하였다. 그들의 향기로운 도모와 아름다운 공적은 또 어찌 그리 빛나는가!

自秦焚『詩』『書』, 坑術士, 六藝殘缺. 漢儒收拾補綴, 至建元元狩之間, 文辭粲如也. 若賈誼董仲舒司馬遷相如揚雄之徒, 繼武而出. 雄文大筆, 馳騁古今, 沛然如決江漢, 浩無津涯. 後雖有作者, 未有能涉其波流也. 然賈誼明申韓, 仲舒陳災異, 馬遷之多愛, 相如之浮侈, 皆未足與議. 惟揚雄爲庶幾於道, 然尙恨其有未盡者.

진秦나라에서 『시경詩經』·『서경書經』을 불태우고 경술經術을 공부한 선비를 묻어 죽이고 나서 육예六藝[六經]가 파괴되었다. 한漢나라 유학자들이 주워 모으고 보충해 엮었는데 건원建元과 원수元狩[175] 무렵에는 문사文辭가 찬란하였다. 가의賈誼·동중서董仲舒·사마천司馬遷·사마상여司馬相如·양웅揚雄과 같은 이들이 발자취를 이어 출현했던 것이다. 호방한 문장과 거대한 필력은 고금을 넘나들었으며 거침없이 강수江水와 한수漢水처럼 쏟아져 내려 아득하게 한이 없다. 후세에 비록 글을 짓는 이가 있으나 그 물결을 섭렵한 이가 아직 없다. 그러나 가의는 신불해申不害와 한비자韓非子[176]를 밝게 알았고, 동중서董仲舒가 재이災異를 진술하였으며,[177] 사마천司馬遷의 자애가 많았던 것[178]과 사마상여司馬相如의 허황하게 화려한 것[179]은 모두 논의할 것이 못 된다. 오직 양웅揚雄만은 도에 가까웠는데[180] 극진하지 못한 것이 한스럽다.

---

175 建元과 元狩 : 모두 漢武帝의 연호. 건원은 기원전 140~135년이고, 元狩는 기원전 122~117년이다. 무제는 한나라의 黃老學을 『春秋』 전문가 董仲舒 등을 기용하여 儒學으로 바꾸었다.

176 申不害와 韓非子 : 모두 諸子百家 中 法家에 속하는 인물임. 이들은 仁義의 정치를 반대하고 刑法으로 다스리는 정치를 주장하였다.

177 董仲舒가 災異를 진술하였으며 : 동중서는 武帝에게 올린 對策에서 "형벌이 맞지 않으면 사악한 기운이 생기고 사악한 기운이 아래에 쌓이면 원망이 위에 쌓이고 위아래가 화목하지 않으면 음양이 어긋나서 요얼이 생기니 이것이 災異가 틈타서 일어나게 되는 것이다.(刑罰不中, 則生邪氣, 邪氣畜於下, 怨惡畜於上, 上下不和, 則陰陽繆盭而妖孽生矣, 此災異所緣而起也.)"라고 하였다.(『漢書』「董仲舒傳」)

178 司馬遷의 … 것 : 武帝 때 李陵이 군사 5천을 거느리고 흉노를 대비하고 있다가 보병 부대를 이끌고 나가 浚稽山에서 單于(선우)의 군대 수천 명을 擊殺하였는데, 후속 부대의 지원이 없어 중과부적으로 흉노에게 항복하였고, 그곳에서 살다가 죽었다. 사마천은 이릉을 변호하다가 무제의 노여움을 사서 宮刑을 당하였다.

179 司馬相如의 … 것 : 사마상여는 「子虛賦」에 無始公·烏有先生 등 가공인물을 등장시킨 작품을 지어 이름을 떨쳤고, 또 화려한 것으로 유명하였다. 뒤에 육조(後六朝)의 문인들이 이것을 많이 모방하였다.

180 兩雄만은 도에 가까웠는데 : 양웅은 『周易』을 모방하여 『太玄經』을 짓고 『論語』를 본떠서 『法言』 등 道와 관련된 저서를 많이 남겼다.

積至於唐, 文籍之備, 盖十百前古. 元和之間, 韓柳輩出, 咸以古文名天下. 然其論著不詭於聖人盖寡矣. 自漢訖唐千餘歲, 而士之名能文者無過是數人. 及考其所至, 卒未有能唱明道學, 窺聖人閫奧如古人者. 然則古之時六籍未具, 不害其善學. 後世文籍雖多, 亡益於得也."[181]

오랜만에 당唐나라에 이르러 문적文籍이 갖추어진 것이 옛날보다 열 배 백배였다. 원화元和[182] 연간에 한퇴지韓退之·유종원柳宗元이 출현하여 모두 고문古文으로 천하에 이름을 날렸다. 그러나 그 논저가 성인을 속이지 않은 것이 적었다. 한나라에서 당나라까지 천여 년 간에 글을 잘한다고 날린 선비는 불과 몇 사람뿐이다. 그 경지를 살펴보면 결국 도학道學을 창명하여 옛사람처럼 성인의 묘리妙理를 살펴본 이는 없었다. 그렇다면 옛날에 육적이 갖추어지지 않았어도 학문을 잘하기에 해로운 것은 아니었다. 후세에 문적文籍이 비록 많으나 터득하기에는 유익함이 없는 것이다."

[56-2-11]

"人有語及爲文者. 和靖尹氏曰: '嘗聞程先生云, 聖人文章, 載爲六經. 自左丘明作傳, 文章始壞, 文勝質也.'"

(구산 양씨龜山楊氏가 말하였다.) "어느 사람이 글을 짓는 것을 언급하였다. 화정 윤씨和靖尹氏가 말하기를 '일찍이 정선생程先生께서 말씀하시는 것을 들었는데 성인의 문장은 육경六經에 실려 있었으나 좌구명左丘明이 전傳을 내면서부터 문장이 비로소 무너져서 문文이 질質을 능가하게 되었다.'라고 하였다."

[56-2-12]

朱子曰: "有治世之文, 有衰世之文. 有亂世之文. 『六經』, 治世之文也. 如『國語』委靡繁絮, 眞衰世之文耳. 是時語言議論如此, 宜乎周之不能振起也. 至於亂世之文, 則『戰國』是也. 然有英偉氣, 非衰世『國語』之文之比也. 楚漢間文字眞是奇偉, 豈易及也!"[183]

주자朱子가 말하였다. "치세治世의 문장도 있고 쇠퇴한 세상의 문장도 있으며 난세亂世의 문장도 있다. 『육경六經』은 치세의 문장이다. 『국어國語』와 같은 것은 위축되어 번다하니 참으로 쇠퇴한 세상의 문장일 뿐이다. 이때의 언어와 의론이 이와 같았으니 마땅히 주周나라가 떨쳐 일어날 수 없었던 것이다. 난세의 문장은 『전국책戰國策』이 그것이다. 그러나 탁월한 기상이 있으니 쇠퇴한 세상의 『국어』의 글과 비교할 것은 아니다. 초楚나라와 한漢나라 사이의 문장은 참으로 기발하니 어찌 쉽게 따라갈 수 있겠는가?"

[56-2-13]

"「楚詞」不甚怨君, 今被諸家解得都成怨君, 不成模樣. 「九歌」是托神以爲君, 言人間隔, 不可

181 『龜山集』 권25 「送吳子正序」
182 元和: 唐 憲宗의 연호. 806~820년
183 『朱子語類』 권139, 1조목

企及, 如己不得親近於君之意. 以此觀之, 他便不是怨君. 至山鬼篇, 不可以君爲山鬼, 又倒說山鬼欲親人而不可得之意. 今人解文字, 不看大意, 只逐句解, 意却不貫."[184]

(주자朱子가 말하였다.) 「초사楚辭」[185]는 임금을 매우 원망하지는 않았으나, 지금 여러 학자들에게 모두 임금을 원망하는 것이라고 풀되고 있으니 참모습을 이루게 하지 못하였다. 「구가九歌」[186]는 신에 의탁하여 임금을 위하였으나, 인간과 막혀서 미쳐갈 수 없고, 자신이 임금에게 친근히 할 수 없는 뜻을 말하고 있다. 이것으로 살펴보면 그는 임금을 원망한 것이 아니다. 「산귀편山鬼篇」에서는 임금을 산의 귀신이라고 할 수 없고, 또 산의 귀신이 사람과 친하고 싶지만 할 수 없다는 뜻을 뒤집어 말하였다. 지금 사람들이 문장을 해설하는 데에는 대의大意를 보지 않고 단지 구절만 따라 해설하여 뜻이 도리어 일관되지 않는다."

[56-2-14]

問 : "「離騷」「卜居」篇內字."

曰 : "字義從來曉不得, 但以意看可見. 如突梯滑稽, 只是軟熟迎逢, 随人倒, 随人起底意思. 如這般文字, 更無些小窒礙, 想只是信口恁地說, 皆自成文. 林艾軒嘗云 : '班固揚雄以下, 皆是做文字, 已前如司馬遷司馬相如等, 只是恁地說出.' 今看來是如此. 古人有取於登高能賦, 這也須是敏, 須是會說得通暢. 如古者或以言揚, 說得也是一件事, 後世只就紙上做. 如就紙上做, 則班揚便不如已前文字. 當時如蘇秦張儀都是會說. 『史記』所載, 想皆是當時說出."[187]

물었다. "「이소離騷」와 「복거卜居」 편篇 안에 있는 글자입니다."

(주자朱子가) 말하였다. "글자의 유래는 알 수 없지만, 다만 그 뜻으로 보면 알 수 있다. 예컨대 '돌제골계突梯滑稽'[188]는 부드럽고 원숙하게 세상에 영합하여 남을 따라 쓰러지고 남을 따라 일어선다는 뜻이다. 이와 같은 문자는 다시 조금도 막힘이 없이 단지 입 놀리는 대로 이렇게 말하면 모두 저절로 문장이 된다. 임애헌林艾軒[189]이 일찍이 말하기를 '반고班固 · 양웅揚雄 이하로 모두 문장을 지었는데, 그 이전에는 사마천司馬遷 · 사마상여司馬相如 등을 다만 이렇게 말했을 뿐이다.'라고 하니, 지금 보면 정말 그렇다. 옛사람은 등고능부登高能賦[190]에서 취한 것이 있으니, 이것은 반드시 민첩하게 해야 하고 반드시 말하는

184 『朱子語類』 권139, 2조목
185 「楚詞」 : 「楚辭」. 전국 시대의 屈原 및 그의 문인 宋玉이 지은 작품. 漢나라 劉向이 편집하여 책으로 만들었다.
186 「九歌」 : 戰國 楚나라의 충신 屈原이 지은 歌曲. 위로는 神을 섬기는 공경을 진술하고 아래로는 자신의 억울함을 나타내어, 임금에게 諷諫한 것인데, 東皇太一 · 雲中君 · 湘夫人 · 大司命 · 少司命 · 東君 · 河伯 · 山鬼 · 國殤 · 禮魂 등 11편으로 되어 있다.
187 『朱子語類』 권139, 3조목
188 突梯滑稽 : 『文選』 「卜居」에 수록된 呂向의 주석에 의하면 "'突梯滑稽'는 원만하게 시속을 따르는 것이다.(突梯滑稽, 委曲順俗也.)"라고 하였다.
189 林艾軒(1114~1178) : 송나라 사람. 林光朝. '艾軒'은 호. 자는 謙之. 朱熹가 형으로 받들었다. 관직은 集英殿學士 등을 역임하였다. 저술에 『艾軒文集』이 있다.

것이 유창해야 한다. 예컨대 옛날에 혹 말로 찬양할 때는 말하는 것이 한 가지 일이었지만, 후대에는 단지 종이에다 글만 짓는다. 만약 종이에다 지을 뿐이면, 반고·양웅은 이전의 문장보다 못하다. 당시에 소진蘇秦·장의張儀[191]와 같은 사람은 모두 말을 할 줄 아는 사람이었다. 『사기史記』에 실려 있는 것은 모두 당시에 말을 한 것이다."

又云 : "漢末以後, 只做屬對文字, 直至後來, 只管弱. 如蘇頲著力要變, 變不得. 直至韓文公出來, 盡掃去了, 方做成古文, 然亦止做得未屬對合偶以前體格. 然當時亦無人信他, 故其文亦變不盡, 纔有一二大儒畧相劾, 以下並只依舊. 到得陸宣公『奏議』, 只是雙關做去. 又如子厚亦自有雙關之文, 向來道是他初年文字. 後將年譜看, 乃是晩年文字, 蓋是他劾世間模樣做則劇耳. 文氣衰弱, 直至五代, 竟無能變. 到尹師魯歐公幾人出來, 一向變了. 其間亦有欲變而不能者, 然大槩都要變. 所以做古文自是古文, 四六自是四六, 却不衮雜."[192]

(주자朱子가) 또 말하였다. "한漢나라 말기 이후로는 다만 대우對偶를 맞춘 문장만 지었고, 곧바로 후대에 와서는 다만 약해질 뿐이었다. 소정蘇頲[193]과 같은 사람은 힘써 변화시키려고 했지만 변화시킬 수 없었다. 한문공韓文公[韓愈]이 출현하여 모두 쓸어내 버리고 비로소 고문古文을 이룩할 수 있었으나, 또한 다만 대우를 맞추기 이전의 문체 격식에 못 따라가는 것만 지었다. 그러나 당시에는 또한 그를 믿어주는 사람이 없었으므로 그의 문장 역시 다 변화시키지는 못하고 겨우 한두 명의 대유大儒만이 대략 서로 본받고 그 이하는 모두 옛것을 그대로 따를 뿐이었다. 육선공陸宣公[194]의 『주의奏議』에 이르러서는 다만 쌍관법雙關法[195]을 지었다. 또 자후子厚[柳宗元]도 본래 쌍관법의 문장이 있는데, 이전에는 그의 초년 시절의 문장이라고 말하였다. 훗날 연보를 보니 만년 시절의 문장이니, 아마도 그가 세간의 모습을 본받아 만든 희롱한 것일 뿐이다. 문장의 기세가 쇠약하여 곧바로 오대五代에 이르도록 끝내 아무 변화가 없었다. 윤사노尹師魯[196]·구양수歐陽脩 공 등 몇 사람이 출현하자 한꺼번에 변했다. 그 사이에 또 변하려고

---

190 登高能賦 : 높은 곳에 올라서 시를 잘 읊는 일로, 고대에 大夫가 갖추어야 할 아홉 가지 재능 중 하나를 말함. 『韓詩外傳』 권7에 공자가 景山에 올라가서 제자들에게 "군자는 산에 오르면 반드시 시를 읊어야 한다.(君子登高必賦.)"라고 말하였고, 또 『漢書』 「藝文志」에, "산에 올라가 시를 읊을 줄 알아야 대부의 자격이 있다.(登高能賦, 可以爲大夫.)"라고 하였다.

191 蘇秦·張儀 : 전국 시대의 遊說家. 소진은 六國이 남북으로 연합하여 秦나라에 대항하자는 合從說을 주장하고, 장의는 진나라가 육국 각 나라와 동서로 화친하자는 連橫說을 주장하였다.

192 『朱子語類』 권139, 3조목

193 蘇頲(670~727) : 당나라 사람. 자는 廷碩. 唐玄宗 때 紫微黃門平章事를 지내고 許國公에 봉해졌다. 문장에 능했다.

194 陸宣公 : 당나라 사람 陸贄. 자는 敬輿이고, 선공은 시호이다. 德宗 때에 翰林學士를 지냈다. 후인들이 육지의 주의를 모아 『陸宣公奏議』를 간행했는데 이는 정사하는 사람의 필독서였다.(『新唐書』 권157 「陸贄列傳」)

195 雙關法 : 수사법의 한 가지. 문장을 지을 때 표면적으로 한 가지 뜻을 표현하였으나 이면적으로 또 다른 의미가 숨어 있는 형식을 말한다.

196 尹師魯(1001~1047) : 송나라 尹洙. 자가 '師魯'이다. 하남 洛陽 출신이기 때문에 세칭 河南先生이라 하였다.

하면서 할 수 없는 이들은 대개 모두 변하려 하였다. 그러므로 고문을 짓는 것은 본래 고문이었고 사륙문四六文[197]을 짓는 것은 본래 사륙문이어서 또한 섞이지 않았다."

[56-2-15]

"楚些, 沈存中以些爲呪語, 如今釋子念娑婆訶三合聲, 而巫人之禱亦有此聲. 此却說得好. 盖今人只求之於雅, 而不求之於俗, 故下一半都曉不得."「離騷」叶韻, 到篇終, 前面只發兩例. 後人不曉, 却謂只此兩韻如此.[198]

(주자朱子가 말하였다.) "초사楚些[199]에 대해 심존중沈存中[200]은 '些'를 주문呪文이라고 생각하고, 지금 승려들이 '사바하娑婆訶'[201]라고 읊조리는 세 글자를 합한 소리와 같고 무당들이 기도할 때도 역시 이 소리가 있다고 하였다. 이것은 또한 설명을 잘한 것이다. 지금 사람들은 우아한 것에서만 구하고 범속한 것에서는 구하지 않으므로, 하반부는 도무지 이해하지 못한다."「이소離騷」의 협운協韻[202]은 편篇 끝까지 앞부분에 단지 두 예만 드러내었다. 후세 사람들은 이해하지 못하고 도리어 이 두 운韻이 이와 같을 뿐이라고만 하였다.

[56-2-16]

"古人文章, 大率只是平說而意自長, 後人文章, 務意多而酸澁. 如「離騷」初無奇字, 只恁說將去, 自是好. 後來如魯直恁地著力做, 却自是不好."[203]

(주자朱子가 말하였다.) "옛사람들의 문장은 대개 평이하게 말했을 뿐이지만 의미는 절로 깊고, 후대

<hr>

북송의 고문운동을 선도한 인물이다.

197 四六文: 한문 文體의 한 가지. 四字句와 六字句를 기본으로 하여 對句法을 쓰는 騈儷文. 특히 六朝時代에 성행하였다.

198 『朱子語類』 권139, 4조목

199 楚些: 戰國 시대 초나라의 민간에 유행하던 招魂歌의 형식에 구절의 끝마다 些 자를 쓴 데서, 전하여 초혼가를 뜻함. 些는 『楚辭』「招魂篇」의 구절 말미에 사용한 語氣詞이다.

200 沈存中(1031~1095): 송나라 沈括. 자가 '存中'이다. 벼슬은 龍圖閣學士를 역임했다. 天文과 地理 및 易學과 律曆에 두루 밝았다. 저술에 『夢溪筆談』이 있다.

201 娑婆訶: 梵語의 譯音으로, 吉祥, 재앙 멸식 등의 뜻이 있다.

202 「離騷」의 協韻: 朱熹의 『楚辭集注』「離騷經」에서 협운 제시는 맨 앞의 "帝高陽之苗裔兮, 朕皇考曰伯庸. 攝提貞于孟陬兮, 惟庚寅吾以降. … 紛吾既有此内美兮, 又重之以脩能. 扈江離與辟芷兮, 紉秋蘭以爲佩."에 "降은 협운이 乎와 攻의 반절이다. 能은 협운이 奴와 代의 반절이다.(降, 叶乎攻反. 能, 叶奴代反.)"라고 하였다. 降은 앞 구절의 庸에 맞추어 'ㅎ'과 'ㆁ'을 결합하여 '홍'으로 압운을 성립시키고, 能은 뒤 구절의 佩에 맞추어 'ㄴㄴ'과 'ㅐ'를 결합하여 '내'로 압운을 성립시키는 것이다. 이 협운은 송나라 때 『詩經』의 운이 語音의 변화로 당시 현실음과 맞지 않아서 운을 맞추어 읽기 위한 방편으로 고안된 것이다. 한국에서는 『詩經』에 협운을 적용하지 않고 本音대로 읽었다. 따라서 '降'을 '강'으로 읽고 '홍'으로 읽지 않으며, '能'을 '능'으로 읽고 '내'로 읽지 않는다.

203 『朱子語類』 권139, 7조목

사람들의 문장은 뜻에 힘쓴 것이 많지만 난삽하다. 예컨대 「이소離騷」는 애당초 기이한 글자가 없이 단지 이렇게 말해도 본디 좋은 것이다. 후일에 노직魯直[黃庭堅] 같은 사람이 이렇게 힘을 들여 지었지만 오히려 아름답지 못했다."

[56-2-17]

"古賦須熟, 看屈宋韓柳所作, 乃有進步處."[204]

(주자朱子가 말하였다.) "고부古賦는 반드시 숙달해야 하니 굴원屈原·송옥宋玉·한유韓愈·유종원柳宗元의 작품을 보면 발전한 곳이 있다."

[56-2-18]

"楚詞平易, 後人學做者反艱深了, 都不可曉."[205]

(주자朱子가 말하였다.) "「초사楚詞」는 평이한 것인데 후대의 배워 짓는 사람들이 도리어 어렵고 심각하게 하여 도무지 이해할 수 없게 되었다."

[56-2-19]

"漢初, 賈誼之文質實. 錯說利害處好, 答制策便亂道. 董仲舒之文緩弱, 其答賢良策, 不答所問切處, 至無緊要處, 又累數百言. 東漢文章尤更不如, 漸漸趨於對偶. 如楊震輩皆尚讖緯, 張平子非之. 然平子之意, 又却理會風角鳥占, 何愈於讖緯! 陵夷至於三國兩晉, 則文氣日卑矣. 古人作文作詩, 多是模倣前人而作之, 盖學之旣久, 自然純熟. 如相如封禪書, 模倣極多. 柳子厚見其如此, 却作貞符以反之, 然其文體亦不免乎蹈襲也."[206]

(주자朱子가 말하였다.) "한漢나라 초기에 가의賈誼의 문장은 질박하고 알차다. 조조鼂錯[207]가 이해利害에 관하여 말한 것은 좋은데, 제책制策에 답한 것은 도道를 어지럽혔다. 동중서董仲舒의 문장은 느슨하고 연약하니 「답현량책答賢良策」에서는 절실하게 물은 것에는 답하지 않고 긴요하지 않은 것에 수백 마디 말을 하였다. 동한東漢의 문장은 더욱 그만 못하여, 점점 대우對偶로 달려갔다. 예컨대 양진楊震[208]의

---

204 『朱子語類』 권139, 8조목
205 『朱子語類』 권139, 10조목
206 『朱子語類』 권139, 11조목
207 鼂錯: 漢景帝 때의 御史大夫. 제후의 영토를 삭감하자고 주청하였는데, 吳·楚 등 7개 國이 조조를 참살해야 한다는 명목으로 반란을 일으켰다. 이때 그는 평소에 사이가 나빴던 袁盎의 密啓로 인하여 결국 억울하게 朝服을 입은 채 東市에서 참수되었다.(『漢書』 권49 「鼂錯傳」)
208 楊震: 후한 사람. 자가 伯起. '關西孔子 楊伯起'라는 칭호를 얻었다. 나이 오십에 처음으로 벼슬하여 외방에서 태수로 전전하다가 安帝 元初 연간에 조정에 들어와 太僕과 太常이 되었으며, 永寧 원년(120)에 司徒가 되고, 延光 2년(123)에 太尉가 되었다. 외척과 환관의 발호를 막기 위해 노력하다가 오히려 참소를 받고 면직되자 분개하여 음독자살하였다. 四知의 고사를 남긴 인물이다.(『後漢書』 권54 「楊震列傳」)

무리가 모두 참위讖緯를 숭상하자, 장평자張平子[209]는 그것을 그르다고 하였다. 그러나 장평자의 생각은 또 풍각風角(바람으로 길흉을 점치는 일)과 조점鳥占(새로 점을 치는 일)을 다루고 있으니 어찌 참위보다 낫겠는가! 점차 낮아져서 삼국三國과 양진兩晉(西晉과 東晉) 시대에 이르러서는 문장의 기세가 날로 추락하였다. 옛사람들은 문장과 시를 지을 때 대부분 이전 사람을 모방하여 지었고, 오랫동안 배우면 자연히 순수하고 성숙해졌다. 예컨대 사마상여司馬相如의 「봉선서封禪書」[210]는 모방을 매우 많이 하였다. 유자후柳子厚[柳宗元]는 이와 같은 것을 보고 「정부貞符」[211]를 지어 그것을 반박하였다. 그러나 그의 문체 또한 답습하는 것을 면하지 못하였다."

[56-2-20]

"司馬遷文雄健, 意思不帖帖, 有戰國文氣象, 賈誼文亦然. 老蘇文亦雄健, 似此皆有不帖帖意. 仲舒文實, 劉向文又較實亦好, 無些虛氣象. 比之仲舒, 仲舒較滋潤發揮. 大抵武帝以前文雄健, 武帝以後便實. 到杜欽谷永書又太弱, 無歸宿了. 匡衡書多有好處, 漢明經中皆不似此."[212] (주자朱子가 말하였다.) "사마천司馬遷의 문장은 웅건하고 의미는 평담平淡하지 않아서 전국시대戰國時代 문장의 기상이 있고, 가의賈誼의 문장 역시 그렇다. 노소老蘇[213]의 문장 역시 웅건하고 그의 문장도 모두 평담하지 않은 뜻이 있는 듯하다. 동중서董仲舒의 문장은 알차고 유향劉向의 문장도 비교적 알차고 또 아름다워서 조금도 헛된 기상이 없다. 동중서의 문장과 비교하면 동중서가 비교적 윤택하게 발휘하였다. 대저 무제武帝 이전의 문장은 웅건하고 무제 이후는 알차다. 두흠杜欽[214]과 곡영谷永[215]의 글에 이르러서는 또 너무 약하여 귀착점이 없다. 광형匡衡[216]의 글에는 아름다운 것이 많이 있으나, 한나라의 경전經典

---

209 張平子(78~139): 후한 사람 張衡. '平子'는 장형의 자. 어려서 태학에 들어와 五經과 六藝에 정통하였다. 문장에 뛰어나 兩京賦를 지었고, 특히 天文·陰陽·曆算에 뛰어나 渾天儀·指南車·候風地動儀를 제작하였다. 당시 圖讖과 妖言이 횡행하자, 상소하여 이들을 물리칠 것을 청하였다.(『後漢書』「張衡列傳」권59)

210 「封禪書」: 漢나라 司馬相如가 죽기 전에 遺作으로 남긴 글. 그 내용은 공덕을 칭송하고 符瑞에 대해 이야기하고 武帝에게 封禪을 행하도록 권하는 것이었다.(『漢書』권57「司馬相如傳」)

211 「貞符」: 『柳河東集注』권1에 보인다.

212 『朱子語類』권139, 12조목

213 老蘇(1009~1066): 蘇洵. 北宋의 문인으로 자는 明允, 호는 老泉. 두 아들 蘇軾·蘇轍과 더불어 '三蘇'라 불리며, 3父子가 모두 唐宋 팔대가에 들었다.

214 杜欽: 한나라 사람. 漢成帝가 白虎殿에서 直言의 선비를 뽑을 때 두흠이 천하 만물을 공평히 사랑하는 것이 정치의 요체임을 논하여 대책을 올렸다.(『歷代名臣奏議』권23「治道」)

215 谷永: 한나라 成帝 때 사람. 자는 子雲이며, 본명은 竝이다. 글씨와 문장에 능했고, 『周易』에 정통했다. 벼슬이 大司農에 이르렀다. 40여 차례의 상소가 모두 천자의 허물을 과감하게 지적했으나 權臣의 과실은 언급한 적이 없었으며, 오히려 당시의 권신인 王鳳의 일파에게 아부함으로써 자신의 영달을 추구했다.(『漢書』권85「谷永傳」)

216 匡衡: 漢나라 때 사람. 집이 가난하여 촛불이 없고 이웃집의 촛불이 비치자 벽을 뚫고서 나오는 불빛으로 책을 읽었다고 한다. 『詩經』을 전공하였고, 그는 특히 詩를 잘 말하였으므로, 당시 諸儒들이 서로 말하기를, "시를 말하지 말라, 광형이 곧 올 것이다. 광형이 시를 말하면 모두 입이 벌어질 것이다.(無說詩, 匡鼎來.

에 밝은 사람들은 모두 이와 같지 못하다."

[56-2-21]

"司馬遷『史記』, 用字也有下得不是處. 賈誼亦然, 如「治安策」說敎太子處云: '太子少長知妃色, 則入于學.' 這下面承接, 便用解說此義, 忽然掉了, 却說上學去云: '學者所學之官也.' 又說'帝入東學, 上親而貴仁'一段了, 却方說上太子事, 云'及太子旣冠成人, 免於保傅之嚴.' 都不成文義, 更無段落. 他只是乘才快, 胡亂寫去, 這般文字也不可學. 董仲舒文字却平正, 只是又困善. 仲舒匡衡劉向諸人文字, 皆善弱無氣燄. 司馬遷賈生文字雄豪可愛, 只是逞快, 下字時有不穩處, 段落不分明. 匡衡文字却細密, 他看得經書極子細, 能向裏做工夫, 只是做人不好, 無氣節. 仲舒讀書不如衡子細, 疎畧甚多. 然其人純正開闊, 衡不及也.

(주자朱子가 말하였다.) "사마천司馬遷의 『사기史記』에도 글자를 잘못 사용한 곳이 있다. 가의賈誼 역시 그러하니, 「치안책治安策」[217]에서 태자太子를 가르치는 데 대해서, '태자가 조금 자라 배필의 여색女色을 알 만하면 太學에 들어간다.'고 하고, 이 아래에 이어서 이 의미를 해설하다가 홀연히 전환하여 학교를 말하여 '학교는 배우는 관청이다.'라고 하였다. 또 '황제皇帝가 동학東學에 들어가 부모를 높이고 인자仁者를 소중히 여긴다.'는 한 단락을 말하고, 또한 태자의 일을 말하여 '태자가 관례를 하여 성년成年이 되고 나면 보부保傅(선생)의 엄격함에서 벗어난다.'라고 하였으니, 도무지 문장의 뜻이 이루어지지 못하고 다시 단락도 없다. 그는 재주의 예리함만 믿고 마구 써내려갔으니, 이러한 글은 배워서는 안 된다. 동중서董仲舒의 글은 평정平正하나 다만 곤궁하다. 동중서·광형匡衡·유향劉向 등의 글은 모두 선량 나약하여 기염氣燄이 없고, 사마천과 가의의 글은 호방하여 아낄 만하지만 방종 흔쾌할 뿐 글자를 사용할 때 온당하지 못한 곳이 있고 단락도 분명하지 못하다. 광형의 글은 세밀하니, 그는 경서經書를 보는 것이 지극히 자세하여 내면內面의 공부를 할 수 있었지만, 사람됨이 아름답지 않았고 기절氣節이 없었다. 동중서는 독서를 광형만큼 자세하게 하지 못해 소략함이 매우 많았지만, 그 사람됨이 순정純正하고 트였으니 광형이 미치지 못한다.

荀子云: '誦數以貫之, 思索以通之.' 誦數, 即今人讀書記遍數也. 古人讀書亦如此, 只是荀卿做得那文字不帖律處也多."[218]

순자荀子가 말하기를 '글을 많은 횟수로 읽어 꿰뚫고, 사색하여 통해야 한다.'[219]고 하였으니, '송수誦數'는

· ·
　　匡說詩, 解人頤."라고 하였다. 벼슬은 太子少傅·丞相에 이르렀고, 樂安侯에 봉해졌다.(『漢書』권81「匡衡傳」)
217 「治安策」: 漢文帝 6년(기원전 174)에 賈誼가 梁懷王의 太傅로 있을 적에 文帝에게 올린 상소. 오랑캐가 강성하고 제후가 僭濫하자 국가를 평안케 할 계책을 말하였으므로 「治安策」이라고 부른다.(『漢書』권48 「賈誼傳」)
218 『朱子語類』권116, 54조목
219 '글을 많은 … 한다.': 『荀子』「勸學篇」

바로 지금 사람들이 독서할 때 읽은 횟수를 기록하는 것이다. 옛사람들의 독서 역시 이와 같으나, 다만 순경荀卿(순자)이 쓴 이 글에는 첩율帖律하지 않은 곳이 또한 많다."

[56-2-22]

"仲舒文大槩好, 然也無精彩."[220]

(주자朱子가 말하였다.) "동중서董仲舒의 문장은 대개 좋지만, 정채精彩가 없다."

[56-2-23]

"孔氏「書序」不類漢文, 似李陵答蘇武書."

問: "董仲舒三策文氣亦弱, 與鼂賈諸人文章殊不同, 何也?"

曰: "仲舒爲人寬緩, 其文亦如其人. 大抵漢自武帝後, 文字要入細, 皆與漢初不同."[221]

(주자朱子가 말하였다.) "공안국孔安國의 「서서書序」[222]는 한나라의 문장을 닮지 않았으니 이릉李陵이 소무蘇武에게 답한 글[223]과 비슷하다."

물었다. "동중서董仲舒의 삼책三策[224]은 문장의 기운이 또한 약하여, 조조晁錯와 가의賈誼 등 여러 사람의 문장과 매우 같지 않은 것은 무엇 때문입니까?"

(주자朱子가) 말하였다. "동중서는 사람됨이 너그러운데, 그 문장 또한 그 사람과 같다. 대저 한나라는 무제武帝 이후로 문장이 섬세하게 되어서 모두 한나라 초기와는 같지 않다."

[56-2-24]

"林艾軒云, '司馬相如賦之聖者. 揚子雲班孟堅只塡得他腔子, 一作「腔子滿」 如何得似他自在流出! 左太冲張平子竭盡氣力, 又更不及.'"[225]

(주자朱子가 말하였다.) "임애헌林艾軒林光朝이 말했다. '사마상여司馬相如는 부賦의 성인이고, 양자운揚子雲·반맹견班孟堅은 단지 그의 몸통을 채울 뿐이니 어느 곳에는 「몸통 가득함」으로 되어 있다. 어찌 사마상여처럼 자유로이 흘러나올 수가 있겠는가! 좌태충左太冲[226]·장평자張平子는 기력을 다했지만 또한 그에게

. . . .

220 『朱子語類』 권139, 13조목
221 『朱子語類』 권78, 31조목
222 孔安國의 「書序」: 한나라 공안국이 지은 「尙書序」를 말함
223 李陵이 蘇武에게… 글: 이릉과 소무는 모두 한 武帝의 신하로, 소무는 匈奴에게 사신갔다가 억류되었고, 이릉은 흉노와 싸우다가 항복하여, 두 사람이 흉노국에서 서로 만나게 되었는데, 그 뒤 한 昭帝가 흉노와 화친하자 소무는 고국으로 돌아가게 되니, 이릉이 이별시를 지어 소무에게 주었고 소무도 이릉에게 이별시를 지어 준 일을 말함. 이들 시는 五言詩로 쓰였는데 최초의 오언시로 여겨지고 있다.
224 三策: 동중서가 올린 「賢良對策」을 말함. 天人感應의 설을 요지로 세 번 올렸으므로 天人三策으로 일컬어진다.
225 『朱子語類』 권139, 14조목
226 左太冲: 晉나라 사람 左思. '太冲'은 자. 시문을 잘 지었는데, 특히 부를 짓는 솜씨가 뛰어났다. 齊都賦·三都賦 등을 지었는데, 그가 지은 글을 베끼기 위하여 사람들이 앞다투어 종이를 산 탓에 洛陽의 紙價가 뛰었다

미치지 못하였다.'"

[56-2-25]

問：“呂舍人言，古文衰自谷永."

曰：“何止谷永? 鄒陽獄中書，已自皆作對子了."

又問：“司馬相如賦，似作之甚易."

曰：“然."

又問：“高適「焚舟決勝賦」甚淺陋."[227]

曰：“『文選』齊梁間江揔之徒，賦皆不好了."[228]

물었다. “여사인呂舍人[229]이 말하기를 ‘고문古文이 쇠퇴함은 곡영谷永[230]으로부터 시작되었다.’고 합니다.”

(주자朱子가) 말하였다. “어찌 곡영뿐이겠는가? 추양鄒陽[231]의 옥중獄中 상서上書를 이미 모두 표본으로 삼았다.”

또 물었다. “사마상여司馬相如의 부賦는 매우 쉽게 지은 것 같습니다.”

(주자朱子가) 말하였다. “그렇다.”

또 물었다. “고적高適의 「분주결승부焚舟決勝賦」는 매우 천박하고 비루합니다.”

(주자朱子가) 말하였다. “『문선文選』의 제齊·양梁나라 무렵의 강총江揔[232]의 무리는 부賦가 모두 아름답지 않다.”

[56-2-26]

問：“西漢文章與韓退之諸公文章如何?"

曰：“而今難說. 便說某人優某人劣，亦未必信得及. 須是自看得這一人文字某處好，某處有病，識得破了，却看那一人文字，便見優劣如何. 若看這一人文字未破，如何定得優劣! 便說與

고 한다.(『晉書』 권92 「文苑列傳·左思」)

227　高適「焚舟決勝賦」：『唐文粹』 권4 등에 이 글이 실려 있는데, 작자는 高適이 아니라 高邁이고 작품명은 「濟河焚舟賦」로 되어 있다.

228　『朱子語類』 권139, 15조목

229　呂舍人(呂本中, 1084~1145)：송나라 학자. 자는 居仁, 세칭 東萊先生이라 한다. 벼슬은 中書舍人을 지내고 저서에는 『春秋解』·『童蒙訓』·『師友淵源錄』·『東萊詩集』·『紫微詩話』 등이 있다.(『宋史』 권376)

230　谷永(?~9)：한나라 사람. 자는 子雲. 京氏의 易에 정통했으며, 成帝 때에 王氏의 黨으로 徵辟되어 北地太守가 되었고 뒤에 大司農에 이르렀다.(『漢書』 권85 「谷永傳」)

231　鄒陽：漢景帝 때 梁孝王의 신하. 모함을 받고 구금된 뒤에 梁孝王에게 옥중에서 「獄中上書自明書」를 올려 억울한 심정을 진달한 결과 석방되어 上客이 되었다.(『史記』 권83 「鄒陽列傳」)

232　江揔(519~594)：梁나라 文人. 자는 揔持. 五七言詩에 뛰어나서 명성이 높았다. 정무는 보지 않고 날마다 後主와 함께 後苑에서 놀며 色情詩를 지었다고 한다.(『南史』 권36)

公優劣, 公亦如何便見其優劣處? 但子細自看, 自識得破. 而今人所以識古人文字不破, 只是不曾子細看. 又兼是先將自家意思橫在胷次, 所以見從那偏處去, 說出來也都是橫說."

물었다. "서한西漢의 문장과 한퇴지韓退之 등 여러 사람의 문장은 어떻습니까?"

(주자朱子가) 말하였다. "지금 말하기 어렵다. 어떤 사람이 우수하고 어떤 사람이 열등하다고 말해도 또한 반드시 신뢰할 수 있는 것은 아니다. 모름지기 이 사람의 문장은 어떤 곳이 좋고 어떤 곳이 결점이 있는지 알 수 있어야 저 사람의 문장을 보면 우수하거나 열등한지 알 수 있다. 만약 이 사람의 문장을 보고도 파악하지 못한다면 어떻게 그의 우수하며 열등함을 정할 수 있겠는가! 공에게 우수하며 열등함을 설명한다 해도 공이 또한 어떻게 그의 우수하며 열등함을 알아낼 수 있겠는가? 다만 자세히 스스로 살펴보고 스스로 알아내야 한다. 지금 사람들이 옛사람의 문장을 알아볼 수 없는 것은 다만 자세히 살펴본 적이 없기 때문이다. 또 겸하여 미리 자기 생각을 가슴에 가득 채우고 있으니 저쪽에 치우치게 보아서 말하는 것 또한 모두 마구 말하기 때문이다."

又曰: "人做文章, 若是子細看得一般文字熟, 少間做出文字, 意思語脉自是相似. 讀得韓文熟, 便做出韓文底文字, 讀得蘇文熟, 便做出蘇文底文字. 若不曾子細看, 少間却不得用. 大率古人文章, 皆是行正路. 後來杜撰底, 皆是行狹隘邪路去了. 而今只是依正底路脉做將去, 少間文章自會高人."

(주자朱子가) 또 말하였다. "다른 사람이 지은 문장을 자세히 살펴보아 일반 문자처럼 숙달하고 조금 후에 문자를 지어내면 생각과 문맥이 자연히 서로 같을 것이다. 한유韓愈의 문장을 익숙하게 읽으면 한유 문장의 문자를 지어낼 수 있고, 소식蘇軾의 문장을 익숙하게 읽으면 소식 문장의 문자를 지어낼 수 있다. 만약 자세히 살펴본 적이 없으면 조금 후에 쓸 수 없다. 대개 옛사람의 문장은 모두 바른길을 갔는데, 후일에 두찬杜撰(억측으로 지은 글)한 것은 모두 좁고 빗나간 길을 간 것이다. 이제 바른길의 맥락을 따라 짓는다면 조금 후에는 문장이 자연히 남보다 높아질 것이다."

又云: "蘇子由有一段論人做文章, 自有合用底字, 只是下不著. 又如鄭齊叔云, '做文字自有穩底字, 只是人思量不著.' 橫渠云, '發明道理, 惟命字難.' 要之, 做文字, 下字實是難. 不知聖人說出來底, 也只是這幾字, 如何鋪排得恁地安穩. 或曰, '子瞻云,「都來這幾字, 只要會安排.」' 然而人之文章, 也只是三十歲以前氣格都定, 但有精與未精耳. 然而掉了底便荒疎, 只管用功底又較精. 向見韓無咎說, 他晚年做底文字, 與他二十歲以前做底文字不甚相遠, 此是自驗得如此. 人到五十歲, 不是理會文章時節. 前面事多, 日子少了. 若後生時, 每日便偸一兩時閑做這般工夫. 若晚年, 如何有工夫及此!"

(주자朱子가) 또 말하였다. "소자유蘇子由[蘇轍]는 한 단락 논의에서 사람이 문장을 지을 때 본래 마땅히 써야 할 글자가 있으나 단지 사용하지 못할 뿐이라고 하였다. 또 정제숙鄭齊叔과 같은 이는 말하기를 '문장을 지을 때 본래 온당한 글자가 있으나 단지 사람들이 생각하지 못할 뿐이다.'라고 하고, 횡거橫渠[張載]는 말하기를 '도리를 밝혀내는 데에는 오직 글자를 정하는 것이 어렵다.'라고 했다. 요점은 문장을 짓는

데에 글자를 놓는 것이 실상 어려운 것이다. 성인聖人이 말한 것은 단지 이 몇 글자뿐인데, 어찌하여 이렇게 안온하게 배치할 수 있는지 모르겠다. 어떤 사람이 말하기를, '소자첨蘇子瞻이 말하기를「모두 이 몇 글자를 다만 배치할 줄 알게 하는 것이다.」'고 하였다. 그러나 사람의 문장은 30세 이전에 시문의 기상과 품격이 모두 정해지는데, 단지 정밀함과 정밀하지 않음이 있을 뿐이다. 그러나 손에서 놓으면 바로 황폐해지니 다만 공부를 또한 정밀하게 할 뿐이다. 이전에 한무구韓無咎[233]를 만나 말하였는데, 그가 만년에 지은 문장은 20세 이전에 지은 문장과 매우 차이가 나는 것은 아니었으니, 이것은 그가 본래 경험한 것이 이와 같았던 것이다. 사람이 50세가 되면 문장을 이해하는 시기는 아니다. 앞으로 일은 많고 날자는 적게 남았다. 만약 젊은 때라면 매일 한두 시간 한가한 틈을 내어 이러한 공부를 할 것이다. 만약 만년이라면 어찌 공부가 여기에 미칠 것인가!'

或曰: "人之晚年, 知識却會長進."
曰: "也是後生時都定, 便長進也不會多. 然而能用心於學問底, 便會長進. 若不學問, 只縱其客氣底, 亦如何會長進? 日見昏了. 有人後生氣盛時, 說盡萬千道理, 晚年只恁地鶻突底."
或引程先生曰: "人不學, 便老而衰."
曰: "只這一句說盡了."

어떤 이가 말하였다. "사람이 만년에 지식이 크게 발전할 수 있습니다."
(주자朱子가) 말하였다. "역시 젊었을 때 모두 정해지고, 크게 발전하는 것은 많을 수 없다. 그러나 마음을 학문에 쓰면 크게 발전할 수 있다. 만약 학문을 하지 않고 단지 객기客氣만 부린다면 또 어떻게 크게 발전할 수 있겠는가? 날마다 어두워지게 될 것이다. 어떤 사람은 젊어 기운이 왕성할 때 천만 가지 도리를 다 말하다가 만년에는 이렇게 위축된다."
어떤 사람이 정선생程先生의 말을 인용하여 말하였다. "사람이 배우지 않으면 곧 늙어 쇠한다."
(주자朱子가) 말하였다. "다만 이 한마디로 말을 다하였다."

又云: "某人晚年日夜去讀書, 某人戲之曰, '吾丈老年讀書, 也須還讀得入. 不知得入, 如何得出?' 謂其不能發揮出來爲做文章之用也. 其說雖麤, 似有理."
又云: "人晚年做文章, 如禿筆寫字, 全無鋒銳可觀."
又云: "某四十以前, 尚要學人做文章, 後來亦不暇及此矣. 然而後來做底文字, 便只是二十左右歲做底文字."

(주자朱子가) 또 말하였다. "어떤 사람이 만년에 밤낮으로 독서하니 어떤 사람이 놀려 말하기를 '귀하께서는 노년에 독서를 하면서 또한 빈드시 읽어 들어갈 수 있어야 하는데 들어갈 수 있는 것을 알지 못하니

---

233 韓無咎(1118~1187): 南宋 韓元吉. 자가 無咎이다. 호는 南澗이다. 관직은 吏部尚書·龍圖閣學士를 지내고, 潁川郡公에 봉해졌다. 尹焞을 사사했고, 일찍이 呂祖謙과 함께 德淸 慈相寺에서 강독했다. 저서에『澗泉集』·『澗泉日記』·『南澗甲乙稿』·『南澗詩餘』가 있다.

어떻게 나올 수 있겠습니까?라고 하였다. 이것은 그가 발휘해내어 문장을 짓는 데에 사용할 수 없음을 말한 것이다. 그 말이 비록 거칠지만 이치가 있는 듯하다."

(주자朱子가) 또 말하였다. "사람들이 만년에 문장을 짓는 것은 마치 몽당붓으로 글자를 쓰는 것처럼 전혀 예리함을 볼 만한 것이 없다."

(주자朱子가) 또 말하였다. "나는 40살 이전에 남들이 하는 문장을 배우려고 하였으나 후일에 또한 이를 할 겨를이 없었다. 그러나 후일에 문장을 지었는데 단지 20세 전후에 지은 문장일 뿐이다."

又曰: "劉季章近有書云, 他近來看文字, 覺得心平正. 某答他, 令更掉了這箇, 虛心看文字. 蓋他向來便是硬自執他說, 而今又是將這一說來罩, 正是未理會得. 大率江西人, 都是硬執他底橫說, 如王介甫陸子靜都只是橫說, 且如陸子靜說文帝不如武帝, 豈不是橫說!"

又云: "介甫諸公取人, 如資質淳厚底, 他便不取. 看文字穩底, 他便不取. 如那決裂底, 他便取, 說他轉時易. 大率都是硬執他底."[234]

(주자朱子가) 또 말하였다. "유계장劉季章이 근래에 편지를 보내와서 말하였는데, 그는 근래에 문장을 보면서 마음이 평안하고 바른 느낌을 받는다고 하였다. 내가 그에게 답하였는데, 다시 이것을 버리고서 마음을 비우고 글을 보도록 하라고 하였다. 그는 이전에 그의 주장을 강경하게 고집하다가 지금 또 이 주장을 뒤덮으니 아직 이해하지 못한 것이다. 대개 강서江西 사람들은 모두 그의 잘못된 주장을 강경하게 고집하니, 왕개보王介甫[王安石], 육자정陸子靜[陸九淵]처럼 모두 잘못된 주장일 뿐이다. 예컨대 육자정은 한漢 문제文帝가 무제武帝보다 못하다고 주장하였으니 어찌 잘못된 주장이 아닌가!"

(주자朱子가) 또 말하였다. "왕개보 등 여러 공들이 인재를 취하는데, 자질이 순후한 사람을 그는 취하지 않고, 문장이 안온한 사람을 보면 그는 또 취하지 않았다. 문장이 거센 사람과 같은 경우면 그는 바로 취하니 그가 시대를 바꾸는 것이 쉽다고 주장하였다. 대개 모두 그의 주장을 강경하게 고집하였다."

[56-2-27]

"韓文力量不如漢文, 漢文不如先秦戰國."[235]

(주자朱子가 말하였다.) "한유韓愈 문장의 힘은 한나라 문장보다 못하고, 한나라 문장은 선진先秦·전국戰國 시대보다 못하다."

[56-2-28]

"某方脩『韓文考異』而學者至. 因曰, '韓退之議論正, 規模闊大, 然不如柳子厚較精密. 如辨鶡冠子及說列子在莊子前及非國語之類, 辨得皆是.'"

黃達才言: "柳文較古."

· ·

234 『朱子語類』 권139 17조목
235 『朱子語類』 권139, 19조목

曰 : "柳文是較古, 但却易學. 學便似他, 不似韓文規模闊. 學柳文也得, 但會衰了人文字."[236]

(주자朱子가 말하였다.) "내가 한창 『한문고이韓文考異』[237]를 수찬하고 있을 때 배우는 사람이 왔다. 이어서 말하기를 '한퇴지韓退之의 의론은 바르고 그 규모가 크지만 유자후柳子厚만큼 정밀하지는 못하다. 「변갈관자辨鶡冠子」[238]와 「열자列子」의 설명 중에 이들이 장자莊子 이전의 인물이라는 주장 및 「비국어非國語」[239]와 같은 것이 변론한 것이 모두 옳다."

황달재가 말하였다. "유자후의 문장은 비교적 고풍古風입니다."

(주자朱子가) 말하였다. "유자후의 문장은 비교적 고풍이지만, 오히려 배우기 쉽다. 배우면 그와 비슷해지지만 한유의 문장처럼 규모가 활달하지는 못할 것 같다. 유자후의 문장을 배우는 것도 괜찮지만 다만 글 짓는 사람의 문장을 쇠하게 할 수 있다."

[56-2-29]

因論韓文公, 謂 : "如何用功了, 方能辨古書之眞僞?"

曰 : "『鶡冠子』亦不曾辨得. 柳子厚謂其書乃寫賈誼「鵩賦」之類, 故只有此處好, 其他皆不好. 柳子厚看得文字精, 以其人刻深, 故如此. 韓較有些王道意思, 每事較含洪, 便不能如此."[240]

이어서 한문공韓文公[韓愈]에 대하여 논하고 말하였다. "어떻게 공부해야 고서古書의 진위를 변별할 수 있습니까?"

(주자朱子가) 말하였다. "『갈관자鶡冠子』도 일찍이 변별된 것은 아니다. 유자후柳子厚는 그 글이 가의賈誼의 「복조부鵩鳥賦」[241]처럼 묘사한 것으로 여겼으므로, 다만 이것만 좋은 점이 있고 그 나머지는 모두 좋지 않다. 유자후가 문장을 보는 것은 매우 정밀하니 그의 사람됨이 엄밀하기 때문이다. 한유는 약간은 왕도王道에 생각을 두고 매사에 비교적 관대함을 품어서 이와 같이 할 수 없다."

[56-2-30]

"退之要說道理, 又要則劇, 有平易處極平易. 有險奇處極險奇. 且教他在潮州時好, 止住得一年. 柳子厚却得永州力也."[242]

---

236 『朱子語類』 권139, 21조목

237 『韓文考異』: 朱子가 『韓文』에 대해 諸家의 音釋을 붙여 만든 책. 『漢文』은 唐宋八大家의 한 사람인 韓愈의 시문이다.

238 「辨鶡冠子」: 柳宗元이 지은 글. 『鶡冠子』라는 책에 대해 변론한 것이다. 춘추 시대 楚나라의 鶡冠子라는 사람이 鶡鳥의 꽁지깃으로 장식한 관을 쓰고 다녔기 때문에 『鶡冠』라고 하였다. 19편으로 道家와 刑名에 관한 것을 내용으로 하고 있다.

239 「非國語」: 유종원이 『國語』 중에서 67군데의 모순을 지적하여 지은 글. 『國語』를 비난하는 뜻이다.

240 『朱子語類』 권139, 22조목

241 「鵩鳥賦」: 작품 이름. 漢나라 文帝 때에 賈誼가 좌천되어 長沙王의 太傅로 갔을 때 올빼미의 일종으로 불길한 새인 복조가 지붕 위에 날아와 모였는데, 당시 민간에 전하는 말로는 복조가 지붕에 앉으면 그 집주인이 죽는다고 하였으므로, 가의가 슬퍼하여 「鵩鳥賦」를 지었다.(『史記』 권84 「賈生列傳」)

(주자朱子가 말하였다.) "한퇴지韓退之는 도리를 설파하려고도 했고 또 해학적 표현도 하려 했으며, 평이한 곳에서는 매우 평이하고 기이한 곳에서는 지극히 기이하였다. 그리고 그가 조주潮州[243]에 있을 때에 문장이 좋았으나 다만 1년만 머물렀다. 유자후柳子厚는 영주永州[244]에서 힘을 얻었다."

[56-2-31]

"柳學人處便絶似. 平淮西雅之題甚似詩, 詩學陶者便似陶. 韓亦不必如此, 自有好處. 如平淮西碑好."[245]

(주자朱子가 말하였다.) "유종원柳宗元은 남에게 배운 곳이 바로 유사하게 되었다. 「평회서아平淮西雅」[246] 같은 것은 『시경詩經』과 매우 유사하고, 도연명陶淵明의 시를 배운 것은 도연명과 유사하다. 한유韓愈는 꼭 이와 같이 한 것은 아니고 본래 좋은 부분이 있다. 예컨대 「평회서비平淮西碑」[247]와 같은 것은 좋다."

[56-2-32]

問 : "韓柳二家, 文體孰正?"

曰 : "柳文亦自高古, 但不甚醇正."

又問 : "子厚論封建是否?"

曰 : "子厚說'封建非聖人意也, 勢也.' 亦是. 但說到後面有偏處, 後人辨之者亦失之太過. 如廖氏所論封建, 排子厚太過. 且封建自古便有, 聖人但因自然之理勢而封之, 乃見聖人之公心. 且如周封康叔之類, 亦是古有此制. 因其有功有德有親, 當封而封之, 却不是聖人有不得已處. 若如子厚所說, 乃是聖人欲呑之而不可得, 乃無可奈何而爲此! 不知所謂勢者, 乃自然之理勢, 非不得已之勢也."[248]

물었다. "한유韓愈와 유종원柳宗元 두 작가는 문체가 누가 순정醇正합니까?"

(주자朱子가) 말하였다. "유종원의 문장도 자연히 높고 고풍이지만 다만 그리 순정하지는 않다."

. . . .

242 『朱子語類』 권139, 23조목

243 潮州 : 唐나라 韓愈가 내쫓긴 곳임. 憲宗이 사신을 보내어 鳳翔에 가서 佛骨을 궁중에 맞아들이려 하자, 韓愈가 이를 반대하는 「論佛骨表」를 올려 극간했다가 노여움을 사서 潮州刺史로 좌천되었다.(『舊唐書』 권160 「韓愈列傳」)

244 永州 : 당나라 유종원이 順宗 때 禮部員外郎으로 있을 적에 王叔文이 유종원을 크게 등용해 쓰려고 했는데, 왕숙문이 정적에게 패하자 그 일당으로 몰려서 楚越 지방인 永州로 쫓겨났다. 유종원은 영주를 배경으로 가렴주구를 폭로하는 「捕蛇者說」, 간악한 小人을 풍자한 「鼠說」 등을 지었다.(『舊唐書』 권160 「柳宗元傳」)

245 『朱子語類』 권139, 24조목

246 「平淮西雅」 : 柳宗元이 지은 글. 『唐文粹』 권20에 「獻平淮西雅」로 실려 있다.

247 「平淮西碑」 : 韓愈가 지은 글. 당나라 德宗 때 蔡州의 吳元濟가 반란을 일으키자 덕종이 裵度 등을 보내어 평정하고서, 이를 기념하기 위하여 세운 비이다.

248 『朱子語類』 권139, 25조목

또 물었다. "유자후柳子厚(유종원)가 봉건封建을 논한 것은 옳습니까?"

(주자朱子가) 말하였다. "유자후가 말하기를 '봉건은 성인의 뜻이 아니라 형세에 의한 것이다.'라고 한 것도 역시 옳다. 다만 나중에 설명한 부분에는 치우친 곳이 있고, 뒷사람들이 변론한 것 역시 너무 잘못되었다. 예컨대 요씨廖氏[249]는 봉건을 논한 것에서 유자후를 지나치게 배격하였다. 봉건은 예로부터 있었던 것이고 성인聖人은 단지 자연스런 이치와 형세에 따라서 봉건했을 뿐이니 성인의 공정한 마음을 보게 된다. 또 예컨대 주周나라가 강숙康叔[250]을 봉한 따위는 역시 옛날부터 이런 제도가 있었던 것이다. 공로와 도덕과 친함이 있는 것에 따라 봉해야 하면 봉하는 것이니 성인께서 부득이한 곳이 있는 것은 아니다. 유자후의 설명과 같다면 성인이 병탄하고 싶지만 할 수 없고, 어찌할 수 없어서 이것을 하였다는 것인가! 그가 말한 형세는 자연스런 이치와 형세이지 부득이한 형세가 아니라는 것을 모른 것이다."

[56-2-33]

"有一等人專於爲文, 不去讀聖賢書. 又有一等人知讀聖賢書, 亦自會作文, 到得說聖賢書, 却別做一箇詫異模樣說. 不知古人爲文, 大抵只如此, 那得許多詫異! 韓文公詩文冠當時, 後世未易及. 到他「上宰相書」, 用'菁菁者莪', 『詩』注一齊都寫在裏面. 若是他自作文, 豈肯如此作? 最是說'載沈載浮', '沈浮, 皆載也', 可笑. 載是助語, 分明彼如此說了. 他又如此用."[251]

(주자朱子가 말하였다.) "어떤 사람들은 글을 짓는 데에만 오로지 열중하고 성현의 글을 읽지 않는다. 또 어떤 사람들은 성현의 글을 읽을 줄 알고 또 스스로 글을 지을 줄도 알지만, 성현의 글을 말하면서 별도로 놀랍게 괴이한 말을 한다. 옛사람이 지은 글이 대체로 이와 같이 할 뿐임을 알지 못하고 어찌 놀랍게 괴이한 말을 허다하게 하는가! 한문공韓文公의 시문詩文은 당시에 으뜸이어서 후세 사람들이 쉽게 따라갈 수 없다. 그의 「상재상서上宰相書」[252]에는 '무성한 다북쑥菁菁者莪'을 인용하고, 『시경詩經』의 주석을 모두 그 안에 베껴 썼다.[253] 만약 그가 글을 스스로 짓는 것이라면 어찌 기꺼이 이와 같이 짓겠는가? '내려갔다 올라갔다載沈載浮'[254]를 말하여 '침沈과 부浮는 모두 싣는다는 뜻이다.'라고 하니 가장 우스꽝스럽다. '재載'자는 어조사語助辭로서 분명히 그가 이와 같음을 말하고, 그가 또 이와 같이 사용했다."

---

249 廖氏: 廖偁을 말함. 송나라 사람. 生卒 미상. 1018년에 進士가 되었다. 문장을 잘하여 歐陽脩에게 칭찬을 받았고, 덕행으로 칭송되었다. 저술에 『洪範論』·『封建論』이 있는데, 『宋文鑑』 권94에 실려 있다.

250 康叔: 周나라 文王의 아들이며, 武王의 동생. 성은 姬, 이름은 封. 衛나라 제후로 봉해졌다.

251 『朱子語類』 권139, 26조목

252 「上宰相書」: 한유가 재상에게 올린 글로, 『五百家注昌黎文集』 권16에 3편이 보인다.

253 '무성한 다북쑥菁菁者莪'을 … 썼다.: 『詩經』의 경문과 주석을 베껴 쓴 것을 말함. 「上宰相書」에서 『詩經』 「小雅·菁菁者莪」의 經文 "무성한 다북쑥이 저 육지에 있도다.(菁菁者莪, 在彼中阿.)" 등 몇 장을 인용하고, 그 주석 "菁菁은 성대함이다.(菁菁者, 盛也.)" 등도 상당히 많이 인용하여 베껴 썼다. 「菁菁者莪」의 요지는 '인재를 교육함을 즐거워하는 것(樂育材也)'이다.

254 '내려갔다 올라갔다載沈載浮': 「菁菁者莪」 4章의 경문 "둥둥 뜬 버드나무 배, 내려갔다 올라갔다 하네.(泛泛楊舟, 載沈載浮.)"를 말한다.

[56-2-34]

問：“韓文李漢序頭一句甚好.”

曰：“公道好, 某看來有病.”

曰：“‘文者, 貫道之器.’ 且如六經是文, 其中所說皆是這道理, 如何有病?”

曰：“不然. 這文皆是從道中流出, 豈有文反能貫道之理? 文是文, 道是道, 文只如喫飯時下飯耳. 若以文貫道, 却是把本爲末, 以末爲本, 可乎? 其後作文者皆是如此.”

因說：“蘇文害正道, 甚於老佛. 且如『易』所謂‘利者義之和.’ 却解爲義無利則不和, 故必以利濟義, 然後合於人情. 若如此, 非惟失聖言之本指, 又且陷溺其心.”[255]

물었다. “한유韓愈 문집에서 이한李漢[256]의 「창려문집서昌黎文集序」의 첫머리 한 구절[257]은 매우 좋습니다.”

(주자朱子가) 말하였다. “공은 좋다고 하지만 내가 볼 때는 병통이 있다.”

물었다. “‘글은 도를 꿰는 그릇이다.’라고 하였습니다. 또 육경六經과 같은 것도 글이고 그 속에 말한 것들은 모두 도리인데 어찌 병통이 있겠습니까?”

(주자朱子가) 말하였다. “그렇지 않다. 이러한 문장은 모두 후일 도에서 흘러나온 것이니 어찌 문장이 도리어 도를 꿰는 이치가 있을 수 있겠는가? 문장은 문장이고 도는 도일뿐이니, 문장은 마치 밥 먹을 때의 반찬과 같을 뿐이다. 만약 문장으로 도를 꿴다면 오히려 근본을 말단으로 말단을 근본으로 여긴 것이니 옳겠는가? 후에 문장을 짓는 자들은 모두 이와 같이 하였다.”

이어서 질문자가 말하였다. “소식蘇軾의 문장은 정도正道에 해가 됨이 노자老子와 불교佛敎보다 심합니다. 또 『주역周易』「건괘乾卦·문언文言」에서 말한 ‘이로움은 의의 조화이다.’를 오히려 의를 행하는 데에 이로움이 없으면 화합하지 못하므로 반드시 이로움으로 의를 구제한 후에 인정에 부합한다고 해석합니다. 만약 이렇다면 성인의 본래의 뜻을 그르칠 뿐만 아니라 또 그 마음을 추락하게 합니다.”

[56-2-35]

“柳子厚文有所模倣者極精, 如自解諸書, 是倣司馬遷與任安書. 劉原父作文便有所倣.”[258]

(주자朱子가 말하였다.) “유자후柳子厚의 문장은 모방한 것이 매우 정밀한데, 스스로 해명한 여러 편의 글은 사마천司馬遷의 「여임안서與任安書」[259]를 모방한 것이다. 유원보劉原父[260]도 문장을 지은 것에 모방

• •

255 『朱子語類』 권139, 34조목
　　이 이후에 “先生正色曰 : ‘某在當時, 必與他辯.’ 却笑曰 : ‘必被他無禮.’”이 더 있는바, 이에 의하면 “因說 : ‘蘇文害正道, … 又且陷溺其心.”의 내용은 질문자 陳才卿의 말이다.

256 李漢 : 당나라 文人. 韓愈의 제자이면서 사위로서 그의 遺文을 수집해 문집을 발간하여 한유의 명성을 후세에 떨치는 데 일조하였다. 그 역시 장인의 뒤를 이어 문장으로 명성이 있었고, 한유의 「昌黎文集序」를 지어 전해지고 있다.

257 「昌黎文集序」의 … 구절 : ‘글은 도를 꿰는 그릇이다.(文者, 貫道之器也.)’를 말함. 韓愈의 제자 李漢이 지은 글로, 『唐文粹』 권92에 「唐吏部侍郎昌黎先生韓愈文集序」의 첫 구절이다.

258 『朱子語類』 권139, 36조목

한 것이 있다."

[56-2-36]

"韓千變萬化, 無心變. 歐有心變, 「杜祁公墓誌」說一件未了, 又說一件. 韓「董晉行狀」尚稍長, 權德輿作宰相神道碑, 只一板許, 歐蘇便長了. 蘇體只是一類. 柳「伐原議」極局促不好, 東萊不知如何喜之. 陳後山文, 如「仁宗飛白書記」大段好, 曲折亦好, 墓誌亦好, 有典有則, 方是文章, 其他文亦有太局促不好者."[261]

(주자朱子가 말하였다.) "한유韓愈의 문장은 천변만화하였으나 마음이 변한 것은 없고, 구양수歐陽脩의 문장은 마음이 변한 것이 있다. 「두기공묘지杜祁公墓誌」[262]에서는 한 가지 일을 말하다가 마치지 않은 채 또 한 가지 일을 말하였다. 한유韓愈의 「동진행장董晉行狀」[263]은 조금 긴데, 권덕여權德輿[264]가 재상의 신도비神道碑를 지은 것은 다만 책의 한 장쯤이었지만, 구양수와 소동파蘇東坡는 길다. 소동파의 문체는 한 가지 유형일 뿐이다. 유종원柳宗元의 「벌원의伐原議」[265]는 매우 촉박하여 아름답지 않은데, 동래東萊여 조겸呂祖謙는 어찌하여 그것을 좋아하는지 모르겠다. 진후산陳後山[陳師道]의 문장에 「인종비백서기仁宗飛白書記」[266]는 대체도 아름답고 곡절曲折도 아름다우며 묘지墓誌도 아름답다. 법칙이 있어야 비로소 문장이 되는데, 나머지 문장은 또한 너무 촉박하여 아름답지 않다."

[56-2-37]

"東坡文字明快, 老蘇文雄渾, 儘有好處. 如歐公曾南豐韓昌黎之文, 豈可不看? 柳文雖不全好, 亦當擇. 合數家之文擇之, 無二百篇. 下此則不須看, 恐低了人手段. 但採他好處以爲議論, 足矣. 若班馬孟子, 則是大底文字."[267]

(주자朱子가 말하였다.) "동파東坡[蘇軾]의 문장은 명쾌하고 노소老蘇[蘇洵]의 문장은 웅혼하여 진실로 아름

---

259 司馬遷의 「與任安書」:『文章正宗』 권15에 「司馬遷答任安書」로 실려 있다.

260 劉原父(1019~1068): 송나라 劉敞을 말함. 原父는 자. 호는 公是. 학문이 깊고, 문장이 뛰어났다. 벼슬은 知制誥·集賢院學士 등을 역임하였고, 저서에는『春秋權衡』·『春秋傳』·『春秋意林』·『公是集』 등이 있다. (『宋史』 권319)

261 『朱子語類』 권139, 38조목

262 「杜祁公墓誌」: 歐陽脩의『文忠集』 권31에 「太子太師致仕杜祁公墓誌銘」으로 실려 있다.

263 「董晉行狀」: 韓愈의 글 이름.『五百家注昌黎文集』 권37에 「故金紫光祿大夫檢校尚書左僕射同中書門下平章事兼汴州刺史充宣武軍節度副大使知節度事管内度支營田汴宋亳潁等州觀察處置等使上柱國隴西郡開國公贈太傅董公行狀」으로 실려 있다.

264 權德輿(759~818): 당나라 사람. 자는 載之. 어려서부터 文士로 이름이 알려졌다. 관직은 禮部尚書 中書門下平章事 등을 역임하였다. 시호는 文이다. 저서에『權載之文集』 50권이 있다.

265 「伐原議」: 柳宗元이 지은 글 이름.『柳河東集』 권4에 「晉文公問守原議」로 실려 있다.

266 「仁宗飛白書記」: 陳師道가 지은 글 이름.『後山集』 권11 「仁宗御書後序」와 권12 「御書記」를 말하는 듯하다.

267 『朱子語類』 권139, 39조목

다운 곳이 있다. 구양수歐陽脩·증남풍曾南風[曾鞏][268]·한창려韓昌黎[韓愈]의 문장을 어찌 보지 않을 수 있겠는가? 유종원柳宗元의 문장은 비록 모두 아름답지는 않지만 역시 택할 만하다. 이 몇 작가를 합친 문장을 가려 뽑아도 200편이 못 된다. 이 이하 것은 볼 필요가 없다. 사람의 솜씨만 낮출 뿐이니 단지 그 아름다운 곳만을 채택해도 의론하기에 충분하다. 반고班固·사마천司馬遷·맹사孟子와 같은 이는 큰 문장이다."

[56-2-38]

"韓文高, 歐陽文可學. 曾文一字挨一字謹嚴, 然太迫."

又云: "今人學文者, 何曾作得一篇! 枉費了許多氣力. 大意主乎學問以明理, 則自然發爲好文章. 詩亦然."[269]

(주자朱子가 말하였다.) "한유韓愈의 문장은 높고 구양수歐陽脩의 문장은 배울 만하다. 증공曾鞏의 문장은 한 글자 한 글자를 맞추어간 것이 근엄하지만 너무 촉박하다."

(주자朱子가) 또 말하였다. "지금 문장을 배우는 이들은 어찌 한 편이라도 제대로 지은 적이 있었는가? 많은 기력만 헛되이 허비하였다. 대의大意를 학문에 두어 이치를 밝히면 자연히 아름다운 문장을 지어낼 수 있을 것이다. 시 또한 그렇다."

[56-2-39]

"國初文章皆嚴重老成. 嘗觀嘉祐以前誥詞等, 言語有甚拙者, 而其人才皆是當世有名之士. 蓋其文雖拙, 而其辭謹重, 有欲工而不能之意, 所以風俗渾厚. 至歐公文字, 好底便十分好, 然猶有甚拙底, 未散得他和氣. 到東坡文字便馳騁, 忒巧了. 及宣政間, 則窮極華麗, 都散了和氣, 所以聖人取'先進於禮樂', 意思自是如此."[270]

(주자朱子가 말하였다.) "국초國初(송나라 초기)의 문장은 모두 엄중하고 노련하다. 가우嘉祐(송 인종仁宗 연호) 이전의 고사誥詞(황제의 반포문) 등을 살펴보았는데 언어가 매우 소박하였고 담당자의 재주는 모두 당세의 유명한 인사들이었다. 그의 문장은 비록 소박하지만 그 말은 근엄 중후하여 솜씨 내려고 해도 하지 못하는 뜻이 있으니 풍속이 혼후했던 것이다. 구양수歐陽脩의 문장에 이르러서 아름다운 것은 매우 아름답지만 그래도 매우 소박한 것도 있어서 아직 그의 조화로운 기운이 흩어지지는 않았다. 동파東坡에 이르러서는 문장이 줄달음쳐서 특별히 기교를 부렸다. 선화宣和(송 휘종徽宗 연호)·정화政和(송 휘종 연호) 연간에는 화려함을 극도로 추구하여 조화로운 기운이 모두 흩어졌으니 성인聖人께서 '선배들이 예·악에

---

268 曾南風(曾鞏, 1019~1083): 宋나라 仁宗·英宗·神宗 때의 문신. 자는 子固, 시호는 文定. 南豊 출신이므로 南豊 선생이라 불렸다. 벼슬은 集賢校理를 거쳐 滄州 등 여러 주의 知州를 역임하였는데, 가는 곳마다 치적이 많았다. 뒤에 中書舍人에 이르렀다. 문장에 뛰어나서 唐宋八大家의 한 사람이 되었다. 저서에 『元豊類稿』가 있다.(『宋史』「曾鞏列傳」권319)

269 『朱子語類』권139, 40조목

270 『朱子語類』권139, 41조목

촌스럽다.'[271]를 취한 까닭은 그 뜻이 바로 이와 같다."

[56-2-40]

劉子澄言: "本朝只有四篇文字好, 「太極圖」·「西銘」·「易傳序」·「春秋傳序」."[272]
因傷時文之弊. 謂: "張才叔「書義」好. 「自靖人自獻于先王義」, 胡明仲醉後每誦之."
又謂"劉棠「舜不窮其民論」好, 歐公甚喜之. 其後姚孝寧「易義」亦好." 一云. "或問「太極」·「西銘」.'
曰, '自『孟子』已後, 方見有此兩篇文章.'"[273]

유자징劉子澄[274]이 말하였다. "본조本朝(송나라)는 네 편의 문장만 아름다우니, 「태극도太極圖」·「서명西銘」·
「역전서易傳序」·「춘추전서春秋傳序」입니다."

(주자朱子가) 이어서 당시 문장의 폐단을 서글퍼하고 말하였다. "장재숙張才叔[275]의 「서의書義」는 아름답
다. 「자정인자헌우선왕의自靖人自獻于先王義」[276]를 호명중胡明仲[277]은 술 취한 후에 늘 암송하였다.

(주자朱子가) 또 말하였다. "유당劉棠[278]의 「순불궁기민론舜不窮其民論」[279]은 아름다워서 구양수歐陽脩가
매우 좋아하였다. 그 후에 요효녕姚孝寧[280]의 「역의易義」[281]도 아름답다." 어느 곳에는 말하였다. "어떤 사람
이 「태극도설太極圖說」·「서명西銘」을 물었다. (주자朱子가) 말하였다. '『맹자孟子』 이후로 비로소 이 두 편의 문장이
있음을 알겠다.'"

---

271 '선배들이 예·악에 촌스럽다.': 『論語』「先進」의 "先進於禮樂, 野人也."를 줄여서, '先進於禮樂'이라고 쓴 것이다.
272 『朱子語類』 권139, 42조목에는 이 뒤에 "因言, '杜詩亦何用? 曰, '是無意思. 大部小部無萬數, 益得人甚事?'"가
    더 있어, 다음 구절의 "因傷時文之弊."가 朱子의 말로 되어 있다.
273 『朱子語類』 권139, 42조목
274 劉子澄(1138~1195): 남송의 유학자인 劉淸之를 말함. 子澄은 자. 호는 靜春. 朱熹의 門人이다. 주희가 『小學』
    을 편찬할 때 그 일을 주간하였다. 저서에 『曾子內外雜篇』·『祭儀』·『訓蒙新書』 등이 있다.
275 張才叔: 송나라 張庭堅을 말함. 才叔은 자. 哲宗 때 進士. 司馬光·呂公著를 훌륭하다고 進言하고 蘇軾·蘇
    轍을 추천하였다. 通判陳州로 나갔고 蔡京과 사이가 좋아서 채경이 자기를 위해 쓰려고 하였으나 따르지
    않아 뒤에 黨籍에 들게 되었다. 虔州 등지에 編管되었다가 오래되어 관직이 회복되었다. 시호는 節愍.(『宋史』
    권346 「張庭堅列傳」)
276 「自靖人自獻于先王義」: 『隱居通議』 권15에 「張才叔義」라는 제목으로 실려 있다.
277 胡明仲(1098~1156): 송나라 胡寅을 말함. 明仲은 자. 호는 致堂. 胡安國의 조카로, 벼슬은 禮部侍郞에 이르
    렀다. 금나라의 침입으로 靖康의 변을 당하여 徽宗·欽宗이 잡혀가고 송은 江南으로 밀려나 금나라의 압박
    을 계속 받고 있던 중이었는데, 호인은 이때 원수를 갚자고 극력 주장하였다. 秦檜가 정권을 담당한 뒤로
    新州에 안치되었다가 진회가 죽자 벼슬이 회복되었다. 저서로 『論語詳說』·『讀史管見』·『斐然集』이 있다.
    (『宋史』 권435)
278 劉棠: 생몰년 미상. 북송 사람. 자는 君美. 進士. 관직은 利州路提擧學事·旋提擧兩淅常平 등을 역임하여
    훌륭한 정무를 행하였다. 문장을 잘하여 『綱擧而網疏賦』 등이 과거 시험의 모범 문장으로 우대를 받았다.
279 「舜不窮其民論」: 『能改齋漫錄』 권8에 보인다.
280 姚孝寧: 송나라 사람. 『誠齋詩話』에 요녕현이 太學生으로서 쓴 「祭李淸卿文」이 보인다.
281 「易義」: 『經義模範』의 「反復其道七日來復」·「聖人亨以享上帝」·「利用賓于王」을 말한 것으로 보인다.

[56-2-41]

嘗以伊川答方道輔書示學者, 曰: "他只恁平鋪, 無緊要說出來. 只是要移易他一兩字, 也不得, 要改動他一句, 也不得."[282]

(주자朱子가) 일찍이 이천伊川이 방도보方道輔[283]에게 답한 편지를 문하생들에게 보여주면서 말하였다. "그는 이처럼 평탄하게 서술하여, 긴요하게 말한 것이 없다. 그의 한두 글자를 바꾸려고 해도 할 수 없고, 그의 한 구절을 변경하려고 해도 할 수 없다."

[56-2-42]

"李泰伯文實得之經中, 雖淺, 然皆自大處起議論. 首卷「潛書」·「民言」好, 如古『潛夫論』之類.「周禮論」好, 如宰相掌人主飲食男女事, 某意如此. 今其論皆然, 文字氣象大段好, 甚使人愛之, 亦可見其時節方興如此好. 老蘇父子自史中『戰國策』得之, 故皆自小處起議論, 歐公喜之. 李不軟貼, 不爲所喜. 范文正公好處, 歐不及."[284]

(주자朱子가 말하였다.) "이태백李泰伯[285]의 문장은 실로 경전經典 속에서 얻은 것인데, 비록 천박하지만 모두 큰 문제점에서 의론을 일으킨 것이다. 첫 권의 「잠서潛書」[286]·「민언民言」[287]은 아름다우니 마치 옛날 『잠부론潛夫論』과 같은 부류이다.「주례론周禮論」[288]도 아름다우니 재상이 임금의 먹고 마시며 남녀의 일까지 관장해야 한다는 등과 같은 것에는 내 생각도 이와 같다. 지금 그의 논의가 모두 그렇고 문장의 기상도 대단히 아름다워서 사람들에게 사랑을 크게 받고 있으니, 또한 그 시절이 이렇게 아름답게 일어났음을 알 수 있다. 노소老蘇[蘇洵] 부자는 역사 중에서 『전국책戰國策』으로부터 터득했기 때문에 모두 작은 것으로부터 의론을 일으키니 구양수歐陽脩가 그것을 좋아하였다. 이태백은 부드럽게 연결되지 않아서 구양수가 좋아하지 않았다. 범문정공范文正公[289]의 아름다운 곳을 구양수는 미치지 못한다."

· ·

282 『朱子語類』 권95, 118조목

283 方道輔: 송나라 사람 方元寀를 말함. 자가 道輔임. 젊어서 程頤와 潤學에서 함께 從遊하였다. 관직은 宣義郎·威武軍節度推官을 지냈다. 정이가 방도보에게 보낸 편지에는 "귀하는 혼잡한 세속 무리가 아니고 도에 뜻을 둔 인사입니다.(足下非混俗之流, 其志道之士.)"라고 하고 또 "늙은 이 사람은 글을 쓰기에 귀하와 같지 못할까 두려워서 다시 이 편지를 쓰지 못하오.(老夫怕執筆非吾故人, 不復作此書.)"라고 하였다.(『萬姓統譜』 권49)

284 『朱子語類』 권13, 43조

285 李泰伯(1009~1057): 송나라 李覯를 말함. 泰伯은 자. 호는 旴江. 그는 『常語』를 지어 『孟子』를 비난했다. 『孟子』가 없어도 된다는 이구의 말에 대해 朱子는 『六經』이 없어서는 안 되지만, 『孟子』는 더욱 없어서는 안 된다고 논박했다.(『宋元學案』 권3 「高平學案」)

286 「潛書」: 李覯의 『旴江集』 권20에 「潛書十五篇」이 보인다.

287 「民言」: 李覯의 『旴江集』 권21에 「經歷民言三十篇」이 보인다.

288 「周禮論」: 李覯의 『旴江集』 권5에 「周禮致太平論五十一篇」이 보인다.

289 范文正公(989~1052): 송나라 范仲淹을 말함. 文正은 시호. 자는 希文. 벼슬은 龍圖閣直學士·樞密副使·參知政事·河東宣撫 등을 역임하였다. 저서에 『范文正集』이 있다.(『宋史』 권314)

[56-2-43]

嘗讀宋景文「張巡贊」, 曰: "其文自成一家. 景文亦服人, 嘗見其寫六一「瀧岡阡表」二句云, '求其生而不得, 則死者與我皆無恨也.'"[290]

(주자朱子가) 송경문宋景文[291]의 「장순찬張巡贊」을 읽은 적이 있었는데 말하였다. "그의 문장은 스스로 일가를 이루었다. 송경문은 또 사람을 감복시키기도 하였으니, 일찍이 육일거사六一居士(구양수의 호)의 「상강천표瀧岡阡表」[292]의 두 구절 '그 목숨을 구하려다가 구하지 못하였다면 죽는 자와 내가 모두 한이 없을 것이다.'라고 송경문이 써 놓은 것을 본 적이 있다."

[56-2-44]

"六一文一唱三嘆, 今人是如何作文!"[293]

(주자朱子가 말하였다.) "육일거사六一居士의 문장은 한 번 읽고 세 번 감탄하겠으니, 지금 사람들이 어떻게 글을 지을까!"

[56-2-45]

"六一文有斷續不接處, 如少了字模樣. 如「祕演詩集序」'喜爲歌詩以自娛', '十年間', 兩節不接. 「六一居士傳」意凡文弱, 「仁宗飛白書記」文不佳. 制誥首尾四六皆治平間所作, 非其得意者, 恐當時亦被人催促, 加以文思緩, 不及子細, 不知如何. 然有紆餘曲折, 辭少意多, 玩味不能已者, 又非辭意一直者比. 「黃夢升墓誌」極好. 某所喜者「豐樂亭記」.[294]"[295]

(주자朱子가 말하였다.) "육일거사六一居士의 문장은 끊기고 이어짐이 접속되지 않는 곳이 있어서 마치 글자가 적게 들어간 듯한 모양이다. 예컨대 「비연시집서祕演詩集序」[296]에서 '기쁘면 시를 노래하여 스스로 즐긴다.'와 '십년 동안十年間'이라는 이 두 구절은 서로 접속되지 않는다. 「육일거사전六一居士傳」[297]은 뜻이 평범하고 문장이 나약하며, 「인종비백서기仁宗飛白書記」[298]의 문장은 아름답지 않다. 제고制誥는 처음부터 끝까지 사륙문四六文으로 되었는데 모두 치평治平(송 영종英宗 연호) 연간에 지은 것으로 마음에 만족하게 지은 것이 아니다. 아마도 당시에 또한 남에게 재촉을 받은 듯하고, 게다가 글의 구상이 느슨하

---

290 『朱子語類』 권139, 44조목

291 宋景文(998-1061): 송나라 宋祁를 말함. 景文은 시호. 工部尙書, 翰林學士承旨 등을 지냈으며, 歐陽脩와 함께 『新唐書』를 撰修하였고, 문집으로 『宋景文集』 등을 남겼다.(『宋史』 권284)

292 瀧岡阡表: 歐陽脩가 그의 父祖와 모친 鄭夫人을 瀧岡山에 장사하고 비석에 새긴 비문.(『歐陽永叔集』 권25 「墓表」)

293 『朱子語類』 권139, 46조목

294 某所喜者「豐樂亭記」: 『朱子語類』 권139, 47조목에는 "問先生所喜者. 云: '豐樂亭記.'"로 되어 있다.

295 『朱子語類』 권139, 47조목

296 「祕演詩集序」: 『文忠集』 권41에 「釋祕演詩集序」로 실려 있다.

297 「六一居士傳」: 『文忠集』 권44에 실려 있다.

298 「仁宗飛白書記」: 『文忠集』 권40에 「仁宗御飛白記」로 실려 있다.

여 자세하지 못하니 어찌된 것인지 알지 못하겠다. 그러나 우여곡절이 있고, 말은 적어도 의미가 다양하여 완미하기를 그만둘 수 없으니 말과 구상이 한결같이 곧기만 한 것과 비교할 것은 아니다. 「황몽승묘지黃夢升墓誌」는 매우 아름답다. 내가 좋아하는 것은 「풍락정기豐樂亭記」이다."

[56-2-46]

"歐公文字鋒刃利, 文字好, 議論亦好. 嘗有詩云, '玉顏自古爲身累, 肉食何人爲國謀!' 以詩言之, 是第一等好詩. 以議論言之, 是第一等議論."[299]

(주자朱子가 말하였다.) "구양수歐陽脩의 문장은 칼끝처럼 날카롭고 문장도 아름답고 의론도 역시 아름답다. 일찍이 시를 지어 말하기를 '고운 얼굴은 예부터 자신을 얽매이게 하였고, 고기 먹는 사람들이 나라를 위해 계책을 세우는가!'[300]라고 하였으니 시로 말하면 이것은 일등의 좋은 시이고, 의론으로 말하면 이것은 일등의 좋은 의론이다."

[56-2-47]

問: "歐公文字愈改愈好."

曰: "亦有改不盡處. 如『五代史』「宦者傳」末句云, '然不可不戒.' 當時必是載張承業等事在此, 故曰, '然不可不戒.' 後旣不欲載之於此, 而移之於後, 則此句當改, 偶忘削去故也."[301]

물었다. "구양수歐陽脩 공의 문장은 고칠수록 더욱 아름답습니다."

(주자朱子가) 말하였다. "또한 다 고치지 못한 곳도 있다. 예컨대『오대사五代史』「환자전宦者傳」의 마지막 구절에 '그러나 경계하지 않을 수 없다.'고 한 것은 당시에 분명히 장승업張承業[302] 등의 일을 여기에 수록하였으므로 "그러나 경계하지 않을 수 없다"고 한 것이다. 훗날에는 여기에 수록하려고 하지 않아서 그것을 뒤로 옮겼으니 이 구절도 고쳐야 할 것이었으나 우연히 삭제하는 것을 잊었기 때문이다."

[56-2-48]

"歐公爲蔣潁叔輩所誣, 旣得辨明, 「謝表」中自叙一段, 只是自胷中流出, 更無些窒礙, 此文章之妙也."

又曰: "歐公文亦多是脩改到妙處. 頃有人買一作見得他「醉翁亭記」稿, 初說滁州四面有山, 凡數十字, 末後改定, 只曰, '環滁皆山也'五字而已. 如尋常不經思慮, 信意所作言語, 亦有絶不成文理者, 不知如何."[303]

· · · · · · · · · · · · · · · · · · · ·

299 『朱子語類』 권139, 49조목
300 '고운 얼굴은 … 세우는가!': 『文忠集』 권13 「唐崇徽公主手痕和韓內翰」
301 『朱子語類』 권139, 50조목
302 張承業: 唐僖宗 때의 宦者. 921년에 李存勗이 황제가 되려 하자 병든 몸으로 간하였는데 받아들여지지 않았고, 그다음 해에 죽었다.(『五代史』 권38)

(주자朱子가 말하였다.) "구양수歐陽脩 공이 장영숙蔣穎叔[304]의 무리에게 모함을 받았을 때 이미 변별하여 밝혔고 「사표謝表」[305]에서 스스로 그 일단의 상황을 서술한 것은 가슴속에서 흘러나와서 다시 막힌 것이 없으니, 이것이 문장의 묘미이다."

(주자朱子가) 또 말하였다. "구양수 공의 문장은 대부분 오묘한 지경에 이르도록 수정하고 고쳤다. 근래 어떤 사람이 그의 「취옹정기醉翁亭記」[306] 원고를 구입했는데 어느 본에는 '매買(구입하다)'가 '견見(보다)'으로 되어 있다. 기록에는 첫 부분에서 저주滁州는 사방에 산이 있다고 말한 것이 수십 자였으나 마지막에는 개정하여 '저주를 둘러싼 것은 온통 산이다.[環滁皆山也.]'고 다섯 자로 말했다. 만일 평소에 사색을 거치지 않고 생각나는 대로 지은 말이라면 또한 절대로 문리文理를 이루지 못할 것이니, 어떠할지 모르겠다."

[56-2-49]

"歐公文章及三蘇文好處, 只是平易說道理, 初不曾使差異底字換却那尋常底字."[307]

(주자朱子가 말하였다.) "구양수歐陽脩 공의 문장과 삼소三蘇[308] 문장의 아름다운 점은 다만 평이하게 도리를 말할 뿐이지 애당초 조금 기이한 글자로 평상 글자를 바꿔 쓰지 않은 것이다."

[56-2-50]

"文章到歐曾蘇, 道理到二程, 方是暢. 荊公文暗."[309]

(주자朱子가 말하였다.) "문장은 구양수歐陽脩·증공曾鞏·소식蘇軾에 이르러서, 그리고 도리는 이정二程에 이르러서 바야흐로 밝게 되었다. 형공荊公(왕안석)의 문장은 어둡다."

[56-2-51]

"歐公文字敷腴溫潤. 曾南豐文字又更峻潔. 雖議論有淺近處, 然却平正好. 到得東坡, 便傷於巧, 議論有不正當處. 後來到中原, 見歐公諸人了, 文字方稍平. 老蘇尤甚. 大抵已前文字都平正, 人亦不會大段巧說. 自三蘇文出, 學者始日趨於巧. 如李泰伯文尚平正明白, 然亦已自有些巧了."

(주자朱子가 말하였다.) "구양수歐陽脩 공의 문장은 풍성하며 윤택하고, 증남풍曾南豐[曾鞏]의 문장은 더욱

---

303 『朱子語類』 권139, 51조목
304 蔣穎叔(1031~1104) : 송나라 蔣之奇를 말함. 穎叔은 자. 龍圖閣直學士 등을 역임했다. 시호는 文穆이고 저서에는 『三經集』 등이 있다.
305 「謝表」: 『文忠集』 권90~94까지 「諫院謝賜章服表」를 비롯한 수십 편이 실려 있다.
306 「醉翁亭記」: 송나라 歐陽脩가 滁州의 태수로 있을 때 빼어난 산수를 사랑하여 醉翁亭을 짓고 노닐면서 스스로 '醉翁'이라 자호하고, 記를 지었다.(『文忠集』 권39)
307 『朱子語類』 권139, 53조목
308 三蘇 : 송나라 蘇洵과 그의 두 아들 蘇軾·蘇轍의 합칭. 이들이 모두 글을 잘하므로 세상에서 三蘇라고 하였다.
309 『朱子語類』 권139, 54조목

엄격하며 깨끗하여 비록 의론에는 천근한 부분이 있지만 오히려 평정하여 아름답다. 동파東坡에 이르러서는 교묘함에서 손상이 되고 의론은 정당하지 못한 점이 있다. 후일 중원中原에 와서 구양수 공 등 여러 사람을 만나고 나서 문장이 비로소 조금 평이해졌는데, 노소老蘇가 더욱 심하였다. 대체로 이전의 문장은 모두 평정하였으니 사람들이 또한 대단히 교묘하게 말할 줄 알지 못했다. 삼소三蘇의 문상이 나오면서부터 배우는 자들이 비로소 날마다 교묘함으로 향하게 되었다. 이태백李泰伯[李覯]의 문장과 같은 경우는 평정하고 명백한 것을 숭상했지만 또한 이미 조금 교묘함이 있다.”

輔廣問: “荊公之文如何?”
曰: “他却似南豐文, 但比南豐文亦巧. 荊公曾作「許氏世譜」, 寫與歐公看. 歐公一日因曝書見了, 將看, 不記是誰作, 意中以爲荊公作.”
又云: “介甫不解做得恁地, 恐是曾子固所作.”
廣又問: “後山文如何?”
曰: “後山煞有好文字. 如「黃樓銘」·「館職策」, 皆好.”

보광輔廣[310]이 물었다. “형공荊公(왕안석)의 문장은 어떻습니까?”

(주자가) 말하였다. “그는 남풍南豐(증공)의 문장과 비슷하지만 다만 남풍보다 문장이 또한 교묘하다. 형공이 「허씨세보許氏世譜」를 짓고 베껴서 구양수 공에게 보여준 적이 있었다. 구양수 공이 어느 날 책을 햇볕에 말리는 김에 그것을 발견하고 읽으려는데, 누가 지은 것인지 기억하지 못하고 의중에 형공의 작품이라고 생각하였다.”

(주자가) 또 말하였다. “개보介甫(왕안석)는 작문을 이와 같이 할 줄 모르니, 아마도 증자고曾子固[曾鞏]가 지었을 것이다.”

보광이 물었다. “후산後山[陳師道]의 문장은 어떻습니까?”

(주자가) 말하였다. “후산은 극히 아름다운 문장이 있다. 「황루명黃樓銘」[311]·「관직책館職策」[312]과 같은 것은 모두 아름답다.”

廣又問: “後山是宗南豐文否?”
曰: “他自說曾見南豐于襄漢間. 後見一文字, 說南豐過荊襄, 後山携所作以謁之. 南豐一見愛之, 因留款語. 適欲作一文字, 事多, 因托後山爲之, 且授以意. 後山文思亦澁, 窮日之力方成, 僅數百言. 明日以呈南豐, 南豐云, ‘大畧也好, 只是冗字多, 不知可爲暑删動否?’ 後山因請改竄. 但見南豐就坐, 取筆抹數處, 每抹處連一兩行, 便以授後山. 凡削去一二百字, 後山讀之,

310 輔廣: 남송의 성리학자. 자는 漢卿. 호는 潛庵·傳貽이고, 하남성 慶源 출신으로 慶源輔氏로 일컬어졌다. 처음에 呂祖謙에게 배우고, 후에 朱熹에게서 배웠다. 저서에 『詩童子問』이 있다.
311 『後山集』 권17에 보인다.
312 「館職策」: 『後山集』 권14의 「擬學士院試職策」으로 추정된다.

則其意尤完, 因嘆服, 遂以爲法. 所以後山文字簡潔如此."[313]

보광이 또 물었다. "후산은 남풍의 문장을 으뜸으로 하였습니까?"

(주자가) 말하였다. "그 스스로 일찍이 양襄·한漢 지역에서 남풍을 만난 적이 있다고 말한 적이 있다. 뒤에 문장 하나를 보니 다음과 같은 말이 있다. 남풍이 형荊고·양襄을 지날 때, 후산이 지은 작품을 가지고 남풍을 뵈었다. 남풍이 한번 보고 그를 아끼며 이어서 머무르게 하여 다정하게 담소하였다. 마침 한편의 문장을 지으려고 하였는데 일이 많아 이어서 후산에게 부탁하여 짓게 하면서 구상을 말해주었다. 후산은 문장의 취지가 껄끄러워 종일 힘을 써서 비로소 완성했는데 겨우 수백 자뿐이었다. 다음날 남풍에게 드리자, 남풍이 말하기를 '대략 아름다우나 쓸모없는 글자가 많으니 간략히 산삭하는 것이 어떨지 모르겠소?'라고 하였다. 후산은 이어서 고쳐주기를 청하였다. 다만 남풍은 자리에 앉자 바로 붓을 들어 몇 곳을 지우고, 지운 곳마다 한두 줄을 이어 붙여 바로 후산에게 주었다. 산삭해 버린 것이 모두 일이백 자였고, 후산이 읽어보니 그 의미가 더욱 완전하였다. 이어서 탄복하고는 드디어 법으로 삼았다. 그러므로 후산의 문장이 이렇게 간결해졌던 것이다."

[56-2-52]

"歐公文字大綱好處多, 晚年筆力亦衰. 曾南豐議論平正, 耐點檢. 李泰伯文亦明白好看."

錢木之問: "老蘇文議論不正當."

曰: "議論雖不是, 然文字亦自明白洞達."[314]

(주자朱子가 말하였다.) "구양수歐陽脩 공의 문장은 대부분 아름다운 곳이 많지만, 만년의 필력은 또한 쇠하였다. 증남풍曾南豐[曾鞏]의 의론은 공평하고 바르니 인내하여 점검한 것이다. 이태백李泰伯[李覯]의 문장은 또한 명백해서 보기 좋다.

전목지錢木之[315]가 물었다. "노소老蘇[蘇洵] 문장의 의론은 정당하지 않습니다."

(주자朱子가) 말하였다. "의론은 비록 옳지 않지만, 문장은 또한 본래 명백해서 분명히 통달하였다."

[56-2-53]

"歐陽子云: '三代而上治出於一而禮樂達於天下. 三代而下治出於二而禮樂爲虛名.' 此古今不易之至論也. 然彼知政事禮樂之不可不出於一, 而未知道德文章之尤不可使出於二也. 夫古之聖賢, 其文可謂盛矣. 然初豈有意學爲如是之文哉? 有是實於中, 則必有是文於外. 如天有是氣, 則必有日月星辰之光耀; 地有是形, 則必有山川草木之行列. 聖賢之心, 既有是精明純粹之實, 以旁薄充塞乎其內, 則其著見於外者, 亦必自然條理分明, 光輝發越而不可揜, 盖不必託於言語著於簡冊而後謂之文. 但自一身接於萬事, 凡其語默動靜, 人所可得而見者, 無

313 『朱子語類』 권139, 55조목
314 『朱子語類』 권130, 95조목
315 錢木之: 자는 子山. 鹿城書院에서 학업을 하였다. 朱熹의 서열 높은 제자가 되었다.

所適而非文也.

(주자朱子가 말하였다.) "구양자歐陽子[歐陽脩]가 말하기를 '삼대三代 이상은 다스림이 한 갈래에서 나와서 예악禮樂이 온 세상에 통했다. 삼대 이하는 다스림이 두 갈래에서 나와서 예악이 공허한 이름이 되었다.'[316] 라고 하였으니 이 말은 예나 지금이나 바뀌지 않는 지극한 의론이다. 그러나 그는 정사와 예악이 한 갈래에서 나오지 않아서는 안 된다는 것만 알았고 도덕과 문장이 더욱 두 갈래에서 나와서는 안 된다는 것을 알지 못했다. 옛 성현은 그 문장이 융성했다고 말할 수 있다. 그렇지만 처음부터 어찌 이와 같은 문장을 짓기를 배우겠다고 뜻을 두었겠는가? 마음에 이러한 실상이 있으면 반드시 바깥에 이러한 문장이 있는 것이니, 마치 하늘에 이 기운이 있으면, 반드시 일월성신日月星辰의 광채가 있고, 땅에 이 형상이 있으면 반드시 산천초목山川草木이 나열되어 있는 것과 같다. 성현의 마음은 이미 정명精明하며 순수한 진실을 지녀서 마음에 널리 채우고 있을진대 밖으로 드러나는 것도 또한 자연히 조리가 분명하게 되고 광채가 발로되어 가릴 수 없으니, 반드시 언어에 의탁하며 서책에 기록한 다음이라야 문장이라고 말할 것은 아니다. 다만 자기 한 몸이 온갖 일을 응대할 때 그 행동거지를 사람들이 보게 되는 것은 만나는 것마다 문장이 아닌 것이 없다.

姑擧其最而言, 則『易』之卦畫, 『詩』之詠歌, 『書』之記言, 『春秋』之述事, 與夫『禮』之威儀, 『樂』之節奏, 皆已列爲六經而垂萬世, 其文之盛, 後世固莫能及. 然其所以盛而不可及者, 豈無所自來? 而世亦莫之識也. 故夫子之言曰, '文王旣沒, 文不在玆乎!' 蓋雖已決知不得辭其責矣, 然猶若逡巡顧望而不能無所疑也. 至於推其所以興衰, 則又以爲是皆出於天命之所爲, 而非人力之所及. 此其體之甚重, 夫豈世俗所謂文者所能當哉!

우선 최고를 들어 말한다면 『역경易經』의 괘卦와 획畫, 『시경詩經』의 노래, 『서경書經』의 기록한 말, 『춘추春秋』에 서술된 일, 『예경禮經』의 위엄, 『악경樂經』의 절주節奏 등이 모두 이미 육경六經에 나열되어 만대萬代까지 드리우고 있으니, 그 문장의 융성함은 후세에 진실로 미쳐가지 못한다. 그러나 융성해서 미쳐갈 수 없는 이유는 어찌 유래하는 바가 없을 것인가? 세상에 또한 아는 자가 없는 것이다. 그러므로 공자孔子가 말하기를 '문왕文王이 세상을 떠나셨으니 문명이 이 몸에 있지 않은가!'[317]라고 한 것이니, 이것은 비록 그 책임을 사양할 수 없음을 이미 안 것이지만, 오히려 주저하며 돌아보면서 의심이 없을 수 없었던 것이다. 그 흥성과 쇠퇴를 추론해 보면 또한 이는 모두 천명이 하는 데에서 나온 것이지 사람의 힘으로 미쳐갈 수 있는 것이 아니다. 이것은 그 체통이 매우 무거우니 어찌 세속에서 말하는 '문장'이라는 것이 감당할 수 있는 것이겠는가!

孟軻氏沒, 聖學失傳, 天下之士背本趨末, 不求知道養德以充其內, 而汲汲乎徒以文章爲事業. 然在戰國之時, 若申·商·孫·吳之術, 蘇·張·范·蔡之辨, 列禦寇·莊周·荀況之言, 屈平

316 '三代 이상은 … 되었다.' : 『新唐書』 권11 「禮樂志」
317 '文王이 세상을 … 않는가!' : 『論語』 「子罕」

之賦, 以至秦‧漢之間韓非‧李斯‧陸生‧賈傅‧董相‧史遷‧劉向‧班固, 下至嚴安‧徐樂
之流, 猶皆先有其實而後託之於言. 唯其無本而不能一出於道, 是以君子猶或羞之. 及至宋
玉‧相如‧王褒‧揚雄之徒, 則一以浮華爲尙, 而無實之可言矣. 雄之『太玄』‧『法言』, 盖亦長
楊較獵之流, 而粗變其音節, 初非實爲明道講學而作也. 東京以降, 訖于隋唐, 數百年間, 愈下
愈衰, 則其去道益遠, 而無實之文亦無足論.

맹가씨孟軻氏[孟子]가 세상을 떠나자 성인의 학문이 전통을 잃어서 세상의 선비들은 근본을 저버리고 말
단을 추종하였으며, 도를 알아 덕을 길러 그 내면을 채울 줄을 몰라 급급하게 다만 문장을 사업으로
여길 뿐이었다. 그러나 전국 시대에 신불해申不害‧상앙商鞅‧손빈孫臏‧오기吳起의 술책, 소진蘇秦‧장의
張儀‧범저范雎‧채택蔡澤의 변설, 열어구列禦寇‧장주莊周‧순황荀況의 언론, 굴평屈平[屈原]의 사부詞賦에
서부터 진秦‧한漢 시대 즈음에 한비韓非‧이사李斯‧육생陸生[陸賈]‧가부賈傅[賈誼]‧동상董相[董仲舒]‧사마
천司馬遷‧유향劉向‧반고班固에 이르고, 아래로는 엄안嚴安‧서악徐樂의 부류에 이르기까지도 오히려 모
두 먼저 그 진실을 가진 뒤에 언어에 의탁하였다. 오직 근본이 없어서 한결같이 도에서 나오지 못하니
이런 까닭에 군자들이 간혹 그들을 수치스러워 했던 것이다. 또한 송옥宋玉‧사마상여司馬相如‧왕포王
褒‧양웅揚雄의 무리들에 이르러서는 한결같이 부화浮華한 것을 숭상해서 진실을 말할 만한 것이 없었다.
양웅의 『태현경太玄經』[318]‧『법언法言』[319]은 또한 「장양부長楊賦」[320]의 사냥하는 부류에서 조금 그 음절을
변화시킨 것으로 처음부터 진실을 가지고 도를 밝히며 학문을 강론하기 위해 지은 것이 아니었다. 동경
東京[後漢][321] 이후로 수隋‧당唐에 이르기까지 수백 년 동안 후대로 내려올수록 더욱 쇠퇴했으니, 도에서
더욱 멀어져서 진실이 없는 문장들은 논할 것이 못 된다.

韓愈氏出, 始覺其陋, 慨然號於一世, 欲去陳言以追『詩』‧『書』‧六藝之作, 而其弊精神‧糜
歲月, 又有甚於前世諸人之所爲者. 然猶幸其畧知不根無實之不足恃, 因是頗泝其原而適有
會焉. 於是「原道」諸篇始作, 而其言曰, '根之茂者其實遂, 膏之沃者其光燁, 仁義之人, 其言
藹如也.' 其徒和之, 亦曰, '未有不深於道而能文者.' 則亦庶幾其賢矣.

한유韓愈 씨가 나와 비로소 그 비루함을 깨닫고 개탄하여 한 시대를 호령하고, 진부한 말을 제거하여

<hr />

318 『太玄經』: 한나라 揚雄이 『周易』을 모방하여 지은 책. 太는 미칭이고 玄은 눈에 보이지 않는 우주의 본체를
    말한다. 현이 만물로 전개되어 가는 모양을 상징적인 符號와 난해한 문구로 나타내려고 한 것이다.
319 『法言』: 한나라 揚雄이 『論語』를 모방하여 지은 책. 내용은 「學行」‧「修身」‧「問神」 등 총13편으로 구성되
    었는데, 孔子를 높이고 王道를 담론한 것이다.
320 「長楊賦」: 작품 이름. 漢나라 때 賦의 대표적인 작가 揚雄이 지어서 황제에게 바친 것이다. 長楊은 長安
    부근에 있는 궁궐 이름으로, 황제가 사냥할 때 머물곤 하던 곳이다. 이 부는 墨客卿과 翰林主人이란 가공인
    물을 등장시켜 문답체로 지었는데, 양웅은 이 작품에서 겉으로는 황제를 한껏 추어올리면서도 사실은 묘하
    게 기교를 부려 신랄하게 諷諫하였다.(『漢書』 권87下 「揚雄傳」)
321 東京[後漢]: 西京[前漢]의 상대어. 전한의 수도 長安이 서쪽에 있어 西京이 되고, 그것에 상대하여 後漢이
    동쪽에 도읍하여 洛陽을 東京이라 하였는데, 그 뒤에 후한을 말하게 되었다.

『시경詩經』・『서경書經』・육예六藝의 저술을 따르고자 하고 정신을 소모하며 세월을 허비한 것이 이전 시대의 여러 사람들이 했던 것보다 더욱 심하였다. 그러나 요행히 뿌리도 없고 진실도 없는 것이 믿을 것이 못 된다는 것을 대략 알았고, 이로 인해 그 근원을 상당히 소급하여 마침 알게 되었다. 이에 「원도原道」322를 비롯한 몇 편을 비로소 지었고, 한유의 말에 '뿌리가 무성한 것은 그 열매를 맺고, 기름진 옥토는 그 광채가 빛나고 인의仁義의 인물은 그 말이 풍성하다.'323라고 하였는데 그의 문도가 화답하여 또한 '도에 조예가 깊지 않고서 문장에 능한 이는 없다.'고 했으니, 또한 거의 현명하다고 할 것이다.

然今讀其書, 則其出於諂諛戱豫, 放浪而無實者, 自不爲少. 若夫所原之道, 則亦徒能言其大體, 而未見有探討服行之效, 使其言之爲文者, 皆必由是以出也. 故其論議古人, 則又直以屈原・孟軻・馬遷・相如・揚雄爲一等, 而猶不及於董・賈; 其論當世之弊, 則但以詞不己出而遂有神徂聖伏之嘆. 至於其徒之論, 亦但以剽掠潛竊爲文之病, 大振頹風, 敎人自爲爲韓之功. 則其師生之間, 傳受之際, 蓋未免裂道與文以爲兩物, 而於其輕重緩急本末賓主之分, 又未免於倒懸而逆置之也.

그렇지만 지금 한유의 글을 읽어보면 아첨이나 장난에서 나와서 떠돌아 진실이 없는 것들이 본래 적지 않다. 도道를 추구한 것도 역시 다만 그 큰 체제만을 말할 수 있었을 뿐이고 탐구하여 행하는 효과를 보지 못하겠으니, 그의 말이 문장으로 만들어진 것은 모두 분명 이를 말미암아 나오게 되었기 때문이다. 그러므로 그가 옛사람을 논하는 데에는 곧바로 굴원屈原・맹가孟軻・사마천司馬遷・사마상여司馬相如・양웅揚雄을 일등급으로 하고 오히려 동중서董仲舒・가의賈誼에는 미쳐가지 못하였고, 당대의 폐단을 논하는 데에는 '문장이 자기에게서 나오지 않게 되었고 마침내 신령이 떠나가고 성인이 잠복했다324고 한탄하였다. 그의 문도門徒의 논의에는 또한 다만 '표절하여 문장을 짓는' 병폐에서 퇴폐풍조를 크게 진작시켜 사람들에게 스스로 문장을 짓게 한 것은 한유의 공이다. 그러나 스승과 제자 사이에서 전해주고 받는 즈음에 도道와 문文을 결렬시켜서 두 가지로 만드는 데서 벗어나지 못하고, 경중輕重・완급緩急・본말本末・빈주賓主의 구분에도 뒤집어 거꾸로 놓는 데서 벗어나지 못했다.

自是以來, 又復衰歇, 數十百年而後, 歐陽子出, 其文之妙, 蓋已不愧於韓氏, 而其曰'治出於一'云者, 則自荀・揚以下皆不能及, 而韓亦未有聞焉, 是則疑若幾於道矣. 然考其終身之言與其行事之實, 則恐其亦未免於韓氏之病也. 抑又嘗以其徒之說考之, 則誦其言者旣曰'吾老將

322 「原道」: 韓愈가 지은 문장 이름. 그 내용은 대략 老・佛 등 異端을 강력히 배척하고, 堯・舜・禹・湯・文・武・周・孔・孟으로 이어져 온 斯道를 극력 尊崇한 것이다. 『韓昌黎全集』 제11권 「雜著」에 보인다.

323 '뿌리가 무성한 … 풍성하다.': 『五百家注昌黎文集』 권16 「答李翊書」에 보인다.

324 '문장이 자기에게서 … 잠복했다.': 『五百家注昌黎文集』 권34 「南陽樊紹述墓誌銘」의 "옛날에는 문사가 반드시 자기에게서 나왔는데 내려오면서 못하게 되자 표절하였다. … 신령이 떠나가고 성인이 잠복하여 도가 끊겨 막혔다.(惟古於詞必己出, 降而不能乃剽賊. … 神徂聖伏道絶塞.)"에서 줄여 인용한 것이다.

休, 付子斯文'矣, 而又必曰'我所謂文, 必與道俱.' 其推尊之也, 既曰'今之韓愈矣.' 而又必引夫
'文不在茲者'以張其說. 由前之說, 則道之與文, 吾不知其果爲一耶? 爲二耶? 由後之說, 則文
王·孔子之文, 吾又不知其與韓·歐之文果若是其班乎否也. 嗚呼! 學之不講久矣. 習俗之謬,
其可勝言也哉! 吾讀『唐書』而有感, 因書其說以訂之."[325]

이로부터 이후로 또 다시 쇠퇴하여 쉬었다가 수십 년에서 백여 년 뒤에 구양자歐陽子가 나왔다. 그의
문장의 오묘함은 이미 한유韓愈 씨에게 부끄럽지 않고, 그가 '다스림이 하나에서 나온다.[治出於一]'고 한
것은 순자荀子·양웅揚雄 이래로 모두 언급하지 못했던 것이고, 한유에게서도 들어보지 못했으니, 이것은
아마 도道에 가까울 것이다. 그러나 그의 평생의 말과 행실의 실상을 살펴보면 또한 한유 씨의 병폐를
벗어나지 못한 듯하다. 또한 그의 문도들의 주장을 살펴보았는데 그들이 외우는 말 중에 이미 '내가
늙어 세상을 떠나면 그대에게 우리 문장斯文을 부탁한다.'[326]라고 하였고, 또 분명 '내가 문장文이라고
말하는 것은 반드시 도와 함께 해야 한다.'[327]라고 하였다. 구양수를 추커올려 이미 '오늘날의 한유韓愈이
다.'[328]라고 했고, 또 반드시 '문장이 여기에 있지 않겠는가.'라는 말을 인용하여 그 주장을 펼쳤다. 앞의
주장에 의하면 도와 문장이 과연 하나인지 둘인지, 나는 모르겠다. 뒤의 주장에 의하면 문왕文王·공자孔
子의 문장이 한유·구양수의 문장과 과연 이처럼 같은 수준인지 아닌지, 나는 모르겠다. 아! 학문이
강론되지 못한 것이 오래되었다. 습속의 잘못을 이루 다 말할 수 있으랴! 내가 『신당서新唐書』를 읽다가
느낀 것이 있어 이 기회에 그 말을 적어 바로잡는다."

[56-2-54]
因言文士之失曰: "今曉得義理底人, 少間被物慾激搏, 猶自一強一弱一勝一負. 如文章之士,
下梢頭都靠不得. 且如歐陽公初間做「本論」, 其說已自大段拙了, 然猶是一片好文章, 有頭
尾. 他不過欲封建·井田, 與冠·婚·喪·祭·蒐田·燕饗之禮, 使民朝夕從事於此, 少間無
工夫被佛氏引去, 自然可變. 其計可謂拙矣, 然猶是正當議論也. 到得晚年, 自做「六一居士傳」,
宜其所得如何! 却只說有書一千卷, 『集古錄』一千卷, 琴一張, 酒一壺, 棊一局, 與一老人爲
六, 更不成說話, 分明是自納敗闕!

(주자朱子가) 이어서 문사文士들의 실수를 말하는 김에 말하였다. "요즘 의리를 아는 사람도 조금 후에는
물욕物慾에 붙잡혀 여전히 강했다 약했다 이겼다 졌다가 한다. 문장을 짓는 선비들은 결국 도무지 믿을
수 없다. 구양공歐陽公(구양수) 같은 사람이 처음 「본론本論」[329]을 지을 적에는 그의 말이 대단히 고졸古拙
하였으나 오히려 한 편의 아름다운 문장이었으며 두서頭緖가 있었다. 그는 봉건封建·정전井田·관冠·혼

325 『朱文公文集』 권70 「讀唐志」. '唐志'는 『新唐書』 「藝文志」를 말한다.
326 '내가 늙어 … 부탁한다.': 『東坡全集』 권91 「祭歐陽文忠公夫人文」
327 '내가 문장文이라고 … 한다.': 역시 『東坡全集』 권91 「祭歐陽文忠公夫人文」
328 '오늘날의 한유이다.': 『東坡全集』 권34 「六一居士集敍」
329 「本論」: 『文忠集』 권59에 보인다.

婚・상상喪・제제祭・수전蒐田(사냥)・연향宴饗의 예禮를 다루어 백성들에게 조석으로 여기에 종사하여 조금이라도 불교佛敎에 끌려갈 틈이 없게 하여 자연히 변할 수 있게 하려 한 것에 불과하였다. 그의 계획은 고졸하다고 할 수 있으나 오히려 이것이 정당한 의론이다. 만년에 이르러 스스로「육일거사전六一居士傳」[330]을 지었는데 마땅히 그 얻은 것이 어떠한가! 다만 말하기를 책 천 권,『집고록集古錄』[331] 천 권, 비파 한 개, 술 한 병, 바둑 한 판, 노인 한 명과 여섯이 되었다고 하니, 더욱 말이 되지 않아 분명 스스로 잘못한 것이다.

如東坡一生讀盡天下書, 說無限道理. 到得晚年過海, 做「昌化峻靈王廟碑」, 引'唐肅宗時, 一尼恍惚升天見上帝, 以寶玉十三枚賜之, 云, 「中國有大災, 以此鎭之.」'[332] 今此山如此, 意其必有寶, 更不成議論, 似喪心人說話! 其他人無知, 如此說尚不妨, 你平日自視爲如何! 說盡道理, 却說出這般話, 是可怪否! '觀於海者難爲水, 游於聖人之門者難爲言.' 分明是如此了, 便看他門這般文字不入."[333]

동파東坡와 같은 이는 일생동안 천하의 책을 모두 읽어 무한한 도리를 말하였다. 만년이 되었을 때 바다를 건너「창화준령왕묘비昌化峻靈王廟碑」[334]를 지었는데 '당唐 숙종肅宗 때 어느 비구니가 황홀하게 하늘에 올라가서 상제上帝를 만나니 보옥 13개를 내려주며 말하기를 「중국에 큰 재앙이 있거든 이것으로 진정시켜라.」 하였다.'는 말을 인용하였다. 지금 이 산이 이와 같아서 분명 보옥이 있을 것이라고 생각하였으니 더욱 논의할 것이 못 되고 넋 잃은 사람의 말과 같다. 나머지 사람들은 무식無識하니 이렇게 말하는 것이 무방하지만, 그는 평소에 자신을 어떻게 보아 왔던가! 도리를 모두 말한다고 하고는 도리어 이러한 말을 해내니 괴이하지 않은가! '바다를 본 사람에게는 다른 물은 물이라고 할 것이 못 되고 성인의 문하에서 노닌 사람에게는 다른 말은 말이라고 할 것이 못 된다.'[335]라고 했으니, 분명 이와 같을진대 그들의 이러한 글을 보면 들어맞지 않는다."

[56-2-55]
問: "東坡文, 不可以道理幷全篇看, 但當看其大者."

---

330 「六一居士傳」:『文忠集』 권44에 보인다.
331 『集古錄』: 송나라 歐陽脩가 편찬한 책으로 10권이다. 周代로부터 隋・唐 및 五代까지의 금석문 4백여 편을 모아 엮은 것으로 매 편마다 跋尾를 붙인 까닭에『集古錄跋尾』라고도 한다. 중국의 금석문을 전문적으로 모은 책으로는 현재 가장 오래된 서적이다.
332 '唐肅宗時, … 以此鎭之.」':『東坡全集』 권86에「峻靈王廟碑」에는 "唐代宗之世有比丘尼, 若夢悅惚, 見上帝者, 得八寶以獻諸朝, 且傳帝命曰, '中原兵久不解, 腥聞于天, 故以此寶鎭之.'"로 되어 있어 肅宗이 아니라 代宗으로 쓰여 있는 등 상당히 차이가 난다.
333 『朱子語類』 권130, 56조목
　　他門:『朱子語類』 권130, 56조목에는 '他們'으로 되어 있다.
334 「昌化峻靈王廟碑」:『東坡全集』 권86에「峻靈王廟碑」로 기록되어 있다.
335 '바다를 본 … 못된다.':『孟子』「盡心上」

曰：“東坡文說得透, 南豐亦說得透, 如人會相論底, 一齊指摘說盡了. 歐公不說盡, 含蓄無盡, 意又好.”

因謂張定夫言南豐秘閣諸序好.

曰：“那文字正是好.「峻靈王廟碑」無見識,「伏波廟碑」亦無意思. 伏波當時蹤跡在廣西, 不在彼中, 記中全無發明.”[336]

물었다. “동파東坡의 문장은 도리道理로 전체 글을 보아서는 안 되고 단지 그 큰 것만을 보아야 합니다.” (주자朱子가) 말하였다. “동파의 문장은 말하는 것이 투철하고, 남풍南豐의 문장 역시 말하는 것이 투철하니, 마치 사람이 모여서 서로 의논하여 일제히 지적하여 모두 말하는 것과 같다. 구양수歐陽脩 공은 말을 다하지 않아 함축이 끝이 없고 뜻이 또 아름답다.”

이어서 장정부張定夫의 말을 인용하여 남풍의 비각秘閣에 관한 여러 편의 서序가 아름답다고 하였다. (주자朱子가) 말하였다. “그 문장은 정말 아름답다. 「준령왕묘비峻靈王廟碑」는 견식이 없고, 「복파묘비伏波廟碑」[337] 역시 의의가 없다. 복파伏波[338]는 당시 종적이 광서廣西에 있었고 그곳에 있지 않았는데 기문記文에서는 전혀 그것을 밝히지 않았다.”

或曰：“不可以道理看他, 然二碑筆健.”

曰：“然.”

又問：“「潛眞閣銘」好.”

曰：“這般閑戲文字便好, 雅正底文字便不好. 如「韓文公廟碑」之類, 初看甚好讀, 子細點檢, 踈漏甚多.”[339]

어떤 이가 말하였다. “도리로 그것을 봐서는 안 됩니다. 그러나 두 비문의 필치는 힘찹니다.” (주자朱子가) 말하였다. “그렇다.”

또 물었다. “「잠진각명潛眞閣銘」이 아름답습니다.” (주자朱子가) 말하였다. “이렇게 한가로이 희롱하는 문장은 아름답지만, 정식 문장은 아름답지 않다. 「한문공묘비韓文公廟碑」[340] 같은 것은 처음에는 매우 읽기 좋지만 자세히 점검해 보면 소홀하고 누락된 것이 매우 많다.”

---

336 『朱子語類』 권130, 57조목
337 「伏波廟碑」：『東坡全集』 권86에 「伏波將軍廟碑」로 기록되어 있다.
338 伏波：後漢의 명장인 伏波將軍 馬援을 말함. 마원은 南方인 交趾로 정벌을 나가서 크게 전공을 세웠는데 이곳은 지금의 廣西 지역이다.
339 『朱子語類』 권130, 57조목
340 「韓文公廟碑」：『東坡全集』 권86에 「潮州韓文公廟碑」로 기록되어 있다.

[56-2-56]

“人老氣衰, 文亦衰. 歐陽公作古文, 力變舊習, 老來照管不到, 爲某詩序, 又四六對偶, 依舊是五代文習. 東坡晚年文雖健不衰, 然亦疏魯. 如「南安軍學記」,[341] 海外歸作, 而有‘弟子揚觶序點者三’之語, 序點是人姓名, 其疏如此!”[342]

(주자朱子가 말하였다.) “사람이 늙어 기운이 쇠하면 문장 역시 쇠한다. 구양수歐陽脩 공은 고문古文을 지으면서 힘써 구습을 변화시켰지만 늙어서는 살피지 못하여 어떤 사람에게 시詩 서문序文을 지어줄 때 사륙四六 대우문對偶文으로 썼으니, 예전대로 오대五代의 문장 습관으로 한 것이다. 동파東坡는 만년에도 문장이 비록 힘차서 쇠하지 않았으나 역시 소홀하고 둔해졌다. 예컨대 「남안군학기南安軍學記」[343] 같은 것은 섬에서 돌아와 지은 것으로 ‘제자가 술잔을 높이 들고 차례로 점고한 것이 세 번이었다.’고 하였는데 ‘서점序點’은 사람의 성명이었으니, 그의 소홀함이 이와 같다!”

[56-2-57]

“老蘇之文高, 只議論乖角.”[344]

(주자朱子가 말하였다.) “노소老蘇[蘇洵]의 문장은 고상하지만 다만 의론은 어긋난다.”

[56-2-58]

“老蘇文字初亦喜看, 看後覺得自家意思都不正當. 以此知人不可看此等文字, 固宜以歐曾文字爲正.”[345]

(주자朱子가 말하였다.) “노소老蘇의 문장은 처음에 읽기를 좋아하였으나 뒷날 그의 취지가 모두 정당하지 않음을 간파하고는 이것으로 사람들이 이러한 문장을 보아서는 안 됨을 알게 되었다. 마땅히 구양수歐陽脩·증공曾鞏의 문장을 바른 것으로 삼아야 한다.”

[56-2-59]

“坡文雄健有餘, 只下字亦有不貼實處.”[346]

---

341 「南安軍學記」:『東坡全集』 권37에 실려 있다.

342 『朱子語類』 권130, 58조목

343 『蘇軾文集』 「南安軍學記」(중화서국본, 373쪽)에 의하면, 원문은 “孔子射於矍相之圃, 蓋觀者如堵, 使弟子揚觶而叙點者三, 則僅有存者.”이다. 번역하면, “공자께서 확상의 밭에서 활쏘기를 하니 구경하는 사람들이 담을 둘러친 것처럼 모여들었다. 제자에게 술잔을 들고 차례로 점고하기를 세 번 하니 겨우 있는 자들만 남게 되었다.”이다. 하지만 이 이야기는 원래 『禮記』 「射義」에서 나온 것으로, 『禮記』 「射義」에 의하면 “叙點”은 사람의 이름인데, 소식은 인명을 ‘차례로 점고하다’는 뜻으로 잘못 사용했다는 것을 주희는 지적하고 있다.

344 『朱子語類』 권130, 60조목

345 『朱子語類』 권130, 61조목

346 『朱子語類』 권130, 62조목

(주자朱子가 말하였다.) "동파東坡의 문장은 웅건하고 여유가 있지만 다만 글자를 구성한 것에 착실하지 못한 곳이 있을 뿐이다."

[56-2-60]
"東坡「墨君堂記」, 只起頭不合說破竹字. 不然, 便似「毛穎傳」."[347]
(주자朱子가 말하였다.) "동파의 「묵군당기墨君堂記」[348]는 처음부터 '죽竹'자를 설명하지 않아야 했다. 그렇게 하지 않았다면, 「모영전毛穎傳」[349]과 비슷할 것이다."

[56-2-61]
"東坡「歐陽公文集序」, 只恁地文章儘好. 但要說道理, 便看不得, 首尾皆不相應. 起頭甚麼樣大, 末後却說詩賦似李白, 記事似司馬遷."[350]
(주자朱子가 말하였다.) "동파東坡의 「구양공문집서歐陽公文集序」[351]는 이렇게 문장이 진실로 좋다. 다만 도리를 말한다면 그것을 볼 수 없으니, 머리부터 끝까지 모두 서로 호응하지 않는다. 첫머리는 얼마나 컸는데, 나중에는 또한 시부詩賦는 이백李白과 비슷하고, 기사記事는 사마천司馬遷과 비슷해졌다."

[56-2-62]
統領商榮以「溫公神道碑」爲餉. 因命吏約楊道夫同視.[352] 且曰 : "坡公此文, 說得來恰似山摧石裂."
道夫問 : "不知既說誠, 何故又說一?"
曰 : "這便是他看道理不破處."[353]
통령統領(軍官 명칭) 상영商榮이 「온공신도비溫公神道碑」[354]를 보내오자 이어서 관리에게 명하여 양도부楊道夫[355]와 함께 보게 하였다. 그리고 (주자朱子가) 말하였다.
"동파東坡 공의 이 문장은 말한 것이 흡사 산이 무너지고 바위가 갈라지는 듯하다."

....

347 『朱子語類』 권130, 64조목
348 「墨君堂記」: 『東坡全集』 권35에 실려 있다.
349 「毛穎傳」: 唐나라 韓愈가 붓을 의인화하여 묘사한 작품 이름. 毛穎은 붓의 별칭이다.
350 『朱子語類』 권130, 65조목
　　司馬遷: 『朱子語類』 권130, 65조목에는 '司馬相如'로 되어 있다.
351 「歐陽公文集序」: 『東坡全集』 권34에 「六一居士集敍」로 실려 있다.
352 因命吏約楊道夫同視. : 『朱子語類』 권130, 66조목에는 '先生因命吏約楊道夫同視'라고 하여 '先生'이 앞에 있어 이 글의 주어가 朱子로 나타나고 있다.
353 『朱子語類』 권130, 66조목
354 「溫公神道碑」: 『東坡全集』 권86에 「司馬溫公神道碑」로 실려 있다.
355 楊道夫: 송나라 사람. 자는 仲愚. 朱熹의 제자. 『易』·『詩』·『禮』를 배웠다.(『宋元學案』 권69)

양도부가 물었다. "이미 '성誠'자를 말했는데, 무슨 까닭으로 또 '일一'자를 말했습니까?"

(주자朱子가) 말하였다. "이것이 바로 그가 도리를 설파하지 못한 곳이다."

頃之, 黃直卿至, 復問: "若說'誠之', 則說'一'亦不妨否?"

曰: "不用恁地說. 蓋誠則自能一."

問: "大凡作這般文字, 不知還有布置否?"

曰: "看他也只是據他一直恁地說將去, 初無布置. 如此等文字, 方其說起頭時, 自未知後面說甚麼在."

以手指中間曰: "到這裏, 自說盡, 無可說了, 却忽然說起來. 如退之南豐之文, 却是布置. 某舊看二家之文, 復看坡文, 覺得一段中欠了句, 一句中欠了字."356

조금 후에 황직경黃直卿357이 와서 또 물었다. "만약 '성지誠之(성실하게 한다)'라고 말했으면 또 '일一'자를 말하는 것도 해롭지 않습니까?"

(주자朱子가) 말하였다. "이렇게 말할 필요는 없다. 성실誠하면 자연히 한결같을[一] 수 있다."

물었다. "대저 이러한 문장을 짓는데 또한 안배按排가 있어야 할지 모르겠습니다."

(주자朱子가) 말하였다. "그것을 보면 단지 그것에 근거하여 줄곧 이렇게 말해 갈 뿐이지 애초에 안배는 없다. 이와 같은 문장은 처음 말할 때에 자연히 다음에 무엇을 말해야 할지 모른다."

그리고 손으로 중간을 가리키며 (주자朱子가) 말하였다. "여기까지 와서는 본래 모두 다 말하여 말할 것이 없는데 또한 홀연히 말하기 시작한 것이다. 퇴지退之(한유)와 남풍南豐(증공)의 문장은 안배가 있다. 나는 예전에 이 두 사람의 문장을 보았고, 다시 동파東坡의 문장을 보니 어떤 단락에는 구절이 빠져 있고, 어떤 구절에는 글자가 빠져 있는 것을 알게 되었다."

又曰: "向嘗聞東坡作「韓文公廟碑」, 一日思得頗久. 一云, '不能得一起頭, 起行百十一遭.' 忽得兩句云, '匹夫而爲百世師, 一言而爲天下法.' 遂掃將去."

道夫問: "看老蘇文, 似勝坡公, 黃門之文, 又不及東坡."

曰: "黃門之文衰, 遠不及, 也只有「黃樓賦」一篇爾."

道夫因言: "歐陽公文平淡."

曰: "雖平淡, 其中却自美麗, 有好處, 有不可及處, 却不是闒茸無意思."358

(주자朱子가) 또 말하였다. "이전에 일찍이 들었는데 동파가 「한문공묘비韓文公廟碑」를 지을 때 어느 날

. . . .

356 『朱子語類』 권130, 66조목

357 黃直卿: 宋나라 사람 黃幹. 자가 直卿이다. 호는 勉齋, 시호는 文肅이다. 安慶知府가 되어 德政을 폈다. 저서에 『經解』·『勉齋文集』이 있다. 朱熹의 문인이자 사위로서 經學에 밝고 心志가 견실하였다.(『宋史』 권430 「道學列傳 黃幹」)

358 『朱子語類』 권130, 66조목

사색에 잠겨 자못 오랫동안 있었다. 어느 곳에서는 말하였다. '머리를 들지 못하고 수십 번을 서성거렸다.' 그러다 홀연히 두 구절 '필부로 백세의 스승이 되었고, 한마디 말로 천하의 법이 되었다.'[359]는 것을 생각해내고 드디어 써내려갔다."

양도부楊道夫가 물었다. "노소老蘇(소순)의 문장을 읽어 보면 동파東坡 공보다 나은 것 같고, 황문黃門[蘇轍]의 문장은 또 동파에 미치지 못합니다."

(주자朱子가) 말하였다. "황문의 문장은 쇠하여 (동파에게) 크게 미치지 못하나, 다만 「황루부黃樓賦」[360] 한 편이 있을 뿐이다."

양도부가 말하였다. "구양수歐陽脩 공의 문장은 평담합니다."

(주자朱子가) 말하였다. "비록 평담하지만 그 속에 본래 아름다움이 있고, 좋은 부분도 있고 미치지 못한 부분도 있지만 비루하여 무의미한 것은 아니다."

又曰: "歐文如賓主相見, 平心定氣, 說好話相似. 坡公文如說不辦後, 對人鬧相似, 都無恁地安詳.[361]

(주자朱子가) 또 말하였다. "구양수歐陽脩의 문장은 마치 손님과 주인이 서로 만난 것과 같아 평안한 마음과 안정된 기분으로 좋은 말을 나누는 것과 비슷하다. 동파東坡 공의 문장은 마치 말이 변별되지 않아서 사람을 상대하여 떠들어대는 것과 비슷하여 도무지 이와 같이 편하고 자세함이 없다."

童蜚卿問: "范太史文."

曰: "他只是據見定說將去, 也無甚做作. 如『唐鑑』雖是好文字, 然多照管不及, 評論總意不盡, 只是文字本體好. 然無精神, 所以有照管不到處. 無氣力, 到後面多脫了."[362]

동비경童蜚卿이 물었다. "범태사范太史[363]의 문장을 말씀해 주십시오."

(주자朱子가) 말하였다. "그는 단지 본 것에 근거하여 말해 나갈 뿐이지 조작한 것은 없다. 예컨대 『당감唐鑑』[364]은 비록 좋은 문장이지만 대부분 고찰함이 부족했고 논평도 온통 의미를 다하지 못했다. 단지 문장 체제가 좋지만 정신이 결여되었으므로 고찰이 못 미친 부분이 있고 기력도 없으며 뒷부분에서는

359 '필부로 백세의 … 되었다.' : 『東坡全集』 권86 「潮州韓文公廟碑」

360 「黃樓賦」 : 『欒城集』 권17에 실려 있다.

361 『朱子語類』 권130, 66조목

362 『朱子語類』 권130, 66조목

363 范太史(1041~1098) : 북송 때의 范祖禹를 말함. 자는 淳甫, 또 다른 자는 夢得이다. 司馬光을 따라 『資治通鑑』을 편수하는 일에 참가하여 祕書省正字에 제수되었다. 哲宗이 즉위한 뒤 著作佐郞에 제수되어 『神宗實錄』을 편수하였고 이어 給事中, 翰林學士 등의 관직을 역임하였다. 紹聖 초에 『神宗實錄』을 편수하는 과정에서 신종을 비방하고 사마광이 新法을 변혁하는 데에 동조했다는 모함을 받아, 武安君節度副使·昭州別駕에 좌천되었다. 『唐鑑』을 편찬했고 문집으로 『范太史集』이 있다.

364 『唐鑑』 : 송나라 范祖禹의 저술. 唐高祖로부터 昭宗·宣宗까지의 역사의 대강을 따서 적고 논평을 가한 것이다.

많이 탈락되었다."

道夫因問: "黃門『古史』一書."

曰: "此書儘有好處."

道夫曰: "如他論西門豹投巫事, 以爲他本循良之吏, 馬遷列之於滑稽, 不當. 似此議論, 甚合人情."

曰: "然.『古史』中多有好處. 如論『莊子』三四篇譏議夫子處, 以爲決非『莊子』之書, 乃是後人截斷『莊子』本文擾入, 此其考據甚精密. 但今觀之,『莊子』此數篇, 亦甚鄙俚."[365]

양도부楊道夫가 물었다. "황문黃門(소철)의 『고사古史』를 말씀해 주십시오."

(주자朱子가) 말하였다. "이 책은 진실로 좋은 부분이 있다."

양도부가 말하였다. "그가 서문표西門豹가 무당을 황하黃河에 내던진 일[366]과 같은 것을 논하였는데 서문표는 본래 순량한 관리였으나 사마천司馬遷이 그를 「골계전滑稽傳」 열전列傳에 넣은 것은 부당하다고 하였습니다. 이 의론은 매우 인정에 합치하는 듯합니다."

(주자朱子가) 말하였다. "그렇다.『고사』에는 좋은 부분이 많이 있다. 예컨대『장자莊子』의 서너 편篇에서 공자孔子를 나무라고 의론한 곳을 논하면서 결코 장자의 글이 잘못이 아니라 이것은 후대 사람이『장자』 본문을 잘라다가 끼워 넣은 것이라고 하였으니, 이것은 그의 고증이 매우 정밀한 것이다. 다만 지금 살펴보면『장자』의 이 몇 편 글은 또한 매우 비루하다."

[56-2-63]

問: "蘇子由之文, 比東坡稍近理否?"

曰: "亦有甚道理? 但其說利害處, 東坡文字較明白, 子由文字不甚分曉, 要之, 學術只一般."[367]

말하였다. "소자유蘇子由(소철)의 문장은 동파東坡에 비하면 조금 더 이치에 가깝습니까?"

(주자朱子가) 말하였다. "또 무슨 도리가 있는가? 다만 이해에 관하여 말한 곳은 동파의 문장이 비교적 분명하고, 자유의 문장은 그리 분명하지 않다. 요컨대 학술은 다만 같다."

[56-2-64]

"看子由「古史序」說聖人, '其爲善也, 如水之必寒, 火之必熱; 其不爲不善也, 如騶虞之不殺,

---

365 『朱子語類』 권130, 66조목

366 西門豹가 무당을 … 일: 서문표는 戰國 시대 魏나라 사람으로, 그가 鄴令으로 있을 때 그 지방 풍속이 무당을 믿어 해마다 돈을 거두어서 민가의 여자를 선출하여 하수에 던지며 이를 河伯(물귀신)에게 시집보낸다고 했다. 이 일로 인하여 그 지방 백성들이 괴로워했는데, 서문표가 그 무당을 하수에 던져 넣음으로써 그 폐단이 없어지게 되었다.(『史記』「滑稽傳 褚先生續」)

367 『朱子語類』 권130, 67조목

竊脂之不穀.' 此等議論極好. 程張以後文人無有及之者."³⁶⁸

(주자朱子가 말하였다.) "소자유蘇子由가 「고사서古史序」에서 성인聖人을 설명하여 '그들이 선을 행하는 것은 마치 물이 반드시 차갑게 되고, 불이 반드시 뜨겁게 되는 것과 같다. 그들이 선하지 않은 것을 행하지 않는 것은 마치 추우騶虞³⁶⁹가 살육하지 않고 절지竊脂³⁷⁰ 새가 곡식을 먹지 않은 것과 같다.'고 한 것을 보면, 이와 같은 의론은 지극히 좋다. 정자程子와 장횡거張橫渠 이후로 문인文人들 중에는 이를 말한 이가 없다."

[56-2-65]
因說灤城集, 曰 : "舊時看他議論亦好. 近日看他文字, 煞有害處. 如劉原父高才傲物, 子由與他書, 勸之謙遜下人, 此意甚好. 其間却云, '天下以吾辯而以辯乘我, 以吾巧而以巧困我, 不如以拙養巧, 以訥養辯.' 如此, 則是怕人來困我, 故卑以下之, 此大段害事. 如東坡作「刑賞忠厚之至論」, 却說'懼刑賞不足以勝天下之善惡, 故擧而歸之仁.' 如此, 則仁只是箇鶻突無理會底物事. 故又謂'仁可過, 義不可過.' 大抵今人讀書不子細, 此兩句却緣疑字上面生許多道理. 若是無疑, 罪須是罰, 功須是賞, 何須更如此?"³⁷¹

(주자朱子가) 이어서 『난성집灤城集』³⁷²을 이야기하다가 말하였다. "옛날에 그의 의론을 볼 때는 좋았는데 근래에 그의 문장을 보니 해로운 부분이 있다. 유원보劉原父³⁷³같이 높은 재주와 오만한 인물에게 소자유蘇子由(소철)가 편지를 주어 권면시켜서 겸손하게 아랫사람들에게 낮추라고 하였으니 이 뜻은 매우 좋다. 그 속에 또한 말하기를 '천하 사람들이 나의 말 잘하는 것 때문에 말 잘하는 것으로 나를 올라타고, 나의 교묘함 때문에 교묘함으로 나를 곤란케 하니, 졸렬함으로 교묘함을 기르고 말 어려워함으로 말 잘함을 기르는 것만 못하다.'라고 하였다. 이와 같으면 사람들이 나를 곤란케 할까 두려우므로 비굴하게 낮추게 되니 이것이 대단히 일을 해친다. 예컨대 동파東坡가 지은 「형상충후지지론刑賞忠厚之至論」³⁷⁴에는 또한 '형벌과 포상이 천하의 선악을 이겨내기에 부족할까 우려되므로 전부 들어서 그들을 인仁에 귀착하게 하였다.'라고 한 것이다. 이와 같다면 인은 나만 모호하여 이해하지 못할 사물이다. 그러므로 또 이르기를 '인은 지나쳐도 되지만, 의義는 지나쳐서는 안 된다.'고 하였다. 대체로 오늘날 사람들은

---

368 『朱子語類』 권130, 95조목
369 騶虞 : 인자한 동물 이름. 白虎의 모습에 검은 무늬를 띠었는데, 生物을 잡아먹지 않으며 生草를 밟지 않는 인후한 덕을 지녔다는 전설 속의 짐승이다.(『詩經』 「召南 · 騶虞」)
370 竊脂 : 새 이름. 桑扈, 즉 콩새의 별명이다. 기름만을 훔쳐 먹고 곡식을 먹지 않는 데서 붙여진 이름이다.
371 『朱子語類』 권130, 98조목
372 『灤城集』 : 송나라 蘇轍의 문집
373 劉原父(1019~1068) : 송나라 劉敞을 말함. 原父는 자. 호는 公是. 학문이 깊고 넓어서 佛老에서부터 卜筮, 天文, 方藥, 地志에 이르기까지 대략의 뜻을 궁구하였다. 이에 조정에서 禮樂에 관해 의심스러울 경우에는 반드시 그에게 물어 결정하였다. 벼슬은 尙書考功 · 知制誥 · 集賢院學士 등을 역임하였고, 저서에는 『春秋權衡』 · 『春秋傳』 · 『春秋意林』 · 『公是集』 등이 있다.(『宋史』 권319)
374 「刑賞忠厚之至論」 : 『東坡全集』 권40에 「省試刑賞忠厚之至論」으로 실려 있다.

독서함이 자세하지 않으니 이 두 구절이 또한 의심스러운 글자로 말미암아 많은 도리를 생겨나게 한다. 만약 의심이 없으면 죄는 반드시 형벌을 주어야 하고, 공은 반드시 포상을 내려야 하니 어찌 이와 같이 할 필요가 있겠는가?"

或曰: "此病原起於老蘇."

曰: "看老蘇「六經論」, 則是聖人全是以術欺天下也. 子由晚年作「待月軒記」, 想他大段自說 見得道理高, 而今看得甚可笑. 如說軒是人身, 月是人性, 則是先生下一箇人身, 却外面尋箇 性來合湊."375

어떤 이가 말하였다. "이러한 병폐의 원인은 노소老蘇[소순蘇洵]에게서 기인합니다."

(주자朱子가) 말하였다. "노소의 「육경론六經論」376을 보면 성인은 온통 술책으로 천하 사람들을 속인 것이다. 소자유의 만년 저술 「대월헌기待月軒記」377는 아마 그가 대단히 도리를 본 것이 높음을 스스로 말한 것이겠지만, 지금 보건대 매우 가소롭다! 예컨대 헌軒(마루)을 사람의 몸이라고 하고, 월月(달)을 인성人性이라고 하였으니 이는 한 개 사람 몸이 먼저 나오고 도리어 외면에서 성性을 찾아와서 합쳐 모은 것이다."

[56-2-66]

"范淳夫文字純粹, 下一箇字. 便是合當下一箇字, 東坡所以伏他. 東坡輕文字, 不將爲事. 若 做文字時, 只是胡亂寫去, 如後面恰似少後添."378

(주자朱子가 말하였다.) "범순부范淳夫379의 문장은 순수하여 한 개 글자를 써야 할 곳에 합당하게 그 한 개 글자를 썼으니 동파東坡가 그에게 굴복한 것이다. 동파는 문장을 경시하여 일삼아 하려 하지 않았 다. 문장을 지을 때는 다만 마구 써 가다가 뒷부분에서 조금 첨가하는 것 같다."

[56-2-67]

"劉原父才思極多, 湧將出來, 每作文多法古, 絶相似. 有幾件文字學『禮記』. 『春秋』說學『公』·『穀』. 文勝貢父. 貢父文字工於摹倣."380

• •

375 『朱子語類』 권130, 98조목
　　却外面尋箇性來合湊: 『朱子語類』 권130, 98조목에는 "却外面尋箇性來合湊著, 成甚義 理?"로 되어 '著, 成甚義 理?'가 더 있다.
376 「六經論」: 『嘉祐集』 권6에 보인다.
377 「待月軒記」: 『灤城集』 제3集 권10에 보인다.
378 『朱子語類』 권139, 70조목
379 范淳夫(1041~1098): 송나라 范祖禹를 말함. 淳夫는 자. 司馬光을 따라 『資治通鑑』을 수찬하였다. 저서에 『唐鑑』·『范太史集』이 있다.
380 『朱子語類』 권139, 72·73조목

(주자朱子가 말하였다.) "유원보劉原父는 재주와 생각이 매우 풍성하여 용솟음쳐 나오고 문장을 지을 때마다 대부분 옛것을 본받아 매우 흡사하게 하였다. 몇 편의 문장은 『예기禮記』를 배웠고, 『춘추春秋』 해설은 『공양전公羊傳』·『곡량전穀梁傳』을 배웠는데 문장이 공보貢父[381]보다 뛰어났다. 공보의 문장은 모방에 솜씨가 있다."

[56-2-68]

問: "南豐文如何?"

曰: "南豐文却近質. 他初亦只是學爲文. 却因學文, 漸見些子道理. 故文字依傍道理做, 不爲空言. 只是開鍵緊要處, 也說得寬緩不分明. 緣他見處不徹, 本無根本工夫, 所以如此. 但比之東坡, 則較質而近理. 東坡則華艷處多."[382]

물었다. "남풍南豐(증공)의 문장은 어떻습니까?"

(주자朱子가) 말하였다. "남풍의 문장은 또한 비근하고 질박하다. 그도 처음에는 역시 다만 문장 짓는 것을 배울 뿐이었는데, 문장을 배우는 것에 따라서 점점 이 도리를 알게 되었다. 그러므로 문장을 도리에 의거하여 지어서 공허한 말을 하지 않았다. 다만 관건이 되는 긴요한 곳에서는 또한 말한 것이 느슨하여 분명하지 않다. 그가 본 곳이 철저하지 않음으로 말미암아 본래 근본 공부가 없게 되었기 때문에 이렇게 된 것이다. 다만 동파東坡와 비교하면 비교적 질박하고 이치에 가깝다. 동파는 화려한 곳이 많다."

[56-2-69]

"曾所以不及歐處, 是紆徐曲折處. 曾喜模擬人文字. 「擬峴臺記」, 是放「醉翁亭記」, 不甚似."[383]

(주자朱子가 말하였다.) "증공曾鞏이 구양수歐陽脩에게 못 미치는 부분은 우여곡절迂餘曲折한 곳이다. 증공은 남의 문장을 모방하기를 좋아했는데, 「의현대기擬峴臺記」[384]는 「취옹정기醉翁亭記」[385]를 모방한 것이지만 매우 흡사하지는 않다."

[56-2-70]

"南豐擬制內有數篇, 雖雜之三代誥命中亦無愧."[386]

· · · · · · · · · · · · · · · · · · · ·

381 貢父(1023~1089): 劉攽의 자. 劉敞의 동생이다. 호는 公非. 進士. 관직이 中書舍人에 이르렀다. 평생 史學에 전념하였다. 司馬光을 도와 『資治通鑑』을 편찬하였는데 副主編으로서 漢나라 부분을 담당하였다. 저술에 『東漢刊誤』 등이 있다.

382 『朱子語類』 권139, 76조목

383 『朱子語類』 권139, 77조목

384 「擬峴臺記」: 『元豐類藁』 권18에 수록되어 있다. 이 작품은 『唐宋八大家文鈔』 권105에서 수록되어 있는데, 그 序文에 "이 「擬峴臺記」는 대략 유종원의 「訾家洲」, 구양공의 「醉翁亭記」 등에 근거하여 쓰인 것이다.(此記, 大畧本柳宗元訾家洲, 歐陽公醉翁亭等記來.)"라고 하였다.

385 「醉翁亭記」: 송나라 歐陽脩가 지은 記文. 『文忠集』 권39에 실려 있다.

(주자朱子가 말하였다.) "남풍南豐의 의제擬制 안의 몇 편篇은 비록 삼대三代의 고명誥命에 섞어 놓아도 역시 부끄럽지 않다."

[56-2-71]

"南豐作宜黃筠州二學記好, 說得古人教學意出."387

(주자朱子가 말하였다.) "남풍南豐이 지은 의황宜黃·균주筠州 두 곳의 학기學記388는 아름다우니 논설이 옛사람들의 가르치고 배우는 뜻에서 나왔다."

[56-2-72]

"南豐「列女傳序」說二南處好."389

(주자朱子가 말하였다.) "남풍南豐의 「열녀전서列女傳序」390는 「이남二南」391을 설명한 부분은 아름답다."

[56-2-73]

"南豐「范貫之奏議序」, 氣脉渾厚, 說得仁宗好. 東坡「趙清獻神道碑」說仁宗處, 其文氣象不好. '第一流人'等句, 南豐不說. 子由挽南豐詩, 甚服之."392

(주자朱子가 말하였다.) "남풍南豐의 「범관지주의서范貫之奏議序」393는 기맥이 혼후하고 인종仁宗을 설명한 것이 아름답다. 동파東坡의 「조청헌신도비趙清獻神道碑」394에서 인종을 말한 곳은 문장의 기상이 아름답지 않다. '일류의 인물第一流人' 등의 구절을 남풍은 말하지 않았다. 소자유蘇子由의 남풍 만시挽詩395는 매우 승복할 만하다."

[56-2-74]

問: "嘗聞南豐令後山一年看「伯夷傳」, 後悟文法, 如何?"

曰: "只是令他看一年, 則自然有自得處."396

386 『朱子語類』 권139, 78조목
387 『朱子語類』 권139, 79조목
388 南豐이 지은 … 學記:『元豐類藁』 권17에 「宜黃縣縣學記」로 실려 있고, 『元豐類藁』 권18에 「筠州學記」로 실려 있다.
389 『朱子語類』 권139, 80조목
390 「列女傳序」:『元豐類藁』 권11에 「列女傳目錄序」로 실려 있다.
391 「二南」:『詩經』의 「周南」과 「召南」을 말함
392 『朱子語類』 권139, 81조목
393 「范貫之奏議序」:『元豐類藁』 권12에 「范貫之奏議集序」로 실려 있다.
394 「趙清獻神道碑」:『東坡全集』 권86에 「趙清獻公神道碑」로 실려 있다.
395 蘇子由의 남풍 挽詩:『欒城集』 권13에 「曾子固舍人挽詞」로 실려 있다.
396 『朱子語類』 권139, 84조목

물었다. "일찍이 들으니 남풍南豐이 후산後山[陳師道]에게 일 년 동안 「백이전伯夷傳」을 읽게 하여 그 후에 문장 짓는 법을 깨달았다고 하니 어떻습니까?"

(주자朱子가) 말하였다. "다만 그에게 일 년을 읽게 하였으면 자연히 터득하는 것이 있었을 것이다."

[56-2-75]

"江西歐陽永叔王介甫曾子固文章如此好. 至黃魯直一向求巧, 反累正氣."[397]

(주자朱子가 말하였다.) "강서江西의 구양영숙歐陽永叔(구양수), 왕개보王介甫(왕안석), 증자고曾子固(증공)의 문장은 이와 같이 아름답다. 황노직黃魯直(황정견)에 이르러서는 한결같이 교묘함을 추구하여 도리어 바른 기풍에 결함이 되었다."

[56-2-76]

"陳後山之文有法度, 如「黃樓銘」, 當時諸公都欲袵." 一云, '便是今人文字, 都無他抑揚頓挫.' 因論當時人物, 有以文章記問爲能, 而好點檢他人, 不自點檢者. 曰 : "所以聖人說'益者三樂, 樂節禮樂, 樂道人之善, 樂多賢友.'"[398]

(주자朱子가 말하였다.) "진후산陳後山의 문장은 법도가 있으니, 「황루명黃樓銘」[399] 같은 것은 당시에 여러 공들이 모두 소매에 넣고 다녔다." 어느 곳에 말하였다. '지금 사람들의 문장은 그의 높낮이와 멈추며 꺾이는 것이 도무지 없다.'

이어서 당시 인물을 논의하는 김에 문장과 기문記問에 능통하면서 다른 사람들을 점검하기를 좋아하고 자신은 점검하지 않는 사람에 대해 말하기를 "그러므로 성인聖人이 말하기를 '도움이 되는 사람은 세 가지 즐거움이 있으니, 예악禮樂으로 조절하기를 좋아하고, 남의 선행을 말하기를 좋아하고, 어진 벗이 많은 것을 좋아한다.'[400]라고 한 것이다."고 하였다.

[56-2-77]

"李淸臣文比東坡較實."[401]

(주자朱子가 말하였다.) "이청신李淸臣[402]의 문장은 동파東坡의 문장에 비하여 비교적 알차다."

---

397 『朱子語類』 권139, 85조목
398 『朱子語類』 권139, 86조목
399 『後山集』 권17에 보인다.
400 '도움이 되는 … 좋아한다.' : 『論語』 「季氏」
401 『朱子語類』 권139, 89조목
402 李淸臣(1032~1102) : 송나라 사람. 자는 邦直. 進士. 관직은 門下侍郎에 이르렀으나 모함을 받아 知大名府로 나갔다가 죽었다.(『宋史』 권328)

[56-2-78]

"論胡文定公文, 字字皆實. 但奏議每件引『春秋』, 亦有無其事而遷就之者. 大抵朝廷文字, 且要論事情利害是非令分曉. 今人多先引故事, 如論青苗, 只是東坡兄弟說得有精神, 他人皆說從別處去."[403]

(주자朱子가 말하였다.) "호문정공胡文定公[404]의 문장을 논해보면 글자가 모두 실질적이다. 다만 주의奏議는 문건文件마다 『춘추春秋』를 인용하고 또 그런 사실이 없는데도 견강부회牽强附會한 것이 있다. 대저 조정朝廷에 대한 문장은 사정의 이해利害와 시비를 논하여 분명하게 해야 한다. 지금 사람들은 대부분 옛일을 먼저 인용하니, 예컨대 청묘법青苗法[405]을 논할 때 단지 동파東坡 형제만이 말한 것에 정신을 쏟고, 다른 사람들은 말을 모두 다른 곳으로 보내버린다."

[56-2-79]

"張子韶文字, 沛然猶有氣, 開口見心, 索性說出, 使人皆知. 近來文字, 開了又闔, 闔了又開. 開闔七八番, 到結末處又不說, 只恁地休了."[406]

(주자朱子가 말하였다.) "장자소張子韶[407]의 문장은 성대하게 여전히 기상이 있고 입을 열어 마음을 보며 성性을 탐색하여 말을 하니 사람들이 모두 알게 하였다. 근래의 문장은 열렸다가 또 닫히고, 닫혔다가 또 열렸다. 열렸다가 닫히기를 일고여덟 번 반복하다가 결말에 이르러서는 또 말하지 않고 다만 이와 같은 상태에서 그친다."

[56-2-80]

"諸公文章馳騁好異, 止緣好異, 所以見異端新奇之說從而好之. 這也只是見不分曉, 所以如

---

403 『朱子語類』 권139, 91조목
404 胡文定公(1074~1138) : 송나라 胡安國을 말함. 文定은 시호이다. 자는 康侯, 호는 武夷先生이다. 程伊川에게 배워서 朱子學에서 중시하는 학문 수양의 두 가지 방법인 居敬과 窮理에 힘쓰고, 謝良佐·楊時·游酢와 교유하였다. 王安石이 『春秋』를 學官에서 폐지함으로써 春秋學이 쇠퇴하였다고 여겨 20여 년간 『春秋』를 정밀히 연구해 『春秋胡氏傳』을 저술하였다.(『宋史』 권435 「儒林列傳」)
405 靑苗法 : 송 神宗 때 王安石이 정치 개혁의 일환으로 창설한 新法. 곡식 이삭이 푸를 때에 곡식을 백성에게 꾸어주었다가 추수 후에 이식을 붙여 받아들였기 때문에 청묘법이라고 하였다. 방법은 각 지방의 常平倉과 廣惠倉에 있는 錢穀을 1년에 두 차례에 걸쳐 백성들에게 대여하고 회수할 때는 2분의 이자를 붙여서 받아들이는데, 흉년이 들면 풍년이 들 때를 기다려서 회수하였다. 그 목적은 빈민을 구제하고 부자의 고리 대여의 폐단을 제거하려는 데 있었으나 물의가 일고 당시 대신들의 배척으로 그 법은 결국 실효를 보지 못하고 폐지되었다.(『宋史』 권327 「王安石列傳」)
406 『朱子語類』 권139, 94조목
407 張子韶 : 宋나라 張九成을 말함. 子韶는 자이다. 호는 無垢居士 또는 橫浦居士이다. 벼슬은 禮部·刑部의 侍郎을 지냈고 經學에 전념하여 많은 訓解를 남겼다. 시호는 文忠이다. 그는 禪學에 조예가 깊어 당시의 고승인 大慧宗杲의 법을 이었으며, 이로 인하여 朱子로부터 배척을 받았다.(『宋元學案』 권40)

此. 看仁宗時制詔之文極朴, 固是不好看, 只是他意思氣象自恁地深厚久長. 固是拙, 只是他所見皆實. 看他下字都不甚恰好. 有合當下底字, 却不下. 也不是他識了不下, 只是他當初自思量不到. 然氣象儘好, 非如後來之文一味纖巧不實. 且如進卷, 方是二蘇做出恁地壯偉發越, 已前不曾如此. 看張方平進策, 更不作文. 只如說鹽鐵一事, 他便從鹽鐵原頭直說到如今, 中間却載着甚麼年甚麼月, 後面更不說措置. 如今只是將虛文漫演, 前面說了, 後面又將這一段翻轉, 這只是不曾見得. 所以不曾見得, 只是不曾虛心看聖賢之書. 固有不曾虛心看聖賢書底人, 到得要去看聖賢書底, 又先把他自一副當排在這裏, 不曾見得聖人意. 待做出, 又只是自底."[408]

(주자朱子가 말하였다.) "여러 공들의 문장은 마음대로 구사하여 기이한 것을 좋아한다. 다만 기이한 것을 좋아하기 때문에 이단異端의 신기한 학설을 보고 따라서 좋아한다. 이것은 견해가 분명하지 않기 때문에 이와 같은 것이다. 인종仁宗 때 제서制書와 조서詔書 문장이 매우 질박했던 것을 보겠으니 진실로 보기에 아름답지는 않지만 그 생각과 기상은 본래 이렇게 심후하고 장구하였다. 진실로 이것은 고졸古拙하지만 그들이 본 것은 모두 사실이었다. 그들이 쓴 글이 그리 잘 맞지 않고 마땅히 써야 할 글자를 쓰지 못한 것을 보면 그들이 알고서 쓰지 않은 것이 아니라 그들이 당초에 생각지 못했던 것이다. 그러나 글의 기상은 진실로 좋으니 후대의 문장이 한결같이 섬세 교묘하면서 알차지 못한 것과는 같지 않다. 그리고 진권進卷[進策]은 이소二蘇(소식과 소철)가 이렇게 장대하게 표현하였지 이전에는 이와 같은 것이 없었다. 장방평張方平[409]이 올린 책문策文을 읽어 보면 다시 문장을 만들지 않았다. 예컨대 염철鹽鐵(소금과 철) 한 가지 일을 설명할 때 그는 염철을 원초부터 지금까지 설명하면서, 중간에 몇 년 몇 월에는 어떠했는지 기록하고, 뒤에는 그 조치를 다시 말하지 않았다. 지금은 공허한 문장을 만연시켜서 앞에서 말해놓고 뒤에서 또 이 한 단락을 되돌려 말하니, 이것은 다만 본 적이 없기 때문이다. 본적이 없게 된 까닭은 마음을 비워 성현의 책을 본 적이 없기 때문이다. 진실로 마음을 비우고 성현의 책을 읽은 적이 없는 사람이 성현의 책을 읽으려고 하면, 우선 자기 생각을 가슴속에 안배해 놓아서 성현의 글 뜻을 보지 못한다. 그 생각을 내보내기를 기다려도 또한 옛날의 자신일 뿐이다."

[56-2-81]

"今人作文, 皆不足爲文. 大抵專務節字, 更易新好生面辭語. 至說義理處, 又不肯分曉. 觀前輩歐蘇諸公作文, 何嘗如此? 聖人之言, 坦易明白, 因言以明道, 正欲使天下後世由此求之. 使聖人立言要教人難曉, 聖人之經, 定不作矣. 若其義理精奧處, 人所未曉, 自是其所見未到耳. 學者須玩味深思, 久之自可見. 何嘗如今人欲說又不敢分曉說! 不知是甚所見, 畢竟是自家所見不明, 所以不敢深言, 且鶻突說在裏."[410]

408 『朱子語類』 권139, 102조목
409 張方平(1007~1091) : 北宋 神宗 때 사람. 자는 安道, 호는 樂全居士. 벼슬은 參知政事를 지냈다. 王安石의 임용과 그의 新法을 반대했다. 저서에 『樂全集』이 있다.(『宋史』 권318 「張方平列傳」)

(주자朱子가 말하였다.) "지금 사람들의 작문은 모두 문장이 되기에 부족하다. 대저 오로지 글자를 줄이는데 힘쓰고 새롭게 아름다운 낯선 언어로 바꾼다. 의리를 말하는 곳에도 분명하게 하지 않으려 한다. 선배인 구양수歐陽脩와 소식蘇軾 등 여러 사람들이 지은 문장을 보면 어찌 이러한 적이 있었는가? 성인의 말은 평이하고 명백하니, 말에 기인하여 도를 밝혀서 천하 후세 사람들에게 이것을 말미암아 구하게 하려고 한 것이다. 만약 성인이 한 말이 사람들에게 이해하기 어렵게 하려고 하였다면 성인의 경전經典은 틀림없이 지어지지 않았을 것이다. 만약 그 의리의 정밀하며 오묘한 부분을 사람들이 이해하지 못하는 것이라면 이는 그들의 소견이 아직 이르지 못했을 뿐이다. 학자들이 모름지기 완미하며 사색하여 오래되면 절로 알 수 있게 된다. 어찌 지금 사람들이 설명하려 하여도 분명하게 설명하지 못하는 것과 같으랴! 무슨 소견인지 알지 못하겠다. 결국 자신의 소견이 분명하지 않기 때문에 깊이 말하지 못하고 또 모호하게 말하는 것이 그 속에 있다."

[56-2-82]

"前輩文字有氣骨, 故其文壯浪. 歐公東坡亦皆於經術本領上用功, 今人只是於枝葉上粉澤爾. 如舞訝鼓然, 其間男子婦人僧道雜色, 無所不有, 但都是假底. 舊見徐端立言, '石林嘗云「今世安得文章! 只有箇減字換字法爾. 如言湖州, 必須去州字, 只稱湖, 此減字法也. 不然, 則稱雪上, 此換字法也.」'"[411] 一云 :[412] "今來文字. 至無氣骨. 向來前輩雖是作時文, 亦是朴實頭鋪字, 朴實頭引援, 朴實頭道理, 看著雖不入眼, 却有骨氣. 今人文字全無骨氣, 便似舞訝鼓者, 塗眉畫眼,[413] 只是不本樣人. 然皆足以惑衆, 眞好笑也! 或云, '此是禁懷挾所致.' 曰, '不然. 自是時節所尙如此, 只是人不知學, 全無本柄, 被人引動, 尤而效之. 且如而今作件物事, 一箇做起, 一人學起, 有不崇朝而徧天下者. 本來合當理會底事, 全不理會, 直是可惜!'"[414]

(주자朱子가 말하였다.) "선배들의 문장은 기골氣骨이 있었으므로 그들의 문장은 호방豪放하다. 구양수歐陽脩와 소동파蘇東坡는 역시 모두 경술經術의 본령에 공력을 썼으나, 지금 사람들은 지엽에만 윤색을 할 뿐이다. 마치 아고雅鼓[415]에서 춤출 때 그 속에는 남자, 부인, 승려, 도사, 잡색 등 있지 않은 것이 없지만 다만 모두 가장한 것과 같다. 옛날에 서단립徐端立을 만났는데 이야기하기를, '석림石林[416]이 이렇

410 『朱子語類』 권139, 103조목
411 『朱子語類』 권139, 104조목
412 一云 : 『朱子語類』 권139, 104조목에는 '盖卿錄云'으로 되어 있어 襄蓋卿(주자 제자)의 기록에 말한 것이라고 하였다.
413 塗眉畫眼 : 이 뒤에 『朱子語類』 권139, 104조목에는 "僧也有, 道也有, 婦人也有, 村人也有, 俗人也有, 官人也有, 士人也有."가 더 있다.
414 『朱子語類』 권139, 104조목
415 雅鼓 : 송대에 민간에서 행하던 神을 맞이하던 모임에 연출되던 雜戲의 한 가지. 迓鼓라고도 한다. 군대 안에서 시작되었다고 한다. 춤추는 이들은 남녀, 중, 道士 등 직종이 다른 각종 인물들로 분장한다.
416 石林(1077~1148) : 송나라 학자 葉夢得(섭몽득)을 말함. 자는 少蘊, 호는 石林居士로, 소주 吳縣 사람이다. 『春秋』에 밝았다. 저서에 『春秋傳』·『春秋考』·『石林春秋』·『石林燕語』 등이 있다.

게 말하였소.「근래에 어찌 문장을 얻었는가! 다만 글자에 감자법減字法(글자를 줄이는 법)과 환자법換字法 (글자를 바꾸는 법)이 있을 뿐이다. 예컨대 호주湖州를 말할 때 반드시 주州자를 빼고 호湖만 일컫는 것이 감자법이다. 그렇지 않으면 삽상霅上[417]이라고 일컫는 이것이 환자법이다.」라고 하였다.” 어느 곳에 말하였다. “근래의 문장은 매우 기골氣骨이 없다. 이전에 선배들은 비록 시속 문장을 짓는 경우라도 역시 질박하게 글자를 배치하거나, 질박하게 인용하거나, 질박하게 이치를 말하였다. 살펴보면 비록 눈에 들어오지 않지만 오히려 기골이 있었다. 요즘 사람들의 문장은 전혀 기골이 없어서 아고雅鼓에서 춤을 추는 것과 같아 눈썹과 눈을 그려서 다만 본래의 사람이 아닐 뿐이다. 그러나 모두 대중들을 미혹하게 할 수 있으니 참으로 우습다! 어떤 이가 말하기를 ‘이것은 협잡을 끼고 이르게 하는 것을 금하는 것입니다.’라고 하니 주자가 말하였다. ‘그렇지 않다. 본래 시절에 숭상하는 것이 이와 같은데 다만 사람들이 배울 줄을 모르고, 전혀 근본이 없어 남에게 이끌려 행하면서 더욱이 그것을 본받는다. 그리고 만일 지금 어떤 일을 하여 한 가지 시작하면 한 사람이 배우기 시작하여 하루아침도 안 되어 천하에 두루 퍼지게 된다. 본래 마땅히 이해해야 할 일을 전혀 이해하지 못하니 애석할 뿐이다.’”

[56-2-83]

“貫穿百氏及經史, 乃所以辨驗是非, 明此義理, 豈特欲使文詞不陋而已! 義理既明, 又能力行不倦, 則其存諸中者, 必也光明四達, 何施不可! 發而爲言, 以宣其心志, 當自發越不凡, 可愛可傳矣. 今執筆以習研鑽華采之文, 務悅人者, 外而已, 可恥也已.”[418]

(주자朱子가 말하였다.) “제자백가諸子百家와 경사經史에 관통하면 시비를 변별하여 증험하는 것이니, 이 의리에 밝으면 어찌 문사文詞를 고루하지 않게 하려 할 뿐이겠는가! 의리에 이미 밝고 또 힘써 행하여 게으르지 않으면 그 마음에 있는 것이 반드시 광채가 사방에 이를 것이니 무엇을 시행한들 불가능하겠는가! 드러내 말하여 그 심지心志를 펼치면 당연히 절로 발휘되는 것이 범연하지 않을 것이니 아끼고 전할 만할 것이다. 지금 붓을 잡고서 화려한 문장을 연찬하는 것만을 연습하여 남을 기쁘게 하는 이는 외면만 힘쓸 뿐이니 부끄러울 뿐이다!”

[56-2-84]

“道者文之根本, 文者道之枝葉. 惟其根本乎道, 所以發之於文皆道也. 三代聖賢文章, 皆從此心寫出, 文便是道. 今東坡之言曰, ‘吾所謂文, 必與道俱.’ 則是文自文而道自道, 待作文時, 旋去討簡道來入放裏面, 此是他大病處. 只是他每常文字華妙, 包籠將去, 到此不覺漏逗. 說出他本根病痛所以然處, 緣他都是因作文, 却漸漸說上道理來, 不是先理會得道理了, 方作文, 所以大本都差. 歐公之文則稍近於道, 不爲空言. 如唐禮樂志云, ‘三代而上, 治出於一; 三代而下, 治出於二.’ 此等議論極好. 蓋猶知得只是一本. 如東坡之說, 則是二本, 非一本矣.”[419]

(주자朱子가 말하였다.) “도道는 문장의 근본이고, 문장은 도의 지엽이다. 도에 근본하여 문장으로 발현된

----

417 霅上: 浙江 湖州의 별칭. 境內에 霅溪가 있어서 이렇게 부른다.
418 『朱子語類』 권139, 105조목
419 『朱子語類』 권139, 106조목

것은 모두 도이다. 삼대三代의 성현의 문장은 모두 이 마음을 따라 써 내어서 문장이 바로 도였다. 현대에 소동파蘇東坡의 말에 '내가 말하는 문장은 반드시 도와 함께 갖추어진 것이다.'420라는 것은 문장은 그 나름대로 문장이고 도는 그 나름대로 도일 뿐이니, 문장을 지을 때를 기다려 도를 찾아와서 문장 속으로 집어넣는 것이라, 이것은 그의 큰 병통이다. 그는 항상 문장을 화려하고 묘하게 하여 포장하였으니 이 점에 와서 부지불식간에 소홀하게 되었다. 그의 근본적인 병통이 생긴 까닭을 말해보면, 그는 전적으로 문장을 짓기만 했기 때문에 점점 도리를 말해오던 것이 먼저 도리를 이해하지 않고 바로 문장을 짓게 된 까닭에 큰 근본이 모두 잘못되었다. 구양수歐陽脩 공의 문장은 조금 도에 가까우니 공허한 말을 하지 않았다. 예컨대 『신당서新唐書』「예악지禮樂志」에서 '삼대 이전에는 다스림이 한곳에서 나왔지만, 삼대 이후에는 다스림이 두 곳에서 나왔다.'고 한 것이다. 이런 의론은 매우 좋은데, 아마도 단지 하나의 근본을 아는 것 같다. 소동파의 말은 두 개의 근본이고, 한 개의 근본이 아니다."

[56-2-85]

"纔要作文章, 便是枝葉, 害著學問, 反兩失也."421

(주자朱子가 말하였다.) "문장을 지으려고 하는 것은 지엽일 뿐이니 학문에 해로워서 도리어 두 가지를 잃게 된다."

[56-2-86]

問: "要看文以資筆勢言語, 須要助發義理."

曰: "可看孟子韓文. 韓不用科段, 直便說起去至終篇, 自然純粹成體, 無破綻. 如歐曾却各有一箇科段. 舊曾學曾, 爲其節次定了, 今覺得要說一意, 須待節次了了, 方說得到. 及這一路定了, 左右更去不得."

因言: "陳阜卿教人看柳文了, 却看韓文, 不知看了柳文, 便自壞了, 如何更看韓文!"422

물었다. "문장을 볼 때는 기세와 언어에 의지해야 하고, 반드시 의리를 도와 밝히도록 해야 합니다."

(주자朱子가) 말하였다. "맹자孟子와 한유韓愈의 문장을 보아야 할 것이다. 한유는 단락을 사용하지 않고 곧바로 말을 시작하면 한 편篇 끝까지 이어가니 자연스럽고 순수하게 문체文體가 이루어져 파탄이 없다. 구양수歐陽脩와 증공曾鞏의 경우는 각각 문장의 단락이 있다. 이전에 증공의 문장을 학습할 때 먼저 절차를 정하였기 때문에 지금 깨닫기를 한 가지 뜻을 말하려고 하면 반드시 절차를 기다려야 비로소 말하게 된다는 것이다. 이 하나의 길이 정해지고 나면 좌우로 다시 갈 수가 없는 것이다."

이어서 (주자朱子가) 말하였다. "진부경陳阜卿423은 사람들에게 유종원의 문장을 읽게 하면서 또한 한유韓

---

420 '내가 말하는 … 것이다.' : 『東坡全集』 권91 「祭歐陽文忠公夫人文」

421 『朱子語類』 권139, 107조목

422 『朱子語類』 권139, 110조목

423 陳阜卿(?~1166) : 陳之茂를 말함. 阜卿은 자. 宋 高宗 때 進士에 합격하여 관직을 지내고 孝宗 때 知建康을 지낸 뒤 은퇴하였다.(『景定建康志』 권14)

愈의 문장을 보게 하였다. 유종원의 문장을 보면 자신이 잘못되는지도 모르거늘 어떻게 다시 한유의 문장을 보게 하였는가!"

[56-2-87]
"作文字須是靠實, 說得有條理乃好, 不可駕空細巧. 大率要七分實, 只二三分文. 如歐公文字好者, 只是靠實而有條理. 如「張承業」及「宦者」等傳自然好. 東坡如「靈壁張氏園亭記」最好, 亦是靠實. 秦少游「龍井記」之類, 全是架空說去, 殊不起發人意思."[424]

(주자朱子가 말하였다.) "문장을 지을 때는 모름지기 사실에 의거해야 말이 조리가 있어 좋으니, 가공駕空의 세밀한 기교를 부려서는 안 된다. 대개 칠 할은 사실이어야 하고 단지 이 삼 할만이 문식文飾이라야 한다. 구양수歐陽脩 공의 문장이 좋은 것은 단지 사실에 의거하여 조리가 있어서이다. 「장승업전張承業傳」과 「환자전宦者傳」[425] 등의 전기는 자연히 좋다. 소동파蘇東坡는 「영벽장씨원정기靈壁張氏園亭記」[426]가 가장 좋은데, 역시 사실에 의거하고 있다. 진소유秦少游[427]의 「용정기龍井記」[428]와 같은 것은 모두 가공의 말을 하여 사람들의 생각을 전혀 흥기시키지 못한다."

[56-2-88]
"文章要理會本領.[謂理.] 前輩作者多讀書, 亦隨所見理會."[429]

(주자朱子가 말하였다.) "문장은 본령本領(理를 말함)을 이해해야 한다. 선배 작가들은 독서를 많이 했고 또 본 바를 따라 이해하였다."

[56-2-89]
每論著述文章, 皆要有綱領. 文定文字有綱領, 龜山無綱領, 如「字說」·「三經辨」之類.[430]

(주자朱子는) 매번 저술과 문장을 논할 때마다 모두 강령綱領이 있어야 한다고 하였다. 호문정胡文定胡安國의 문장에는 강령이 있는데, 양구산楊龜山楊時의 문장에는 강령이 없다. 예컨대 「자설字說」·「삼경변三經辨」과 같은 것이다.

---

424 『朱子語類』 권139, 111조목
425 「張承業傳」과 「宦者傳」: 구양수가 지은 『新五代史』 권38의 「宦者傳」에 장승업과 張居翰이 편집된 것을 말한다.
426 「靈壁張氏園亭記」: 『東坡全集』 권36에 보인다.
427 秦少游: 宋나라의 문인 秦觀을 말함. 소유는 자. 시문에 능했으며 蘇門四學士의 한 사람으로 일컬어졌다. 저서에는 『淮海集』이 있다.
428 「龍井記」: 『淮海集』 권38에 보인다.
429 『朱子語類』 권139, 112조목
430 『朱子語類』 권139, 113조목

[56-2-90]

"前輩用言語, 古人有說底固是好, 如世俗常說底亦用. 後來人都要別撰一般新奇言語, 下梢與文章都差異了."431

(주자朱子가 말하였다.) "선배들이 사용한 언어는 옛사람들이 말하던 것이어서 진실로 좋으니 예컨대 세속에서 늘 말하던 것도 사용하였다. 후대 사람들은 모두 일반적으로 신기한 언어를 따로 만들어서 결국에는 문장과 함께 모두 어긋나게 되었다."

[56-2-91]

"要做好文字, 須是理會道理, 更可以去韓文上一截, 如西漢文字用工."

問："『史記』如何?"

曰："『史記』不可學, 學不成, 却顛了, 不如且理會法度文字."

問："後山學『史記』."

曰："後山文字極有法度, 幾於太法度了. 然做許多碎句子, 是學『史記』."

又曰："後世人資禀與古人不同, 今人去學『左傳』·『國語』, 皆一切踏踏地說去, 沒收煞."432

(주자朱子가 말하였다.) "좋은 문장을 지으려면 반드시 도리를 이해해야 하고, 더욱이 한유韓愈의 문장을 버리고 서한西漢의 문장과 같은 것을 공부해야 한다."

물었다. "『사기史記』는 어떻습니까?

(주자朱子가) 말하였다. 『사기』는 배울 수 없고 배워도 성공하지 못하고 도리어 잘못되니 법도에 맞는 문장을 이해하는 것만 못하다."

물었다. "후산後山陳師道은 『사기』를 배웠습니다."

(주자朱子가) 말하였다. "후산의 문장은 매우 법도가 있는데 너무 법도에 가깝다. 그러나 허다하게 자잘한 구절을 지은 것은 『사기』를 배운 것이다."

(주자朱子가) 또 말하였다. "후세 사람은 자품이 옛사람들과 다르고, 지금 사람들은 『좌전左傳』·『국어國語』를 배워 모든 것을 일체 착실하게 설명해 가지만 잘 거두지 못한다."

[56-2-92]

"文字奇而穩方好. 不奇而穩, 只是闒鞭."433

(주자朱子가 말하였다.) "문장은 기이하면서도 온건해야 좋은 것이다. 기이하지 않고 온건하기만 한 것은 떨치지 못한다."

431 『朱子語類』 권139, 114조목
432 『朱子語類』 권139, 115조목
433 『朱子語類』 권139, 116조목

[56-2-93]

"作文何必苦留意? 又不可太頹塌, 只畧教整齊足矣."[434]

(주자朱子가 말하였다.) "문장을 지을 때 어찌 괴롭게 마음 쓸 필요가 있는가? 또한 너무 추락해서는 안 되고 다만 간략히 정리되기만 하면 충분하다."

[56-2-94]

"前輩作文者, 古人有名文字, 皆模擬作一篇. 故後有所作時, 左右逢原."[435]

(주자朱子가 말하였다.) "선배 문장가들은 옛사람들의 유명한 문장을 모두 모의하여 한 편씩 지었다. 그러므로 훗날 짓는 경우가 있을 때에 어느 곳으로나 근원을 맞아 지었다."[436]

[56-2-95]

"嘗見傅安道說爲文字之法, 有所謂筆力, 有所謂筆路. 筆力到二十歲許便定了, 便後來長進, 也只就上面添得些子. 筆路則常拈弄時, 轉開拓; 不拈弄, 便荒廢. 此說本出於李漢老, 看來做詩亦然."[437]

(주자朱子가 말하였다.) "일찍이 부안도傅安道[438]가 말한 문장 짓는 법을 본 적이 있는데, 필력筆力이라는 것이 있고 필로筆路라는 것이 있었다. 필력은 스무 살쯤 되면 결정되는데, 뒷날 크게 발전하더라도 단지 그 위에 조금 더해질 뿐이다. 필로는 항상 가지고 놀 때 한층 넓어지고, 가지고 놀지 않으면 바로 황폐해진다. 이 말은 본래 이한로李漢老[439]에게서 나왔는데, 시를 짓는 것을 보아도 역시 그러하다."

[56-2-96]

因說呂伯恭所批文, 曰: "文章流轉變化無窮, 豈可限以如此?"

某因說: "陸教授謂'伯恭有箇文字腔子, 纔作文字時, 便將來入箇腔子, 故文字氣脉不長.'"

曰: "他便是眼高, 見得破."[440]

434 『朱子語類』 권139, 117조목
435 『朱子語類』 권139, 118조목
436 어느 곳으로나 … 지었다.: 원문 '左右逢原'은 좌우로 물의 근원을 만나나는 뜻으로, 道의 근원을 절저하게 알아내는 것을 말한다. 『孟子』「離婁下」에, "이용함이 깊으면 좌우에서 취하여 씀에 그 근원을 만나게 된다. (資之深則取之左右, 逢其原.)"라고 하였다.
437 『朱子語類』 권139, 119조목
438 傅安道(1116~1183): 송나라 傅自得을 말함. 安道는 자. 陰職으로 관직에 올라 知興化軍이 되었으나 秦檜에게 거슬려 파면되었다. 孝宗 때 기용되어 吏部郎中 등을 역임하였다. 『至樂齋集』이 있었으나 전하지 않는다.(『宋史』 권208)
439 李漢老(1085~1146): 송나라 李邴을 말함. 漢老는 자. 進士에 급제하고 翰林學士, 資政殿學士 등을 역임하였다. 시호는 文敏. 저술에 『草堂集』이 있다.
440 『朱子語類』 권139, 120조목

(주자朱子가) 이어서 백공伯恭(여조겸)이 문장을 비평한 것을 따라서 말하였다. "문장의 흐름과 변화는 무궁하니 어찌 이와 같은 것으로 한정할 수 있겠는가?"

내가 이어서 말하였다. "육교수陸教授가 이르기를 '백공은 문장의 어투腔子가 있어 문장을 지을 때면 바로 어투 안에 넣으므로 문장의 기맥氣脉이 길지 않다.'고 하였습니다."

(주자朱子가) 말하였다. "그는 안목이 높아 잘 간파하였다."

[56-2-97]

"東萊教人作文, 當看「獲麟解」. 也是其間多曲折."

又曰 : "某舊最愛看陳無己文, 他文字也多曲折."

謂諸生曰 : "韓柳文好者不可不看."[441]

(주자朱子가 말하였다.) "동래東萊呂祖謙는 사람들에게 작문作文을 가르칠 때 「획린해獲麟解」[442]를 보아야 한다고 하였는데, 그 속에는 곡절이 많다."

(주자朱子가) 또 말하였다. "나는 이전에 진무기陳無己[443]의 문장을 가장 아꼈는데, 그의 문장에도 역시 곡절이 많다."

여러 문하생들에게 일러 말하였다. "한유韓愈와 유종원柳宗元의 문장 중에 좋은 것은 보지 않으면 안 된다."

[56-2-98]

嘗與後生說 : "若會將『漢書』及韓柳文熟讀, 不到不會做文章. 舊見某人作「馬政策」云, '觀戰, 奇也 ; 觀戰勝, 又奇也 ; 觀騎戰勝, 又大奇也!' 這雖是麤, 中間却有好意思. 如今時文, 一兩行 便做萬千屈曲. 若一句題也要立兩脚, 三句題也要立兩脚, 這是多少衰氣!"[444]

(주자朱子가) 일찍이 후학들에게 말하였다. "만약 『한서漢書』와 한유韓愈·유종원柳宗元의 문장을 익숙하게 읽는다면 문장을 잘 짓지 못할 경우는 없을 것이다. 이전에 어떤 사람이 지은 「마정책馬政策」을 보았는데, '전투를 보는 것은 기이한 것이고, 전투에 이긴 것을 보는 것은 더 기이한 것이고, 기병 전투에 이긴 것을 보는 것은 더 큰 기이한 것이다!'라고 하였다. 이것은 비록 거친 일이지만 중간에 또한 좋은 뜻이 있다. 현재의 시속 문장은 한두 줄에 바로 천만 가지 굴곡을 만들고, 만약 한 구절의 제목이라면 두 다리를 세우려 하고, 세 구절의 제목이라도 두 다리를 세우려 하니, 이것은 얼마나 쇠퇴한 기운인가!"

---

441 『朱子語類』 권139, 121조목

442 「獲麟解」: 韓愈가 지은 작품 이름. 자신의 뜻과 영특함을 알아주는 성인이 없는 것을 안타까이 여겨 쓴 글로, 기린이 나와도 알아보지 못하는 어지러운 세상을 한탄하며 자신을 기린에 비유하였다.

443 陳無己: 송나라 陳師道를 말함. 無己는 자. 호는 後山. 文은 曾鞏을 본받았고, 시는 황정견을 본받았다고 한다.

444 『朱子語類』 권139, 124조목

[56-2-99]

"人有才性者, 不可令讀東坡等文. 有才性人, 便須收入規矩; 不然, 蕩將去."445

(주자朱子가 말하였다.) "재능이 있는 사람은 소동파蘇東坡 등의 문장을 읽게 해서는 안 된다. 재능이 있는 사람은 반드시 법도에 맞게 들어가야 하고, 그렇지 않으면 방탕으로 간다."

[56-2-100]

"凡人做文字不可太長, 照管不到, 寧可說不盡. 歐蘇文皆說不曾盡. 東坡雖是宏闊瀾翻, 成大片袞將去,446 他裏面自有法. 今人不見得他裏面藏得法, 但只管學他一袞做將去."447

(주자朱子가 말하였다.) "무릇 문장을 짓는 데는 너무 길어서는 안 되니 다 살피지 못하게 되면 차라리 다 말하지 않는 것이 낫다. 구양수歐陽脩와 소동파蘇東坡의 문장은 설명을 다한 적이 없다. 소동파 문장은 비록 광활하고 반전하여 큰 덩이를 이루어 진행해가도 그 속에는 본래 법칙이 있다. 지금 사람들은 그 속에 잠재된 법칙은 알지 못하고 단지 그것이 거침없이 진행해가는 것만 배우려고 한다."

[56-2-101]

"前輩云, '文字自有穩當底字, 只是始者思之不精.'"

又曰 : "文字自有一箇天生成腔子, 古人文字自貼這天生成腔子."448

(주자朱子가 말하였다.) "선배들이 말하기를, '문장은 본래 온당한 글자를 써야 하는데, 단지 처음에는 생각함이 정밀하지 않을 뿐이다.'고 하였다."

(주자朱子가) 또 말하였다. "문장은 본래 천연적으로 어투腔子를 이루는 것이 있다. 옛사람들의 문장은 본래 이러한 천연적으로 어투를 이룬 것이 붙어 있다."

[56-2-102]

今世士大夫好作文字,449 論古今利害, 比並爲說, 曰 : "不必如此, 只要明義理. 義理明, 則利害自明. 古今天下只是此理, 所以今人做事多暗與古人合者, 只爲理一故也."450

(주자朱子가) 요즘 세상의 사대부들이 문장 짓는 것을 좋아하는 것에 대하여 논하다가 고금의 이해利害를 논하고 아울러 말하였다. "이와 같이 할 필요는 없고 단지 의리에 밝게 하려 하면 된다. 의리에 밝으면 이해가 스스로 밝아진다. 고금에 천하는 단지 이 이치일 뿐이니 지금 사람들이 하는 일이 대부분 은연중

445 『朱子語類』 권139, 126조목

446 袞 : 『朱子語類』 권139, 128조목에는 '滾'으로 되어 있다. 뒤의 '一袞'도 같다.

447 『朱子語類』 권139, 128조목

448 『朱子語類』 권139, 130조목

449 今世士大夫好作文字 : 『朱子語類』 권139, 131조목에는 '因論今世士大夫好作文字'로 되어 있어 앞에 '因論' 두 글자가 더 있다.

450 『朱子語類』 권139, 131조목

에 옛사람들과 합치하는 것은 단지 이치가 동일하기 때문이다.”

[56-2-103]

“人做文字不著, 只是說不著. 說不到, 說自家意思不盡.”[451]

(주자朱子가 말하였다.) “사람들이 글짓기를 못하는 것은 단지 말로 표현하지 못하는 것이고, 말로 못하는 것은 자기 의사를 말하지 못하기 때문이다.”

[56-2-104]

“文章須正大, 須教天下後世見之, 明白無疑.”[452]

(주자朱子가 말하였다.) “문장은 모름지기 바르고 커야 하며, 모름지기 천하 후세 사람들이 그것을 보고 명백하여 의심이 없게 해야 한다.”

[56-2-105]

“看前人文字, 未得其意, 便容易立說, 殊害事. 盖旣不得正理, 又枉費心力. 不若虛心靜看, 卽涵養究索之功, 一擧而兩得之也.”[453]

(주자朱子가 말하였다.) “이전 사람들의 글을 보고 그 뜻을 아직 알아내지 못했을 때 바로 쉽게 학설을 세우는 것은 일에 매우 해롭다. 대체로 이미 바른 이치를 얻지 못한 데다 또 심신의 노력을 낭비하게 된다. 마음을 비우고 조용히 보아 함양하며 연구하는 공효를 한 번 거행하여 둘 다 얻는 것만 못하다.”

[56-2-106]

或(曰)[454]: “誦退之「聖德頌」, 至‘婉婉弱子, 赤立傴僂, 牽頭曳足, 先斷腰膂’處, 梁世榮擧子由之說曰, ‘此李斯誦秦所不忍言,[455] 而退之自謂無媿於「風」·「雅」, 何其陋也?’ 此說如何?”

南軒張氏曰: “退之筆力高, 得斬截處卽斬截, 他豈不知此? 所以爲此言者, 必有說. 盖欲使藩鎭聞之, 畏罪懼禍, 不敢叛耳. 今人讀之至此, 猶且寒心, 況當時藩鎭乎! 此正是合於「風」·「雅」處. 只如「墙有茨」·「桑中」諸詩, 或以爲不必載, 而龜山乃曰, ‘此衛爲夷狄所滅之由. 退之之言亦此意也.’ 退之之意過於子由遠矣. 大抵前輩不可輕議.”

어떤 이가 말하였다. “한퇴지韓退之의 「성덕송聖德頌」[456]을 외워 ‘법에 따라 연약한 사람들을 벌거벗겨

----

451 『朱子語類』 권139, 132조목
452 『朱子語類』 권139, 133조목
453 『朱子語類』 권11, 27조목
454 或(曰): 『御選唐宋詩醇』 권27 「元和聖德詩」에 ‘張栻曰’로 되어 있고, 아랫 글의 ‘南軒張氏曰’은 ‘曰’로 되어 있어, 南軒張氏 張栻이 자문자답한 것을 알 수 있다. 그리하여 ‘或’에 ‘(曰)’을 보충하여 ‘或(曰)’로 나타냈다.
455 誦: 『東雅堂昌黎集註』 「元和聖德詩」 권1에는 “頌”으로 되어 있다.

세워 구부리게 하고 머리와 다리를 끌어당겨 우선 허리와 척추를 잘라 죽였다.'는 곳에 이르러 양세영梁世榮이 소자유蘇子由[소철蘇轍]의 말을 들어 이르기를 '이것은 이사李斯가 진秦나라를 찬송한 차마 말 못할 것인데 한퇴지는 스스로 말하기를 『시경詩經』의 「풍風」·「아雅」에 부끄럽지 않다고 하니 얼마나 비루한가?' 하였으니 이 말이 어떠한가?"

남헌 장씨南軒張氏가 말하였다. "한퇴지는 필력筆力이 높아서 처단할 곳이 있게 되면 즉시 처단하였으니 그가 어찌 이를 몰랐겠는가? 이러한 말을 한 까닭은 반드시 해설할 것이 있다. 이는 아마 번진藩鎭(지방 장관)들에게 듣게 하여 죄와 화를 겁내어 반란하지 못하게 한 것일 것이다. 지금 사람들도 읽다가 여기에 이르면 여전히 마음이 오싹하거늘 하물며 당시의 번진들이겠는가! 이것이 바로 「풍風」·「아雅」에 합치되는 것이다. 다만 「장유자墻有茨」·「상중桑中」457 등과 같은 여러 시들은 혹은 수록할 필요가 없다고 말하기도 하지만, 양구산楊龜山[양시楊時]이 말하기를 '이것이 위衛나라가 이적夷狄에게 멸망된458 이유이니 한퇴지의 말은 또한 이 뜻이다.'라고 하였으니 한퇴지의 뜻이 소자유보다 뛰어남이 크다. 대저 선배들을 경솔히 논의해서는 안 된다."

[56-2-107]
象山陸氏曰: "文以理爲主. 荀子於理有蔽, 所以文不馴雅."459

상산 육씨象山陸氏가 말하였다. "문장은 이치[理]를 위주로 해야 한다. 순자荀子는 이치에 가려지는 것이 있어서 그 때문에 문장이 고상하지 않다."

[56-2-108]
慈湖楊氏曰: "孔子謂'巧言鮮仁', 又謂'辭達而已矣'. 而後世文士之爲文也異哉! 琢切雕鏤, 無所不用其巧, 曰, '語不驚人死不休', 又曰, '惟陳言之務去'. 夫言惟其當而已矣, 繆用其心, 陷溺其意至此, 欲其近道, 豈不大難? 雖曰無斧鑿痕, 如大羹玄酒, 乃巧之極工. 心外起意, 益深益苦, 去道愈遠. 如堯之文章, 孔子之文章, 由道心而達, 始可以言文章. 若文士之言, 止可謂之巧言, 非文章."460

자호 양씨慈湖楊氏461가 말하였다. "공자孔子가 말하기를 '말을 기교 있게 하는 데에는 인이 적다.[巧言鮮仁]'462

---

456 「聖德頌」: 「元和聖德詩」를 말함. 『五百家注昌黎文集』 권1에 보인다. 제시된 '婉婉弱子, … 先斷腰脊'는 「元和聖德詩」의 일부 가사이다.

457 「墻有茨」·「桑中」: 모두 『詩經』 「鄘風」의 편 이름. 음탕한 내용으로 되어 있다.

458 衛나라가 夷狄에게 멸망된: 위나라는 秦나라에게 멸망되었다. 위나라는 鄘나라와 함께 冀州 지역에 있었다.

459 『象山語錄』 권4

460 『慈湖遺書』 권15

461 慈湖楊氏(1141~1226): 송나라 明州 慈谿 사람 楊簡을 말함. 자는 敬仲. 進土. 陸九淵의 제자로 心學을 발전시켜 慈湖先生이라 불리었다. 벼슬은 樂平知縣事, 國子博士, 寶謨閣學士를 지냈다. 시호는 文元.(『宋史』 권407 「楊簡列傳」)

라고 하였고, 또 말하기를 '말은 전달할 뿐이다.[辭達而已矣.]'[463]라고 하였다. 그러나 후세의 선비들이 문장을 짓는 것은 다르다! 갈고닦아 꾸며대어 기교를 쓰지 않는 것이 없어 말하기를 '사람들을 놀랠 말이 아니면 죽어도 그만두지 않네.'[464]라고 하고, 또 말하기를 '오직 진부한 표현을 없애는 데 힘쓸 것이다.'[465]라고 하였다. 말은 마땅하게 할 뿐이니 마음을 그릇되게 하여 뜻을 추락시키는 것이 이 지경에 이르면 도道에 접근하려 해도 어찌 크게 어렵지 않겠는가? 비록 도끼 찍힌 자국이 없는 듯이 매끈한 문장이라고 하더라도 예컨대 대갱大羹·현주玄酒[466]와 같다면 기교의 극치 솜씨이다. 마음 밖에서 뜻을 일으키면 더욱 심각해지고 더욱 괴로워지며 도道와의 거리가 더욱 멀어진다. 예컨대 요堯의 문장文章과 공자의 문장은 도심道心으로부터 도달된 것으로, 비로소 문장이라고 말할 수 있는 것이다. 문사文士들의 말과 같은 것은 다만 기교 부린 말이라고 할 수 있을 뿐이지 문장이 아니다."

[56-2-109]

魯齋許氏曰 : "凡立論必求事之所在, 理果如何, 不當馳騁文筆, 如程試文字捏合抑揚. 且如論性說孟子, 却繳得荀子道性惡, 又繳得揚子道善惡混, 又繳出性分三等之說. 如此等文字皆文士馳騁筆端, 如策士說客不求眞是, 只要以利害惑人. 若果眞見是非之所在, 只當主張孟子, 不當說許多相繳之語."[467]

노재 허씨魯齋許氏[468]가 말하였다. "무릇 논의를 하는 데에는 반드시 일의 소재에 이치가 과연 어떠한지 구하여야 하고 문필을 달려 예컨대 정시程試(과거 시험) 문장을 꾸며대어 오르내려서는 안 된다. 또 예컨대 성性을 논하여 맹자孟子를 말하면서 순자荀子를 뒤섞어 성악설性惡說을 말하고 또 양자揚子[揚雄]를 곁들여 선악혼설善惡混說을 말하고, 또 성품을 나누어 세 등급의 학설을 곁들여 내는 것이다. 이러한 문장은 모두 선비들이 붓끝을 달려서 마치 책사策士나 유세객遊說客처럼 진실을 구하지 않고 다만 이해로 사람들을 미혹시킬 뿐이다. 만약 시비是非의 소재를 진실로 보았다면 다만 맹자를 주장해야 할 것이고 허다하게

---

462 '말을 기교 … 적다.[巧言鮮仁]' : 『論語』「學而」의 "공자가 말하기를, '말을 좋게 하고 얼굴빛을 곱게 하는 사람 중에는 仁한 사람이 드물다.'라고 하였다.(子曰, 巧言令色, 鮮矣仁.)"라는 말에서 줄여 사용한 것이다.

463 '말을 전달할 뿐이다.[辭達而已矣]' : 『論語』「衛靈公」에 보인다.

464 '사람들을 놀랠 … 않네.' : 唐 杜甫 시의 "나는 성벽이 오로지 좋은 시구만 욕심내어, 사람들 놀랠 말 아니면 죽어도 그만두지 않네.(爲人性癖耽佳句, 語不驚人死不休.)"라는 구절에서 유래한 것이다.(『杜少陵詩集』 권10 「江上值水如海勢聊短述」)

465 '오직 진부한 … 것이다.' : 韓愈의 「答李翊書」에서 "오직 진부한 표현을 없애는 데 힘쓸 것이다.(惟陳言之務去.)"에서 유래한 것이다.(『五百家注昌黎文集』 권16)

466 大羹·玄酒 : 大羹은 조미를 하지 않은 고깃국으로 宗廟의 大禮 때 쓰고, 玄酒는 제사에 쓰는 물을 말한다. 물의 빛이 검기 때문에 玄자를 붙인 것이다. 순수한 것에는 기교를 더할 필요가 없음을 말한다.(『禮記』「樂記」)

467 『魯齋遺書』 권1

468 魯齋許氏 : 元나라 때의 학자 許衡을 말한다. 자는 仲平. 학자들이 魯齋先生이라고 칭하였으며, 시호는 文正이다. 經學·子史·禮樂·名物·星曆·兵刑·食貨 등에 널리 통하였으며, 특히 程子와 朱子의 학문을 떠받들어 劉因과 함께 원나라의 二大學者로 칭해진다. 저서로는 『讀易私言』·『魯齋心法』 등이 있다.

서로 뒤섞는 말을 하지 않아야 한다."

[56-2-110]

"宋文章近理者多, 然得實理者亦少. 世所謂'彌近理而大亂眞', 宋文章多有之, 讀者直須明著眼目."[469]

(노재 허씨魯齋許氏가 말하였다.) "송나라 문장은 리理에 접근하는 것이 많기는 하지만 실제 리를 얻은 것은 역시 적다. 세상에서 말하는 '이치에 더욱 가까워서 진실을 크게 어지럽힌다.'[470]는 것이 송나라 문장에 많이 있으니 글을 읽는 이들은 반드시 안목을 밝게 해야 한다."

[56-2-111]

論古今文字, 曰: "二程·朱子不說作文, 但說明德·新民·明明德, 是學問中大節目. 此處明得, 三綱·五常·九法立, 君臣·父子井井有條, 此文之大者. 細而至於衣服飮食起居洒掃應對, 亦皆當於文理. 今將一世精力, 專意於文, 鋪叙轉換, 極其工巧, 則其於所當文者闕漏多矣. 今者能文之士, 道堯舜周孔曾孟之言, 如出諸其口, 由之以責其實, 則霄壤矣. 使其無意於文, 由聖人之言, 求聖人之心, 則其所得亦必有可觀者. 文章之爲害, 害於道. 優孟學孫叔敖, 楚王以爲眞叔敖也, 是寧可責以叔敖之事! 文士與優孟何異! 上世聖人何嘗有意於文! 彼其德性聰明, 聲自爲律, 身自爲度, 豈後世小人筆端所能模放! 德性中發出, 不期文而自文, 所謂出言有章者也. 在事物之間, 其節文詳備, 後人極力爲之, 有所不及, 何者? 無聖人之心, 爲聖人之事不能也."[471]

(노재 허씨魯齋許氏가) 고금의 문장을 논하여 말하였다. 이정二程(程顥·程頤)·주자朱子는 작문을 말하지 않고 다만 명덕明德·신민新民·명명덕明明德만 말하였으니 이것은 학문 중의 큰 절목이다. 이것을 명확히 터득하면 삼강三綱·오상五常·구법九法[472]이 확립되어 군신君臣·부자父子가 가지런히 조목이 있게 되니 이것이 문장의 큰 것이다. 미세하게는 의복, 음식의 생활과 물 뿌리고 쓸며 응낙하고 대답하기까지 역시 모두 문장의 이치에 마땅케 해야 한다. 지금 온 세상의 정력을 문장에 전념하여 서술하고 고쳐서 기교 솜씨를 극도로 하니 문장을 갖추어야 할 것에 결여함이 많다. 지금 문장을 잘하는 선비들이 요堯·

---

469 『魯齋遺書』 권1
470 '이치에 더욱 … 어지럽힌다.': 「中庸章句序」
471 『魯齋遺書』 권1
472 九法: 나라를 다스리는 아홉 가지 법도. 『中庸章句』 20章에 "무릇 천하와 국가를 다스림에는 아홉 가지 법이 있으니, 몸을 닦는 것[修身], 현자를 높이는 것[尊賢], 친척을 친애하는 것[親親], 대신을 공경하는 것[敬大臣], 신하들의 마음을 체득하는 것[體群臣], 여러 백성들을 사랑하는 것[子庶民], 모든 工人들을 우대하여 오게 하는 것[來百工], 먼 지방 사람들을 회유하는 것[柔遠人], 제후들을 편안하게 하는 것[懷諸侯]이다."고 하였다.

순舜·주공周公·공자孔子·증자曾子·맹자孟子의 말을 하는 것이 마치 자기 입에서 나온 것처럼 하지만 이에 말미암아 그 실상을 따져보면 천양지차天壤之差이다. 만일 문장을 의식하지 않고 성인聖人의 말로 말미암아 성인의 말을 구한다면 그 소득이 반드시 볼 만한 것이 있을 것이다. 문장이 해가 되는 것은 도道를 해치는 것이다. 우맹優孟이 손숙오孫叔敖를 흉내 내자 초장왕楚莊王이 진짜 손숙오라고 여겼으나[473] 이 어찌 손숙오의 일로 책임지울 수 있겠는가! 선비들이 우맹과 무엇이 다른가! 옛적에 성인께서 어찌 문장에 유념한 적이 있었던가! 저 성인들은 덕성德性이 총명하여 소리는 절로 음률이 맞고 자신은 절로 척도가 되니 어찌 후세에 소인들이 붓끝으로 모방할 수 있는 것이겠는가! 덕성 속에서 우러나와서 문장을 기대하지 않아도 절로 문장이 되니 이른바 '말을 하면 문장이 된다.[出言有章]'[474]는 것이다. 사물 속에 그 절도와 문장이 자세히 갖추어져 있고 후인들이 힘을 다하여 해보지만 못미쳐 가는 것은 무엇인가? 성인 같은 마음이 없어 성인의 일을 하는 것이 불가능하기 때문이다."

[56-2-112]
"讀魏晉唐以來諸人文字, 其放曠不羈誠可喜, 身心即時便得快活, 但須思慮究竟是如何? 果能終身爲樂乎, 果能不隳先業而澤及子孫乎? 天地間人各有職分, 性分之所固有者, 不可自泯也, 職分之所當爲者, 不可荒慢也. 人而慢人之職, 雖曰飽食煖衣, 安樂終身, 亦志士仁人所不取也. 故昔人謂之幸民. 凡無檢束, 無法度, 艷麗不羈, 諸文字皆不可讀, 大能移人性情. 聖人以義理誨人, 力挽之不能廻. 而此等語一見之入骨髓, 使人情志不可收拾. '從善如登, 從惡如崩', 古語有之, 可不愼乎!"[475]

(노재 허씨魯齋許氏가 말하였다.) "위魏·진晉·당唐 이래 여러 사람들의 문장을 읽어보면 자유분방하여 얽매이지 않는 것은 진실로 기뻐할 만하고 심신이 즉시 쾌활해지지만 다만 생각을 쓰는 것이 결국 어떠한가? 과연 일생토록 즐거워할 수 있으며 과연 조상의 사업을 훼손하지 않고 은택이 자손에게 미쳐갈 수 있는 것인가? 천지 사이에는 각각 직분職分이 있고 성품의 분수의 고유한 것은 본래 없어지지 않고, 직분에 마땅히 해야 할 것은 황폐하게 할 수 없는 것이다. 사람으로서 사람의 직분을 황폐하게 하면 비록 배불리 먹으며 따뜻하게 옷을 입으며 일생토록 안락하여도 뜻이 있는 선비와 어진 사람은 채택하지 않는 것이다. 그러므로 옛사람들은 그들을 행민幸民[476]이라고 불렀다. 대개 검속함도 없고 법도도 없으면

----

473 優孟이 孫叔敖를 … 여겼으나: 優孟은 전국 시대 楚나라의 유명한 俳優이다. 당시에 정승 孫叔敖가 그에게 잘해 주었는데, 손숙오가 죽은 뒤 그의 아들이 가난에 시달리는 것을 알고는, 손숙오의 옷을 입고서 손숙오의 흉내를 연습하여 손숙오의 모습과 똑같이 꾸미고 초장왕에게 나아갔다. 초장왕은 그가 손숙오를 꼭 닮은 것에 마음이 기뻐 그를 정승으로 삼으려 하니, 우맹이 말하기를 "손숙오 같은 사람은 초나라의 霸業을 이룬 정승이지만 그의 자손은 송곳 하나 세울 땅이 없으니 무엇이 좋다고 정승을 하겠습니까!"라고 하므로, 임금이 그 말뜻을 알아차리고 손숙오의 아들을 불러 땅을 봉해 주었다.(『史記』「滑稽列傳」)
474 '말을 하면 … 된다.[出言有章]': 『詩經』「小雅·都人士」
475 『魯齋遺書』 권1
476 幸民: 요행 속에 살아가는 사람으로, 하는 일이 없이 한가로이 놀면서 살아가는 이를 말함

서 화려함에 구애받지 않고 여러 문장들을 모두 읽을 수가 없으니 사람의 성정性情을 크게 변동시키기 때문이다. 성인은 의리義理로 사람들을 가르치면서 힘써 끌어당기지만 되돌릴 수 없었다. 그러나 이러한 말들은 한 번 보면 골수에 들어박혀 사람의 뜻을 수습하지 못하게 한다. '선을 따르는 것은 높은 곳에 오르는 것처럼 어렵고, 악을 따르는 것은 산이 무너져 내리는 것처럼 쉽다.'[477]라고 한 것이 옛말에 있으니 삼가지 않을 수 있는가!'

[56-2-113]

或論凡人爲詩文出於何而能若是.

曰：“出於性. 詩文只是『禮部韻』中字, 已能排得成章, 盖心之明德使然也. 不獨詩文, 凡事排得着次第, 大而君臣父子, 小而鹽米細事, 總謂之文. 以其合宜, 又謂之義, 以其可以日用常行, 又謂之道. 文也義也道也, 只是一般."[478]

어떤 이가 무릇 사람들의 시문을 짓는 것이 어디에서 나오면 이와 같을 수 있는지를 논하였다.

(노재 허씨魯齋許氏가) 말하였다. “성정性情에서 나온다. 시문은 다만 『예부운략禮部韻略』[479] 중의 글자일 뿐이니 이미 배열하여 문장을 이룬 것은 마음의 명덕明德이 그렇게 한 것이다. 시문뿐만 아니라 무릇 일은 차례로 배열해야 하니 크게는 군신君臣·부자父子, 작게는 소금·쌀의 미세한 일까지 총괄하여 문文이라고 한다. 마땅함에 합치되어야 하기 때문에 또 의義라고도 하고, 날마다 사용하며 늘 행할 수 있기 때문에 또 도道라고도 한다. 문文·의義·도道는 다만 매일반일 뿐이다.”

---

477 '선을 따르는 … 쉽다.' : 『國語』 권3 「周語下」

478 『魯齋遺書』 권1

479 『禮部韻略』 : 宋나라 丁度 등이 편찬한 韻書. 5권이며 貢擧條式 1권이 부록되어 있는데, 禮部의 科試에 응하는 자들을 위해서 聲韻의 要略을 밝힌 것이다.

諸子一 제자 1

老子 노자[1]

[57-1-1]

程子曰 : "老氏之言, 雜權詐. 秦愚黔首, 其術蓋有所自."[2]

정자가 말했다. "노자의 말에는 권모權謀와 사술詐術이 섞여 있다. 진나라가 백성들을 어리석게 하려고 한 그 술수는 아마 여기에서 유래했을 것이다."[3]

[57-1-2]

"老子語道德而雜權詐, 本末舛矣. 申·韓·蘇·張皆其流之弊也. 申·韓原道德之意而爲刑名, 後世 猶或師之, 蘇·張得權詐之說而爲縱橫, 其失益遠矣, 是以無傳焉."[4]

(정자가 말했다) "노자는 도덕을 말하면서도 권모와 사술이 섞여 본말이 어긋난다. 신불해申不害[5]·한 비韓非[6]·소진蘇秦[7]·장의張儀[8]는 모두 그에게서 유래한 폐해다. 신불해와 한비자는 도덕의 뜻을 추구하

· · · · · · · · · · · · · · · · · · · ·

1 老子 : 춘추시대 楚나라 苦縣 사람. 이름은 李耳, 자는 聃, 세상에서 노자로 불린다. 벼슬은 周나라에서 守藏室 (일종의 도서관)의 史를 지냈다. 이것이 나중에 柱下史 벼슬을 역임한 것으로 호칭되었다. 주나라에 머물다 천하가 쇠해짐을 보고 주나라를 떠났으며 函谷關에 이르러 함곡관의 關令 尹喜의 권유에 따라 상하 두 편의 책을 남기고 자취를 감추었다. 그 저서가 오늘날 『老子』 또는 『老子道德經』으로 불린다.(『史記』 63)

2 『二程粹言』 권하 「聖賢篇」. 『二程粹言』은 楊時(호는 龜山)가 자신의 두 스승인 明道와 伊川의 훌륭한 말들을 子曰이라는 호칭만을 붙여 서술한 까닭에 두 사람 중 누구의 말인지는 알 수 없다.

3 진나라가 백성들을 … 것이다. : 진시황의 焚書坑儒가 궁극적으로 백성들을 어리석게 하여 나라의 정책에 무조 건 따르게 하려는 의도에서 나온 것이었는데, 그 유래가 바로 노자의 권모와 사술을 따른 것이라는 말이다.

4 『二程粹言』 권상 「論道篇」

5 申不害 : 전국시대 鄭나라 사람. 韓昭侯를 섬겨 相國을 지냈다. 循名責實과 愼賞明罰을 주장하여 형명학의 대표로 꼽힌다. 法家로 불리기도 한다. 저서로 『申子』가 있다.(『戰國策』「韓策」 1)

면서 형명설[9]을 주장한 까닭에 후세에 오히려 간혹 스승 삼는 자들이 있으나, 소진과 장의는 권모와 사술의 언변을 터득하여 종횡가[10]가 됨으로서 그 잘못이 더욱 크다. 그리하여 전술하는 자가 없다."

[57-1-3]

"『老子』言甚雜, 如『陰符經』却不雜. 然皆窺測天道之未盡者也."[11]

(정자가 말했다) "『노자』에서 한 말은 매우 잡스러우나 『음부경』[12] 같은 책은 차라리 잡스럽지는 않다. 그러나 모두 천도에 대한 탐구를 끝까지 다 못한 책이다."

[57-1-4]

"老子曰, '無爲', 又曰, '無爲而無不爲', 當有爲而以無爲爲之, 是乃有爲爲也. 聖人作『易』未嘗言無爲, 惟無思也 ; 無爲也, 此戒夫作爲也. 然下卽曰, '寂然不動, 感而遂通天下之故', 是動靜之理, 未嘗爲一偏之說矣."[13]

---

6 韓非 : 전국시대 韓나라의 公子. 荀子의 제자로 진시황에게 벼슬하여 신임을 얻었으나 뒤에 하옥되어 자살하였다. 『史記』「韓非傳」에 "형법법술의 학문을 좋아하였으나 그 귀결점은 황노를 근본하였다.(喜刑名法術之學, 而其歸本於黃老.)"고 하였다. 韓子, 또는 韓非子로 불리기도 한다. 저서로 『韓非子』가 있다.

7 蘇秦 : 전국 시대의 遊說家. 자는 季子. 鬼谷子의 제자. 秦에 대항하여 山東의 燕·趙·韓·魏·齊·楚의 合從을 설득하여 성공시켰다. 장의와 함께 권모술수에 능하였던 사람으로 평가 된다.(『史記』 권69)

8 張儀 : 전국 시대의 유세가. 귀곡자의 제자. 秦나라의 재상이 되어 소진의 합종책에 대항하는 연횡책을 6국에 遊說하여 열국을 진나라에 복종하게 하였다.(『史記』 권70)

9 형명설 : 사물의 실체와 붙여진 이름을 규명하는 학설이다. 形名으로 쓰기도 한다. 형명의 어원은 『韓非子』「二柄」 제5에 "군주가 간악함을 금하고자 하면 형체와 명칭을 살펴 부합하도록 하여 말이 일과 다르지 않게 해야 한다.(人主將欲禁姦, 則審合刑名, 言不異事也.)"와 『莊子』「天道」에서 "그러므로 옛날 大道에 밝았던 사람은 먼저 하늘의 도를 밝힘에 도덕이 합당하여졌고 도덕이 밝아짐에 인의가 합당하여졌고 인의가 밝아짐에 분수가 합당하여졌고 분수가 밝아짐에 형명이 합당하여졌고 형명이 밝아짐에 인임이 합당하여졌고 ….(是故古之明大道者, 先明天而道德次之, 道德已明而仁義次之, 仁義已明而分守次之, 分守已明而形名次之, 形名已明而因任次之, 因任已明而原省次之….)"에서 비롯되었다. 이 형명을 晉나라 郭象은 "분수가 얻어짐에 사물마다의 이름이 각기 그 형상에 합당하여 진 것이다.(得分, 而物物之名, 各當其形也.)"라 하였고, 송나라 王雱은 "形은 그 사물이고 名은 그 사물에 붙인 이름이다.(形者, 物此者也 ; 名者, 命此者也.)"라고 하였다. 여기에서 형명은 실체와 개념을 논하는 철학 명제로 부상, 循名責實 愼賞明罰이라는 이념으로 발전하며 法家들이 태어나게 되었다. 대표적인 학자가 바로 신불해·한비자 등이다.

10 종횡가 : 전국시대 서쪽의 秦나라에 대항해 동쪽의 모든 나라가 南北으로 힘을 합하자고 한 合縱策과, 동쪽 제후국가를 상대하여 서쪽의 진나라와 연대하여 자국의 안보를 확보하도록 설득한 連橫策에 종사한 유세객들. 대표적인 인물로 합종책의 소진과 연횡책의 장의가 있다.(『史記』「蘇秦列傳」;「張儀列傳」)

11 『二程遺書』 권15「入關語錄」. 이천선생의 어록이나, 명도선생의 말이라는 주장도 있다.

12 『陰符經』: 道家類의 책. 지은이는 黃帝 혹은 姜太公이라고 하나 분명하지 않다. 총 300여자로 구성된 짧은 책이나 여러 사람들이 주석을 붙일 정도로 깊은 사상을 담고 있다. 간혹 兵書로 분류하기도 한다.

13 『二程遺書』 권5. 二程 중 누구 말인지는 분명하지 않다.

(정자가 말했다) "노자는 '함이 없음無爲'을 말하고 또 '함이 없으나 하지 않음이 없다.'14라고 말하였으니 당연히 해야 할 때에 무위로 한다는 것은 바로 함을 함이 있다는 것이다. 성인은 『역』을 지으면서 무위를 말씀한 적이 없고 오직 '생각함도 없고 함도 없다.'라고 하였으니, 이 말은 작위作爲를 경계한 것이다. 그러나 바로 그 아래 '고요히 꼼짝하지 않다가 느낌을 받으면 마침내 천하의 일에 환하여진다.'고 말한 것은, 동정動靜의 리理를 두고 한 말이지 한 번도 어느 한쪽으로 치우친 주장을 한 적은 없다."15

[57-1-5]

"老氏言'虛能生氣', 非也. 陰陽之開闔相因, 無有先也 ; 無有後也. 可謂今日有陽而後明日有陰, 則亦可謂今日有形而後明日有影也."16

(정자가 말했다) "노자가 '허虛에서 기氣가 생겨난다.'17고 한 말은 그른 말이다. 음과 양이 열리고 닫히는 일은 서로가 서로를 의지하는 일이기에 앞서는 일도 없고 뒤따르는 일도 없다. 오늘 양이 생겨난 뒤 내일 음이 생겨난다고 말할 수 있다면, 또한 오늘 형체가 생긴 뒤 내일 그림자가 생겨난다고도 말할 수 있을 것이다."

[57-1-6]

"'予奪翕張', 理所有也. 而老子之言非也. '與之之意乃在乎取之' '張之之意乃在乎翕之', 權詐之術也."18

(정자가 말했다) "'주고 빼앗으며 접었다 펼침'에는 이치가 있다. 그러니 노자의 말은 그른 말이다. '주는 것은 그 의도가 바로 취하려는 데에 있고' '펼치는 것은 그 의도가 바로 접는 데에 있다.'19라는 말들은 권모와 사술에서 나온 주장이다."

· ·

14 『老子』 48장

15 성인은 『易』을 … 없다. : 정자가 노자의 無爲說을 비판하며 『周易』「繫辭上」 제10장 "易, 無思也, 無爲也. 寂然不動, 感而遂通天下之故. 非天下之至神, 其孰能與於此."에 무위라는 말이 있으나 이 무위는 動的인 것에 상대해 아무런 작위나 생각이 없는 靜의 상태를 이른 말이어서 노자가 말한 무위의 뜻과 서로 다르며, 바로 뒤에 이어지는 "寂然不動, 感而遂通天下之故"가 그 증거라는 말이다. 곧 무위는 한쪽으로 치우친 말이며, 성인은 그러한 뜻의 말을 하지 않았음을 이른다.

16 『二程粹言』 권하 「天地篇」

17 '虛에서 氣가 생겨난다.' : 이말은 노자의 저서 속에서 찾을 수가 없다. 다만 이 번역문의 원문인 '虛能生氣'는 『二程遺書』 권15 「入關語錄」에서 '虛而生氣'로 쓰기도 하였다. 이로 미루어 '虛能生氣'나 '虛而生氣'는 노자의 글을 직접 인용하지 않고 노자가 말한 뜻을 가져다 글자를 바꾸어 쓴 듯하다. 이를 『老子』에서 살펴보면 40장에, "천하 만물은 유에서 생겨나고 유는 무에서 생겨난다.(天下萬物生於有, 有生於無.)"라고 한 말이 있다. 천하 사물이 무에서 생겨난다고 한 노자의 말을 정자는 虛能生氣나 虛而生氣로 이해한 듯하다.

18 『二程粹言』 권상 「論道篇」

19 『老子』 36장의 "將欲噏之必固張之, 將欲弱之必固強之, 將欲廢之必固興之, 將欲奪之必固與之, 是謂微明."을 인용하여 비판한 것이다. 『老子』의 본문 중 噏은 판본에 따라 翕으로 쓰기도 한다. 『性理大全書』는 翕을 취한 것이다.

[57-1-7]

"老子曰, '失道而後德；失德而後仁；失仁而後義；失義而後禮', 則道・德・仁・義・禮分而爲五也."[20]

(정자[程頤]가 말했다) "노자가 말하기를, '도가 쇠한 뒤에 덕이 나타나고, 덕이 쇠한 뒤에 인이 나타나고, 인이 쇠한 뒤에 의가 나타나고, 의가 쇠한 뒤에 예가 나타났다.'[21]고 말하니 도・덕・인・의・예를 나누어 다섯 가지로 만들고 있다."

[57-1-8]

"君子之學也, '使先知覺後知；使先覺覺後覺'. 而老子以爲, '非以明民, 將以愚之'. 其亦自賊其性歟!"[22]

(정자[程頤]가 말했다) "군자의 학문은 '먼저 안 사람이 늦게 터득하는 사람을 깨닫게 해주고 먼저 깨달은 사람이 늦게 깨닫는 사람을 깨닫게 한다.'[23] 그러나 노자는 '백성들을 밝게 하려하지 않고 어리석게 하려했다.'[24]고 하였다. 그것은 또한 스스로 본성을 해치는 것이다."

[57-1-9]

問："老子言'天地不仁 聖人不仁' 如何?"

曰："謂'天地不仁, 以萬物爲芻狗', 是也；謂'聖人不仁, 以百姓爲芻狗', 非也. 聖人豈有不仁, 所患者不仁也. 天地何意於仁, 鼓舞萬物, 而不與聖人同憂. 聖人則仁, 此其爲能弘道也."[25]

물었다. "노자는 '천지도 불인不仁하고, 성인도 불인하다.'[26]라고 말한 것은 무슨 말입니까?"

(정자[程頤]가) 대답하였다. "천지가 불인하여 만물을 추구芻狗[27]처럼 여긴다.'라는 말은 맞으나, '성인이

---

20 『二程遺書』 권25 「暢潛道本」
21 『老子』 38장
22 『二程遺書』 권25 「暢潛道本」
23 『孟子』「萬章上」
24 『老子』 65장
25 『二程外書』 권11 「時氏本拾遺」
26 『老子』 5장의 "天地不仁以萬物爲芻狗, 聖人不仁以百姓爲芻狗."를 이른 말이다.
27 芻狗 : 풀을 엮어 묶어서 개 모양으로 만든 것. 무당들이 푸닥거리 때 신에게 바치는 제수용품으로 사용하면서 극진하게 받들다 푸닥거리가 끝난 뒤 아무렇게나 버려진 데에서 아무 쓸모없는 사물을 이르는 말로 쓰였다. 宋 蘇轍의 『老子解』에 "풀을 개 모양으로 묶어서 제사에 차리며 갖가지로 꾸며 올린 것(結芻以爲狗, 設之于祭祀, 盡飾以奉之.)"이라고 하고, 『莊子』「天運」의 "추구를 아직 제사에 차리기 전에는 대로 만든 상자에 담고 수놓은 보자기에 싸서 제사를 주관하는 사람이 재계하고 받든다. 그러나 이미 차림이 끝나면 길가는 자들이 그 추구의 허리를 밟고 다니고 땔나무를 하는 자들이 가져다가 불을 피울 따름이다.(夫芻狗之未陳也, 盛以篋衍, 巾以文繡, 尸祝齋戒以將之. 及其已陳也, 行者踐其首脊, 蘇者取而爨之而已.)"라는 글에서 陸德明은 "추구는 풀을 개 모양처럼 묶어서 무당이나 제사를 주관하는 사람들이 사용하는 것이다.(芻狗, 結芻爲狗, 巫祝用

불인하여 백성들을 추구처럼 여긴다.'라는 말은 틀렸다. 성인이 어찌 불인하겠느냐? (성인은) 도리어 불인할까 걱정한다. 천지가 어찌 인仁에 뜻을 두겠느냐? (천지는) 만물을 생성하게만 하고 성인처럼 함께 걱정하지는 않는다. 성인은 인仁하시니, 이 점이 그 '사람은 도의 영역을 넓힌다.'[28]라고 말한 것이다."

[57-1-10]

"老子書, 其言自不相入處如氷炭, 其初意欲談道之極玄妙處, 後來却入做權詐者上去如將欲取之, 必固與之之類. 然老子之後有申·韓, 看申·韓與老子道甚懸絶, 然其原乃自老子來, 蘇秦·張儀則更是取道遠."[29]

(정자程頤가 말했다) "『노자』에서 그 말이 빙탄처럼 서로 부합되지 않으니 애초의 의도는 도의 극히 현묘한 곳을 말하고자 하였으나 나중에는 도리어 권모와 사술을 말하는 것으로 흘러버렸다. 예컨대 '취하고자 하면 반드시 주어야 한다.[30]라는 말들 따위. 그러나 노자의 후계자에 신불해와 한비자가 있는데 살펴보니 신불해·한비자는 노자의 도와 매우 현격한 차이가 나지만, 그 근원은 노자에서 비롯되었고, 소진·장의는 취한 도가 더더욱 동떨어져 있다."

[57-1-11]

朱子曰 : "老子之術, 謙沖儉嗇, 全不肯役精神. 須自家占得十分穩便, 方肯做, 纔有一毫於己不便, 便不肯做."[31]

주자朱熹가 말했다. "노자의 학술은 겸허하고 검약하여 기꺼이 전혀 정신을 쓰려 들지 않는다. 스스로가 매우 편안해야만 비로소 하려 들고 털끝만큼이라도 자신에게 불편하면 곧 기꺼이 하려 들지 않는다."

[57-1-12]

"老子之學, 只要退步柔伏不與你爭. 纔有一毫主張計較思慮之心, 這氣便麤了. 故曰, '致虛極

....

之.)"라고 하였다.

28 '사람은 도의 … 넓힌다.' : 이는 『論語』「衛靈公」편의, "공자가 '사람은 도를 확대시킬 수 있으나 도는 사람을 확대시키지 못한다.'고 히였다.(了曰, 人能弘道, 非道弘人.)"는 밀을 인용하여 노사의 설을 비판한 것이다. 곧 사람에게는 지각이 있어 자신이 노력하면 본성이 가진 영역을 모두 다하여 도의 영역을 확대시킬 수 있으나, 도는 본래 이치일 뿐 작용이 없으므로 사람을 선하게 하는 작용을 할 수 없다는 말이다.

29 『二程遺書』 권18

30 '취하고자 하면 … 한다.' : 이 말은 『老子』 36장 "將欲歙之必固張之, 將欲弱之必固强之, 將欲廢之必固興之, 將欲奪之必固與之, 是謂微明."을 인용한 것이다. 다만 이 글의 欲取之는 『老子』에 欲奪之로 쓰여 있다. 그러나 이글을 이해하는데 크게 달라질 것은 없다.

31 『朱子語類』 권125 「老氏」 老子 2조목 ; 3조목. "老子之術, 謙沖儉嗇, 全不肯役精神."은 2조목이고 "老子之術, 須自家占得十分穩便, 方肯做, 才有一毫於己不便, 便不肯做."는 3조목이다. 3조목의 "老子之術" 네 글자만 산삭하고 인용한 것을 알 수 있다.

守靜篤'. 又曰, '專氣致柔能如嬰兒乎!' 又曰, '知其雄守其雌爲天下谿, 知其白守其黑爲天下谷'. 所謂谿所謂谷, 只是低下處. 讓你在高處, 他只要在卑下處, 全不與你爭, 他這工夫極難. 常見畫本老子, 便是這般氣象, 笑嘻嘻地, 便是簡退步占便宜底人. 雖未必肯他, 然亦是他氣象也. 只是他放出無狀來, 便不可當. 如曰'以正治國, 以奇用兵, 以無事取天下', 他取天下便是用此道."32

(주자가 말했다) "노자의 학술은 단지 뒤로 물러나 부드럽게 순종하고 상대와 다투지 않으려 한다. 조금이라도 주장하거나 따지거나 숙고하려는 마음이 있으면 이 기상(氣)은 바로 조잡해진다. 그러므로 '텅 비우는 일을 극진하게 하고, 고요함을 지켜내기를 독실하게 하라.'33고 하고, 또 말하기를 '기(氣)가 오로지 유순하도록 힘써 갓난아이와 같게 하라.'34고 하고, 또 말하기를 '존귀함을 알고도 그 낮은 도리를 지켜 천하의 시내가 되고, 힘을 알고도 그 검음을 지켜 천하의 골짜기가 되어야 한다.'35고 하였다. 소위 시내와 골짜기는 바로 낮은 곳이다. 상대에게 높은 곳은 사양하고 자신은 단지 낮은 곳에 있기를 구하여 전혀 상대와 다투려 하지 않으니 그의 이러한 공부는 매우 어렵다. 일찍이 노자의 초상화를 본 적이 있는데 바로 이러한 기상이었고, 히죽히죽 웃고 있는 모습이 영락없이 뒤로 물러나며 이로움을 챙기려는 사람이었다. 비록 꼭 닮지 않았더라도 그러나 역시 그것이 그의 기상이다. 단지 그가 보잘것없는 모양을 내보이고 있지만 마침내 당해낼 수 없음이다. '바름으로 나라를 다스리고, 기이한 책략으로 군사를 지휘하고, 아무 일도 하지 않는 것으로 천하를 취한다.'36라는 말처럼 그가 천하를 얻는다면 바로 이러한 방법을 쓸 것이다."

[57-1-13]

"老子之學, 大抵以虛靜無爲沖退自守爲事. 故其爲說, 常以懦弱謙下爲表, 以空虛不毀萬物爲實. 其爲治, 雖曰, '我無爲而民自化', 然不化者, 則亦不之問也. 其爲道每每如此, 非特'載營魄'一章之指爲然也. 若曰, '旁日月, 挾宇宙, 揮斥八極, 神氣不變'者, 是乃莊生之荒唐. 其曰, '光明寂照, 無所不通, 不動道場, 徧周沙界'者, 則又瞿曇之幻語. 老子則初曷嘗有是哉! 今世人論老子者, 必欲合二家之似而一之, 以爲神常載魄而無所不之, 則是莊釋之所談, 而非老子之意矣."37

(주자가 말했다) "노자의 학문은 고요히 텅 비워 아무 것도 하지 않는 것과 물러나 스스로를 지키는

<hr>

32 『朱子語類』 권125 「老子書」, 谷神不死章第六 36조목

33 『老子』 16장

34 『老子』 10장

35 『老子』 28장. 다만 이글 "知其白守其黑爲天下谷"은 『老子』에 "知其白守其黑爲天下式 … 知其榮守其辱爲天下谷"으로 되어 있다. 주지가 이글을 인용하며 뜻만을 취하여 이렇게 바꾸었는지 아니면 이렇게 쓰이 본이 있었는지는 모르겠다.

36 『老子』 57장

37 『朱子語類』 권125 「老氏」, 老子 4조목

것을 일삼는다. 그러므로 그의 말은 늘 나약하고 겸손히 자신을 낮추는 것으로 겉모습을 삼고, 텅 비우고 만물을 훼손하지 않는 것을 실질로 삼는다. 그가 정치에 대해서, '내가 아무 것도 하지 않아도 백성이 저절로 교화된다.'[38]라 말하고 있으나 그러나 교화되지 않는 자에 대해서는 또한 문제삼지 않았다. 그의 말은 매번 이러하다. 단지 「재영백載營魄」한 장의 뜻[39]만 그런 것이 아니다. '해와 달을 양쪽에 두고 우주를 겨드랑이에 낀다.'[40]라던가 '팔방을 분방하게 쏘다녀도 신기神氣는 변함이 없다.'[41]라는 말은『장자』의 황당한 말이다. 그리고 '고요하게 비추는 광명이 미치지 않는 것이 없고 도량에서 아무런 움직임 없이도 사바세계를 두루 할 수 있다.'는 말은 구담瞿曇(석가모니의 姓. 부처를 이른다.)의 허황된 말이다. 노자가 어찌 한번이라도 이러함을 둔 적이 있었느냐! 오늘날 세상 사람들 중 노자에 대해 논하는 자들이 굳이 (불교와 장자) 두 학설의 유사한 말들을 모아 동일한 것으로 만들고자 하여, '정신이 늘 백魄을 싣고서 가지 않는 곳이 없다.'고 말하나 이는『장자』와 석가모니가 한 말이고 노자가 말한 뜻은 아니다."

[57-1-14]

問：“老子與鄕原如何?”

曰：“老子是出人理之外, 不好聲不好色, 又不做官, 然害倫理. 鄕原猶在人倫中, 只是箇無見識的好人."[42]

물었다. "노자와 향원[43]은 어떻습니까?"

(주자가) 대답하였다. "노자는 인간의 도덕 규범에서 벗어나 명예도 좋아하지 않고, 여색도 좋아하지 않으며, 또 벼슬도 하려고 않았지만, 윤리를 해쳤다. 향원은 그래도 사람들과 어울려 살려 하며 단지 식견이 없는, 좋은 게 좋은 사람일 뿐이다."

[57-1-15]

“人皆言孟子不排老子, 老子便是楊氏."[44]

. . . .

38 『老子』57장
39 「載營魄」한 … 뜻:『老子』10장의 첫머리가 "혼백을 싣고서(載營魄)"로 시작하고 있어 이른 말이다. 能爲章이라 이름 붙인 판본도 있다. 노자가 인간의 마음가짐을 말한 장으로 모두 소극적인 모습을 담고 있다.
40 『莊子』「齊物論」
41 『莊子』「田子方」
42 『朱子語類』권125「老氏」, 老子 11조목
43 향원: 시골에서 겉으로는 근후하여 점잖은 듯하나 실제로는 세속에 영합하는 위선자를 이르는 말.『論語』「陽貨」편에서 공자가 "향원은 덕을 해치는 자이다.(鄕原, 德之賊也.)"라고 하였고 향원에 대한 규정은『孟子』「盡心下」에서 "꼭 꼬집어 그르다할 점은 없으나 퇴폐한 세속과 영합하여 진실된 사람 같고 청렴하고 결백한 사람 같아 세상 사람들이 모두 좋아한다. 스스로도 이를 잘한 것처럼 생각하지만 요순의 도에는 함께 들어갈 수 없는 사람이다. 그래서 '덕을 해치는 사람'이라고 말하는 것이다.(非之無擧也, 刺之無刺也. 同乎流俗, 合乎汙世, 居之似忠信, 行之似廉潔. 衆皆悅之, 自以爲是而不可與入堯舜之道. 故曰, '德之賊也.)"라고 한 데에서 기원하였다.

問：“楊氏愛身, 其學亦淺近, 而擧世崇尙之, 何也?”

曰：“其學也不淺近, 自有好處, 便是老子之學. 今觀老子書, 自有許多說話, 人如何不愛! 其學也要出來治天下, 淸虛無爲. 所謂'因者君之綱', 事事只是因而爲之. 如漢文帝・曹參便是用老氏之效, 然又只用得老子皮膚, 凡事只是包容因循將去. 老氏之學最忍, 他閒時似箇虛無卑弱底人, 莫敎緊要處發出來, 更敎你支梧不住. 如張子房是也, 子房皆老氏之學.”[45]

(주자가 말했다) “사람들은 모두 맹자가 노자를 배척하지 않았다고 말하나 노자가 바로 양씨楊朱[46]이다.”

물었다. “양씨는 자신의 한 몸만을 아끼고 그 학술도 천근한 데 온 세상이 숭상한 것은 무엇 때문입니까?”

(주자가) 대답하였다. “그 학술은 천근하지도 않고 나름대로 좋은 점도 있는 것이 바로 노자의 학술이다. 지금 노자의 글을 보면 나름대로 다양한 말들이 있으니 사람들이 어찌 좋아하지 않겠느냐! 그 학술은 천하를 다스려 청허무위淸虛無爲하게 하려는 데에서 나왔다. 소위 '순응하는 것은 군주의 강령이다.'[47]라는 말은 일마다 단지 순응해서 행하라는 말이다. 한나라의 문제文帝와 조참[48]은 노자의 효용을 운용하였으나 또한 단지 노자의 천근淺近한 점만을 운용하여 모든 일에서 단지 포용하고 순응하려고만 하였다. 노자의 학문은 참는 것을 요점으로 삼으니, 평상시에 흡사 허술하고 나약한 사람처럼 하여 중요한 속내를 드러내지 못하게 하고, 게다가 다시 자신마저 지탱치 못하는 양 하게 한다. 예컨대 장자방[49]이 그러한 사람이니, 자방의 모든 행위는 노자의 학술이다.”

· · · · · · · · · · · · · · ·

44 『朱子語類』 권125 「老氏」, 老子 10조목

45 『朱子語類』 권125 「老氏」, 老子 7조목

46 楊朱: 전국시대 魏나라 사람. 爲我說을 주장하여, 孟子가 이단으로 맹렬하게 배척하며 그의 도는 짐승을 따르는 것이라고 비판하였다. 『孟子』「滕文公下」에 맹자가 “양주와 묵적의 말들이 천하에 가득하여 천하의 말들이 양주에 기울어 있지 않으면 묵적에게 기울어져 있다. 양주는 爲我說을 주장하니 군주가 없고 묵적은 兼愛說을 주장하니 아버지가 없다. 아버지가 없고 군주가 없으면 짐승들이다.(楊朱墨翟之言盈天下, 天下之言, 不歸楊則歸墨. 楊氏爲我, 是無君也, 墨氏兼愛, 是無父也. 無父無君, 是禽獸也.)”고 하였다. 주자는 양주의 위아설을 노자의 사상과 동일하게 본 것이다.

47 '순응하는 것은 … 강령이다.': 『史記』 권130 「太史公自序」에서 道家를 설명하며 “허는 도의 기준이고 순응하는 것은 군주의 강령이다.(虛者, 道之常也 ; 因者, 君之綱也.)”라고 하였다.

48 한나라의 문제와 조참: 한문제는 漢高祖의 아들로 孝文帝라고도 부른다. 제위 기간 거의 형벌이나 전쟁을 억제하고, 오직 옛것을 답습하는 데 힘썼다. 조참은 한고조와 함께 한나라를 건국하고 蕭何에 이어 한나라의 相國에 오른 뒤 소하의 정책을 그대로 답습하였다. 조참이 孝惠帝 때 齊나라의 相國이 되어 黃老學에 조예가 깊은 蓋公을 초빙하여 정치가 淸靜하면 백성이 저절로 안정된다는 말을 듣고 그대로 따라 9년 동안 상국을 지내며 제나라를 안정시켜 어진 상국으로 이름을 떨쳤다.(『史記』「孝文本紀 ; 曹相國世家」)

49 장자방: 한고조의 謀臣으로 한나라 건국에 공헌한 張良을 이르는 말. 자방은 그의 字이다. 장자방이 노자의 학문을 배웠다는 말은 이글의 출전인 『朱子語類』에는 다음과 같은 말이 이어져 있다. “嶢關의 전투에서 진나라 장수와 화친을 약속하고서 그들이 마음을 푼 틈을 타 홀연히 공격하였고, 鴻溝의 약속에서는 항우와 강화를 마지고서 돌아가는 군대를 공격하여 죽였다. 이러한 것들은 바로 유약한 깃에서 나온 것들이다.”리고 하여 유약함으로 상대를 누그러지게 한 다음 가혹하게 상대를 제압하는 것이 노자의 학문에서 기원한 장자방의 술수라고 비판한 것이다. 장자방은 후일 항우를 이기고 천하를 통일한 뒤 留侯에 봉해졌으나 인간 세상의 일을 버리고 赤松子를 배우겠다면서 초야로 돌아갔다.(『史記』「留侯世家」)

[57-1-16]

問 : "'楊朱似老子', 頃見先生如此說. 看來楊朱較放退, 老子又要以此治國 ; 以此取天下."

曰 : "大槩氣象相似. 如云, '致虛極, 守靜篤'之類. 老子初間亦只是要放退, 未要放出那無狀來. 及至反一反, 方說, '以無事取天下', 如云, '反者道之動 ; 弱者道之用'之類."[50]

물었다. "'양주[51]는 노자와 유사하다.' 지난번 선생님께서 이렇게 말씀하셨습니다. 살펴보니 양주는 비교적 놓아버리고 물러나는 것 같았고, 노자는 또 이런 방법으로 나라를 다스리고 이런 방법으로 천하를 취하려 들었습니다."

(주자가) 대답하였다. "대개 기상은 서로 유사하다. 예컨대 '텅 비우는 일을 극진하게 하고, 고요함을 지켜내기를 독실하게 하라.'[52]고 말한 것 같은 따위이다. 노자는 처음에 단지 놓아버리고 물러나려고만 하였지 보잘것없는 모습까지 드러내려 하지 않았다. 한 번 한 번 되돌아가다가 바야흐로 '아무런 일을 하지 않음으로 천하를 취하라'는 말을 하는 데까지 이른 것이니, '되돌아가는 곳은 도의 움직임이고 유약한 것은 도의 작용이다.'[53] 라고 말한 것 같은 따위이다."

[57-1-17]

問 : "程子云 : '老子之言竊弄闔闢者', 何也?"

曰 : "如'將欲取之, 必固與之'之類, 是他亦窺得些道理, 將來竊弄. 如所謂'代大匠斵則傷手者', 謂如人之惡者, 不必自去治他, 自有別人與他理會. 只是占便宜, 不肯自犯手做."[54]

물었다. "정자가 '노자의 말은 합벽闔闢(열림과 닫힘)을 교묘히 농간하였다.'란 말은 무슨 말입니까?"

(주자가) 대답하였다. "이를테면 '취하고자 하면 반드시 주어라.'[55] 같은 말은 그가 약간의 도리를 알아채고서 그것을 가지고 교묘히 농간한 것이다. '대목大木(큰 목수)을 대신해 나무를 깎으려들면 손을 다친다.'[56]는 말은 남의 나쁜 점을 굳이 자신이 나서서 바로잡지 않아도 본디 다른 사람이 그를 이해시킬 것이라는 말이다. 단지 이로움만을 차지하고 자신은 기꺼이 손대지 않으려는 것이다."

---

50 『朱子語類』 권125 「老氏」, 老子 8조목

51 양주 : 앞 [57-1-15] 참고

52 『老子』 16장

53 『老子』 40장

54 『朱子語類』 권125 「老氏」, 老子 5조목. 이 단락은 『朱子語類』에는 "伯豐問, 程子曰 老子之言"으로 시작하고 있어 이 책의 물었대問로 시작한 것보다 묻는 사람의 이름이 정확하다.

55 '취하고자 하면 … 주어라.' : 앞 [57-1-10] 참고

56 '大木을 대신해 … 다친다.' : 이는 학문이 미숙한 사람이 섣부른 짓을 벌이면 자신이 해를 입게 됨을 이르는 말이다. 여기서는 노자가 아직 학문이 미숙한 상태에서 섣부른 말로 이치에 맞지 않는 말을 하고 있음을 기록하였다. 『老子』 74장에 "죽이는 일을 맡아 죽이는 일을 집행하는 자가 있는데 죽이는 일을 맡은 자를 대신하여 죽이는 행위를, 대목을 대신해 나무를 깎는 것이라 한다. 저 대목을 대신해 나무를 깎는 사람치고 자신의 손을 다치지 않는 자가 드물다.(常有司殺者殺, 夫代司殺者殺, 是謂代大匠斵. 夫代大匠斵者, 希有不傷其手者矣.)"라고 한 말을 인용한 것이다.

[57-1-18]

"程子論『老子』·『陰符經』, 可謂言約而理盡, 括盡二書曲折."[57]

(주자가 말하였다) "정자가 논의한 『노자』와 『음부경』은 말은 간략하지만 이치는 다 드러내어 두 책의 깊은 의미를 남김없이 말했다 할 수 있다."[58]

[57-1-19]

"康節嘗言, '老氏得易之體, 孟子得易之用.' 非也. 老子自有老子之體用; 孟子自有孟子之體用. '將欲取之, 必固與之', 此老子之體用也; '存心養性, 充廣其四端,' 此孟子之體用也."[59]

(주자가 말하였다) "강절邵雍[60]이 일찍이, '노씨老子는 「역」의 체를 얻고 맹자는 「역」의 작용을 얻었다.'라고 한 말은 잘못되었다. 노자는 노자 나름대로 노자의 체와 용이 있고 맹자는 맹자 나름대로 맹자의 체와 용이 있다. '취하고자 하면 반드시 주어라.'는 노자의 체와 용이고, '본심心을 보존하여 성性을 함양함으로써 사단四端을 확충한다.'[61]는 맹자의 체와 용이다."

[57-1-20]

問: "橫渠云, '言有無, 諸子之陋也.'"

曰: "無者無物, 却有此理, 有此理則有矣. 老氏乃云, '物生於有, 有生於無.' 和理也無, 便錯了."[62]

물었다. "횡거張載[63]가 '유有와 무無를 말한 것은 제자諸子의 비루한 견해다.'[64]라고 하였습니다."

---

57 『朱子語類』 권125, 96조목

58 "정자가 논의한 … 있다.": 주자의 이 말은 앞 글 [57-1-3]을 평한 말이다.

59 『朱子語類』 권125 「老氏」, 老子 1조목

60 邵雍(1011~1077): 康節은 邵雍을 시호로 이르는 말. 宋나라 范陽 사람. 자는 堯夫, 自號는 安樂先生. 벼슬에 나가지 않고 司馬光·程子 형제 등과 사귀며 학자로 평생을 마쳤다. 易에 밝아 先天學을 창설하였고 象數에 의한 신비적 우주관과 자연 철학을 제창하였다. 저서로 『觀物篇』『伊川擊壤集』 등이 있다.(『宋史』 권427)

61 '본심心을 보존하여 … 확충한다.: 이말은 주자가 맹자의 말을 취합하여 만든 말이다. 본심 운운 한 말은 『孟子』「盡心上」의 "본심을 보존시켜 성을 함양하는 것은 하늘을 섬기는 일이다.(存其心, 養其性, 所以事天也.)"를 인용한 말이고, 사단은 인의예지에서 발현되는 惻隱·羞惡·辭讓·是非의 마음을 이르는 말이며 채워 넓힌다는 『孟子』「公孫丑上」에서 사단을 설명하고 이어 "나에게 있는 사단을 모두 확충시킬 줄 안다면 마치 불이 처음 타오르는 듯하며 샘물이 막 솟구쳐 나오듯 하여 이를 진실로 잘 채우면 천하를 보존시킬 수 있고 진실로 채우지 못하면 부모를 섬기기에도 충분치 못하다.(凡有四端於我者, 知皆擴而充之矣, 若火之始然, 泉之始達, 苟能充之, 足以保四海, 苟不充之, 不足以事父母.)"에서 운운한 말을 인용한 것이다.

62 『朱子語類』 권98, 124조목

63 張載(1020~1077): 宋나라의 인물로 정자와 한 시대 인물이다. 橫渠는 그의 호이다.

64 이는 『張子全書』「正蒙」大易 14편의 "大易, 不言有無. 言有無, 諸子之陋也."를 인용하며 뒤쪽 말만을 취한 것이다. 이를 『近思錄』 권13에 인용하고서 葉采가 주석하기를, "한 번 음하고 한 번 양하도록 하는 것은 도이다. 음양의 운행에서 그렇게 하도록 하는 것이 도이다. 체와 용이 서로 의지하고 정밀하고 거친 것은

(주자가) 대답하였다. "무無는 사물은 없으나 리理가 있으니, 리가 있다면 유有이다. 노자가 '만물은 유에서 생겨나고 유는 무에서 생겨난다.'[65]라는 말은 리 조차도 무無가 되니 어긋난다."

[57-1-21]

"老子之術, 自有退後一著. 事也不攙前去做; 說也不曾說將出, 但任你做得狼狽了, 自家徐出以應之. 如人當紛爭之際, 自出僻靜處坐, 任其如何. 彼之利害長短, 一一都冷看破了, 從旁下一著, 定是的當. 此固是不好底術數. 然較之今者浮躁胡說亂道底人, 彼又較勝." 因擧老子語, "'豫兮若冬涉川, 猶兮若畏四鄰, 儼若客, 渙若氷將釋.' 子房深於老子之學, 曹參學之, 有體而無用."[66]

(주자가 말하였다) "노자의 술수는 본디 마지막에 나서는 편이다. 일에 당해서는 앞장서 일하지 않고 말할 때도 말하지 않고, 단지 상대가 일이 낭패할 때까지 버려두었다가 자신이 서서히 나서서 대응한다. 예컨대 사람들이 분쟁할 때에 자신은 피해서 조용한 곳으로 나앉아서 되어가는 대로 내버려 두는 것과 같다. 저들이 가진 이해득실을 하나하나 모두 냉철하게 파악하고 나서야 곁에서 거들고 나서는 것이 매우 합당하다고 생각한다. 이런 것은 참으로 좋지 않은 술수이다. 그러나 지금의 경솔하고 성미 급한 자들이 헛소리하는 것들과 비교하면 노자는 또한 조금 낫다." 이어 『노자』의 말을 거론하였다. "머뭇거림은 겨울에 내를 건너는 것처럼 하고, 망설임은 사방 이웃을 두려워하듯 하며, 공손한 모습은 손님되었을 때처럼 하고 풀어짐은 얼음 녹듯 하라.'[67] 자방子房張良은 노자의 학문에 조예가 깊고, 조참曹參은 배워서 본령은 갖추었으나 현실에서 운용하지는 못하였다."

[57-1-22]

問: "老子'道可道'章, 或欲以'常無''常有'爲句讀, 而'欲'字屬下句者, 如何?"

曰: "先儒亦有如此做句者, 不妥貼, 不若只作'常有欲''無欲'點."[68]

....

차이가 없어 유와 무로 나눌 수 없다. 후세에 이단들이 도를 보는 것이 분명하지 못하여, 처음에는 道는 없는 것, 器는 있는 것이라고 생각하여, 있는 것은 환영이나 망상, 검불로 여기고 없는 것은 현묘하고 眞空한 것으로 여겨 유와 무를 나누어 둘로 삼았으니 제자들의 비루한 견해다.(曰一陰一陽之謂道. 蓋陰陽之運, 其所以然者卽道也. 體用相因, 精麤閒間, 不可以有無分. 後世異端, 見道不明, 始則以道爲無, 以器爲有, 有者爲幻妄爲土苴, 無者爲玄妙爲眞空, 析有無而二之, 皆諸子之陋見也.)"라고 하였다.

65 『老子』40장. 곧 유는 유형의 천지를 이르고 무는 천지를 있게 한 무형의 도를 이른다. 이를 河上公의 注에 의하여 살피면 "만물은 모두 천지에서 생겨나는데 천지는 형체와 자리가 있다. 그러므로 '유에서 생겨난다.'라고 말한다. 천지신명과 날거나 기어다니는 벌레들은 모두 도에서 생겨나는데 도는 형체가 없다. 그러므로 '무에서 생겨난다.'고 말하는 것이다.(萬物皆從天地生, 天地有形位. 故言生於有也. 天地神明蜎蜎飛蠕動, 皆從道生. 道無形, 故言生於無.)"라고 하였다.

66 『朱子語類』권120, 111조목

67 『老子』15장

68 『朱子語類』권125 「老氏·老子書」, 28조목; 33조목. 『朱子語類』에는 "問, 老子道可道章, 或欲以常無常有爲句

물었다. "『노자』의 「도가도道可道」 장을[69] 어떤 사람들이 '상무常無'와 '상유常有'에서 구두를 떼고자 하여 '욕欲'자를 아래 글귀에 연결시키려고 하는데 어떻습니까?"

(주자가) 대답하였다. "선유先儒도 이같이 구두를 떼고자하는 분이 있었으나 타당하지 않으니 '상유욕常有欲'과 '상무욕常無欲'에서 구두를 떼는 것만 못하다."

[57-1-23]

問 : "'道可道', 如何解?"

曰 : "道而可道, 則非常道. 名而可名, 則非常名."

又問 : "'玄'之義."

曰 : "玄, 只是深遠而至於黑窣窣地處, 那便是衆妙所在."

又問 : "寵辱若驚, 貴大患若身."

曰 : "從前理會此章不得."[70]

물었다. "'도가도道可道'는 어떻게 해석해야 합니까?"

(주자가) 대답하였다. "도道를 말로 표현할 수 있다면 일정불변의 도가 아니고 이름을 이름으로 부를 수 있다면 일정불변의 이름이 아니라는 말이다."

또 물었다. "현玄자는 무슨 뜻입니까?"

(주자가) 대답하였다. "현玄자는 단지 헤아리기 어려울 만큼 멀어 온통 캄캄하기만 한 곳이니 그곳은 바로 모든 오묘함이 모여 있는 곳이다."

또 물었다. "'총욕약경 귀대환약신寵辱若驚貴大患若身'[71]은 무슨 말입니까?"

(주자가) 대답하였다. "아직까지 이 장章을 이해하지 못했다."

[57-1-24]

"'常有欲以觀其徼,' 徼之義是那邊徼, 如邊界相似, 說那應接處."[72]

"谷神, 谷只是虛而能受, 神謂無所不應. 他又云 : '虛而不屈, 動而愈出.' 有一物之不受, 則虛而屈矣 ; 有一物之不應, 是動而不能出矣."[73]

讀, 而欲字屬下句者, 如何? 曰, 先儒亦有如此做句者, 不妥貼."은 「道可道章第一」의 28조목, 뒷부분의 不若只作常有欲無欲點은 「谷神不死章第六」의 33조목 "人皆作常無常有點, 不若只作常有欲無欲點."을 이렇게 편집하였다.

69 『老子』1장. 이글의 "道可道, 非常道 ; 名可名, 非常名. 無名天地之始 ; 有名萬物之母. 故常無欲以觀其妙 ; 常有欲以觀其徼 … " 중 끝 구절 "故常無欲以觀其妙 ; 常有欲以觀其徼."를 두고 "故常無欲, 以觀其妙 ; 常有欲, 以觀其徼."로 구두를 떼는 것을 두고 문답한 것이다.

70 『朱子語類』 권125 「老氏 · 老子書」, 谷神不死章第六 33조목

71 『老子』 13장

72 『朱子語類』 권125 「老氏 · 老子書」, 谷神不死章第六 33조목

73 『朱子語類』 권125 「老氏 · 老子書」, 谷神不死章第六 30조목

"玄牝, 或云, '玄是衆妙之門, 牝是萬物之祖', 不是. 牝只是木孔承筍, 能受底物事. 如今門樞謂之牡, 鐶則謂之牝；鎖管便是牝, 鎖鬚便是牡. 雌雄謂之牝牡, 可見. 玄者, 謂是至妙底牝, 不是那一樣底牝."[74]

問："谷神不死."

曰："谷之虛也, 聲達焉, 則響應之, 乃神化之自然也. 是謂玄牝, 玄, 妙也；牝, 是有所受而能生物者也. 至妙之理, 有生生之意焉, 程子所以取老氏之說也."[75]

又曰："玄牝, 蓋言萬物之感而應之不窮,又言受而不先.[76] 如言'聖人執左契而不責於人', 契有左右, 左所以衘右. 言左契, 受之義也."[77]

(주자가 말했다) "'상유욕이관기요常有欲以觀其徼'[78]에서 요徼자 뜻은, 가장자리이니 예컨대 변계邊界(변두리)와 서로 유사하여 사물끼리 서로 만나는 경계 지점이다."[79]

"곡신谷神[80]의 곡谷(골짜기)은 단지 비어 있어 잘 받아들일 수 있고 신神은 대응하지 않는 것이 없음을 이른다. 노자가 또 말하기를 '비었어도 쭈그러들지 않고 움직일수록 더욱 생성된다.'[81]라고 하였으니 한 물건이라도 받아들이지 않으면 비어서 쭈그러들고 한 물건이라도 대응하지 않으면 움직여도 생성되지 않는다는 말이다."

"혹자가 현빈玄牝을 말하기를 '현玄은 여러 오묘함의 관문이고, 빈牝은 만물의 조상이다.'고 하나 옳지 않다. 빈은 단지 돌출 부분을 받아들이는 목재의 구멍이다. 지금 문의 빗장을 모牡, 고리[鐶]를 빈牝이라 하는 것과 같으니, 날름쇠가 박히는 곳[鎖管]을 빗장 구멍[牝]이라 하고, 날름쇠[鎖鬚]를 곧 빗장[牡]이라 한다. 암컷과 수컷을 빈모牝牡라 이르는 말에서 알 수 있다. 그러나 '현玄'의 뜻은 지극히 오묘한 암컷[牝]이고 암컷의 기능만을 가진 암컷은 아니다."

물었다. "'곡신불사谷神不死'[82]는 무슨 말입니까?"

---

74 『朱子語類』 권125 「老氏·老子書」, 谷神不死章第六 30조목. 『朱子語類』에는 "問, 玄牝, 或云, 玄是衆妙之門, 牝是萬物之祖. 曰, 不是恁地說. 牝只是木孔承笋"으로 되어 있다. 正淳이 현빈에 대해 혹자의 의견을 가지고 묻자 주자가 그렇게 말할 수 없다하고서 이어 설명하고 있는데 여기서는 묻는 사람의 말을 주자의 말로 뭉뚱그렸다.

75 『朱子語類』 권125 「老氏·老子書」, 谷神不死章第六 31조목

76 又言受而不先. : 이글은 원본에 小注로 처리하고 있으나 소주로 처리한 것은 잘못인 듯하다.

77 『朱子語類』 권125 「老氏·老子書」, 谷神不死章第六 32조목

78 『老子』 1장

79 이 단원은 『性理大全書』의 원문에 한 단락으로 모아져 있으나 『朱子語類』 권125 「老氏·老子書」 谷神不死章第六에는, 여러 단락으로 되어 있다. 또 『朱子語類』에 한 단락으로 구성된 글을 여기에서는 따로따로 앞뒤에서 인용하여 완전하게 재구성하고 있다. 『朱子語類』의 단락에 따라 단락을 나누어 번역한다.

80 『老子』 6장

81 '비었어도 쭈그러들지 … 생성된다.' : 이는 『老子』 5장의 말로 천지가 텅 비었어도 다하지 않고 움직일수록 더욱 천지 사이의 만물이 생성된다는 말이다. 이말로 곡신의 뜻을 해석한 것이다.

82 『老子』 6장

(주자가) 말하였다. "빈 골짜기에 소리가 이르면 메아리로 응답하니 이는 신묘한 조화에 의한 자연스러운 작용이다. 이를 일러 현빈玄牝이라 하니 현玄은 오묘함이며, 빈牝은 어떤 것을 받아 사물을 생성할 수 있는 것이다. 지극히 오묘한 이치와 끊임없는 생명력을 뜻해 정자가 노씨[老子]의 말 가운데에서 취한 것[83]이다."

또 말하였다. "현빈은 만물이 감感하고 응應하는 것이 끝이 없고, 또 받아들이되 먼저 하지 않는다는 것을 말한다. 예컨대 '성인은 왼쪽 문서[左契]를 가지고 있으면서 남에게 상환을 요구하지 않는다.'[84]라는 말에서 문서는 왼쪽 문서와 오른쪽 문서가 있게 마련이고 왼쪽 문서는 오른쪽 문서에 맞물려 있다. 왼쪽 문서는 받는 것을 뜻한다."

[57-1-25]

問: "'三十輻共一轂, 當其無, 有車之用.' 無, 是車之坐處否?"

曰: "恐不然. 若以坐處爲無, 則上文自是就輻轂而言, 與下文戶牖埏埴是一例語. 某嘗思之, 無是轂中空處. 惟其中空, 故能受軸而運轉不窮. 猶傘柄上木管子, 衆骨所會者, 不知名何, 緣管子中空, 又可受傘柄, 而開闔下上. 車之轂亦猶是也. 莊子所謂'樞始得其環中, 以應無窮.' 亦此意也."[85]

물었다. "'30개의 바퀴살이 한 개의 바퀴통에 모이니 해당 빈 부분[無]에 수레의 작용이 있다.'[86]라고 하였습니다. 빈 부분은 수레의 (사람이) 앉는 곳을 말합니까?"

(주자가) 말하였다. "아마도 그렇지 않을 것이다. 만일 앉는 곳을 빈 부분이라고 한다면 윗글은 본래 바퀴살과 바퀴통에 대해서 말한 것이 되어 아래 글의 호유戶牖 연식埏埴과 같은 투의 말이 된다.[87] 내가 일찍이 생각해 보니 무無는 바로 바퀴통 속의 빈 곳이다. 그 속이 비어 있으므로 굴대를 받아들여 끝없이 구를 수 있다. 마치 우산 자루의 나무 대롱에 여러 살대가 모이는 곳이 무엇인지 이름은 모르지만 대롱

---

83 정자가 노씨[老子]의 … 것 :『二程遺書』권3「伊川先生語」에 "장생이 도체를 형용한 말이 참으로 좋고,『老子』의 谷神不死章 한 장이 가장 좋다.(莊生形容道體之語, 儘有好處, 老氏谷神不死一章, 最佳.)"라고 하였다.

84 『老子』79장. '왼쪽 문서[左契]'는 빚을 낼 때 작성한 빚 문서를 반쪽으로 나누어 채권자는 그 왼쪽 문서를 갖고 채무자는 그 오른쪽 문서를 소지하여 증거로 삼는 일을 말한다. 여기서는 성인이 남에게 베풀고도 이를 되돌려받기를 바라지 않음을 비유한 말로 쓰였다.

85 『朱子語類』권125「老氏 · 老子書」, 道可道章第一 28조목

86 『老子』11장

87 戶牖 埏埴과 … 된다. :『老子』11장의 전문은 "30개의 바퀴살이 한 개의 바퀴통에 모이니 해당 빈 부분이 수레를 작용하게 하고 흙을 이겨 그릇을 만들었을 때 해당 빈 부분이 그릇의 쓰임새가 되고 방문과 창문을 만들어 방을 만들면 해당 빈 부분이 방의 쓰임새가 된다. 그러므로 有가 이로움이 되는 것은 無가 쓰임이 되기 때문이다.(三十輻共一轂, 當其無, 有車之用 ; 埏埴以爲器, 當其無, 有器之用 ; 鑿戶牖以爲室, 當其無, 有室之用. 故有之以爲利, 無之以爲用.)"라고 하였다. 여기서 다음에 이어지는 흙을 이기다와 방문과 창문 등의 말로 유추하였을 때 앞 말의 빈 곳이 가리키는 곳도 바퀴살과 바퀴통에 관계된 곳이고 수레의 사람이 앉는 부분이 아니라는 말이다.

속이 비어 있어 또 우산 자루를 꿰고 우산을 펼쳤다 접었다 할 수 있는 것과 같다. 수레의 바퀴통도 이와 같을 것이다. 『장자』에서 말한 '지도리가 비로소 그 고리의 중심의 속에 있어야 대응이 무궁하다.'[88] 라는 말도 또한 이 뜻이다."

[57-1-26]

"'載營魄, 抱一, 能無離乎?' 一便是魄, 抱便是載, 蓋以火養水也. 魄是水, 以火載之. 營字, 恐是熒字, 光也. 古字或通用不可知. 蘇潁濱解云, '神載魄而行.' 言魄是箇沉滯之物, 須以神去載他, 令他升擧. 其說云, '聖人則以魄隨神而動, 衆人則神役於魄.' 他全不曉得老子大意. 他解'神載魄而行', 便是箇剛强升擧底意思. 老子之意正不如此, 只是要柔伏退步耳. 觀他這一章, 盡說柔底意思, 云'載營魄, 抱一, 能無離乎? 專氣致柔, 能無嬰兒乎?[89] 天門開闔, 能無雌乎?'[90] 老子一書意思都是如此. 他只要退步不與你爭. 如一箇人叫哮跳躑, 我這裏只是不做聲, 只管退步. 少間, 叫哮跳躑者, 自然而屈, 而我之柔伏應自有餘. 老子心最毒, 其所以不與人爭者, 乃所以深爭之也, 其設心措意都是如此. 閒時他只是如此柔伏, 遇著那剛强底人, 他便是如此待你. 如云'惟天下之至柔, 馳騁天下之至堅', 又云'以無爲取天下', 便是他柔之發用功效處."[91]

又曰: 魄是一, 魂是二; 一是水, 二是火. 二抱一, 火守水; 魂載魄, 動守靜也. '專氣致柔', 只看他這箇甚麼樣工夫. 專, 非守之謂也, 只是專一無間斷, 致柔, 是到那柔之極處. 纔有一毫發露, 便是剛, 這氣便粗了."[92]

(주자가 말하였다.) "'빛난 백魄을 간직해 감싸 안고 이탈함이 없게 하겠느냐?'에서 일一은 바로 백魄이고 포抱는 바로 싣다載이니 불火로 물水을 배양함이다.[93] 백은 물이니 불로 싣고 있음이다. 영營자는 아마 형熒자일 듯하니 빛나다이다. 고자古字에서 혹 통용하였는지 모르겠다. 소영빈蘇轍[94]의 『노자해老子解』[95]

· ·

88 『莊子』「齊物論」

89 能無嬰兒乎?: 이 글은 이미 [57-1-12]에서 거론되었다. 그곳에서는 又曰, '專氣致柔能如嬰兒乎!'라고 하여 無자가 如자로 쓰였다. 따라서 번역도 如자의 뜻에 의거하였다.

90 能無雌乎?: 이 글은 『老子解』의 能爲雌에 따라 無자를 버리고 爲자를 취하였다.

91 『朱子語類』 권137 「戰國漢唐諸子」 41조목

92 『朱子語類』 권125 「老氏·老子書」 谷神不死章第六 34장; 35장. 34장은 張以道問 "載營魄"與 "抱一能無離乎" 之義. 曰, "魄是一, 魂是二; 一是水, 二是火. 二抱一, 火守水; 魂載魄, 動守靜也.", 35장은 "專氣致柔", 只看他這箇甚麼樣工夫. 專, 非守之謂也, 只是專一無間斷. 致柔, 是到那柔之極處. 纔有一毫發露, 便是剛, 這氣便粗了.로 되어 있다.

93 불火로 물水을 배양함이다. : 이어지는 "백은 1이고 魂은 2이니, 1은 물水이고 2는 불火이다."에 의거하여 살펴보면 오행의 金木水火土로 백과 혼을 배분하였을 때 백은 물, 혼은 불에 해당한다라고 말한 것이다.

94 蘇轍(1039~1112): 宋나라의 문장가. 潁濱은 그의 字다.

95 『老子解』: 宋 소철이 지은 『老子』 주석서. 상하 두 권으로 이루어져 있다. 이글은 『老子解上』 「載營魄章」의

에 '신神이 백魄을 싣고 다닌다.'라고 하였다. 백은 침체沈滯해 있는 것이라서 반드시 신이 저 백을 실어서 저 백을 이끌어 올려야 한다. 소영빈은, '성인은 백을 신에 따라 움직이게 하나 보통 사람은 신이 백에게 부림당한다.'고 설명하고 있다. 그는 『노자』의 큰 뜻을 전혀 모르고 있다. 그가 '신이 백을 싣고 다닌다.'라고 해석한 것은 힘차게 이끌어 올린다는 뜻이다. 그러나 노자의 뜻은 전혀 그렇지 않으니, 단지 부드럽게 순종하며 뒤로 물러나려 할 뿐이다. 그의 이 한 장章을 살펴보면 모두 부드러움의 의미로 말하여 '빛난 백을 간직해 감싸 안고 이탈함이 없게 하겠느냐? 기氣를 오롯이 유순하기에 쏟아 어린아이와 같을 수 있겠느냐? 콧구멍으로 기침이나 숨을 쉴 때[96] 암컷과 같이 될 수 있겠느냐?'고 하였으니, 『노자』 한 책의 뜻이 모두 이러하다. 노자는 단지 물러나 사양하고 상대와 다투려 않을 뿐이다. 만일 어떤 한 사람이 고함치고 펄펄 날뛰면 나는 그 속에서 단지 숨죽이고 줄곧 뒤로 물러나기만 한다. 시간이 조금 지나면 고함치며 펄펄 날뛰던 자가 저절로 수그러드니 부드러운 나의 순종은 저절로 여유로워진다. 노자의 마음이 가장 해로우니, 그가 남들과 다투지 않는 것은 바로 심하게 다투는 것으로 그가 염두에 둔 의도가 모두 이러하다. 평상시에도 그는 이처럼 부드럽게 순종하고, 강하고 드센 자를 만나면 그는 바로 이처럼 상대한다. 예를 들어 '천하의 지극히 부드러운 것으로 천하의 지극히 강한 것을 달리게 한다.'[97]는 말이나 또 '무위로 천하를 얻는다.'[98]고 한 말은 바로 그의 부드러움이 발휘되어 작용한 효과이다."

(주자가) 또 말하였다. "백魄은 1이고 혼魂은 2이니, 1은 물[水]이고 2는 불[火]이다. 2가 1을 안고 있음은 불이 물을 지켜주고, 혼이 백을 안고 있음은 움직임이 고요함을 지켜준다. '기를 오롯이 유순하기에 쏟는다.[專氣致柔]'에서 이것이 어떠한 공부인지를 알 수 있다. 전專은 지킴을 말함이 아니며 전일하여 중간에 끊어짐이 없는 것이고, 치유致柔는 유순의 정점에 이름이다. 조금이라도 드러나면 그것은 바로 드셈[剛]이어서, 이 기氣가 곧바로 조잡해진다."

[57-1-27]

"'豫兮若冬涉川, 猶兮若畏四隣, 儼若客.' 老子說話大抵如此.[99] 只是欲得退步占姦,[100] 不要與

. . . .

      주석이다. 다만 본문은 "故教之以抱神載魄, 使兩者不相離."라고 하여 이글의 "神載魄而行"과는 다르다. 그러나 『老子解』의 주석에 神과 魄의 관계를 말하며 "신이 행하고자 하는 것을 백이 따르지 않음이 없다.(神所欲行, 魄無不從.)"라고 하였다. 이를 보면 行자의 뜻을 말하는 중에 이어진 말을 축약하며 글자가 덧붙여진 것을 알 수 있다.

96 콧구멍으로 기침이나 … 때: 이글의 원문 天門開闔의 河上公의 注에 "천문은 하늘의 紫微宮을 이른다 … 이를 사람 몸에 비기면 천문은 콧구멍을 이른다.(天門, 謂北極紫微宮 … 治身, 天門, 謂鼻孔.)"고 하고 開闔의 주에 "開는 기침을 이르고 闔은 호흡을 이른다.(開謂喘息, 闔謂呼吸也.)"고 하였다.

97 '천하의 지극히 … 한다.': 『老子』 43장

98 '무위로 천하를 얻는다.': 이는 『老子』 57장의 말이다. 57장에는 "以無事取天下"라고 하여 爲자가 事자 되어 있다.

99 이글은 『朱子語類』 권125 「老氏 · 老子書」古之爲善士章第十五에는 "甘叔懷說, 先生舊常謂老子也見得此箇道理, 只是怕與事物交涉, 故其言有曰, 豫兮若冬涉川, 猶兮若畏四隣, 儼若容. 廣因以質於先生. 曰. 老子說話大抵如此."라고 하여 감숙회가 노자의 말을 묻는 과정에 노자의 말을 인용하였고 이를 받아 廣이라는 제자가

事物接. 如‘治人事天莫若嗇’, 迫之而後動, 不得已而後起, 皆是這樣意思. 故爲其學者, 多流於術數, 如申・韓之徒皆是也. 其後兵家亦祖其說, 如陰符經之類是也.”[101]

(주자가 말하였다) “‘머뭇거림은 겨울에 내를 건너는 듯 하고 망설임은 사방 이웃을 두려워하듯 하며, 공손한 모습은 손님처럼 하라.’[102] 노자의 말들은 대부분 이러하다. 단지 뒤로 물러나 간교함을 차지하려 들고 사물과 직접 상대하려고 하지 않는다. 예컨대 ‘사람을 다스리거나 하늘을 섬기는 일에 아끼는 것만 함이 없다.’[103]라는 말도, 궁지에 몰린 뒤라야 움직이고 어쩔 수 없을 때가 되어서야 시작하는 것이니, 모두 이런 내용이다. 그러므로 그것을 배운 자들이 대부분 술수로 흐르니 예컨대 신불해・한비자의 무리가 모두 그들이다. 그 뒤 병가兵家들도 그 이론을 따르니 『음부경陰符經』 같은 따위가 그것이다.”

[57-1-28]

問：“‘柔能勝剛, 弱能勝強’之說”.

曰：“他便揀便宜底先占了. 若這下, 則剛・柔・寬・猛各有用時.”[104]

물었다. “부드러움이 굳셈을 이기고, 약함이 강함을 이긴다는 말[105]은 무슨 뜻입니까?”

(주자가) 대답하였다. “노자는 유리한 것을 가려서 앞서 차지한다. 만일 이렇게 해나가면 굳셈・부드러움・너그러움・사나움도 각기 쓸 때가 있을 것이다.”

[57-1-29]

問：“他云, ‘禮, 忠信之薄而亂之首.’[106] 孔子又却問禮於他, 不知何故?”

曰：“他曉得禮之曲折, 只是他說這是箇無緊要底物事, 不將爲事. 某初間疑有兩箇老聃, 橫渠亦意其如此. 今看來不是如此. 他曾爲柱下史, 故禮自是理會得, 所以與孔子說得如此好. 只是他又說這箇物事不用得亦可, 一似聖人用禮時反若多事, 所以如此說.”[107]

물었다. “노자가 말하기를 ‘예는 충신忠信의 부족이고 혼란의 시작이다.’[108]라고 하였습니다. 그런데 공자께서 도리어 노자에게 예를 물으셨으니 무슨 까닭인지 모르겠습니다.?”

. . . .

다시 이를 묻자 주자가 대답하며 노자의 말은 운운하는 것으로 이어지고 있다. 이를 인용하며 이렇게 편집한 것이다. 그러나 큰 뜻에는 달라질 것은 없다.

100 歙지기 強자로 쓰인 본도 있나. 상사로 해석하는 것이 오히려 나은 듯하다.

101 『朱子語類』 권125 「老氏・老子書」, 古之爲善士章第十五. 37조목

102 『老子』15장

103 『老子』59장

104 『朱子語類』 권125 「老氏・老子書」, 將欲噏之章第三十六 38조목

105 ‘부드러움이 굳셈을 … 말: 이 말은 『老子』 36장의 ‘柔弱勝剛強’과 『老子』78장의 ‘弱之勝強 柔之勝剛’을 이른 말이다.

106 『老子』 38장. 『老子』에는 大禮者, 忠信之薄而亂之首로 되어 있다.

107 『朱子語類』 권125 「老氏・老子書」, 上德不德章第三十八 39조목

108 『老子』 제38장

(주자가) 말하였다. "노자가 예가 지닌 곡절을 잘 알고 있어서이니 단지 그는 이 예를 긴요한 것도, 일삼을 것도 아니라고 말한다. 나는 처음에 노담老耼(노자의 이름)이 두 사람인가 의심하였는데 횡거橫渠 역시 이런 생각을 했다.[109] 지금 살펴보니 그렇지 않다. 그는 일찍이 주하사柱下史 벼슬[110]을 지낸 까닭에 예를 본래 알고 있었으며 그렇기에 공자와 이렇게 말을 좋게 나눌 수 있었다. 단지 그는 또 이 예는 쓰이지 않아야 또한 옳다고 하여 성인이 예를 시행하면 거꾸로 일만 번거로워진다고 여겼기 때문에 이처럼 말했다."

[57-1-30]

問："'反者道之動；弱者道之用.'"

曰："老子說話都是這樣意思. 緣他看得天下事變熟了, 都於反處做起. 且如人剛強咆哮跳躑之不已, 其勢必有時而屈. 故他只務爲弱. 人纔弱時, 却蓄得那精剛完全, 及其發也, 自然不可當. 故張文潛說老子惟靜故能知變, 然其勢必至於忍心無情, 視天下之人皆如土偶爾. 其心都冷氷氷地了, 便是殺人也不䘏, 故其流多入於變詐刑名. 太史公將他與申・韓同傳, 非是强安排, 其源流實是如此."[111]

물었다. "'되돌아가는 것은 도의 움직임이고 유약한 것은 도의 작용이다.'[112]는 무슨 말입니까?"

(주자가) 대답하였다. "노자의 말은 모두 이런 내용이다. 그가 천하 일의 변화를 충분히 살펴보니 모두가 되돌아가는 곳에서 시작하였기 때문이다. 예컨대 사람이 거세게 포효하며 날뛰다가도 반드시 수그러드는 때가 있기 때문에 그는 단지 유약함에 힘썼다. 사람이 막 유약할 때 도리어 그 강함이 완전하게 축적되어 그것이 드러날 때 저절로 감당할 수 없게 된다. 그러므로 장문잠張文潛[113]이 '노자는 고요했던 까닭에 변화를 알 수 있었다.'[114]고 말하였으나 그러나 그 형세는 반드시 모진 마음으로 감정을 없애는

---

109 橫渠 역시 … 했다. : 횡거는 송나라 張載의 호이다. 그의 저서 『張子全書』 권6 「義理」에 "공자가 주나라에 가서 장홍에게 음악을 묻고 노담에게 예를 물었다고 하였다. 노담은 필시 지금 우리가 알고 있는 노자는 아닐 것이다. 『老子』를 보면 예를 박하게 말하고 있으니 아마도 그 노자가 아닐 것이다. 그러나 노자가 두 사람이라는 것이 해될 것은 없다. 좌구명이 『春秋左傳』을 지은 별도의 사람이 있는 것과 같다.(孔子適周, 誠有訪樂於萇弘, 問禮於老耼. 老耼未必今老子. 觀老子薄禮, 恐非其人, 然不害爲兩老子. 猶左丘明別有作傳者也.)"라고 하였다.

110 柱下史 벼슬 : 周나라 시대 벼슬. 천자가 정무를 보는 전당의 기둥 아래서 御史의 일을 집행한 데에서 붙여진 이름으로 천하의 圖書와 計籍을 관장하였다. 노자가 이 벼슬을 거치면서 천하의 도서와 예의에 대해 익숙히 알게 되었다.

111 『朱子語類』 권125 「老氏・老子書」, 反者道之動章第四十一 40조목

112 『老子』 40장

113 張文潛 : 송나라 張耒의 字. 蘇軾의 문인. 벼슬은 太常少卿과 汝州知州事 등을 지냈다. 저서로 『雨漢決疑』・『詩說』이 있고, 淸 乾隆帝 때 사고전서를 편찬하며 흩어진 저술을 모은 『柯山集』이 있다.(『宋史』 권444)

114 '노자는 고요했던 … 있었다.' : 장뇌의 문집 중 노자를 언급한 『柯山集』 44권 題跋 「書宋齊邱化書」에, "고요한 자만이 사물의 속내를 알고 아무 것도 하지 않는 자라야만 일의 요점을 안다.(夫惟靜者, 見物之情 ; 而無

데에 이르러 천하사람 보기를 모두 마치 흙 인형처럼 여겼을 뿐이다. 그 마음은 완전히 얼음 같이 차가와져서 사람을 죽이고도 불쌍히 여기지 않았기 때문에 그들 무리가 대부분 사기술과 형명학으로 들어갔다. 태사공太史公이 그를 신불해 한비자와 한 전傳에 묶은 것도 억지 안배가 아니고 그들 원류가 실로 이와 같기 때문이다."115

[57-1-31]

"一便生二, 二便生四. 老子却說'二生三', 便是不理會得."116

(주자가 말하였다) "1이 2를 낳고 2가 4를 낳는다.117 그런데 노자는 도리어 '2가 3을 낳는다.'고 하니 이해할 수 없다."118

[57-1-32]

"'多藏必厚亡,' 老子也是說得好."119

(주자가 말하였다) "'많이 쌓아두면 반드시 많이 잃는다.'120는 노자의 이 말은 좋은 말이다."

[57-1-33]

"儉德極好, 凡事儉則鮮失. 老子言, '治人事天莫若嗇. 夫惟嗇, 是謂早服; 早服, 是謂重積德.' 被他說得曲盡. 早服者, 言能嗇, 則不遠而復, 便在此也.121 嗇, 只是吝嗇之意,122 是要收斂, 不要放出.123 重積德者, 言先已有所積, 復養以嗇, 是又加積之也. 如脩養者, 此身未有所損失, 而又加以嗇養, 是謂早服而重積. 若待其已損而後養, 則養之方足以補其所損, 不得謂之

為者, 知事之要.)"라고 한 것을 주자가 이렇게 인용한 것 같다.

115 太史公이 그를 … 때문이다. : 태사공은 『史記』의 저자 司馬遷을 이른다. 그가 『史記』를 편집하며 「列傳」 제3에, 老子·莊子·申不害·韓非를 묶어서 한 전으로 엮었다. 이는 곧 사마천이 이들을 모두 노자의 학파로 분류한 것임을 이른다.

116 『朱子語類』 권125 「老氏·老子書」, 道生一章第四十二 42조목

117 1이 2를 … 낳는다. : 易의 생성 원리를 이르는 말. 여기서 1은 태극을 이르고 2는 음양을 이르고 4는 사상을 이른다. 『周易』「繫辭」 11장에 "是故易有大極, 是生兩儀, 兩儀生四象, 四象生八卦."라고 하였다.

118 이해할 수 없다. : 『老子』 42장에 "도가 1을 낳고 1이 2를 낳고 2가 3을 낳고 3이 만물을 낳는다.(道生一, 一生二, 二生三, 三生萬物.)"고 하였다. 주자는 이를 태극에서 양의가 생겨나고 양의에서 사상이 생겨나는 배수 법칙이 없는 말이라고 생각한 것이다.

119 『朱子語類』 권125 「老氏·老子書」, 名與身章第四十四 44조목

120 『老子』 44장

121 여기까지는 僩(한)의 기록이다.

122 여기까지는 河의 기록이다. 하의 기록은 "老子治人事天莫如嗇. 嗇, 養也. 先生曰, 嗇, 只是吝嗇之嗇."이다. 『朱子語類』의 "之嗇"이 여기서는 "之意"로 되어 있다.

123 이 두 구절은 우인의 기록이다. 『朱子語類』의 "只要"가 여기서는 "是要"로 되어 있다. 뒤에 이어지는 글들은 모두 僩의 기록이다.

重積矣. 所以貴早服. 早服者, 早覺未損而嗇之也."[124]

(주자가 말하였다.) "검소함은 매우 좋으니 모든 일에 검소하면 잃는 것이 적다. 노자가 말하기를, '사람을 다스리고 하늘을 섬기는데 아끼는[嗇] 것만 함이 없다. 아낌은 (아낌을) 일찍부터 일삼아 함[早服]을 이르고 조복은 거듭 쌓는 일[重積德]을 이른다.'고 했다. 그의 이 말은 매우 곡진하다. (아낌을) 일찍부터 일삼아 함은 잘 아끼면 잘못됨이 멀지 않아 회복되는 것이 바로 여기에 있음을 말한다. 아낌[嗇]은 단지 인색의 뜻이니, 거두어들이려고만 하고 내보내려 하지 않는 것이다. 거듭 쌓는 것은 앞서 이미 쌓여진 것이 있고 다시 인색으로 기름을 말하니 이는 쌓은 것 위에 또 더욱 쌓음을 말한다. 예컨대 수양하는 사람이 자신의 몸이 아직 손실되지 않았을 때 또 다시 아껴 수양하는 것이니 이것을 일찍부터 일삼아 함을 거듭 쌓는 것이라 이른다. 만일 손상되기를 기다렸다가 그 뒤에 기르면 기르는 방도는 그 손상된 것을 보충시킬 정도이고 거듭 쌓음이라 말할 수 없다. 이것이 일찍부터 일삼아 함을 귀히 여기는 까닭이다. 일찍부터 일삼아 함은 손상되기 전에 일찍 깨달아 아끼는 것이다."

[57-1-34]

"敬夫言: '老子云:「不善人, 善人之資; 善人, 不善人之師.」[125] 與孔子「見賢思齊, 見不賢內省.」[126]之意不同. 爲老子不合有資之之意不善也."[127]

(주자가 말하였다) "경부敬夫[128]가 말하기를, '노자의 「선하지 않는 사람은 선한 사람의 자산이고 선한 사람은 선하지 않은 사람의 스승이다.」[129]란 말은 공자의 「어진이를 보고서는 똑같기를 생각하고 어질지 않은 사람을 보고서는 속마음으로 성찰한다.」의 뜻과는 다르다.' 하였다. 그것은 노자가 자산으로 삼고자 한다는 의도가 불선이어서는 안 되기 때문이다."

[57-1-35]

或問: "如何是'天得一以淸'?"

樂庵李氏曰: "夫物不一, 而各有其一. 如日月之照臨; 星辰之輝粲; 風雷之鼓舞; 雨露之滲漉, 各有其一而不相亂. 天惟得此不一之一, 是以淸淨無爲而化. 推此言之, '地得一以寧; 神

---

124 『朱子語類』권125 「老氏·老子書」治人事天章第五十九의 말을 인용한 것이다. 다만 『朱子語類』에는 세 사람 곧 友仁 46조목, 僩 47조목, 河 48조목으로 독립된 것을 하나로 모았다.

125 「不善人, 善人之資; … 不善人之師.」: 이는 『老子』제27장의 말이다. 그러나 『老子』에는 "故善人者, 不善人之師, 不善人者, 善人之資."로 쓰여 있다. 善人과 不善人의 순서가 서로 바뀌고 善人이 善人者라고 하여 者 한 글자가 더 있다.

126 「見賢思齊, 見不賢內省.」: 이는 『論語』「里仁」의 말로 『論語』에는 "見賢思齊焉, 見不賢而內自省也."라고 하여 內省에 自字 한 자가 더 있다.

127 『朱子語類』권103 「胡氏門人」, 張敬夫 57조목

128 敬夫: 주자가 자신의 친구인 張栻(1133~1180)을 字로 부른 것이다. 장식은 胡宏의 제자로 높은 학문을 쌓아 南軒先生으로 불렸다.

129 『老子』27장

得一以靈；谷得一以盈；萬物得一以生；侯王得一以爲天下正，' 亦只是這箇道理. 且如人君治天下, 亦何容心哉! 公卿大夫各依其等列；士農工商各就其職分. 如此則尊卑貴賤不相混殽；好惡取舍不相貿亂, 天下自然而治."130

어떤 사람이 물었다. "하늘이 하나—131를 얻어 청정하다.'132는 것은 무슨 뜻입니까?'

낙암 이씨[李衡]133가 대답하였다. "사물은 한 가지가 아니나 각기 하나를 가지고 있다. 예컨대 해와 달의 비춤, 별의 반짝임, 바람과 우레의 고동침, 비와 이슬의 내리고 맺힘은, 각기 하나를 가지고서 서로 어지럽히지 않는다. 하늘도 동일하지 않은 이러한 하나를 얻었기 때문에 청정무위淸淨無爲하면서 조화를 이룬다. 이를 미루어 말하면 '대지는 하나를 얻어 안정되고, 신은 하나를 얻어 신령하고, 골짜기는 하나를 얻어 가득하고, 만물은 하나를 얻어 태어나고 후왕侯王은 하나를 얻어 천하의 바름이 되리'134 이 또한 단지 도리道理이다. 만일 군주가 천하를 다스릴 때에 또한 어찌 사사롭게 마음을 쓰겠는가! 공경대부公卿大夫가 각기 그의 등급과 지위에 의거하고, 사농공상士農工商이 각기 그 직분대로 일하게 할 뿐이다. 이렇게 하면 존비와 귀천이 서로 뒤섞이지 않고 호오好惡와 취사取捨가 서로 혼란해지지 않아 천하가 저절로 다스려질 것이다."

[57-1-36]

鶴山魏氏曰："道家者流, 其始不見於聖人之經. 自老聃氏爲周柱下史, 著書以自明其說, 亦不過恬養虛應, 以自淑其身者之所爲爾. 世有爲老氏而不至者, 初無得於其約, 而徒有慕乎其高, 直欲垢濁斯世, 妄意於六合之外. 求其所謂道者, 於是神仙荒誕之術, 或得以乘間抵巇, 而蕩搖人主之侈心, 歷世窮年, 其說猶未泯也."

학산 위씨[魏了翁]135가 말했다. "도가道家 부류는 그 시작이 성인의 경전에 나타나 있지 않다. 노담老聃(노자)이 주나라 주하사柱下史 벼슬을 지내고 책을 저술해 스스로 도가의 학설을 밝히면서 시작되었으나, 또한 조용히 수양하며 비움으로 대응하여 자신의 몸만 깨끗하게 하는 것에 불과할 뿐이었다. 세상에서

----

130 『樂庵語錄』 1권

131 하나 : 이를 河上公은 "하나—는 無爲이니 도의 씨앗이다.(一, 無爲, 道之子也.)"라고 하였고 王弼은 "一은 수의 시작이고 사물의 끝이다. 각기 한 사물이 태어날 때 그 주장이 된다.(一, 數之始而物之極也. 各是一物之生, 所以爲主也.)라고 하였으며, 林希逸은 一은 道이다.(一者, 道也)라고 하였다. 李衡도 道理라고 보고 있어 임희일의 주장과 서로 같음을 볼 수 있다.

132 '하늘이 하나—를 … 청정하다.' : 『老子』 39장

133 李衡 : 宋나라 揚州 사람. 紹興 연간의 進士. 벼슬은 祕書閣修撰. 昆山에 은거하여 학문으로 일생을 보냈다. 송나라 龔昱이 편집한 『樂庵語錄』 5권이 전한다.

134 '대지는 하나를 … 되리' : 『老子』 39장의 말로 '天得一以淸'에 이어지는 말들이다.

135 魏了翁(1178~1237) : 宋 邛州 사람. 자는 華父, 호는 학산. 시호는 文靖. 慶元 연간의 진사. 벼슬은 福建按撫使. 程朱學 중흥에 일생의 힘을 다 기울였다. 저서로 『鶴山集』・『九經要義』 등이 있다.(『宋史』 권437 ; 『宋元學案』 권80)

노자의 학문을 배우는 자들 중 공부가 지극하지 못한 자는 그의 검약約함은 조금도 깨닫지 못하고 그 고원高遠함만을 헛되게 사모하여, 다만 현실 세상을 더럽게 여기고 망녕되게 천지의 바깥세상을 꿈꾼다. 그들이 도라고 찾는 것은 이른바 신선술 같은 허황한 것인 데에도 혹여 기회를 타고 틈을 비집으며 군주의 오만한 마음을 부추겨 대대로 내려오며 세상이 다하도록 그들 주장이 여전히 없어지지 않고 있다."

[57-1-37]

或問: "黃老淸淨無爲之學也. 申·韓之學出於黃老, 流入於刑名慘刻. 前輩謂, '無情之極, 至於無恩.' 然否?"

潛室陳氏曰: "纔無情, 便無恩, 意脈如此."

어떤 사람이 물었다. "황로학은 청정무위를 주장하는 학술입니다. 신불해와 한비자의 학술은 황제와 노장에서 나왔으나 형명학의 참혹하고 각박함으로 흘렀습니다. 선배들이 '지극히 무정하기가 은혜가 없는 데까지 이르렀다.'고 말하고 있습니다. 그렇습니까?"

잠실 진씨[陳埴]136가 대답하였다. "인정이 없는 순간 곧 은혜로움도 없어지니, 사정이 그러하다."

[57-1-38]

魯齋許氏曰: "老氏言道·德·仁·義·禮·智, 與吾儒全別. 故其爲敎大異, 多隱伏退縮, 不肯光明正大做得去. 吾道大公至正, 以天下公道大義行之. 故其法度森然, 明以示人. 雖然三代以前人忠厚篤實, 必不如老氏所說. 老氏衰世之書也, 其流必變詐刻薄. 知老氏之所長, 復知老氏之所短可也. 後世澆薄, 不如三代篤實, 或可以老氏濟之. 如文帝子房之所爲是也."137

노재 허씨[許衡]138가 말하였다. "노자가 말한 도道·덕德·인仁·의義·예禮·지智139는 우리 유가儒家와 전혀 다르다. 그러므로 그 가르침도 크게 달라 숨거나 움츠리는 일이 많고 기꺼이 광명정대하게 행하려 하지 않는다. 우리의 도는 대공지정大公至正하여 천하의 공정한 도와 대의를 실행한다. 그러므로 그 법도가 엄격하게 정돈되어 세상 사람들에게 분명하게 펼쳐 보인다. 그러나 삼대三代 이전 사람들은 충후하고 독실하기가 절대 노자가 말한 것과는 다를 것이다. 『노자』는 도덕이 쇠한 시대의 책이라서 그들 부류가 필시 사술을 부려서 각박하여졌을 것이다. 노자의 장점도 알아야 하고, 다시 노자의 단점도 알아야 한다. 후세는 인심이 천박하여 삼대처럼 독실하지 않으니 간혹은 노자의 학설로 구제할 수도 있을 것이다.

136 陳埴: 宋 溫州 사람. 자는 器之. 호는 木鐘. 세상에서 潛室先生으로 불렸다. 주자의 문인. 嘉定 연간의 진사. 벼슬은 明道書院山長을 지냈다. 저서로 『木鐘集』이 있다.(『宋元學案』 권65)

137 『魯齋遺書』 권1 「語錄上」

138 許衡(1209~1281): 元 懷孟 사람. 자는 仲平, 호는 노재, 시호는 文正이다. 벼슬은 國子祭主를 지냈다. 원나라의 의례와 관제 정비에 기여하였다. 성리학에 조예가 깊었다. 저서로 『讀易私言』·『魯齋遺書』가 있다.(『元史』 권158 ; 『宋元學案』 권90)

139 『老子』 38장

한漢나라의 문제文帝와 자방子房[張良][140]이 행한 바가 이것이다."

[57-1-39]
"老氏以道德仁義皆失, 然後至於禮, 禮爲忠信之薄而亂之首. 又謂以智治國, 國之賊. 不以智治國, 國之福. 孟子曰, '智之實, 知斯二者, 弗去是也.' 又謂, '若禹之行水, 行其所無事'. 非老氏所見之智也. 孟子開口便說仁義 蓋不可須史離也. 道指鴻荒之世, 又謂上德不德, 皆所見之異, 不必槩擧."[141]

(노재 허씨[許衡]가 말하였다) "노자가 '도덕과 인의를 모두 잃은 뒤 예가 나타나게 되었으니 예는 충신忠信이 부족한 것이고 혼란의 시작이다.'[142]라고 하고, 또 이르기를, '지혜로 나라를 다스리면 나라의 재해災害요. 지혜로 나라를 다스리지 않으면 나라의 복이다.'[143]고 하였다. 『맹자』는 '지혜의 실상은 이들 두 가지를 알아 내 몸에서 떠나지 않게 하는 것이다.'[144]라 하고 또 말하기를, '우임금의 물길을 터주는 것은 (지혜를 쓰지 않고) 물의 본성대로 흘러가게 한 것이다.'[145]고 하니 노자가 본 지혜가 아니다. 맹자가 입만 열면 인의를 말한 것은 잠깐도 떠날 수 없는 것이어서이다. 도는 홍황鴻荒한 세상을 가리킨다 하고, 또 말하기를, '상등의 덕은 덕이 있는 것처럼 하지 않는다.'[146]고 하니 모두 견해 차이이니 굳이 다 거론할 필요가 없다."

[57-1-40]
臨川吳氏曰 : "老子云, '天下萬物生於有, 有生於無.' 萬物者, 指動植之類而言 ; 有字, 指陰陽之氣而言 ; 無字, 指無形之道體而言. 此老子本旨也. 理在氣中, 元不相離, 老子以爲先有理

. . . .

140 漢나라의 文帝와 子房[張良] : 앞 [57-1-15] 참고
141 『魯齋遺書』권1 「語錄上」
142 '도덕과 인의를 … 시작이다.' : 『老子』38장. "上仁爲之而無以爲 ; 上義爲之而有以爲 ; 上禮爲之而莫之應, 則攘臂而扔之. 故失道而後德, 失德而後仁, 失仁而後義, 失義而後禮. 夫禮者, 忠信之薄而亂之首."를 축약하여 이렇게 말한 것이다.
143 '지혜로 나라를 … 복이다.' : 『老子』65장
144 '지혜의 실상은 … 것이다.' : 『孟子』「離婁上」의 말로 두 가지는 仁의 事親과 義의 從兄을 이른다. 『孟子』가 "인의 실상은 어버이를 섬기는 일이요, 의의 실상은 형을 따르는 일이요, 지혜의 실상은 이들 두 가지를 알아 내몸에서 떠나지 않게 하는 것(仁之實事親是也 : 義之實從兄是也 ; 智之實知斯二者, 弗去是也.)"이라고 하였다.
145 '우임금의 물길을 … 것이다.' : 『孟子』「離婁下」의 말이다. 앞뒤 글을 보면 다음과 같다. "지혜를 부리는 사람을 미워하는 것은 그가 천착하는 까닭에서이다. 만일에 지혜스러운 사람이 우임금의 홍수를 흘러가게 하듯 한다면 지혜를 부리는 사람을 미워할 것이 없다. 우임금의 홍수를 흘러가게 함은 지혜를 쓰는 것 없이 자연대로 흘러가게 하였으니 만일 지혜로운 자가 또한 지혜를 씀이 없이 자연대로 흘러가게 한다면 지혜가 또한 크다 할 것이다.(所惡於智者, 爲其鑿也. 如智者若禹之行水也, 則無惡於智矣. 禹之行水也, 行其所無事也. 如智者亦行其所無事, 則智亦大矣.)"
146 『老子』38장

而後有氣. 橫渠張子詆其有生於無之非, 晦庵先生詆其有無爲二之非. 其無字是說理字, 有字
是說氣字."[147]

임천 오씨[吳澄][148]가 말했다. "노자가 '천하 만물은 유有에서 생겨나고 유는 무無에서 생겨난다.'[149]고
말했다. 만물은 동식물 따위를 가리킨 말이고, 유有는 음기陰氣와 양기陽氣를 가리킨 말이며, 무無는 무형
의 도체道體를 가리킨 말이다. 이것이 노자의 본지이다. 리理는 기氣 속에 있어서 원래 서로 분리되지
않는데, 노자는 앞서 리가 있고 뒤에 기가 있다고 말하였다. 횡거 장자[張載]는 노자의 '무에서 유가
생겨난다.'는 말의 잘못된 점을 비난하였고, 회암선생[朱熹]도 유와 무를 둘로 나누는 잘못을 비난하였
다.[150] 그의 무無자는 리理를 말하고, 유有자는 기氣를 말한다."

列子 열자[151]

[57-2-1]

朱子曰 : "列子平淡疎曠."[152]

주자朱子가 말했다. "열자는 평상 담박하고 트여 활달하다."

[57-2-2]

"列子所謂, '生之所生者死矣, 而生生者未嘗終 ; 形之所形者實矣, 而形形者未嘗有爾.' 豈子
思中庸之旨哉! 其言, '精神入其門, 骨骸反其根, 我尚何存!'者, 即佛書'四大各離, 今者妄身當
在何處'之所由出也. 他若此類甚衆. 聊記其一二於此, 可見剽掠之端云."[153]

(주자가 말했다) "『열자』에 이르길, '생명이 탄생시킨 것은 죽으나 생명을 탄생시킨 것은 끝나지 않고,
형체가 형체화 된 것은 실재하나 형체를 형체화 시킨 것은 실재가 없다.'[154]고 하니, 이것이 자사子思가
『중용中庸』에서 밝힌 뜻이겠는가!'[155] 그가 말한 '정신은 정신의 문으로 들어가고 뼈는 그 본래 그 자리로

---

147 『吳文正集』 권3 「答問」, 答田副使第三書
148 吳澄(1249~1333) : 元나라 崇仁 사람. 자는 幼淸, 호는 草廬先生, 시호는 文正이다. 벼슬은 翰林學士를 거쳐
　　『英宗實錄』 편찬을 총 지휘하였다. 많은 저서를 남겼다.(『元史』 권171 ; 『宋元學案』 권92)
149 『老子』 40장
150 횡거 장자[張載]는 … 비난하였다. : 위 [57-1-20] 참고
151 列子 : 전국시대 鄭나라 사람. 列禦寇의 존칭. 黃帝와 老子의 학설에 근거한 『列子』라는 저서를 남겨 『莊子』
　　와 병칭되었다. 唐代에 沖虛眞人에 봉해졌다. 그의 저서 『列子』는 당나라 天寶 연간에 沖虛眞經, 宋 景德
　　연간에 다시 沖虛至德眞經이라 일컬어졌다.(『四庫提要』 「子・道家類」)
152 『朱子語類』 권125 「老氏」 列子 13조목
153 『朱文公集』 권67 「雜著・觀列子偶書」
154 '생명이 탄생시킨 … 없다.' : 『列子』 권1 「天瑞」

되돌아가면 나에게 무엇이 남겠는가!'[156]는 바로 불경의 '사대四大가 각기 흩어지니 지금 나의 망령된 몸뚱이는 응당 어느 곳에 있느냐?'[157]란 말이 유래한 곳이다. 『불경』에는 이런 종류의 글이 매우 많다. 그중 한두 가지를 여기에 기록하니 불경이 표절한 단서를 알 수 있을 것이다."

莊子 장자[158]

[57-3-1]

問: "莊周何如?"

程子曰: "其學無禮無本. 然形容道理之言, 則亦有善者."[159]

물었다. "장주는 어떻습니까?"

정자가 대답하였다. "그의 학문은 예도 없고, 근본도 없다. 그러나 도리를 형용한 말에는 또한 잘된 말도 있다."

[57-3-2]

問: "商開丘之事信乎?"

曰: "大道不明於天下, 莊列之徒, 窺測而言之者也."[160]

물었다. "상구개의 일은 신빙성이 있습니까?"[161]

---

155 이것이 子思가 … 뜻이겠는가!: 『중용』의 어떤 말을 이른 말인지 분명하지 않다. 『朱子大全箚疑輯補』 권67 「觀列子偶書」의 이 조항에는 "『중용』에 未 한 글자를 붙이는 것이 이글을 살아나게 하는 것이다.(中庸着一 未字 便是活處.)"라고 하였으나 이 未 한 글자를 어디에 붙여서 볼 것인지 알지 못하겠다.

156 『列子』 권1 「天瑞」의 말이다. 『朱子大全箚疑輯補』 권67 「觀列子偶書」의 이 조항에서, '精神入其門'을 "'사람 이 죽으면 그 정신이 무궁한 문으로 들어감'을 이른다.(謂人死, 則其精神入於無窮之門也.)"고 하고, '骸骨反 其根'을 "'사람의 뼈는 땅에서 받는다. 지금 죽은 뒤에는 땅으로 돌아간다. 그러므로 본래 자리로 되돌아간 다.'고 말한 것이다.(謂人之骨骸, 是受於地. 今旣死 則歸於土. 故曰反其根)"라고 하였다.

157 '四大가 가기 … 있느냐?': 四大는 만물을 구성하는 네 요소인 '땅과 물과 불과 바람'을 이른다. 이말은 『圓覺 經』의 말로 인체를 이루는 이 네 요소가 각기 본래의 자리로 흩어지면 내 몸뚱이는 본래 아무 것도 없다는 말이다.

158 莊子: 전국시대 초나라 蒙邑 사람. 이름은 周. 도가사상의 중심인물로 유교의 인위적인 禮敎를 부정하고 자연으로 돌아가자는 철학을 제창하였다. 南華眞人의 호가 나중에 올려졌다. 그의 저서 『莊子』는 內篇·外 篇·雜篇으로 이루어졌다. 『南華眞經』으로 불리기도 한다.(『四庫提要』「子·道家類」)

159 『二程粹言』 권하 「聖賢篇」

160 『二程粹言』 권상 「論道篇」

161 "상구개의 일은 … 있습니까?": 商開丘(상개구)는 『列子』 권2 「黃帝」편에 나오는 인물이다. 『列子』에는 商丘開(상구개)라고 하여 이름이 뒤바뀌었다. 아마도 성리대전서가 오자인 성싶다. 또 상구는 장자의 고향이

(정자가) 대답하였다. : "대도가 천하에 밝지 못하여 장자와 열자 같은 무리가 상상하여 한 말이다.

[57-3-3]

問 : "齊物論如何?"

曰 : "莊子之意, 欲齊物理邪? 物理從來齊, 何待莊子而後齊! 若齊物形, 物形從來不齊, 如何齊得. 此是莊子見道淺. 不奈胷中所得何, 遂著此論也."[162]

물었다. "「제물론」[163]은 무슨 뜻입니까?"

(정자程顥가) 대답하였다. "장자의 의도가 사물의 이치를 동일하게 하고자 함이었을까? 사물의 이치는 종래부터 동일하였으니 어찌 장자의 주장을 기다린 뒤에 동일해지겠는가! 만일 사물의 형태를 동일하게 하려 하였다면 사물의 형체는 종래부터 동일하지 아니하니 어떻게 동일하게 할 수 있겠는가! 이는 장자가 도를 보는 견해가 얄팍해서이다. 흉중에 알고 있는 것을 어찌할 수 없자 마침내 이 제물론을 지었다."

[57-3-4]

"學者後來多耽莊子. 若謹禮者不透, 則是他須看莊子. 爲他極有膠固纏縛, 則須求一放曠之說以自適. 譬之有人於此, 久困纏縛, 則須覓一箇出身處. 如東漢末尙節行太甚,[164] 須有東晉

. . . .

기도 하다. 그 내용을 살펴보면 范子華라는 사람이 晉나라에서 벼슬을 하지 않았는데도 그의 명성이 온 나라에 퍼져 그가 눈여겨 보는 사람에게는 벼슬이 내려지고 그가 비평하는 사람은 나라가 축출하였다. 그의 문객 禾生과 子伯이 어느날 상개구의 집에 나가 머무르며 두 사람이, "우리 주군의 명성과 세력은 살아 있는 자를 죽게 하고 죽은 자를 살아나게 하며, 부자를 가난하게 가난한 자를 부자가 되게 할 수 있다.(子華之名勢, 能使存者亡, 亡者存, 富者貧, 貧者富)"고 나누는 말을 듣고서 상구개가 범자화의 집에 찾아가 갖은 핍박을 견디며 지냈다. 어느 날 범자화와 높은 누대에 올라 범자화가 "이 누대에서 뛰어내리는 자는 百金을 상으로 주겠다."는 말을 하자 상구개가 새가 날 듯 날아서 떨어졌으나 인정하지 않고 깊은 물을 가리키며 "저 속에 진주珠가 있으니 헤엄쳐서 구해오라."고 하였다. 상구개가 다시 헤엄쳐 들어가 진주를 구해왔다. 그리고 범자화의 비단을 쌓아둔 창고에 불이 나자, 범자화가 "저 불속에 들어가 비단을 들고 나오는 자에게는 들고 나오는 대로 그에게 상으로 내리겠다."고 하자 상구개는 아무런 어려워하는 기색 없이 불속을 오가며 불에 데지 않고 비단을 들고 나왔다. 이에 범자화의 문객들이 모두 놀라며 그동안의 잘못에 용서를 빌고 상구개의 道를 듣고자 하였다. 이에 상구개가, "나에게는 아무런 도라 할 것이 없다. 나도 나의 마음이지만 까닭을 알지 못한다. 그러나 한 가지가 있다. 내가 옛날 범자화의 문객들이 자신의 집에서 '우리 주군의 명성과 세력은 살아 있는 자를 죽게 하고 죽은 자를 살아나게 하며, 부자를 가난하게 가난한 자를 부자가 되게 할 수 있다.'고 한 말을 듣고 내가 그 말을 진실이라 믿고 의심을 갖지 않았다. 그리고서 그 말에 정성을 쏟음이 지극하지 못하고 행함에 미치지 못할까를 두려워하였다. 형체의 소재와 이해의 존재에 대해서는 개의하지 않았다. 마음을 전일하게 갖자 사물이 거스름이 없었다. 이것일 뿐이다. 지금 비로소 그대들이 나를 속였음을 알게 되면서 내 마음속에 질투심이 일고 겉으로 뽐내려 함이 있게 되었다. 옛날 불에 데지 않고 물에 빠지지 않았던 것이 다행으로 느껴지며 놀라움에 가슴이 후끈 달아오르고 두려움에 후들후들 떨린다. 물과 불을 어찌 다시 가깝게 할 수 있겠는가?"하였다. 곧 사물이란 마음먹기에 달렸다는 뜻이다.

162 『程氏遺書』 권22上 「伊川語錄」
163 『莊子』의 편명

放曠, 其勢必然."[165]

(정자[程頤]가 말하였다) "후세의 학자들이 대부분 『장자』에 많이 빠져든다. 예에 신중한 사람이 철저할 수 없으면 그 사람은 반드시 『장자』를 읽게 된다. 그것은 그가 극도로 경직되고 속박되어 있어 반드시 하나의 자유분방한 말을 구해서 유유자적하고 싶어서이다. 비유하자면 여기에 어떤 사람이 오랫동안 속박에 시달리면 반드시 몸을 벗어날 어느 한곳을 찾게 된다. 동한東漢 말기에 절의와 품행을 너무 심하게 숭상하더니 마침내 동진東晉의 자유분방이 있게 되었으니 그 형세가 반드시 그러하다."

[57-3-5]

五峰胡氏曰: "莊周云, '伯夷死名於首陽之下.' 非知伯夷者也. 若伯夷可謂全其性命之情者矣, 謂之死名可乎? 周不爲一世用, 以保其身可矣, 而未知天下之大本也."[166]

오봉 호씨[胡宏][167]가 말하였다. "장주莊周가 '백이[168]는 수양산에서 명예를 위해 죽었다.'[169]고 말하였다. 이는 백이를 아는 자가 아니다. 백이 같은 사람은 성명性命의 정情을 온전히 한 사람이라고 말할 수 있는데 명예를 위해 죽었다고 말하는 것이 옳겠는가? 장주가 한 세상에 등용되지 못하여 자신 한 몸 보호하는 것은 잘하였지만 천하의 큰 근본은 알지 못한다."

[57-3-6]

朱子曰: "莊周書都讀來,[170] 所以他說話都說得也是. 但不合沒拘撿,[171] 便九百了."

或問: "康節近似莊周."

曰: "康節較穩."[172]

---

164 『程氏遺書』 권18 「伊川語錄」에는 "如東漢之末尙節行, 尙節行太甚, 須有東晉放曠."이라고 하여 "尙節行" 세 글자가 더 있다.

165 『程氏遺書』 권18 「伊川語錄」

166 『知言』 권3

167 胡宏(1102~1161): 宋 建寧 崇安 사람. 자는 仁仲, 오봉은 호이다. 胡安國의 아들. 楊是에게 배우고 부친의 학문을 계승하였다. 제자에 張栻이 있으며, 저서로 『知言』과 『五峰集』 등이 있다.(『宋史』 권435 ; 『宋元學案』 25 · 34 · 42)

168 백이: 商나라 말기 孤竹나라 군주의 맏아들. 성은 墨胎, 이름은 元, 자는 公信, 夷는 시호이고 伯은 형제 서열의 맏이에게 붙이는 글자다. 아버지가 셋째 아우 叔齊에게 왕위를 물려주려는 생각이 있는 것을 알고 왕위를 버리고 도망쳤고 셋째 아우마저 왕위를 물려받지 않고 도망쳤다. 뒤에 주나라 武王이 상나라 紂를 정벌하려 나서자 형제가 함께 신하로서의 도리가 아님을 간하였으나 받아들여지지 않자 首陽山으로 숨어 고사리를 캐먹으며 일생을 마쳤다.(『史記』 「伯夷傳」)

169 『莊子』 外篇, 「骿拇」

170 莊周書都讀來 : 『朱子語類』 권125 「老氏」 莊子 14조목에는 "莊周曾做秀才, 書都讀來"로 되어 있다.

171 拘撿 : 『朱子語類』 권125 「老氏」 莊子 14조목에는 拘檢으로 되어 있어 『朱子語類』에 따라 번역한다.

172 『朱子語類』 권125 「老氏」 莊子 14조목

주자(朱熹)가 말하였다. "장자는 책이란 책은 모두 읽은 까닭에 그의 말은 모두 옳은 말이 되었다. 단지 전혀 검속하려 함이 없어 바로 바보[173]가 되어버렸다."

어떤 사람이 물었다. "강절[邵雍][174]이 장주와 거의 가깝습니다."

주자가 대답하였다. "강절이 보다 온당하다."

[57-3-7]

問："莊子·孟子同時, 何不一相遇? 又不聞相道及, 如何?"

曰："莊子當時也無人宗之, 他只在僻處自說, 然亦止是楊朱之學. 但楊氏說得大了, 故孟子力排之."[175]

물었다. "장자와 맹자는 동시대 사람인데 왜 한 번도 서로 만나지 못했습니까? 또 서로가 언급하는 말조차 들을 수 없으니 무엇 때문입니까?"

(주자가) 대답하였다. "장자[莊周]는 당시에 아무도 높여주는 사람이 없어 다만 궁벽한 곳에서 혼자서 떠들었으나 이 또한 단지 양주[楊朱][176]의 학술이었다. 단지 양씨[楊朱]의 말이 크게 유행하였기에 맹자가 힘써 그를 배격하였다."

[57-3-8]

問："孟子與莊子同時否?"

曰："莊子後得幾年, 然亦不爭多."

或云："莊子都不說著孟子一句."

曰："孟子平生足跡只在齊·魯·滕·宋·大梁之間, 不曾過大梁之南. 莊子自是楚人, 想見聲聞不相接. 大抵楚地便多有此樣差異底人物學問, 所以孟子說陳良之非."[177]

....

173 바보：'九百'은 宋元明시대, '얼간이'나 '바보'의 뜻으로 쓰인 용어다. 아울러 '九伯' '九陌'으로도 쓰였다. 宋나라 陳師道의 저서『後山詩話』권23에 "세상에서 바보를 '구백'이라고 하니 정신이 부족한 것을 이른다.(世以癡爲九百, 謂其精神不足也.)"라고 하였다. 또『朱子語類』권125「老氏」莊子 14조목에는 "便凡百了"로 되어 있다. 곧 "단지 전혀 검속하려 함이 없고 모든 것을 편하게 하려고만 한 점이 합당하지 않다."라는 뜻으로 한 말이다.

174 강절：위 [57-1-19] 참고

175 『朱子語類』권125「老氏」, 莊子 16조목

176 양주：앞 [57-1-15] 참고

177 之非：『朱子語類』권125「老氏」莊子 17조목에 "云云"으로 되어 있다. 『性理大全書』에서 진량의 그름으로 말하고 있으나 진량을 언급한『孟子』滕文公上에 진량을 중국에 유학한 초나라 사람으로 아무도 그를 능가하지 못하였다고 하여 그를 칭송하는 말만 실려 있고 그의 잘못을 지적한 곳이 없다. 따라서『性理大全』의 인용이 잘못인 성싶다. 아니면 진량의 제자 陳相을 언급한 말인지 알 수 없다. 진상은 진량의 제자로 등나라 文公을 찾아왔다가 神農氏를 숭배하는 許行을 만나 진량에게 배운 것을 버리고 허행을 추종하다가 맹자로부터 스승을 등졌다는 질책을 받았다. "之非"가 옳다면 陳良이 아닌 陳相이 옳고, 陳良이 옳다면 "之非"는

曰 : "如今看許行之說如此鄙陋, 當時亦有數十百人從他, 是如何?"

曰 : "不特此也, 如莊子書中說惠施鄧析之徒, 與夫'堅白異同'之論, 是甚麼學問? 然亦自名家."

或云 : "他恐是借此以顯理?"

曰 : "便是禪家要如此, 凡事須要倒說. 如所謂'不管夜行, 投明要到'; 如'人上樹, 口銜樹枝, 手足懸空, 卻要答話', 皆是此意."[178]

물었다. "맹자와 장자는 동시대입니까?"

(주자가) 대답하였다. "장자가 몇 년 늦을 것이나 또한 많지는 않을 것이다."

어떤 사람이 말하였다. "『장자』에는 『맹자』가 한 구절도 거론되지 않습니다."

(주자가) 대답하였다. "맹자는 평생 발자취가 단지 제나라 노나라 등나라 송나라 대량大梁(梁나라) 사이에서 맴돌았고 대량의 남쪽을 넘어선 적이 없다. 장자는 본디 초나라 사람이니 짐작컨대 소문을 서로 접하지 못하였을 것이다. 대체로 초나라 지역은 이처럼 서로 다른 사람과 학문들이 많았으니 맹자가 진상陳相의 그릇을 말한 까닭이다."

물었다. "지금 허행許行의 말을 보면 이처럼 비루한데도 당시에 수십 수백 명이 그를 추종하였으니 무슨 까닭입니까?"

(주자가) 대답하였다. "이뿐만 아니다. 『장자』에서 말하는 혜시惠施, 등석鄧析 같은 무리와 견백동이론堅白同異論[179]도 이것이 학문인가? 그런데도 또한 각자 일가로 이름이 났다."

어떤 사람이 말하였다. "장자도 아마 이들의 논리를 빌려 리理를 드러낸 것이 아니겠습니까?"

(주자가) 대답하였다. "선가禪家는 이런 방법을 강구하여 모든 일을 역설적으로 말하려 든다. 예컨대 '밤길을 허락하지 않고 날이 밝을 무렵에 도착하게 한다.'[180]는 것이나, '나무에 올라가 입으로 나뭇가지를 물고 손과 발을 공중에 드리우게 하고서 대답하도록 요구하는 것'과 같은 것이 모두 이런 내용이다."

· ·

"云云"이 맞다.

178 『朱子語類』 권125 「老氏」 莊子 17조목

179 『莊子』에서 말하는 … 堅白同異之論 : 혜시는 전국시대 宋나라 사람으로 명가의 대표적 인물이다. 저서로 『惠子』 1편이 전하고, 등석은 춘추시대 鄭나라 大夫로 刑獄에 조예가 깊었다. 기물에 새겨진 정나라의 刑書를 竹簡에 옮겨 竹刑이라 하였다. 말재주로 법을 어지럽힌다는 죄목으로 처형되었다. 『鄧析』 2편을 지었다고 하나 지금 전하는 『鄧析子』는 후인의 가탁이라고 하며, 내용은 法家의 학설이다. 견백동이론은 단단한 흰돌白石을 두고 벌인 논쟁으로, 公孫龍의 離堅白과 혜시의 合同異를 이르는 말이다. 곧 단단한 것과 흰 것은 돌을 떠나 독립한 존재로 인식해야 한다는 주장으로, 눈으로 흰 것을 알 수 있으나 단단한지는 손으로 만져보아야 하며 손으로 단단한지는 확인할 수 있으나 빛이 흰지는 알 수 없다는 사물의 차별성을 과대하게 주장하고 통일성을 무시하는 설이며, 合同異는 일체의 사물은 차별과 대립이 상대적이어서 차이가 있는 중에도 동일한 것이 있다는 서로 대립되는 객관적 존재를 부정하고 사물의 동일성을 강조한 학설이다. 『莊子』「秋水」에 "(惠施曰) 大同而與小同異, 此之謂小同異 ; 萬物畢同畢異, 此之謂大同異." 成玄英疏 : "物情分別, 見有同異, 此小同異也. 死生交謝, 寒暑遞遷, 形性不同, 體理無異, 此大同異也."라고 하였다.

180 '밤길을 허락하지 … 한다.' : 이는 『大慧普覺禪師法語』 권20에 있는 말이다.

[57-3-9]

"'因者, 君之綱.' 道家之說最要這因, 萬件事, 且因來做. 『史記』[181]老子傳贊云,[182] '虛無因應, 變化於無窮.' 虛無是體, 與'因應'字當爲一句. 蓋因應是用因而應之之義云爾."[183]

(주자가 말하였다) "'순응은 군주의 강령이다.'[184] 도가는 이 순응[因]을 매우 중요시하여 모든 일을 우선 순응하려 한다. 『사기』「노자전老子傳」찬贊의 '마음을 비우고[虛無] 순응으로 대응하여[因應] 무궁하게 변화한다.'는 말에서 「마음을 비우는 것」은 체體이니 「순응으로 대응한다.」와 당연히 한 구절이 되어야 한다. '인응'은 순응으로 대응한다는 뜻일 뿐이다."

[57-3-10]

因論"庖丁解牛"一段, 至"恢恢乎其有餘刃", 曰: "理之得名以此. 所見無全牛,[185] 熟."[186]

(주자가) 이어 '백정이 소를 잡아 분해하다.'라고 한 대목[187]에서는 '넓고 넓어서 칼날을 놀리고도 남는 공간이 있었다.'라고까지 말씀하시고 말하였다. "결[理]이란 말이 이 말에서 비롯되었다. '소 전체[全牛]'가 보이지 않은 것은 익숙해졌기 때문이다."

[57-3-11]

"莊子云, '各有儀則之謂性.' 此謂'各有儀則', 如'有物有則', 比之諸家差善."[188]

(주자가 말하였다) "『장자』에 '각각 법칙儀則이 있는 것을 성이라 한다.'[189]고 말하였다. 여기서 말한 '각각 법칙이 있다.'는 '사물이 있으면 법칙이 있다.'[190]는 말과 같으니, 제자들에 비해 조금 나은 말이다."

---

181 『史記』: 『朱子語類』권125「莊子書」內篇養生第三 49조목에는 "因擧史記"라고 하여 "因擧" 두 글자가 더 있다. 『朱子語類』는 『史記』老子傳贊云을 편집자가 써 넣은 말인데 이 책에서는 이를 모두 주자의 말로 처리하며 이렇게 줄인 것이다.

182 老子傳贊云: 『朱子語類』권125「莊子書」內篇養生第三 49조목에는 "老子傳贊云云"이라고 하여 "云" 한 글자가 더 있다.

183 『朱子語類』권125「莊子書」, 內篇養生第三 49조목

184 '순응은 군주의 강령이다.': 앞 글 [57-1-15] 참고

185 所見無全牛: 『朱子語類』권125「莊子書」內篇養生第三 50조목에는 '目中所見無全牛'라고 하여 '目中' 두 글자가 더 있다.

186 『朱子語類』권125「莊子書」, 內篇養生第三 50조목

187 '백정이 소를 … 대목: 『莊子』3편「養生主」의 내용을 이르는 말이다. 백정이 처음 소를 잡기 시작하였을 때에는 소가 모두 소 전체[全牛]로 보였으나, 3년이 지난 뒤에는 소 전체로 보이지 않고 소가 가진 결[天理]이 보이기 시작하여, 결을 따라 칼을 놀리면 칼날이 결 사이에 여유롭게 움직여 19년을 쓴 칼날이 막 숫돌에서 갈려나온 칼날과 같다 하였다.

188 『朱子語類』권125「莊子書」, 內篇 養生第三 51조목

189 『莊子』외편,「天地」

190 '사물이 있으면 … 있다.': 『詩經』大雅「烝民」편의 "天生烝民, 有物有則."을 이르는 말이다. 이를 朱熹集傳에 "하늘이 여러 백성을 내니 사물이 있으면 반드시 그에 상응한 법칙이 있다.(言天生衆民, 有是物必有是

[57-3-12]

問: "'野馬也, 塵埃也, 生物之以息相吹也', 是如何?"

曰: "他是言九萬里底風, 也是這箇推去. 息, 是鼻息出入之氣."[191]

물었다. "'아지랑이[野馬]와 티끌은 생물들이 서로 호흡을 내뿜는 것이다.'[192]는 무슨 말입니까?"

(주자가) 대답하였다. "그가 말한 9만 리 바람도 또한 이것에서 미루어 나간 것이다.[193] 숨쉼[息]은 호흡의 들고 나는 기운이다."

[57-3-13]

問: "莊子'實而不知以爲忠, 當而不知以爲信', 此語似好."

曰: "以實當言忠信, 也好. 只是它意思不如此. 雖實, 而我不知以爲忠; 雖當, 而我不知以爲信."

問: "莊生他都曉得, 只是卻轉了說."

曰: "其不知處便在此."[194]

물었다. "'『장자』의 '성실해도 그것이 본심[忠]인지 모르고, 합당해도 그것이 신실함[信]인지 모른다.'[195]는 이 말은 좋은 말인 것 같습니다."

(주자가) 대답하였다. "성실과 합당으로 충과 신을 설명한 것은 그런 대로 괜찮다. 다만 그 책의 내용은 그렇지 않다. 성실하면서도 내 자신이 그것이 충인 줄 모르고 합당하면서도 내 자신이 그것이 신실함인 줄 모른다는 말이다."

물었다. "장생[莊周]이 그런 것을 모두 알면서도 단지 말을 돌려서 한 것입니다."

(주자가) 대답하였다. "그 사람에게서 알 수 없는 점이 바로 이 점이다."

[57-3-14]

"莊子云,[196] '天其運乎? 地其處乎? 日月其爭於所乎? 孰主張是? 孰綱維是? 孰居無事推而行

則.)"라고 하였다. 곧 천하 어떤 사물마다 그가 지켜야 할 도리가 있음을 이르는 警句이다.

191 『朱子語類』 권125 「莊子書」, 內篇養生第三 52조목

192 『莊子』 내편, 「逍遙遊」

193 그가 말한 … 것이다. : 「逍遙遊」에서 말하고 있는 붕새가 9만리 하늘 높이 날아오르기 위해서 얻어야 하는 바람들이 바로 이런 아지랑이와 티끌이 생물들이 숨쉬는 기운들에 의해서 형성되어지는 것에서 마침내 붕새를 하늘 높이 날아오르게 하는 힘을 만든다고 주자는 본 듯하다.

194 『朱子語類』 권125 「莊子書」 內篇養生第三 53조목

195 '성실해도 그것이 … 모른다.' : 『莊子』 외편 「天地」의 말이다. 이 말은 장자가 至德 세상의 일들을 말한 중의 한 조목이다. 주자는 이 조목들은 세상이 서로 당연한 것으로 여기는 것으로 이해하기 보다는 자신도 이를 의식하지 않은 것으로 이해해야 한다고 말하고 있다.

196 莊子云: 『朱子語類』 권125 「莊子書」 外篇天運第十四 54조목에는 "先生曰"로 되어 있다.

是?[197] 意者, 其有機緘而不得已邪? 意者, 其運轉不能自止邪? 雲者爲雨乎? 雨者爲雲乎? 孰隆施是?[198] 孰居無事淫樂而勸是? 這數語[199]甚好. 是他見得, 方說到此. 其才高如老子. 天下篇[200]言‘詩以道志; 書以道事; 禮以道行; 樂以道和; 易以道陰陽; 春秋以道名分’, 若見不分曉, 焉敢如此道? 要之, 他病, 我雖理會得, 只是不做.”

又曰: “莊老二書解注者甚多, 竟無一人說得他本義出, 只據他臆說. 某若拈出, 便別, 只是不欲得.”[201]

(주자가 말하였다.) 『장자』에 이르기를 ‘하늘은 움직이는가? 땅은 멈추어 있는가? 해와 달은 자리를 다투는가? 누가 이를 주재하는가? 누가 이를 붙들고 있는가? 누가 일없이 있으면서 이들을 밀어서 이렇게 운행하도록 하는가? 생각해 보건대 그것들이 기계에 묶여서 그만 두지 못하는가? 생각해 보건대 그들의 운행은 스스로 그칠 수 없는가? 구름이 비가 되는 것인가? 비가 구름이 되는 것인가? 누가 이 구름과 비를 일으키고 내리게 하며 누가 일없이 있으면서 이 즐거움에 빠져 이렇게 하도록 권하는가?[202] 라고 하니, 이 몇 마디 말은 매우 좋다. 이 말은 그가 깨달았기 때문에 이 정도로 말한 것이다. 그의 재주는 노자처럼 뛰어나다. 「천하편天下篇」에서, ‘『시』는 마음속의 뜻을 표현하고, 『서』는 정사를 말하고, 예禮(『주례』·『의례』·『예기』 등)는 행동을 말하고, 『악』은 어울림을 말하고, 『역易』은 음양을 말하고, 『춘추』는 명분을 말했다.[203]’라고 하였으니 만일 견해가 분명하지 않았다면 어떻게 감히 이같이 말할 수 있겠느냐? 결론짓자면 그의 결점은 자신이 이런 것을 알면서도 단지 그것을 행동하지 않은 것이다.”

(주자가) 또 말하였다. “『장자』와 『노자』, 두 책은 주석을 낸 사람이 매우 많으나 끝내 한 사람도 그 본래 뜻을 도출해내지 못하고 단지 자신의 억측에 의거했다. 만일 내가 지적해내면 금방 변별될 것이나 하고 싶지 않다.”

[57-3-15]

“爲善無近名, 爲惡無近刑, 緣督以爲經.’ 督, 舊以爲中. 蓋人身有督脈, 循脊之中, 貫徹上下, 故衣背當中之縫, 亦謂之督, 皆此意也. 老莊之學, 不論義理之當否, 而但欲依阿於其間, 以爲

· · · · · · · · · · · · · · · · · · · ·

197 推而行是?: 『朱子語類』 권125 「莊子書」 外篇天運第十四 54조목에는 “而推行是”로 되어 있다.
198 孰隆施是?: 『朱子語類』 권125 「莊子書」 外篇天運第十四 54조목에는 “孰能施是”로 되어 있다. 『性理大全書』에 따라 “隆”자를 “能”자로 바꾸면 글 이해가 훨씬 쉬운 점이 있다.
199 這數語: 『朱子語類』 권125 「莊子書」 外篇天運第十四 54조목에는 “莊子這數語”로 되어 있다.
200 如老子. 天下篇: 『朱子語類』 권125 「莊子書」 外篇天運第十四 54조목에는 “如莊子天下篇”으로 되어 있다. 『性理大全書』에는 장자의 재주가 노자와 같다의 뜻으로 구두를 떼고 『朱子語類』는 그 재주가 높다로 구두를 떼고 이어 예컨대 『莊子』「天下篇」의 말 운운으로 구두를 뗀 것이다. 『性理大全書』에 있는 대로 우선 번역한다. 그렇지 않으면 “老”자는 “莊”자의 오자로 처리해야 한다.
201 『朱子語類』 권125 「莊子書」, 外篇天運第十四 54조목
202 ‘하늘은 움직이는가? … 권하는가?’: 『莊子』 외편, 「天運」
203 ‘『詩』는 마음속의 … 말했다.’: 『莊子』 외편, 「天下」

全身避害之計, 正程子所謂閃姦打訛者. 故其意以爲爲善而近名者, 爲善之過也 ; 爲惡而近刑者, 亦爲惡之過也. 唯能不大爲善 ; 不大爲惡, 而但循中以爲常, 則可以全身而盡年矣.

(주자가 말하였다) "(『장자』에) '선을 실천하더라도 명예에 가깝게 하지 말며 악을 저지르더라도 형벌에 가깝게 하지 말고, 「중간[中]에 순응하는 것[緣督]」을 기준[經] 삼으라.'[204]고 했다. 독督은 옛날에 '중간'을 이르는 말로 여겼다. 사람 몸에 독맥督脈이 있어 척추의 척추관을 따라 인체의 위아래를 관통하므로, 저고리의 등판 중간 솔기를 역시 '독督'이라 부르니 모두 '중간'을 뜻한다. 노자와 장자의 학문은 의리상 옳고 그름을 따지지 않고, 단지 그 중간을 따르는 것으로 몸을 온전히 하고 환란을 피하는 계책으로 삼고자 하였으니, 바로 정자가 말한 '순간순간 간악하게 거짓을 저지른다.'이다. 그러므로 그 마음은 '선을 행하더라도 명예에 가까워지는 것은 선을 행하는 지나침이고, 악을 저지르더라도 형벌에 가까워지는 것은 또한 악을 저지른 지나침이다.'라고 여겼을 것이다. 오직 크게 선을 행하려고도 하지 말며 크게 악행을 저지르려고도 하지 말고 단지 중간을 따르는 것으로 기준을 삼는다면, 몸을 온전히 하고 천수를 다할 수 있다는 말이다.

然其爲善無近名者, 語或似是而實不然. 蓋聖賢之道, 但敎人以力於爲善之實, 初不敎人以求名, 亦不敎人以逃名也. 蓋爲學而求名者, 自非爲己之學, 蓋不足道. 若畏名之累己, 而不敢盡其爲學之力, 則其爲心, 亦已不公, 而稍入於惡矣. 至謂爲惡無近刑, 則尤悖理. 夫君子之惡惡, 如惡惡臭, 非有所畏而不爲也. 今乃擇其不至於犯刑者, 而竊爲之, 至於刑禍之所在, 巧其途以避之, 而不敢犯, 此其計私, 而害理又有甚焉. 乃欲以其依違苟且之兩間, 爲中之所在而循之, 其無忌憚亦益甚矣.

그러나 그의 '선을 행하더라도 명예에 가까와지게 하지 말라.'는 말은 어쩌면 그럴 듯하나 실제로는 그렇지 않다. 성현의 도는 단지 사람들에게 선을 행하는 실제에 힘쓰도록 가르치며, 애당초 사람들에게 명예를 구하도록 가르치지 않으며, 또한 사람들에게 명예를 회피하도록 가르치지도 않는다. 학문을 닦고서 명예를 구하는 것은 본래 위기지학爲己之學이 아니니 말할 것이 못된다. 만일 명예가 자신에게 누가 될까 두렵게 여겨 감히 학문을 닦는데 힘을 다 쓰지 않는다면 그의 마음가짐은 또한 벌써 공정하지 못하여, 조금이나마 악에 빠져든 것이다. '악을 저지르더라도 형벌에 가까워지게 하지 말라.'라는 말에 이르면 이치에 더더욱 어긋난다. 군자는 악을 역겨운 냄새를 미워하듯 미워하는 것이지 두려워서 하지 않는 것은 아니다. 지금 형벌에 지촉되지 않을 것을 가려 몰래 저지르고, 형벌이 있을 곳에 이르러서는 그 방법을 교묘히 하여 피하고 감히 저지르지 않는다면 이는 사사로움을 꾀하는 일이니 이치를 해침이 더더욱 심하다. 이에 양쪽 사이에서 주저주저하면서 대충 처리하는 것을 '중간'의 도리로 여기고서 따르고자 하니 거리낌 없음이 또한 더욱 심하다.

客嘗有語予者曰, '昔人以誠爲入道之要, 恐非易行. 不若以中易誠, 則人皆可行而無難也.' 予

---

204 『莊子』 내편, 「養生主」

應之曰, '誠而中者, 君子之中庸也. 不誠而中, 則小人之無忌憚耳. 今世俗苟偷恣睢之論, 蓋多類此, 不可不深察也.' 或曰, '然則莊子之意, 得無與子莫之執中者類耶?' 曰, '不然. 子莫執中, 但無權耳. 蓋猶擇於義理, 而誤執此一定之中也. 莊子之意, 則不論義理, 專計利害, 又非子莫比矣. 蓋卽其本心, 實無以異乎世俗鄕原之所見, 而其揣摩精巧校計深切, 則又非世俗鄕原之所及. 是乃賊德之尤者, 所以淸談盛而晉俗衰. 蓋其勢有所必至, 而王通猶以爲「非老莊之罪」, 則吾不能識其何說也."[205]

어떤 사람이 언젠가 나에게 말하기를 '옛 사람들은 성誠을 도에 드는 요점으로 삼으니 쉽게 행할 수 있는 것이 아닌 듯합니다. 중中자로 성誠자를 대체하여 사람마다 모두 어려움 없이 행하게 하는 것만 못할 것입니다.'고 하였다. 내가 대답하기를, '정성을 기울여 절도에 맞게 하는 것은 군자의 중용이고 정성을 기울이지 않고서 절도에 맞으려는 것은 소인의 거리낌 없는 짓일 뿐이다. 지금 세속에서 구차하게 안일만을 추구하고 제멋대로 떠드는 자들의 논의 중에 이런 부류가 많으니 깊이 살피지 않으면 안 된다.'라고 하자, 그 사람이 말하기를 '그렇다면 장자의 뜻은 자막子莫의 집중執中[206]과 같은 부류가 아니겠습니까? 하기에, (내가) 말하기를 '그렇지 않다. 자막의 집중은 단지 저울질이 없을 뿐이다. 오히려 의리를 가린다고 가렸으나 잘못 획일적인 중간을 잡았을 뿐이다. 장자의 뜻은 의리를 논하지 않고 오로지 이해만을 따지니 또한 자막에 비견할 것이 아니다. 그 본심에 나아가 살핀다면 실상 세속의 향원鄕原[207]들 소견과 다를 바 없다. 그러나 헤아림의 정교함과 따져 계산함의 깊고 정확함은 또 세속의 향원이 미칠 수 있는 점이 아니다. 이점이 바로 덕을 해치는 것 중에서도 더욱 심한 점이니, 청담淸談이 성하여 진晉나라의 풍속이 쇠해진 까닭이다. 그 형세가 반드시 닥치게 되어 있는 것인데도 왕통王通은 오히려 이를 「노자와 장자의 죄가 아니다」라고 하니[208] 나로서는 그가 무슨 말을 하고 있는지 모르겠다.'라고 하였다."

---

205 『朱文公集』 권67 「雜著·養生主說」
206 子莫의 執中: 『孟子』 「盡心上」편의 말이다. "자막은 (양쪽의) 중간을 잡았다. 중간을 잡은 것이 도에 가까운 듯하나 중간을 잡고서 저울추로 맞춤이 없는 것이 획일적으로 정한 중간을 잡고 있음과 같다.(子莫執中, 執中爲近之, 執中無權, 猶執一也.)"라고 하였다. 주자는 이를 주석하기를 "子莫은 魯나라의 어진 사람이다. 楊朱와 墨翟이 중도를 잃고 있음을 알았다. 그래서 두 사람의 중간을 헤아려 그 중간점을 잡았다 … 權은 저울추니 사물의 무게를 달아 중간점을 취하는 것이다. 중간점을 잡고서 저울추가 없으면 일정한 곳에 달라붙어 변화할 줄 모르니 이 역시 한 곳을 잡고 있는 것일 따름이다.(子莫, 魯之賢者也. 知楊墨之失中也. 故度於二者之間而執其中 … 權, 稱錘也. 所以稱物之輕重而取中也. 執中而無權, 則膠於一定之中而不知變, 是亦執一而已矣.)"라고 하였다. 곧 일마다 도를 기준한 헤아림이 없는 중간은 획일적 중간이란 말이다.
207 앞 [57-1-14] 참고
208 王通은 오히려 … 하니: 왕통은 隋나라 絳州 사람. 자는 仲淹, 시호는 제자들이 文中子라 하였다. 경학에 조예가 깊고 方玄齡·魏徵 등의 제자를 길렀다. 저서로 『文中子』와 『元經』이 있다. 그의 이 말은 그의 저서 『中說』 권4 「周公篇」에서, "허무하고 현묘한 말들이 많아지며 晉나라 왕실이 어지러워진 것이니 노자와 장자의 죄는 아니다.(虛玄長而晉室亂, 非老莊之罪也.)"라고 하였다. 진나라 당시 노장의 무위 사상이 유행하며 阮籍·嵇康 등 竹林七賢이 생겨나고 고상한 절의를 숭상하였으나 나라는 이로 인해 결국 망하였다.

[57-3-16]

魯齋許氏曰: "莊子好將米大見趣,[209] 及義理粗淺處, 徹說得不知大小無邊際, 緘滕得深密, 敎人窺測不著. 讀此等書, 便須大著眼目與看破, 休敎被他瞞了引了."[210]

노재 허씨[許衡]가 말했다. "『장자』에는 곧잘 큰 견해나 정취를 가진 것, 의리상 심오하지 않은 것을 가져다가 철저하게 크기도 알 수 없고 끝도 없게 말하여 매우 비밀스럽게 꽁꽁 싸맴으로써 사람들이 알 수 없게 한다. 이런 책을 읽을 적에는 반드시 눈을 부릅뜨고 간파하여 저들의 속임수와 유인에 넘어가지 않아야 한다."

[57-3-17]

或問: "『史記』稱'莊子作漁父·盜跖·胠篋, 以詆訿孔子之徒'. 當時去戰國未遠也, 而已莫辨其書之異同矣. 且其書汪洋恣縱乎繩墨之外, 而乃規規焉局局焉議其篇章, 得無陋哉?"

臨川吳氏曰: "得意固可以忘言, 將欲飫其實, 而謂不必飫其文, 欺也."[211]

어떤 사람이 물었다. "『사기』에 '장자가 「어부」·「도척」·「거협」을 지어 공자의 무리를 헐뜯었다.'고 하였습니다. 그때는 전국시대와 멀지 않았는데도 이미 그 책의 일치하지 않은 점을 변별하지 못했습니다.[212] 또 이 책은 규정된 기준 밖을 호기롭게 노니는데 잗다랗게 얽매어 그 한 편, 한 장의 뜻이나 논하고 있으니 비루하지 않습니까?"

임천 오씨[吳澂]가 대답하였다. "뜻을 깨쳤으면 참으로 말은 잊어버릴 수 있으나[213] 알맹이를 다 말해주고

---

209 好將米大見趣: 『盧齋遺書』 권1 「語錄上」에는 "好將來大見趣"라고 하여 '米'자가 '來'자로 되어 있다.

210 『盧齋遺書』 권1 「語錄上」

211 『吳文正集』 권1 「雜著·老莊二子敍錄」

212 『史記』에 '장자가 … 못했습니다.: 이는 『史記』 권63 「老莊申韓列傳」에서 사마천이 한 말을 임천오씨가 비판하며 『莊子』가 장주 한 사람의 저서가 아니고 후인들의 위작이 섞여 있는 데도 사마천이 이를 몰랐다고 한 말이다. 지금 『性理大全書』에서 인용한 『吳文正集』의 앞부분에는, "『莊子』 내편은 장주 자신의 저술이고 외편은 아마 문인이 장자의 말을 편집하여 책으로 만든 듯하며 잡편은 애당초 없었던 것이다. 혼자 생각에는 후인들이 거짓으로 「讓王」·「漁父」·「盜跖」·「說劍」을 지어 「寓言」편 속에 끼워 넣고 「寓言」의 반쪽 글로 「列禦寇」편을 만들었다. 그리고서 뒤쪽의 몇 편을 나누어 위작들과 모아서는 잡편이라 이름하여 서로 뒤섞이게 한 것이다 … 이어 「駢拇」·「胠篋」·「馬蹄」·「繕性」·「刻意」 5편은 나름대로 동일한 문체이나 그것이 과연 장씨의 저서일까? 아니면 周나라와 秦나라 사이의 文士의 작품일까? 이점을 알 수 없다.(莊氏書, 內篇盖所自著, 外篇或門人纂其言以成書, 其初無所謂雜篇也. 竊疑後人, 僞作讓王·漁父·盜跖·說劍, 勵入寓言篇中, 離隔寓言之半爲列禦寇篇. 於是分末後數篇, 并其僞書, 名爲雜篇以相淆亂云爾 … 唯駢拇·胠篋·馬蹄·繕性·刻意五篇, 自爲一體, 其果莊氏之書乎? 抑亦周秦間文士所爲乎? 是未可知也.)"라고 하였다. 임천오씨는 사마천이 『史記』에서 장자가 공자의 무리를 헐뜯었다는 말을 하고 있으나 그가 증거로 제시한 『莊子』의 편명들이 장주의 저서가 아니고 후인들의 위작이니 이 말은 맞지 않다고 한 것이다.

213 뜻을 깨쳤으면 … 있으나: 『莊子』 雜篇 「外物」의 "통발은 고기를 잡는데 쓰는 것이기에 고기를 잡으면 통발은 잊어버리고, 올무는 토끼를 잡는데 쓰는 것이기에 토끼를 잡으면 올무는 잊어버리고, 말은 뜻을 전하는 데에 쓰이기에 뜻을 깨쳐 알면 말은 잊어버린다. 내 어디에서 말을 잊어버린 사람을 만나 그와 말을

자 하면서 겉 거죽은 다 말할 필요가 없다[214]고 말한 것은 속임수이다."

[57-3-18]
程子曰: "莊生形容道體之語, 儘有好處, 老氏谷神不死一章, 最佳."[215] _{已下總論老·莊·列.}

정자程頤가 말하였다. "장생莊周은 도체를 형용한 말이 참으로 좋고, 노자는 곡신불사장谷神不死章 한 장이 가장 좋다." 여기서부터는 『노자』·『장자』·『열자』를 총괄해서 논한다.

[57-3-19]
問: "學者何習老莊之衆也?"
曰: "謹禮而不達者, 爲其所膠固焉; 放情而不莊者, 畏法度之拘己也. 必資其放曠之說以自適. 其勢則然."[216]

물었다. "학자 가운데 어찌하여 노장학을 익히는 무리가 많습니까?"
(정자가) 대답하였다. "예에 신중하여 화통하지 못한 자는 그것에 경직되어 있기 때문이고, 마음 내키는 대로 행동하며 엄숙하지 못한 자는 법도가 자신을 구속시킴을 두려워한다. (그런 사람들은) 반드시 자유 분방한 말에 도움을 받아 유유자적해지려 한다. 그 형세가 그러하다."

[57-3-20]
朱子曰: "老子猶要做事在, 莊子都不要做了. 又却說道他會做, 只是不肯做."[217]

주자가 말하였다. "노자는 그래도 일을 하려는 것이 있는데 장자는 전혀 하려 하지 않는다. 또 일을 할 수 있다 말하면서도 단지 기꺼이 하려 들지 않는다."

[57-3-21]
"莊周是箇大秀才, 他都理會得, 只是不肯做事.[218] 觀其第四篇人間世及漁父篇以後, 多是說孔子與諸人語, 只是不肯學孔子, 所謂'知者過之'者也. 如說'易以道陰陽, 春秋以道名分'等語,

---

나눌 수 있을까!(荃者, 所以在魚, 得魚而忘荃; 蹄者, 所以在兎, 得兎而忘蹄; 言者, 所以在意, 得意而忘言. 吾安得夫忘言之人, 而與之言哉.)라고 한말을 이렇게 축약한 것이다.
214 알맹이를 다 … 없다: 『莊』內篇 「應帝王」의, "호자가 말하기를, '내가 너에게 겉 거죽은 다 말하였으나 속 알맹이는 다 말하여 주지 못하였다.'라고 하였다.(壺子曰, 吾與汝旣其文, 未旣其實.)"고 한말을 이렇게 인용한 것이다. 곧 사마천이 『莊子』의 일부분을 기록해 논한 것이 잘못이 아니고 전체를 알기 위해서는 하나하나의 말도 알아야 한다는 뜻을 장자의 말을 빌어 비판한 것이다.
215 『二程遺書』 권3 「伊川先生語」
216 『二程粹言』 권上 「論學篇」
217 『朱子語類』 권125 「老氏」, 老莊 19조목
218 不肯做事 : 『朱子語類』 권125 「老氏」, 老莊 19조목에는 "不把做事"라고 하여 "肯"자가 "把"자로 되어 있다.

後來人如何下得? 它直是似快刀利斧劈截將去, 字字有著落."

李公晦曰[219] : "莊子較之老子, 較平帖些."

曰 : "老子極勞攘, 莊子得些, 只也乖. 莊子跌蕩. 老子收斂, 齊脚斂手 ; 莊子卻將許多道理掀翻說, 不拘繩墨."[220]

(주자가 말하였다) "장주는 재주가 매우 뛰어난 사람이라서 모든 것을 터득해 알고 있으나 단지 기꺼이 하려고 들지 않는다. 그의 책 제4편 「인간세人間世」와 「어부漁夫」의 뒤쪽 편을 보면 대부분 공자가 여러 사람들과 나눈 말들을 언급하면서도[221] 다만 기꺼이 공자를 배우려 하지 않으니, 이른바 '지혜 있는 자는 넘친다.'[222]는 것이다. 예컨대 '『역易』은 음양을 말하고, 『춘추春秋』는 명분을 말한다.'[223]라는 등의 말을 후세 사람이 어떻게 할 수 있겠느냐? 그말은 잘 드는 칼과 예리한 도끼로 물건을 가르고 장작을 패는 것과 같아 말마다 부합한다."

이공회[李方子][224]가 말하였다. "장자는 노자에 비하면 보다 평이하고 온당합니다."

(주자가) 말하였다. "노자는 극도로 수고롭고, 장자는 조금 덜하지만 마찬가지로 도리에 어긋난다. 그리고 장자는 호방하다. 노자는 몸과 마음을 거두어 잡고 손발을 나란히 한 모습이고, 장자는 수많은 도리를 뒤집어 말하여서 잣대에 얽매이지 않았다."

[57-3-22]

問 : "老子與莊子似是兩般說話."

曰 : "莊子於篇末自說破矣."

問 : "先儒論老子, 多爲之出脫, 云'老子乃矯時之說'. 以某觀之, 不是矯時, 只是不見實理, 故不知禮樂刑政之所出, 而欲去之."

曰 : "渠若識得'寂然不動, 感而遂通天下之故', 自不應如此. 他本不知下一節, 欲占一簡徑言之, 然上節無實見, 故亦不脫洒."[225]

. . . .

219 李公晦曰 : 『朱子語類』 권125 「老氏」, 老莊 19조목에는 "公晦曰"이라 하고 "李"자가 없다.

220 『朱子語類』 권125 「老氏」, 老莊 19조목

221 「人間世」와 「漁夫」의 … 언급하면서도 : 『莊子』 내편의 「人間世」편 이후 「德充符」·「大宗師」편들에 공자와 제자인 顔回와 子貢, 또는 당시 列國의 여러 사람들과 나눈 대화가 기록되어 있고 雜篇의 「漁夫」편 이후 「列禦寇」편에 공자와 당시 사람들이 나눈 말들이 기록되어 있다. 여기에서 장자는 한결같이 공자를 훌륭하나 세속과는 어울리지 않은 인물로 말하고 있다.

222 '지혜 있는 … 넘친다.' : 『中庸』 제4장의, "공자가 말씀하였다. '도가 행해지지 않는 것을 내가 안다. 지혜 있는 자는 넘치고 어리석은 자는 미치지 못한다.'(子曰, '道之不行也, 我知之矣. 知者過之, 愚者不及也.')"를 인용한 것이다. 곧 장자가 공자를 알아보았으면서도 지혜가 넘쳐 기꺼이 공자를 배우려 하지 않았음을 말한 것이다.

223 『莊子』 雜篇, 「天下」

224 李方子(?~?) : 李公晦는 字로 이르는 말. 昭武 사람. 호는 果齋. 주자의 제자. 嘉定 연간의 진사. 저서로 『禹貢解傳』·『傳道精語』가 있다.(『宋史』 430)

물었다. "노자와 장자는 두 가지 학설인 듯합니다."

(주자가) 대답하였다. "장자가 책 끝에서 스스로 설파하였다."[226]

물었다. "노자에 대한 옛 선비들의 논평은 대부분 그의 잘못을 벗겨주고자 하여 '『노자』는 바로 시대를 바로잡는 말이다.'라고 말하였습니다. 그러나 제가 보기에는 '시대를 바로잡는' 말이 아니고 단지 진실된 도리를 보지 못한 까닭에 예악禮樂과 형정刑政이 나오는 곳을 몰라 그것을 내버리고자 한 것일 뿐입니다."

(주자가 말하였다) "그가 만일 '고요히 꼼짝하지 않다가 느낌을 받으면 마침내 천하의 일에 환하여진다.'[227] 라는 말뜻을 알았다면 분명 이처럼 하지 않았을 것이다. 그는 본래 '느낌을 받으면 마침내 천하의 일에 환하여진다.'는 도리를 모르면서 단번에 간단명료하게 말하려 들었다. 그러나 '고요히 꼼짝하지 않다가' 의 실제를 알지 못한 까닭에 또한 초월하지 못했다."

[57-3-23]

問：“原壤看來也是學老子.”

曰：“他也不似老子, 老子卻不恁地.”

周莊仲曰[228]：“卻似莊子.”

曰：“是. 便是夫子時已有這樣人了.”

莊仲曰：“莊子雖以老子爲宗, 然老子之學, 尙要出來應世, 莊子卻不如此.”

曰：“莊子說得較開闊, 較高遠, 然卻較虛, 走了老子意思. 若在老子當時看來, 也不甚喜他如此說.”[229]

물었다. "원양原壤[230]은 살펴보니 노자를 배운 것 같습니다."

(주자가) 대답하였다. "그는 노자와 유사하지 않으니, 노자는 그렇지 않다."

주장중이 물었다. "도리어 장자와 근사합니다."

(주자가) 대답하였다. "그렇다. 공자가 계실 때 벌써 이런 사람이 있었던 것이다."

장중이 물었다. "장자는 비록 노자를 으뜸으로 삼았지만 노자의 학술은 그래도 세상에 나와 세상에 펼쳐 보고자 하였는데 반해 장자는 그렇지 않았습니다."

(주자가) 대답하였다. "장자는 말이 비교적 개방적이고 비교적 고원高遠하나, 비교적 허무하여, 노자의 말

---

225 『朱子語類』 권125 「老氏」, 老莊 20조목

226 책 끝에서 … 설파하였다. : 책은 『莊子』의 마지막 편인 「天下篇」을 이른다. 여기에는 黃帝 堯舜禹湯文武周公 시대의 예악을 논하며 이들 예악의 한계를 논하고서 이어 묵자를 비롯한 愼到 關尹 老耼 惠施 公孫龍 등의 사상을 거론하였다.

227 『周易』 「繫辭上」 제10장

228 周莊仲曰：『朱子語類』 권125 「老子書」 谷神不死章第六 33조목에는 “莊仲曰”이라고 하여 “周”자가 없다.

229 『朱子語類』 권125 「老子書」, 谷神不死章第六 33조목

230 原壤 : 춘추시대 魯나라 사람. 공자의 친구. 그의 어머니가 죽었을 때 나무에 올라가 노래를 불렀다고 한다. (『禮記』 「檀弓下」)

에서 벗어났다. 만일 노자가 당시에 보았다면 그의 이러한 말을 그다지 달갑게 여기지 않았을 것이다."

[57-3-24]

"莊子比老子便不同. 莊子又轉調了精神, 發出來麤. 列子比莊子又較細膩."

問: "御風之說, 亦寓言否?"

曰: "然."[231]

(주자가 말하였다) "장자는 노자에 비하면 서로 같지 않다. 장자는 더욱 정신을 이리저리 쓰다보니 한 말들이 거칠다. 열자는 장자에 비해 또 비교적 정세精細하다."

물었다. "'바람을 타고 다닌다.[御風]'[232]는 말도 우화寓話입니까?"

(주자가) 대답하였다. "그렇다."

[57-3-25]

問: "程先生謂, '莊生形容道體之語, 儘有好處, 老氏「谷神不死」一章最佳.' '莊子云, 「嗜慾深者, 天機淺.」此言最善.' 又曰, '謹禮不透者, 深看莊子.' 然則莊老之學, 未可以爲異端而不講之耶?"

曰: "'君子不以人廢言', 言有可取, 安得而不取之? 如所謂'嗜慾深者, 天機淺', 此語甚的當, 不可盡以爲虛無之論而妄訾之也."

周謨曰[233]: "平時慮爲異教所汨, 未嘗讀莊老等書, 今欲讀之, 如何?"

曰: "自有所主, 則讀之何害? 要在識其意所以異於聖人者如何爾."[234]

물었다. "정선생[程頤]이 '장생[莊子]이 도체를 형용한 말은 참으로 좋고, 노씨(노자)는 「곡신불사谷神不死」한 장이 가장 좋다.'라고 하고, 『장자』에, 「욕심이 깊은 사람은 천기天機가 옅다.」[235]는 이 말이 가장 좋다.'라고 하고, 또 말하기를, '예에 신중하여 속속들이 철저하지 못한 사람은 『장자』를 깊게 읽어야 한다.'[236]고 했습니다. 그렇다면 장자와 노자의 학문은 이단이라 말할 수 없는데 익히지 않는 것입니까?"

(주자가) 대답하였다. "군자는 사람 때문에 그 사람의 말을 무시하지 않는다.'[237]고 하였으니 말에 취할

---

231 『朱子語類』 권125 「老子書」, 谷神不死章第六 36조목

232 『莊子』 「逍遙遊」에 "열자는 바람을 타고 다닌다.(列子御風而行.)"고 하였다.

233 周謨曰: 『朱子語類』 권97 「程子之書三」 95조목에는 '周'자가 없다.

234 『朱子語類』 권97 「程子之書三」 95조목

235 「욕심이 깊은 … 옅다.」: 『莊子』 「大宗師」의 말이다. 林希逸은 "嗜慾은 사람의 욕심이고 天機는 하늘의 이치다.(嗜慾者, 人欲也 ; 天機者, 天理也.)"라고 하였고 『漢語大詞典』은 天機를 "영성과 같은 말이니 하늘이 인간에게 부여한 영험한 본성을 이름.(猶靈性. 謂天賦靈機.)"이라고 하였다.

236 '예에 신중하여 … 한다.': 『程氏遺書』 권18 「伊川語錄」에 있는 말이다.

237 '군자는 사람 … 않는다.': 『論語』 「衛靈公」편에 공자가 "군자는 말만으로 사람을 천거하지 않고 사람의 (지위 따위로) 그 사람의 말을 무시하지 않는다.(君子不以言擧人, 不以人廢言.)"고 하였다.

점이 있으면 어찌 취하지 않겠는가? 예컨대 그가 말한 '욕심이 깊은 사람은 천기가 옅다.'는 이 말은 매우 합당한 말이니, 그의 말 모두를 허무한 소리로 치부하여 함부로 비난해선 안 된다."

주모周謨가 물었다. "평소 이단의 가르침에 어지럽혀질까 걱정하여 『장자』와 『노자』 등 책을 읽지 않았었는데 이제 그 책들을 읽고자 한다면 어떻게 해야겠습니까?"

(주자가) 대답하였다. "자신에게 주관이 있다면 읽더라도 무엇이 해롭겠는가? 중요한 점은 그 책의 뜻이 성인의 가르침과 어떻게 다른지를 아는 일이다."

[57-3-26]

"楊朱之學出於老子. 蓋是楊朱曾就老子學來, 故莊列之書皆說楊朱. 孟子闢楊朱, 便是闢莊老了."[238]

(주자가 말하였다) "양주楊朱의 학술은 노자에게서 나왔다. 양주가 노자에게 나아가 배웠기 때문에 장자나 열자列子의 책에 모두 양주를 말한 것이다. 맹자가 양주를 배척한 것[239]은 장자와 노자를 배척한 것이다."

[57-3-27]

"莊子全寫列子, 又變得峻奇. 列子語溫純."[240]

(주자가 말하였다) "『장자』는 『열자』를 온전히 베꼈으나 또 매우 기이하게 변화시켰다. 『열자』는 말이 온화하고 순후하다."

[57-3-28]

"列莊本楊朱之學, 故其書多引其語. 莊子說, 子之於親也'命也, 不可解於心.' 至臣之於君, 則曰'義也, 無所逃於天地之間.' 是他看得那君臣之義, 卻似是逃不得, 不奈何, 須著臣服他. 更無一箇自然相胥爲一體處, 可怪. 故孟子以爲無君, 此類是也."[241]

(주자가 말하였다) "열자와 장자는 양주의 학술에 뿌리를 두고 있기 때문에 그 책에 양주의 말을 많이 인용하였다. 장자가 말하기를, 자식과 어버이의 관계는 '천명天命이라서 마음에서 털어버릴 할 수 없다.'고 하고, 신하와 군주의 관계에 이르러선 '의리라서 천지 사이에 도망갈 곳이 없다.'고 하였다.[242] 이것은

. . . .

238 『朱子語類』 권125 「老氏」, 老子 9조목
239 맹자가 양주를 … 것 : 앞 주석 45번 참고
240 『朱子語類』 권125 「老氏」, 莊列 23조목
241 『朱子語類』 권125 「老氏」, 莊列 24조목
242 자식과 어버이의 … 하였다. : 이는 『莊子』 「人間世」편의 말을 본문과 약간 다르게 인용한 것이다. 다만 「人間世」편에서는 이말이 공자가 한 말로 되어 있는데 여기에서 주자는 이를 장자의 말로 보고서 비판하고 있다. 아마도 주자는 장자에 쓰여진 공자의 말이 공자가 한 말이 아니고 장자가 자신의 주장을 세우기 위해 가설한 말로 여긴 듯하다. 그 글은 이러하다. "중니가 말했다. '천하에는 크게 경계로 삼아야 할 것이 두

그가 군신 사이의 의리를 도망갈 수도 없고 어찌할 수도 없으니 반드시 신하노릇 해야 하는 것으로 본 듯하다. 그런데 단 한번도 자연스럽게 서로 일체가 되려 한 적이 없으니 괴이하다. 그러므로 맹자는 군주를 무시한 사람이라 말한 것이니 이런 투의 말이 그것이다."

[57-3-29]

"儒敎自開闢以來, 二帝三王述天理, 順人心, 治世敎民, 惇典庸禮之道,²⁴³ 後世聖賢遂著書立言, 以示後世. 及世之衰亂, 方外之士, 厭一世之紛拏, 畏一身之禍害, 耽空寂以求全身於亂世而已. 及老子唱其端, 而列禦寇·莊周·楊朱之徒和之. 孟子嘗闢之以爲無父無君, 比之禽獸. 然其言易入, 其敎易行. 當漢之初, 時君世主皆信其說, 而民亦化之. 雖以蕭何·曹參·汲黯·太史談輩亦皆主之, 以爲眞足以先於六經, 治世者不可以莫之尙也. 及後漢以來, 米賊張陵·海島寇謙之之徒, 遂爲盜賊, 曹操以兵取陽平, 陵之孫魯卽納降款, 可見其虛謬不足稽矣."²⁴⁴

(주자가 말하였다) "유교는 천지개벽 이후로 이제삼왕二帝三王²⁴⁵이 천리天理를 서술하고 인심人心에 순응하여 세상을 다스리고 백성을 교화하며, 오전五典을 돈독히 하고 오례五禮를 떳떳하게²⁴⁶ 한 도리들을, 후세의 성현들이 마침내 글로 쓰고 말로 남겨 후세에 내보였다. 세상이 쇠퇴하여 혼란해지자 방외方外(儒家 범위 밖의 道士나 隱者들)의 사람들이 세상의 혼란에 싫증을 내고 자신에게 닥칠 재앙과 해를 두려워하여 공허하고 적막한 것에 마음을 쏟아 난세에서 한 몸 온전하기를 구할 따름이었다. 노자가 그 단초를 부르짖자 열어구列子·장자·양주楊朱 같은 무리가 화답하고 나섰다. 맹자가 진작 이를 어버이도 무시하고 군주도 무시한 자라고 배척하며, 그들을 짐승들에 비겼다. 그러나 그들 말이 쉽게 파고들고 그들 가르침이 쉽게 행하여졌다. 한漢나라 초기에는 당시 군주들마다 모두 그들 말을 믿었고, 백성들마저 물들었다. 소하蕭何·조참曹參²⁴⁷·급암汲黯²⁴⁸·태사담太史談²⁴⁹과 같은 무리마저도 역시 모두 그 말을

<hr />

가지가 있다. 그 하나는 천명이고 그 하나는 의리이다. 아들이 어버이를 사랑하는 것은 천명이라서 마음에서 털어버릴 수 없으며 신하가 군주를 섬기는 것은 의리이니 어디에 가더라도 군주가 없는 곳이 없다. 이것들은 천지 사이에서 도망갈 곳이 없는 것이라서 이를 일러 크게 경계해야 할 것이라고 한다.'(仲尼曰, '天下有大戒二, 其一命也, 其一義也. 子之愛親命也, 不可解於心 ; 臣之事君義也, 無適而非君. 無所逃於天地之間, 是之謂大戒.')"

243 惇典庸禮之道:『朱子語類』권125「老氏」老莊列子 27조목에는 "厚典庸禮之道"라고 하여 '惇'자가 '厚'자로 되어 있다.

244 『朱子語類』권125「老氏」, 老莊列子 27조목

245 二帝三王:堯·舜·禹·湯·文武 (주나라의 두 임금)

246 五典을 돈독히 … 떳떳하게: 이는『書經』「舜典·皐陶謨」의 "天敍有典, 勅我五典, 五惇哉. 天秩有禮, 自我五禮, 有庸哉."를 인용한 말이다. 孔穎達傳에는 五典은 父義·母慈·兄友·弟恭·子孝, 五禮는 公·侯·伯·子·男 등 제후가 朝聘하는 예라 하였고, 蔡沈集傳에는 오전을 君臣·父子·兄弟·夫婦·朋友의 질서, 오례는 尊卑·貴賤의 등급의 높낮음, 惇은 두텁게[厚]이고, 庸은 떳떳함[常]이라고 하였다.

247 曹參:漢高祖를 도와 한나라 개국에 공을 세우고 蕭何를 이어 한나라 상국에 오른 사람.『史記』「曹參傳」에

떠받들어 참으로 육경六經에 앞서기에 충분하다고 하니 나라를 다스린 자로서는 그들을 숭상하지 않을 수 없었다. 후한 이후에는 미적米賊 장릉張陵250과 해도海島 구겸지寇謙之 무리251가 마침내 도적이 되었으나, 조조가 군사로 양평陽平을 함락시키자 장릉의 손자 장로張魯가 바로 항복 문서를 바쳤으니,252 그들의 허황된 오류는 따져볼 것도 없음을 알 수 있다."

[57-3-30]

西山眞氏曰: "魏正始中, 何晏等祖述老莊, 以清談相尙, 至晉, 此風益甚. 晏嘗立論以天地萬物皆以無爲本, 由是士大夫皆以浮誕爲美. 裴頠著崇有論以釋其蔽, 然不能救也. 陳頵嘗遺王導書, '以老莊之俗, 傾惑朝廷, 今宜改張, 然後大業可擧', 導不能從. 一時名士如庾亮輩, 皆以清談爲風流之宗. 國子祭酒袁瓌嘗請立太學, 而士大夫習尙莊老, 儒術終以不振. 會稽王昱等又從而扇之, 雖謝安石之賢, 不免爲習俗所移, 終於晉亡而不能革. 至梁武帝好佛, 而太子又講莊老, 詹事何敬容歎曰, 西晉尙浮虛, 使中原淪於胡羯, 今江東復爾, 江南其爲戎乎! 其後元帝好玄談, 於龍光殿講老子, 胡氏論之曰, 老子之言, 其害非釋氏比也. 然棄仁義捐禮樂以爲道, 遺物離人, 趨於淡泊, 而生人之治忽矣."

서산 진씨[眞德秀]253가 말하였다. "위魏 정시正始(廢帝의 연호. 서기 240~249) 연간에 하안何晏254 등이 노자와

"그의 정치는 黃老術을 채용하였다.(其治要用黃老術.)"고 하였다. 앞 [57-1-15] 참고

248 汲黯: 漢나라 東郡 濮陽 사람. 자는 長孺. 景帝와 武帝를 섬기며 太子洗馬와 謁者를 지내고 東海와 淮陽 고을의 태수를 지내고 九卿의 지위에 올랐다. 黃老學을 배워 정치에 清靜을 숭상하고 큰 것만을 다스렸다. (『史記』「汲黯傳」)

249 太史談: 『史記』의 저자인 사마천의 아버지. 『史記』「太史公自序」에서 그의 아버지가 "道家는 儒家와 墨家의 장점을 취하여 세속을 규율하는데 흠잡을 것이 없고 주장이 간단하여 지니기 쉬우며 일삼을 것은 적고 얻어지는 공효는 크다."라고 하였다.

250 米賊張陵: 후한 장릉이 세상에 道術을 전하며 그것을 구하려는 자에게 쌀 다섯 말斗씩을 받은 데에서 붙여진 이름. 장릉은 沛國 사람으로 永平연간에 鵠鳴山에 들어가 도술을 닦고서 도술에 관한 책을 조작하여 혹세무민하자 사람들이 그를 존경하여 따르기 시작하였다. 米巫·米道라고도 불렸다.(『三國志』「魏志·張魯傳」;『神仙傳』권4;『三國演義』59回)

251 海島 寇謙之 무리: 구겸지의 일은 정확한 전거를 찾기 어렵다. 다만 『魏書』 권114 「碩老志」에 구겸지가 世祖 때 道士로 成公興을 만나 華山에 들어가 수련한 뒤, 다시 嵩岳에서 정진하여 秘傳을 얻어 이를 세조에게 바치고 신임을 사 國師로 받들여졌다고 하였다. 海島 운운한 말이나 도적떼가 되었다는 말은 언급이 없다. 다만 靜輪天宮을 세우자고 건의하여 이것이 받아들여졌으나 국가의 재화만 축내고 낙성하지 못해 결국 세조로부터 의심을 받던 중 죽었다고 하였다.

252 장릉의 손자 … 바쳤으니: 장로가 할아버지 장릉의 대를 이어 도술로 행세하며 민심을 사 漢中을 차지하고 귀신의 도술로 백성들을 다스리며 자칭 師君이라 하였다. 뒤에 세력이 커져 중앙 정부가 다스릴 수 없을 정도로 확대되었다가 조조가 군사를 이끌고 공격해 오자 항복하고 鎭南將軍에 봉해졌다.(『三國志』 권9「張魯傳」)

253 眞德秀(1178~1235): 宋나라 建寧府 蒲城 사람. 자는 景元, 또는 希元. 서산은 그의 호이다. 시호는 文忠.

장자를 본받아 청담을 서로 숭상하더니 진대晉代에 이르러 이 풍조가 더욱 심하여졌다. 하안이 일찍이 '천지와 만물은 모두 무無를 근본으로 삼는다.'255는 주장을 세우자 이로부터 사대부들이 모두 허망하고 터무니없는 것을 아름다움으로 여겼다. 배외裴頠가 「숭유론崇有論」을 지어 그 폐해를 설파하였으나,256 구원하지는 못하였다. 진군陳頵이 이에 왕도王導257에게 편지를 보내 '노자와 장자의 풍속이 조정을 의혹에 빠트리고 있으니 지금 모든 것을 개혁하여야 큰 공업을 이루어 낼 수 있을 것이다.'고 하였으나 왕도가 따르지 못하였다. 한 시대의 명사였던 유량庾亮258 같은 무리도 모두 청담을 풍류의 최고로 여겼다. 국자좨주 원괴袁瓌가 태학太學의 설립을 청하였으나, 사대부들이 장자와 노자를 숭상하여 유가 학술이 끝내 진작되지 않았다. 회계왕 욱會稽王昱과 진 간문제陳 簡文帝 등이 그 위에 부채질을 하여 사안석謝安石259처럼 어진 사람도 세속의 유행에 따라 변하는 것을 면치 못하여 마침내 진나라가 망하는 상황에서 건져내지 못하였다. 남조 양南朝梁 시대에 이르러 무제武帝가 불교를 좋아하고 태자가 또 『장자』와 『노자』를 익히자 첨사詹事 하경용何敬容이 탄식하여,260 '서진西晉이 공허를 숭상하여 중원中原이 호갈胡羯261에게 망하

慶元 연간의 진사. 벼슬은 參知政事. 주자의 학문을 존숭하였다. 저서로 『眞文忠公文集』·『大學衍義』 등이 있다.(『宋史』 권437 ; 『宋元學案』 권81)

254 何晏 : 삼국시대 魏나라 宛땅 사람. 자는 平叔. 벼슬은 侍中尙書. 뒤에 반역을 꾀하다가 살해되었다. 노장학을 좋아하여 『道德論』을 지었다.(『三國志』 권9)

255 '천지와 만물은 … 삼는다.' : 이말은 『晉書』 권43 『王衍傳』에 하안의 말로 실려 있다. "위나라 정시 연간에 하안과 왕필 등이 노자와 장자를 본받아 주장하기를, '천지와 만물은 모두 無로 근본을 삼는다. 무는 천하의 사물 이치를 모두 환히 알고서 그들을 모두 성취시켜 주니 어디도 존재하지 않은 곳이 없다. 음양이 이를 의지하여 변화하여 만들어지고(化生하고) 만물이 이를 의지하여 형체가 이룩되고 현자가 이를 의지하여 덕을 이루고 불초한 자가 이를 의지하여 어려움을 면한다. 그러므로 無의 쓰임새는 작위를 줄 수 없이 귀한 존재이다.'(魏正始中, 何晏王弼等祖述老莊, 立論以爲, '天地萬物, 皆以無爲爲本. 無也者, 開物成務, 無往不存者也. 陰陽恃以化生 ; 萬物恃以成形 ; 賢者恃以成德 ; 不肖恃以免身. 故無之爲用, 無爵而貴矣.')"라고 하였다.

256 裴頠가 「崇有論」을 … 설파하였으나 : 배외는 진나라 河東 聞喜 사람. 자는 逸民. 楊駿을 평정한 공으로 武昌侯에 봉해졌다. 당시 하안과 阮籍 등이 청담을 주장하며 예법을 따르지 않고 걸맞는 일을 집행하지 않고 벼슬만 높아져 천하가 휩쓸리는 것을 보고 無보다는 有의 중요성을 논하는 글을 지어 세속을 바로잡고자 하였다.(『晉書』 권35)

257 王導 : 晉나라 琅邪 사람. 元帝에게 신임을 사 仲父로 불렸다. 벼슬은 丞相. 원제의 遺詔를 받아 明帝와 成帝를 보좌하여 국정을 안정시켰다.(『晉書』 권65)

258 庾亮 : 진나라 鄢陵 사람. 明穆皇后의 오빠. 자는 元規. 여러 지역의 都督을 시내고 郭黙의 반란을 진압한 공으로 永昌縣侯에 봉하여졌다. 老莊學을 즐기고 풍격이 매우 엄정하였다.(『晉書』 권73)

259 謝安石 : 진나라 陳郡 陽夏 사람. 이름은 安이고 안석은 字이다. 시호는 文靖. 王羲之 등과 노닐다가 40세가 넘은 뒤 출사하여 桓溫의 司馬가 되었다. 前秦의 苻堅을 淝水에서 물리치고 洛陽 등지를 수복한 공으로 建昌縣公에 봉해졌다. 太傅가 추증되었다. 당시 많은 權臣의 농단 속에서 그나마 나라가 안정된 것은 사안의 공으로 일컬어지며 많은 일화를 남긴 인물로 유명하다.(『晉書』 권79)

260 南朝梁 시대에 … 탄식하여 : 남조양 무제 이름은 蕭衍. 양나라를 개국하고 국정을 바로잡았으나 불교에 빠져 사원을 지나치게 많이 세웠다. 그의 불교에 대한 신봉은 역대 제왕 중 가장 심하여 많은 일화를 남겼다. 나중에 侯景에게 수도가 함락당하며 굶어죽었다. 그의 아들 蕭綱은 시호는 簡文帝 廟號는 太宗이다. 후경의 난을 만나 시해되었다. 학문에 정진하여 저서로 『昭明太子傳』·『老子義』·『莊子義』 등이 있다. 하경용은

게 만들더니 오늘날 강동江東[東晉]이 그것을 따라하고 있으니 강남江南이 오랑캐가 되겠구나!'하였다. 그 후 원제元帝가 현묘한 담론을 좋아하여 용광전龍光殿에서 『노자』를 강론하자[262] 호씨胡氏가 이를 논하여, '노자의 말은 그 해가 부처에 비길 것이 아니다.'라고 하였다. 그러나 인의仁義를 버리고 예악禮樂을 내던지는 것이 도道라고 여겨서 세상일과 백성을 버려두고 담박淡泊으로만 달려가서 사람을 살리는 정치는 소홀하였다."

或問 : "曹參治齊, 師蓋公, 其相漢也, 以淸淨. 文景之治, 大率依本黃老, 約躬省事, 薄斂緩獄, 不言兵而天下富. 老子之敎, 亦何負歟?"

曰 : "蓋公之語參曰, '治道貴淸淨而民自定', 此在老子書中一語爾. 此一語非有槌提仁義, 絶滅禮樂之失也. 故參用之, 務爲休息不擾, 至於文景斯極功矣. 雖然庶矣富矣, 而未及於敎也. 比之二帝三王化民成俗之道, 可同日語哉? 又況掇拾其玄談淸論, 而不切於事理, 有如西晉至使胡羯氐羌, 腥薰岱華幾三百年. 仲尼之道, 豈有此禍哉? 彼蕭繹曾何足云, 然方在漂搖陧杌中, 不思保國之計, 而講老子. 近有簡文不知監也, 其亦愚蔽之甚矣."

어떤 사람이 물었다. "조참이 제나라를 다스릴 적에는 갑공蓋公을 스승으로 삼았고[263] 한나라의 상국이 되어서는 청정淸淨으로 다스렸습니다. 문경지치文景之治[264]는 대개 황노학에 의거하여, 몸은 검소하게, 일은 간편하게, 세금은 박하게, 형벌은 느슨하게 하면서 전쟁을 말하지 않아 천하가 부유해졌습니다. 노자의 가르침이 또한 무엇이 잘못입니까?'

(서산 진씨가) 대답하였다. "갑공이 조참에게, '나라를 다스리는 도리로 청정을 귀히 여기면 백성은 저절로 안정된다.'고 말하였으니 이는 『노자』 책 속의 한 구절일 뿐이다.[265] 이 한마디 말에 인의를 팽개치고 예악을 절멸시킨 잘못이 있지는 않다. 그러므로 조참이 이를 시행하여 백성들을 안정시키고 번영시키며 소요가 일어나지 않게 힘썼고, 문제와 경제 시대에 이르러 이것이 최대의 공을 이루어냈다. 그렇지만 인구수를 늘리고 부유하게는 하였으나 가르침에까지는 미치지 못하였다.[266] 이제삼왕이 백성을 교화하

· ·

南齊 武帝의 사위로, 태종이 세자 시절 世子詹事로 재직하며 세자가 자주 노자와 장자를 익히는 것을 보고 이렇게 말하였다.(『梁書』 권1~4 ; 권37)

261 胡羯 : 뒤 주석 268 참고

262 元帝가 현묘한 … 강론하자 : 『梁書』 권5 「元帝本紀」의 承聖 3년(554년) 9월에 "원제가 용광전에서 『老子』의 뜻을 강론하였다."고 하였다.

263 조참이 제나라를 … 삼았고 : 앞 주석 48 참고

264 文景之治 : 漢나라 文帝와 그의 아들 景帝 시대의 훌륭한 정치. 두 황제가 사회를 비교적 안정시키고 부유하게 하여 역사에서 이 시대를 이렇게 칭하였다.

265 『老子』 책 … 뿐이다. : 『老子』 45장에 "청정은 천하의 바름이 된다.(淸靜爲天下正.)"라는 말이 있다. 아마 이를 말한 성싶다. 다만 이책의 '淨'자는 『老子』에는 '靜'자로 쓰여졌다. 『史記』 「曹參傳」에도 '靜'자로 되어 있다.

266 인구수를 늘리고 … 못하였다. : 이는 『論語』 「子路篇」의, "공자가 위나라에 가실 적에 염유가 수레를 몰았는데 공자께서 말씀하기를, '인구수가 많구나!'하였다. 이에 염유가, '인구수가 많은 다음에는 또 무엇을 보태야

여 풍속을 아름답게 이뤄낸 도리에 비겨 동일하게 말할 수 있겠느냐? 더욱이나 그들의 현묘한 말과 청담들을 찾아 모아보면 사리에 적절하지 못하니 예를 들면 서진西晉이 호갈胡羯과 저강氐羌[267]으로 태산과 화산華山에 거의 3백 년 동안 더러운 냄새를 풍기게 한 것이다.[268] 중니仲尼의 도에 어찌 이런 재앙이 있겠는가? 저 소역蕭繹(남조 양 元帝의 이름) 정도야 어찌 말할 것이 있겠는가. 그러나 (나라의 기반이) 한창 흔들려 불안한 속에서도 나라를 보존시킬 계책은 생각하지 않고 『노자』를 강론하였다. 가까이에 간문제簡文帝[269]가 있었음에도 살필 줄 몰랐으니 그 또한 너무도 어리석고 물정을 몰랐다."

又曰: "自何晏·王弼以老莊之書, 訓釋大易, 王衍葛玄競相慕效, 專事淸談, 糟粕五經, 蔑棄本實, 風流波蕩, 晉遂以亡."

(서산 진씨가) 또 말하였다. "하안과 왕필王弼[270]이 『노자』·『장자』와 같은 책으로 『주역周易』을 주석하면서 왕연王衍[271]과 갈현葛玄이 뒤질세라 서로 우러러 본받아, 오로지 청담을 일삼고 오경五經은 찌꺼기처럼 여겨 본래의 진실은 무시하여 팽개치고 바람처럼 물결처럼 흔들리다 진나라가 마침내 망하였다."

又曰: "爲淸談者, 以心與迹二, 道與事殊. 形器法度, 皆芻狗之餘, 視聽言動, 非性命之理, 此其所以大失而不自知也. 何晏·王衍自喪其身, 喪人之國者, 如出一軌, 胡氏之論至矣. 而文

합니까?'하니, '부유하게 해주어야 한다.'하셨다. 염유가 '부유하여진 뒤에는 또 무엇을 보태야 합니까?'하니 '가르쳐야 한다.'고 말씀하였다.(子適衛, 冉有僕. 子曰, '庶矣哉!' 冉有曰, '旣庶矣, 又何加焉.' 曰, '富之.' 曰, '旣富矣, 又何加焉.' 曰, '敎之.')"고 하였다. 곧 인구수의 증가, 생활의 안정, 교육을 정치의 기본으로 거론하였는데 조참의 정치는 교육에까지 가지 못하였음을 비판한 것이다.

267 胡羯과 氐羌: 胡羯의 胡는 중국 북서쪽의 이민족을 지칭하는 말로 주로 흉노족을 일컬었다. 羯은 흉노의 일부로 그들이 魏晉시대에 上黨郡(지금의 山西路城 부근 지역) 武鄕 羯室 지역에 분포하여 산 데에서 붙여진 이름으로 羯胡로도 불렸다. 이들 부족의 일원인 石勒이 십육국시대 後趙를 세웠다. 氐羌은 중국의 북서쪽 일대에 살던 氐族과 羌族. 이들 중 저족에서 東晉시대에 苻健이 前秦을 세우고 呂光이 後凉을 세웠다. 五胡十六國 중 이들을 거론하여 오호십육국시대를 이른 말인 듯하다.(『魏書』 권95)

268 태산과 華山에 … 것이다.: 태산과 화산은 중국을 대표하는 五嶽 중 동쪽산과 서쪽산인 데에서 중국을 비유하는 말이고, 더러운 냄새는 중국에서 이민족의 침략을 이르는 말이다. 오호십육국의 역사 3백년을 이렇게 비유한 것이다.

269 簡文帝: 南朝梁 太宗의 시호. 이름은 蕭綱. 武帝의 셋째 아들이고, 昭明太子의 아우다. 앞 주석 261 참고

270 王弼: 삼국시대 魏나라 山陽 사람. 자는 輔嗣. 나이 10여세 때부터 『老子』를 즐겨 읽었다. 일찍부터 천재성이 알려지고 문장력이 뛰어나 何晏 등과 玄學淸談의 학풍을 열었다. 벼슬은 尙書郞. 24세에 죽었다. 저서로 『周易注』와 『老子注』가 있다.(『三國志』 권38)

271 王衍: 晉나라 琅邪 사람. 자는 夷甫. 하안이 주장한 노장설에 빠져 청담을 일삼았고 벼슬도 太尉에 올랐다. 石勒(後趙를 건국한 사람)의 군사에 패하여 56살에 죽으면서 "아 우리 무리가 비록 고인보다 못하지만 이전에 만일 부화하고 공허한 말들을 따르지 않고 힘을 다해 천하를 바로잡았더라면 이 지경에 이르지는 않았을 것이다.(嗚呼! 吾曹雖不如古人, 向若不祖尙浮虛, 戮力以匡天下, 猶可不至今日. 時年五十六.)"라고 하였다. (『晉書』 권43)

中子乃曰, 清談盛而晉室衰, 非老莊之罪也. 夫清談之弊, 正祖於老莊, 謂非其罪可乎? 近歲文
士, 又謂'自正始以風流相命, 賞好成俗. 士雖坐談空解, 不畏臨戎, 紈袴子弟能破百萬兵矣,
清言致效, 而非喪邦'也. 夫卻敵者臨戎之功, 而喪邦由清談所致. 其得失自不相掩, 而曰'清言
致效'可乎? 此所謂反理之評, 不得不辨."272

(서산 진씨가) 또 말하였다. "청담을 말하는 자는 마음과 행실이 같지 않고 도道와 행동이 다르다. 형기形
器와 법도法度를 추구芻狗273처럼 여기며 듣고 말하고 행동하는 것이 성性과 명命의 이치가 아니니 이점이
큰 잘못인 데에도 스스로 모르고 있다. 하안과 왕연이 스스로 자신을 망치고 나라까지 망친 것이 마치
같은 길에서 나온 듯하니 호씨의 말이 지극하다. 그런 데도 문중자文中子가 말하기를, '청담이 성하면서
진나라 왕실이 쇠해진 것이지 노장老莊의 죄는 아니다.'274고 하였다. 저 청담의 폐해가 바로 노장에서
비롯된 것인데 그의 죄가 아니라고 말하니 옳겠는가? 요즈음 문사文士들이 또 말하기를, '정시正始(三國魏
廢帝의 연호. 240~249) 연간으로부터 풍류로 서로 맹약을 맺고 서로를 칭찬하고 좋아하는 것이 풍속으로
굳어졌다. 선비들이 앉아서는 불가의 공空을 깨달아 해탈에 이르는 길을 말하나 전쟁에 나아가는 것을
두려워하지 않아 비단옷을 입는 부잣집 자식들이 백만 군사를 격파하였으니 청담이 이룩한 효험이요
나라를 망하게 한 것은 아니다.'라고 한다. 저 적군을 물리친 것은 전쟁에 나아가 싸운 공이나 나라가
망한 것은 청담이 불러들인 것이다. 그 잘잘못이 서로 덮어 가릴 수 없는데 '청담이 이룩한 효험'이라
말하는 것이 옳겠는가? 이것이 세상에서 말하는 이학에 반대하는 평론275이니 변별하지 않을 수 없다."

墨子 묵자

[57-4-1]
程子曰 : "墨子之德至矣, 而君子弗學也, 以其舍正道而之他也."276

정자程頤가 말했다. "묵자277의 덕이 지극한 데에도 군자들이 배우지 않는 것은 그가 정도를 버리고

---

272 『西山讀書記』 권36 「吾道異端之辨下」
273 芻狗: 앞 주석 27 참고
274 '청담이 성하면서 … 아니다.': 앞 주석 208 참고
275 이학에 반대하는 평론: 남송 시기 이학 중시 사상에 반대하여 일어난 이론에 근거한 평론. 주요 대표 인물로
    는 葉適과 陳亮 등이 있다. 이들은 道는 사물 속에 존재하는 것이라며, 학문은 사물 중의 실재 功用과 效果를
    중시해야 함을 주장하고, 이학가들이 功利에 대한 말을 꺼리고 心性命理를 실속없이 주장하는 것을 비판하
    였다. 事功學으로 불린다.
276 『二程遺書』 권25
277 墨子: 전국시대 魯나라의 사상가 墨翟을 높여 이르는 말. 일설에는 宋, 또는 楚나라 사람이라고 한다. 난세
    의 원인은 사랑의 결여라고 보고서 兼愛尙同說을 제창하고 실천 방법으로 근검과 간소한 생활을 주장하였
    다. 맹자는 『孟子』「滕文公下」에서 "묵자의 겸애설은 아버지를 無父하는 것이니 새와 짐승이나 마찬가지이

다른 쪽으로 갔기 때문이다."

[57-4-2]

問: "韓退之讀墨篇, 如何?"

曰: "此篇意亦甚好. 但言不謹嚴, 便有不是處. 且孟子言墨子愛其兄之子猶鄰之子, 墨子書中何嘗有如此等言? 但孟子拔本塞源, 知其流必至於此. 大凡儒者學道, 差之毫釐, 繆以千里. 楊朱本是學義; 墨子本是學仁, 但所學者稍偏, 故其流遂至於無父無君. 孟子欲正其本, 故推至此. 退之樂取人善之心, 可謂忠恕, 然持敎不知謹嚴, 故失之."[278]

물었다. "한퇴지[韓愈][279]의 「독묵자편讀墨子篇」[280]은 어떻습니까?"

(정자程頤가) 대답하였다. "이 편은 뜻이 또한 매우 좋다. 단지 말이 신중하지 않고 엄격하지 않아 옳지 않은 곳이 있다. 또 맹자가 말씀하기를, '묵자가 그 형의 아들에 대한 사랑을 이웃집 사람의 아들과 똑같이 한다.'[281]라고 하였으나 『묵자』책 속에 어찌 이와 같은 말이 있었느냐? 다만 맹자가 발본색원의 차원에서 그 흐름이 반드시 여기에 이를 것을 안 것이다. 유자儒者의 도를 배우는 중의 털끝만큼의 차이는 1천리가 어긋난다. 양주는 본래 의義를 배웠고 묵자는 본래 인仁을 배웠으나, 단지 배운 것이 조금 치우쳤던 까닭에 그 흐름이 마침내 아버지도 무시하고 군주도 무시하는 데까지 이르렀다. 맹자가 그 근본을 바로잡고자 한 까닭에 이 지경에 이를 것이라고 유추한 것이다. 남의 훌륭함을 즐겁게 취하려한 한퇴지의 마음은 충서忠恕의 도리를 다한 것[282]이라 말할 수 있겠지만 그러나 교화를 붙잡는 일에 신중하

· ·

다.(墨氏兼愛是無父也. 無父無君, 是禽獸也.)"라고 비판하였고, 간소한 생활의 한 방편으로 장례의 간소화를 주장한 것에 대하여「滕文公上」에서 "효자와 어진 사람의 어버이 장례는 반드시 정당한 법도가 있다.(孝子仁人之掩其親, 亦必有道矣.)"라고 강하게 비판하였다.

278 『二程遺書』권18

279 韓愈(768~824): 唐宋八大家의 한 사람인 걸출한 문장가. 퇴지는 그의 字이고, 이름은 愈. 孟州 河陽사람. 시호는 文. 韓文公 또는 韓昌黎라고도 부른다. 貞元 연간의 진사. 벼슬은 刑部와 吏部의 侍郎. 柳宗元과 함께 "글에는 도가 담겨야 한다.(文以載道)"는 古文 운동을 벌여 당시 육조시대부터 유행해 오던 변려체 문장의 흐름을 바꾸었다. 저서로「昌黎集」이 있다.

280 한유가 『墨子』를 읽고 쓴 일종의 감상문. 그 내용은 공자의 학설과 묵자의 학설의 서로 같은 점을 거론하고 서로 비난한 것을 두고 공자도 묵자의 도를 썼으며 묵사노 공자의 도를 썼다. 서로 상대방의 도를 쓰지 않았다면 공자와 묵자가 되지 못하였을 것이라며 묵자를 공자와 같은 반열로 추앙하였다. 그 내용은 다음과 같다. "儒譏墨以上同・兼愛・上賢・明鬼, 而孔子畏大人・居是邦不非其大夫,『春秋』譏專臣, 不上同哉? 孔子泛愛親仁, 以博施濟衆爲聖, 不兼愛哉? 孔子賢賢, 以四科進褒弟子, 疾沒世而名不稱, 不上賢哉? 孔子祭如在, 譏祭如不祭者, 曰我祭則受福, 不明鬼哉? 儒墨同是堯舜, 同非桀紂, 同修身正心以治天下國家, 奚不相悅如是哉? 余以爲辨生於末學, 各務售其師之說, 非二師之道本然也. 孔子必用墨子, 墨子必用孔子, 不相用, 不足爲孔墨."

281 '묵자가 그 … 한다.': 이는 맹자가 묵자의 겸애설을 비판한 말이다. 그러나 직접 묵자의 학설을 거론해 비판한 말은 아니고 묵자의 학설을 추종한 夷之를 비판한 말이다. 『孟子』「滕文公上」에 실린 것(夫夷子信以爲人之親其兄之子, 爲若親其鄰之赤子乎.)과는 글자가 약간 다르다.

282 남의 훌륭함을 … 것: 이는 『孟子』「公孫丑上」에서 순임금의 덕을 칭송하며 순임금은 농사 짓는 사람으로

고 엄격해야 한다는 사실을 알지 못한 까닭에 잘못되었다."

[57-4-3]

朱子曰: "楊墨皆是邪說. 但墨子之說, 尤出於矯僞, 不近人情而難行. 孔墨並稱, 乃退之之繆. 然亦未見得其原道之作, 孰先孰後也."

주자가 말하였다. "양주와 묵자의 말은 모두 사특하다. 더욱이 묵자의 말은 작위적이고 거짓되어서 인정에 가깝지 않고 행하기도 어렵다. 공자와 묵자를 나란히 거론한 것은 한퇴지의 잘못이다. 그러나 또한 그의 저작「원도原道」283와「독묵자편」중에 어느 것이 먼저 지어지고 어느 것이 나중에 지어졌는지 모르겠다."

管子 관자284

[57-5-1]

朱子曰: "管子之書雜. 管子以功業著者, 恐未必曾著書. 如弟子職之篇, 全似「曲禮」, 他篇有似莊老. 又有說得太卑,285 直是小意智處, 不應管仲如此之陋. 其內政分鄕之制, 國語載之卻詳."286

∙∙∙∙∙∙∙∙∙∙∙∙∙∙∙∙∙∙∙∙∙∙∙∙∙

천자의 지위에 오르는 동안 모든 것이 남의 훌륭한 점을 취하였다.(大舜有大焉, 善與人同, 舍己從人, 樂取於人以爲善. 自耕稼陶漁, 以至爲帝, 無非取於人者.)란 말로 한유가 묵자의 장점을 인정하고 거론한 것을 순임금의 훌륭한 덕에 비겨 이를 儒家의 최고 덕목이라 할 수 있는 忠恕로 인정한 것이다. 忠恕는『論語』「里仁」에 증자가 "선생님의 도는 충서일 따름이다.(夫子之道, 忠恕而已矣.)" 의「朱子集註」에. "자신이 가지고 있는 것을 다하는 것은 忠이고, 자신의 마음을 미루어 남에게 미쳐가는 것은 恕이다.(盡己之謂忠, 推己之謂恕.)"라고 하였다.

283 「原道」:「原道」는 한퇴지의 문장 중에서도 대표적인 작품이다.「原道」에서 黃老와 양주와 묵적을 모두 비판하여 道學 전통의 흐름을 방해하였다고 하였다. 그 내용은 다음과 같다. "周道衰, 孔子沒, 火于秦, 黃老於漢, 佛於晉·魏·梁·隋之間. 其言道德仁義者, 不入於楊, 則入於墨; 不入於老,則入於佛. 入於彼, 必出於此. 入者主之, 出者奴之; 入者附之, 出者汙之. 噫! 後之人, 其欲聞仁義道德之說, 孰從而聽之."

284 管子: 管仲을 높여서 이르는 말. 관중은 춘추시대 齊나라의 穎上 사람. 이름은 夷吾, 자는 仲. 시호는 敬이다. 公子糾를 섬기며 뒤에 桓公이 된 小白과 제나라의 후계자 자리를 다투었으나 실패하였다. 소백이 그를 상국으로 등용하자 제환공을 도와 정치 경제 군사상 일대 혁신을 단행하여 마침내 제환공이 제후를 규합하고 천하를 바로잡는 공을 이루었다. 이로써 춘추시대 제환공은 五霸의 우두머리가 되었고, 관중은 공자로부터 중국이 오랑캐가 되지 않게 한 공을 남겼다는 평을 들었다.(『國語』「齊語」;『論語』「八佾」;「憲問」;『史記』권62)

285 太卑:『朱子語類』권137「戰國漢唐諸子」에 '太'자는 '也'자로 되어 있다.

286 『朱子語類』권137「戰國漢唐諸子」4조목

주자朱子가 말했다. "관자는 책이 잡스럽다. 관자는 공로와 업적으로 명성이 드러난 사람이니 꼭 책을 저술하지는 않았을 것이다. 예컨대 「제자직弟子職」(『관자』의 편명) 편은 전체가 「곡례曲禮」(『예기』의 편명)와 유사하고, 다른 편들도 『장자』·『노자』와 유사한 점이 있다. 또 말의 격이 너무 낮은 것은 바로 지혜를 별로 쓰지 않아서 그런 것이니 관자가 이처럼 비루하지는 않다. 그의 중앙정부와 지방 조직에 관한 제도는 『국어』에 실린 것이 자세하다."[287]

[57-5-2]

"管仲當時任齊國之政, 事甚多. 稍閒時, 又有三歸之溺, 決不是閒功夫著書底人. 著書者是不見用之人也. 其書想[288]只是戰國時人, 收拾仲當時行事·言語之類著之, 幷附以它書."[289]

(주자가 말하였다) "관중管夷吾는 당시에 제나라의 정사를 책임지고 있어서 일이 매우 많았다. 조금 한가할 때에는 또 삼귀三歸에 빠졌으니[290] 결코 한가롭게 공부하며 책을 저술할 수 있었던 사람이 아니다. 책을 저술하려면 세상에 등용되지 않는 사람이라야 한다. 그 책은 추측컨대 전국시대 사람이 관중이 당시 행한 일과 말한 것을 거두어 모아서 저술하고 아울러 다른 책도 가져다 붙였을 것이다."

[57-5-3]

問 : "管子中說辟雍, 言不是學, 只是君和也."

· · · · · · · · · · · · · · · · · · · ·

287 그의 중앙정부와 … 자세하다. : 『國語』는 중국 춘추시대 역사책으로 左丘明의 저술이다. 나라 별로 그 나라에서 군신간이나 사신 온 사람들과 나눈 대화들을 기록한 『書經』 형식의 책이다. 『春秋』와 동시대의 역사를 기술하고 있어 春秋外傳으로 불리기도 한다. 『國語』의 「齊語」에 관중의 국가 정책이 상세히 실려 있다.

288 其書想 : 『朱子語類』 권137 「戰國漢唐諸子」 5조목에 '其書想'은 "其書老莊說話亦有之 想"이라고 하여 '老莊說話亦有之' 일곱 글자가 더 있다.

289 『朱子語類』 권137 「戰國漢唐諸子」 5조목

290 三歸에 빠졌으니 : 三歸에 대해서는 여러 설이 있다. 우선 이 삼귀의 어원은 『論語』「八佾」에서 공자가, "관중은 검소합니까?"라는 물음에 "관씨가 삼귀를 두었으며 관청의 일을 겸직시키지 않았으니 어찌 검소할 수 있겠느냐!(或曰, 管仲儉乎? 曰, 管氏有三歸, 官事不攝, 焉得儉!)"라고 한 말에서 시작되었다. 1. 臺 이름이다. 朱子集注에, "臺의 이름이니 이 일은 『說苑』에 보인다.(三歸, 臺名. 事見說苑.)"고 하였다. 『說苑』「善說」, "제환공이 관중을 상국으로 세우고서 대부들을 모아놓고 말하기를, '내가 잘했다고 생각하는 사람은 문을 들어와서 오른쪽에 서고 옳지 않다고 생각하는 사람은 왼쪽에 서라'고 하였는데 한 사람이 문 가운데 서있어서 연유를 물었다는 데에서 연유하여 관자가 三歸臺를 건축하였다.(桓公立仲父, 致大夫曰: 善吾者入門而右, 不善吾者入門而左. 有中門而立者, 桓公問焉. 對曰: 管子之知, 可與謀天下; 其强, 可與取天下. 君恃其信乎, 内政委焉; 外事斷焉. 驅民而歸之, 是亦可奪也. 桓公曰善! 乃謂管仲, 政則卒歸於子矣, 政之所不及, 唯子是匡. 管仲故築三歸之臺, 以自傷於民.)" 2. 부인이 셋이었다. 何晏集解에서 包咸의 설을 인용하여, 다음과 같이 말하고 있다. "삼귀는 세 성씨의 여자에게 장가든 것이다. 여자가 시집가는 것을 歸라고 한다.(三歸, 娶三姓女也. 婦人謂嫁曰歸.)" 3. 집이 세 곳에 있었다. 俞樾의 『群經平議』「論語」1, 삼귀는 관중의 말에 따른 것이니 관중이 조정으로부터 집으로 돌아오는데 그의 집이 세곳에 있었다.(所謂三歸者, 即從管仲言, 謂管仲自朝而歸, 其家有三處也.)" 4. 관중의 采邑이 세 지역에 있었다. 이와 같이 여러 주장이 있으나 공자가 말씀한 그의 검소하지 않음을 기준으로 판단하여야 할 것이다.

曰 : “旣不是學, 君和又是箇甚物事? 而今不必論. 『禮記』所謂‘疑事毋質’, 蓋無所考據, 不必恁
地辨析. 且如辟雍之義, 古不可考, 或以爲學名 ; 或以爲樂名, 無由辨證. 某初解詩, 亦疑放那
裏. 但今說作學, 亦說得好了. 亦有人說辟雍是天子之書院, 太學又別.”291

물었다. “『관자』에서 말한 벽옹은 태학太學이 아니라 다만 군화君和를 말한 것입니다.”292

(주자가) 대답하였다. “태학이 아니라면 군화는 또 무엇인가? 지금 군이 논할 필요가 없을 것이다. 『예기』
에서 말한 ‘의심난 일은 질정하지 말라.’293는 일이니, 고증할 길도 없는데 군이 이렇게 변별하여 분석할
필요는 없을 것이다. 또 ‘벽옹’의 의미는 옛날에도 고증하지 못하여 어떤 사람은 태학 이름이라 하고,
어떤 사람은 음악 이름이라고 하였으니294 변별하여 증명할 길이 없다. 나도 처음 『시경』을 주석할 때에
의심을 가졌으나 우선 그대로 두었다.295 단지 지금 태학이라고 한 것이 또한 좋은 말인 듯하다. 또
어떤 사람은 벽옹은 천자의 서원書院(학문을 강론하는 곳)이고, 태학은 또 다른 곳이라 말하기도 한다.”

[57-5-4]
或問296 : “內政何名寓軍令?”

. . . .

291 『朱子語類』 권137 「戰國漢唐諸子」 6조목
292 “『管子』에서 말한 … 것입니다.” : 이는 벽옹이란 말을 두고 태학의 학교로 해석할 것인지 아니면 辟과 雍을
글자로 풀이 할 것인지를 두고 논한 말이다. 우선 이 ‘辟雍’은 ‘辟廱’으로 서로 통용하여 씀을 알아야 한다.
‘辟廱’은 『詩經』「靈臺」 제3장에 “虡業維樅, 賁鼓維鏞, 於論鼓鐘, 於樂辟廱.”과 「文王有聲」 제6장에 “鎬京辟
廱, 自西自東, 自南自北, 無思不服, 皇王烝哉.”라고 두 번 쓰였음을 볼 수 있다. 이 두 시를 가지고 『管子』에
서 말한 ‘辟雍’을 논하고자 한 것이다. 주자는 이를 “辟은 璧자와 통용하여 쓰고 廱은 못이다. ‘辟廱’은 천자가
세운 태학으로 대사례를 행하는 곳이기도 하다. 물이 璧玉처럼 언덕을 빙돌아 구경하는 사람들을 제한하여
들어오지 못하게 한다.(辟, 璧通. 廱, 澤也. 辟廱, 天子之學, 大射行禮之處也. 水旋丘如璧, 以節觀者, 故曰辟
廱.)”고 하였다. 이와 다르게 宋 나라의 胡仁仲은 「靈臺」편과 「文王有聲」편의 “辟은 임금(君)을 뜻하고, 廱은
화락(和)함을 뜻한다.(辟爲君, 廱爲和.)”라고 하여 군주가 화락하게 하는 곳이라고 하였다. 『禮記』「王制」에
는 “태학은 교외에 있으니 천자의 나라에서는 벽옹이라 하고 제후국에서는 頖宮이라 한다.(天子命之敎, 然後
爲學. 小學在公宮南之左, 大學在郊. 天子曰辟雍, 諸侯曰頖宮.)”고 하고, 이에 대한 陳澔集說에 “벽은 밝음이
고 옹은 화락함이다. 군주가 이 태학 안에서 고명하고 화락하게 도와 六禮를 익혀 천하 사람들이 모두 사리
에 밝고 화락하게 해야 한다.(辟, 明也 ; 雍, 和也. 君則尊明雍和於此學中, 習道藝, 使天下之人, 皆明達諧和
也.)라고 하여 주자와 또 다른 설을 주장하며, 君和의 和자를 따르고 있다.
293 ‘의심난 일은 … 말라.’ : 『禮記』「曲禮」의 말이다.
294 어떤 사람은 음악 이름이라고 하였으니 : 송나라의 蘇轍이 그의 저서 『詩集傳』에서 「靈臺」편을 주석하며
“백성들이 즐거워하는 것을 따라서 종과 북들의 소리를 강구하여 벽옹의 음악을 만들었다. 『莊子』에 ‘문왕시
대에 벽옹이란 음악이 있었다.’고 하였다.(引因民之樂, 而講求鐘鼓之度, 以作辟雍之樂也. 莊子曰, ‘文王有辟
雍之樂.’)”라고 말하였다.
295 의심을 가졌으나 … 두었다. : 이 부분을 『朱子語類考文解義』에는 “의심을 하면서도 우선 그대로 두고 논하
지 않았다. 那裏는 그곳이라는 말과 같다.(致疑而且置之不論也. 那裏, 猶言其處)”라고 하였다.
296 或問 : 잠실 진씨의 이글은 그의 저서 『木鍾集』 권11 「史」에 실려 있다. 그 책에는 잠실 진씨가 역사 속에
한 사건을 제목으로 선정하고 자신의 의견을 서술하는 형식으로 구성되어 있다. 따라서 이글도 ‘內政何名寓

潛室陳氏曰：“自伯圖之興, 大抵兵不詭, 則不能謀人國；政不詭, 則不能自謀其國. 故春秋善戰者兵有所不交；善詭者城有所不守, 詭道相高, 求以得志. 乃於治民之中, 而黙寓治兵之法, 陽爲治民以欺其人, 陰爲治兵以壯其勢. 其言於桓公曰, ‘君欲正卒伍, 修甲兵, 大國亦將修之, 而小國設備, 則難以速得志, 不若隱其事而寄其政.’ 於是作內政而寓軍令焉.

어떤 사람이 물었다. “중앙 정부 조직에 왜 군령軍令을 이름붙여 끼워 넣었습니까?”

잠실 진씨陳埴가 대답하였다. “패권을 도모하는 풍조가 득세하면서 전쟁은 속임수가 아니면 남의 나라를 도모할 수 없고, 정치는 속임수가 아니면 자신의 국가조차 스스로 도모할 수 없었다. 그러므로 춘추시대에 싸움을 잘하는 자는 군사를 싸우게 하지 않고, 속임수를 잘 쓰는 자는 성을 수비하지 않아, 속임수로 서로 경쟁하며 바라는 것을 얻고자 추구하였다. 이에 백성 다스리는 일 속에 군사 조직에 관한 법을 몰래 끼워 넣어, 겉으로는 백성을 다스리는 것 같이 남들을 속이고, 안으로는 군사를 정비하여 국가의 형세를 군건히 하였다. 관중이 환공에게 말하기를, ‘임금님께서 군사 대오를 바로잡고 갑옷이며 무기를 손질하고자 하면 큰 나라가 또한 그러한 것을 정비하려 들고, 작은 나라도 방어책을 준비하게 되어 속히 뜻을 이루기 어려우니 그 일을 숨겨 정책에 붙여 두느니만 못할 것입니다.’라고 하자, 이에 국내 정치를 새로 짜며 군령을 끼워 넣은 것이다.[297]

今觀自五家爲軌, 軌有長, 積而至十連之鄕, 鄕有良人, 以爲內政. 自伍人爲伍, 軌長率之, 積而至於萬人爲軍, 五鄕之帥帥之, 以爲軍令. 名爲內政, 實則軍令寓焉. 寓之云者, 猶旅之有寓, 非其所居而暫居之謂也. 夷吾志在强國, 內政之作, 豈在於民乎? 特假內政之名, 以行軍令耳. 是故外假王政之名, 內脩强國之利, 夷吾巧於用詭, 固如是哉. 嗟夫! 有爲爲善, 雖善實利, 有意爲公, 雖公實私. 成周自五家爲比, 至五州爲鄕, 居民之法也. 自五人爲伍, 至五師爲軍, 會萬民之法也. 其事暴白於天下, 而無非王道之公；夷吾之法, 能髣髴其一二矣, 獨奈何以詭道行之, 以欺其隣國, 則安得不爲伯者之私哉?”

. . . .

軍令’은 제목이고 줄을 바꿔 ‘自伯圖之興’으로 이어져 있다. 따라서 ‘或問’과 ‘潛室陳氏曰’은 『性理大全書』를 편집하며 보완한 것이다.

297 환공에게 말하기를 … 것이다. : 이말은 『國語』 「齊語」를 토대로 검토해 보면 다음과 같다. “관자가 이에 국가의 제도를 새로 세워, 5가로 궤를 만들어 궤에 長을 두고, 10궤로 里를 만들어 이에는 有司를 두고, 4리로 連을 만들어 연에 그 長을 두고, 10연으로 鄕을 만들어 향에는 良人을 두었다. 그리하여 군령을 관장하게 하였다. 5가가 궤가 되므로 5명으로 오를 만들어 궤의 장이 그들을 거느리고, 10궤가 이가 되니 그러므로 50명으로 小戎을 만들어 이의 유사가 그들을 거느리고, 4리가 연이 되니 그러므로 2백 명으로 졸을 만들어 連長이 그들을 거느리고, 10련이 향이 되니 그러므로 2천 명으로 旅를 만들어 향의 양인이 그들을 거느리고, 5향이 1帥가 되니 그러므로 1만 명으로 1군을 만들어 5향의 수가 이들을 거느린다.(管子於是制國, 五家爲軌, 軌爲之長；十軌爲里, 里有司；四里爲連, 連爲之長；十連爲鄕, 鄕有良人焉. 以爲軍令：五家爲軌, 故五人爲伍, 軌長帥之；十軌爲里, 故五十人爲小戎, 里有司帥之；四里爲連, 故二百人爲卒, 連長帥之；十連爲鄕, 故二千人爲旅, 鄕良人帥之；五鄕一帥, 故萬人爲一軍, 五鄕之帥帥之.)”

지금 살펴보면 5가家로 궤軌를 삼아 궤에 장長을 두는 것을 시작으로, 커지고 커져 10련連이 향鄉이 되면 향에 양인良人을 두고 그것으로 국내 정책을 삼았다. 5명으로 오伍를 삼아 궤의 장이 거느리는 것을 시작으로, 커지고 커져 1만 명에 이르면 1군軍을 만들어 5향鄉의 향수鄕師가 거느리는 것으로 군령을 삼았다.[298] 이름은 국내 정치나 실상 군령이 끼워져 있다. 끼워 넣다寓라는 말은 마치 나그네가 잠시 머무름과 같으니 자신의 집이 아닌 곳에 잠시 머무는 것을 이른다. 이오夷吾의 뜻은 강국强國에 있었으니 내정을 펼치는 것이 어찌 백성들에게 있었겠느냐? 단지 국내 정치라는 이름만을 빌려 군령을 시행했을 뿐이다. 이러므로 겉으로 왕도 정치의 이름을 빌리고 안으로 나라를 강화시킬 이점만을 손질한 것이니 관이오의 교묘한 속임수가 본래 이렇다. 아! 까닭이 있어 행한 선행은 선하여도 사실은 이익을 위함이고, 의도가 있어 행한 공정은 공정하여도 사실은 사사로움을 위함이다. 성주成周시대에 5가家로 비比를 삼는 것부터 5주州로 향鄉을 삼는 것까지는 백성들을 안주시키는 방법이고, 5명으로 오伍를 삼는 것부터 5사師로 군軍을 삼는 것까지는 뭇 백성을 하나로 모으는 방법이다.[299] 그 일이 천하에 밝게 드러났으니 왕도 정치의 공정함 아님이 없었다. 이오의 방법은 그중 한두 가지는 비슷하게 할 수 있었지만 유독 어찌하여 속임수로 그 일들을 시행하여 이웃 나라를 속였으니 그것이 어찌 패권을 추구하는 자의 사사로움이 아닐 수 있겠느냐?'

孫子 손자[300]

[57-6-1]
朱子曰∶“鄭厚『藝圃折衷』云, ‘『孫子』十三篇, 不惟武人之根本, 文士亦當盡心焉. 其詞約而

・・・・・・・・・・・・・・・・・・・・・・

298 『木鍾集』 권11 「史」
299 成周시대에 5家로 … 방법이다. : 성주는 본래 西周시대의 東都였던 洛陽을 이르는 말이다. 이 동도를 주공이 경영한 데에서 주공이 成王을 도와 주나라의 문물제도를 정립한 흥성한 시기를 이르는 말로 썼다. 5가 운운하는 말은 『周禮』 「地官・大司徒」에 “5가로 比를 삼아 서로 보호하게 하고, 5비로 閭를 삼아 서로 수용하게 하고, 4려로 족을 삼아 서로 장례를 치러주게 하고, 5족으로 당을 삼아 서로 구원하게 하고, 5당으로 주를 삼아 서로 구휼하게 하고 5주로 향을 삼아 서로 인재를 중앙에 추천하게 하였다.(令五家為比, 使之相保 ; 五比為閭, 使之相受 ; 四閭為族, 使之相葬 ; 五族為黨, 使之相救 ; 五黨為州, 使之相賙 ; 五州為鄉, 使之相賓.)”라고 하였고, 5명으로 운운하는 말은 『주례』 「지관・小司徒」에 “뭇 백성들의 卒(1백명의 군사)과 伍(5명의 군사)를 모아 나랏일에 쓰니, 5명이 오가 되고, 5오가 양이 되고, 4량이 졸이 되고, 5졸이 여가 되고, 5려가 사가 되고 5사가 군이 되니 이들로 군대를 편성하고 사냥일에 동원하였다.(乃會萬民之卒伍而用之, 五人為伍 ; 五伍為兩 ; 四兩為卒 ; 五卒為旅 ; 五旅為師 ; 五師為軍, 以起軍旅, 以作田役.)”라고 하였다. 곧 주나라에서도 이러한 법을 썼으나 관자는 그 의도가 사사로웠다는 말이다.
300 孫子 : 손자는 춘추시대 齊나라 사람으로 이름은 武, 자는 長卿이다. 뛰어난 병법가로 吳나라에서 闔廬와 夫差를 도와 楚나라 昭王과 越나라 勾踐을 이기고 오나라를 중원의 패자로 군림하게 하였다. 그의 저서는 『손자』, 또는 『孫子兵法』으로 불리며 불후의 명저로 손꼽힌다.(『四庫提要』 「子部・兵家類」)

縟, 易而深, 暢而可用, 論語易大傳之流, 孟荀楊著書皆不及也. 以正合, 以奇勝, 非善也 ; 正變爲奇, 奇變爲正, 非善之善也 ; 即奇爲正, 即正爲奇, 善之善也.'

주자가 말했다. "정후鄭厚[301]의 『예포절충藝圃折衷』[302]에 '『손자』 13편은 무인들이 근본으로 삼아야 할 책일 뿐만 아니고 문사들도 당연히 마음을 다해 읽어야 할 책이다. 그 말은 간략하면서도 다양하고, 쉬우면서도 깊고, 막힘이 없어 응용할만하니, 『논어』·『역대전易大傳』(『주역』)의 부류이며 맹자·순자·양웅이 저술한 책들은 모두 미치지 못한다. 정법[正]으로 맞붙어 변법[奇]으로 승리하는 것은[303] 훌륭함이 아니고, 정법이 변화하여 변법이 되고 변법이 변화하여 정법이 되는 것은 훌륭함 중의 훌륭함이 아니고, 변법을 정법처럼 쓰고 정법을 변법처럼 사용하는 것은 훌륭함 중의 훌륭함이다.'라고 하였다.

而余隱之辨曰, '昔吾夫子, 對衛靈公以「軍旅之事未之學」 ; 答孔文子以「甲兵之事未之聞」, 及觀夾谷之會, 則以兵加萊人而齊侯懼, 費人之亂, 則命將士以伐之, 而費人北. 嘗曰, 「我戰則克」, 而冉有亦曰, 「聖人文武並用」, 孔子豈有眞未學未聞哉? 特以軍旅甲兵之事, 非所以爲訓也. 乃謂孫子十三篇, 不惟武人根本, 文士所當盡心, 其詞可用, 論語易大傳之流, 孟荀楊著書皆不及, 是啓人君窮兵黷武之心, 庸非過歟! 叛吾夫子已甚矣, 何立言之不審也.'

이를 여은지余隱之가 변론하기를, '옛날 우리 공부자孔子가 위령공에게 「군대에 관한 일은 배우지 못했다.」라고 대답하고, 공문자孔文子에게 「군사에 관한 일은 듣지 못했다.」고 답변하였으나,[304] 협곡夾谷의

• •

301 鄭厚 : 宋나라 興化軍 莆田 사람. 자는 景韋. 존칭은 湘鄉先生. 紹興 연간의 진사. 벼슬은 泉州觀察推官. 학문이 해박하여 종제 鄭樵와 많은 제자를 길렀다. 저서로 『湘鄉文集』·『藝圃折衷』·『詩雜說』 등이 있다. (『福建通志』 권51 「文苑」)

302 『藝圃折衷』: 『建炎以來繫年要錄』 권149 紹興 21년 辛未(1151년)의 기사에 의하면, "조서를 내려, '左從事郎 정후는 지금부터 試官과 堂除(정사당의 특별 추천으로 벼슬에 임용되는 일)에 임명되는 일이 없게 하라. 그가 일찍이 지어 『藝圃折衷』이라고 명명한 책에서 孟子를 헐뜯고 있음을 駕部員外郎 王言恭이 조정에 말하였다. 이에 建川에 조서를 내려 그의 문집 목판을 부숴버리고 이미 전파된 책을 불사르라.' 하였다.(辛未. 詔, '左從事郎鄭厚, 自今不得差充試官及堂除. 厚嘗著書號藝圃折衷, 其言有詆孟軻者, 駕部員外郎王言恭言于朝. 詔建川毀板, 其已傳播者皆焚之.')"고 하여 이 『藝圃折衷』은 송나라 연간에 완전본으로 전하여진 책은 없다. 다만 『藝圃折衷』에서 거론한 내용들을 宋나라 余允文(字는 隱之)이 변론한 것들을 주자가 다시 보완한 것들이 『朱文公文集』 권73에 『藝圃折衷』과 여윤문의 변론과 주자의 글이 함께 실려 전한다.

303 정법[正]으로 맞붙어 … 것은 : 이는 『孫子』 「兵勢」에 있는 말이다. 그 글은 다음과 같다. "孫子曰, 凡戰者, 以正合, 以奇勝, 故善出奇者, 無窮如天地 ; 不竭如江海, 終而復始, 日月是也 ; 死而復生, 四時是也." 그리고 이어지는 정법이 변하여와, 변법을 정법처럼 운운은 『孫子』속에서 확인할 수 없다.

304 孔文子에게 「군사에 … 답변하였으나 : 공문자는 衛나라 사람으로 이름은 圉이고, 문자는 그의 시호이다. 그가 大叔疾을 억지로 이혼시킨 뒤 사위로 삼았다가 전처를 계속 만나는 것을 알고서는 태숙질을 군사로 공격하고자 하면서 당시 위나라에 머물고 있던 공자를 방문하자 공자가 "祭器에 관한 일은 일찍이 배웠지만 군사에 관한 일은 듣지 못했다."하고서 물러나 수레차비를 명하여 떠나고자 하자, 공문자가 만류하였다. 이 일은 『論語』 「公冶長」 "子貢問曰, '孔文子何以謂之文也? 子曰, '敏而好學, 不恥下問. 是以謂之文也.'"의 소씨주(蘇氏注)에 "孔文子使太叔疾出其妻而妻之, 疾通於初妻之娣. 文子怒, 將攻之. 訪於仲尼. 仲尼不對, 命駕而行.

모임에서 군사로 내萊땅 사람들을 위협하자 제齊나라 군주가 두려워하였고,305 비費땅 사람들의 난리에
는 장수와 군사들에게 그들을 토벌하라고 명령하여 비땅 사람들이 달아난 일306을 미쳐 살펴볼 수 있다.
일찍이 말씀하시기를, 「내가 싸우면 이긴다.307」하였고, 염유冉有도 역시 「성인은 문덕文德과 무략武略을
함께 사용한다.」라고 말하였으니 공자가 어찌 참으로 배우지 않고 듣지 않았겠느냐? 다만 군대나 군사의
일은 교훈으로 삼을 것이 아니어서이다. 그런데도 말하기를, 『손자』13편은 무인들이 근본으로 삼아야
할 책일 뿐만 아니라 문사들도 당연히 마음을 다해 읽어야 할 책으로 그 글이 쓸 만하니, 『논어』와
『역대전』의 부류이고 맹자·순자·양웅이 저술한 책들은 모두 미치지 못한다.」고 하니, 이는 군주가
군사를 남용하고 무력을 멋대로 행사하려는 마음을 열어주는 것이니 어찌 잘못이 아니랴! 우리 공자를
배반함이 너무 심하니 어찌하여 주장을 세우는 말을 하면서 이다지 살피지 않을까?'하였다.

以予觀之, 此段本不必辨. 但其薄三王, 罪孟子, 而尊堯舜似矣. 乃取孫武之書, 厠之易論語之
列, 何其駮之甚歟! 予嘗謂鄭氏未能眞知堯舜, 而好爲太高之論以駭世, 若商鞅之談帝道, 於
是信矣."308

疾奔宋, 文子使疾弟遺室孔姑, 其爲人如此."라 하였고, 『春秋左傳』「哀公 11년」 기사에도 자세하다.

305 夾谷의 모임에서 … 두려워하였고 : 이는 魯나라 定公 10년(기원전 500년)에 공자가 정공을 수행하여 제나라
군주 莊公과 협곡에서 맹약을 맺을 때의 일이다. 제나라에서 공자가 정공을 수행한다는 소식을 듣고서 犂彌
가 장공에게, '공자는 예는 알지만 용맹이 없으니 내땅 사람에게 군사로 노나라 정공을 위협하게 하면 우리의
뜻을 얻을 수 있을 것입니다.' 하였다. 이에 제후가 그대로 따랐는데 공자가 정공을 모시고 그 자리를 물러나
오며 수행한 노나라 군사들에게 그들을 공격하게 하고, '두 나라 군주가 우호를 위해 만나는 자리에 변방의
오랑캐가 군사로 자리를 어지럽히는 것은 제나라 군주가 중국 제후를 명령하는 일이 될 수 없다.'며 이는
신에게도 상서롭지 않은 일이 될 것이며 덕에 있어서도 의리에 흠이 될 일이고 사람들에게도 실례되는 일이
라고 하자 제후가 그 말을 듣고서는 바로 군사들을 물러나게 하였다. 『春秋左傳』「定公 10년」에 다음의 글이
보인다. "夏, 公會齊侯于祝其, 實夾谷. 孔丘相, 犂彌言于齊侯曰, '孔丘知禮而無勇, 若使萊人以兵刼魯侯, 必得
志焉.' 齊侯從之. 孔丘以公退, 曰, '士兵之! 兩君合好, 而裔夷之俘, 以兵亂之, 非齊君所以命諸侯也. 裔不謀夏,
夷不亂華, 俘不干盟, 兵不偪好. 於神爲不祥, 於德爲愆義, 於人爲失禮, 君必不然.' 齊侯聞之, 遽辟之."

306 費땅 사람들의 … 일 : 춘추시대 魯나라 定公 12년(기원전 498년)의 일이다. 이때 子路가 季氏의 家臣이
되어 孟孫氏 仲孫氏 季孫氏의 采地인 계손씨의 비땅과 숙손씨의 郈땅 맹손씨의 成땅을 국가의 영지로 거두
어들이려 시도하였다. 이때 이들 땅은 三家의 영향권에서 벗어나 이미 국정을 따르지 않고 독자 세력을
형성해 가고 있었다. 이때 숙손씨가 자신의 채지 후땅을 국가로 귀속시켰으나 계손씨의 채지인 비땅에서는
公山不狃와 叔孫輒이 비땅 사람들을 거느리고 노나라 수도를 공격하여 정공과 삼가 사람들이 계씨의 집으로
피신해 들어가 武子臺로 몸을 피하였다. 이때 공자가 司寇 벼슬에 있으면서 申句須와 樂頎에게 명하여 이들
을 치게 하자 비땅 사람들이 달아났다. 『春秋左傳』「定公 12년」, "仲由爲季氏宰, 將墮三都, 於是叔孫氏墮郈.
季氏將墮費, 公山不狃·叔孫輒帥費人以襲魯. 公與三子入于季氏之宮, 登武子之臺. 費人攻之, 弗克. 入及公
側, 仲尼命申句須·樂頎下, 伐之, 費人北. 國人追之, 敗諸姑蔑."

307 내가 싸우면 이긴다. : 『禮記』「禮器」에 "공자가 말씀하시기를, '나는 싸우면 이기고 제사를 지내면 복을 받는
다. 그것은 그 일의 도대로 행하여서이다.'라고 하였다.(孔子曰, 我戰則克, 祭則受福. 蓋得其道矣.)"

308 『晦庵集』 권73 「雜著」「鄭公藝圃折衷」

내가 보기에 이 단락은 본래 굳이 변론할 필요가 없다. 단지 그가 삼왕三王(禹·湯·文武)을 경시하고 맹자를 죄인시하면서도 요순을 높인 것은 그럴 듯하나, 이에 손무孫武의 저서를 가져다 『역』과 『논어』의 반열에 끼웠으니 얼마나 잡스러움이 심한가! 내가 지난날 '정씨는 요순을 참되게 안 적도 없으면서 아주 높은 논의로 세상을 놀라게 하기를 좋아하는 것이 마치 상앙商鞅이 제왕의 도를 말한 것[309]과 같다.'라고 했었는데 여기에서 분명해졌다."

孔叢子 공총자[310]

[57-7-1]

朱子曰 : "家語雖記得不純, 卻是當時書. 孔叢子是後來白撰出."[311]

주자가 말했다. 『가어家語』[312]는 기록된 내용이 순수하지는 않지만 당시에 만들어진 책이다. 『공총자』는 후세에 전연 근거 없이 만들어진 책이다."

[57-7-2]

"家語只是王肅編古錄雜記. 其書雖多疵, 然非肅所作. 孔叢子乃其所注之人僞作. 讀其首幾章, 皆法左傳句, 已疑之. 及讀其後序, 乃謂渠好左傳, 便可見."[313]

(주자가 말하였다) "『가어』는 왕숙王肅이 옛날에 쓰인 잡다한 기록들을 편집한 책이다. 그 책이 흠은 많으나 왕숙이 지어낸 책은 아니다. 『공총자』는 바로 그 책의 주注를 낸 사람의 위작이다. 그 책머리의 몇 장章을 읽어보면 모두 『좌전左傳』의 글귀를 모방하였으니 이미 의심하고 있었다. 그러다가 그 책의 후서後序를 읽고서 그가 『좌전』을 좋아했음을 알 수 있었다."

---

309 商鞅이 제왕의 … 것 : 『史記』 권68 「商君傳」에 그가 衛나라의 庶孼 출신의 公子로 秦孝公에게 유세하여 자신의 뜻을 펴고자 하면서, 처음에 효공을 만나 제왕의 도로 설득하자 효공이 너무 오랜 세월을 필요로 하여 기다릴 수 없다고 하기에, 나라를 강하게 하는 방법으로 설득하자 효공이 크게 기뻐하여 그를 등용한 것이라고 하였다.

310 孔叢子 : 『孔叢子』는 秦나라 때 공자의 9세손인 孔鮒가 지은 책이다. 내용은 子思·子上·子高·子順 등 일족의 언행을 수록하였다. 漢武帝 때 다시 太常을 지낸 孔臧의 작품, 賦와 書를 상·하 두 편으로 편집하여 붙이면서 連叢子라 별칭하기도 하였다. 위작 시비가 많은 책이다.(『四庫提要』 「子·儒家類」)

311 『朱子語類』 권137 「戰國漢唐諸子」 1조목

312 『家語』 : 본 이름은 『孔子家語』이다. 공자의 언행과 제자들과의 문답을 수록한 책으로 편집한 사람이 누구인지는 분명하지 않다. 明나라의 何孟春은 「孔子家語序」에서 『孔子家語』는 孔壁에서 나온 책으로 孔安國이 만들어 공씨 집안에 전해져 오는데 魏나라 王肅이 자신의 제자인 공자의 22대손 孔猛에게서 얻어 보고서 주를 붙였다."고 하였고, 왕숙의 위작이라는 설도 있다.

313 『朱子語類』 권137 「戰國漢唐諸子」 3조목

[57-7-3]

"孔叢子鄙陋之甚, 理旣無足取, 而詞亦不足觀."[314]

(주자가 말하였다) "『공총자』는 매우 비루하여 취할만한 이론도 없고 문장도 보잘것없다."

[57-7-4]

"孔叢子說話, 多類東漢人文, 其氣軟弱, 又全不似西漢人文. 兼西漢初若有此等話, 何故不略見於賈誼董仲舒所述, 恰限到東漢方突出來? 皆不可曉."[315]

(주자가 말하였다) "『공총자』의 말들은 대부분 동한東漢 사람들의 문체와 유사하여 문장 기세가 연약하고 또 서한西漢사람들 문체와 전혀 비슷하지 않다. 서한 초기에 만일 이런 말이 있었다면 어째서 가의賈誼나 동중서董仲舒[316]의 저술 속에 조금도 나타나지 않다가, 공교롭게 동한시대에 이르러서 갑자기 드러났을까? 모두 알지 못할 일이다."

申韓　신한[317]

[57-8-1]

或問: "史記云, '申子卑卑, 施於名實; 韓子引繩墨, 切事情, 明是非, 其極慘礉少恩. 皆原於道德之意.'"

朱子曰: "張文潛之說得之."宋齊丘作書序中所論也.

楊道夫曰: "東坡謂商鞅韓非得老子所以輕天下者, 是以敢爲殘忍而無疑."

曰: "也是這意. 要之, 只是孟子所謂'楊氏爲我, 是無君也'.[318]

어떤 사람이 물었다. "『사기』에 '신자申不害는 힘쓰고 노력하여[319] 명칭과 실제에 적용시켰고, 한자韓非

---

314 『朱子語類』 권137 「戰國漢唐諸子」 1조목
315 『朱子語類』 권125 「老氏」, 老莊
316 賈誼나 董仲舒: 가의는 漢나라 文帝때 사람으로 文才가 뛰어나 博士로 등용되었다가 이어 太中大夫로 중용되었다. 賈誼上疏라는 말을 만들어 낼 정도로 그의 글은 명문이었다. 長沙王太傅로 좌천되자 울분 속에 죽었다. 저서로 『新書』와 『賈長沙集』이 있다.(『史記』 권84)
　　동중서는 한나라 景帝 때 박사로 등용되어 武帝 때 江都相을 지냈다. 春秋公羊學을 깊이 연구하여 무제에게 儒學을 국가의 기본 이념으로 정립시키게 하였다. 陰陽五行論을 바탕으로 天人感應說을 정립하였다. 한대에 최고의 儒學者로 추앙받는다. 저서로 『春秋繁露』·『董子文集』 등이 있다.(『史記』 권121 ; 『後漢書』 권56)
317 申韓: 앞 [57-1-2] 참고
318 『朱子語類』 권137 「戰國漢唐諸子」 9조목
319 힘쓰고 노력하여: 이글의 원문 '卑卑'에 대해 『裴駰集解』에 "스스로 힘쓰고 노력하는 뜻이다.(自勉勵之意也.)"라고 하였다.

子는 법률을 적용하여, 일의 정황에 예리하고 시비에 밝았으나, 결국 잔혹하고 각박하여 인정미가 적었다. 모두 (노자의) 도덕道德의 뜻에 근거한 것이다.'[320]고 하였습니다."

주자가 대답하였다. "장문잠[321]의 말이 옳다." 宋송나라 제구齊丘의 저서 『화서化書』의 서문에서 논한 말을 이른다.[322]

양도부楊道夫가 말하였다. "동파蘇軾가 말하기를, '상앙과 한비자는 노자가 천하를 가볍게 여긴 것에서 터득하였기 때문에 잔인한 짓을 용감하게 저지르면서도 의심하는 마음을 두지 않았다.'[323]고 하였습니다."

(주자가) 대답하였다. "그렇게 말한 뜻이 맞다. 요약하자면 단지 맹자가 말한 '양씨[楊朱]는 자신만을 위하니 군주를 무시한 것이다.'[324]란 말이다."

荀子 순자[325]

[57-9-1]
周子曰: "荀子云, '養心莫善於誠.' 荀子元不識誠, 旣誠矣, 心安用養邪?"[326]

주자周惇頤[327]가 말하였다. "순자가 '마음 수양은 성誠보다 좋은 것은 없다.'[328]고 하였으나, 순자는 본래

----

320 『史記』 권63 「老子韓非傳」, '太史公曰'

321 장문잠 : 앞 [57-1-30] 참고

322 宋나라 齊丘의 … 이른다. : 宋나라 齊丘는 後唐의 謀臣. 장뇌가 제구의 저술인 『化書』의 서문을 썼다. 『柯山集』 권44 題跋 「書宋齊邱化書」 서문에 "나는 일찍이 '황로의 도덕은 청정무위에 뿌리하여 인정에 끌리는 것을 배제하므로서 그 말류가 대부분 지혜를 부리거나 형명학으로 흘러갔다.'라고 말하였다.(吾嘗論黃老之道德, 本於淸净無爲, 遣去情累, 而其末多流爲智術刑名.)"는 내용을 주자가 언급한 것이다.

323 '상앙과 한비자는 … 않았다.' : 이는 『東坡全集』 권43 「韓非論」의 말을 인용하며 내용을 축약한 것이다. 그 논에는, "상앙과 한비자가 (노자가) 천하를 가볍게 여기고 만물을 가지런하게 하려는 것에서 터득하였다. 그래서 잔인한 짓을 용감하게 저지르며 의심하는 마음을 두지 않았다.(商鞅韓非求爲其說而不得, 得其所以輕天下, 而齊萬物之術, 是以敢爲殘忍而無疑.)"고 하였다.

324 '楊朱는 자신만을 … 것이다.' : 앞 [57-1-15] 참고

325 荀子(B.C.313~B.C.238) : 자는 卿, 이름은 況이다. 전국시대 趙나라 사람으로, 齊·楚·秦나라 등을 주유하였으며, 제나라에서는 세 차례 祭酒를 지냈고, 초나라에서는 春申君에 의해 蘭陵(현 산동성 嶧縣) 슈이 되었으나, 끝내 뜻을 이루지 못하고 만년에는 저술에 종사하였다. 순자의 사상은 '성악설'과 '예론' 등 유가에 입각하여 도가·묵가·법가·명가의 사상을 종합하려는 특징을 띠고 있다. 저서로는 『荀子』가 있다.

326 『宋名臣言行錄外集』 권1 「周敦頤濂溪先生元公」에 실려있다. 또 『伊洛淵源錄』 권1 「濂溪先生」 遺事에는 "又曰, '周茂叔謂, '荀子元不識誠', 伯淳曰, '旣誠矣, 心焉用養邪? 荀子不知誠."이라고 하였다. 곧 "순자는 본래 誠을 알지 못한다."는 周惇頤의 말이고, 그 이하는 程顥의 말이다.

327 周惇頤(1017~1073) : 자는 茂叔, 호는 濂溪이다. 송대 道州營道(현 호남성 道縣)사람으로 송대 신유학의 개조이다. 分寧主簿·知南昌·知郴州·知南康軍 등을 역임하였다. 二程의 스승이며, 주자의 형이상학 체계에

성誠을 알지 못한다. 성誠해졌으면 마음이 어찌 수양을 필요로 하겠는가?"

[57-9-2]

程子曰 : "荀子謂, '博聞多見, 可以取道.' 欲力行堯禹之所行, 其所學皆外也."[329]

정자가 말하였다. "순자가 '널리 듣고 많이 보면 도道를 취할 수 있다.'고 하였으나, 요임금과 우임금의 행한 일을 힘써 행하고자 하였으나 그가 배운 것은 모두 외면적인 것이다."

[57-9-3]

"有學不至而言至者, 循其言可以入道."

門人曰 : "何謂也?"

曰 : "'眞積力久則入', 荀卿之言也. '優而柔之, 使自求之, 饜而飫之, 使自趨之, 若江河之浸, 膏澤之潤, 渙然氷釋, 怡然理順,' 杜預之言也. '思之思之, 又重思之, 思而不通, 鬼神將通之, 非鬼神之力也, 精誠之極也.'[330] 管子之言也. 此三者, 循其言, 皆可以入道, 而三子初不能及此也."[331]

(정자가 말하였다.) "학문은 지극하지 않으나 말이 지극한 사람이 있으니 그 말을 따라도 도에 들 수 있다."

문인門人이 물었다. "무슨 말씀입니까?"

(정자가) 말하였다. "'성실함을 쌓아 오래 힘쓰면 (학문에) 들어갈 수 있다.'[332]는 순경[荀子]의 말이다. '느긋하고 편안하게 스스로 탐구하게 하고 실컷 배불리 채워 스스로 나아가게 하기를 강과 하수의 물이 땅을 적시듯 기름같은 비가 윤택하게 하는 것처럼 한다면 스르르 얼음이 풀리듯이 저절로 이치가 순조로워진다.'[333]는 두예杜預의 말이다. '생각하고 또 거듭 생각해야 하니 생각해도 통하여지지 않은 것은 귀신이 통하게 해주나 귀신의 힘이 아니고 정성이 극진함에서이다.'[334]는 관자管子의 말이다. 이들 세 가지 말은 그 말대로 따르면 모두 도에 들 수 있으나 세 사람은 애당초 이 경지에 이르지 못하였다."

[57-9-4]

朱子曰 : "荀子說'能定而後能應', 此是荀子好話."[335]

. . . .
　　큰 영향을 끼쳤다. 저서는 『太極圖說』・『通書』・「愛蓮說」 등이 있다.
328 『荀子』 권2 「不苟篇」 제3
329 『二程粹言』 권하 「聖賢篇」
330 精誠之極也는 『管子』 권16 「內業」 제49에 '精氣之極也'로 되어 있다.
331 『二程粹言』 권하 「聖賢篇」
332 『荀子』 권1 「勸學篇」
333 『春秋左傳』「杜預序」
334 『管子』 권16 「內業」 제49

주자가 말하였다. "『순자』가 '능히 안정 된 뒤에 능히 대응할 수 있다.'336고 말하였으니 이것은 『순자』의 좋은 말이다."

[57-9-5]

或言性, "謂荀卿亦是敎人踐履."

曰337 : "須是有是物, 而後可踐履. 今於頭段處旣錯, 又如何踐履? 天下事從其是. 曰同, 須求其眞箇同 ; 曰異, 須求其眞箇異. 今則不然, 只欲立異, 道何由明?"338

어떤 사람이 성性에 대해 말하다가, "순경苟子도 사람들에게 실천하도록 하였습니다."라고 하였다. (주자가) 대답하였다. "반드시 어떤 실재가 있어야 그 다음에 실천할 수 있다. 지금 첫머리에서 이미 틀어져버렸는데 또 어떻게 실천하겠느냐? 천하의 일은 옳은 것만을 따라야 한다. 같다고 말하더라도 반드시 참으로 같은지 구해보아야 하고 다르다 말하더라도 반드시 참으로 다른지 구해보아야 한다. 지금은 그렇게 하지 않고 단지 이론異論만 세우려 드니 도가 무엇으로 말미암아 밝아지겠느냐?"

[57-9-6]

問 : "荀子言, '性惡禮僞', 其失蓋出於一, 大要不知其所自來, 而二者亦互相資也. 其不識天命之懿, 而以人慾橫流者爲性 ; 不知天秩之自然, 而以出於人爲者爲禮. 所謂'不知所自來'也. 至於以性爲惡, 則凡禮文之美, 是聖人制此, 以返人之性而防遏之, 則禮之僞明矣 ; 以禮爲僞, 則凡人之爲禮, 皆反其性矯揉以就之, 則性之惡明矣. 此所謂互相資也. 告子杞柳之論, 則性惡之意也 : 義外之論, 則禮僞之意也."

曰 : "亦得之."339

물었다. "순자의 '성性은 악하고, 예禮는 인위人爲이다.'340란 말은 그 잘못이 한 곳에서 나왔으니 크게 요약한다면 그 근원된 곳을 알지 못하고 두 말이 서로의 말을 밑받침해 주고 있습니다.341 그가 하늘이 부여하여 준 아름다운 것이 (성性임을) 알지 못하고서 사람 욕심이 멋대로 흘러나온 것을 성이라 생각하

. . . .

335 『朱子語類』 권137 「戰國漢唐諸子」 15조목

336 『荀子』 권1 「勸學篇」

337 曰 : 『朱子語類』 권137 「戰國漢唐諸子」 14조목에는 '先生曰'이라고 하여 '先生' 두 글자가 더 있다.

338 『朱子語類』 권137 「戰國漢唐諸子」 14조목

339 『朱文公文集』 권59 「書·答趙致道」

340 '性은 악하고 … 거짓이다.' : 이는 『荀子』 권17 「性惡篇」의 내용을 축약하여 인용한 것이다. 순자는 이편에서 "사람의 본성은 악하니 그 선한 사람은 거짓이다.(人之性惡, 其善者僞也.)"하고서 그것을 설명한 다음 이어서, "어떤 사람이 묻기를, '사람의 본성이 악하다면 예의는 어디에서 생겨나는가?' 하니, '모든 예의는 성인의 거짓에서 생겨난 것이고 사람의 본성에 뿌리한 것이 아니다.'라고 대답하였다.(問者曰, '人之性惡, 則禮義惡生.' 應之曰, '凡禮義者是生於聖人之僞, 非故生於人之性也.')"라고 하였다.

341 그 잘못이 … 있습니다. : 『朱子大全箚疑輯補』에는 "근원된 곳은 하늘이다.(所自來, 卽天也.)"라고 하였다.

고, 하늘이 차례지어 놓은 자연적인 것이 (예禮임을) 알지 못하고서 사람이 만들어 낸 것에서 나온 것이 예라고 생각하였습니다. 앞에서 말한 '근원된 곳을 알지 못했다.'는 것입니다. 심지어 성을 악한 것으로 생각해 모든 예악과 의장의 아름다움은, 성인이 이를 제정해서 사람의 본성을 되돌리고 막은 것이니 예가 인위임이 분명하고, 예를 인위로 생각하여 사람들이 행하는 예는 전부 자신의 본성을 되돌려서 바로잡아 나아가게 한 것이니 성이 악한 것이 분명하다.[342] 라고까지 하였으니, 이점이 서로의 말을 밑받침해 주고 있다는 것입니다. 고자告子의 기류杞柳에 대한 주장은 성이 악하다는 뜻이고, 의義가 밖에 있다는 주장은 예가 인위라는 뜻입니다."[343]

(주자가) 대답하였다. "또한 맞는 말이다."

[57-9-7]

西山眞氏曰 : "荀子云, '水火有氣而無生 ; 草木有生而無知 ; 禽獸有知而無義 ; 人有氣有生有知, 亦且有義, 故最爲天下之貴也.' 其論似矣. 至其論性則以爲惡 ; 論禮則以爲僞, 何其自相戾耶?"[344]

서산 진씨[眞德秀][345]가 말하였다. "『순자』에 '물과 불은 기氣만 있고 생명은 없으며, 풀과 나무는 생명은 있으나 지혜가 없고, 새와 짐승은 지혜는 있으나 의로움이 없고, 사람은 기도 있고 생명도 있고 지각도 있고 또 의로움도 있는 까닭에 천하에 가장 존귀하다.'[346]고 하였다. 그 말이 그럴 듯하다. 그런데 성을 논함에 이르러서는 악하다 하고 예를 논함에 이르러서는 인위라고 하니 어찌하여 그다지 스스로 서로 어긋날까?"

[57-9-8]

"荀子論心, 如'君子大心則天而道, 小心則畏義而節'等語, 皆可取. 若所謂'湛濁在下, 而淸明在上,' 則有可疑. 蓋心之虛靈知覺者, 萬理具焉, 初豈有一毫之汙濁哉? 自夫汩於物欲, 而後

---

342 성이 악한 … 분명하다. : 『荀子』「性惡篇」에 "사람의 본성은 악하니 그 선한 것은 거짓이다.(人之性惡, 其善者僞也.)"라 하고서 그의 실례를 거론한 뒤 이말로 결론을 맺고 있다. 아울러 예에 대한 말들도 모두 이 「性惡篇」의 말을 종합하여 평가한 것이다.

343 告子의 杞柳에 … 뜻입니다. : 이는 『孟子』「告子上」의 말을 인용한 것이다. "고자가 말하기를, '성은 고리버들과 같고 의는 술잔과 대야와 같다. 사람의 본성으로 인의를 행하는 것은 고리버들가지로 술잔과 대야을 만드는 것과 같다.'라고 하였다.(告子曰, 性, 猶杞柳也 ; 義, 猶桮棬也. 以人性爲仁義, 猶以杞柳爲桮棬.)"라고 한 말은 순자의 말에 비기면 성이 악하다는 말과 같다는 뜻이다. 이어 "고자가 말하기를, 음식을 달게 여기고 여색을 좋아하는 것은 본성이니, 인은 안에 있는 것이고 의는 밖에 있는 것이다.(告子曰, '食色, 性也. 仁, 內也, 非外也 ; 義, 外也, 非內也.')"라고 한 말은 순자의 말에 비긴다면 예가 거짓이라는 주장과 서로 같다는 말이다.

344 『西山讀書記』 권1 「天命之性」

345 眞德秀 : 앞 주석 254 참고

346 『荀子』 권5 「王制篇」 제9

有汙濁耳. 學者必盡去物慾之害, 則本然之清明自全. 今曰, '湛濁在下而清明在上,' 是物欲之害初未嘗去, 但伏而未作耳, 其可恃以爲安耶? 水不能不遇風, 長川巨浸, 泓澄無底, 雖大風不能使之濁. 心不能不應物, 慾盡理明, 表裏瑩徹, 雖酬酢萬變不能使之昏. 無風則清, 有風則濁者, 塵滓之伏于下也；靜之則明, 動之則昏者, 利欲之藏于中也."³⁴⁷

(서산 진씨가 말하였다) 『순자』에 심心을 논하면서 '군자가 마음을 크게 가지면 하늘에 합치되어 도에 순응하고 마음을 작게 가지면 의를 두려워하여 절제한다.'³⁴⁸와 같은 등속의 말은 모두 취할 만하다. 그가 말한 '탁한 찌꺼기는 밑에 가라앉아 있고 맑은 것은 위에 떠있다.'³⁴⁹는 의심할 만한 점이 있다. 허령지각虛靈知覺하는 마음은 온갖 이치가 다 갖추어져 있는데 애당초 어찌 조금이라도 더러운 것이 있겠는가? 물욕에 의해 어지러워진 뒤에 더러움이 있게 될 뿐이다. 배우는 자들이 물욕의 해로움을 기필코 모두 제거한다면 본연의 청명함은 저절로 온전할 것이다. 그런데 지금 '탁한 찌꺼기는 아래에 가라앉아 있고 맑은 것은 위에 떠있다.'라고 말한다면 이는 물욕의 해로움이 애당초 제거된 적이 없이 단지 잠복상태에서 일어나지 않고 있을 뿐이니, 이러한 것을 믿고서 편안할 수 있겠는가? 물은 바람을 만나지 않을 수 없으나 큰 시내와 큰 호수는 물이 끝없이 깊고 맑아 태풍도 그 물을 흐리게 하지 못한다. 마음도 사물에 대응하지 않을 수 없으나 욕심이 다하고 이치에 (대한 마음이) 밝아져 안팎이 환하여지면 응대하는 일이 갖가지로 변하여도 그 마음을 어둡게 하지 못할 것이다. 바람이 없으면 맑고 바람이 일어나면 흐려지는 것은 찌꺼기가 밑에 잠복해 있어서이고, 고요하면 맑고 움직이면 흐려지는 것은 이욕利慾이 가슴속에 남아 있기 때문이다."

董子 동자³⁵⁰

[57-10-1]

程子曰 : "董子言,³⁵¹ '仁人正其誼不謀其利；明其道不計其功.' 度越諸子遠矣."³⁵²

- - - - - - - - - - - - - - - - - - -

347 이글은 『西山讀書記』권3「心」에서 순자가 말한 심을 논한 두 조목의 말을 하나로 묶어 인용한 것이다. 『西山讀書記』에는 앞 부분은 "荀子曰, '君子大心則天而道；小心則畏義而節.'"이리 히여 '論心如' 세 글자를 편의에 따라 붙였고 뒷부분은 『荀子』권15「解蔽篇」제21에서 마음에 대해 말한 "微風過之, 湛濁動於下, 清明亂於上, 則不可以得大形之正也. 心亦如是矣."를 비판한 조목을 하나로 모아 편집한 것이다. 『西山讀書記』에는 "愚按, 荀子論心, 前數章皆可取, 若此章則可疑. 蓋心之虛靈知覺者"라고 하여 성리대전서를 편찬하며 "等語, 皆可取. 若所謂湛濁在下, 而清明在上, 則有可疑."는 문장의 이해를 돕기 위해 『荀子』의 본문과 서산독서기의 글을 적당하게 모아 진덕수의 문장으로 구성하고 있음을 볼 수 있다.

348 『荀子』권2「不苟篇」제3

349 『荀子』권15「解蔽篇」제21의 말이다. 『荀子』의 이글은 "사람 마음은 비유하자면 소반의 물과 같아 가만히 두고 움직이지 않으면 탁한 찌꺼기는 밑에 가라앉아 있고 맑은 것은 위에 떠있다.(人心譬如槃水, 正錯而勿動, 則湛濁在下, 而清明在上.)"라고 되어 있다.

정자[程顥]가 말하였다. "동자[董仲舒]의 '어진 사람은 의리만 바로잡고 이익은 도모하지 않으며 도만 밝히고 공은 꾀하지 않는다.'353란 말은 제자諸子를 훨씬 초월한 말이다."

[57-10-2]

"漢儒近似者三人, 董仲舒 · 大毛公 · 揚雄."354

(정자[程頤]가 말하였다.) "한나라 선비로서 도에 가까이 간 사람은 세 사람이니, 동중서 · 대모공[毛亨]355 · 양웅이다."

[57-10-3]

朱子曰 : "董仲舒資質純良, 摸索道得數句著. 如正誼不謀利之類. 然亦非他眞見得這道理."356

주자가 말하였다. "동중서는 자질이 순수하고 선량하여 도를 모색하여 몇 구절을 얻었다. '의리를 바로잡고 이익을 도모하지 않는다.'와 같은 부류이다. 그러나 그가 참으로 이 도리를 안 것은 아니다."

[57-10-4]

"仲舒識得本原. 如云'正心修身可以治國平天下', 如說'仁 · 義 · 禮 · 樂皆其具', 此等說話皆好."357

(주자가 말하였다.) "중서는 근원을 알았다. 예컨대 '마음을 바로잡고 몸을 닦아야 나라를 다스리고 천하를 화평하게 할 수 있다.'와 '인 · 의 · 예 · 악은 모두 그 도구이다.'358와 같은 말은 모두 좋은 말이다."

350 董子 : 동자는 董仲舒를 높여 이르는 말이다. 漢武帝 때 廣川 사람으로 桂巖子라고 불렸다. 벼슬은 博士와 江都王相과 膠西王相을 지냈다. 春秋公羊學을 전공하여 무제에게 儒學을 국가의 기본 강령으로 삼게 하였다. 陰陽五行論을 바탕으로 天人感應說을 확립하였다. '도의 큰 근원은 하늘에서 나왔다.(道之大原出於天.)'는 등의 말로 송나라 정자와 주자로부터 漢나라 최고의 선비로 추앙받았다. 저서로『春秋繁露』·『董子文集』 등이 있다.(『史記』 권121 ;『漢書』 권56「董仲舒傳」)
351 董子言 :『二程粹言』권하「聖賢篇」에 '董子有言'이라고 하여 '有'자가 더 있다.
352 『二程粹言』권하「聖賢篇」
353 『漢書』 권56「董仲舒傳」
354 『二程遺書』권3「謝顯道記憶平日語」拾遺
355 大毛公 : 漢나라 毛亨을 이르는 말. 그가 제자 毛萇과 함께『詩經』을 연구하여 모두 주석서를 남긴 데에서 세상에서 그를 대모공, 모장을 小毛公이라 일렀다. 모형은 순자의 학문을 이었고 지금 우리가 전해 받은『詩經』은 이들 두 사람에 의해 전해진 것이다. 그래서『詩經』을 毛詩라고도 한다. 그가 남긴『詩經』주석서 이름은『毛詩詁訓傳』이다.(『漢書』 권30 ; 권88 ;『經傳釋文序錄』)
356 『朱子語類』 권137「戰國漢唐諸子」25조목
357 『朱子語類』 권101「程子門人 · 胡康侯」126조목
358 『漢書』 권56「董仲舒傳」

[57-10-5]

問：“仲舒云, ‘性者, 生之質也.’”

曰：“不是.³⁵⁹ 只當云, 性者, 生之理也 ; 氣者, 生之質也.”

問：“其以情爲人之欲,³⁶⁰ 如何?”

曰：“也未害. 蓋欲爲善, 欲爲惡, 皆人之情也.”³⁶¹

물었다. “동중서가 ‘성性은 생명[生]의 바탕이다.³⁶²라고 하였습니다.”

(주자가) 대답하였다. “옳지 않다. 당연히 성은 생명의 리理이고 기氣는 생명의 바탕이라고 말해야 한다.”

물었다. “그가 ‘정情은 사람의 욕구이다.’³⁶³라고 한 것은 어떻습니까?”

(주자가) 대답하였다. “해롭지 않은 말이다. 선을 하고자 하면서 악을 하고자 하는 것이 모두 사람의 정이다.”

[57-10-6]

問：“董仲舒見道不分明處.”

曰：“也見得鶻突. 如‘命者, 天之令 ; 性者, 生之質 ; 情者, 人之欲. 命非聖人不行, 性非教化不成, 情非制度不節’等語, 似不識性善模樣. 又云, ‘明於天性, 知自貴於物, 知自貴於物, 然後知仁義 ; 知仁義, 然後重禮節 ; 重禮節, 然後安處善 ; 安處善, 然後樂循理’, 又似見得性善模樣. 終是說得騎墻, 不分明端的.”³⁶⁴

물었다. “동중서는 도를 보는 것이 분명치 못한 점이 있습니다.”

(주자가) 대답하였다. “그의 견해는 모호하다.³⁶⁵ 예컨대 ‘명命은 하늘의 영令이고, 성性은 생명의 바탕이고, 정情은 사람의 욕구이다. 명은 성인이 아니면 실행하지 못하고, 성은 교화教化가 아니면 성취시키지 못하고, 정은 제도가 아니면 절제하지 못한다.’³⁶⁶ 등의 말은 성선性善의 내용을 파악하지 못한 듯하다.

- -

359 ‘生之質也. 曰 : 不是.’는 『朱子語類』 권137 「戰國漢唐諸子」 27조목에 ‘生之質. 也不是’라고 하여 ‘生之質.’은 묻는 사람의 말이고 ‘也不是.’는 주자의 대답의 시작 말이다. 이 책을 편집하며 『朱子語類』에 없는 ‘曰’자를 넣으면서 ‘也’자를 실수로 윗말에 붙여버린 것 같다. 다음에 이어지는 문장에서 ‘也’자를 주자 대답의 시작말로 처리하고 있음에서 이곳의 실수를 알 수 있다.

360 ‘其以情爲人之欲’은 28조목에 ‘仲舒以情爲人之欲’이라고 하여 ‘仲舒’ 두 글자를 ‘其’자로 바꾸었다.

361 이글은 『朱子語類』 권137 「戰國漢唐諸子」 27조목과 28조목을 모아 편집한 것이다. ‘氣者, 生之質也.’는 27조목이고 그 이하는 28조목이다.

362 『漢書』 권56 「董仲舒傳」

363 ‘情은 사람의 욕구이다.’ : 『漢書』 권56 「董仲舒傳」의 “性者, 生之質也 ; 情者, 人之欲也.”를 이렇게 인용한 것이다.

364 『朱子語類』 권137 「戰國漢唐諸子」 29조목

365 모호하다. : 이 글의 원문 ‘鶻突’은 글자의 뜻과 관계없이 모호하고 불분명한 것을 이르는 말로 쓰인다.

366 『漢書』 권56 「董仲舒傳」의 말을 편집하여 엮은 것이다. ‘命者, 天之令 ; 性者, 生之質 ; 情者, 人之欲.’은 「董仲舒傳」 그대로 인용한 것이고 이어지는 ‘命非聖人不行, 性非教化不成, 情非制度不節’은 「董仲舒傳」의 ‘天令之謂命, 命非聖人不行 ; 質樸之謂性, 性非教化不成 ; 人欲之謂情, 情非制度不節.’을 축약하여 인용한 것이다.

또 말하기를, '천성天性에 밝아야 스스로가 사물보다 귀한 줄 알고, 스스로가 사물보다 귀한 줄 안 뒤에 인의仁義를 알고, 인의를 안 뒤에 예절을 중시하고, 예절을 중시한 뒤에 선에 편안히 처하고, 선에 편안히 처한 한 뒤에 리理를 따르는 것을 즐거워한다.'367라고 말한 것은 마치 성선의 내용을 파악해 알고 있는 듯하다. 그러나 결국은 말이 끝내 담장위에 올라앉아 양쪽을 기웃대는 것처럼 분명하고 확실하지 않다."

[57-10-7]

"仲舒言, '命者, 天之令; 性者, 生之質.' 如此說, 固未害. 下云'命非聖人不行', 便牽於對句, 說開去了. 如'正誼明道'之言, 卻自是好."

問: "或謂, '此語, 是有是非, 無利害.' 如何?"

曰: "是不論利害, 只論是非, 理固然也. 要亦當權其輕重方盡善, 無此亦不得. 只被今人只知計利害, 於是非全輕了."368

(주자가 말하였다.) "중서가 말하기를, '명命은 하늘의 영令이고, 성性은 생명의 바탕이다.'라고 하였다. 이 같은 말은 참으로 해로울 것이 없다. 그 다음에 '명은 성인이 아니면 실행하지 못한다.'는 말은 대구법에 끌려 말을 전개한 것이다. '의리를 바로잡고 도를 밝힌다.'와 같은 말은 나름대로 좋다."

물었다. "어떤 사람이 말하기를, '이 말은 옳고 그름是非만 있고 이롭냐 해롭냐利害는 없다.'라고 하니 어떻습니까?"

(주자가) 대답하였다. "이 말이 이해는 논하지 않고 단지 시비만 논한 것은 이치상 진실로 당연하다. 결론짓자면 또한 마땅히 경중을 헤아려야 비로소 선善을 다 구현할 수 있으니, 이것이 없으면 또한 안 된다. 단지 요즘 사람들은 단지 이해만 따질 줄 안 데에서 시비에 대해서는 전연 소홀해졌다."

[57-10-8]

"'正其誼不謀其利, 明其道不計其功.' 誼必正, 非是有意要正; 道必明, 非是有意要明, 功利自是所不論. 仁人於此有不能自己者. '師出無名, 事故不成. 明其爲賊, 敵乃可服', 此便是有意立名以正其誼."369

(주자가 말하였다.) "'의리만 바로잡고 이익은 도모하지 않으며 도만 밝히고 공은 꾀하지 않는다.'라고 하였다. 의리를 반드시 바로잡음은 바로잡으려는데 뜻을 둔 것이 아니고, 도를 반드시 밝힘도 밝히는데 뜻을 둔 것이 아니므로 공과 이익은 저절로 따지지 않는 것이다. 어진 사람이 이점에 있어 스스로 그만둘 수 없음이 있다. '군사 출동이 명분이 없으면 전쟁에서 이기지 못한다. 그들이 나라의 해악이 됨을

──────────

367 『漢書』 권56 「董仲舒傳」을 그대로 인용한 것이다. 다만 여기에 실리지 않은 이글 머리에는 "故孔子曰, 天地之性人爲貴."로 시작하고 있음을 확인할 수 있다. 이 '天地之性, 人爲貴.'는 본시 『孝經』 권5 「聖治章」의 말이며 邢昺의 疏에 '性'은 '生'자의 뜻이라고 하였다.

368 『朱子語類』 권137 「戰國漢唐諸子」 30조목

369 『朱子語類』 권137 「戰國漢唐諸子」 31조목

밝혀야만 적군을 마침내 이길 수 있다.'[370]라고 말하니, 이것은 명분을 세워서 의리를 바로잡는데 뜻을 둔 것이다."

[57-10-9]

問 : "諸葛誠之云,[371] '仁人正其義不謀其利, 明其道不計其功', 仲舒說得不是. 只怕不是義, 是 義必有利 ; 只怕不是道, 是道必有功."

曰 : "才如此, 人必求功利而爲之, 非所以爲訓也. 固是得道義則功利自至, 然而有得道義而功 利不至者, 人將功利之徇,[372] 而不顧道義矣."[373]

물었다. "제갈성지諸葛誠之가 말하기를 '(동중서가)「어진 사람은 의리만 바로잡고 이익은 도모하지 않으며 도만 밝히고 공은 꾀하지 않는다.」라고 말하였으니, 중서의 말은 옳지 않다. 단지 의리가 아닐까 두려울지언정 의리라면 반드시 이로움이 있고, 단지 도가 아닐까 두려울지언정 도라면 반드시 공이 있다.'라고 말하였습니다."

(주자가) 대답하였다. "이렇다면 사람마다 반드시 공과 이로움을 구하려는 데에서 무엇이든 하려고 들 것이니 교훈이 될 수 없다. 진실로 도와 의리를 얻으면 공과 이로움은 저절로 이르는 것이지만, 도와 의리를 얻고서도 공과 이로움이 얻지 못하는 경우가 있다면 사람들은 공과 이로움만 따르고 도와 의리는 돌아보지 않을 것이다."

[57-10-10]

"仲舒所立甚高. 後世之所以不如古人者, 以道誼功利關不透耳. 其議匈奴一節, 婁敬 · 賈誼智 謀之士爲之, 亦不過如此."[374]

(주자가 말하였다) "중서가 이룬 학문은 매우 높다. 후세 사람들이 옛사람보다 못한 까닭은 도의道誼와 공리功利에 대한 경계가 투철하지 못하여서이다. 그가 흉노에 대해 제시한 한 의견[375]은 누경婁敬과 가의

---

370 '군사 출동에 … 있다.' : 이말은 漢高祖가 항우와 천하를 두고 각축을 벌일 때 新城의 三老 벼슬에 있던 董公이 한고조에게 한 말이다. 이때 항우가 천하가 옹립한 義帝를 시해한 것을 한고조가 항우를 칠 수 있는 반전의 기회로 이 사건을 이용하여야 한다면서 한 말이다.(『史記』 권1 「高祖本紀」 3년 3월)

371 諸葛誠之云 : 이글은 『朱子語類』 권137 「戰國漢唐諸子」 32조목에 '在浙中見諸葛誠之千能云'이라고 하여 주자가 절중에서 제갈성지(성지는 이름이고 千能은 이름)가 말한 것을 듣고 비판한 것인데 여기서는 누군가가 제갈성지의 말을 가져다 묻는 것으로 문장을 재구성하였다.

372 人將功利之徇 : 『朱子語類』 권137 「戰國漢唐諸子」 32조목에는 '人將惟功利之徇'이라고 하여 '惟'자 한 글자 가 더 있다.

373 『朱子語類』 권137 「戰國漢唐諸子」 32조목

374 『朱子語類』 권137 「戰國漢唐諸子」 33조목

375 흉노에 대해 … 의견 : "중서가 말하기를 '흉노와는 의당 화친해야 하니 많은 뇌물을 주고서 하늘에 맹약을 맺고 흉노의 사랑하는 아들을 인질로 보내오도록 한 것이 좋다.'라고 하였다.(仲舒言, 匈奴宜和親, 與之厚賂 而盟於天, 質其愛子爲善.)"고 주장하였다.(『朱子語類考文解義』)

賈誼[376]처럼 지모智謀 있는 사람이 마련한다 해도 이를 넘어서지 못할 것이다."

[57-10-11]

問: "'正其誼, 明其道', 道·誼如何分別?"

曰: "道·誼是箇體·用. 道是大綱說, 誼是就一事上說, 誼是道中之細分別, 功是就道中做得功效出來."[377]

물었다. "'의리만 바로잡고, 도만 밝힌다.'에서 도와 의리는 어떻게 분별됩니까?"

(주자가) 대답하였다. "도와 의리는 체體와 용用이다. 도는 큰 강령으로 말한 것이고 의리는 한 가지 일을 말한 것이며, 의리는 도 가운데 세세한 분별이며 공功은 도 가운데 공효를 이룬 것이다."

[57-10-12]

問: "'正其誼'者, 凡處此一事, 但當處置使合宜, 而不可有謀利占便宜之心 ; '明其道', 則處此事便合義, 是乃所以爲明其道, 而不可有計後日功效之心. '正義不謀利', 在處事之先 ; '明道不計功', 在處事之後. 如此看, 可否?"

曰: "恁地說, 也得. 他本是合掌說, 看來也須微有先後之序."[378]

물었다. "'의리를 바로잡는다.'는 한 가지 일을 처리할 때 단지 처리를 합당하게 할뿐 이익을 도모하거나 자신만 생각하는 마음을 두어선 안된다는 것이고, '도를 밝힌다.'는 한 가지 일을 처리해서 의리에 합당하게 하는 것이 바로 도를 밝히는 것이지 훗날의 공효를 꾀하려는 마음을 두어선 안 된다는 것이다. '의리를 바로잡고 이익을 꾀하지 않음'은 일을 처리하기 전의 일이고 '도를 밝히고 공을 꾀하지 않음'은 일을 처리하고 나서의 일이다. 이렇게 보는 것이 옳습니까?"

(주자가) 대답하였다. "그렇게 말하는 것이 또한 맞다. 그러나 그 말은 대구對句 형태로 한 말이나, 살펴보니 또한 미세하지만 선후의 순서가 있는 듯하다."

[57-10-13]

"仲舒本領純正. 如說'正心以正朝廷', 與'命者天之令也'以下諸語, 皆善. 班固所謂'醇儒', 極是. 至於天下國家事業, 恐施展未必得."[379]

---

376 婁敬과 賈誼 : 모두 漢나라 사람들이다. 누경은『史記』권99「劉敬傳」에 의하면, 漢高祖에게 흉노와의 화친을 위하여 공주를 흉노에게 시집보낼 것을 주장하여 성사시켰다. 또 한고조에게 關中을 수도로 정할 것을 주청한 공으로 劉씨 성을 하사받아 劉敬으로 불렸다. 가의는『漢書』권44「賈誼傳」에 의하면 文帝에게 북방의 화근인 흉노를 달래려면 자신을 흉노에게 사신 보내 그들을 의리로 설득해야 함을 역설하였으나 받아들여지지 않았다. 그의 흉노에 대한 계책은 그의 평생 경륜이 담긴 것이었다. 저서로『新書』가 있다.

377 『朱子語類』권95「程子之書」142조목

378 『朱子語類』권95「程子之書」143조목

379 『朱子語類』권137「戰國漢唐諸子」20조목

(주자가 말하였다) "중서는 근본이 순수하고 바르다. 예컨대 '마음을 바로잡아 조정을 바로잡는다.'[380]와 '명命은 하늘의 영令이다.'[381]의 이어지는 여러 말들은 매우 좋다. 반고班固가 '순유醇儒'라고 말한[382] 것이 더없이 옳다. 그러나 천하 국가의 사업의 경우에는 아마도 시행하더라도 꼭 실현시키지는 못할 것이다.'[383]

[57-10-14]

"三策說得稍親切, 終是脫不得漢儒氣味"[384]

(주자가 말하였다) "세 책문의 말[385]이 조금 절실하지만 끝내 한漢나라 선비의 풍조를 탈피하지 못하였다."

[57-10-15]

西山眞氏曰 : "仲舒醇正近理之言, 見稱於諸老先生. 外如曰, '彊勉學問則聞見博而智益明 ; 彊勉行道則德日起而大有功.' 又引曾子尊聞行知之說, 此二條最有功於學者. 蓋學道之要, 致知力行而已. 虞書之精一, 論語之知及仁守, 中庸之博學篤行, 皆是也. 秦漢以下, 未有識之者, 而仲舒能言之, 此豈諸儒所可及哉! 其曰, 道之大原出於天, 則天命率性之意, 尤所謂知其本源者. 至謂有國者不可不知春秋, 其言亦有補於世. 本傳稱其進退容止, 非禮不行, 兩相驕

---

380 '마음을 바로잡아 … 바로잡는다.' : 『漢書』 권56 「董仲舒傳」에 "군주 된 자 마음을 바로잡아 조정을 바로잡고, 조정을 바로잡아 백관을 바로잡고, 백관을 바로잡아 모든 백성을 바로잡고, 모든 백성을 바로잡아 사방을 바로잡아야 합니다. 사방이 바로잡히면 멀고 가깝고 감히 일제히 바르게 되지 않음이 없어 사특한 기운이 그 사이에 나타나지 않습니다.(爲人君者, 正心以正朝廷 ; 正朝廷以正百官 ; 正百官以正萬民 ; 正萬民以正四方, 四方正, 遠近莫敢不壹於正, 而亡有邪氣奸其閒者.)"라고 하였다. 여기서 '사특한 기운'은 이상 기후를 이른다. 동중서는 天人感應說을 주장하였기 때문에 기상이변을 군주의 잘못된 정책에서 기인한 것으로 보았다.
381 '命은 하늘의 令이다.' : 앞 주석 368 참고
382 班固가 '醇儒'라고 … 말한 : 반고는 『漢書』를 찬술한 사람이고 순유는 그가 『漢書』 권100下 「敍傳」에서 동중서를 "도를 논하여 지은 글과, 물음에 대한 바른 말은 세상의 純儒였다.(論道屬書, 讜言訪對, 爲世純儒.)"고 하여 반고를 순유로 평가하였다.
383 천하 국가의 … 것이다. : 동중서가 武帝 때 賢良科의 대책문으로 네 번의 물음에 대한 대답에서 천하 고금의 일을 모두 논하였다.(『漢書』 권56 「董仲舒傳」)
384 이글의 출전은 분명하지가 않다. 다만 『朱文公文集』 권37 「小戴禮」의 總論에 "허순지가 말하기를, '사람들이 『禮記』는 漢나라 선비들의 말이다.'고 하나 아마 그렇지 않을 것이다. 한나라 선비 중 가장 순수한 사람은 동중서만한 사람이 없고 동중서의 글에서 가장 순수한 글은 三策 같음이 없다. 그러나 어찌 조금이라도 『禮記』 중의 말이 있더냐? 「樂記」에서 말한 '하늘은 높이 있고 땅은 낮은 데, 만물이 다른 모습으로 흩어져 있어 예가 그들의 다름 사이에 시행된다. 그리고 그것들이 늘 유동하며 쉬지 않고, 나란히 함께 변화하는 속에 음악은 만들어진다.'라고 하였다. 동중서의 어떠한 말이 이 경지에 이른 말이 있느냐?(許順之說 : 人謂禮記是漢儒說, 恐不然. 漢儒最純者莫如董仲舒, 仲舒之文最純者莫如三策. 何嘗有禮記中說話來. 如樂記所謂, '天高地下, 萬物散殊, 而禮制行矣. 流而不息, 合同而化, 而樂興焉. 仲舒如何說, 得到這裏.)"라고 하고 있다. 아마도 이글을 의거해 이 문장이 편집된 성싶다.
385 세 책문의 말 : 『漢書』 「董仲舒傳」에 의거하여 살피면 동중서가 무제에게 賢良科의 對策文으로 써 올린 글이 모두 세 번이다. 동중서가 天人合一說을 주장하여 말하였기 때문에 天人三策이라 불리기도 한다.

主, 正身率下. 方公孫弘以阿意容悅取相位, 仲舒獨終始守正, 卒老于家. 以其質之美, 守之固, 使得從游於聖人之門, 淵源所漸, 當無慚於游夏矣. 惜其生於絶學之後, 雖潛心大業, 終未能窺大道之全, 至或流於災異之術. 吁可歎哉!"

서산 진씨[眞德秀]가 말하였다. "중서의 순수하고 근리近理한 말은 여러 훌륭한 선생님들에게 칭찬을 받았다. 그밖에도 예컨대 '학문에 힘을 다하면 문견이 넓어져 지혜가 더욱 밝아지고, 도를 행하는데 힘을 다하면 덕이 날마다 높아져 크게 공업을 이룰 것이다.'[386]라고 말한 것과 증자曾子의 '들은 것을 높이고 안 것을 행해야 한다.'[387]는 말을 인용한 것 이 두 가지가 배우는 자들에게 가장 공로가 있다. 도를 배우는 요점은 앎을 지극히 하고 힘써 실천하는 것뿐이다. 「우서虞書」의 정일精一[388]과 『논어』의 '지혜가 미치고 인仁으로 지킨다.'[389]와 『중용』의 '널리 배우고 독실하게 행동한다.'[390]가 모두 그것이다. 진한秦漢 시대 이후 이것을 알아낸 자가 없었는데 중서가 이것을 말하였으니 이 어찌 여러 선비들이 미칠 수 있는 것이겠는가. 그가 '도의 큰 근원은 하늘에서 나왔다.'고 말한 것은 '하늘이 명한 것은 성性, 성대로 따른 것은 도道[391]와 같은 의미이니 더욱 그 본원을 알았다고 말할 수 있는 부분이다. '나라를 다스리는 사람은 『춘추』를 몰라서는 안 된다.'[392]라고 말하기까지 하였으니 그의 말이 또한 세상에 도움을 준

• • • • • • • • • • • • • • • • • • •

386 '학문에 힘을 … 것이다.' : 동중서가 현량과에 응시하며 武帝에게 올린 대책문에서 주장한 말이다.(『前漢紀』 권11 「孝武 2」, 元光 원년 겨울 조목)

387 '들은 것을 … 한다.' : 동중서가 현량과에 응시하며 무제에게 올린 대책문에 있는 말이다. 그 내용은 "증자가 말하기를 '들은 것을 높이 받들면 高明하여지고, 아는 것을 행동해 내면 光大하여진다.(曾子曰, 尊其所聞, 則高明矣 : 行其所知, 則光大矣.)"라고 하였다.

388 「虞書」의 精一 : 「虞書」는 『書經』의 요임금과 순임금의 역사에 대한 기록을 엮은 편이다. 정일은 「虞書」 속의 한 편인 大禹謨의 "인심은 위험하고 도심은 은미하니, 정밀하고 한결같이 하여 진실로 그 中을 잡도록 하라.(人心惟危 ; 道心惟微, 惟精惟一, 允執厥中.)"를 축약한 말이다.

389 '지혜가 미치고 … 지킨다.' : 이는 『論語』 「衛靈公」편의 말이다. "공자 말씀하시기를, '지혜가 이치를 미쳐 알고서도 인이 그것을 능히 지켜내지 못하면 이치를 터득했다 하여도 반드시 잃고 말 것이다. 지혜가 이치를 미쳐 알고 인이 그것을 능히 지켜내고서도 위엄있게 백성에게 임하지 않으면 백성들이 공경하지 않을 것이다. 지혜가 이치를 미쳐 알고 인이 그것을 능히 지켜내고 위엄있게 백성에게 임하더라도 백성을 진작시키는 일을 예로 하지 않으면 잘함이 되지 못할 것이다.'라고 하였다.(子曰, 知及之, 仁不能守之, 雖得之必失之. 知及之, 仁能守之, 不莊以涖之, 則民不敬. 知及之, 仁能守之, 莊以涖之, 動之不以禮, 未善也.)"

390 '널리 배우고 … 행동한다.' : 이는 『中庸』 20장의 말이다. 魯나라 哀公이 정치를 묻자 공자가 대답한 말 중에 誠에 대한 조목으로 "博學之, 審問之, 愼思之, 明辨之, 篤行之."의 다섯 조목을 들어 말씀하였다.

391 '하늘이 명한 … 道 : 이는 『中庸』 첫장의 말 "하늘이 명하듯이 부여해 준 것을 성이라 하고, 성 대로 따른 것을 도라 하고, 도를 낱낱이 마디지어 놓은 것을 교라 한다.(天命之謂性 ; 率性之謂道 ; 脩道之謂敎.)"를 축약한 말이다.

392 '나라를 다스리는 … 된다.' : 이말은 『史記』의 「太史公自序」에 동중서의 말을 인용한 사마천의 말로 길게 실려 있다. 그래서 동중서의 말이 어디서 끝나고 어디서부터 사마천의 말이 시작되는지 분간하기 어렵게 문장이 구성되어 있다. 동중서의 말이라고 기록한 宋나라 張洽의 『春秋集注綱領』에 의거하면 다음과 같다. "한나라 동중서가 다음과 같이 말하였다. '공자가 세상에 등용되지 못할 것을 아시고서 242년의 역사를 시시비비하여 천하의 준칙을 만드셨다. 제후를 폄하고 대부를 討罪하여 제왕의 일을 폈다. 공자께서 「내가

것이다. 그의 열전[393]에서 '그의 나아가고 물러남과 거동들은 예가 아니면 행하지 않았다. 교만한 두 군주의 상국이 되어서도 바른 몸가짐으로 아랫사람들을 거느렸다.[394] 공손홍公孫弘은 아첨과 기쁨을 사는 것으로 상국의 자리를 얻었으나[395] 중서만은 끝까지 바름을 지켜 마침내 집에서 늙음을 마쳤다. 그의 아름다운 자질과 군건한 지킴은 성인의 문하에 나아가 공부하였다면 연원淵源의 영향을 받아 당연히 자유子游와 자하子夏에 부끄럽지 않았을 것이다.[396] 애석하게도 학문이 끊긴 뒤[397]에 태어나 큰 학업學業에 마음을 기울였으나 끝내 큰 도의 전체를 엿보지 못하고 재이災異에 관한 학술로 흘러들어 갔도다.[398]

. . . .

빈말로 남기고자 하는 것보다는 행사상의 매우 간절하고 누구나 아는 일에 드러내는 것만 못하였다.」고 하셨다. 나라를 둔 자 『春秋』를 몰라선 안 되니 눈앞에 참소가 있는 데에도 보지 못하며 등 뒤에 해치려는 자가 있는데도 어찌할 줄을 모르고, 신하된 자 『春秋』를 몰라선 안 되니 경전에서 규정한 떳떳한 일을 지키면서도 그것이 옳은 것인지 알지 못하며 변화된 일을 만나서 임시변통의 權道를 알지 못한다. 군주가 되어 『春秋』의 의리를 통해 알지 못하면 반드시 악의 괴수라는 호칭을 뒤집어쓰고 신하가 되어 『春秋』의 의리를 통해 알지 못하면 반드시 군주를 시해하고 황제의 자리를 빼앗는 살육 당할 죄에 빠지게 된다.'(漢董氏曰, 孔子知時之不用, 道之不行, 是非二百四十二年之中, 以爲天下儀表, 貶諸侯, 討大夫, 以達王事. 曰我欲載之空言, 不如見之行事之深切著明也. 有國者不可不知春秋, 前有讒而不見, 後有賊而不知爲 ; 人臣者不可不知春秋, 守經事而不知其宜, 遭變事而不知其權. 爲人君父而不通於春秋之義者, 必蒙首惡之名 ; 爲人臣子而不通於春秋之義者, 必陷篡弑誅死之罪.)"

393 그의 열전 ; 『漢書』 권56 「董仲舒傳」을 이른다.

394 교만한 두 … 거느렸다. : 동중서는 그의 대책문을 본 무제에 의해 교만하고 용맹을 좋아하는 江都의 상국으로 등용되었다. 강도의 왕 易王은 무제의 형이었다. 나중에는 동중서를 시기한 公孫弘의 천거로 교만방자하여 二千石 관리를 마음대로 죽이는 膠西王의 상국이 되었다. 교서왕도 무제의 형이었다. 그러나 동중서는 바른 몸가짐으로 두 군주로부터 공경 받았고 아랫사람들을 잘 거느렸다. 또 자주 간쟁하는 상소를 올려 머무르는 곳마다 정치가 잘 다스려졌다.(『漢書』 「董仲舒傳」)

395 公孫弘은 아첨과 … 얻었으나 : 공손홍은 동중서처럼 『春秋』를 전공하였으나 학문이 동중서에게 미치지 못하였다. 그러나 세상의 눈치를 살펴 일을 집행하는希世用事 방법으로 公卿의 지위에 올랐다. 동중서가 공손홍을 아첨으로 세상 의견을 따른다고 하자 이를 미워하여 그를 황제의 형으로 二千石 관원을 멋대로 죽이는 교서왕의 상국으로 추천하였다. 그러나 동중서는 바른 몸가짐으로 바르게 보좌하다가 죄를 입게 될까 두려워 사직하였다.(『漢書』 「董仲舒傳」)

396 子游와 子夏에 … 것이다. : 자유와 자하는 공자 제자 중 소위 十哲로 손꼽히는 사람들이다. 『論語』 「先進篇」에서 공자의 문인들 중 공자와 陳蔡之厄을 함께한 사람들을 거론하면서 德行・言語・政事・文學으로 분류하고 이들 두 사람을 문학에 뛰어난 사람으로 꼽았다.

397 학문이 끊긴 뒤 : 학문은 도가 구현된 세상을 이른다. 韓愈가 그의 저작 「原道」에서 "도를 요임금이 순임금에게 전하고 순임금은 우임금에게 전하고 우임금은 탕임금에게 전하고 탕임금은 문왕과 무왕과 주공에게 전하고 문왕과 무왕과 주공은 공자에게 전하고 공자는 맹자에게 전하였으나 맹자가 죽으며 그것은 전하여지지 않았다.(堯以是傳之舜, 舜以是傳之禹, 禹以是傳之湯, 湯以是是傳之文武周公, 文武周公傳之孔子, 孔子傳之孟軻, 軻之死不得其傳焉.)"라고 하였다. 곧 동중서가 살았던 시대는 도가 끊겨진 세상, 학문이 구현되지 않은 세상이었으므로 동중서도 역시 그 속에 섞여 학문과 도의 참뜻을 알지 못하였다는 말이다.

398 災異에 관한 … 갔도다. : 동중서는 『春秋』를 전공하였다. 『春秋』에서 강조하고 있는 것은 災異에 대한 공자의 비판이 반드시 나타나고 있음에 주목하였다. 그래서 天人感應說을 주장하여 "국가가 잘못하면 하늘이 먼저 災害를 내보여 꾸짖고, 그래도 반성하지 않으면 괴이한 일을 내보여 경고하여 두렵게 하고, 그래도

아! 한탄스럽다."

....

변화할 줄 모르면 실패가 닥치게 한다. 여기에서 하늘마음이 군주를 사랑하여 그 군주의 어지러움을 그치게 하고자 함을 볼 수 있다.(國家將有失道之敗, 而天迺先出災害以譴告之, 不知自省, 又出怪異以警懼之, 尙不知變. 而傷敗迺至. 以此見天心之仁愛人君, 而欲止其亂也.)"고 하였다. 그래서 그가 상국이 되었을 때에는 재이설에 근거한 음양오행설을 신봉하여, 비를 빌 때에는 남대문을 닫고 북쪽문을 열게 하며, 비가 개기를 빌 때에는 이와 반대되는 방법을 쓰기도 하여 모두 효험을 보기도 하였다. 이러한 설이 그의 저서『春秋繁露』에 잘 나타나 있다.(『漢書』「董仲舒傳」)

諸子二 제자 2

諸子二
제자 2

揚子　양자[1]

[58-1-1]

程子曰: "林希嘗謂, ‘揚雄爲祿隱.’ 揚雄後人只爲見他著書, 便須要做他是, 怎生做得是!"

因問: "如劇秦文, 莫不當作!"

曰: "或云, ‘非是美之, 乃譏之也’. 然王莽將來族誅之, 亦未足道, 又何足譏! 譏之濟得甚事! 或云, ‘且以免死’, 然已自不知明哲煌煌之義, 何足以保身! 作太玄本要明易, 卻尤晦如易, 其實無益, 眞屋下架屋, 牀上疊牀. 他只是於易中得一數爲之, 於曆法雖有合, 只是無益."[2]

정자程頤가 말했다. "임희林希[3]가 일찍이 ‘양웅揚雄은 녹사祿仕의 길에 숨었다.’[4]라고 하였다. 양웅 이후의 사람들은 단지 그의 저서만을 본 까닭에 그를 옳은 사람으로 보고자 하나 어찌 옳은 사람일 수 있겠느냐!"

이어 물었다. "극진문劇秦文[5] 같은 것은 당연히 짓지 않아야 할 작품이 아닙니까!"

1　揚子: 漢나라 成都 사람으로 이름은 雄, 자는 子雲이다. 뛰어난 辭賦 솜씨로 成帝 때 출사하여 甘泉賦를 지었다. 이어 王莽의 新나라에 출사하여 劇秦美新을 지어 왕망의 신나라를 미화하였다. 그가 『周易』에 어림하여 지은 『太玄』은 『太玄經』으로 존칭되기도 하며 송나라의 司馬光이 주를 지었고, 『論語』에 어림하여 『法言』을 짓기도 하였다.(『漢書』 권87 상하)

2　『二程遺書』 권19 「楊遵道録」

3　임희: 송나라 長樂 사람. 자는 子中. 호는 醒老. 시호는 文節. 벼슬은 成都知府事. 章惇에게 아부하여 元祐 연간에 여러 어진 사람들을 귀양보내는 글을 기초하였다.(『宋史』 권343 ; 『近思録』 권14 茅星來注)

4　‘揚雄은 祿仕의 … 숨었다.’ : 이말은 『近思録』 권14에 실렸는데 葉采가 주석하기를 "祿仕의 길에 숨은 사람이다.’란 말은 낮은 벼슬살이를 한 것을 이르니, 祿을 의지해 숨은 것이 바로 祿仕의 뜻이다. 양웅이 지조를 잃고 王莽을 섬긴 것은 벼슬길에 숨은 것이다.(祿隱, 謂浮沉下位, 依祿而隱, 卽祿仕之意也. 雄失身仕莽, 以是祿隱.)"라고 하였다.

(정자가) 대답하였다. "어떤 사람은 '찬미한 것이 아니고 기롱한 것이다.'라고 한다. 그러나 왕망 한 집안이 곧 주륙될 것은 또한 말할 것도 없는데 또 무엇을 기롱할 것이겠느냐! 기롱함이 무엇을 이룰 수 있겠느냐! 어떤 사람은 '우선 죽음을 모면하려 한 것이다.'고 하나, 이미 '환하게 명철한'[6] 의리를 알지 못하는데 어찌 몸이 보존되겠느냐! 『태현太玄』을 지은 것은 본래 『역易』을 밝히려는 것이었으나 도리어 더욱 『역』을 어둡게 하여 실로 도움이 되지 못하니, 집 아래 거듭 집을 짓고 평상 위에 거듭 평상을 올려놓은 꼴이다. 그는 단지 『역』 중에서 한 가지 수리數理를 얻어서 만든 것이니 역법曆法에 합치됨이 있을지라도 도움될 것은 없다."

[58-1-2]

"太玄中首中, '陽氣潛萌於黃宮, 信無不在乎中'. 養首一, '藏心于淵, 美厥靈根'. 測曰, '藏心于淵, 神不外也'. 揚子雲之學, 蓋嘗至此地位也."[7]

(정자程顥가 말했다.) "『태현』의 중수中首[8] 중에 '양기가 황궁黃宮[9]에서 몰래 움트니 참으로 이 속에 있지 아니한 것이 없다.'[10]라 하고, 양수養首의 초일初一에, '마음을 깊숙이 잠복시켜 영근靈根[11]을 아름답게 한다.'고 하고 측測에[12] '마음을 깊숙이 잠복시킴은 신神을 밖으로 나가 있지 않게 함이다.'라고 하였다. 양자운의 학문이 일찍이 이 경지에 이른 것이다."

[58-1-3]

問 : "太玄之作如何?"

---

5 劇秦文 : 양웅이 지은 劇秦美新을 이르는 말. 王莽이 한나라를 찬탈하고 황제 지위에 올라 나라 이름을 新이라고 하자 양웅이 司馬相如의 封禪文을 모방하여 왕망에게 지어 올린 글이다. 내용이 秦나라 왕조에서 행한 焚書를 폄하고 왕망이 세운 新나라의 공덕을 한껏 찬양하여 미화한 데에서 후세에 이렇게 이름 붙여졌다.(『文選』 권48 「劇秦美新」)

6 '환하게 명철한' : 이는 양웅의 저서인 『揚子法言』 권5 「問明篇」의 말이다. 곧 그가 주장한 말을 가지고 그가 일관되지 못함을 비판한 것이다.

7 『二程遺書』 권11 「師訓」

8 中首 : 中은 『太玄』의 81수 중 맨 첫 번째 수이고, 首는 『周易』의 卦라는 말과 같다. 이를 『周易』 방식으로 말한다면 中卦라 해야 할 것을 중수라 한 것이다.

9 黃宮 : 12律管의 하나. 이 율관은 12개월의 달수에 배정시키면 동짓달(11월)에 해당되는 율관이다. 이 율관에 갈대청을 태운 재를 채워서 동지의 기운이 땅속에서 발동하면 재가 움직이는 것으로 동지 시각이 된 것을 확인하는데 쓰기도 한다. 『太玄』은 전체 81수를 1년의 절기에 배당시키는 차례로 편집하고 있다. 바로 이 중수는 동지에 해당하는 수이다.

10 이 속에 … 없다. : 이 속은 바로 동지 때를 이른다. 천하 만물의 모든 것은 양기가 땅속에서 생겨나는 이때로부터 시작되는 것을 이른 말이다.

11 靈根 : 范望은 그의 저서 『太玄解贊』에서 "영근은 道德이다."라고 하였다.

12 測 : 『太玄』은 『周易』의 체제를 본떠 만든 책이다. 『太玄』에서 "마음을 깊숙이 잠복시킴"운운은 '贊'이라 하니 이 찬은 『周易』의 '爻'에 해당하며, 그리고 이 '測'은 바로 '贊'의 풀이말이다.

曰 : "是亦贅矣. 必欲撰玄, 不如明易. 邵堯夫之數, 似玄而不同. 數只是一般, 但看人如何用之. 雖作十玄亦可, 況一玄乎!"[13]

물었다. "『태현』이 저작은 어떻습니까?"

(정자程頤가) 대답하였다. "이 역시 군더더기이다. 군이 『태현』을 저술하고자 하였다면 『역』의 뜻을 밝히느니만 못하다. 소요부邵堯夫[邵康節]의 상수象數는 『태현』과 유사하나 같지 않다. 수數라는 점은 마찬가지이나 단지 그 사람이 어떻게 사용하였는지를 보아야 한다. (주역에 근거하면) 열 개의 『태현』을 지어도 좋을 것인데 하물며 『태현』 한 개 정도이겠느냐!"

[58-1-4]

"漢儒之中, 吾必以揚子雲爲賢. 然於出處之際, 不能無過也. 其言曰, '明哲煌煌, 傍燭無疆, 遜于不虞, 以保天命'. 遜于不虞則有之, 傍燭無疆則未也. 光武之興, 使雄不死, 能免誅乎! 觀於朱泚之事可見矣. 古之所謂言遜者, 迫不得已, 如劇秦美新之類, 非得已者乎!"[14]

(정자가 말했다) "한나라 선비들 중 나는 반드시 양자운을 어진 분으로 본다. 그러나 벼슬에 나아가고 물러나는 사이에는 잘못이 없지 않다. 그가, '환하게 명철하고 밝아 널리 끝없이 비추고, 예상치 못한 일에 공손하여 천명天命을 보존한다.'[15]라고 말하였는데, '예상치 못한 일에 공손하였다.'함은 그가 행하였으나, '널리 끝없이 비추었다.' 함은 행해내지 못하였다. 광무제光武帝[16]가 등극하였을 때 양웅이 죽지 않고 있었다면 주륙을 벗어날 수 있었을까! 주체朱泚의 일에서 살핀다면 알 수 있을 것이다.[17] 옛 사람들이 말한 '말을 공손히 한다.'[18]는 매우 마지못하여 하는 일인데 극진미신劇秦美新을 지은 일이 마지못하여 한 일이겠느냐!"

• • • • • • • • • • • • • • • • • • • •

13 『二程遺書』 권18 「劉元承手編」

14 『二程遺書』 권4 「游定夫所錄」

15 '환하게 명철하고 … 보존한다.' : 『揚子法言』 권5 「問明篇」의 말로, 성현들이 명철한 지혜로 세상을 잘 대처해 나감을 설명한 말이다.

16 光武帝 : 後漢의 창업주 劉秀. '光武'는 諡號. 漢高祖의 9세손으로 한나라가 王莽에게 찬탈되자 봉기하여 왕망을 격파하고 후한을 세웠다 (『後漢書』 권1)

17 朱泚의 일에서 … 것이다. : 주체는 唐나라 德宗 시대의 逆臣. 姚令言의 변란으로 덕종이 奉天으로 피난하자, 주체는 亂兵에 의하여 황제로 추대되어 황제위에 오르고 국호를 大秦이라 하였다가 다시 漢으로 고쳤다. 이때 당나라의 신하들 10분의 8이 주체에게 벼슬할 정도로 세력을 떨쳤으나 곧 李晟에게 패하여 달아나다 살해되었다. 이때 주체에게 벼슬한 사람들도 대부분 주체와 함께 살해되었다. 곧 이러한 예로 본다면 과연 양웅이 『劇秦美新』까지 지은 사람으로 살아남았겠느냐고 한 말이다.(『新唐書』 권225中)

18 '말을 공손히 한다.' : 이는 『論語』 권14 「憲問篇」의 "子曰, 邦有道危言危行; 邦無道危行言孫."의 일부를 인용한 말이다. 朱子는 이 말에 대해 "나라를 다스리는 사람이 선비들에게 말을 공손하게 하는 것이 어찌 위태로운 일이 아니겠는가!(爲國者, 使士言孫, 豈不殆哉!)"라고 하여 위정자가 선비들에게 말을 공손하도록 하는 것을 나쁜 일로 보았다.

[58-1-5]

"揚子雲云, ‘明哲煌煌, 傍燭無疆,’ 悔其蹈亂無先知之明也. 其曰, ‘孫于不虞, 以保天命,’ 欲以苟容爲全身之道也. 使彼知聖賢見幾而作, 其及是乎!"[19]

(정자가 말했다.) "양자운이, ‘환하게 명철하고 밝고 밝아 널리 끝없이 비추어야 한다.’라고 한 말은 난리를 당하여 선견지명이 없는 것을 후회한 것이다. 그가, ‘예상치 못한 일에 공손함으로써 천명天命을 보존한다.’라고 한 말은 구차히 살아남아 몸을 온전히 하려는 방법으로 삼고자 한 것이다. 그가 성현들의 기미를 보고서 물러나는 일[20]을 알았다면 이 지경에 이르렀겠는가!"

[58-1-6]

"世之議子雲者, 多疑其投閣之事, 以法言觀之, 蓋未必有. 又天祿閣世傳以爲高百尺, 宜不可投. 然子雲之罪, 特不在此, 䨴勉於莽賢之間, 畏死而不敢去, 是安得爲大丈夫哉!"[21]

(정자가 말했다.) "세상에서 양자운에 대해 말하는 사람들은 대부분 천록각天祿閣에서 몸을 던진 일[22]을 의심하나 『법언法言』을 가지고 본다면 꼭 있던 일은 아닌 듯하다. 또 천록각天祿閣[23]은 세상에 전하여 지기를 높이가 1백 척尺이라 하니 당연히 몸을 던질 수 있는 곳이 아니다. 그러나 양자운의 죄는 다만 이것만이 아니다. 왕망과 동현董賢 사이에서[24] 억지로 비위를 맞추며 죽음이 두려워 떠나지 못하였으니,

....

19 『二程粹言』 권하 「聖賢篇」

20 기미를 보고서 … 일: 이말은 『周易』 「繫辭下」의 "군자는 기미를 보고서 행동하고 그일이 끝날 때까지 기다리지 아니한다.(君子見幾而作, 不俟終日.)"를 인용한 말이다.

21 『二程遺書』 권4 「游定夫所錄」

22 天祿閣에서 몸을 … 일: 왕망이 신나라를 세우려 하자 많은 사람들이 하늘의 예시에 따른 것이라며 글을 지어 올려 칭송하였다. 그러나 즉위한 뒤 왕망은 이런 말을 세상에서 다시 하지 못하게 하였다. 그런데 당시 上公으로 있던 甄豐의 아들 甄尋과 劉歆의 아들 劉棻이 다시 이 符命을 운위하는 말을 올렸다. 이에 왕망은 견풍 부자를 목 베고 유분은 멀리 귀양 보내며, 이일에 연관된 사람은 모두 죄를 다스리게 하여 어떤 용서도 하지 않을 것을 내외에 공표하였다. 이때 양웅은 천록각에서 校書 벼슬에 재직하고 있었는데 죄인을 잡아들이는 관원이 천록각으로 찾아와 자신을 체포하려 들자 죄를 벗어날 수 없음을 알고 천록각에서 몸을 던져 거의 죽을 뻔하였다. 이때 왕망은 유분이 양웅의 제자이지만 양웅은 이 일에 관여되지 않았음을 조사해 알고서는 조서를 내려 죄를 묻지 말게 하였다. 그러나 당시 수도 長安에는 양웅이 천록각에서 떨어진 일을 두고 ‘적막감에 스스로 몸을 던졌다가 마음이 화평하여지자 부명을 지었다.’라는 말이 회자되었다.(『漢書』 권87하 「揚雄傳贊」)

23 天祿閣: 漢나라 때 궁중에 있던 일종의 도서관 건물 이름. 漢高祖 때 蕭何가 세웠으며 未央宮 안에 있었고 祕書를 보관하였으며 인재를 배치하였다. 왕망 시대에 양웅이 이곳에서 校書 작업을 하였다.(『三輔黃圖』 「未央宮」)

24 왕망과 董賢 사이에서: 양웅은 나이 40여 세가 되어서야 大司馬 王音의 천거로 待詔 벼슬에 올랐고 이어 給事黃門에 발탁되어 왕망·劉歆 등과 어울려 함께 벼슬하였다. 哀帝 때는 董賢과 동료로 함께 벼슬하였다. 동현은 용모가 빼어나 애제와 침식을 함께 할 정도로 총애를 입으며 大司馬 벼슬을 거쳐 衛將軍이 되고 高安侯에 봉해졌다. 양웅은 이들 왕망과 동현이 三公 지위에 올라 군주보다 더 큰 위세를 떨칠 때 전연 벼슬에 변화가 없었다. 마침내 왕망이 찬탈하여 新나라를 세웠을 때 비로소 노인으로 오랫동안 낮은 벼슬에 있었던

이 어찌 대장부일 수 있겠는가!"

[58-1-7]

"揚子謂, ‘老子言道德則有取, 至如搥提仁義, 絶滅禮樂則無取.’ 若以‘剖斗折衡, 聖人不死, 大盜不止’, 爲救時反本之言爲可取, 却尙可恕! 如言‘失道而後德, 失德而後仁, 失仁而後義, 失義而後禮,’ 則自不識道, 已不成言語. 却言其言道德有取, 此自是揚子不見道處. 又謂, ‘學行之上也,’ ‘名譽以崇之,’ 皆揚子之失."[25]

(정자가 말하였다.) "양자가 ‘노자老子가 말한 도덕은 취하나 인의를 팽개치고 예악을 절멸시킨 것에 이르러선 취하지 않는다.’[26]라고 말하였다. 만일 ‘말斗을 쪼개고 저울대를 부러뜨려야 하며 성인이 죽지 않으면 큰 도둑이 없어지지 않을 것이다.’[27]와 같은 말을 시대를 구원하고 근본을 회복시키는 말이라고 하여 취할 만하다고 하고 용서할 수 있을까! 예컨대, ‘도가 쇠하여진 뒤에 덕이 나타나고, 덕이 쇠하여진 뒤에 인이 나타나고, 인이 쇠하여진 뒤에 의가 나타나고, 의가 쇠하여진 뒤에 예가 나타난다.’[28]는 말은 (노자가) 본디 도를 알지 못한 것이고 이미 말로도 성립되지 않는다. 그런데 도리어 ‘그가 말한 도덕은 취한다.’라고 하니 이는 본디 양자운이 도를 보지 못하고 있는 것이다. 또 말하기를, ‘학문은 행함이 으뜸이고’, ‘명예로 높인다.’[29]라는 말은 모두 양자운의 잘못된 것이다."

[58-1-8]

龜山楊氏曰: "揚雄云, ‘多聞則守之以約; 多見則守之以卓’, 其言終有病. 不如孟子言, ‘博學而詳說之, 將以反說約也’爲無病. 蓋博學詳說, 所以趨約. 至於約, 則其道得矣. 謂之守以約卓於多聞多見之中, 將何守! 見得此理分明, 然後知孟子之後其道不傳, 知孟子所謂‘天下可運於掌’爲不妄."[30]

구산 양씨[楊時]가 말했다. "양웅이 ‘많은 것을 들으면 지키는 것이 간략해지고 많은 것을 보면 지키는 것이 탁월해진다.’[31]라고 말하는데, 그 말에는 이미 병통이 있다. 맹자가 ‘널리 배워 자세히 설명하는

　　　것을 인정받아 겨우 大夫에 올랐다.(『漢書』 권87)

25　『二程遺書』 권1 「端伯傳師說」

26　『揚子法言』「問道篇」

27　‘말斗을 쪼개고 … 것이다.’ : 이는 『莊子』「胠篋」에 나오는 말을 편집한 것이다.

28　『老子』 38장

29　‘학문은 행함이 … 높인다.’ : 모두 『揚子法言』 권1 「學行篇」에 있는 말이다. 학문 운운은, "학문은 행함이 으뜸이고, 말하는 것은 다음이고, 남을 가르치는 것은 또 다음이다.(學行之, 上也 ; 言之, 次也 ; 敎人, 又其次也.)"의 일부이고, 명예 운운은, "배워서 닦고, 생각하여 정밀하게 하고, 벗에게서 갈고 다듬며, 명예로 높이고, 게으름 피우지 않음으로 마무리 짓는다면 학문을 좋아한다고 말할 수 있을 것이다.(學以治之, 思以精之, 朋友以磨之, 名譽以崇之, 不倦以終之, 可謂好學也.)"라고 한 말의 일부이다.

30　『龜山集』 권12 「語錄·餘杭所聞」

31　『揚子法言』「吾子篇」

것은 설명하는 말이 간략한 결과를 얻게 하려고 해서다.'[32]라고 한 병통이 없는 말만 못하다. 널리 배우고 자세히 설명하는 것은 간략한 데로 나아가려는 것이다. 간략의 경지에 이르면 도는 터득된다. 많은 것을 듣고 많은 것을 본 속에서 간략해지고 탁월하여짐을 지키려 든다고 말한다면 장차 무엇을 지킨다는 것인가! 이 이치를 분명하게 터득한 뒤라야 맹자 이후 그의 도가 전하여지지 않음을 알 것이고, 맹자가 말한 '천하는 손바닥 위에서 운용할 수 있다.'[33]는 말이 부질없지 않음을 알 것이다."

[58-1-9]

"揚子雲作『太玄』, 只據他立名便不是. 旣定却三方·九州·二十七部·八十一家, 不知如何相錯得. 八卦所以可變而爲六十四者, 只爲可相錯, 故可變耳. 惟相錯, 則其變出於自然也."[34]

(구산 양씨가 말했다.) "양자운이 『태현』을 지으며 단지 자신의 생각대로 이름을 붙인 것은 옳지 않다. 3방方·9주州·27부部·81가家[35]를 이미 정하였으나 어떻게 서로 교차하였는지 알 길이 없다. 8괘가 변화되어 64괘가 될 수 있었던 까닭은 단지 서로 교차할 수 있으므로 변화할 수 있었다. 서로 교차하게 되면 그 변화는 저절로 이루어진다."

[58-1-10]

朱子曰 : "揚子雲出處非是. 當時善去, 亦何不可!"[36]

주자가 말하였다. "양자운은 벼슬하고 물러난 것이 옳지 않다. 당시 잘 떠났다면 또한 어찌 옳지 않았겠는가!"

[58-1-11]

問 : "揚子避礙通諸理之說是否?"

曰 : "大槩也似, 只是言語有病."

問 : "莫是避字有病否?"

曰 : "然. 少間處事, 不看道理當如何, 便先有簡依違閃避之心矣."[37]

물었다. "양자가 '장애물을 피하면 이치를 통달한다.'[38]는 말은 옳은 말입니까?"

---

32 『孟子』「離婁下」

33 『孟子』「梁惠王上」

34 『龜山集』권13「語錄·餘杭所聞」

35 3方·9州·27部·81家 : 『太玄』은 『周易』의 64괘를 본떠 81首를 만들고, 『周易』은 6효가 있는데 『太玄』은 4효로 이루어져 있어 제일 윗 효를 '방', 다음 효를 '주', 다음 효를 '부', 제일 아래 효를 '가'라 한다. 여기서 3방은 『太玄』 81수 중에서 가장 윗 효가 변하는 것은 中과 更과 減 3수임을 말한다. 다음에서 말한 9주도 위에서 두 번째 효가 변하는 것은 9수임을 말한다. 이하 27부와 81가도 이런 형식이다.

36 『朱子語類』권137「戰國漢唐諸子」36조목

37 『朱子語類』권137「戰國漢唐諸子」37조목

(주자가) 대답하였다. "대개는 그럴듯하나 단지 말에 병통이 있다."

물었다. "피한다는 말에 병통이 있는 것입니까?"

(주자가) 대답하였다. "그렇다. 잠간의 일 처리에서도 당연한 도리가 어떠한 것인지를 살피려 하지 않고 우선 어정쩡하게 피하려는 마음부터 가지고 있다."

[58-1-12]

"'學之爲王者事', 不與上文屬. 只是言人君不可不學底道理, 所以下文云, '堯·舜·禹·湯·文·武汲汲, 仲尼皇皇'. 以數聖人之盛德, 猶且如此."

問: "'仲尼皇皇', 如何?"

曰: "夫子雖無王者之位, 而有王者之德, 故作一處稱揚."[39]

(주자가 말하였다.) "'배우는 것은 제왕의 일이다.'는 윗글과 이어지지 않는다.[40] 단지 군주가 배우지 않을 수 없는 도리를 말한 것이니, 그런 까닭에 아랫 글에서, '요·순·우·탕·문·무는 배우기에 급급하였고 중니[孔子]는 황급해 하였다.'고 말한 것이니, 몇 사람 성인의 훌륭한 덕으로도 오히려 이같았던 것이다."

물었다. "'공자가 황급해 하였다.'는 어떤 것입니까?"

(주자가) 말하였다. "부자께서 제왕의 지위는 없으나 제왕의 덕을 가지셨기 때문에 이 한문단을 삽입시켜 일컬어 찬양한 것이다."

[58-1-13]

"'德隆則晷星, 星隆則晷德'. 晷, 影也, 猶影之隨形也. 蓋德隆則星隨德而見, 星隆則人事反隨星而應."[41]

(주자가 말하였다.) "'덕이 융성하게 되면 별에 그림자[晷]처럼 나타나고, 별이 융성하게 되면 덕에 그림자처럼 나타난다.'[42]의 '귀[晷]'는 그림자이니 그림자가 물건의 모양에 따라 나타나는 것과 같다. 덕이 융성

---

38 '장애물을 피하면 … 통달한다.' : 『揚子法言』「君子篇」의 "군자의 길에 유독 장애가 없겠느냐! 어떻게 곧바로 나아갈 수 있으랴! 물이 장애물을 피하면 바다로 통하고 군자가 장애물을 피하면 이치를 통한다.(君子之行, 獨無礙乎! 如何直徃也! 水避礙則通于海, 君子避礙則通于理.)"라고 한 말의 일부이다.

39 『朱子語類』 권137 「戰國漢唐諸子」 38조목

40 '배우는 것은 … 않는다. : 『揚子法言』「學行篇」의 "習乎習! 以習非之勝是也, 況習是之勝非乎! 於戲! 學者審其是而已矣. 或曰, 焉知是而習之? 曰視日月而知衆星之蔑也, 仰聖人而知衆說之小也. 學之爲王者事, 其已久矣. 堯舜禹湯文武汲汲, 仲尼皇皇, 其已久矣."를 두고 '學之爲王者事'를 윗글에 붙여 해석할 것인지 윗글에 붙이지 않고 새로운 말의 시작으로 볼 것인지를 두고 한 말이다.

41 『朱子語類』 권137 「戰國漢唐諸子」 40조목

42 '덕이 융성하면 … 나타난다.': 이는 『揚子法言』「五百篇」의 말이다. 덕은 군주의 덕을 이른다. 별이 융성하게 된다는 뜻은 하늘에 나타난 현상을 빌어서 나라 정치에 이용하려는 것을 이른다. 곧 덕을 길러 하늘에 상서가 나타나게 하지 않고 하늘에 나타난 어떤 현상을 가져다 자신의 정치를 미화시킴을 이른다.

하게 되면 별은 덕에 따라 나타나고 별이 융성하게 되면 인간의 일이 거꾸로 별에 따라 응하게 된다."

[58-1-14]

"揚子云, '月未朢,[43] 則載魄于西；旣朢, 則終魄于東, 其逐於日乎!'[44] 載者, 加載之義. 如老子云 '載營魄'；左氏云 '從之載', 正是這箇載字, 諸家都亂說. 只有古注解云, '月未朢則光始生於西面, 以漸東滿；旣朢則光消虧於西面, 以漸東盡.' 此兩句略通而未盡. 此兩句盡在 '其逐於日乎' 一句上. 蓋以日爲主, 月之光也日載之；光之終也日終之. 載, 猶加載之載. 又訓上. 如今人上光·上采色之上. 蓋初一二間時, 日落於酉, 月是時同在彼；至初八九, 日落在酉, 則月已在午；至十五日相對, 日落於酉而月在卯, 此未朢而載魄于西. 蓋月在東, 而日在西, 日載之光也. 及日與月相去逾遠, 則光漸消而魄生. 少間月與日相蹉過, 日却在東, 月却在西, 故光漸至東盡, 則魄漸復也. 當改古注云, '日加魄於西面, 以漸東滿；日復魄於西面, 以漸東盡. 其載也日載之；其終也日終之, 皆繫於日.'"

(주자가 말하였다.) "양자가 말하기를, '달이 보름이 안 되어서는 빛을 서쪽부터 신고[載] 보름을 지내고서는 빛이 (서쪽에서) 동쪽으로 없어져 가니 그것은 해를 마주해서이다.'[45]라고 하였는데, '신고[載]'는 그 위에 싣는다는 뜻이다. 예컨대 『노자老子』에서 말한 '재영백載營魄'[46]과 『좌전左傳』에서 말한 '따라 실었다[從之載]'가 바로 이 신다[載]의 뜻인데, 여러 학자들은 모두 어지럽게 말하고 있다.[47] 단지 옛 주해注解에 '달이 보름이 안 되어서는 빛이 서쪽에서 처음 생겨나 점점 동쪽으로 차고, 보름이 지나면 빛이 서쪽에서 이지러져 점점 동쪽까지 다 스러진다.'라 하였다. 이 두 문장은 대략 뜻은 통하나 미진하다. 이 두 문장은 모두 '그것은 해를 마주해서이다.'란 한 문장만을 말한 것이니, 해로 주장을 삼아 달의 빛은 해가 실림이고 (달의 빛이) 다함은 해가 다함으로 보았다. '싣다[載]는 '그 위에 싣다'의 '싣다'란 말과 같다. 또 '올리다[上]'의 뜻으로도 볼 수 있다. 예컨대 지금 사람들의 '빛을 올리다.[上光] '채색을 올리다.[上采色]'의 '올리다.'이다. 초하루와 이틀 사이에는 해는 서쪽[酉(9시 방향)]으로 지며 달은 이때 함께 그쪽에 있고, 초여드레 아흐레에 이르면 해가 지는 것은 서쪽이고 달을 이미 남쪽[午(6시 방향)]에 와 있고, 보름에 이르면 서로 마주하여

• • • • • • • • • • • • • • • • • • • •

43 朢: 望과 같다.

44 『朱子語類』 권137 「戰國漢唐諸子」 41조목에는 '其逐於日乎' 아래에 "先生擧此, 問學者是如何? 衆人引諸家注語,〈古注解'載'作'始', "魄"作'光'. 溫公改'魄'作'朏', 先生云, 皆非是.〉皆不合. 久之, 乃曰, "只曉得箇'載'字, 便都曉得. 載者, 如加載之'載'."가 더 있다.

45 '달이 보름이 … 마주해서이다.': 『揚子法言』 「五百篇」의 말이다. 마주함이란 해와 달이 정면으로 마주해 달이 둥근 모양으로 뜬 것을 이른다.

46 '載營魄: 『老子』 10장

47 여러 학자들은 … 있다. : 『朱子語類』 권137 「戰國漢唐諸子」 41조목에, "옛 주해에 '載는 시작, 魄은 빛이라 하고,' 司馬溫公은 '魄은 초생달이다.[朏]'고 하였다." 또 『法言義疏』(中華書局, 2010)에 의하면 "載는 시작이다.[始] 魄은 초사흘의 초생달이다.(魄. 朏也. 謂月三日始生兆朏) 달의 어두운 부분이다.(魄, 月質也.)"라는 설 등을 싣고 있다.

해는 서쪽으로 지고 달은 동쪽[卯(3시 방향)]에 와 있으니, 이는 달이 보름이 안 되어서는 빛을 서쪽부터 싣는 것이다. 달이 동쪽에 있고 해가 서쪽에 있어 해가 달에게 빛을 싣는 것이다. 해와 달의 서로 거리가 더욱 멀어지게 되면 빛이 점점 이지러지면서 어두운 부분이 생겨난다. 조금 지나 달과 해가 서로 엇갈려 해는 동쪽에 있고 달은 서쪽에 있게 되니, 그러므로 빛이 점점 동쪽으로 옮겨가며 다하게 되면 어두운 부분이 점점 복원된다. 마땅히 옛 주해를 고쳐서 '해가 서쪽의 검은 부분에 더하여져 점점 동쪽으로 둥글어져 가고, 해가 다시 서쪽에 어두운 부분을 남기면서 점점 동쪽으로 다 어두워지게 한다. 그 실림은 햇빛이 실림이고 그 끝남은 햇빛이 끝남이니 모두 해에 달려 있다.'라 해야 할 것이다."

又說秦周之士, 貴賤拘肆, 皆繫于上之人, 猶月之載魄終魄, 皆繫於日也. 故曰其遡於日乎! 其載其終, 皆向日也. 溫公云, '當改「載魄」之「魄」作朏.' 都是曉其說不得."[48]

또 말하기를 "진秦나라와 주나라 사람들에게 귀해짐과 천하여짐, 구속되고 자유스러워짐은 모두 윗사람에게 달려 있는 것이 마치 달이 빛을 싣고 빛이 끝나는 것이 모두 해에게 달려 있는 것과 같다. 그러므로 '그것이 해와 마주하는 것이다.'라고 말한 것이다. 그 실리는 것과 끝나는 것은 모두 해를 향함에 있다. 사마온공司馬光은 '빛을 싣는다[載魄]'의 백魄자는 비朏(초삼일의 달)자로 고쳐야 한다고 하였으니, 전혀 그 말뜻을 알지 못한 것이다."

[58-1-15]

"雄之學似出於老子. 如太玄曰, '潛心于淵,[49] 美厥靈根.' 測曰 : "潛心于淵", 神不昧也.' 乃老氏說話."

問 : "太玄分贊於三百六十六日下, 不足者乃益以'踦贏', 固不是. 如易中卦氣, 如何?"

曰 : "此出於京房, 亦難曉. 如太玄中推之, 蓋有氣而無朔矣."

問 : "伊川亦取雄太玄中語, 如何?" 曰, "不是取他, 言他地位至此耳."[50]

(주자가 말하였다.) "양웅의 학문은 노자에게서 나왔다. 예컨대 『태현太玄』의 '마음을 깊숙이 잠복시켜 영근靈根[51]을 아름답게 한다.'하고 측測에[52] '「마음을 깊숙이 잠복시킴」은, 신神이 혼매하지 않아서이다.'라고 하였으니, 바로 노씨老子의 말투다."

물었다. "『태현』은 366일 아래에 찬贊을 나누어 붙이면서 부족한 것을 기踦와 영贏으로 보탰으니,[53] 참으

48 『朱子語類』권137 「戰國漢唐諸子」 41조목

49 潛心于淵 : 『太玄』의 養에는 '潛'자가 '藏'자로 되어 있다. 앞 [58-1-2]에도 마찬가지다.

50 『朱子語類』권137 「戰國漢唐諸子」 19조목

51 靈根 : 范望은 그의 저서 『太玄解贊』에서 "영근은 道德이다."라고 하였다.

52 測 : 『太玄』은 『周易』의 체제를 본뜬 책이다. 『太玄』에서 "마음을 깊숙이 잠복시킴" 운운은 '贊'이라 하니 이 찬은 『周易』의 '爻'에 해당하며, '測'은 바로 그 '贊'에 대한 풀이이다.

53 『太玄』은 366일 … 보탰으니 : 『太玄』은 『周易』의 64괘에 비겨 81首로 구성되어 있고 1首는 모두 4爻로 구성되어 있으며 1首마다 『周易』의 爻辭라 할 수 있는 贊이 9개가 있다. 따라서 81수의 찬은 729개이다.

로 옳지 않습니다. 『역림易林』의 괘기卦氣[54]와 어떻습니까?"

(주자가) 대답하였다. "이는 경방京房에게서 나온 것인데 또한 알기가 어렵다. 만일 『태현』 속에서 미루어 본다면 절기는 있으나 초하루는 없다."[55]

물었다. "이천程頤도 또한 양웅의 『태현』 속의 말을 취하였으니, 무엇 때문입니까?"

(주자가) 대답하였다. "그 사람의 말을 취한 것이 아니고 그의 학문의 경지가 여기에 이르렀음을 말했을 뿐이다."[56]

[58-1-16]

問：“太玄如何？”

曰：“聖人說天一地二天三地四天五地六天七地八天九地十, 甚簡易. 今太玄說得却支離. 太玄如他立八十一首, 却是分陰陽. 中間一首, 半是陰半是陽. 若看了易後, 去看那玄, 不成物事.”

又問：“揚雄也是學焦延壽推卦氣.”

曰：“焦延壽易, 也不成物事. 今人說焦延壽卦氣不好, 是取太玄. 不知太玄却是學他.”[57]

물었다. "『태현』은 어떻습니까?"

(주자가) 대답하였다. "성인은 하늘은 1, 땅은 2, 하늘은 3, 땅은 4, 하늘은 5, 땅은 6, 하늘은 7, 땅은 8, 하늘은 9, 땅은 10이라고 말하여[58] 매우 간결하고 쉬운데, 지금 『태현』의 말은 지루하다. 『태현』은 예컨대 그가 81수를 만들고 음과 양으로 나누었다.[59] 중간의 한 수首는 반은 양陽이고 반은 음陰이다.[60]

· · · · · · · · · · · · · · ·

그리고 2찬을 하루의 낮과 밤에 배당시켰다. 365일에 필요한 찬은 730개이다. 그래서 모자란 찬을 채우기 위해 踦贊(부족한 찬)과 嬴贊(남은 찬) 2개의 찬을 늘렸다. 곧 365일에 모자란 1개를 채우는 기찬과, 천체의 둥글기 365도 4분의 1에 해당하는 남는 4분의 1을 채우기 위한 영찬을 둔 것이다.

54 『易林』의 卦氣 : 『易林』은 漢나라 사람 焦延壽의 저작이다. 초연수는 孟喜에게 易을 배워 京房에게 전수하였다. 괘기는 64괘를 4계절·12개월·24절기에 배분하는 법으로 漢나라 때 孟喜와 京房 등에서부터 시작되었다. 예를 들면 『周易』의 坎(겨울)·離(여름)·震(봄)·兌(가을) 네 괘를 4계절에 배분시키고, 그들 네 괘의 24효를 24절기에 배분시키고, 復(11월)·臨(12월)·泰(정월)·大壯(2월)·夬(3월)·乾(4월)·姤(5월)·遯(6월)·否(7월)·觀(8월)·剝(9월)·坤(10월)괘를 12개월에 배분시키는 것들을 이른다.

55 절기는 있으나 … 없다. : 『太玄』 권10의 太玄曆에서 24절기는 81수 아래에 차례대로 배분하여 나열하면서, 12개월은 특별하게 말하지 않음을 이른다.

56 그의 학문의 … 뿐이다. : 위 [58-1-2] 참고

57 『朱子語類』 권67 「易·綱領下」 137조목

58 하늘은 1, … 말하여 : 『周易』 「繫辭上」 제9장의 말로 하늘은 陽을 땅은 陰을 이른다.

59 81수를 만들고 … 나누었다. : 『太玄』의 81수는 매 수마다 그 아래 陽家와 陰家를 차례로 표기하여 그 수가 양에 해당한 수인지 음에 해당한 수인지를 밝히고 있다.

60 중간의 한 … 陰이다. : 『太玄』의 81수는 제일 첫 수인 中이 冬至 때를 상징하는 것으로 시작하여 40째 수가 되는 法을 지나고 41째 수인 應은 하지 전후를 상징하는 首라서 전체 9개의 찬 중 初一·次二·次三·次四·次五까지는 陽을 나타내고, 次六의 贊辭는 "양의 성한 기운은 하늘을 받들고 음 기운은 땅에서 움튼다.(熾承

『주역』을 보고나서 저 『태현』을 보면 조리가 서지 않는다.”

또 물었다. “양웅은 초연수焦延壽에게 배워서 괘기卦氣를 추측한 것입니다.”

(주자가) 대답하였다. “초연수의 『역림易林』도 조리가 서지 않는다. 지금 사람들이 초연수의 괘기가 좋지 않은 것은 『태현』에서 취해온 것이라 말하고 있다. 『태현』이 초연수에게서 배운 것을 알지 못하고 있다.”

[58-1-17]

“天地間只有陰陽二者而已, 便會有消長. 今太玄有三箇了, 如冬至是天元, 到三月便是地元, 七月便是人元.[61] 夏至却在地元之中, 都不成物事.”[62]

“하늘과 땅 사이에는 단지 음과 양 두 가지가 있을 따름이고 (이 음양이) 때로 사라지고 자라남이 있다. 지금 『태현』에는 세 가지가 있으니, 예컨대 동지는 천원天元이고, 3월에 이르면 지원地元이고, 10월이면 인원人元이다. 하지가 지원 속에 있어 도무지 조리가 서지 않는다.”

[58-1-18]

“太玄甚拙. 歲是方底物, 他以三數乘之, 皆算不著.”[63]

(주자가 말하였다.) “『태현』은 매우 졸렬하다. 한 해는 네 철의 우수偶數로 구성되었는데 『태현』에는 3개의 수로 곱하여 늘어가 모든 계산이 성립되지 않는다.”[64]

[58-1-19]

“太玄紀日而不紀月, 無弦望晦朔.”[65]

(주자가 말하였다.) “『태현』은 날만 기록하고 달은 기록하지 않았으며 상현과 하현, 보름·그믐·초하루가 없다.”[66]

....

于天, 冰萌于地.)”라고 하여 夏至를 정점으로 陽氣가 쇠퇴하고 陰氣가 시작하는 것으로 밝히고 있다. 이어 迎부터 養까지 40수는 하지 이후 동지 이전까지의 음을 상징한다. 그리고 음이 끝난 다음에 기찬과 영찬 두 찬을 배열하여 모자라고 남는 수를 채우고 있다.

61 七月便是人元. : 七月의 ‘七’은 『朱子語類』 권67 「易·綱領下」 138조목에 十자로 되어 있다.

62 『朱子語類』 권67 「易·綱領下」 138조목

63 『朱子語類』 권67 「易·綱領下」 139조목

64 이글은 『朱子語類考文解義』에 의하면, “(이 글의 번역 원문) ‘方底物’은 정확하지 않다. ‘方’은 偶數이니 한 해의 네 계절이 우수인 방이다. 지금 『太玄』은 3으로 하늘과 땅과 사람을 본떠 나누고 해당 하늘과 땅과 사람의 하나씩으로 3을 만들어 81에 이르렀으니 모두 횟수가 잘못 계산한 것인 까닭에 ‘맞지 않는다.’고 한 것이다.(方底物, 未詳. 蓋方者, 偶數, 一歲四時, 是偶而方者. 今太玄 三摹分天地人, 而一分爲三, 以至八十一, 皆誤算起數, 故曰不著.)”라고 하였다.

65 『朱子語類』 권67 「易·綱領下」 140조목

66 “『太玄』은 날만 … 없다.” : 『太玄』은 각 首(卦)의 아홉 개 贊(『周易』의 효사와 같음)을 1년 365일에 배정하여

[58-1-20]

"太玄中高處只是黃老. 故其言曰, '老子之言道德, 吾有取焉.'"[67]

(주자가 말하였다.) "『태현』 중에서 높인 곳은 단지 황로黃老이다. 그러므로 그가, '노자가 말한 도덕은 내가 취함이 있다.'[68]라고 말한 것이다."

[58-1-21]

"太玄之說只是老莊. 康節深取之者, 以其書亦挨傍陰陽消長來說道理."[69]

(주자가 말하였다.) "『태현』의 말은 단지 노장학의 말이다. 소강절이 이를 깊게 믿고 취한 것은 그 책이 또한 음양의 사라지고 자라나는 도리를 의지해 말했기 때문이다."

[58-1-22]

或問 : "易與太玄數有何不同?"

潛室陳氏曰 : "易是加一倍法. 太玄加三倍法. 易卦六十四, 太玄卦八十一. 太玄模放周易, 只起數不同耳. 先儒謂, '將易變作十部太玄亦得, 但無用耳.'"[70]

어떤 사람이 물었다. "역易과 『태현』의 숫자는 어떤 다름이 있습니까?"

잠실 진씨[陳埴]가 대답하였다. "역은 갑절로 늘어가는 법이고, 『태현』은 3갑절로 늘어가는 법이다. 역은 64괘이고 『태현』은 81수首이다. 『태현』은 『주역』을 모방하였으나 다만 표준으로 삼은 숫자가 같지 않을 뿐이다. 옛 선비들이 '역을 가지고 변화시키면 10종류의 『태현』을 또한 저술할 수도 있으나 다만 쓸데없는 것일 뿐이다.'[71]라고 하였다."

[58-1-23]

西山眞氏曰 : "揚子默而好深湛之思, 故其言如此. 潛之一字最宜玩味. 天惟神明, 故照知四方. 惟精粹, 故萬物作類. 人心之神明精粹, 本亦如此. 惟不能潛, 故神明者昏, 而精粹者雜, 不能燭理而應物也."[72]

서산 진씨[眞德秀]가 말하였다. "양자는 묵묵히 깊은 생각에 잠기기를 좋아하였던 까닭에 그 말들이 이와 같다. 전일[潛]이라는 한 글자가 가장 음미하기에 좋다. 하늘은 신명神明한 까닭에 사방을 밝게 살피고

두 개의 찬으로 하루의 낮과 밤에 배정시켰다. 단 이렇게 하루하루만 있고 정작 달의 큰 변화인 네 가지에 대한 언급이 없음을 지적한 것이다.

67 『朱子語類』 권67 「易·綱領下」 141조목
68 '노자가 말한 … 있다.' : 『揚子法言』 「問道篇」
69 『朱子語類』 권67 「易·綱領下」 142조목. 또 '挨傍'의 '傍'은 '旁'자로 쓰여 있다.
70 『木鍾集』 권4 「易」
71 10종류의 『太玄』을 … 뿐이다. : 위 [58-1-3] 참고
72 『西山讀書記』 권3 「心」

정수精粹한 까닭에 만물이 무리[類]를 이룬다.[73] 사람 마음의 신명함과 정수함도 본래 역시 이와 같다. 오직 잘 전일하지 못한 까닭에 신명한 것이 어두워지고 정수한 것이 뒤섞여져, 이치를 살펴서 사물에 대응하지 못하게 되었다."

[58-1-24]

臨川吳氏曰 : "揚子雲擬易以作太玄. 易自一而二, 二而四, 四而八, 八而十六, 十六而三十二, 三十二而六十四. 太玄則自一而三, 三而九, 九而二十七, 二十七而八十一. 易之數乃天地造化之自然, 一毫知力無所與於其間也. 異世而同符, 惟邵子皇極經世一書而已. 至若焦延壽易林 · 魏伯陽參同契之屬, 雖流而入於伎術, 尚不能外乎易之爲數. 子雲太玄名爲擬易, 而實則非易矣. 其起數之法, 旣非天地之正, 又强求合於曆之日. 每首九贊, 二贊當一晝夜. 合八十一首之贊凡七百二十九, 僅足以當三百六十四日有半. 外增一踦贊以當半日, 又立一嬴贊以當四分日之一. 吁! 亦勞且拙矣."

임천 오씨[吳澄]가 말하였다. "양자운은 『주역』에 빗대어 『태현』을 지었다. 『주역』은 1로부터 2로, 2로부터 4로, 4로부터 8로, 8로부터 16으로, 16으로부터 32로, 32로부터 64로 변하였다. 『태현』은 1로부터 3으로, 3으로부터 9로, 9로부터 27로, 27로부터 81로 변하였다. 『주역』의 숫자는 바로 천지조화의 저절로 그러함이고 지혜나 힘이 그 사이에 조금도 끼어 있지 않다. 시대는 다르나 부절처럼 합치된 것은 소자邵雍(소강절)의 『황극경세서皇極經世書』 한 책일 따름이다. 초연수焦延壽의 『역림易林』과 위백양魏伯陽의 『참동계參同契』 따위와 같은 책은 비록 변화하여 술수로 넘어갔지만 『주역』의 수數 범위를 벗어나지는 않았다. 자운의 『태현』은 이름은 『주역』을 본받았다고 하였으나 실상은 『주역』이 아니다. 그가 표준으로 삼은 숫자는 이미 천지를 바르게 본받은 것이 아니고 또 억지로 1년의 책력 날짜에 맞추었다. 매 수首마다 9찬贊을 붙였고, 2찬으로 1일의 낮과 밤에 해당시켰다. 81수의 찬을 합하면 모두 729찬이 되어 겨우 364.5일에 해당한다. 따로 기찬踦贊 하나를 늘려 0.5일에 해당시키고, 또 영찬嬴贊 하나를 만들어 4분의 1에 해당시켰다.[74] 아! 또한 고생스럽고 또 졸렬하도다."

文中子 문중자[75]

[58-2-1]

程子曰 : "文中子本是一隱君子. 世人往往得其議論, 傅會成書. 其間極有格言, 荀揚道不到

---

73 전일[潛]이라는 … 이룬다. : 이말은 『揚子法言』 「問神篇」의 "天地, 神明而不測者也. 心之潛也, 猶將測之 … 天神天明, 照知四方 ; 天精天粹, 萬物作類."를 논평한 말이다.

74 매 수마다 … 해당시켰다. : 윗글 [58-1-15] 참고

處. 又有一件事, 半截好, 半截不好. 如魏徵問聖人有憂乎? 曰, '天下皆憂, 吾獨得不憂!' 問疑, 曰'天下皆疑, 吾獨得不疑!' 徵退, 謂董常曰, '樂天知命吾何憂, 窮理盡性吾何疑!', 此言極好. 下半截却云, '徵所問者迹也, 吾告女者心也, 心迹之判久矣', 便亂道."76

정자(程頤)가 말했다. "문중자는 본래 숨어 살던 한 군자이다. 세상 사람들이 가끔씩 그가 한 말을 가져다 부회하여 책을 만들었다. 그 중에 더없는 격언도 있어 순자(荀子)와 양자(揚子)가 하지 못할 말을 말하기도 하였다. 또 어떤 말은 반은 좋고 반은 좋지 않은 것도 있다. 예를 들자면 위징(魏徵)77이 '성인께서도 근심이 있습니까?'라고 묻자, 대답하기를 '천하 사람이 모두 근심하는데 나만 홀로 근심하지 않을 수 있겠는가!'라 고 하고, '(성인께서도) 의심이 있습니까?'라고 묻자, 대답하기를, '천하 사람이 모두 의심하는데 나만 홀로 의심하지 않을 수 있겠는가!'라고 하였다. 위징이 물러가자 동상(董常)에게 말하기를, '하늘의 이치를 알고 천명을 즐거워하는데 내가 왜 근심하며, 이치를 궁구하고 본성대로 다하는데 내가 왜 의심하겠는가!' 라고 하니 이 말은 더없이 좋다. 다음 말에서 '위징이 물은 것은 외면의 자취(迹)이고 내가 너에게 고해준 것은 마음이니, 마음과 행동이 구분된 지 오래다.'78라고 말하여, 도를 어지럽혔다."

[58-2-2]

"王通當時有些言語, 後來被人傳會. 若續經之類, 皆非其作."79

(정자(程頤)가 말했다.) "왕통이 당시에 얼핏 언급하였던 말이 후세 사람들에 의해 부회되었다. 『속경(續經)』80과

---

75 文中子: 隋나라 王通의 시호. 아울러 왕통의 저서 『文中子中說』의 준말로도 쓰인다. 또 『文中子中說』은 『中說』로 보통 불린다. 왕통은 수나라 龍門사람으로 자는 仲淹이다. 시호 문중자는 그의 제자들끼리 사사로이 올린 시호이다. 文帝 때 장안에 나아가 太平十二策을 올렸으나 받아들여지지 않자 河汾에서 평생 강학하였다. 煬帝가 여러 차례 불렀으나 나아가지 않았다. 房玄齡과 魏徵 등 唐太宗의 치세를 보좌한 많은 신하들이 거의 그의 제자로 알려져 있다.(『舊唐書』 권190上 ; 『新唐書』 권164)

76 『二程遺書』 권19 「楊遵道錄」

77 魏徵(580~643): 산동성 曲城 사람으로 자는 玄成, 시호는 文貞公이다. 隋나라 말 혼란기에 李密의 군대에 참가하였으나 곧 唐高祖에게 귀순하여 고조의 장자 李建成의 유력한 측근이 되었다. 황태자 건성이 아우 世民(태종)과의 경쟁에서 패하였으나 위징의 인격에 끌린 太宗의 부름을 받아 諫議大夫 등의 요직을 역임한 후 宰相으로 중용되었다. 특히 굽힐 줄 모르는 直諫으로 유명하며, 周·隋·五代 등의 正史 편찬 사업과 『群書治要』등의 편찬에도 큰 공헌을 하였다.(『舊唐書』 권71 ; 『新唐書』 권97)

78 '위징이 물은 … 오래다.': 이 말은 문중자의 저서 『中說』 권5 「問易篇」의 "魏徵曰, 聖人有憂乎? 子曰, 天下皆憂, 吾獨得不憂乎! 問疑, 子曰, 天下皆疑, 吾獨得不疑乎! 徵退, 子謂董常, 樂天知命, 吾何憂 : 窮理盡性, 吾何疑. 常曰, 非告徵也. 子亦二言乎? 子曰, 徵所問者迹也, 吾告汝者心也. 心迹之判久矣."를 인용하여 논평한 것이다. 『朱子語類考文解義』에는, "마음에 근심과 의심이 없더라도 행동은 그렇지 않다.(蓋謂心則無憂疑, 而迹則不然.)"라고 하였다.

79 『二程遺書』 권18 「劉元承手編」의 "問王通, 曰隱德君子也. 當時有些言語, 後來被人傳會, 不可謂全書. 若論其粹處, 殆非荀揚所及也. 若續經之類, 皆非其作."을 인용하여 편집한 것이다.

80 『續經』: 왕통의 저서. 그러나 지금 전하지 않는다. 다만 왕통의 저서인 『中說』의 서문에 『續經』이 전하여지지 않음을 말하고 있을 뿐이다. 『續經』은 『續經』이라는 이름의 책이 있는 것이 아니고 杜淹이 쓴 「文中子世

같은 글은 모두 그가 만든 것이 아니다."

[58-2-3]

"文中子續經甚謬, 恐無此. 如續書始於漢, 自漢以來制詔, 又何足記! 續詩之備六代, 如晉·宋·後魏·北齊·後周·隋之詩, 又何足采!"[81]

(정자程頤가 말했다.) "문중자의『속경』은 매우 잘못 된 책이니 아마도 이다지 잘못된 책은 없을 것이다. 예컨대『속서續書』는 한漢나라에서 시작하였는데 한나라 이후의 제조制詔(임금의 조서)가 또 어찌 기록할 만한 것인가!『속시續詩』는 6왕조 시대의 시들을 갖추고 있는데 예컨대 진晉·송宋·후위後魏(북위)·북제北齊·후주後周·수隋나라의 시가 또 어찌 채록할 만한 것인가!"

[58-2-4]

問: "文中子云, '圓者動, 方者靜'."

曰: "此正倒說了. 靜體圓, 動體方."[82]

물었다. "『문중자』에서 '둥근 것은 움직이고 모난 것은 고요하다.'[83]라고 하였습니다."

(정자程頤가) 대답하였다. "이는 거꾸로 말한 것이다. 고요함의 본체는 둥근 것이고 움직임의 본체는 모난 것이다."

[58-2-5]

"文中子言, '古之學者聚道', 不知道如何聚得."[84]

(정자程頤가 말하였다.) "문중자가 '옛 학자들은 도를 모았다.'[85]라고 말하였으나, 어떻게 모았는지는 알지 못했다."

[58-2-6]

朱子曰: "文中子他當時要爲伊周事業, 見道不行, 急急地要做孔子. 他要學伊周, 其志甚不

- -

家」에 의거하여 살피면 왕통의 저술로『禮論』25편,『樂論』20편,『續書』150편,『續詩』360편,『元經』50편,『贊易』70편 등을 들고 있다. 이 책들이 모두 옛 책들을 이어 모방한 데에서 이들 책을 통틀어 이렇게 말한 듯하다. 이들 책은『中說』에서 짧게 여러 곳에 언급되어 있다.

81 『二程遺書』권19 「楊遵道錄」
82 『二程外書』권8 「游氏本拾遺」
83 '둥근 것은 … 고요하다.':『中說』권2 「天地篇」에 있는 말이다. 宋나라 阮逸은 이글의 주에서 "하늘은 둥글어서 움직이고 땅은 모나서 고요하다.(天圓動, 地方靜.)"라고 하였다.
84 『二程遺書』권17
85 '옛 학자들은 … 모았다.':『中說』권4 「周公篇」에 "예전의 옛것을 좋아하는 사람들은 도를 모았고 지금의 옛것을 좋아하는 사람들은 재물을 모은다.(古之好古者聚道, 今之好古者聚財.)"라고 한 말을 이렇게 인용한 듯하다.

卑. 但不能勝其好高自大欲速之心, 反有所累. 二帝三王却不去學, 却要學兩漢, 此是他亂道處."[86]

주자가 말하였다. "문중자는 당시에 이윤伊尹과 주공周公[87]의 사업을 해보고자 하였으나 도가 행해지지 못할 것을 보고서는 다급하게 공자처럼 되어보려 하였다.[88] 문중자가 이윤과 주공을 배워보고자 하였으니 그 뜻은 결코 낮지 않았다. 단지 높은 것을 좋아하고 스스로 존대傳大하려 하며 속히 이루고자 하는 마음을 감당하지 못하여 도리어 얽매인 바가 되었다. 이제삼왕二帝三王을 배우려 하지 아니하고 양한兩漢(전한과 후한)을 배워보고자 한 이 점이 그가 도를 어지럽힌 근원이다."

[58-2-7]

問: "文中子好處與不好處."

曰: "見得道理透後, 從高視下, 一目瞭然. 今要去揣摩不得."[89]

물었다. "문중자의 좋은 점과 나쁜 점은 무엇입니까?"

(주자가) 대답하였다. "도리를 깨달음이 투철한 다음이라야 높은 곳에서 아래를 내려다보는 것처럼 한눈에 환하다. 지금 헤아려보려는 것으로는 알아내지 못한다."

[58-2-8]

"文中子其間有見處, 也即是老氏. 又其間被人夾雜, 今也難分別. 但不合有許多事全似孔子. 孔子有荷蕢等人, 他也有許多人, 便是粧點出來. 其間論文史及時事世變, 煞好."[90]

(주자가 말하였다.) "문중자가 그의 책 속에 견해를 드러낸 곳은 바로 노씨[老子]의 학설이다. 그런데 또 그 속에 사람들의 협잡이 끼여 지금 분별하기 어렵다. 단지 허다한 일들이 꼭 공자와 유사하다는 점이 합당하지 않다. 공자에게 하궤荷蕢 등의 사람들[91]이 있는데 그에게도 허다한 사람들이 있으니, 꾸며 만든 사람들이다. 그 사이에 문학·역사와[92] 당시 시대상과 세상 변화들에 대해 한 말들은 매우 좋다."

---

86 『朱子語類』 권137 「戰國漢唐諸子」 42조목

87 伊尹과 周公: 이윤은 殷나라의 초조 湯임금을 도와 은나라를 건국한 어진 정승으로, 이름은 摯이다. 주공은 周나라 文王의 아들이자 武王의 아우로, 어린 成王을 도와 攝政하며 주나라 제도를 제정하고 관혼상제의 의례까지도 모두 제정하여 후대 성현의 전범으로 추앙되었다.

88 공자처럼 되어보려 하였다.: 곧 공자가 도를 펼 수 없자 물러나 三經을 다듬어 후세에 남긴 것을 배우려 하였다는 말이다.

89 『朱子語類』 권137 「戰國漢唐諸子」 43조목

90 『朱子語類』 권137 「戰國漢唐諸子」 44조목

91 荷蕢 등의 사람들: 하궤는 삼태기를 어깨에 멘 사람으로 『論語』 「憲問」에 등장하는 인물이다. 이런 부류의 사람들이 논어에 언급된 것이 몇 군데 있는데 문중자의 『中說』에 『論語』를 본떠 이러한 인물들을 만들어 낸 것을 평한 것이다.

92 문학·역사와: 이에 대한 자세한 내용은 다음 글 [58-2-10]의 주석 참고

[58-2-9]

"文中子中說被人亂了. 說治亂處與其他好處極多, 但向上事只是老釋."

問 : "過法言否?"

曰 : "大過之."[93]

(주자가 말하였다.) "문중자의 『중설』은 사람들에게 어지럽힘을 당하였다. 치란治亂에 대해 말한 곳과 다른 좋은 곳들이 매우 많으나 다만 훌륭하다 할 수 있는 곳은 단지 『노자老子』와 불가佛家에 대한 말들이다."

물었다. "『법언法言』[94]을 초월합니까?"

(주자가) 대답하였다. "크게 초월했다."

[58-2-10]

"文中子論時事及文史處儘有可觀. 於文取陸機, 史取陳壽. 曾將陸機文來看, 也是平正."[95]

(주자가 말하였다.) "문중자가 당시의 일들과 문학·역사에 대해 논한 말들은 참으로 볼만한 것이 있다. 문장가에서는 육기陸機를 취하고,[96] 역사가에서는 진수陳壽를 취하였다.[97] 지난날 육기의 문장을 보았더니 또한 평이하고 단정하였다."

. . . .

93 『朱子語類』 권137 「戰國漢唐諸子」 45조목

94 『法言』 : 한나라 양웅의 저서이다.

95 『朱子語類』 권137 「戰國漢唐諸子」 46조목

96 문장가에서는 陸機를 취하고 : 육기는 西晉시대 吳縣사람으로 자는 士衡이다. 시와 변려문에 뛰어났다. 오나라가 망하자 「辯亡論」을 지었고 武帝 때 나양에서 아우 雲과 함께 文才로 명성을 날렸다. 저서로 『文賦』와 『陸士衡集』이 있다. 문중자가 그의 저서 『中說』 권3 「事君篇」에서 여러 문사들을 거론하면서, "육기를 평하여 문장가이다! 문장가이다! 모두 수준을 넘어선 작품들이라 하였고 이어 문중자가 말하기를, 文士의 행실을 볼 수 있다.(謂陸機, 文乎文乎! 皆思過半矣. 子謂, 文士之行可見.)"라고 하였다. 그의 「辯亡賦」는 뜻이 담긴 문장이라는 평을 얻었다.

97 역사가에서는 陳壽를 취하였다. : 진수는 晉나라 安漢 사람으로 자는 承祚이다. 벼슬은 삼국시대 蜀나라에서 觀閣令使, 진나라에서 御史治書를 지냈다. 저서로 『三國志』가 있다. 문중자가 그의 저서 『中說』 권2 「天地篇」에서 "진수는 역사 책에 뜻을 두어 大義에 의거하여 이단을 삭제하였다 … 진수가 역사가에서 아름답게 전하여지지 않은 것은 司馬遷과 班固의 죄이다.(子謂, 陳壽有志於史, 依大義而削異端 … 子曰, 使陳壽不美於史, 遷固之罪也.)"라고 하였다. 곧 『史記』는 황로의 도술을 뒤섞어 편집하고 간웅들의 실기를 장엄하게 기술하였으며, 『漢書』는 기전체의 모범이 되고자 너무 문장을 다듬는 바람에 역사서로써의 진실을 망각하였는데 독자들이 이에 현혹되어 직필에 의거한 『三國志』가 바른 평을 얻지 못하였다고 비판한 것이다. 『三國志』는 처음에 王沈이 『魏書』로 편찬한 것을 韋耀가 이어서 완결지은 역사서인데, 진수가 오나라와 촉나라의 역사를 붙여서 책 이름도 史라 하지 않고 志라고 하였다. 사건의 大義만을 간략하게 취하여 서술한 것이 후세에 좋은 평을 얻었다.

[58-2-11]

"房杜於河汾之學, 後來多有議論. 且如中說, 只是王氏子孫自記. 亦不應當時開國文武大臣盡其學者, 何故盡無一語言及其師, 兼記其家世事, 攷之傳記, 無一合者!"[98]

(주자가 말하였다.) "방현령房玄齡과 두여회杜如晦가 하분河汾에서 배운 것[99]에 대해서 후세에 많은 논란이 있다. 또 『중설』은 단지 왕통王通의 자손이 혼자서 기록한 것[100]이다. 또한 당시 나라를 세운 문무대신들이 모두 그에게 배운 사람들이란 것도 옳지 않으니, 무슨 까닭으로 그들 모두가 그의 스승을 언급한 말이 한 마디도 없고, 겸하여 그의 가계家系를 기록해 놓은 것[101]도 전기傳記와 고증해 보면 하나도 합치하는 것이 없을까!"

[58-2-12]

"文中子看其書忒裝點, 所以使人難信. 如說諸名卿大臣, 多是隋末所未見有者. 兼是他言論大綱雜伯, 凡事都要硬做. 如說禮樂治體之類, 都不消得從正心誠意做出. 又如說'安我所以安天下, 存我所以厚蒼生', 都是爲自張本, 做雜伯鎡基."

問: "續書'天子之義, 制·詔·志·策有四; 大臣之義, 命·訓·對·讚·議·誡·諫有七.' 如何?"

曰: "這般所在極膚淺, 中間說話大綱如此. 但看世俗所稱道, 便喚做好, 都不識. 如云晁董公孫之對, 據道理看, 只有董仲舒爲得, 如公孫已是不好, 晁錯是說箇甚麼! 又如自敍許多說話, 盡是夸張. 考其年數, 與唐煞遠, 如何唐初諸名卿皆與說話! 若果與諸名卿相處, 一箇人恁地自標致, 史傳中如何都不見說!"[102]

(주자가 말하였다.) "『문중자』는 그 책을 보면 잘못 과장한 것들이 사람들을 믿기 어렵게 한다. 예컨대 여러 이름난 경대부와 대신들은 대부분 수나라 말엽에 볼 수 없던 사람이다. 겸하여 그의 말에는 대략 패도覇道가 섞여 있고 일들도 모두 경직되게 처리되고 있다. 예컨대 예악과 정치의 요체를 말한 것들에는 전혀 정심正心·성의誠意의 과정을 거쳐 나오지 않고 있다.[103] 또 '나를 편안히 하는 것은 천하를 편안히

---

98 『朱子語類』 권137 「戰國漢唐諸子」 47조목

99 房玄齡과 杜如晦가 … 것: 방현령과 두여회는 모두 唐太宗 시대의 명신들이고, 하분은 문중자가 제자를 가르쳤던 地名으로 문중자를 지칭한 말이다. 『文中子』의 서문에 의하면 당 태종시대의 명신들인 방현령 두여회를 비롯하여 李靖과 魏徵 등이 모두 문중자의 제자들이라고 하였다.

100 『中說』은 단지 … 것: 『文中子』의 서문에 의거하면 왕통은 많은 저술을 남겼는데 그중 薛收와 姚義가 제자들과의 문답을 모은 『中說』은 御史大夫 杜淹이 이를 당 태종에게 올려 천하에 반포하려고 하다가 長孫無忌의 방해로 올리지 못하고 이어 책들마저 흩어져버리자 아들 福畤 형제가 모아서 10권으로 편집한 것이라고 하였다.

101 家系를 기록해 … 것: 『中說』 끝에 杜淹이 지은 「文中子世家」를 이른다. 그 글에는 시조에서 18대조 이하의 선조들의 일을 기록하고 있다.

102 『朱子語類』 권137 「戰國漢唐諸子」 48조목

하는 것[104]이고, 나를 보존하는 것은 백성을 후하게 하는 것이다.'[105]란 말은 모두 자신을 위하려는 장본이고 패도가 섞이게 된 연유이다."

물었다. "「속서」에서 천자의 의리에 제制·조詔·지志·책策 네 가지가 있고, 대신의 의리에 명命·훈訓·대對·찬讚·의議·계誡·간諫 일곱 가지가 있는 것[106]은 어떤 것입니까?'

(주자가) 대답하였다. "이런 투식을 갖추고 있음이 더할 수 없이 천박한 것이니, 중간 내용도 대략 이런 투이다. 단지 세속에서 말하는 말만을 듣고서 좋은 사람으로 말한 것은 전연 알아보지 못한 것이다. 만일 조조鼂錯[107]·동중서董仲舒·공손홍公孫弘[108]의 대책문對策文을 도리에 근거해 살핀다면 단지 동중서만이 합치되고 공손홍은 이미 좋지 않으며 조조는 또 무슨 말을 지껄인 것인가! 또 스스로 서술한 허다한 말도 모두 과장된 말이다. 그 햇수를 살펴보면 당나라와는 동떨어지는데 어떻게 당나라 초기의 여러 이름난 경대부名卿들이 모두 그와 대화할 수 있었을까! 만일 과연 여러 이름난 경대부들과 함께 지내던 한 사람이 저다지 높다랗게 드러났다면 역사책 속에 어떻게 전혀 언급된 말이 보이지 않을까!'

[58-2-13]

"文中子議論, 多是中間暗了一段, 無分明. 其間弟子問答姓名, 多是唐輔相, 恐亦不然, 蓋諸人更無一語及其師. 人以爲王通與長孫無忌不足, 故諸人懼無忌而不敢言, 亦無此理, 如鄭公豈畏人者哉! '七制之主', 亦不知其何故以'七制'名之. 此必因其續書中曾採七君事迹以爲書, 而名之曰'七制', 如二典體例, 今無可攷, 大率多是依倣而作. 如以董常如顔子, 則是以孔子自居, 謂諸公可爲輔相之類, 皆是撰成, 要安排七制之君爲他之堯舜. 考其事迹, 亦多不合. 劉禹錫作歙池江州觀察王公墓碑, 乃仲淹四代祖, 碑中載祖諱多不同. 及阮逸所注幷載關朗等事, 亦多不實. 王通大業中死, 自不同時. 如推說十七代祖, 亦不應邈遠如此. 唐李翶已自論中說可比太公家敎, 則其書之出亦已久矣. 伊川謂文中子有些格言, 被後人添入壞了. 看來必是阮逸諸公增益張大, 復借顯者以爲重耳."[109]

"『문중자』의 말들은 대부분 중간쯤 한 대목을 흐릿하게 하여 분명함이 없다. 그 속에 문답한 제자들의 성명이 대부분 당나라 정승들이나 아마도 또한 그렇지 않을 것이다. 그것은 그 여러 사람들이 한 마디도

---

103 正心·誠意의 … 있다. : 정심·성의는 『大學』의 八條目을 이른다. 곧 천하를 화평하게 하려면 格物·致知·誠意·正心·修身·齊家·治國의 과정을 거쳐야 하는 것인데 이런 과정이 없다는 말이다.

104 나를 편안하게 … 것 : 이 말은 현재 전하는 『中說』에는 찾을 수 없다. 다만 『中說』 권10 「關朗篇」에 "사람의 계책은 천하를 편하게 하는 것이다. 천하는 큰 것이기에 편한 곳에 두면 편하고 위험한 곳에 두면 위험해 진다.(人謀, 所以安天下也. 夫天下大器也, 置之安地則安 ; 置之危地則危)"라는 말만 있다.

105 나를 보존하는 … 것이다. : 『中說』 권3 「事君篇」의 말이다.

106 천자의 의리에 … 것 : 『中說』 권4 「周公篇」의 말이다.

107 鼂錯 : 그의 대책문은 『漢書』 권48 「鼂錯傳」에 실려 있다.

108 公孫弘 : 그의 대책문은 『漢書』 권58 「公孫弘傳」에 실려 있다.

109 『朱子語類』 권137 「戰國漢唐諸子」 49조목

그 스승을 언급함이 없다는 점이다. 사람들이 왕통은 장손무기長孫無忌[110]와 서로 사이가 좋지 않았던 까닭에 여러 제자들이 장손무기가 두려워 감히 말을 못했다고 하나 또한 이럴 이치는 없으니, 정공鄭公같은 사람이 어찌 사람을 두려워할 사람인가![111] 칠제지주七制之主[112]에 대해서도 역시 왜 '칠제七制'라고 이름 붙였는지 알 수 없다. 이는 필시 그의 「속서續書」 중에 7명의 군주 사적을 뽑아 책을 만든 것에서 '칠제七制'란 이름을 붙여 마치 이전二典의 체제[113]처럼 만들었을 것이다. 지금 고증할 수는 없으나 대략 대부분이 모방한 작품이다. 예컨대 동상董常을 안자顔子처럼 말하고[114] 있음은 자신을 공자孔子로 자리매 김한 것이다. 여러 사람을 정승이 될 만하다고 평한 따위의 말도 모두 꾸며 만든 것이며, 칠제지군을 안배한 것도 자신이 만들어내고자 하는 요순堯舜을 만들고자 함[115]일 것이다. 그의 사적을 살펴보면 또한 대부분 합치되지 않는다. 유우석劉禹錫이 지은 흡지강주관찰왕공묘비문歙池江州觀察王公墓碑文[116]에 는 중엄仲淹(왕통의 자)의 4대代(父·祖·曾祖·高祖)가, 비문에 실린 조상 이름 글자와 대부분 같지 않다. 완일阮逸이 주해한 책속에 함께 실린 관랑關朗 등의 일[117]에 미쳐서도 또한 대부분 실제와 부합하지 않는다. 왕통은 대업大業(隋煬帝의 연호) 연간605~616에 죽었으니 본래 시대가 같지 않다. 예컨대 17대 조상을 자세 히 추적하여 말한 것[118]도 역시 응당 이같이 요원할 수 없다. 당나라 이고李翺[119]가 이미 스스로 『중설』에

· ·

110 長孫無忌: 당나라 洛陽사람. 자는 輔機. 당태종의 황후인 長孫皇后의 오빠이다. 벼슬은 司空, 同中書門下三 品을 지냈다. 당태종을 옹립한 공으로 趙國公에 봉해졌다. 高宗때 則天武后가 황후가 되는 것을 반대하다 유배되어 자살하였다. 『隋書』와 『唐律疏議』를 편찬하였다.(『舊唐書』 권65)

111 鄭公같은 … 사람인가!: 정공은 魏徵을 이른다. 위징은 당태종이 封禪을 하려하자 이를 적극 만류하여 저지 시킬 정도로 자신이 옳다고 생각하는 바는 기어코 관철시키는 많은 일화를 남긴 강직한 인물이다. 결코 장손무기를 무서워 스승을 숨길 사람이 아니라는 말이다. 위징이 간쟁한 말들은 당나라 王綝이 『魏鄭公諫錄』 으로 엮어 전한다.

112 七制之主: 왕통이 선정한 한나라의 군주 중 옛 文王과 武王 같은 공적을 이룬 일곱 사람의 현명한 군주. 『中說』 권1 「王道篇」의 七帝之主의 阮逸의 注에 "漢高祖·孝文帝·孝武帝·孝宣帝·光武帝·孝明帝·孝 章帝(七制, 皆漢之賢君, 立武文之功業者. 高祖·孝文·孝武·孝宣·光武·孝明·孝章是也.)"라고 하였다.

113 二典의 체제: 이는 『書經』의 맨 첫머리에 나오는 「堯典」과 「舜典」을 이른다. 곧 왕통이 「續書」를 저술하며 『書經』을 본뜨려는 의도가 있었다고 평한 것이다.

114 董常을 顔子처럼 말하고: 『中說』은 거의 동상과 그의 스승 왕통의 문답 형식을 빌어 저술된 책이다. 왕통은 공자를 본뜨고자 하여 공자의 제자 顔淵이 공자 앞에 죽은 것(『論語』「先進篇」)에 따라, 동상의 죽음을 『中說』 권1에서 "동상이 죽자 문중자가 침문 밖에서 곡하였다.(董常死, 子哭於寢門之外.)"라고 설정하고 있다.

115 堯舜을 만들고자 함: 공자와 맹자가 가장 훌륭한 군주로 받든 분이 요순인 것을 참고하여, 왕통이 한나라의 일곱 군주들을 요순에 비겨 설정한 것이라고 평한 것이다.

116 劉禹錫이 지은 歙池江州觀察王公墓碑文: 유우석은 당나라 사람이다. 그의 문집 『劉賓客文集』 권3에 唐故宣 歙池等州都團練觀察處置使宣州刺史兼御史中丞贈左散騎常侍王公神道碑라는 제목의 비문이 있다. 여기의 왕공은 바로 왕통의 6대손이다.

117 阮逸이 주해한 … 일: 완일 운운은 지금 전하는 『中說』은 송나라의 완일이 주해한 것이다. 그리고 『中說』 권10 「關朗篇」에 北魏 시대 관랑과 姚義 등의 일을 기록하였는데 이것이 대부분 가설이라는 말이다. 또 杜淹이 지은 「文中子世家」에는 "왕통이 예를 關子明(자명은 관랑의 字)에게 배웠다.(問禮於河東關子明.)"라 고 하여 시대가 서로 맞지 않은 인물들을 동시대인양 서술하고 있는 것이 위서를 의심할 수밖에 없는 잘못이 라는 말이다.

대하여 논하기를 '강태공姜太公 집안의 가르침[太公家敎]에 가깝다고 할 수 있다.'[120]고 하니 그 책이 출현한 것은 또한 이미 오래다. 이천[程頤]이 『문중자』를 평하여 '약간의 격언[121]은 있으나 후세 사람들이 보태 넣은 데에서 무너져버렸다.'고 하였다. 살펴보건대 필시 완일과 여러 사람들이 보태서 늘리고, 다시 현달한 자들의 이름을 끼워서 책의 가치가 높아지게 하였을 것이다."

[58-2-14]

問: "文中子之學."

曰: "他有箇意思, 以爲堯舜三代, 也只與後世一般, 也只是偶然做得著."

물었다. "문중자의 학문은 어떻습니까?"

(주자가) 대답하였다. "그가 가진 생각은 요순과 삼대三代(夏·殷·周의 성왕 시대) 시절도 또한 단지 후세와 마찬가지이며, 또한 단지 우연히 만들어진 것이라 여기고 있다."

問: "他『續詩』·『續書』, 意是如此."

因擧答賈瓊數處說, 曰: "近日陳同父便是這般說話. 他便忌程先生說'帝王以道治天下, 後世只是以智力把持天下'. 正緣這話說得他病處."

물었다. "그의 『속시續詩』와 『속서續書』도 의도가 단지 이렇습니까?"

(주자가 왕통이) 가경賈瓊에게 답한 몇 곳을 들어 말하고[122] 대답하였다. "요사이 진동보陳同父[123]의 말이 바로 이런 투다. 그는 정선생[程子]이 '제왕은 도를 가지고 천하를 다스렸는데 후세에는 단지 지혜와 힘으로 천하를 쥐고 있다.'[124]란 말을 증오하였다. 그것은 바로 이 말이 그의 병통을 지적하고 있어서이다."

- -

118 17대 조상을 … 것: 杜淹이 지은 「文中子世家」에 언급된 왕통의 조상을 이른다.

119 李翶: 당나라 趙郡, 成紀 사람. 자는 習之. 시호는 文. 貞元 연간의 진사. 벼슬은 史館修撰, 戶部侍郞, 山南東道節度使를 지냈다. 성품이 준엄하여 벼슬길이 순탄하지 않았다. 저서로 『論語筆解』·『五木經』·『李文公集』이 있다.

120 '강태공 집안의 … 있다.': 『李文公集』 권6 「答朱載言書」에서 "왕씨(왕통)의 『中說』은 세속에서 강태공 집안의 기르침이라고 하니 믿는 말이다.(王氏中說, 俗傳太公家敎是也.)"라고 하였다.

121 약간의 격언: 위 [58-2-1] 참고

122 (주자가 왕통이) 賈瓊에게 … 말하고: 『中說』 권4 「周公篇」에서 가경이 『續書』의 의리를 물은 것에 대해 문중자가 답한 말이 실려 있다. 그 내용은 천자의 의리로 制·詔·志·策 네 가지를 들고, 대신의 의리로 命·訓·對·讚·議·誡·諫 일곱 가지를 들어 말한 것이다.

123 陳同父: 송나라의 陳亮(1143~1194). 同父는 그의 字이며, 同甫로도 쓴다. 호는 龍川. 시호는 文毅. 紹熙 연간의 진사. 婺州永康(현 절강성) 사람. 말년에 簽書建康府判官이 되었으나 1년도 채우지 못하고 죽었다. 주자가 진량의 事功에 대한 중시를 '義理雙行·王覇竝用'이라는 말로 경계하였다. 저서는 『龍川文集』·『龍川詞』·『三國紀年』 등이 있다.(『宋史』 권436)

124 '제왕은 도를 … 있다.': 『二程遺書』 권1

問 : "元經尤可疑. 只緣獻公奔北, 便以爲天命已歸之, 遂帝魏."

曰 : "今之注, 本是阮逸注, 龔鼎臣別有一本注, 後面敍他祖, 都與文中子所說不同. 說他先已仕魏, 不是後來方奔去."

물었다. "『원경元經』은 더더욱 의심스럽습니다. 단지 헌공獻公이 패하여 달아나자 천명이 돌아간 곳으로 생각하고 마침내 위魏나라를 제왕으로 칭하였습니다."[125]

(주자가) 대답하였다. "(『원경』)의 지금 주해는 본래 완일의 주해이고 공정신龔鼎臣이 주해한 별도의 한 본이 있는데 그 책의 뒤쪽에 서술된 그의 조상은 도무지 『문중자』에서 말한 것과 같지 않다. 그의 선조가 이미 위나라에서 벼슬하였다[126]고 말하고 있으나 나중에 비로소 그 나라로 간 것도 아니다."

又問 : "他說'權義擧而皇極立', 如何?"

曰 : "說權義不是.[127] 義是活物,[128] 權是稱錘. 義是稱星, 義所以用權. 今似他說, 卻是以權爲'嫂溺援之'之義, 以義爲'授受不親'之禮."

또 물었다. "그가 말한 '권의權義가 시행되어야 황극皇極이 확립된다.'[129]는 어떻습니까?"

(주자가) 대답하였다. "'권의'를 말한 것은 옳지 않다. 의義는 살아있는 것이고[130] 권權은 저울추이다.

· · · · · · · · · · · · · · · ·

125 "『元經』은 더더욱 … 칭하였습니다." : 『元經』은 왕통이 저술한 한 책이다. 헌공은 북위의 선조 拓拔麟을 이른다. 『元經』 권9에 "동상이 묻기를, 위나라를 제왕으로 인정한 것은 어째서입니까?' 하니, 왕통이 말하기를, "난리에 대한 걱정으로 병들었으니 내 누구에게로 가 귀의하겠는가! (위나라는) 하늘과 땅에 제사 지내고 백성들이 비호되었다. 또 선왕시대의 국도에 도읍을 정하고 선왕의 도를 이어 받았다. 그대도 선왕의 백성인데 제왕이라 칭하지 않고 어찌하겠는가!(董常問, 元經之帝魏, 何也? 子曰, 亂離瘼矣, 吾誰適歸! 天地有奉, 生民有庇. 且居先王之國, 受先王之道. 子先王之民矣, 謂之何哉!)"라고 하였다. 헌공은 누군지 확인하기 어렵다. 다만 『類朱子語類考文解義』에는 "북위의 顯를 가리킨 듯하다.(似指魏顯.)"라고 하였으나 호가 누구인지 확실하지 않다. 여기에서 이르는 제왕은 북위의 孝文帝를 이른다. 왕통은 『元經』 권9에서 효문제를 "王化를 일으킬 만한 군주이고 중국 문명을 떨어뜨리지 않게 한 것은 효문제의 힘이다.(文中子曰, 或問孝文子, 曰可與興化矣. 又曰, 中國之道不替, 孝文之力也.)라고 하였다.

126 선조가 이미 … 벼슬하였다 : 『中說』「文中子世家」에 "(문중자의 선조)虬가 위나라의 孝文帝에게 벼슬하여 并州刺史를 지내고 河汾으로 옮겨 살았다.(虬始北事魏, 太和中爲并州刺史.家河汾.)"고 하였다.

127 說權義不是. : 『朱子語類』 권137「戰國漢唐諸子」 50조목에는 "如皇極, 某曾有辨, 今說權義也不是"라고 하여 '如皇極, 某曾有辨, 今'자가 더 있고 '義'와 '不是' 사이에도 '也'자가 한 자 더 있다.

128 義是活物 : 『朱子語類』 권137「戰國漢唐諸子」 50조목에는 "蓋義是活物"이라고 하여 '蓋'자 한 글자가 더 있다.

129 '權義가 시행되어야 … 확립된다.' : 『中說』 권8「魏相篇」에서 왕통이 한 말이다. 그 내용은 다음과 같다. "『元經』에 經常의 법도가 담겼고 바로잡음을 도로 하였으니 여기에서 義가 드러나고, 『元經』에는 변통이 담겼고 행한 것마다 적절하게 하였으니 여기에서 權이 드러난다. 권과 의가 시행되어야 황극이 확립된다.(文中子曰, 元經有常也, 所正以道, 於是乎見義 ; 元經有變也, 所行有適, 於是乎見權. 權義擧而皇極立矣.)"라고 하였다. 황극은 『書經』「洪範」의 말로, "군주가 표준을 세운다.(皇極, 皇建其有極.)"는 뜻이며 표준은 천하 사방 모두의 기준을 말한다.

130 義는 살아있는 것이고 : 『朱子語類考文解義』에는 "'살아있다(活)'는 것은 살아 움직이거나 움직이지 않음을

'의'는 저울의 눈금에 맞게 하는 것이니 '의'에 저울추를 써야하는 까닭이다. 지금 그의 말은, 저울추는 '형수가 물에 빠졌으면 (손을 잡아) 건져내는' 의리로 말하고 있고, 의리는 '(남녀 사이에) 직접 손으로 주고받지 않는'[131] 예로 말하고 있는 듯하다."

問: "義便有隨時底意思."
曰: "固是."
물었다. "의에는 때에 따라 정하여지는 뜻이 있습니다."
(주자가) 대답하였다. "진실로 그렇다."

問: "他只緣以元經帝魏, 生此說?"
曰: "便是他大本領處不曾理會, 縱有一二言語可取, 但偶然耳."
물었다. "그가 단지 『원경』에서 위魏나라를 제왕으로 인정한 것에 연유하여 이 말을 만들어 낸 것입니까?"
(주자가) 대답하였다. "그는 큰 본령本領을 이해하지 못하였으니, 비록 한두 마디 취할만한 말이 있다하여도 단지 우연일 뿐이다."

"其續經, 猶小兒豎瓦屋然. 世儒旣無高明廣大之見, 因遂尊崇其書.[132]"[133]
"그의 저술 『속경』은 마치 아이가 기와집을 짓는 것 같다. 세상 선비들이 고명하고 광대한 식견을 가진 자가 없어 마침내 그의 책이 떠받들어진 것이다."

[58-2-15]
問: "文中子說'動靜見天地之心', 說得似不然."

이른다. 義는 經과 權 모두에 해당한다. 그러므로 살아있는 것이다.(活, 生動不動之稱, 義是可以兩屬經權, 故曰活物.)"라고 한 것이라고 하였다.

131 '형수가 물에 … 않는': 이는 『孟子』「離婁上」에서 "淳于髡이 묻기를 '남녀가 주고받을 적에 직접 손으로 하지 않는 것은 예입니까?'하니 맹자가 대답하기를, '예입니다.'하자, 순우곤이 말하기를, '형수가 물에 빠졌으면 손으로 건져야 합니까?'하니, 맹자가 대답하기를, '형수가 물에 빠졌는데 건져내지 않는 것은 이리와 같은 짐승입니다. 남녀가 주고받을 적에 손으로 하지 않는 것은 禮이고 형수가 물에 빠졌을 적에 손으로 건져내는 것은 權입니다.'(淳于髡曰, 男女授受不親禮與? 孟子曰, 禮也. 曰, 嫂溺則援之以手乎? 曰, 嫂溺不援, 是豺狼也. 男女授受不親, 禮也; 嫂溺援之以手者, 權也)"라고 한 말을 인용한 것이다.
132 其續經, 猶小兒豎瓦屋然 … 因遂尊崇其書.: 『朱子語類』 권137 「戰國漢唐諸子」 51조목으로 독립되어 있고, 『性理大全書』는 이를 『朱子語類』 50조목의 글에 붙여 한 조목으로 편집하였다. 단지 51조목은 '文中子續經'으로 시작하고 여기서는 '文中子'를 '其'자로 바꾸고 있다.
133 『朱子語類』 권137 「戰國漢唐諸子」 50조목

曰 : "他意思以方員爲形, 動靜爲理, 然亦無意思. 而今自家若見箇道理了, 見他這說話, 都似不曾說一般."[134]

물었다. "문중자가 '동정에서 천지天地의 마음을 본다.'[135]고 말하였는데 말은 그렇지 않은 듯합니다." (주자가) 대답하였다. "그의 생각은 둥글고 네모난 것을 형체形로 여기고, 동정을 리理로 여긴 것이나 아무런 뜻이 담겨져 있지 않다. 지금에 와서 자신이 도리를 본 것처럼 말하나 그의 이런 말들을 보면 모두 말을 안 한 것이나 매일반이다."

[58-2-16]

"'天下皆憂, 吾獨得不憂 ; 天下皆疑, 吾獨得不疑.' 又曰, '樂天知命吾何憂, 窮理盡性吾何疑!' 蓋有當憂疑者, 有不當憂疑者, 然皆心也. 文中子以爲有心·跡之判, 故伊川非之."

又曰 : "惟其無一己之憂疑, 故能憂疑以天下 ; 惟其憂以天下, 疑以天下, 故無一己之憂疑."[136]

(주자가 말하였다.) "천하가 모두 근심해도 나만 홀로 근심하지 않을 수 있으며, 천하가 모두 의심해도 나만 홀로 의심하지 않을 수 있다.' 또 말하기를, '하늘의 이치를 알고 천명을 즐거워하는데 내가 왜 근심하며, 이치를 궁구하고 본성대로 다하는데 내가 왜 의심하겠는가!'라고 하였다. 당연히 근심하고 의심해야 할 일이 있고 당연히 근심하고 의심하지 않아야할 일이 있으나 그것들은 모두 마음이 하는 일이라는 말이다. 문중자가 마음과 행동은 구분됨이 있다고 말하였으므로 이천[程頤]이 비판하였다."[137] (주자가) 또 말하였다. "자신 혼자에 대한 근심과 의심이 없는 까닭에 능히 천하를 근심하고 의심할 수 있고, 천하를 근심하고 천하를 의심하는 까닭에 자신 혼자에 대한 근심과 의심이 없는 것이다."

[58-2-17]

"道之在天下未嘗亡, 而其明晦通塞之不同, 則如晝夜寒暑之相反. 故二帝三王之治, 詩書六藝之文, 後世莫能及之. 蓋非功效語言之不類, 乃其本心事實之不侔也. 雖然, '維天之命, 於穆不已', 彼所謂道者, 則固未嘗亡矣. 而大學之敎, 所謂明德新民止於至善者, 又已具有明法, 若可階而升焉. 後之讀其書攷其事者, 誠能深思熟講以探其本, 謹守力行以踐其實, 至於一旦, 豁然而晦者明, 塞者通, 則古人之不可及者, 固已倏然而在我矣. 夫豈患其終不及哉! 苟爲不然, 而但爲模放假竊之計, 則不惟精粗懸絕, 終無可似之理. 政使似之, 然於其道, 亦何足以有所發明! 此有志爲己之士, 所以不屑而有所不暇爲也.

(주자가 말하였다.) "도가 세상에서 없어진 적은 없으나 그것의 밝음과 어둠, 통합과 막힘의 동일하지

....

134 『朱子語類』 권137 「戰國漢唐諸子」 50조목에 합하여져 있는 것을 이글에서는 따로 독립시켰다.

135 '동정에서 天地의 … 본다.' : 『中說』 권2 「天地篇」에서, "문중자가 말하기를, 둥근 것 (하늘)은 움직이고 네모난 것 (땅)은 고요하니 그것에서 천지의 마음을 볼 수 있다.(子曰, 圓者動, 方者靜. 其見天地之心乎!)"고 하였다.

136 『朱子語類』 권137 「戰國漢唐諸子」 52조목

137 이천[程頤]이 비판하였다. : 위 [58-2-1] 참고

않음은 마치 낮과 밤, 추위와 더위처럼 상반된다. 그러므로 이제삼왕二帝三王의 정치와 시서육예詩書六藝에 관한 글은 후세에서 미쳐갈 수가 없다. 그것은 공효나 말이 같지 않아서가 아니고 본마음과 일의 실재가 같지 않아서이다. 그러나 '하늘의 명命은 심원深遠하여 끝이 없다.'[138]라고 하였으니 저기에 말한 도는 진실로 없어진 적이 없다. 『대학大學』의 가르침인 '덕을 밝히고[明德]' '백성을 새로워지게 하고[新民]' 그것들을 '지극한 선에 그치게 하는 것[至於至善]'도 이미 밝은 방법이 모두 갖추어져 있어 마치 계단처럼 오를 수 있다. 후세에서 그 글을 읽고 그 일을 고구考究하는 자가 진실로 깊이 생각하고 익히 강구하여 그 근본을 탐구하고, 신중히 지키고 힘써 행하여 그 실상을 실천하여, 어느 날 아침 시원스레 깜깜하였던 것이 환하여지고 막혔던 것이 트여지는 경지에 이른다면 옛 사람들의 미칠 수 없었던 경지가 참으로 어느 사이 나에게 와 있을 것이다. 어찌 끝내 미칠 수 없음을 걱정할 일이겠느냐! 진실로 그렇게 하지 않고 단지 모방하고 빌리거나 훔치려고만 든다면 우수하고 열등함이 현격하게 동떨어질 뿐만 아니고 끝내 같아질 수 있는 이치마저 없을 것이다. 설사 같아지게 되더라도 그러나 도에 있어서는 또한 무엇이 밝혀진 것이 있겠는가! 이것이 뜻이 있어 위기지학爲己之學(자신을 위한 학문)을 하는 사람들이 달갑게 여기지 않고 겨를을 내서 해보려 하지 않는 까닭이다.

王仲淹生乎百世之下, 讀古聖賢之書, 而粗識其用. 則於道之未嘗亡者, 蓋有意焉. 而於明德新民之學, 亦不可謂無其志矣. 然未嘗深探其本, 而盡力於其實, 以求必得夫至善者而止之. 顧乃挾其窺覘想像之彷彿, 而謂聖之所以聖, 賢之所以賢, 與其所以修身, 所以治人, 而及夫天下國家者, 擧皆不越乎此. 是以一見隋文而陳十二策, 則旣不自量其力之不足以爲伊周, 又不知其君之不可以爲湯武. 且不待其招而往, 不待其問而告, 則又輕其道以求售焉. 及其不遇而歸, 其年蓋亦未爲晩也. 若能於此反之於身, 以益求其所未至, 使明德之方新民之具, 皆足以得其至善而止之, 則異時得君行道, 安知其卒不逮於古人! 政使不幸終無所遇, 至於甚不得已而筆之於書, 亦必有以發經言之餘蘊, 而開後學於無窮. 顧乃不知出此, 而不勝其好名欲速之心, 汲汲乎日以著書立言爲己任, 則其用心爲已外矣.

왕중엄[王通]은 성인이 가신 지 매우 오래된 뒤에 태어나 옛 성현의 글을 읽고서 그 운용 방법을 대략 터득하였다. 도는 없어진 적이 없다는 말에 뜻을 두었고, 명덕과 신민에 대한 학문에도 뜻이 없었다고 말하지는 못할 것이다. 그러나 그 근본을 깊이 탐구하고 그 실재에 힘을 다하여 기어코 지극한 선을 얻어서 거기에 머무르려고 한 적은 없다. 다만 넘보고 상상한 엇비슷한 것을 가지고서 성인이 성인인 까닭과 현인이 현인인 까닭, 몸을 수양하고 사람을 다스리는 일이며 천하 국가에 이르기까지의 모든 것이 다 자신의 넘보며 상상하는 것을 초월하지 않는다고 생각하였다. 그런 까닭에 수문제隋文帝를 처음 알현하고서 12책策을 펼쳐 말한 것이니,[139] 스스로 자신의 힘이 이윤伊尹과 주공周公이 될 수 없음을

138 '하늘의 命은 … 없다.' : 『詩經』「周頌·維天之命」의 시구이다.

139 隋文帝를 처음 … 것이니 : 왕통이 수문제 仁壽 3년(603) 9월에 수문제를 알현하고 太平十二策을 올렸으나 수문제가 채용하지 않자 물러났다.(『資治通鑑』 권179)

헤아리지 못한 것이고, 또 그 군주가 성탕成湯과 무왕武王이 될 수 없음을 알지 못한 것이다. 또 자신의 초빙을 기다리지 않고 찾아갔고 묻기를 기다리지 않고 아뢰었으니, 이는 또 자신의 몸가짐을 가볍게 하여 등용되기를 구한 것이다. 군주와 뜻이 맞지 않아 돌아감에 미쳐서도 그의 나이가 아직 늦은 때가 아니었다. 만일 이 시점에서 자신의 몸에 돌이켜서 그가 이룩하지 못한 학문을 더욱 찾아 구해서 명덕에 대한 방법, 신민에 대한 도구, 그 모든 것에 충분히 지극한 선을 얻어 거기에 머무르게 하였다면, 뒷날 군주의 마음을 얻어 도를 행하게 되었을 때 어찌 끝내 옛 사람에게 미치지 못할 것이겠는가! 설령 불행히도 끝내 군주를 만나지 못해 매우 부득이하게 글로 남겨야 하는 지경에 이르렀다 할지라도 또한 반드시 경서의 말에 담긴 깊은 뜻을 밝혀내 후세 학자를 무궁토록 깨우침이 있었을 것이다. 다만 이 길로 나가는 것을 알지 못하고, 명예를 좋아하고 속히 이루고자 하는 마음을 견뎌내지 못해 급급하게 날마다 글로 쓰고 말로 남기는 것을 자신의 책임으로 삼았으니, 그의 마음 씀이 너무 벗어났다.

及其無以自託, 乃復捃拾兩漢以來文字言語之陋, 功名事業之卑, 而求其天資之偶合, 與其竊取而近似者, 依倣六經次第采輯, 因以牽挽其人, 强而躋之二帝三王之列. 今其遺編雖不可見, 然考之中說而得其規模之大略. 則彼之贊易, 是豈足以知先天後天之相爲體用! 而高文武宣之制, 是豈有精一執中之傳. 曹劉沈謝之詩, 是豈有物則秉彛之訓. 叔孫通公孫述曹襃荀勗之禮樂, 又孰與伯夷后夔周公之懿! 至於宋魏以來, 一南一北, 校功度德, 蓋未有以相君臣也. 則其天命人心之向背, 統緒繼承之偏正, 亦何足論! 而欲攘臂其間, 奪彼予此, 以自列於孔子之春秋哉! 蓋旣不自知其學之不足以爲周孔, 又不知兩漢之不足以爲三王. 而徒欲以是區區者, 比而效之於形似影響之間, 傲然自謂足以承千聖而詔百王矣. 而不知其初不足以供兒童之一戲, 又適以是而自納於吳楚僭王之誅. 使夫後世知道之君子, 雖或有取於其言, 而終不能無恨於此, 是亦可悲也已.

스스로 의탁할 만한 일이 없자 이에 다시 양한兩漢 이후의 조잡한 글과 말, 비루한 공훈과 일들을 주워 모아, 타고난 자품이 우연히 부합하거나 경전을 몰래 가져다 쓴 엇비슷한 것들을 찾아내서, 육경六經의 차례대로 채집하고 이어서 그 채집된 인물들을 끌어내서는 억지로 이제삼왕二帝三王의 반열에 올렸다. 지금 그가 남긴 책들을 볼 수는 없으나 그러나 『중설中說』에서 참고해 보면 그 규모의 대략을 알 수 있다. 그의 『찬역贊易』이 어찌 선천先天과 후천後天이 서로 체용體用 관계임을 알겠으며[140] 고조高祖·문제文帝·무제武帝·선제宣帝[141]에게 어찌 정일집중精一執中의 서로 전함[142]이 있겠으며, 조식曹植·유정劉

....

140 先天과 後天이 … 알겠으며: 선천은 伏羲氏가 황하에서 나온 龍馬의 무늬를 보고 그렸다는 先天圖를 이르고, 후천은 文王이 그렸다는 後天易을 이른다. 선천도는 역의 본체적인 사상을 드러냈고 후천역은 역의 운용적인 사상을 드러내서 선천도는 체에 해당하고 후천역은 용에 해당한다.

141 高祖·文帝·武帝·宣帝: 漢나라 초기 대를 이어 등극한 군주들이다.

142 精一執中의 서로 전함: 道統을 서로 이어 전함을 이르는 말이다. 『書經』「大禹謨」에서 堯임금이 舜임금에게 왕위를 전하며 "진실로 그 중도를 잡으라.(允執其中)"고 한 것을 다시 순임금이 禹임금에게 왕위를 전하며

槇・안연지顔延之・사영운謝靈運의 시詩[143]에 어찌 유물유칙有物有則의 병이秉彛의 훈계[144]가 있겠으며, 숙손통叔孫通・공손술公孫述・조포曹襃・순욱荀勖의 예악[145]이 또 어찌 백이伯夷・후기后虁・주공周公[146]의 아름다움만 하겠느냐! 송위宋魏 이후 한 번은 남쪽 한 번은 북쪽이 번갈아 다스렸으니[147] 공적을 비교하고 덕을 헤아려보면 서로 누구를 군주라 하고 신하라 할 것이 없다. 그렇다면 천명天命과 민심民心의 향배, 황실 세계世系와 계승의 옳고 그름은 또한 어느 것을 논할 것이 있겠는가! 그런데도 그 사이에 팔뚝을 걷어붙이고서 이 나라를 깔아뭉개고 저 나라를 인정하여 스스로 공자의 『춘추春秋』 대열에 늘어서고자 할 수 있겠는가! 스스로 자신의 학문이 주공과 공자가 되기에 부족한 줄 알지 못하였고 또 양한의 군주가 삼왕三王이 되기에 부족한 줄 알지 못하였다. 한갓 이 미미한 것들로 꼴에 시늉이나마 닮았다고

....

"인심은 위태하고 도심은 은미하니 오직 정미하고 오직 한결같이 하여 진실로 그 중도를 잡도록 하라.(人心有危, 道心有微, 惟精有一, 允執厥中.)"라고 했다는 말을 이른다. 곧 왕통이 시도한 한나라 이후 군주의 치적과 업적으로 三代 군주의 치적과 도통에 비기고자 한 것이 그들 군주에게서 찾을 수 없는데 왕통이 잘못 그들 군주를 삼대 군주에게 비교하고자 하였다고 비판한 것이다.

143 曹植・劉楨・顔延之・謝靈運의 詩: 曹植은 삼국시대 魏武帝(曹操)의 셋째 아들. 자는 子建. 文才가 뛰어나 무제의 극진한 사랑을 받았다. 그의 형 文帝가 그의 재주를 시기하여 七步詩를 짓게 한 일로 유명하다. 저서로 『曹子建集』이 있다. 劉楨은 삼국시대 위나라 東平 사람. 자는 公幹. 建安七子의 한 사람이다. 저서로 『劉公幹集』이 있다. 顔延之는 南朝宋 臨沂 사람. 자는 延年. 시호는 憲. 벼슬은 金紫光祿大夫. 문장에 뛰어나 謝靈運과 함께 병칭되었다. 저서로 輯本인 『顔光祿集』이 전한다. 謝靈運은 남조 송 陳郡 陽夏 사람. 일명 客兒・謝客・謝康樂. 벼슬은 永嘉太守・祕書監・臨川內史. 종숙 混이 宋武帝에게 죽음을 당한 뒤 불우하게 살다 모반죄를 뒤집어쓰고 피살되었다. 시인으로 유명하여 그의 詩體를 세상에서 謝康樂體라 불렀다.

144 有物有則의 秉彛의 훈계: 『詩經』 「大雅・烝民」편의 시에 "하늘이 여러 백성을 내니 사물이 있음에 법칙이 있도다. 백성이 떳떳한 본성을 지니고 있어서 이 아름다운 덕을 좋아하도다.(天生烝民, 有物有則. 民之秉彛, 好是懿德.)"의 훈계를 말함. 이 시에는 사물마다 반드시 담겨 있어야 할 법도가 있는데 曹植 등의 시에는 문장만 있을 뿐 그것에 아울러 갖추어졌어야 할 법칙이 없다고 한 것이다.

145 叔孫通・公孫述・曹襃・荀勖의 예악: 叔孫通은 漢의 薛 사람. 한나라의 典禮를 기초하여 고조로부터 신임을 얻었다. 벼슬은 太常과 太子太傅를 지냈다. 公孫述은 後漢 武陵 사람. 자는 子陽. 세상에서 귀신으로 불릴 정도로 가는 곳마다 치적을 남겼다. 更始帝 때 成都에서 군사를 일으켜 나라 이름을 成家, 연호를 龍興이라 하였다. 뒤에 光武帝에게 패하였다. 曹襃는 후한 사람으로 자는 叔通. 숙손통의 예의를 깊이 연구하였고 孝廉으로 博士에 임명되었다. 章帝의 부름을 받아 冠婚吉凶의 제도 1백 50편을 제정하였다. 저서로 『通義十二篇』 등이 있다. 荀勖은 晉나라 潁川 潁陰 사람. 자는 公會・公曾. 封號는 濟北郡公. 시호는 成. 벼슬은 魏나라에서 侍中, 晉나라에서 中書監・祕書監을 역임하며 武帝 초기에 賈充과 진나라의 율령을 제정하였다. 저서로는 『中經』이 있다.

146 伯夷・后虁・周公: 伯夷는 舜임금의 신하. 三禮의 책임자로 임명되어 일한 것이 『서경』 「舜典」에 전한다. 后虁는 순임금의 신하. 음악을 관장하는 典樂에 임명된 사실이 『서경』 「순전」에 전한다. 周公은 주나라 文王의 아들이자 武王의 아우로 무왕이 죽은 뒤 어린 조카 成王을 대신하여 攝政하며 예악 제도와 관혼상제의 의례를 제정하여 성인으로 추앙되었다.

147 宋魏 이후 … 다스렸으니: 송나라는 劉裕가 東晉을 이어 세운 南朝의 첫 왕조로 세상에서 劉宋이라 부른다. 위나라는 선비족인 拓拔珪가 세운 北朝의 한 나라이다. 송위 이후는 남북조 시대의 많은 왕국들을 이른다. 이 사이에 어떤 나라도 정통을 얻어 시대를 대표할 왕조가 있지 않은데 왕통이 위나라를 정통으로 삼은 것을 비판한 말이다.

할 수 있는 것들에서 (주공과 공자에) 비견될 일을 해보고자 하면서 오만하게 스스로 1천 성인을 잇고 1백 왕조王朝를 가르치기에 충분하다고 생각하였다. 그리하여 그것이 애당초 어린아이 장난놀이에 한 번 제공에도 부족한 것인 줄 알지 못한 것이고, 또 다만 이것으로 오吳나라와 초楚나라가 참람히 왕王을 칭하다. 질책 받은 죄에 스스로 빠져든 것이다.[148] 후세의 도를 아는 군자가 혹여 그의 말을 취함이 있더라도 끝내 이점에 한스러움이 없을 수 없게 하였으니 이것이 또한 서글플 따름이다.

至於假卜筮, 象論語, 而强引唐初文武名臣以爲弟子, 是乃福郊福時之所爲, 而非仲淹之雅意. 然推原本始, 乃其平日好高自大之心有以啓之, 則亦不得爲無罪矣. 或曰, 然則仲淹之學, 固不得爲孟子之倫矣, 其視荀揚韓氏, 亦有可得而優劣者耶? 曰, 荀卿之學, 雜於申商, 子雲之學, 本於黃老. 而其著書之意, 蓋亦姑託空文以自見耳. 非如仲淹之學, 頗近於正, 而粗有可用之實也. 至於退之原道諸篇, 則於道之大原, 若有非荀揚仲淹之所及者. 然攷其平生意鄕之所在, 終不免文士浮華放浪之習, 時俗富貴利達之求, 而其覽觀古人之變, 將以措諸事業者, 恐亦未若仲淹之致懇惻而有條理也. 是以予於仲淹, 獨深惜之, 而有所不暇於三子, 是亦春秋責備賢者之遺意也. 可勝歎哉!"[149]

점괘를 빌리고[150] 『논어』를 본떠 만들며[151] 억지로 당나라 초기 문무관 중 명신들을 끌어다 제자로 삼기까지 한 것은 복교福郊와 복치福時[152]의 소행이고 중엄仲淹의 본래 뜻은 아니다. 그러나 그 근원의 시작을 미루어 올라간다면 그가 평일에 높은 체 하기를 좋아하고 스스로 과시하고자 했던 마음이 그것을 열어놓은 것이니 또한 죄가 없지 아니하다. 어떤 사람들이 말하기를, '그렇다면 중엄의 학문은 진실로 맹자孟子와 같은 수준일 수는 없겠지만 순자荀子·양웅揚雄·한유韓愈에 비긴다면 또한 우열을 논해 볼 수 있겠습니까?'하기에, 내가 "순경荀卿의 학문은 신불해申不害와 상앙商鞅의 사상이 섞이고 양자운의 학문은 황로학黃老學에 뿌리하고 있다. 그들의 책을 저술한 의도는 또한 공허한 글에나마 우선 의탁하여 자신을 드러내려 한 것일 뿐이다. 중엄의 학문이 제법 올바른 데에 접근하여 대략 쓸 만한 실재가 있는 것과는 같지 않다. 한퇴지의 원도原道 등 여러 편의 글에 이르면 도의 큰 근원에서 순자·양웅·중엄으로서는

148 吳나라와 楚나라가 … 것이다. : 이는 춘추시대 오나라와 초나라, 두 나라가 참람하게 주나라 천자가 엄연히 존재하는 데에도 왕을 일컬었다가 공자로부터 비판받은 일을 이른다.

149 『朱子大全』 권67 「王氏續經說」 한 편을 그대로 인용하였다.

150 점괘를 빌리고 : 『中說』의 「文中子世家」에 "수나라 開皇 4년(584년)에 문중자가 태어나자 아버지 동천부군이 점을 쳐 坤괘가 師괘로 변한 점을 얻고서는 이 점괘를 아버지 안강헌공에게 올리자 안강헌공이 말하기를 '素王이 될 점괘이다.(開皇四年, 文中子始生. 銅川府君筮之, 遇坤之師. 獻兆于安康獻公, 獻公曰, 素王之卦也.)'라고 하였다."고 하였다. 소왕은 왕이 될 만한 덕은 갖추었으나 왕의 지위를 얻지 못한 사람을 이르는 말로 공자를 소왕이라 부른다.

151 『論語』를 본떠 만들며 : 왕통의 저서 『中說』을 두고 이른 말이다. 『論語』가 공자와 제자들의 문답으로 이루어진 것을 본떠 『中說』도 왕통과 여러 제자들의 문답으로 이루어져 있다.

152 福郊와 福時 : 왕통의 두 아들 이름이다.

미칠 수 없는 것이 있을 듯하다. 그러나 그가 평생 추구한 뜻을 둔 곳을 살피면 끝내 문필가의 부화하고 방종한 버릇과 세속의 부유·존귀와 이익·현달을 추구하려는 것을 면하지 못하였다. 그가 옛사람들의 변화를 살펴본 것이나 해보고자 했던 일들도, 아마 중엄처럼 정성과 애틋함이 지극하고 갈피가 서있는 것과는 같지 않을 것이다. 이런 까닭에 내가 중엄에게는 유독 깊이 안타까워하면서도 세 사람에게는 시간을 내어 언급하지 않은 점이다. 이 역시 『춘추春秋』에서 현자에게 진선진미하기를 책임지우는 뜻에서 파생한 것이다. 탄식을 견딜 수 있겠는가!"

[58-2-18]

"王通也有好處, 只是也無本原工夫. 卻要將秦漢以下文飾做箇三代, 他便自要比孔子, 不知如何比得! 他那斤兩輕重自定, 你如何文飾得! 如續詩·續書·元經之作, 盡要學箇孔子, 重做一箇三代, 如何做得! 如續書要載漢以來詔令, 他那詔令便載得, 發明得甚麼義理! 發明得甚麼政事! 只有高帝時三詔令稍好, 然已不純. 如曰'肯從我游者, 吾能尊顯之', 此豈所以待天下之士哉! 都不足錄. 三代之書誥詔令, 皆是根源學問, 發明義理, 所以燦然可爲後世法. 如秦漢以下詔令, 濟得甚事! 緣他都不曾將心子細去讀聖人之書, 只是要依他箇模子. 見聖人作六經, 我也學他作六經. 只是將前人腔子, 自做言語填放他腔中, 便說我這箇可以比並聖人. 聖人做箇論語, 我便做中說. 如揚雄太玄法言亦然, 不知怎生比並!"[153]

(주자가 말하였다.) "왕통에게는 또한 훌륭한 곳이 있으나 단지 본원本原에 대한 공부가 없다. 진秦·한漢 이후의 시대를 가져다가 꾸며 삼대三代 시절을 만들어 보고자하고 자신도 스스로 공자孔子에 비견되기를 구하였으나 무엇을 비견할 수 있을 것인지 모르겠다. 저들 국가는 무게의 경중輕重이 본래 정하여져 있는데 그가 어떻게 꾸며낼 수 있겠는가! 『속시續詩』·『속서續書』·『원경元經』과 같은 저작물은 모두 공자를 배워서 하나의 삼대 시대를 거듭 만들어보려 한 것이나 어찌 만들어 낼 수 있겠는가! 예컨대 『속서』는 한나라 이후의 조령詔令(황제의 조서)을 싣고자 하여 그 조령들을 실었으나 어떤 의리를 밝혀냈으며, 어떤 정사를 밝혀냈는가! 단지 고제高帝[漢高祖] 시대의 세 가지 조령[154]이 조금 훌륭한 점은 있으나 그러나 이미 순수하지 못하다. 예컨대 '즐겨 나를 따라 일하는 자들은 내가 존귀하게 현달시킬 것이다.'[155]라고 한 말은 이 어찌 천하의 선비를 대하는 것인가! 도무지 기록할 만한 것이 없다. 삼대 시절의 서書·고誥·조령詔令은 모두 학문에 근원하고 의리를 밝혀낸 것이기에 찬연히 후세의 법이 될 만하다. 예컨대 진·한 이후의 조령이 어떤 일에 도움이 되겠는가! 그는 도무지 성인의 글을 마음을 기울여 찬찬히 읽어보지 않고 단지 성인의 겉모양만 따라 하였기 때문이다. 성인이 육경을 지은 것을 보고 자신도 그것을 배워서 육경을 저술하였다. 단지 옛사람이 만든 틀을 가져다 자신이 말을 만들어 그 틀 속에

---

153 『朱子語類』 권137 「戰國漢唐諸子」 18조목
154 세 가지 조령: 세 가지 조령이 어떤 것들인지는 확실하지 않다. 다만 뒤쪽 [58-3-37]에 거론된 세 가지 조령을 이른 것으로 추측해 볼 수 있다.
155 '즐겨 나를 … 것이다.': 『漢書』 권1하에 실린 한고조가 11년 2월에 내린 조령의 일부이다.

채우고서는 내가 이렇게 한 것들이 성인과 어깨를 나란히 할 수 있다 말하고 있다. 성인이 『논어』를 짓자 나도 『중설』을 지은 것이다. 예컨대 양웅의 『태현』과 『법언』도 역시 그러한 책들인데 어떻게 어깨를 나란히 할 수 있을 것인지 모를 일이다."

[58-2-19]

問: "王氏續經說, 荀卿固不足以望之. 若房杜輩, 觀其書, 則固嘗往來于王氏之門. 其後來相業, 還亦有得於王氏之道否?"

曰: "房杜如何敢望文中子之萬一! 其規模事業, 無文中子髮髣. 某常說, 房杜只是箇村宰相. 文中子不干事, 他那制度規模, 誠有非後人之所及者."[156]

물었다. "왕씨[王通]의 『속경』의 말들은 순경[荀子]이 진실로 어림할 수 없습니다. 방현령房玄齡[157]과 두여회杜如晦[158] 같은 무리는 그 책으로 보면 참으로 왕씨의 문하를 출입하였습니다. 그들이 뒷날 정승이 되어 한 일은 또한 왕씨의 도에서 터득한 것입니까?'

(주자가) 대답하였다. "방현령과 두여회가 어떻게 감히 문중자의 만분의 일인들 어림하겠느냐! 그 규모나 행한 일이 문중자와 엇비슷할 것은 없다. 나는 늘 방현령과 두여회는 단지 일개 시골 재상이라고 하였다. 문중자는 일을 주간해 보지는 않았으나 그의 제도와 규모는 참으로 후인들이 미칠 수 없는 것이 있다."

韓子 總論荀揚王韓附　한자[159] 순황, 양웅, 왕통, 한유에 대한 총론을 덧붙인다.

[58-3-1]

程子曰: "古之君子修德而已. 德成而言, 則不期於文而自文矣. 退之乃因學爲文章, 力求其所未至, 以至於有得也. 其曰, '軻死不得其傳', 非卓然見其所傳者, 語不及此."[160]

<hr/>

156　『朱子語類』권137 「戰國漢唐諸子」 24조목

157　房玄齡: 당나라 臨淄 사람. 자는 喬, 『舊唐書』에는 자를 현령이라 하였다. 시호는 文昭. 태종을 도와 開國에 큰 공을 세우고 梁國公에 봉해졌다. 杜如晦와 15년간 재상으로 재직하며 당나라의 기초를 다졌다. 『中說』에 왕통의 제자로 기술되어 있다. 『晉書』를 찬술하고 『管子』를 주해하였다.(『舊唐書』 권66 ; 『新唐書』 권96)

158　杜如晦: 당나라 杜陵 사람. 자는 克明. 시호는 成. 당나라의 창업공신. 봉호는 萊國公. 어진 재상으로 널리 일컬어졌다.(『舊唐書』 권66 ; 『新唐書』 권96)

159　한자(韓愈, 768~824): 唐나라 鄧州 南陽(하남성 孟縣) 사람. 자는 退之. 조상이 昌黎(하북성 徐水縣 서쪽)에서 산 적이 있어, 昌黎韓愈라 칭하였다. 3세 때 고아가 되어 형수 鄭氏 손에서 자랐다. 德宗 貞元 8년(792년)에 진사가 되어 四門博士 · 監察御史 · 國子祭酒 · 吏部侍郎 등을 역임하였다. 시호가 文이어서 韓文公이라 칭하기도 한다. 형부시랑 시절 憲宗이 佛骨을 맞이하려 사신을 파견하자 이를 반대하는 「論佛骨表」를 지어 올려 極諫하다가 헌종의 노여움을 사서 潮州刺史로 좌천되어 直臣이라는 명성이 천하에 넘쳐났다. 魏晉

정자가 말하였다. "옛 군자들은 덕만을 닦았다. 덕이 이루어진 뒤의 저작은 문장에 마음 쓰지 않아도 문장이 저절로 이루어진다. 한퇴지[韓愈]는 학문을 통해 문장을 이루었고, 이르지 못한 높은 경지를 힘써 구하여 터득하는 데에 이르렀다. 그가 말한, '가軻(맹자孟子의 이름)가 죽으면서 그 전함을 얻은 자가 없었다.'[161]는 말은 맹자가 전한 것을 탁월하게 보지 않았다면 말을 이처럼 하지 못했을 것이다."

[58-3-2]

"韓愈道他不知又不得. 其言曰, 易奇而法；詩正而葩；春秋謹嚴；左氏浮誇, 其名理皆善."[162]

(정자가 말하였다.) "한유를 알지 못한다고 말하는 것은 또한 옳지 않다. 그가 말한 '『주역周易』은 기이하면서 법이 되고, 『시경詩經』은 바르면서 꽃이 되고, 『춘추春秋』는 근엄하고, 『좌씨左傳』는 부화하고 과장되었다.'[163]라는 말은 명칭이나 도리가 모두 훌륭하다."

[58-3-3]

"韓退之頌伯夷甚好. 然只說得伯夷介處. 要知伯夷之心, 須是聖人. 語曰, 不念舊惡, 怨是用希, 此甚說得伯夷心也."[164]

(정자가 말하였다.) "한퇴지의 백이에 대한 칭송[165]은 매우 좋다. 그러나 단지 백이의 개결한 곳만을 말하였다. 백이의 마음을 알고자 한다면 모름지기 성인[166]이라야 한다. 『논어論語』에 '예전의 악함을

• •

이래 老佛이 성한 것을 배척하기에 힘을 아끼지 않았으며, 당시 騈儷文의 유행을 막고자 散文 운동을 펼쳐 原道 등 많은 명문을 남겨서 후대 문학에 큰 영향을 남겼다. 그의 性三品論은 후대의 심성론에 영향을 끼쳤으며, 문장은 당송팔대가의 으뜸으로 꼽는다. 저서는 『昌黎先生集』이 있다.(『舊唐書』 권160)

160　『二程粹言』 권상 「論學篇」

161　'軻(孟子의 이름)가 … 없었다.'：한유의 대표적인 저작이라 할 수 있는 原道의 한 문장이다. 그 글에서 한퇴지는 "여기서 말한 도는 어떠한 도인가? 이는 내가 말한 도이고 지금까지 말한 노장과 불교의 도가 아니다. 요임금이 이를 순임금에게 전하였고, 순임금이 이를 우임금에게 전하였고, 우임금이 이를 탕임금에게 전하였고, 탕임금이 이를 문왕・무왕・주공에게 전하였고, 문왕・무왕・주공은 공자에게 전하였고 공자는 맹가에게 전하였고, 맹가가 죽으면서 그 전함을 얻지 못하였다.(斯道也, 何道也? 曰, 斯吾所謂道也, 非向所謂老與佛之道也. 堯以是傳之舜, 舜以是傳之禹, 禹以是傳之湯, 湯以是傳之文武周公, 文武周公傳之孔子, 孔子傳之孟軻, 軻之死, 不得其傳焉.)"라고 하였다. 여기서 말한 전하였다는 것은 요・순으로부터 전하여진 道學의 전통을 이른다.

162　『二程遺書』 권2상의 말이다. 그러나 여기의 이 말만 가지고서는 이해가 힘들다. 이글의 앞 문장을 인용하면 다음과 같다. "예는 한 번 잃어버리면 오랑캐가 되고 두 번 잃어버리면 짐승이 된다. 그러므로 『春秋』가 설정하고 있는 법은 매우 근엄하다. 중국이 오랑캐의 예를 쓰면 바로 오랑캐이다. 한유가 '『春秋』는 근엄하다.'고 한 말은 『春秋』가 가진 뜻을 깊이 터득한 것이다.(禮一失則爲夷狄, 再失則爲禽獸. 聖人初, 恐人入於禽獸也. 故於春秋之法, 極謹嚴. 中國而用夷狄禮, 則便夷狄之. 韓愈言, 春秋謹嚴, 深得其旨.)"라고 하고서, 여기의 이 글이 이어진다.

163　'『周易』은 기이하면서 … 과장되었다.'：한유의 저서 「進學解」에서 한 말이다.

164　『二程遺書』 권18 「劉元承手編」

165　백이에 대한 칭송：한퇴지가 지은 「伯夷頌」의 내용을 이른다.

생각하지 않았기 때문에 원망 받음이 적었다.'[167]고 말씀하시니, 이것은 백이의 마음을 매우 잘 표현한 말이다.”

[58-3-4]

"原道之作, 其言雖未盡善, 然孟子之後, 識道之所傳者, 非誠有所見, 不能斷然言之如是其明也. 其識大矣."[168]

(정자가 말하였다.) "「원도」의 작품은 그 말이 모두 훌륭한 것만은 아니나 맹자 이후에 도학道學의 전수傳授를 알았으니, 참으로 터득함이 있지 않았다면 이같이 분명하게 단정 지어 말하지 못하였을 것이다. 그 식견은 훌륭하다."

[58-3-5]

"韓愈亦近世豪傑之士. 如原道中言語雖有病, 然自孟子而後, 能將許大見識尋求者, 纔見此人. 至如斷曰, '孟子醇乎醇', 又曰, '荀與揚擇焉而不精, 語焉而不詳', 若不是他見得, 豈千餘年後, 便能斷得如此分明也!"[169]

(정자가 말하였다.) "한유는 또한 근세의 호걸 선비. 예컨대 「원도」 속의 말에 흠점은 있으나 맹자 이후 저다지 큰 식견을 가지고 찾아 탐구한 사람은 겨우 이 사람을 볼 정도다. 가령 한유가 '맹자는 순수하고 순수하다',[170] 또 '순자와 양웅은 골라서 가린 것이 정밀하지 못하고, 말한 것도 분명하지 않다.'[171]라고 단정 지은 말은, 만일 그가 터득함이 없었다면 어찌 1천여 년이 지난 뒤에 이처럼 분명하게 단정하였겠는가!"

[58-3-6]

朱子曰: "韓退之却有些本領, 非歐公比. 原道其言雖不精, 然皆實, 大綱是."[172]

주자가 말하였다. "한퇴지는 근본이 확립되어 있으니, 구공歐陽脩[173]이 견줄 수 없다. 「원도」는 그 말들이 정밀하지는 않으나 모두 진실하고 큰 강령이 옳다."

· ·

166 성인: 여기서는 孔子를 이른다.
167 '예전의 악함을 … 적었다.' : 『論語』 「公冶長篇」의 말로 백이와 숙제 형제의 덕을 칭송한 말이다.(子曰, 伯夷 叔齊不念舊惡, 怨是用希.)
168 『二程粹言』 권상 「論書篇」
169 『二程遺書』 권1 「端伯傳師說」
170 '맹자는 순수하고 순수하다.' : 이 말은 한유의 저작 「讀荀子」에서 맹자를 평한 말이다.
171 '순자와 양웅은 … 않다.' : 한유의 저작 「原道」 중의 한 문장이다.
172 『朱子語類』 권137 「戰國漢唐諸子」 55조목
173 歐陽脩 : 다음에 이어지는 [58-1-6] 歐陽子 참고

[58-3-7]

問: "博愛之謂仁."

曰: "程先生之說最分明, 只是不子細看. 要之, 仁便是愛之體, 愛便是仁之用. 後段云, '以之
爲人則愛而公', 愛公二字却甚有義."[174]

물었다. "'널리 사랑하는 것이 인이다.'[175]라고 하였습니다."

(주자가) 대답하였다. "정선생[程頤]의 말씀이 가장 분명하나 다만 자세하게 살피지 않았다.[176] 정리하자
면 인은 바로 사랑의 본체이고 사랑은 인의 작용이다. 뒤 단락에서 '이것으로 사람을 다스리면「사랑하
되 공정하고[愛而公]」'의 애공愛公 두 글자는 매우 의미가 있다."

[58-3-8]

問: "原道起頭四句, 恐說得差. 且如博愛之謂仁, 愛如何便盡得仁!"

曰: "只爲他說得用, 又遺了體."[177]

물었다. "원도의 첫머리 네 구절[178]은 아마 말이 틀린 듯합니다. 예를 들자면 '널리 사랑하는 것을 인이라
한다.'에서 사랑이 어떻게 인에 담긴 뜻을 다 포괄할 수 있겠습니까!"

(주자가) 대답하였다. "단지 그가 작용만을 말한 때문에 또다시 본체를 빠뜨린 것이다."

[58-3-9]

問: "由是而之焉之謂道."

曰: "此是說行底, 非是說道體."

問: "足乎己無待於外之謂德."

曰: "此是說行道而有得於身者, 非是說自然得之於天者."[179]

---

174 『朱子語類』 권137 「戰國漢唐諸子」 56조목 ; 63조목. 53조목은 '愛便是仁之用'까지 이고 이하는 63조목이다.
　　다만 53조목과 63조목 사이의 '後段云'은 첨가한 말이다. 63조목에는 '退之謂'로 시작하고 있다.

175 '널리 사랑하는 … 인이다.' : 한유의 저작 「原道」 중의 한 문장이다.

176 정선생[程頤]의 말씀이 … 않았다. : 『二程遺書』 권19 「楊遵道録」에서 이천이 「原道」를 평한 말이다. 여기서
　　이천은 "한퇴지가 말한 '널리 사랑하는 것을 인이라 하고 행한 것이 합당한 것을 의라 하고 이를 따라 가는
　　것을 도라 하고 자신이 가진 것이 흡족하여 밖에서 구하기를 기다리지 않는 것을 덕이라 한다.'는 이 말은
　　매우 좋다. 단지 '인과 의는 일정한 뜻을 가진 명칭이고 도와 덕은 공허한 개념이다.'는 잘못된 말이다. 단지
　　「原道」 한 편과 같은 글은 더없이 좋다.(韓退之言, 博愛之謂仁, 行而宜之之謂義, 由是而之焉之謂道, 足乎己
　　無待於外之謂德. 此言却好. 只云, 仁與義爲定名, 道與德爲虛位, 便亂説. 只如原道一篇, 極好.)"라고 하여,
　　원도를 매우 좋은 글로 평한 것을 두고 한 말이다.

177 『朱子語類』 권137 「戰國漢唐諸子」 57조목

178 원도의 첫머리 … 구절 : '博愛之謂仁, 行而宜之之謂義, 由是而之焉之謂道, 足乎己無待於外之謂德'을 이른다.
　　이들 네 구절은 이어지는 문답에서 구절마다 따로따로 평을 내리고 있어 여기서 따로 더 언급하지 않는다.

179 『朱子語類』 권137 「戰國漢唐諸子」 58조목

물었다. "'이를 따라 가는 것을 도라 한다.'라는 말은 어떻습니까?"

(주자가) 대답하였다. "이는 행하는 측면에서 말한 것이고 도의 본체를 말한 것은 아니다."

물었다. "'자신이 가진 것이 흡족하여 밖에서 구하기를 기다리지 않는 것을 덕이라 한다.'는 어떻습니까?"

(주자가) 대답하였다. "이는 도를 행하여 자신에게 얻어진 것을 말한 것이고 하늘로부터 저절로 얻어진 것을 말한 것이 아니다."

[58-3-10]

問: "'仁與義爲定名, 道與德爲虛位'. 虛位之義如何?"

曰: "亦說得通. 蓋仁義禮智是實, 此道德字是通上下說, 却虛. 如有仁之道, 義之道, 仁之德, 義之德. 此道德只隨仁義上說, 是虛位. 他又自說, '道有君子小人, 德有凶有吉'. 謂吉人則爲吉德, 凶人則爲凶德, 君子行之爲君子之道, 小人行之爲小人之道. 如'道二, 仁與不仁', '君子道長, 小人道消'之類. 若是'志於道, 據於德', 方是好底, 方是道德之正."180

물었다. "'인과 의는 확정된 명칭이고 도와 덕은 이름만 있는 빈 것[虛位]이다.'에서 '이름만 있는 빈 것'이라는 의미는 어떤 것입니까?"

(주자가) 대답하였다. "말의 뜻을 또한 알 수 있다. 인仁・의義・예禮・지智는 실체이고, 도道・덕德이란 글자는 상하에 공통으로 쓰이는 말이어서 비어 있는 것이다. 예를 들면 인의 도와 의의 도, 인의 덕과 의의 덕이 있다. 여기에서의 도・덕은 단지 인・의에 따라다니는 말이니 바로 비어 있는 것이다. 그가 또 스스로 말하기를, '도에는 군자와 소인이 있고 덕에는 흉한 덕과 선량한 덕이 있다.'181고 하였다. 선량한 사람은 선량한 덕을 행하고 흉악한 사람은 흉악한 덕을 행하니, 군자가 행하는 것은 군자의 도요, 소인이 행하는 것은 소인의 도이다. 이는 마치 '도는 두 가지이니 인과 불인이다.'182와 '군자의 도는 커가고 소인의 도는 소멸한다.'183와 같은 부류이다. '도에 뜻을 두고 덕에 의거한다.'184와 같은 말은 바야흐로 좋은 말이고 도덕의 바른 뜻이다."

[58-3-11]

"自古罕有人說得端的, 惟退之原道庶幾近之, 却說見大體. 程子謂'能作許大識見尋求', 眞簡如此. 他資才甚高."185

(주자가 말하였다.) "예전부터 말이 바른 사람이 드문데 퇴지[韓愈]의 「원도」는 거의 그것에 가깝다 할 것이니 대체를 보았다고 말할 수 있다. 정자가 '큰 식견으로 찾아 구했다.'186라고 하였는데 참으로 그러

---

180 『朱子語類』 권137 「戰國漢唐諸子」 60조목
181 '도에는 군자와 … 있다.': 「原道」의 한 구절이다.
182 '도는 두 … 불인이다.': 『孟子』「離婁上」의 말이다.
183 '군자의 도는 … 소멸된다.' 『周易』 泰卦의 象辭이다.
184 '도에 뜻을 … 의거한다.': 『論語』「述而篇」
185 『朱子語類』 권96 「程子之書」 80조목

하다. 그의 자질과 재주는 매우 높다."

[58-3-12]

"原性人多忽之, 卻不見他好處. 如言'所以爲性者五, 曰仁義禮智信', 此語甚實."[187]

"「원성原性」[188]을 대부분 사람들이 가볍게 여기고 그 글의 좋은 곳을 보지 못하고 있다. 예를 들면 '성性이 되는 것이 다섯 가지이니, 인·의·예·지·신이다.'라는 말은 매우 알찬 말이다."

[58-3-13]

問: "韓文公說'人之所以爲性者五', 是他實見得到後如此說邪? 爲復是偶然說得着?"

曰: "看他文集中說, 多是閒過日月, 初不見他做工夫處. 想只是才高, 偶然見得如此. 及至說到精微處, 又却差了."[189]

물었다. "한문공韓文公(한퇴지를 시호로 이르는 말)이 '사람의 성이 되는 것이 다섯 가지이다.'라는 말은 그가 참으로 터득하고서 이 말을 한 것입니까? 아니면 우연히 한 말입니까?"

(주자가) 대답하였다. "그의 문집 중의 말들을 보면 허다한 말들이 대부분 한가롭게 세월을 보내는 것들이고 애초부터 그가 공부한 곳을 볼 수 없다. 상상해 보건대 단지 재주가 높아 우연히 이처럼 터득했을 것이다. 정미한 곳을 언급한 말들에 이르면 또한 어긋나고 있다."

[58-3-14]

問: "原性三品之說是否?"

曰: "退之說性, 只將仁義禮智來說, 便是識見高處. 如論三品亦是. 但以某觀人之性, 豈獨三品! 須有百千萬品, 退之所論, 却少了一氣字. 程子曰, '論性不論氣, 不備; 論氣不論性, 不明', 此皆前所未發. 如夫子言'性相近', 若無'習相遠'一句, 便說不行. 如'人生而靜', 靜固是性, 只着一生字, 便是帶着氣質言了, 但未嘗明說着氣字. 惟周子太極圖, 却有氣質底意思. 程子之論, 又自太極圖中見出來也."

물었다. "「원성」에서의 '(성이) 세 가지[三品]'라는 말[190]은 옳은 말입니까?"

(주자가) 대답하였다. "퇴지가 성性을 말하여 단지 인·의·예·지를 가지고 설명한 것은 바로 식견의

---

186 '큰 식견으로 … 구했다.': 위 [58-3-5] 참고

187 『朱子語類』권137 「戰國漢唐諸子」 66조목

188 「原性」: 한유가 지은 한 편의 문장 이름이다. 性을 집중 조명하였다.

189 『朱子語類』권137 「戰國漢唐諸子」 67조목

190 '(성이) 세 가지[三品]'라는 말: 한유가 「原性」에서 "성의 종류는 상등·중등·하등 세 가지가 있다. 상등은 선할 따름이고, 중등은 인도하기에 따라 상등이나 하등이 될 수 있고, 하등은 악할 따름이다.(曰性之品, 有上中下三. 上焉者善焉而已矣, 中焉者可導而上下也, 下焉者惡焉而已矣.)"라고 하였다.

고매한 곳이다. 세 가지 품격品格이라는 말도 역시 그렇다. 단지 나의 견해로 보자면 사람의 성이 어찌 다만 세 가지 품격뿐이겠는가! 반드시 1백 1천 1만 가지가 있을 것이니, 퇴지의 말은 기氣 한 글자를 빠트리고 있는 것이다. 정자가 '성을 말하면서 기를 말하지 않으면 구비되지 않고, 기를 말하면서 성을 말하지 않으면 분명하지 않다.'191란 말은 앞 시대에서 말하지 못했던 말이다. 공자 말의 '성은 서로 가깝다.'에서도 만일 '버릇들임이 서로 멀다.'192란 한 구절이 없었다면 이 말은 통용되지 못하였을 것이다. 예컨대 '사람이 태어나서 고요하다.'193에서의 '고요하다.'는 본래 성을 말한 것이며, 단지 생生이란 한 글자를 쓴 것이 바로 기질氣質을 포괄해 말한 것인데, 단지 기氣 글자를 분명하게 말하지 않았다. 오직 주자周惇頤의 태극도太極圖에서 기질에 관한 뜻이 내포되었다. 정자의 말도 또한 태극도 중에서 보고 나온 것이다."

[58-3-15]
"原鬼不知鬼神之本, 只是在外說簡影子."

(주자가 말하였다.) "「원귀原鬼」194는 귀신의 근본을 알지 못하고, 단지 외면적인 그림자만을 말하였다."

[58-3-16]
問 : "讀墨篇言, 孔子尙同兼愛, 與墨子同."

曰 : "未論孔墨之同異, 只此大小便不相敵, 不可以對待言也. 以此而論, 則退之全未知孔子所以爲孔子者."

물었다. "「독묵편」에서 '공자는 「함께함을 숭상尙同」하고 「겸하여 사랑兼愛」한 것이 묵자와 동일하다.'195라고 말하였습니다."

(주자가) 대답하였다. "공자와 묵자의 같음을 말하기에 앞서 단지 이 말은 크고 작음이 서로 상대가 되지 않으니, 맞상대로 해서 말할 수 없다. 이 말을 가지고 논한다면 퇴지는 공자의 공자다운 점을 전연 모른 사람이다."

. . . .

191 '성을 말하면서 … 않다.' : 『二程遺書』권6에 있는 말로 성과 기가 서로 떨어져 있을 수 없음을 간명하게 표현한 말이다.

192 '성은 서로 … 멀다.' : 『論語』「陽貨」

193 '사람이 태어나서 고요하다.' : 『禮記』「樂記」의 말로 "사람이 태어나서 고요한 것은 하늘의 본성이고 사물에 느낌을 받고 움직이는 것은 본성의 情이다.(人生而靜, 天之性也 ; 感於物而動, 性之欲也.)"고 하였다.

194 「原鬼」 : 한유가 지은 문장 이름으로 귀신에 대해 논하였다.

195 '공자는 「함께함을 … 동일하다.' : 한유는 그의 글에서 "공자가 대인을 두려워해야 한다.'라고 하고, '어느 나라에 머물러 있을 적에 그 나라의 대부를 비판하지 말라.'라고 하고, 『春秋』에서 권력을 농단하는 신하를 비판하였으니, 동일하기를 숭상한 것이 아니겠는가! 공자가 '널리 백성을 사랑하되 인한 사람을 친하게 지내라.' 하고, '널리 베풀고 구제하는 것이 많아야 한다.'는 것을 성인으로 삼았으니, 겸하여 사랑한 것이 아니겠는가!(孔子畏大人, 居是邦, 不非其大夫, 春秋譏專臣, 不尙同哉. 孔子泛愛親仁, 以博施濟衆爲聖, 不兼愛哉.)"라고 하였다.

[58-3-17]

問: "孟子謂, 楊墨之道不息, 孔子之道不著. 韓文公推尊孟氏闢楊墨之功以爲'不在禹下', 而讀墨一篇, 却謂孔子必用墨子, 墨子必用孔子者, 何也."

曰: "韓文公第一義是去學文字, 第二義方去窮究道理, 所以看得不親切. 如云其'行己不敢有愧於道', 他本只是學文. 其行己但不敢有愧於道爾. 把這簡做第二義, 似此樣處甚多."

물었다. "맹자가 '양주楊朱와 묵적墨翟의 도가 종식되지 않으면 공자의 도가 드러나지 않는다.'[196]고 하였습니다. 한문공이 맹씨[孟子]가 양주와 묵적을 물리친 공을 높이 사서 '우임금의 아래에 있지 않다.'[197]고 하였는데, 「독묵편」에서 '공자도 반드시 묵자를 썼을 것이고 묵자도 반드시 공자를 썼을 것이다.'고 말한 것은 왜입니까?"

(주자가) 대답하였다. "한문공의 의리는 첫째 문장을 배우자, 둘째 도리를 궁구하자인 까닭에 아는 것이 정확하지 못하다. 그가 말한 '몸가짐은 감히 도에 부끄러움이 있게 하지 않는다.'고 한 것도 그는 본래 단지 문장만을 배워서 자신의 몸가짐을 단지 감히 도에 부끄러움이 있지 않게만 하였을 뿐이다. 몸가짐을 두 번째 의리로 한 것이니, 이러한 곳이 매우 많다."

[58-3-18]

問: "觀昌黎與孟簡書, 其從大顚, 是當時已有議論, 而與之分解, 不審有崇信之意否."

曰: "眞簡是有崇信底意. 他是貶從那潮州去, 無聊後被他說轉了."

물었다. "창려[韓愈]가 맹간孟簡에게 보낸 편지를 보면[198] 그가 태전을 추종한 것에 대해 당시에 이미

....

196 '양주와 … 드러나지 않는다.' : 『孟子』「滕文公下」

197 '우임금의 아래에 … 않다.' : 『昌黎文集』「與孟簡尙書書」에서 한 말이다. 우임금의 공은 중국 천하가 홍수의 범람으로 백성들이 떠돌 때 8년 동안 집에도 들어가지 못하면서 물을 다스려 백성의 생활을 비로소 자리 잡게 한 것을 이른다.

198 창려[韓愈]가 孟簡에게 … 보면 : 맹간은 당나라 平昌 사람으로, 자는 幾道다. 進士. 시에 뛰어났고 元和 연간에 佛經을 한문으로 번역하기도 하면서 불교에 관심이 깊어 선비들로부터 배척당하였다. 벼슬은 戶部侍郞·太子賓客을 지냈다. 한유가 그에게 보낸 편지의 앞쪽을 띄엄띄엄 소개하면 다음과 같다. "愈는 말씀 올립니다. … 편지에서 어떤 사람이 유가 근자에 불교를 신봉하는 자를 가까이 한다고 전하더라 하셨습니다. 이는 전한 사람의 쓸데없는 말입니다. 조주에 있을 때 태전이라는 늙은 승려가 있어 제법 총명하고 도리를 알았습니다. 멀리 떠나와 있어 말벗할 만한 사람이 없기에 산으로부터 불러내 조주의 근교에 와서 수십 일을 머물렀습니다. 진실로 형체의 누를 벗어났고 이치로 자신의 사욕을 이겨내며 사물에 마음이 침해되거나 어지러워지지 않았습니다. 그와 한 말을 모두 알아듣지는 못했으나 우선 가슴속에 걸리는 것이 없게 하고자 하여 얻기 어려운 사람으로 생각되었습니다. 서로 오가다가 神에 대한 제사를 지내러 바닷가에 간 김에 그의 집을 방문하였습니다. 袁州로 벼슬이 옮겨져 올 때에 의복을 남겨 전별하였습니다. 인정이지 그 법을 믿어서 그런 것은 아니었습니다.(愈白, 行官自南迴, 過吉州, 獲吾兄二十四日手書, 數番, 忻悚兼至. 未審入秋來, 眠食何似. 伏惟萬福. 來示云, 有人傳愈近少信奉釋氏者, 此傳者之妄也. 潮州時有一老僧號太顚, 頗聰明識道理, 遠地無可與語者. 故自山召至州郭留十數日. 實能外形骸, 以理自勝, 不爲事物侵亂. 與之語, 雖不盡解, 要且自胷中無滯礙. 以爲難得. 因與來往. 及祭神至海上, 遂造其廬. 及來袁州, 留衣服爲別. 乃人之情, 非崇信

말들이 있어서 그에게 이를 해명한 것이니 존숭하고 믿는 뜻이 있었는지는 잘 알지 못하겠습니다." (주자가) 대답하였다. "참으로 존숭하고 믿는 뜻이 있었다. 그가 좌천되어 조주潮州로 가서[199] 무료히 지내다가 나중에 그의 말에 마음이 바뀌게 되었다."

黃義剛曰: "韓公雖有心學問, 但於利祿之念甚重."

曰: "他也是不曾去做工夫. 他於外面皮殼子上, 都見得安排位次是恁地. 如原道中所謂寒然後爲之衣, 飢然後爲之食, 爲宮室爲城郭等, 皆說得好. 只是不曾向裏面省察, 不曾就身上細密做工夫, 只從麤處去, 不見得原頭來處. 如一港水, 他只見得是水, 却不見那源頭來處是如何. 把那道別做一件事, 道是可以行於世, 我今只是恁地去行. 故立朝議論風采亦有可觀, 却不是從裏面流出. 平日只以做文吟詩飲酒博戲爲事, 及貶潮州, 寂寥無人共吟詩, 無人共飲酒, 又無人共博戲, 見一箇僧說道理, 便爲之動. 如云'所示廣大深迥, 非造次可喩', 不知大顚與他說箇什麼, 得恁地傾心信向. 韓公所說底大顚未必曉得. 大顚所說底韓公亦見不破. 但是他說得恁地好, 後便被他動了."

황의강黃義剛[200]이 물었다. "한공은 학문에 마음을 두기는 하였으나 단지 녹봉을 이롭게 여기는 마음이 매우 깊었습니다."

(주자가) 대답하였다. "그는 또한 공부라고는 해본 적이 없다. 그는 외면의 껍데기들에 안배되어 있는 차례가 모두 이렇다는 것만을 보았을 뿐이다. 예컨대 「원도」에서 말한 '추워진 뒤에 옷을 지어 입고 굶주린 뒤에 밥을 지어 먹었으며 집을 짓고 성곽을 쌓았다.'는 모두 좋은 말들이다. 단지 그 이면裏面에서 성찰한 적이 없고 자신의 몸에서 세밀히 공부해 봄이 없이, 단지 대략적인 것만을 따라 말하고 근원의 유래를 보지 못하였다. 어느 한 하천의 물에 대해서도 그는 단지 그 물만을 보고 그 물 근원의 유래가 어떠한지는 보지 못하였다. 도道에 대해서도 별도의 한 가지 일로 간주하여, 도는 세상에 시행해야 할 것이니, 내가 지금 단지 이렇게 행하는 것일 뿐이라고 생각하였다. 그러므로 조정에 있을 때 논의와 풍채가 또한 볼만한 것들이 있었으나 마음속으로부터 나온 것이 아니었다. 평소에 단지 문장을 짓고 시를 읊조리며 술을 마시고 바둑 놀이를 일삼다가, 조주潮州로 좌천됨에 이르러서 쓸쓸하게 아무하고도 함께 시를 읊조릴 사람이 없고 함께 술을 마실 사람이 없으며 또 아무하고도 함께 바둑 놀이를 즐길 사람이 없었다. 그러다가 한 승려가 도리에 대해 말하는 소리를 듣고서는 동요를 일으켰다. 예컨대 '편지 속의 하신 말씀은 광대하며 깊고 원대하여 잠깐 사이에 말로 표현할 수 없습니다.'[201]고 하였으니 태전이 그에게 어떤 말을 했기에 이다지 마음이 기울고 믿음이 가게 되었는지 알 수 없다. 한공이 말한 것을

. . . .

　　其法, 求福田利益也.)"라고 하였다.

199 좌천되어 潮州로 가서: 한유가 불교를 배척해 「佛骨表」를 지어 올리자 憲宗이 크게 화를 내 죽이려 하였는데 裴度 등의 도움으로 살아나 潮州刺史로 좌천되었다. 앞주석 159 참고

200 黃義剛: 주자의 문인, 臨川 사람이고 자는 毅然이다.

201 '편지 속의 … 없습니다.': 『昌黎文集』「與大顚師書」

태전이 꼭 다 알아듣지는 못하였을 것이며 태전이 말한 것도 한공이 또한 파악하지 못하였을 것이다. 단지 그의 말이 이처럼 좋았기에 나중에 그에게 동요되었을 것이다."

陳安卿曰: "博愛之謂仁等說, 亦可見其無原頭處."

曰: "以博愛爲仁, 則未有博愛之前, 不成是無仁!"

黃義剛曰: "他說明明德, 却不及致知格物. 緣其不格物, 所以恁地."

曰: "他也不曉那明明德. 若能明明德, 便是識原頭來處了."

又曰: "孟子後, 荀揚淺, 不濟得事. 只有簡王通韓愈好, 又不全."

安卿曰: "他也只是見不得十分, 不能止於至善也."

曰: "也是."

진안경陳淳[202]이 물었다. "'널리 사랑하는 것을 인이라 말한다.'는 등의 말은 또한 근원이 없음을 볼 수 있습니다."

(주자가) 대답하였다. "널리 사랑하는 것을 인이라고 말한다면 아직 널리 사랑하기 이전은 인이 없게 되는 것이 아닌가!"

황의강黃義剛이 물었다. "그가 말한 '명덕明德을 밝힌다.'에는 치지致知·격물格物을 언급하지 않았습니다. 그가 격물 공부를 하지 않은 까닭에 그러한 것입니다."

(주자가) 대답하였다. "그는 명덕明德을 밝히는 공부를 알지 못한다. 만일 명덕을 잘 밝혔다면 근원의 유래를 알았을 것이다."

또 말했다. "맹자 이후 순황과 양웅은 천박하여 아무런 일도 성취시키지 못했다. 단지 왕통王通[203]과 한유는 좋은 점은 있으나 또한 완전하지 못하다."

안경安卿이 물었다. "그는 단지 전체를 보지 못하여 지선至善에 머물러 있지 못한 것입니다."

(주자가) 대답하였다. "옳은 말이다."

[58-3-19]

問: "韓子稱'孟子醇乎醇, 荀與揚大醇而小疵'. 程子謂, '韓子稱孟子甚善'.[204] 竊謂韓子旣以失大本, 不識性者爲大醇, 則其稱孟氏'醇乎醇', 亦只是說得到, 未必眞見得到."[205]

202 진안경陳淳: 안경은 자. 송나라 龍溪 사람. 호는 北溪. 시호는 文安. 주자의 수제자. 저서로 『語孟大學中庸口義』, 『北溪字義』가 있다.(『宋史』 권430 ; 『宋元學案』 권68)

203 王通: 위 [58-2-18] 참고

204 『朱子語類』 권137 「戰國漢唐諸子」 70조목에는 '孟子甚善'과 '竊謂韓子' 사이에 '非見得孟子意, 亦道不到 ; 其論荀揚則非也. 荀子極偏駁, 只一句性惡, 大本已失. 揚子雖少過, 然亦不識性, 更說甚道? 至'의 글자가 더 있다.

205 『朱子語類』 권137 「戰國漢唐諸子」 70조목에는 '眞見得到'와 '曰' 사이에 "先生曰, '如何見得韓子稱荀揚大醇處, 便是就論性處說?' 至云, '但據程子有此議論, 故至因問及此.'"라고 하여 '先生'의 글자가 더 있다.

曰：“韓子說荀揚大醇是泛說. 與田騈愼到申不害韓非之徒觀之, 則荀揚爲大醇. 韓子只說那一邊, 湊不着這一邊. 若是會說底, 說那一邊, 亦自湊着這一邊. 程子說‘荀子極偏駁, 揚子雖少過’, 此等語, 皆是就分金秤上說下來. 今若不曾看荀子揚子, 則所謂‘偏駁’・‘雖少過’等處, 亦見不得.”[206]

물었다. “한자(한유)가 ‘맹자는 순수하고 순수하며 순자와 양자는 대체로 순수하나 약간 흠이 있다.’고 하였고, 정자는 ‘한자가 맹자에 대해 한 말은 매우 훌륭한 것이다.’고 하였습니다.[207] 저 혼자 생각에 한자는 이미 큰 근본을 그르치고 성性을 알지 못한 사람인데 대체로 순수하다고 하였으니, 그가 맹자를 ‘순수하고 순수하다.’고 한 말도 또한 단지 말로 한 소리일 뿐 참으로 안 것은 아닙니다.”

(주자가) 대답하였다. “한자가 말한 ‘순자와 양웅은 대체로 순수하다.’는 것은 범범하게 한 말이다. 전병田騈[208]・신도愼到[209]・신불해申不害・한비韓非의 무리들과 함께 살펴보면 순자와 양웅은 대체로 순수하다는 말이다. 한자는 다만 한쪽만을 말하고 한쪽을 싸안지 못했다.[210] 만일 말을 잘하는 사람이라면 한쪽을 말하면 또한 저절로 이 한쪽이 싸안아져야 한다. 정자가 말한 ‘순자는 매우 편벽되며 잡스럽고 양자는 비록 허물이 적지만’이라고 한 말은 모두 저울에 눈금을 달아보듯 재보고서 한 말이다. 지금 만일 순자와 양자를 살펴보지 않았다면 소위 ‘편벽되며 잡스럽다’느니 ‘비록 허물이 적지만’ 등은 또한 알지 못하였을 것이다.”

[58-3-20]
問：“昌黎學者,[211] 莫是李翶最識道理否?”
曰：“也只是從佛中來.”
問：“渠有去佛齋文, 闢佛甚堅.”
曰：“只是篋迹, 至說道理, 却類佛.”
又問：“退之見得不甚分明.”
曰：“他於大節目處, 又却不錯, 亦未易議.”
問：“莫是說傳道是否?”

• •

206 『朱子語類』 권137 「戰國漢唐諸子」 70조목
207 정자는 ‘한자가 … 하였습니다. : 위 [58-3-5] 참고
208 田騈 : 전국시대 齊나라 사람. 道家의 학문을 익혀 宣王 때 上大夫가 되어 稷下에서 강학하였다. 논변이 뛰어나 ‘하늘이 내린 말재주꾼(天口騈)’이라고 불렸다. 『田子』 25편을 지었다고 하나 전하여지지 않는다. (『荀子』 「非十二子」 ; 『史記』 권74)
209 愼到 : 전국시대 趙나라 사람. 黃老學의 도덕을 전공하였다. 저서로 『愼子』가 있다.(『史記』 권74)
210 한쪽만을 말하고 … 못했다. : 곧 전병과 신도 등에 비겨서 나은 것만을 보았고 실지 도학의 깊은 의리에 비겨 판단하지 않았다는 뜻이다.
211 昌黎學者 : 『朱子語類』 권137 「戰國漢唐諸子」 78조목에는 “唐時, 莫是李翶最識道理否”라고 하여 이고를 이 책에서는 한유의 제자로 말한 것에 비해 『朱子語類』에는 당나라 한 시대를 통틀어 말하고 있다.

曰 : “亦不止此, 他氣象大抵大. 又歐陽只說韓李. 不曾說韓柳.”[212]

물었다. “창려에게 배운 사람으로는 이고李翶[213]가 가장 도리를 아는 사람이 아니겠습니까?”

(주자가) 대답하였다. “단지 불교의 교리에서 나온 것이다.”

물었다. “그가 거불재去佛齋[214]라는 글에서 불교 배척이 매우 다부졌습니다.”

(주자가) 대답하였다. “단지 대략의 자취이고 도리에 대한 말은 불교의 말과 유사하다.”

또 물었다. “퇴지는 견해가 매우 분명하지는 않습니다.”

(주자가) 대답하였다. “그가 큰 관건이 되는 곳에는 착오된 곳이 없으니 또한 쉽게 말할 수 없다.”

물었다. “도통道統의 전통을 말한 부분이 아니겠습니까?”

(주자가) 대답하였다. “또한 그 일에만 한정된 것은 아니니 그의 기상은 대체적으로 크다. 또 구양수歐陽修가 단지 한퇴지와 이고만을 말하고[215] 한퇴지와 유종원柳宗元은 말하지 않았다.”

[58-3-21]

“韓退之著書立言, 觝排佛老, 不遺餘力. 然讀其謝潮州表, 答孟簡書, 及張籍侑奠之詞, 則其所以處於禍福死生之際, 有愧於異學之流者多矣. 其不能有以深服其心也宜哉.”[216]

(주자가 말하였다.) “한퇴지는 글과 주장에서 불교와 노자를 제지하고 배척하는 일에 힘을 남김없이 쏟았다. 그러나 그의 사조주표謝潮州表,[217] 맹간孟簡에게 보낸 답장 편지,[218] 장적張籍[219]에게 한 제문祭文을 읽어보면 그가 화복과 사생死生에 관한 사이의 처신에 이교도異敎徒들에게 부끄러워할만한 것이 많다. 그가 불교도들의 마음을 깊이 심복시키지 못한 것이 당연하다.”

· · · · · · · · · · · · · · · · · · · ·

212 『朱子語類』 권137 「戰國漢唐諸子」 78조목

213 李翶 : 당나라 成紀 사람. 자는 習之. 시호는 文. 貞元 연간의 신사. 벼슬은 史館修撰, 山南東道節度使 등을 역임하였다. 성품이 강경하여 벼슬길이 순탄하지 않았다. 저서로 『論語論語筆解』·『李文公集』 등이 있다. (『舊唐書』 권160)

214 去佛齋 : 『李文公集』 권4에 실려 있는 글로, 喪禮의 七七齋 비판을 시작으로 불교의 폐해를 지적하였다.

215 歐陽修가 단지 … 말하고 : 구양수가 쓴 蘇舜欽의 문집인 『蘇氏文集序』에서, “당태종의 지극한 정치는 거의 하·은·주 삼대의 훌륭한 시절에 근접하였는데 문장만은 五代 시설의 버릇을 혁신하지 못한 것을 괴이쩍게 여겼다. 그 후 1백여 년에 한유와 이고 같은 사람들이 나왔고 그런 뒤에 元和(당 憲宗의 연호)의 문장이 비로소 옛날로 회복되었다.(惟唐太宗致治, 幾乎三王之盛, 而文章不能革五代之餘習, 後百有餘年, 韓李之徒出, 然後元和之文, 始復于古.)”라고 하여 문장의 복원을 한유와 이고의 공으로 돌리고, 당송팔대가의 한 사람으로 지칭된 柳宗元은 거론하지 않았다는 말이다.

216 『朱文公文集』 권82 「跋李壽翁遺墨」

217 謝潮州表 : 이글의 본 이름은 「潮州刺史謝上表」이다.

218 孟簡에게 보낸 … 편지 : 『昌黎文集』 「與孟簡尙書書」

219 張籍 : 당 烏江 사람. 자는 文昌. 진사. 한유의 제자이다. 한유의 천거로 國子博士, 國子司業을 지냈다. 고체시와 악부에 능하였다. 저서로 『張司業集』이 있다.(『舊唐書』 권160)

[58-3-22]

"韓退之歐陽永叔所謂'扶持正道,[220] 不雜釋老者也'. 然到得緊要處, 更處置不行, 更說不去, 便說得來也拙, 不分曉. 緣他不曾去窮理, 只是學作文, 所以如此."[221]

(주자가) 말하였다. "한퇴지·구양영숙歐陽脩은 이른바 '정도正道를 붙잡고 불교와 노장학에 섞이지 않은 사람이다.' 그러나 긴요한 곳에 이르러서는 다시 조치하려 들지 않았고 다시 말도 하지 않았으며 말한 것마저 저열하여 분명하지 않다. 그것은 그가 이치를 궁리하지 않고 단지 작문만을 배우려 든 까닭에 그렇게 된 것이다."

[58-3-23]

"韓退之及歐蘇諸公議論, 不過是主於文詞. 少間却是邊頭帶說得些道理, 其本意終自可見."[222]

(주자가 말하였다.) "한퇴지와 구양수·소식蘇軾의 주장들은 문장을 짓는데 주안점을 둔 것에 불과하다. 그리고는 잠간 곁다리로 도리를 끼워 말하고 있으니, 그들의 근본 뜻을 마침내 알 수 있다."

[58-3-24]

北溪陳氏曰: "韓公學無原頭處, 如原道一篇, 鋪敍許多節目, 亦可謂見得道之大用流行於天下底分曉. 但不知其體本具於吾身, 故於反身內省處, 殊無細密工夫. 只是與張籍輩吟詩飮酒度日. 其中自無所執守, 致得後來潮陽之貶, 寂寞無聊中, 遂不覺爲大顚說道理動了. 故俛首與之從遊, 而忘其平昔排佛老之說."[223]

북계 진씨[陳淳][224]가 말하였다. "한공의 학문은 근원이 없으니, 예를 들면 「원도」 한 편은 허다한 항목을 펼쳐 서술하여 또한 도의 큰 쓰임새가 천하에 유행하고 있는 것을 분명하게 본 것이라고 말할 수 있다. 그러나 단지 그 체제가 본래 나의 몸에 갖추어져 있음을 알지 못한 까닭에 내 몸에 되돌리고 마음속으로 성찰하여야 할 곳에는 세밀한 공부가 아주 없다. 단지 장적張籍 같은 무리들과 시를 읊조리고 술을 마시며 날을 보냈을 뿐이다. 마음속에도 본래 굳게 지키는 것이 없었던 까닭에 훗날 조양潮陽으로 좌천되어 적막하고 무료하던 중 마침내 태전이 말하는 도리에 나도 모르게 마음이 동요되게 된 것이다. 그리하여 머리를 숙이고 그와 교유하며 평소에 불교와 노장학을 배척했던 말을 잊은 것이다."

----

220 扶持正道:『朱子語類』권137「戰國漢唐諸子」79조목에는 '扶持正學'으로 되어 있다.

221 『朱子語類』권137「戰國漢唐諸子」79조목

222 『朱子語類』권137「戰國漢唐諸子」80조목

223 『北溪字義』권하「道」

224 陳淳(1159~1223): 송대 龍溪(현 복건성 漳州)사람. 자는 安卿, 호는 北溪 시호는 文安. 주희가 漳州知事일 때 제자가 되어, 주희에게 '남쪽에 와서 나의 도가 진순 한 사람을 얻었다.'라는 칭찬을 받았다. 저서는『字義詳講』·『論孟學庸口義』·『北溪大全集』등이 있다.

西山眞氏曰: "唐史韓愈本傳云, '其原道原性師說等數十篇, 皆奧衍閎深, 與孟軻揚雄相表裏, 而佐佑六經'云.[225]

서산 진씨[眞德秀]가 말하였다. "당사唐史(『唐書』)의 한유열전韓愈列傳에는, '그의 「원도」·「원성原性」·「사설師說」 등 수십 편은 모두 깊고 넓으며 정심精深하여 맹가孟子·양웅과 표리를 이루고 육경六經을 돕는다.'고 하였다.

"又曰: '自晉迄隋, 老佛顯行, 諸儒倚天下正議, 助爲恠神. 愈獨喟然引聖, 爭四代之惑,[226] 雖蒙訕笑, 跲而復奮. 始若未之信, 卒大顯于時. 昔孟軻拒楊墨, 去孔子才二百年, 愈排二家, 乃去千載餘. 撥衰反正, 功與齊而力倍之, 所以過況雄爲不少矣. 自愈沒, 其言大行, 學者仰之如泰山北斗'云. 史氏之稱愈者如此, 而程朱二先生議論, 乃或是非相半. 蓋史氏存乎獎善, 而二先生講學明道, 則雖毫釐必致其察. 此所以不同歟!'[227]

"(『당서』에서) 또 말하기를, '진晉나라로부터 수隋나라에 이르기까지 노장학과 불교가 공공연하게 유행하자 여러 선비들은 천하의 공정한 말들에 기대어 괴이한 귀신 놀음을 도왔다. 한유만이 홀로 탄식하며 성인의 말씀을 인용하여 천하의 미혹을 쟁론하다가 비웃음을 받아 좌천되기도 하였으나 다시 분발하였다. 처음에는 그의 말을 믿으려 하지 않더니 끝내는 당시 세상에 크게 드러나게 되었다. 예전에 맹자가 양주와 묵적을 막아선 일은 공자가 떠난 지 겨우 2백 년이었으나 한유가 노장학과 불가佛家를 배척한 것은 1천여 년이 지난 뒤였다. 시든 형세를 일으켜 정도로 돌아서게 한 공은 서로 같겠지만 힘은 갑절이나 들었으니 순황荀況·양웅보다 뛰어남이 적지 않은 것이다. 한유가 죽고 나서 그의 말이 크게 유행하여 학자들이 태산북두泰山北斗처럼 우러렀다.'고 하였다. 사관史官이 한유를 이같이 말하였으나 정자와 주자 두 분 선생의 주장은 혹은 옳고 혹은 그르다함이 서로 반반이다. 아마도 사관은 훌륭함을 권장하려는 생각이었고, 두 분 선생님은 학문을 강론하여 도를 밝혔으니, 비록 털끝만큼이라도 반드시 자세히 살피고자 하였다. 이것이 동일하지 않은 까닭이리라!'

又曰: "昔者聖人言道必及器, 言器必及道. 盡性至命而非虛也, 灑掃應對而非末也. 自淸靜寂減之敎行, 乃始以日用爲粃糠, 天倫爲疣贅. 韓子憂之, 於是原道諸篇相繼而作. 其語道德也, 必本於仁義, 而其分不離父子君臣之間, 其法不過禮樂刑政之際. 飮食裘葛, 卽正理所存. 斗斛權衡, 亦至敎所寓. 道之大用, 粲然復明者, 韓子之功也."[228]

(서산 진씨가) 또 말하였다. "예전에 성인들은 도를 말하면 반드시 기器를 언급하고[229] 기를 말하면 반드

---

225 『新唐書』 권176의 「韓愈列傳」 속의 글이다.
226 四代: 「韓愈列傳」에는 '四海'로 되어 있다.
227 『新唐書』 권176의 「韓愈列傳」의 史臣贊의 일부이다.
228 『西山文集』 권25 「昌黎濂溪二先生祠記」

시 도를 언급하였다. '본성을 다하여 천명에 합치되게 한다.'[230]는 말이 헛된 말이 아니며, '물 뿌리고 쓸며 응낙하고 대답하는 일'이 지엽적인 것이 아니다.[231] 청정淸靜의 가르침과 적멸寂滅의 가르침[232]들이 유행하면서 비로소 날마다 생활하는 일들을 껍데기로 여기고 천륜天倫을 군더더기로 여겼다. 한자가 이를 걱정하여 이에 「원도」와 여러 편의 글을 연달아 지었다. 그가 도덕을 말한 것은 반드시 인의에 기초하면서도 그 직분에 대해서는 아버지와 아들, 군주와 신하 사이를 떠나지 않았고 그 법은 예禮·악樂과 형벌·정치 사이를 벗어나지 않았다. 마시고 먹고 겨울옷 입고 여름옷 입는 일에도 바른 이치가 간직되고, 말[斗]·섬[斛]과 저울에 이르러도 또한 지극한 가르침이 담겼다. 도의 큰 쓰임새가 찬연하게 다시 밝아진 것은 한자의 공이다"

[58-3-26]

程子曰 : "荀揚性已不識, 更說甚道!"[233]已下總論荀揚王韓.

정자程頤가 말하였다. "순자와 양웅은 성性을 이미 알지 못했으니, 다시 무슨 도를 말할까보냐!" 여기서부터는 순자荀子·양웅揚雄·왕통王通·한유韓愈를 총괄해서 논한다.

[58-3-27]

"荀卿才高學陋. 以禮爲僞, 以性爲惡, 不見聖賢. 雖曰尊子弓, 然而時相去甚遠. 聖人之道, 至卿不傳. 揚子雲仕莽, 謂之旁燭無疆可乎! 隱, 可也. 仕, 不可也."[234]

(정자가 말하였다.) "순경[荀子]은 재주는 높으나 학문이 비루하여 예禮는 거짓된 것이라 하고 성性은 악한 것이라고 하니, 성현을 보지 못한 것이다. 자궁子弓[235]을 존숭하기는 하였으나 시대적으로 차이가 서로 동떨어진다. 성인의 도는 순경에 이르러 전하여지지 못하였다.

양자운이 왕망王莽에게 벼슬한 것을 '널리 비춤이 끝이 없다.'고 이르는 것[236]이 옳을까! 은거했다면 옳았

- -

229 도를 말하면 … 언급하고 : 여기에서 말하는 도와 기는 『周易』「繫辭上」 12장의 "形而上者謂之道, 形而下者謂之器."를 이른 말로, 곧 무형의 도와 구체적인 사물인 기를 이른다.

230 '본성을 다하여 … 한다.' : 이 말은 『周易』「說卦傳」의 "천하의 이치를 궁리하고 사람에게 주어진 본성을 다 실천하여 천명에 합치되게 한다.(窮理盡性, 以至於命.)"를 축약한 것이다.

231 '물 뿌리고 … 아니다. : 下學上達의 이치를 이른 말로 가장 천근한 일 속에도 가장 지고한 이치가 담겨져 있음을 이른다.

232 淸靜의 가르침과 … 가르침 : 청정의 가르침은 노장학을 이르고 적멸의 가르침은 불가의 말을 이른다.

233 『二程遺書』권19「楊遵道錄」

234 『二程外書』권10

235 子弓 : 『荀子』의 권3「非相篇」제5의, "요임금은 키가 컸고 순임금은 키가 작았으며, 문왕은 키가 컸고 주공은 키가 작았으며, 중니는 키가 컸고 자궁은 키가 작았다.(帝堯長帝舜短, 文王長周公短, 仲尼長子弓短.)"의 楊倞 주에, "자궁은 아마도 중궁일 것이다.(子弓, 蓋仲弓也.)"라고 하였다. 중궁은 『論語』에 나오는 공자의 제자로, 성명은 冉雍이다.「雍也篇」에서 "옹이는 임금을 하게 할 만하다.(子曰, 雍也, 可使南面.)"라고 공자로부터 칭찬을 들은 사람이다.

236 양자운이 王莽에게 … 것 : 위 [58-1-4]와 [58-1-5] 참고

을 것이다. 벼슬하였으니 불가하다.”

[58-3-28]

“荀卿才高其過多, 揚雄才短其過少. 韓子稱其大醇非也. 若二子可謂大駁矣. 然韓子責人甚恕.”[237]

(정자[程頤]가 말하였다.) “순경은 재주가 높아 그 허물이 많고 양웅은 재주가 적어 그 허물도 적다. 한자가 그들을 ‘대국적으로는 순수하다.’고 말한 것은 잘못이다. 두 사람은 크게 잡스럽다고 말할 수 있다. 그러나 한자는 남을 책망하는 일이 매우 너그럽다.”

[58-3-29]

“揚子無自得者也, 故其言蔓衍而不斷, 優柔而不決. 其論性, 則曰, ‘人之性也, 善惡混, 修其善則爲善人, 修其惡則爲惡人.’ 荀子悖聖人者也, 故列孟子於十二子, 而謂人之性惡.”[238]

(정자[程頤]가 말하였다.) “양자[揚雄]는 스스로 깨달음이 없는 사람인 까닭에 그의 말은 널리 언급하기만 하고 단정 지음이 없고 어물거리기만 하고 결단함이 없다. 그가 성性을 논한 것은 ‘사람의 성은 선과 악이 섞여 있어서 선을 닦으면 선한 사람이 되고 악을 닦으면 악한 사람이 된다.’[239]고 하였다. 순자는 성인의 가르침과 어긋난 사람인 까닭에 맹자를 십이자十二子에 나열하고[240] 사람의 성을 악하다고 말하였다.”

[58-3-30]

朱子曰 : “荀子儘有好處, 勝似揚子. 然亦難看.”[241]

주자가 말하였다. “순자에게는 참으로 좋은 점이 있어 양자보다 낫다. 그러나 또한 그것을 알아보기가 어렵다.”

[58-3-31]

“諸子百家書, 亦有說得好處. 如荀子曰 : ‘君子大心則天而道,[242] 小心則畏義而節.’ 此二句說

---

237 『二程遺書』 권18 「劉元承手編」
238 『二程遺書』 권25 「暢潛道本」
239 ‘사람의 성은 … 된다.’: 『揚子法言』 권2 「修身篇」의 말이다.
240 맹자를 十二子에 나열하고: 순자가 12명의 옛 사람을 열거하여 비판한 『荀子』「非十二子篇」에서 子思와 맹자를 열거하여 거론하였다.
241 『朱子語類』 권137 「戰國漢唐諸子」 11조목
242 天而道: 『荀子』「不苟」의 말이다. 그런데 ‘天而道’는 말이 우선 해석하기가 쉽지 않고 또 이어지는 뒷글의 ‘畏義而節’에 비추어 ‘天’자 앞에 당연히 뒷글의 ‘畏’자와 같은 글자가 있어야 한다. 이를 인용한 『韓詩外傳』 권4에는 ‘天而道’를 “敬天而道”로 쓰고 있는데, 문리도 순하고 뒷글과도 서로 맞는다. 따라서 『韓詩外傳』을

得好."

問：“荀子資質,[243] 也是箇剛明底人."

曰：“只是麤. 他那物事, 皆未成箇模樣, 便將來說."

問[244]：“揚子工夫比之荀子, 恐卻細膩."

曰：“揚子說到深處, 止是走入老莊窠窟裏去, 如清靜寂寞之說皆是也. 又如玄中所說'靈根'之說之類, 亦只是老莊意思, 止是說那養生底工夫爾.[245]

(주자가 말하였다.) “제자백가들의 책에는 또한 좋은 말들이 있다. 예를 들면 순자가 '군자가 마음을 크게 가지면 하늘을 공경하여 도에 합치하고 마음을 적게 가지면 의리를 두려워하여 절제한다.'고 한 이 두 구절은 좋은 말이다."

물었다. “순자는 자질이 또한 엄격하고 명확한 사람입니다."

(주자가) 대답하였다. “거칠기만 할 뿐이다. 그가 한 모든 것은 아직 형태를 갖추지 못한 것을 가져다 말하였다."

물었다. “양자揚子의 공부가 순자에 비기면 아마 정밀할 것입니다."

(주자가) 대답하였다. “양자의 말 중 깊은 내용은 단지 노장학의 범주 속으로 파고 든 것들일 뿐이니, 예컨대 청정清靜·적막寂寞과 같은 말들이 그것이다. 또『태현太玄』에서 말한 '영근靈根[도덕道德][246] 따위의 말도 또한 노장학의 정서일 뿐이니, 단지 양생에 관한 노력을 말했을 뿐이다."

[58-3-32]

問：“東坡言'三子言性, 孟子已道性善, 荀子不得不言性惡', 固不是. 然人之一性, 無自而見. 荀子乃言其惡, 他莫只是要人修身, 故立此說?'

曰：“不須理會荀卿, 且理會孟子性善. 渠分明不識道理. 如天下之物, 有黑有白, 此是黑, 彼是白, 又何須辯! 荀揚不惟說性不是, 從頭到底皆不識. 當時未有明道之士, 被他說用於世千餘年. 韓退之謂'荀揚大醇而小疵', 伊川曰, '韓子責人甚恕.' 自今觀之, 他不是責人恕, 乃是看人不破. 今且於自己上作工夫, 立得本. 本立則條理分明, 不待辯."[247]

물었다. “동파東坡[蘇軾][248]가 말하기를 '세 사람이 성性을 말하였는데 맹자가 이미 성이 선하다고 말하였기 때문에 순자는 부득이 성이 악하다고 말할 수밖에 없었다.'고 하나 진실로 옳지 않습니다. 그러나

따라 번역한다.

243 荀子資質：『朱子語類』권137「戰國漢唐諸子」11조목에 '日看得荀子資質'로 되어 있다.

244 問：『朱子語類』권137「戰國漢唐諸子」11조목에는 '日'자로 되어 있다.

245 『朱子語類』권137「戰國漢唐諸子」10조목

246 靈根：위 [58-1-2] 참고

247 『朱子語類』권137「戰國漢唐諸子」13조목

248 東坡(蘇軾)：뒤의 [58-5-1] 이하 참고

사람의 성은 근거해서 볼 수 있는 곳이 없습니다. 순자가 악하다고 말하였으나 그는 다만 사람에게 몸을 닦도록 하기 위해 이런 말을 주장한 것이 아닙니까?"

(주자가) 대답하였다. "순경(순자)을 이해할 것이 아니고 우선 맹자의 성이 선하다는 말을 이해해야 한다. 그는 분명 도리를 알지 못하였다. 예컨대 천하의 사물은 옳음이 있고 그름이 있어, 이것이 옳으면 저것은 그른 것인데, 또 무슨 변별이 필요하겠는가! 순자와 양자는 성에 대한 말만 옳지 않은 것이 아니고 처음부터 끝까지 전연 모르고 있다. 당시 도에 밝은 사람이 없어 그의 말이 세상에 1천여 년 동안 통용되었다. 한퇴지가 말한 '순자와 양자는 대국적으로는 순수하나 약간 흠이 있다.'와 이천이 말한 '한자는 남을 책망하는 일에 매우 너그럽다.'를 지금 살펴본다면 그가 남을 책망하는 것이 너그러운 것이 아니고 사람을 파악하지 못한 것이다. 지금 우선 자신을 위한 공부를 하여 근본을 확립해야 한다. 근본이 확립되어 조리가 분명해지면 변별할 것이 없다."

[58-3-33]

問: "揚子與韓文公優劣如何?"

曰: "各自有長處. 韓文公見得大意已分明, 但不曾去子細理會. 如原道之類, 不易得也. 揚子雲爲人深沈, 會去思索. 如陰陽消長之妙, 他直是去推求. 然而如太玄之類, 亦是拙底工夫, 道理不是如此. 蓋天地間只有箇奇耦, 奇是陽, 耦是陰. 春是少陽, 夏是太陽, 秋是少陰, 冬是太陰. 自二而四, 自四而八, 只恁推去, 都走不得. 而揚子卻添兩作三, 謂之天地人, 事事要分作三截. 又且有氣而無朔, 有日星而無月, 恐不是道理. 亦如孟子旣說'性善', 荀子旣說'性惡', 他無可得說, 只得說箇'善惡混'. 若有箇三底道理, 聖人想自說了, 不待後人說矣. 看他裏面推得辛苦, 卻就上面說些道理, 亦不透徹. 看來其學似本於老氏. 如'惟清惟靜, 惟淵惟黙'之語, 皆是老子意思. 韓文公於仁義道德上看得分明, 其綱領已正, 卻無他這箇近於老子底說話."[249]

물었다. "양자와 한문공[韓愈]의 우열은 어떻습니까?"

(주자가) 내답하였다. "각기 장점이 있다. 한문공은 대의를 이미 분명하게 보았으나 다만 자세히 이해하려 하지 않았다. 예컨대 「원도」와 같은 부류는 쉽게 얻을 수 있는 글이 아니다. 양자운은 사람됨이 깊고 사색할 줄을 알았다. 예컨대 음양소장의 오묘한 이치를 그는 시종일관 추구하였다. 그러나 『태현』과 같은 부류는 또한 수준이 졸렬하니 도리가 그렇지 않다. 천지 사이에 단지 홀과 짝이 있어 홀은 양陽이고 짝은 음陰이다. 봄은 소양少陽이고 여름은 태양太陽이며 가을은 소음少陰이고 겨울은 태음太陰이다. 2로부터 4, 4로부터 8로 되어가니,[250] 단지 이렇게 미루어 나가도 모두 미루어 갈길이 없다. 그런데

. . . .

249 『朱子語類』 권137 「戰國漢唐諸子」 22조목

250 2로부터 4, … 되어가니 : 2는 음과 양을 이르고, 4는 四象으로 少陽·太陽·少陰·太陰을 이르고, 8은 팔괘인 乾·兌·離·震·巽·坎·艮·坤괘를 이르고 이것이 이어져 16괘로 발전하고, 다시 32괘로, 다시 64괘로 변화하는 것을 이른다. 이렇게 2배수로 불어가는 것이 끝이 없어 불어가는 속도를 따라잡을 수 없게 됨을 이른다.

양자는 2에다 보태서 3을 만들어 천天・지地・인人이라 하고서는, 일일마다 3으로 나누려고 하였다.[251] 또 절기는 있으나 초하루가 없고 해와 별은 있으나 달이 없으니[252] 아마도 이는 도리가 아닐 것이다. 또 예컨대 맹자는 이미 '성은 선하다.'고 하였고, 순자는 이미 '성은 악하다.'고 하여 그가 할 만한 말이 없자 단지 '선과 악이 섞여 있다.'라고 말한 것이다. 만일 세 가지 도리가 있다면 성인이 스스로 그것에 대한 말을 생각하였지 후인들이 말하기를 기다리지 않았을 것이다. 그 속내를 들여다보면 갖은 애를 써서 추측한 것이나 그 속에서 꺼내 말한 도리는 또한 분명하지 못하다. 그의 학문은 노씨에 바탕하고 있는 것 같이 보이니, 예컨대 '오직 맑고 오직 고요하며, 오직 깊고 오직 침묵하라.'[253]는 말은 모두 노자의 정서이다. 한문공은 인의와 도덕에 관한 것들에 대해 견해가 분명하고 그의 강령도 이미 정당하여 이처럼 노자의 정서에 가깝게 한 말은 없다."

又問 : "文中子如何?"

曰 : "文中子之書, 恐多是後來人添入, 眞僞難見, 然好處甚多. 但一一似聖人, 恐不應恰限有許多事相湊得好. 如見甚荷蓧隱者之類,[254] 不知如何得恰限有這人. 若道他都是粧點來, 又恐粧點不得許多. 然就其中, 惟是論世變因革處, 說得極好."

또 물었다. "문중자는 어떻습니까?"

(주자가) 대답하였다. "문중자의 책들은 아마도 대부분 후인들이 첨가한 것들이어서 진짜와 가짜를 찾기 어려우나 좋은 곳이 매우 많다. 단지 하나하나가 성인(공자)의 일과 유사한데, 아마 공교로울 정도로 허다한 일들이 당연히 이렇게 서로 잘 맞아떨어지지 않을 것이다. 예를 들면 저 삼태기를 걸쳐 맨 은자隱者를 만나는 일[255]이 어떻게 공교로울 정도로 이런 사람이 있는지[256] 모르겠다. 만일 저런 것들이 모두

<hr>

251 양자는 2에다 … 하였다. : 양웅이 『周易』을 본떠 만든 『太玄』에, 『周易』은 괘가 음효와 양효로 이루어진 것에 비해 효를 세 개의 가로를 연결한 효를 한 효로 만들었고, 『周易』은 6개의 효로 한 괘가 만들어졌는데 『太玄』은 4개의 효로 한 괘(『太玄』에서는 이를 首라 칭한다.)를 만들어 모두 81수를 만들었다.

252 절기는 있으나 … 없으니 : 이는 『太玄』 81수를 설명한 말이다. 『太玄』의 81수에는 각기 24절기를 배당시키고 해가 어느 성좌에 머무르고 있는지를 밝혔다. 예컨대 첫 首인 中은 계절이 冬至이고 해가 牽牛星 자리에 머물고 있으며, 네 번째 수인 閑은 계절이 小寒이고 해가 玄枵星 자리에 머문다고 기록하고 있다. 그런데 81수 어디에도 달의 초하루와 보름은 언급하지 않고 있다.

253 '오직 맑고 … 침묵하라.' : 양웅의 말인 듯하나 현재 전하여지는 책에서는 확인할 길이 없다.

254 如見甚荷蓧隱者之類 : 『朱子語類』 권137 「戰國漢唐諸子」 22조목에는 '荷蓧'가 '荷蕢'로 되어 있다. 이글의 출전인 『論語』 「憲問篇」에는 '荷蕢'로, 「微子篇」에는 '荷蓧'로 되어 있다. 모두 은거한 사람들로 성명을 알 수 없어 그들의 행색으로 표기된 인물들이다. 우선 이 책을 따르기로 한다.

255 삼태기를 걸쳐 … 일 : 『論語』 「微子篇」에 "자로가 공자를 따르다가 뒤처졌는데 어떤 나이든 사람이 지팡이로 삼태기를 어깨에 걸쳐 맨 사람을 만났다.(子路從而後, 遇丈人以杖荷蓧.)"라고 하였고, 또 「憲問篇」에는 "공자가 위나라에서 경쇠를 치고 있는데 삼태기를 어깨에 걸쳐 메고 공씨의 집 앞을 지나는 사람이 있었는데 말하기를 '세상을 연연해 하는 마음이 있구나! 경쇠를 치는 것이여!(子擊磬於衛, 有荷蕢而過孔氏之門者. 曰, '有心哉 ! 擊磬乎!')"라고 하여, 그 사람이 공자에게 세상을 연연해 한다고 비판한 글이 실려 있다.

256 어떻게 공교로울 … 있는지 : 문중자의 저서인 『中說』 권3 「事君篇」에 "北山丈人이 문중자를 비판하여 '어찌

꾸며낸 것이라 해도 또한 아마 허다한 것들을 꾸며낼 수 없을 것이다. 그러나 그 속에서도 세상의 변화와 인혁因革(이어받고 바꾼 것)에 대해 논한 말은 매우 좋다."

又問: "程子謂'揚子之學實, 韓子之學華', 是如何?"

曰: "只緣韓子做閑雜言語多, 故謂之華. 若揚子雖亦有之, 不如韓子之多."

또 물었다. "정자가 '양자의 학문은 알차고 한자의 학문은 부화浮華하다.'[257]고 한 말은 어떻습니까?" (주자가) 대답하였다. "단지 한자가 한가롭고 잡스러운 말을 많이 한 연유로 부화하다고 말한 것이다. 양자에게도 또한 그러한 것이 있으나 한자와 같이 많지는 않다."

[58-3-34]

"揚子雲韓退之二人, 也難說優劣. 但子雲所見處, 多得之老氏, 在漢末年難得人似他. 亦如荀子言語亦多病, 但就彼時亦難得一人如此. 子雲所見多老氏者, 往往蜀人有嚴君平源流."[258]

問: "溫公最喜太玄."

曰: "溫公全無見處. 若作太玄, 何似作曆! 老泉嘗非太玄之數, 亦說得是."

又問: "與康節如何?"

曰: "子雲何敢望康節! 康節見得高, 又超然自得. 退之卻見得大綱, 有七八分見識. 如原道中說得仁義道德煞好, 但是他不去踐履玩味, 故見得不精微細密. 伊川謂其學華者, 只謂愛作文章. 如作詩說許多閑言語, 皆是華也. 看得來退之勝似子雲."[259]

(주자가 말하였다.) "양자운과 한퇴지 두 사람은 또한 우열을 말하기 어렵다. 단지 자운의 견해라 할 수 있는 곳은 대부분 노씨老子에게서 얻은 것이나 한나라 말년에 그와 같은 사람 정도도 얻기 어렵다. 또 순자 같은 사람도 말에 병통은 많으나 단지 그 당시에서 또한 이와 같은 정도의 사람 한 명을 얻는

허둥지둥하는 것이 다급해 함이 없다고 말하겠는가? 하니, 문중자가 '감히 다급해 함이 아니라 이 때 태만함을 아파한다. 태만하면서 수련하지 않으면 유학의 도가 망한다.'라고 말하였다.(謂文中子曰, '何謂遑遑者無急歟?' 子曰, '非敢急, 傷時怠也. 怠而不修斯文喪矣')"고 했다. 곧 게으름을 피우고 닦지 않으면 공자의 가르침이 무너지므로 허둥지둥 공자의 도를 구하기에 노력한다는 말이다. 북산장인에 이어 다시 "눈승자가 하간의 물가에서 노니는데 하상장인이 '이 사람은 어떤 사람인가? 마음은 육경에 술 취해 있는 듯한 사람이고 눈은 천하를 경영하는 사람 같으니 이 사람은 어떤 사람인가?(子遊河間之渚, 河上丈人曰, 何居乎斯人也? 心若醉六經, 目若營四海, 何居乎斯人也?)'라고 하고 있다. 이런 것들이 모두 공자가 천하를 돌아다닐 때 만나 나눈 말, 또는 비판 받은 말과 서로 같다는 것이다.

257 '양자의 학문은 … 浮華하다.': 『二程遺書』 권6

258 『朱子語類』 권137 「戰國漢唐諸子」 23조목에는 '嚴君平源流'와 '問溫公' 사이에, "且如太玄就三數起, 便不是. 易中只有陰陽奇耦, 便有四象: 如春爲少陽, 夏爲老陽, 秋爲少陰, 冬爲老陰. 揚子雲見一二四都被聖人說了, 卻杜撰, 就三上起數."의 문장이 더 있다.

259 『朱子語類』 권137 「戰國漢唐諸子」 23조목

것도 어렵다. 자운의 소견은 노씨와 같은 것이 많으나 이따금 촉蜀 땅 사람 엄군평嚴君平[260]에게서 흘러나온 것도 있다."

물었다. "사마온공司馬溫公[司馬光][261]이 『태현』을 가장 좋아하였습니다."[262]

(주자가) 대답하였다. "사마온공은 전연 식견이 없다. 저렇게 지어진 『태현』의 어떠한 점이 책력과 유사한가! 노천老泉[蘇洵]이 『태현』의 수數를 그르다 한 것[263]이 또한 옳은 말이다."

또 물었다. "강절康節[邵雍]과는 어떻습니까?"

(주자가) 대답하였다. "자운이 어떻게 감히 강절을 바라랴! 강절은 견해가 높고 또 초연히 스스로 깨달은 것이 있다. 퇴지는 큰 강령을 알아 10부의 7~8의 식견을 갖추었다. 예컨대 「원도」 중에서 말한 인의와 도덕은 매우 좋은데 단지 그는 실천하고 사색함이 없는 까닭에 견해가 정미하고 세밀하지 못하다. 이천이 그의 학문을 부화하다고 말한 것[264]은 단지 글짓기를 좋아한 것을 두고 한 말이다. 예컨대 시와 문장의 허다하게 한가로운 말들은 모두 부화하다. 그러나 읽어보면 퇴지가 자운보다 낫다."

[58-3-35]

問: "程子言近世豪傑, 揚子雲豈得如愈! 如何?"[265]

曰: "只以言性論之, 則揚子善惡混之說, 所見僅足以比告子. 若退之見得到處却甚峻絶. 性分

---

260 蜀 땅 사람 嚴君平 : 漢나라 사람. 이름은 遵. 높은 학문을 쌓아 세상에 모르는 것이 없다할 정도로 해박하였다. 벼슬하지 않고 촉 땅에서 점을 쳐서 생활을 꾸리면서도 하루 돈 1백 錢이 벌리면 가게를 닫고 『老子』를 가르쳤다. 양웅이 젊은 시절 그에게서 배우고 서울에 나가 벼슬하며 엄군평의 덕을 늘 일컬었다. 저서로 『老子指歸』가 있다.(『漢書』 권72)

261 司馬溫公(1019~1086) : 송나라 夏縣사람. 자는 君實, 호는 齊物子. 시호는 文正. 寶元 연간의 進士. 神宗 때 御史中丞으로 王安石의 신법에 반대하여 西京으로 좌천되었다. 哲宗 초년에 재상이 되어 신법 중 백성에게 해악이 되는 것들을 모두 개정하였다. 죽은 뒤 太師溫國公이 추증되었다. 세상에서 司馬太師·溫國公·涑水先生으로 불렸다. 저서로 『資治通鑑』·『稽古錄』·『易說』·『潛虛』 등이 있다.(『宋史』 권336 ; 『宋元學案』 권7~8)

262 "司馬溫公[司馬光]이 … 좋아하였습니다." : 사마광은 『太玄集注』를 지었다. 「太玄集注序」에서 "경력 연간에 처음으로 『太玄』을 얻어 읽어보고서 「讀玄」을 지었고 … 30여 년을 『太玄』에 온 정력을 쏟았으나 그 핵심은 커녕 울타리 근처에도 가지 못하였고 오랜 세월 공을 들인 것이기에 내버리기 아까워 『太玄集註』를 짓게 되었다.(慶曆中, 光始得太玄而讀之, 作讀玄. 自是求訪此數書, 皆得之. 又作說玄, 疲精勞神三十餘年, 訖不能造其藩籬, 以其用心之久, 棄之似可惜, 乃依法言爲之集注.)"고 하였다. 사마광은 양웅을 극도로 존경하여 『法言集注』를 짓기도 하였다. 그의 글 「讀玄」에서 "아! 양자운은 참으로 큰 선비일 것이다! 공자가 죽은 뒤로 성인의 도를 알아본 사람이라면 자운이 아니고 누구겠는가! 맹자와 순자로는 결코 어림할 수 없으니, 하물며 그 나머지 사람들이겠는가!(嗚呼! 揚子眞大儒者耶! 孔子旣歿, 知聖人之道者非揚子而誰! 孟與荀殆不足擬, 況其餘乎!)"라고 하였다.

263 老泉[蘇洵]이 … 것 : 소순이 그의 저서 『嘉祐集』 권8에서 「太玄論」 상중하 3편을 지어 비판하였다.

264 이천이 그의 … 것 : 『二程遺書』 권6에서 "양자의 학문은 알차고 한자의 학문은 부화하다.(揚子之學實, 韓子之學華)"고 하였다.

265 如何? : 『朱子語類』 권96, 79조목에는 '如何?' 두 글자가 없다.

三品, 正是說氣質之性. 至程門說破氣字, 方有去著. 此退之所以不易及也."[266]

물었다. "정자가 '(한유는) 근세의 호걸이다.'[267]라고 말했으니 양자운이 어찌 한유만 하겠습니까! 어떻습니까?"

(주자가) 대답하였다. "단지 성을 말한 것을 가지고 말한다면 양자의 '선과 악이 섞여 있다.'는 말은 식견이 겨우 고자告子[268] 정도에나 비교할 수 있다. 퇴지 같은 사람은 터득해 이른 경지가 매우 우뚝하다. 그가 성을 세 가지로 나눈 것[269]은 바로 기질성氣質性을 말한 것이다. 정자에 이르러서야 기질[氣]이란 말을 밝혀내 처음으로 드러냈다.[270] 이 점이 퇴지가를 쉽게 미칠 수 없는 점이다."

[58-3-36]

嘗令學者[271]論董仲舒·揚子雲·王仲淹·韓退之四子優劣.[272]

曰: "董仲舒自是好人, 揚子雲不足道, 這兩人不須說. 只有文中子韓退之這兩人疑似."[273] 學者多主退之.[274]

曰: "看文中子根脚淺,[275] 然卻是以天下爲心, 分明是要見諸事業. 天下事, 他都一齊入思慮來. 雖是卑淺, 然卻是循規蹈矩, 要做事業底人, 其心卻公. 如韓退之雖是見得簡道之大用是如此, 然卻無實用功處. 他當初本只是要討官職做, 始終只是這心. 他只是要做得言語似六經, 便以爲傳道. 至其每日功夫, 只是做詩博弈, 酣飲取樂而已. 觀其詩便可見, 都襯貼那原道不起. 至其做官臨政, 也不是要爲國做事, 也無甚可稱, 其實只是要討官職而已."

(주자가) 공부하는 사람들에게 동중서·양자운·왕중엄王仲淹·한퇴지 네 분의 우열을 논하게 한 적이 있었다.

(그리고) 말하기를, "동중서는 본디 좋은 사람이고, 양자운은 말할 만한 사람이 못되니, 이들 두 사람은 말할 필요가 없다. 단지 문중자와 한퇴지 두 사람은 엇비슷하다."라고 하자 공부하는 자들이 대부분

---

266 『朱子語類』 권96, 79조목
267 '(한유는) 근세의 호걸이다.' : 위 [58-3-5] 참고
268 告子 : 전국시대 사람. 이름은 不害이다. 不動心을 일찍 성취한 사람으로 일러졌고, 맹자와 성에 관한 선악 논쟁을 벌인 것으로 유명하다.(『孟子』「公孫丑上」; 告子上」)
269 성을 세 … 것: 위 [58-3-14] 참고
270 정자에 이르러서야 … 드러냈다. : 정자 이전까지는 사람들이 性만을 말하고 기질[氣]을 말하지 않았는데 정자가 『二程遺書』 권6에서 "성을 말하면서 기를 말하지 않으면 구비되지 못하고 기를 말하면서 성을 말하지 않으면 분명하지 않다.(論性不論氣, 不備; 論氣不論性, 不明.)라고 하여 성을 말하며 기를 언급하기 시작한 것을 이른다.
271 『朱子語類』 권137 「戰國漢唐諸子」 21조목에는 '嘗令學者' 앞에 '先生' 두 글자가 더 있다.
272 『朱子語類』 권137 「戰國漢唐諸子」 21조목에는 '四子優劣' 아래 '或取仲舒, 或取退之'의 글이 더 있다.
273 『朱子語類』 권137 「戰國漢唐諸子」 21조목에는 '這兩人疑似'와 '學者' 사이에 '試更評看'의 글이 더 있다.
274 『朱子語類』 권137 「戰國漢唐諸子」 21조목에는 '學者'와 '多主退之' 사이에 '亦'자 한 글자가 더 있다.
275 『朱子語類』 권137 「戰國漢唐諸子」 21조목에는 '看'자와 '文中子根脚淺' 사이에 '來'자 한 글자가 더 있다.

퇴지를 중시하였다.

(주자가) 말하였다. "문중자를 살펴보면 기초가 얕지만 천하의 일을 마음에 두어서 분명하게 사업에 나타내보고자 하였다. 천하의 일을 그는 모두 자신의 생각 속에 집어넣었다. 비천하기는 하지만 법도를 준수하며 그 일을 행해보고자 한 사람이니, 그의 마음은 공정하다. 한퇴지 같은 사람은 도의 큰 쓰임새가 이것이라는 점은 터득하였으나 그것에 실지 힘을 쓰지 않았다. 그는 애당초부터 본시 관직만을 구하려 하였기 때문에 시종 이 마음뿐이었다. 그는 단지 문장 구사를 육경六經과 유사하게 하는 것을 도를 전하는 일로 여겼다. 그가 매일 하는 공부는 단지 시를 짓고 장기나 바둑을 두며 술에 얼근하여 즐거움을 취한 것뿐이다. 그의 시를 보면 알 수 있으니 도무지 「원도」와 맞지 않는다. 그가 관원이 되어 정사를 한 것도 또한 나라를 위해 일을 한 것이 아니어서 또한 썩 일컬을 만한 것이 없으니, 기실 단지 벼슬자리만을 구했을 따름이다."

[58-3-37]

問 : "荀揚王韓四子."

曰 : "凡人著書, 須自有箇規模, 自有箇作用處. 或流於申韓, 或歸於黃老, 或有體而無用, 或有用而無體, 不可一律觀. 且如王通, 這人於世務變故, 人情物態, 施爲作用處, 極見得分曉, 只是於這作用曉得處却有病. 韓退之則於大體處見得, 而於作用施爲處却不曉. 如原道一篇, 自孟子後無人似他見得. '郊焉而天神格, 廟焉而人鬼享. 以之爲人, 則愛而公 ; 以之爲心, 則和而平 ; 以之爲天下國家, 無所處而不當', 說得極無疵. 只是空見得箇本原如此, 下面工夫都空疎, 更無物事撑柱襯簟, 所以於用處不甚可人意.[276]

물었다. "순자 · 양자 · 왕통 · 한퇴지 네 사람은 어떻습니까?"

(주자가) 대답하였다. "사람이 지은 글에는 모름지기 기본적으로 규모가 있어야 하고 기본적으로 작용이 있어야 한다. 어떤 사람은 신불해申不害와 한비韓非로 흘렀고 어떤 사람은 황로학으로 귀의하였으며, 어떤 사람은 본체는 갖추었으나 작용이 없고 어떤 사람은 작용은 있으나 본체가 없어서 하나의 잣대로 판단할 수 없다. 우선 왕통을 예로 든다면 이 사람은 세상일의 변화와 사고, 사람과 세속의 향배, 조치와 작용에 대해서 매우 분명하게 터득하였으나 단지 이 작용을 깨닫는 데에 병통이 있다. 한퇴지는 기본의 큰 줄기에 대해서 터득하였으나 작용과 조치에 대해서 알지 못하였다. 예를 들면 「원도」 한 편은 맹자 이후 그와 같이 터득한 사람이 없다. '교제郊祭(하늘 제사)를 지내면 하늘 신神이 이르고 묘제廟祭를 지내면 사람과 귀신이 흠향한다. 이것으로 사람을 다스리면 사랑하고 공정하며, 이것으로 마음을 다스리면 화목하고 평화로우며, 이것으로 천하와 국가를 다스리면 합당하지 않은 곳이 없다.'는 말은 아주 흠이 없다. 단지 본원이 이와 같음을 아무런 바탕이 없는 상태에서 터득하였고 기초 공부도 전혀 허술한데다가 다시 어떠한 일이 떠받치거나 받침노릇해주는 것이 없는 까닭에 운용하는 과정에서 사람 마음에 썩

----

276 所以於用處不甚可人意. : 『朱子語類』 권137 「戰國漢唐諸子」 17조목에는 이 글 뒤에 한퇴지의 공부에 대한 비판이 이어져 있다.

들만 한 것이 없는 것이다.

如論文章云, ‘自屈原·荀卿·孟軻·司馬遷·相如·楊雄之徒’, 却把孟軻與數子同論, 可見無見識. 荀卿則全是申韓, 觀成相一篇可見. 他見當時庸君暗主戰鬪不息, 憤悶惻怛, 深欲提耳而誨之, 故作此篇. 然其要卒歸於明法制執賞罰而已. 他那做處粗, 如何望得王通! 揚雄則全是黃老. 某嘗說揚雄最無用, 眞是一腐儒. 他到急處, 只是投黃老. 如反離騷, 幷老子道德之言可見, 這人更無足說,[277] 自身命也奈何不下, 如何理會得別事? 如法言一卷, 議論不明快, 不予決,[278] 如其爲人.[279] 荀揚二人, 自不可與王韓同日語.”

그가 문장을 논한 말을 보면 ‘굴원屈原·순경荀卿·맹자孟軻·사마천司馬遷·사마상여司馬相如·양웅揚雄 무리로부터’라고 하여 맹자를 여러 사람과 동일하게 논하고 있으니, 식견이 없음을 볼 수 있다. 순경은 온통 신불해와 한비의 학문이니 「성상成相」 한 편을 보면 알 수 있다. 그가 당시 용렬한 임금과 사리에 어둔 군주들이 끊임없이 전투를 벌이는 것을 보고서는, 분통하고 민망하고 애달파서 그들의 귀를 끌어당겨 가르치고자 한 까닭에 이 한 편을 지었다. 그러나 그 요점은 결국 법제를 밝히고 상벌을 집행해야 하는 것에 귀결되었을 뿐이다. 그가 이룬 경지가 조잡한데 어떻게 왕통을 바랄 수 있겠는가! 양웅은 온통 황로학이다. 내가 양웅은 가장 쓸모없다고 말한 적이 있었는데 참으로 한 사람의 썩은 선비다. 그는 중요한 곳을 만나면 단지 황로학에 의지하였으니 예를 들면 「반이소反離騷」와 아울러 노자의 『도덕경道德經』에 대한 말에서 볼 수 있다.[280] 이 사람은 다시 말할만한 것이 없으니, 자신의 운명도 어찌하지 못하였는데 어떻게 다른 일을 깨달을 수 있겠느냐! 『법언』 한 책은 말도 명쾌하지 않고 결단함도 없는 것이 그의 사람됨과 똑같다. 순자와 양웅 두 사람은 본래 왕통·한퇴지와 함께 말할 수 없다.”

問: “王通病處如何?”
曰: “這人於作用處曉得, 急欲見之於用, 故便要做周公底事業, 便去上書要興太平. 及知時勢之不可爲, 做周公事業不得, 則急退而續詩續書元經, 又要做孔子底事業. 殊不知孔子之時, 接手三代, 有許多典謨訓誥之文, 有許多禮樂法度, 名物度數, 數聖人之典章皆在, 於是取而續述, 方做得這箇家具成.

· · · · · · · · · · · · · · · · · · · ·

277 這人更無足說: 『朱子語類』권137 「戰國漢唐諸子」 17조목에는 ‘這人更無說’이라고 하여 ‘足’자가 없다. 『朱子語類考文解義』권36에도 “這人更無說”이라 하고 주석문에 “無可論”이라고 하였다. 이 주석문을 따른다면 “이 사람은 이것에 한해서는 말할만한 것이 없다.”로 해석된다. 두 해석 모두 성립되는 문장이다.

278 不了決: 『朱子語類』권137 「戰國漢唐諸子」 17조목에는 ‘不了決’로 되어 있다. ‘予’자는 오자이다.

279 如其爲人.: 『朱子語類』권137 「戰國漢唐諸子」 17조목에는 이 말 아래 “他見識全低, 語言極獃, 甚好笑!”가 더 있다.

280 노자의 『道德經』에 … 있다.: 양웅은 그의 저서 『法言』권3 「問道篇」에서 “노자가 말한 도덕은 내가 취함이 있다.(老子之言道德, 吾有取焉耳.)”라고 스스로 밝히고 있다.

물었다. "왕통의 병통은 어떤 것입니까?"

(주자가) 대답하였다. "이 사람은 작용에 해당하는 부분을 깨닫고서 급하게 그것을 운용에서 나타내보고자 한 까닭에 주공周公이 남긴 사업을 행해보고자 글을 올려 태평 세상을 일으키려고 하였다.[281] 시대와 형세가 어떤 일도 할 수 없어 주공의 사업을 펼쳐 볼 수 없음을 알게 되자 급하게 물러나와 『속시續詩』, 『속서續書』, 『원경元經』을 편집하여 또다시 공자와 같은 사업을 하려고 들었다. 그러나 공자 시대는 삼대 시대와 이어져서 허다한 전典·모謨·훈訓·고誥의 글[282]이 남아 있고, 허다한 예악 법도와 명물도수名物度數가 남아 있었으니, 여러 성인들의 전장典章이 모두 남아 있었으므로 이것들을 가져다가 이어 서술한 것이니 이러한 도구들이 갖춰져야 성공한다는 것을 알지 못하였다.

王通之時, 有甚麼典謨訓誥, 有甚麼禮樂法度, 乃欲取漢魏以下者爲之, 書則欲以七制命議之屬爲續書.[283] 詩則欲取曹劉沈謝者爲續詩. 續得這般詩書, 發明得箇甚麼道理! 自漢以來詔令之稍可觀者, 不過數箇, 如高帝求賢詔雖好, 已自不純. 文帝勸農, 武帝薦賢制策輪臺之悔, 只有此數詔略好, 此外盡無那一篇比得典謨訓誥. 便求一篇如君牙·冏命·秦誓也無. 曹劉沈謝之詩, 又那得一篇如鹿鳴·四牡·大明·文王·關雎·鵲巢! 亦有學爲四句古詩者, 但多稱頌之詞, 言皆過實, 不足取信. 樂如何有雲英·咸·韶·濩·武之樂, 禮又如何有伯夷·周公制作之禮! 他只是急要做箇孔子, 又無佐證, 故裝點幾箇人來做堯舜湯武, 皆經我刪述, 便顯得我是聖人.

왕통 시절에 어떤 전·모·훈·고가 있고 어떤 예악법도가 있기에 한나라와 위나라 이후의 것들을 가져다 만들고자 하여, 서書는 칠제七制의 명의命議(敎命과 奏議) 같은 것[284]들로 『속서續書』를 만들고 시詩는 조식曹植·유정劉楨·심약沈約·사영운謝靈運의 시[285]를 가져다가 『속시續詩』를 만들었다. 이렇게 이어

281 글을 올려 … 하였다. : 왕통이 수문제 仁壽 3년(603) 9월에 수문제를 알현하고 太平十二策을 올린 일을 이른다.(『資治通鑑』 권179)

282 典謨訓誥의 글 : 『書經』의 글들을 이른다. 전은 「堯典」과 「舜典」, 모는 「大禹謨」와 「皐陶謨」, 훈은 「伊訓」, 고는 仲虺之誥와 康誥 등을 이른다. 공자가 刪詩書하여 남긴 오늘날의 서경이 예전의 여러 典謨訓誥를 정리한 것임을 이른 것이다.

283 則欲以七制命議之屬爲續書 : 『朱子語類』 권137 「戰國漢唐諸子」 17조목에는 '續書' 아래에 "칠제란 말은 왕통에서 시작되었다. 高祖·文帝·武帝·宣帝·光武帝·明帝·章帝의 制가 있으니 『書經』의 「二典」에 비긴 것이다.(七制之說, 亦起于通. 有高文武宣光武明章制, 盖以比二典也.)"라고 하였다.

284 七制의 命議 … 것 : 『續書』는 책 이름이 그러하듯 『書經』을 이어 지은 책이다. 따라서 『書經』에 「堯典」과 「舜典」이 있듯이, 典에 해당하는 것을 制로 만들며 한나라의 일곱 군주를 요임금과 순임금에 비겨 칠제라 한 것이다. 또 「堯典」과 「舜典」의 내용들이 군주와 신하가 주고받는 말로 채워진 것에 따라, 한나라 때 임금이 내린 교령과 신하들이 올린 주의로 그 내용을 꾸민 것이다.

285 曹植·劉楨·沈約·謝靈運의 시 : 앞 글(58-2-17)에 비교해 보면 안연지가 여기서 심약으로 바뀌었음을 볼 수 있다. 심약은 南朝梁의 武康 사람으로 자는 休文, 시호는 隱이다. 남조 송과 남조 제에서 벼슬하다 다시 남조 양에서 尙書令을 지냈다. 詩賦에 뛰어나 謝朓 등과 함께 영명체를 창안하였고 聲韻八病說을 제기하였

만든 『시詩』와 『서書』가 무슨 도리를 밝혀내겠는가! 한나라 이후 조령詔令에서 조금이라도 볼만한 것은 몇 개 조령이 되지 않으니, 한고조漢高祖의 '어진 이를 구하는 조서[求賢詔]'가 좋기는 하지만 본시 순수하지 않다. 문제文帝의 '농사를 권면하는 조서[勸農詔]',[286] 무제武帝의 '현인을 추천하라는 조서[薦賢制策][287]와 '윤대의 후회[輪臺之悔]'[288] 등이 있으나 단지 이런 몇 가지의 조서가 대략 좋은 것이고 이밖에는 어느한 편도 전·모·훈·고에 비교될 수 있는 것은 전연 없다. 한 편이라도 군아君牙·경명囧命·진서秦誓와 같은 글을 구해보려 해도 또한 없다. 조식曹植·유정劉楨·심약沈約·사영운謝靈運의 시에서 또 어떻게 한 편일망정 녹명鹿鳴·사모四牡·대명大明·문왕文王·관저關雎·작소鵲巢와 같은 시[289]를 얻을 수 있겠는가! 또 그들 중에는 네 구절 형식의 고시古詩를 배워서 짓는 자도 있었으나 단지 칭송하는 문구들만 많고 글귀들은 모두 사실을 벗어나 믿음을 사기에 충분하지 않다. 음악도 어찌 승운承雲·육영六英·함지咸池·구소九韶·대호大濩·무武와 같은 음악[290]이 있으며, 예도 또 어찌 백이伯夷·주공周公이 지은 것과 같은 예[291]가 있는가! 그가 단지 급하게 공자가 되어 보고자 하나 또한 증거가 없었던 까닭에 몇 사람을 꾸며서 요·순·우·탕을 만들고서는 모두가 내 손의 저술을 거치게 함으로써 내가 성인이라는 것을 드러나게 한 것이다.

如中說一書, 都是要學孔子. 論語說'泰伯三以天下讓', 他便說陳思王善讓. 論語說'殷有三仁', 他便說荀氏有二仁. 又捉幾箇公卿大夫來相答問, 便比當時門人弟子. 正如梅聖俞說歐陽永叔, 他自要做韓退之, 却將我來比孟郊, 王通便是如此, 便胡亂捉別人來爲聖爲賢, 殊不知秦漢以下君臣人物, 斤兩已定. 你如何能加重! 中說一書, 固是後人假託, 非王通自著. 然畢竟是王通平生好自夸大, 續詩·續書紛紛述作, 所以起後人假託之過. 後世子孫見他學周公孔子學不成, 都冷淡了, 故又取一時公卿大夫之顯者, 續緝附會以成之. 畢竟是王通有這樣意思在, 雖非他之過, 亦他有以啓之也.

『중설』과 같은 책은 모두 공자를 배우려 한 것이다. 『논어論語』에 '태백泰伯이 천하를 세 차례 사양하였다.'

다. 『四聲譜』와 『晉書』와 『宋書』 등을 지었다. 명대에 편집된 『沈隱侯集』이 편집되어 전한다.(『宋書』「自序」)

286 文帝의 '농사를 … 조서[勸農詔]' : 한 문제가 13년에 농사를 권면하기 위하여 농지의 조세를 없앤다고 명령한 조서(『漢書』「文帝紀」)

287 '현인을 추천하라는 조서[薦賢制策]' : 漢武帝가 조서를 내려 현인을 추천케 하여, 추천한 자에게는 상을 주고 추천하지 않은 자에게는 벌을 내리게 하라는 조서(『漢書』「武帝紀」)

288 '윤대의 후회[輪臺之悔]' : 漢武帝가 일생 동안 西域을 개척하면서 국력을 탕진하였는데, 만년에 이르러 이를 깊이 뉘우치고 조서를 내려 마침내 서역의 輪臺國 땅을 포기하며 신민들에게 용서해 달라고 뉘우쳤다.(『漢書』「西域傳贊」)

289 鹿鳴·四牡 … 시 : 모두 『詩經』의 실린 시의 편명이다.

290 承雲·六英 … 음악 : 承雲은 黃帝 때의 음악이고, 六英은 帝嚳 시대의 음악이라고도 하고 顓頊 시대의 음악이라고도 하며, 咸池는 요임금의 음악이고, 九韶는 韶로도 쓰이는데 순임금의 음악이고, 大濩는 탕임금의 음악이고, 武는 무왕의 음악이다. 모두 성인 군주 시대 만들어진 음악들이다.

291 伯夷·周公이 … 예 : 윗글 [58-2-17] 주석 참고

라고 말하자 그 책은 '진사왕陳思王이 잘 사양하였다.'라고 말하고,[292] 『논어論語』에 '은나라에 삼인三仁이 있다.'[293]라고 말하자 그 책은 '순씨荀氏에게 이인二仁이 있다.'[294]고 말하고 있다. 또 몇 사람의 공경대부를 등장시켜 서로 문답하는 것으로 (『논어論語』) 속의 당시 문인 제자들과 비교시켰다. 바로 매성유梅聖俞가 '구양영숙歐陽永叔[歐陽脩]은 스스로 한퇴지가 되어보려 하고 나를 맹교孟郊에 비겼다.'[295]라고 말한 것과 같으니, 왕통이 바로 이와 같이 하여 어지럽게 별도의 사람들을 등장시켜 성인을 만들고 현인을 만들었으나 진秦·한漢 이후의 군주나 신하의 사람됨은 무게가 이미 정하여져 있음을 알지 못한 것이다. 그가 어떻게 그들을 더 무겁게 할 수 있겠는가! 『중설』 한 책은 진실로 후인이 이름을 빌린 것이고 왕통 자신이 지은 책이 아니다. 그러나 필경은 왕통이 평소에 스스로 과장하기를 즐겨 『속시』·『속서』를

• • • • • • • • • • • • • • • 性理大全書卷之五十八

292 『論語』에 '泰伯이… 말하고 : 『論語』는 「泰伯篇」에 "공자가 '태백은 지극한 덕이라 말할 수 있다. 세 번이나 천하를 사양하면서도 사람들이 칭찬하는 말조차도 할 수 없게 (은밀하게) 하였구나.'(子曰, '泰伯其可謂至德也已矣. 三以天下讓, 民無得而稱焉.')라고 하였다."했는데, 『中說』「事君篇」에서 "왕통이 '진사왕은 이치에 통달한 사람이라 말할 수 있다. 천하를 사양하였으나 당시 사람들이 알지 못하게 하였다.'라고 하였다.(子曰, '陳思王可謂達理者也. 以天下讓, 時人莫之知也.')"라고 하였다. 여기서 진사왕은 曹操의 셋째 아들 曹植을 이른다. 조식은 자가 子建으로 東阿王에 봉해졌다가 나중에 陳王으로 고쳐 봉하여졌는데 그의 시호가 思인 데에서 사람들이 그를 진사왕이라고 불렀다. 文才가 뛰어나 아버지가 자신을 태자로 세우고자 하자 일부러 술을 마시고 못된 짓을 저질러 태자의 자리를 피하였는데, 둘째 아들 曹丕는 일부러 행동을 꾸며 태자 지위를 넘본 것이다.

293 '은나라에 三仁이 있다.' : 「微子篇」에 "미자는 나라를 떠났고, 기자는 紂의 노복이 되었고, 비간은 간언하다 죽었다."하고, 이어 공자가 말씀하기를 "은나라에 세 사람의 仁者가 있다.(微子去之, 箕子爲之奴, 比干諫而死. 孔子曰, '殷有三仁焉.')라고 하였다.

294 '荀氏에게 二仁이 있다.' : 『中說』「周公篇」에 "어떤 사람이 순욱과 순유를 묻자, 왕통이 말하기를, '모두 어진 사람이다.'하니, '죽고 살은 것은 어떻습니까?'하자, 왕통이 말하기를, '살아서는 시대를 구제하였고 죽어서는 도를 밝혔다. 순씨 집안에 두 사람의 仁者가 있다.'(或問, 荀彧荀攸. 子曰, '皆賢者也.' 曰, '生死何如.' 子曰, '生以救時, 死以明道. 荀氏有二仁焉.')"고 하였다. 이들을 『中說』阮逸의 주석에 의하여 살피면 다음과 같다. 순욱은 삼국시대 위나라 조조의 謀士이다. 潁陰 사람으로 자는 文若이고 봉호는 萬歲亭侯, 시호는 敬이다. 董昭 등이 조조에게 魏公의 작위를 올리려 하는 것을 반대하여, "의병을 일으킨 것은 조정을 바로잡고 나라를 편안하게 하려 함이다. 군자는 사람을 덕으로 사랑하는 것이니 이는 옳지 않다.(本起義兵, 所以正朝安國也. 君子愛人以德, 不宜如此)"라고 하였다가, 조조가 그 소식을 듣고 기뻐하지 않자 약을 먹고 자살하였다. 순유는 순욱의 조카로 자는 公達, 봉호는 陵樹亭侯, 시호는 敬이다. 벼슬은 漢나라에서 黃門侍郎, 魏나라에서 尙書令을 지냈다. 오나라 손권 정벌에 종군하였다가 죽었다. 조조로부터 師表가 될 만한 인물이란 칭찬을 들었다. 순욱은 조조를 도왔으나 한나라가 망하며 죽었고 순유는 한나라에서 벼슬하고 위나라 조정에도 벼슬하였다. 이들을 왕통이 仁한 사람으로 일컬은 것이다.

295 梅聖俞가 歐陽永叔[歐陽脩]은 … 비겼다.' : 이는 "매성유가 말하기를 '구양영숙은 한퇴지가 되어보려 하고 나를 맹교에 비겼다.'라고 하였다. 지금 매성유가 맹교에게 대한 관계를 보면 마치 구양수가 한퇴지에게 대한 관계와 같다. 혹은 말하기를 '매성유의 시는 사람들이 애호되지 않기도 하지만 저 맹교의 시는 어찌 사람들에게 애호되지 않은 적이 있었는가!'라고 하였다.(梅聖俞云 : '永叔要做韓退之, 硬把我做孟郊.' 今觀梅之於孟, 猶歐之於韓也. 或謂梅詩到人不愛處, 彼孟之詩, 亦曷嘗使人不愛哉!)"에 확인이 되는 바, 맹교 시가 애호를 받은 것으로 나타나고 있다.(明 李東陽, 『懷麓堂詩話』)

어지럽게 지은 데에서 후인이 이름을 빌리려는 허물이 일어난 것이다. 후세에 자손들이 그가 주공과 공자의 학문을 배웠으나 성공하지 못하여 모두 그에게 냉담한 것을 본 까닭에 또다시 한 시대의 이름난 공경대부들을 가져다가 잇고 편집하고 부회하여 이룬 것이다. 결국 왕통이 이러한 생각이 있었던 것이니 그의 잘못은 아니지만 또한 그가 그 길을 열어놓은 것이다.

如世人說坑焚之禍起於荀卿, 荀卿著書立言, 何嘗敎人焚書坑儒! 只是觀他無所顧藉, 敢爲異論, 則其末流便有坑焚之理. 然王通比荀揚又憂別. 王通極開爽, 說得廣闊. 緣他於事上講究得精, 故於世變興亡, 人情物態, 更革沿襲, 施爲作用, 先後次第, 都曉得, 識得箇仁義禮樂都有用處. 若用於世, 必有可觀. 只可惜不曾向上透一著, 於大體處有所欠闕, 所以如此. 若更曉得高處一著, 那裏得來. 只細看他書, 便見他極有好處. 非特荀揚道不到, 雖韓退之也道不到. 然王通所以如此者, 其病亦只在於不曾子細讀書. 若是子細讀書, 知聖人所說義理之無窮, 自然無工夫閑做. 他死時只三十餘歲, 他却火急要做許多事."

예컨대 세상 사람들이 분서갱유焚書坑儒의 재앙은 순경에게서 일어났다고 말하나, 순경의 글과 말에 어찌 한번이나 사람들에게 분서갱유하라 하였느냐! 다만 그가 망설이거나 꺼려함이 없이 용감하게 딴소리 하는 것을 보면 그 종당 폐단에 바로 분서갱유의 이치가 있다. 그러나 왕통은 순자나 양웅에게 비기면 또한 크게 다르다. 왕통은 더없이 생각이 시원스럽게 열리고 말도 폭넓으며 활달하다. 그가 일마다 정밀함을 강구한 까닭에 세상의 변화와 흥망, 인정과 세태, 바꿈과 따름, 시행과 영향의 앞뒤 차례를 모두 깨달았고, 인의와 예악들도 모두 쓰임새가 있음을 알았다. 만일 세상에 등용되었다면 반드시 볼만한 치적이 있었을 것이다. 단지 안타깝게도 위로 향하여 좀 더 한 걸음 진보하려는 노력을 하지 않아 대체大體를 이루는 곳에 흠점과 모자람이 있어 이같이 된 것이다. 만일 다시 최고의 높은 경지를 깨달았다면 그 속에서 터득됨이 있었을 것이다. 단지 그의 저서를 찬찬히 살펴보면 그에게서는 더없이 좋은 점이 발견된다. 다만 순자와 양웅이 말하지 못할 뿐만 아니라 한퇴지일지라도 또한 말하지 못할 것이다. 그러나 왕통이 이 같게 된 까닭은 그 병통이 또한 다만 글을 자세히 읽지 않은 데에 있었다. 만일 자세히 글을 읽어 성인이 말한 의리의 무궁한 뜻을 알았다면 저절로 공부에 등한하지 않았을 것이다. 그의 죽을 때 나이가 단지 30여세였으니, 그는 화급하게 허다한 일들을 해보려 한 것이다."

問: "若少假之年, 必有可觀."
曰: "不然. 他氣象局促只如此了. 他做許多書時, 方只二十餘歲. 孔子七十歲, 方繫易作春秋, 而王通未三十, 皆做了聖人許多事業, 氣象去不得了."
물었다. "만일 몇 년 만 더 살았더라면 반드시 볼만한 것이 있었겠습니다."
(주자가) 대답하였다. "그렇지는 않다. 그의 기상이 국한되고 촉급하여 단지 그 정도였다. 그가 허다한 책을 저술할 때 겨우 20여세였다. 공자는 70세에 『주역周易』의 「계사繫辭」를 짓고 『춘추春秋』를 저술하였는데 왕통은 30살도 안 되어 성인의 허다한 사업들을 모두 해보고자 하였으니, 기상을 버릴 수 없었음이다."

又曰:"中說一書, 如子弟記他言行, 也煞有好處. 雖云其書是後人假託, 不會假得許多, 須眞有箇人坯模如此, 方裝點得成. 假使懸空白撰得一人如此, 則能撰之人, 亦自大有見識, 非凡人矣."[296]

(주자가) 또 말하였다. "『중설』한 책은 그 아들이나 아우가 그의 언행을 기록한 것 같으나 또한 매우 좋은 곳들이 있다. 그 책은 후세 사람이 그의 이름에 의탁하여 지은 것이라고 말하나 그 많은 말을 거짓으로 지어낼 수는 없으니, 반드시 어떤 사람이 이 같은 꼬투리를 만들어 두자 꾸며 이루어냈을 것이다. 가령 허공에서 아무런 근거도 없이 한 사람을 이렇게 만들어 냈다면 능히 이렇게 지어낸 사람은 또한 나름대로 큰 식견이 있었을 것이며 보통 사람이 아닐 것이다."

歐陽子 구양자[297]

[58-4-1]

蘇氏軾曰: "自漢以來, 道術不出於孔氏, 而亂天下者多矣. 晉以老莊敗, 梁以佛亡, 莫或正之. 五百餘年而後得韓愈, 學者以配孟氏, 蓋庶幾焉. 愈之後三百有餘年而後得歐陽子, 其學推韓愈孟子以達於孔氏, 故天下翕然師尊之, 曰歐陽子今之韓愈也. 宋興七十餘年, 民不知兵, 富而教之, 至天聖景祐極矣. 而斯文終有愧於古, 士亦因陋守舊, 論卑而氣弱. 自歐陽氏一出, 天下爭自濯磨, 以通經學古爲高, 以救時行道爲賢. 以犯顔納諫爲忠. 長育成就, 至嘉祐末號稱多士. 歐陽子之功爲多."[298]

소씨 식[蘇軾]이 말하였다. "한나라 이후 천하를 다스리는 학술이 공자의 학문에서 나오지 않으면서부터 천하가 어지러워진 것이 여러 차례였다. 진晉나라는 노장학老莊學으로 패하였고 남조 양南朝梁은 불교로 망하였는데에도 이를 바로잡는 이가 없었다. 5백여 년이 지난 뒤 한유를 얻게 되자 학자들은 그를 맹씨[孟子]에게 짝 지웠으니 거의 옳은 주장이다. 한유 이후 3백여 년이 지난 뒤 구양자를 얻으니, 그의 학문은 한유와 맹자를 추구하여 공씨孔子에게 이른 까닭에 천하가 흡족하게 그를 존경하고 스승으로 여겨 '구양자는 지금 시대의 한유다.'라고 하였다. 송나라가 개국한 지 70여년에 백성들은 전쟁을 알지 못하고,

---

296 『朱子語類』권137 「戰國漢唐諸子」17조목

297 구양자(歐陽脩, 1007~1072): 송나라 吉州 廬陵 사람. 자는 永叔, 호는 醉翁·六一居士. 시호는 文忠. 4세에 아버지를 여의고 어머니 鄭氏에게 글을 배웠다. 仁宗 天聖 8년(1030년)에 진사에 올라 慶曆 연간에 知制誥·翰林學士를 역임하고, 嘉祐 연간에 知貢擧를 역임하며 古文을 창도하고 太學體를 배격하여 문풍을 일신하였다. 禮部侍郎을 역임하고 太子少師로 치사하였다. 한유의 문장을 열심히 배워 北宋 고문의 宗師로 추앙되고 당송팔대가의 한 사람이 되었다. 史學에도 조예가 깊어 『新唐書』를 편수하였고 『新五代史』를 찬술하였다. 曾鞏·王安石·蘇軾·蘇轍이 모두 그의 제자들이다. 저서로는 『歐陽文忠公集』이 있다.(『宋史』권319)

298 『東坡全集』「六一居士集敘」

살림이 넉넉해지고 교육이 이어져 천성天聖(인종仁宗의 연호, 1023~1031) 연간과 경우景祐(인종의 연호, 1034~1037) 연간에 이르러서는 극치에 달하였다. 그러나 사문斯文(유학儒學)은 끝내 옛날에 비겨 부끄러웠고, 선비들도 속된 것을 답습하고 옛것을 그대로 지켜 주장하는 말이 비루하고 기세도 허약하였다. 구양씨[歐陽脩]가 한 번 나타나자 천하가 스스로 갈고 닦기를 다투어, 경전을 알고 옛날을 배우는 것으로 높음을 삼고, 시대를 구제하고 도를 행하는 것으로 현명함을 삼으며, 임금에게 얼굴을 대해 간하는 것으로 충성을 삼게 되었다. 선비들이 길러지고 성취되어 가우嘉祐(송 인종의 연호, 1056~1063) 연간의 말년에는 '수많은 선비'라는 말이 호칭되기까지 하였다. 구양자의 공이 위대하다."

[58-4-2]

蘇氏轍曰: "公權知貢擧. 是時進士爲文, 以詭異相高, 號太學體. 文體大壞, 公患之, 所取率以詞義近古爲貴, 比之險怪知名者黜去殆盡. 牓出, 怨議紛然, 久之乃服. 然文章自是變而復古."[299]

소씨 철[蘇轍]이 말하였다. "구양자가 과거를 주재하였다. 이때 진사들의 문장은 괴이하게 쓰는 것을 서로 치켜세워 이를 태학체太學體라고 불렀다. 문체가 크게 무너진 것을 공이 걱정하다가, 선발한 것은 대부분 글 뜻이 고문체에 가까운 것을 귀히 여기고, 험하며 괴이한 문장으로 명성을 따르는 자들은 거의 전부 떨어뜨렸다. 합격자가 발표되자 원망하는 여론이 분분하였으나[300] 시간이 흐르자 심복하였다. 그러나 문장이 이때부터 변하여 옛날로 되돌아갔다."

[58-4-3]

龜山楊氏曰: "孟子一部書, 只是要正人心, 敎人存心養性, 收其放心. 至論仁義禮智, 則以惻隱羞惡辭讓是非之心爲之端, 論邪說之害, 則曰生於其心, 害於其政. 論事君, 則欲格君心之非. 千變萬化, 只說從心上來. 人能正心, 則事無足爲者矣. 大學之脩身齊家治國平天下, 其本只是正心誠意而已. 心得其正, 然後知性之善, 孟子遇人便道性善. 永叔却言聖人之敎人, 性非所先. 永叔論別是非利害, 文字上儘去得, 但於性分之內, 全無見處, 更說不行. 人性上不可添一物, 堯舜所以爲萬世法, 亦只率性而已. 所謂率性, 循天理是也. 外邊用計用數, 假饒立得功業, 只是人欲之私. 與聖賢作處, 天地懸隔."[301]

구산 양씨[楊時]가 말하였다. "『맹자』 한 책은 단지 인심을 바로잡으려 하여[302] 사람들에게 본심을 보존해

299 『欒城後集』「歐陽文忠公神道碑」

300 원망하는 여론이 분분하였으나 : 가우 2년(1057년)에 구양수가 과거의 시관이 되어 소위 태학체를 일신하고자 이런 문체의 글을 모두 떨어뜨렸다. 구양수의 돌아가는 길을 과거에 떨어진 자들이 막아서서 시비를 벌여 당시 순라 군사가 제재하지 못할 정도였다.(『宋史』 권319 「歐陽脩傳」)

301 『龜山集』 권12 「語錄 · 餘杭所聞」

302 인심을 바로잡으려 하여 : 맹자가 「滕文公下」에서 "나도 사람의 마음을 바로잡고 사악한 말을 중지시키고

본성을 양성하게 하고[303] 달아난 마음을 거두어들이게 하였다.[304] 인·의·예·지를 논하면서는 측은惻
隱·수오羞惡·사양辭讓·시비是非의 마음으로 그 단서를 삼았고,[305] 사악한 말의 해를 말하면서는 '마음
에서 우러나와 나라의 정사를 해친다.'[306]라고 하였으며, 군주 섬김을 논하면서는 군주의 잘못된 마음을
바로잡고자 하였다. 수천수만 가지의 변화가 단지 마음으로부터 생겨나는 것으로 말하였다. 사람이 마
음만 바로잡는다면 세상일은 하찮을 것이 없다. 『대학』의 수신·제가·치국·평천하도 그 근본은 단지
정심正心과 성의誠意일 따름이다. 마음이 바름을 얻은 뒤에 성性의 선함을 아는 것이니, 맹자는 사람을
만날 적마다 성의 선함을 말하였다. 그런데 영숙永叔(구양수의 자)이 '성인이 사람을 가르치는데 성은 우선
하는 것이 아니었다.'[307]고 하였다. 영숙이 시비와 이해를 논하여 가르는 일은 문장에서는 힘을 다 쏟았
으나 단지 성에 대해서만은 전연 아는 것이 없어 더 이상 말을 꺼내지 않았다. 성에는 한 가지도 보탤
것이 없으니, 요순이 만세의 법이 되는 까닭은 또한 단지 성 그대로를 따를 뿐인 것이다. 소위 성 그대로
를 따랐다는 것은 하늘 이치를 따른 것이다. 성 이외에 이런 저런 계책을 쓰고 술수를 부려 가령 공훈이
나 업적을 세웠다 할지라도 단지 그것은 인욕人欲의 사사로움일 뿐이다. 성현이 하는 일과는 하늘과
땅처럼 현격하다."

[58-4-4]
問：“歐公如何.”

. . . .

치우치고 부정한 행위를 막고 음탕한 말을 추방하여 세 분 성인을 잇고자 한다.(我亦欲正人心, 息邪說, 距詖
行, 放淫辭 以承三聖者.)"고 하였다.

303 사람들에게 본심을 … 하고 : 맹자가 「盡心上」에서, “마음을 다하는 자는 성의 이치를 아니 본성의 이치를
알면 하늘 이치를 안다. 마음을 보존해 본성을 양성하는 것은 하늘을 섬기는 것이다.(孟子曰, 盡其心者,
知其性也, 知其性, 則知天矣. 存其心, 養其性, 所以事天也)"라고 하였다.

304 달아난 마음을 … 하였다. : 맹자가 「告子上」에서 “사람이 닭과 개가 달아나면 찾을 줄 아는데 달아난 마음은
찾을 줄 알지 못하니 학문하는 도리는 다른 것이 아니다. 달아난 마음을 구하는 것일 따름이다.(人有雞犬放,
則知求之, 有放心而不知求, 學問之道無他, 求其放心而已矣.)"라고 하였다.

305 惻隱·羞惡 … 삼았고 : 맹자가 「公孫丑上」에서 “측은해 하는 마음은 인의 단서이고 부끄러워하고 미워하는
마음은 의의 단서이고 사양하는 마음은 예의 단서이고 시비하는 마음은 지혜의 단서이다.(惻隱之心仁之端
也, 羞惡之心義之端也, 辭讓之心禮之端也, 是非之心智之端也.)"라고 하였다.

306 '마음에서 우러나와 … 해친다.' : “어떤 것을 '사람의 말을 안다.'라고 말합니까?"하니 맹자가 말씀하기를,
“치우친 말에서 그 사람의 가려진 곳을 알고, 음탕한 말에서 그 사람의 빠져 있는 곳을 알고, 사악한 말에서
그 사람이 떠나 있음을 알고, 도망가는 말에서 그 사람의 궁함을 안다. 사람의 마음에서 우러나와 그 나라의
정사를 해치고 그 나라의 정사에 발로되어 그 나라의 일들을 해친다. 성인이 다시 나오셔도 반드시 내 말을
따를 것이다.(何謂知言? 曰, 詖辭知其所蔽, 淫辭知其所陷, 邪辭知其所離, 遁辭知其所窮. 生於其心, 害於其
政, 發於其政, 害於其事, 聖人復起, 必從吾言矣.)"라고 하였다.

307 '성인이 사람을 … 아니었다.' : 『歐陽文忠公集』 권47 「答李詡第二書」에서 “세상의 학자들이 성을 말하는
사람들이 많은 까닭에 지난날 내가 말하기를 '성은 학자들이 다급해 할 것이 아니니, 성인께서도 드물게
말씀한 것이다.'라고 말했습니다.(世之學者多言性, 故常爲說曰, '夫性, 非學者之所急, 而聖人之所罕言也'.)"라
고 하였다.

朱子曰 : “淺.” 久之, 又曰 : “大槩皆以文人自立, 平時讀書, 只把做考究古今治亂興衰底事, 要做文章. 都不曾向身上做工夫, 平日只是以吟詩飮酒戲謔度日.”[308]

물었다. “구양공은 어떻습니까?”

주자가 대답하였다. “얕다.”

한참 시간이 지난 뒤 또 말하였다. “대개 모두 문장으로 자립한 사람들은 평소 글을 읽을 적에 단지 고금의 다스려짐과 어지러워짐, 흥성하고 쇠락한 일들만을 살펴서 문장에 적용하려고 한다. 전연 자신의 몸에서 공부를 해보려 하지 않으며, 평일에는 단지 시를 읊조리고 술을 마시며 농지거리로 날을 보낸다.”

[58-4-5]

“歐公文字大綱好處多. 晩年筆力亦衰.”[309]

(주자가 말하였다.) “구공의 문장은 크게 보면 좋은 곳이 많으나 만년에는 문필력도 역시 쇠락하였다.”

[58-4-6]

言行錄曰 : “公於古文, 得之自然, 非學所至, 超然獨騖, 衆莫能及. 譬夫天地之妙, 造化萬物, 動者植者, 無細與大, 不見痕迹, 自極其工.”[310]

『송명신언행록宋名臣言行錄』에서 말하였다. “공에게 고문은 저절로 터득된 것이고 배워서 이른 경지가 아니며 초연히 홀로 질주하여 일반 사람들은 따라잡을 수 없다. 비유하자면 천지의 오묘함이 온갖 물건을 만들어 내며 동물과 식물의 큰 것 작은 것이 없이 흔적을 드러내지 않고 저절로 그 솜씨를 다하게 함과 같다.”[311]

蘇子 王安石附   소자[312] 왕안석[313]을 붙이다.

[58-5-1]

朱子曰 : “嘗聞之師, 云‘二蘇聰明過人. 所說語孟, 儘有好處. 蓋天地間道理不過如此, 有時便

308 『朱子語類』 권130, 79조목
309 『朱子語類』 권130, 95조목
310 『宋名臣言行錄後集』 권2 「歐陽修文忠公」
311 『宋名臣言行錄後集』 권2 「歐陽修文忠公」에는 문충공의 墓誌에 있는 말이라고 하였다.
312 蘇子 : 여기서 말하는 소자는 老蘇 蘇洵, 그의 아들 大蘇 蘇軾, 小蘇 蘇轍 세 사람을 이른다. 세 사람은 모두 당송팔대가의 한 사람으로 眉州의 眉山 사람들이다. 먼저 아버지 소순부터 살피면 소순은 眞宗 大中祥符 9년(1009년)에 태어나 英宗 治平 3년(1066년)에 죽었다. 자는 明允, 호는 老泉이다. 나이 27세 때 분발하여 공부를 시작하여 진사시에 응시하였으나 떨어지고서는 문을 닫아걸고 오직 경사 백가에 정력을 쏟았다.

見得到, 皆聰明之發也. 但見到處却有病, 若欲窮理, 不可不論也'."314

주자가 말하였다. "지난날 선생님315께 들으니 '소자 두 사람316은 총명이 남들을 능가한다. 그들이 말한 『논어論語』와 『맹자』317는 참으로 좋은 곳이 많다. 천지 사이의 도리는 이 같음을 벗어나지 않으니, 때에 따라 깨달은 것이 있으나 모두 총명에서 발로한 것이다. 단지 깨달은 곳에 병통이 있음을 볼 수 있으니 이치를 궁리하고자 한다면 따져보지 않을 수 없다.'라고 하셨다."

[58-5-2]

"蘇氏之學, 以雄深敏妙之文, 煽其傾危變幻之習, 以故被其毒者, 淪肌浹髓而不自知. 今日正當拔本塞源, 以一學者之聽, 庶乎其可以障狂瀾而東之. 若方且懲之, 而又遽有取其所長之意, 竊恐學者未知所擇. 一取一舍之間, 又將與之俱化, 而無以自還."318

(주자가 말하였다.) "소씨의 학문은 웅혼하고 깊으며 명쾌하고 오묘한 문장을 가지고, 교묘한 속임수로 변환하는 풍속을 부채질한 까닭에 그 독을 입은 자는 살갗이 젖고 골수에 스며드는 것을 스스로 깨닫지

....

仁宗 嘉祐 만년에 아들 둘을 데리고 수도 汴梁에 이르러 당시 문단의 맹주 歐陽脩를 찾아뵙고 문장 실력을 인정받으며 명성이 천하에 드날렸다. 나중에 재상 韓琦의 추천으로 祕書省校書郞이 되어 『太常因革禮』를 편집하였다. 저서로 『嘉祐集』이 있다.

소식은 인종 景祐 4년(1037년)에 태어나 哲宗 建中 원년(1101년)에 죽었다. 자는 子瞻, 호는 東坡居士. 시호는 文忠이다. 인조 가우 연간에 進士에 오르고 神宗 때 祠部員外郞이 되었다. 王安石의 新法 추진에 반대하다 杭州通判으로 전직 된 뒤 지방을 전전하다가 시를 지어 정부의 정책을 비판한 것이 다시 문제가 되어 黃州團練副使로 좌천되었다. 이 사건을 烏臺詩案이라고 하며 이때 소식은 거의 죽음 직전까지 갔다. 철종 때 예부시랑에 올랐다가 다시 瓊州別駕로 좌천되었다. 저서로 『東坡志林』·『論語說』 등이 있다.(『宋史』 권338)

소철은 인종 寶元 2년(1039년)에 태어나 徽宗 政和 2년(1112년)에 죽었다. 자는 子由, 호는 潁瀕遺老, 시호는 文定이다. 가우 연간의 진사. 벼슬은 門下侍郞, 大中大夫를 지냈다. 왕안석의 신법파와 많은 다툼을 벌여 벼슬길이 순탄하지 않았다. 저서로 『欒城集』이 있다.(『宋史』 권339)

313 왕안석 : 송나라 臨川 사람. 자는 介甫, 호는 半山, 시호는 文. 인종 慶曆 연간의 진사. 신종 연간에 재상을 두 번 역임하였다. 재임 중 개혁을 시도하여 靑苗法을 시행하고 과거의 시험 과목도 詩賦를 철폐하고 經義를 신설하였다. 적임자가 아닌 인물을 벼슬에 등용하고 성격이 조급하여 많은 비판을 받았으며, 잦은 가뭄이 들면서 신법이 무효로 돌아가자 재상에서 파직 되었다. 나중에 舒國公에 봉해졌다가 다시 荊國公에 봉해졌다. 저서로 『臨川集』이 있다.

314 『朱文公文集』 권43 「答李伯諫書」 甲申

315 선생님 : 주자의 스승은 延平先生 李侗이다. 자는 愿中, 시호는 文靖. 羅從彥의 제자로 40여 년 동안 세상을 등지고 강학에 힘썼다. 주자가 초년에 노장학과 불교에 심취해 있다가 24세 때 연평을 만나 비로소 공자의 가르침에 귀의하였다.

316 소자 두 사람 : 소식과 소철 형제를 이른다. 세상에서 형 소식을 大蘇, 아우 소철을 小蘇라 한다.

317 그들이 말한 …『孟子』: 소식이 주를 낸 『論語說』, 소철이 주를 낸 『論語拾遺』와 「孟子解二十四章」 등을 이른다. 四書三經의 集注·集傳 등에서 '蘇氏曰'은 모두 이들 형제의 주이다.

318 『朱文公文集』 권37 「與芮國器書」 제2서

못한다. 오늘날 바로 발본색원하여 학자들이 따르는 것을 귀일시켜야만 거의 미친 물결을 막아 동쪽으로 흘러가게 할 수 있다.[319] 그대 같은 사람들이 바야흐로 소씨를 징계해야 하는데 또 갑작스럽게 그의 장점을 취해야 한다는 의견이 있으니 배우는 자들이 선택해야할 점을 모르게 될까 두렵다. 어느 하나를 취하고 어느 하나를 버리는 사이에 또 다시 그 글속에 함께 동화되어 스스로 빠져나올 길이 없을 것이다."

[58-5-3]

"或謂蘇學, 以爲世人讀之, 止取文章之妙, 初不於此求道, 則其失自可置之. 夫學者之求道, 固不於蘇氏之文矣. 然旣取其文, 則文之所述, 有邪有正, 有是有非, 是亦皆有道焉, 固求道者之所不可不講也. 講去其非, 以存其是, 則道固於此乎在矣, 而何不可之有! 若曰惟其文之取, 而不復議其理之是非, 則是道自道文自文也. 道外有物, 固不足以爲道, 且文而無理, 又安足以爲文乎! 蓋道無適而不存者也. 故卽文以講道, 則文與道兩得, 而一以貫之, 否則亦將兩失之矣. 中無主, 外無擇, 其不爲浮誇險詖所入, 而亂其知思也者幾希. 況彼之所以自任者, 不但曰文章而已! 旣亡以考其得失, 則其肆然而談道德於天下, 夫亦孰能禦之!"[320]

(주자가 말하였다.) "어떤 사람이 '소자(蘇軾)의 학문은 세상 사람들이 그의 글을 읽을 적에 단지 문장의 오묘함만을 취하고 전혀 소자의 문장에서 도를 찾으려 하지 않으니 그의 잘못은 저절로 치지도외될 것이다.'라고 말하니, 학문하는 자가 도를 찾는 일을 진실로 소씨의 문장에서 구하지는 않을 것이다. 그러나 그 문장을 택하고 나면 문장의 서술에는 사악함과 정직함이 있고 옳음과 그름이 있어 여기에도 또한 모두 도가 있으니 진실로 도를 찾아 구하는 자가 강론하지 않을 수 없다. 그 그른 것을 강론하여 버리고 그 옳은 것을 간직한다면 도는 진실로 여기에서 있게 될 것이니 무슨 불가할 것이 있겠는가! 그러나 만일 그 문장만을 취하고 다시 그 문장이 가진 이치의 옳고 그름을 따지지 않는다면 이는 도는 도 대로, 문장은 문장대로 분리될 것이다. 도 밖에 사물이 있다면 진실로 도가 될 수 없을 것이고, 또 문장에 이치가 담겨져 있지 않으면 또 어찌 문장이 될 수 있겠는가! 도는 어디나 있지 않은 곳이 없다. 그러므로 문장에서 도를 강론하면 문장과 도가 모두 옳아 일관될 것이나 그렇게 하지 않으면 또한 두 가지를 다 잃게 될 것이다. 마음에 주장이 없고 밖에 하는 일도 가림이 없으면, 헛되고 과장되며 음험하고 사벽한 곳에 빠져 자신의 지혜와 생각을 어지럽게 하지 않을 자가 드물 것이다. 더욱이나 저 사람이 스스로 자부하는 것은 문장뿐만이 아닌 것임에랴! 이미 그 글의 잘잘못을 살핌이 없나면 그가 거리낌 없이 천하를 향하여 도덕을 말하는 것을 또한 누가 막아낼 수 있겠는가!"

---

319 미친 물결을 … 있다. : 이는 韓愈의 저작인 「進學解」의 말이다. 「進學解」에서 "모든 시내의 물을 막아 동쪽으로 흘러가게 하고 이미 뒤집힌 미친 물결을 되돌려 놓았다.(障百川而東之, 迴狂瀾于旣倒.)"라고 한 말을 가져다 쓴 것이다. '모든 물이 수없이 꺾이며 결국 동쪽으로 간다.'는 萬折必東이란 말도 그러한 말이다.

320 『朱文公文集』 권30 「答汪尙書書」 제6서. 왕상서는 다음 글 [58-5-4] 참고

[58-5-4]

答汪尙書書曰："蘇學邪正之辨, 終不能無疑於心. 蓋熹前日所陳, 乃論其學儒不至, 而流於詖淫邪遁之域. 竊昧來敎, 乃病其學佛未精, 而滯於智慮言語之間, 此所以多言而愈不合也. 夫其始之闢禪學也, 豈能明天人之蘊, 推性命之原, 以破其荒誕浮虛之說, 而反之正哉! 如大悲閣中和院記之屬, 直掠彼之粗以角其精, 據彼之外以攻其內, 是乃率子弟以攻父母, 信枝葉而疑本根, 亦安得不爲之詘哉! 近世攻釋氏者, 如韓歐孫石之正, 龜山猶以爲一杯水救一車薪之火, 況如蘇氏以邪攻邪, 是束縕灌膏而往赴之也. 直以身爲爐而後已耳.

(주자가) 왕상서汪尙書[321]에게 답한 편지에서 말하였다. "소씨 학문의 사악함과 정직함에 대한 변론은 끝내 마음에 의심이 없지 못합니다. 희熹가 전일에 말씀 드린 것은 그가 유학儒學을 배운 것이 지극하지 못해 '치우치고 방탕하고 사벽하고 도망치는[詖淫邪遁]'[322] 지경에 흘러든 것을 논의하였습니다. 그런데 보내주신 편지를 가만히 살펴보니 그가 불교를 배운 것이 정미하지 못해 지혜와 계책을 쓰고 문장을 다듬는 사이에 정체된 것을 흠으로 여기고 계셨습니다. 이점이 수많은 말을 하면서도 더더욱 합치되지 않게 되는 까닭입니다. 그 사람이 처음 선학禪學(불교 학설)을 물리친 것이, 어찌 하늘과 인간이 가진 깊은 의리를 밝히고 성명性命의 근원을 추구하여 그것을 가지고 그들의 더없이 허황하고 들떠 있는 허망한 말을 깨트려서 바른 자리로 돌려놓을 수 있겠습니까! 예컨대 대비각기大悲閣記[323]와 중화원기中和院記[324] 등의 글은 다만 저들의 조잡한 설을 훔쳐다가 그 학설의 정밀한 곳과 겨루고 저들의 외면에 근거해서 그 학설의 핵심을 공격한 것이니 이는 그 집안 자제들을 거느리고 부모를 공격한 것이며 가지와 이파리를 믿고서 뿌리를 의심한 것입니다. 어떻게 그들에게 굴복되지 않을 수 있겠습니까! 근세에 석씨釋氏를 공격한 한유韓愈ㆍ구양수歐陽脩ㆍ손복孫復[325]ㆍ석개石介[326]와 같이 바른 분들도 구산龜山[楊時

321 汪尙書汪應辰 : 송나라 玉山 사람. 처음 이름은 洋. 자는 聖錫, 시호는 文定. 紹興 연간의 진사. 祕書省正字. 秦檜에게 밉게 보여 지방 고을의 通判을 전전하다가 진회가 죽자 조정에 들어와 吏部尙書에 이르렀다. 주자와 많은 편지 왕복이 있다. 저서로 『文定集』이 있다.(『宋史』 권387 ; 『宋元學案』 권46)

322 '치우치고 방탕하고 … 도망치는[詖淫邪遁]' : 이는 『孟子』 「公孫丑上」 浩然之氣章을 인용한 말이다. 맹자가 나는 상대방 말의 의도를 안다고 하면서, "치우친 말에서 그 사람 마음이 가려져 있음을 알고, 방탕한 말에서 그 사람 마음이 빠져 있음을 알고, 사벽한 말에서 그 사람 마음이 도에서 떠나 있음을 알고, 도망치는 말에서 그 사람 마음이 곤궁해졌음을 안다.(何謂知言, 曰, 詖辭知其所蔽 ; 淫辭知其所陷 ; 邪辭知其所離 ; 遁辭知其所窮.)"라고 하였다.

323 大悲閣記 : 蘇軾의 글로 그의 저서 『東坡全集』 권35에 실려 있다. 그 글의 요점은 "불교도들이 재계하며 계율을 지키고 그들 책을 염불하며 절을 숭상해 치장하게 하는 것이 불교에서 날마다 교인들을 가르치는 것이다. 그런데 일부가 재계하며 계율을 지키는 것이 無心한 것만 못하고, 그들 책을 염불하는 것이 말을 하지 않는 것만 못하고, 절을 숭상해 치장하는 것이 아무 것도 하지 않는 것만 못하다고 한다. 마음속에 마음도 없고 입에 말도 없고 몸에 아무 것도 하지 않으면 배부르고 즐거울 따름이다. 이는 크게 부처의 가르침을 속이는 것이다.(齋戒持律, 講誦其書, 而崇飾塔廟. 此佛之所以日夜敎人者也. 而其徒, 或者, 以爲齋戒持律不如無心, 講誦其書不如無言, 崇飾塔廟不如無爲. 其中無心, 其口無言, 其身無爲, 則飽食而嬉而已. 是爲大以欺佛者也)"라고 하였다.

324 中和院記 : 『東坡全集』 권35에 실려 있다. 본 이름은 中和勝相院記이다. 승려의 고행을 주로 논하였다.

은 오히려 '한 잔의 물을 가지고 한 수레의 섶에 난 불을 끄려한 것이다.'[327]라고 하였습니다. 하물며 소씨는 사악함으로 사악함을 공격하였으니, 이는 헌솜 부스러기를 모아 묶은 횃불에 기름을 부어 들고서 불을 끄려고 간 것입니다. 다만 자신을 불태우고서야 말 뿐입니다.

來教, 又以爲蘇氏, 乃習氣之弊, 雖不知道而無邪心, 非若王氏之穿鑿附會, 以濟其私邪之學也. 熹竊謂學以知道爲本, 知道則學純而心正, 見於行事, 發於言語, 亦無往而不得其正焉. 如王氏者, 其始學也, 蓋欲陵跨揚韓, 掩迹顏孟, 初亦豈遽有邪心哉! 特以不能知道, 故其學不純, 而設心造事, 遂流入於邪. 又自以爲是, 而大爲穿鑿附會以文之, 此其所以重得罪於聖人之門也. 蘇氏之學, 雖與王氏若有不同者, 然其不知道, 而自以爲是則均焉. 學不知道, 其心固無所取則以爲正, 又自以爲是而肆言之. 其不爲王氏者, 特天下未被其禍而已.

보내주신 편지에는 또 '소씨는 습성에 의한 폐단이어서 도를 알지 못할망정 사악한 마음은 없으니, 왕씨王氏[王安石]의 천착하고 부회하여 자신의 사사로움과 사악함을 이루려는 학문과는 같지 않다.'라고 말씀하였습니다. 희는 이렇게 생각합니다. 학문은 도를 아는 것으로 근본을 삼으니, 도를 알면 학문이 순수하고 마음이 정당하여, 일에 드러나는 것이나 말에 나타나는 것이 정당함을 얻지 않은 것이 없습니다. 왕씨 같은 사람도 그가 학문을 시작할 적에 양웅과 한유를 능가하고 안자顏子와 맹자를 뛰어넘고자 하였으니 애당초 어찌 대뜸 간사한 마음을 품었겠습니까! 다만 도를 알지 못하였던 까닭에 학문이 순수하지 못하여 마음가짐과 일하는 것이 마침내 사악한 곳으로 흘러든 것입니다. 또 스스로 이것을 옳은 것으로 생각하고서 크게 천착하고 부회하여 꾸몄습니다. 이것이 그가 거듭 성인의 문하에 죄를 얻게 된 것입니다. 소씨의 학문은 왕씨와 동일하지 않음이 있는 것 같으나 도를 알지 못하면서 스스로 옳다고 생각하는 것은 똑같습니다. 학문이 도를 알지 못하여 그 마음이 진실로 준칙을 취해서 바름을 삼을 곳이 없는데도, 또 스스로를 옳다고 생각하고서 거리낌 없이 말을 하였습니다. 그가 왕씨처럼 되지 않은 것은 다만 천하 사람이 그의 재앙을 입지 않았을 따름입니다.

其穿鑿附會之巧, 如來教所稱, 論成佛說老子之屬, 蓋非王氏所及. 而其心之不正, 至乃謂湯

325 孫復: 송나라 平陽 사람. 자는 明復, 호는 睢陽子. 泰山에 살며 후학을 가르치고 서술하여 '宋學'의 선구자가 되었다. 벼슬은 國子監直講, 殿中丞을 역임하였다. 저서로 『易說』·『睢陽子集』 등이 있다.(『宋史』 권432 ; 『宋元學安』 권2)

326 石介: 송나라 奉符 사람. 자는 守道, 별호는 徂徠先生. 天聖 연간의 進士. 벼슬은 國子監直講, 太子中允을 지냈다. 불교와 노장을 반대하여 「中國論」에서, "이들 두 가지를 제거한 뒤라야 무엇인가를 할 수 있다.(去此二者, 然後可以有爲.)"라고 하였다. 저서로 『徂徠集』이 있다.(『宋史』 권432 ; 『宋元學安』 권2)

327 '한 잔의 … 것이다.':『龜山集』 권18 「與陸思仲書」의 말로 "저들 몇 사람은 지혜가 선왕의 도를 밝히고 공맹의 학문을 전하기에 충분하지 못하며 그들이 간직하고 있는 것도 도에 배반되지 않은 것이 적은데 하물며 저 불교에 어찌하겠는가!(此數人者, 其智未足以明先王之道, 傳孔孟之學. 其所守, 不叛於道蓋寡矣, 況如彼何哉.)"라고 하였다.

武簒弑, 而盛稱荀彧以爲聖人之徒. 凡若此類, 皆逞其私邪, 無復忌憚, 不在王氏之下. 借曰不然, 而原情以差其罪, 則亦不過稍從末減之科而已. 豈可以是爲當然, 而莫之禁乎! 書曰, '天討有罪, 五刑五用哉', 此刑法之本意也. 若天理不明, 無所準則, 而屑屑焉惟原情之爲務, 則無乃徇情廢法, 而縱惡以啓姦乎!

그의 천착하고 부회하는 교묘한 솜씨는 편지에서 말씀한 대로이니, 성불成佛을 논하고 노자를 설명한 대목 같은 부류는 왕씨가 미칠 수 없습니다. 그러나 그는 심보가 부정하여 탕임금과 무왕을 시해하고 찬탈했다고 말하고 순욱荀彧을 훌륭하게 칭송하여 성인의 학도[328]라고 말하기까지 하였습니다. 이 같은 등속은 모두 그가 사사롭고 사악함을 드러내는데 조금도 꺼림이 없는 것이 왕씨에게 밑돌지 않는 것입니다. 설사 그렇지 않다고 하여도 그의 정황을 추정해 그의 죄에 차등을 둔다면 또한 약간 죄를 말감末減(가볍게 벌함)시킨 형벌을 내리는 것에 불과할 것입니다. 어찌 이것을 가지고 당연한 것으로 여기고 금지하지 않을 수 있겠습니까! 『서경書經』에 '하늘이 죄 지은 자를 다스리거든 다섯 가지 형벌을 다섯 가지로 시행하라.'[329]라고 하니, 이것이 형법의 기본 의의입니다. 만일 하늘 이치가 분명하지 않아 준칙을 삼는 곳이 없고 허둥지둥 정황 추정에만 힘쓴다면 이는 인정에 따라 법을 무너뜨리고 악행을 눈감아서 간악을 열어주는 일이 되지 않겠습니까!

楊朱學爲義者也, 而偏於爲我, 墨翟學爲仁者也, 而流於兼愛. 本其設心, 豈有邪哉! 皆以善而爲之耳. 特於本原之際, 微有毫釐之差. 是以孟子推言其禍, 以爲無父無君, 而陷於禽獸, 辭而闢之不少假借. 孟子亦豈不原其情, 而過爲是刻核之論哉! 誠以其賊天理害人心於幾微之間, 使人陷溺而不自知, 非若刑名狙詐之術, 其禍淺切而易見也. 是以拔本塞源, 不得不如是之力. 書曰, '予畏上帝, 不敢不正', 又曰, '予弗順天, 厥罪惟均', 孟子之心, 亦若是而已爾. 以此論之, 今日之事, 王氏僅足爲申韓儀衍, 而蘇氏學不正而言成理, 又非楊墨之比. 愚恐孟子復生, 則其取舍先後, 必將有在矣."[330]

· · · · · · · · · · · · · · · · · · ·

328 탕임금과 무왕을 … 학도: 『東坡全集』권105 「志林十三條 · 論古」에서, 맹자가 은나라의 마지막 군주 紂를 한 사람의 獨夫이고 군주일 수 없다고 말한 것을 들어 비판하면서 탕임금이 夏나라의 마지막 군주 桀을 이기고 은나라를 세운 것까지를, "만일 당시에 董狐와 같은 훌륭한 史官이 있었다면 (성탕이 걸을) 南巢로 내쫓은 일을 반드시 반역이라고 기록하였을 것이고, (무왕이 주를) 牧野에서 정벌한 일을 반드시 시해라고 기록하였을 것이다.(使當時有良史如董狐者, 南巢之事, 必以叛書: 牧野之事, 必以弑書.)"라고 하였다. 그리고 이어서 후한 말기 군웅이 일어났을 때를 거론하면서, "한나라 말기에 크게 어지러워져 호걸이 함께 일어났다. 荀文若(문약은 순욱의 자)은 성인의 무리였다. 조조가 아니면 천하를 평정할 수 없다고 생각하고 일어나 조조를 보좌하였다. 조조와 천하를 꾀한 것은 모두 왕천하하는 사람의 일이다.(漢末大亂, 豪傑並起. 荀文若聖人之徒也. 以爲非曹操, 莫與定海內, 故起而佐之, 所以與操謀者, 皆王者之事也.)"라고 하여, 순욱을 성인을 배운 어진 사람으로 평가하였다.
329 '하늘이 죄 … 시행하라.' : 『書經』「皐陶謨」의 말로, 오형은 이마에 먹물을 들이는 墨刑, 생식을 중지시키는 宮刑, 코를 베는 劓刑, 발목을 베어버리는 剕刑, 사형에 처하는 大辟이다.

양주楊朱는 의義를 행하려 배운 사람인 데에도 위아爲我에 치우쳤고, 묵적墨翟은 인을 행하려 배운 사람인 데에도 겸애兼愛로 흘렀습니다. 본래 그들 마음에 어찌 사악함이 있었겠습니까! 모두 선한 것으로 생각하고 행한 것일 뿐입니다. 단지 본원 공부에 미세한 털끝만큼의 차이가 있었습니다. 이런 까닭에 맹자가 그의 재앙이 될 것을 미루어나가서 말하기를 '아버지도 없고 군주도 없어 금수禽獸로 타락한다.'331라고 말하여 그들의 잘못을 설명하고 물리치기에 조금의 너그러움도 두지 않았습니다. 맹자가 또한 어찌하여 그의 정황을 추구해 보려 하지 않고 지나치도록 이렇게 각박한 논리를 펼쳤겠습니까! 진실로 그것이 은미한 중에 하늘 이치를 해치고 사람 마음을 해쳐 사람들이 빠져들면서도 스스로 잘못을 알지 못함이, 형명가들의 교활한 속임수 술법 같이 그 재앙이 얕고 절실하여 쉽게 볼 수 있는 것이 아니기 때문입니다. 그런 까닭에 발본색원하기 위해 부득이 이처럼 힘을 기울인 것입니다. 『서경』에 '나는 상제가 두려워 감히 바로잡지 않을 수 없다.'332라고 하고, 또 말하기를 '내가 하늘에 순종하지 않으면 그 죄가 똑같다.'333라고 하였습니다. 맹자의 마음도 이 같을 따름입니다. 이러한 것들로 논한다면 오늘날의 일은 왕씨는 다만 신불해申不害·한비韓非·장의張儀·소진蘇秦 정도일 것이고 소씨는 학문이 바르지 않은 데에도 말이 이치를 이뤄내는 것은 또한 양주와 묵적에 비교될 정도가 아닙니다. 어리석은 저로서는 아마도 맹자가 다시 태어난다면, 선택하고 버리는 앞뒤 차례에 반드시 살핌이 있을 것이라고 생각합니다."

[58-5-5]

答程允夫(洵)書曰 : "來書, 謂'熹之言, 乃論蘇氏之粗者'. 不知如何而論, 乃得蘇氏之精者, 此在吾弟必更有說. 然熹則以爲道一而已, 正則表裏皆正, 譎則表裏皆譎. 豈可以析精粗爲二致! 此正不知道之過也.

(주자가) 정윤부程允夫(이름은 洵)334에게 답한 편지에 "보내준 편지에서 말하였다. '희熹의 말은 소씨의 열등한 부분을 말한 것이다.'라고 하였네. 어떻게 말하여야 소씨의 정미한 부분을 말하게 되는 것인지 알지 못하겠네. 이 부분은 우리 아우님께서 반드시 다시 해설이 있어야겠네. 그러나 희는 도道는 하나일 따름이니 올바르면 안팎이 모두 올바르고 그르면 안팎이 모두 그르다고 생각하네. 어찌 정밀하고 열등함으로 쪼개 두 가지로 구별 지을 수 있겠는가! 이는 바로 도를 알지 못한 허물이네.

330 『朱文公文集』 권30 「與汪尙書書」 제5서

331 '아버지도 없고 … 타락한다.' : 『孟子』 「滕文公下」에서 "양씨는 자신만을 위하려드니 이는 아버지가 없는 것이고 묵씨는 겸하여 사랑하니 이는 아버지가 없는 것이니 아버지가 없고 군주가 없는 것은 짐승이다.(楊氏爲我, 是無君也 ; 墨氏兼愛, 是無父也. 無父無君, 是禽獸也.)"라고 하였다.

332 '나는 상제가 … 없다.' : 『書經』 「商書·湯誓」의 말로 탕임금이 하나라의 桀을 정벌하러 떠나면서 자신의 군사들을 경계시키며 한 말이다.

333 '내가 하늘에 … 똑같다.' : 『書經』 「周書·泰誓上」의 말로 무왕이 은나라를 정벌하러 떠나면서 군사들을 경계시켜서 한 말이다.

334 程允夫(이름은 洵) : 송나라 婺源 사람. 자는 윤부, 호는 克齋, 또는 克庵. 윤부의 아버지 寒溪가 주자의 아버지 韋齋의 고모 아들이다. 그래서 주자와 윤부 사이는 6촌의 형제 항렬이다. 벼슬은 廬陵錄參을 지냈다. 저서로 『克齋集』이 있다.(『宋元學案』 권69)

又謂'洗垢索瘢, 則孟子以下皆有可論'. 此非獨不見蘇氏之失, 又幷孟子而不知也. 夫蘇氏之失著矣, 知道愈明, 見之愈切, 雖欲爲之覆藏, 而不可得. 何待洗垢而索之耶! 若孟子則如靑天白日, 無垢可洗, 無瘢可索. 今欲掩蘇氏之疵, 而援以爲比, 豈不適所以彰之耶!

또 말하기를 '맷자국을 씻어내고 흉터를 찾으려 든다면 맹자 이하 사람들에게 모두 논난할 만한 것이 있다.'고 하였네. 이는 단지 소씨의 잘못만 알아보지 못한 것일 뿐만 아니라 또 아울러 맹자까지도 알아보지 못한 것이네. 소씨의 잘못은 훤히 드러나 도를 앎이 분명하여질수록 그의 잘못을 알아보는 것도 더욱 절실하여져 아무리 덮어 감추고자 하여도 감출길이 없네. 어찌 맷자국을 씻어내고 찾아보기를 기다릴 일이겠는가! 맹자와 같은 분은 마치 푸른 하늘의 태양과 같아 씻을만한 맷자국도 없고 찾을만한 흉터도 없네. 지금 소씨의 하자를 덮고자 하여 맹자를 끌어다 비교한 것은 어찌 다만 맹자만 빛낸 것이 아니겠는가!

黃門比之乃兄, 似稍簡靜, 然謂簡靜爲有道, 則與子張之指淸忠爲仁, 何以異. 第深考孔子所答之意, 則知簡靜之與有道, 蓋有間矣. 況蘇公雖名簡靜, 而實陰險. 元祐末年, 規取相位, 力引小人楊畏, 使傾范忠宣公, 而以己代之. 旣不效矣, 則誦其彈文於坐, 以動范公, 此豈有道君子所爲哉! 此非熹之言, 前輩固己筆之於書矣.

황문黃門[335]은 그의 형에 비기면 조금은 간결하고 조용하나 그렇다고 간결하고 조용한 것을 일러 도가 있는 사람이라고 말한다면 자장子張이 '맑음과 충성淸忠'을 가리켜 인仁이라 이른 것과 무엇이 다르겠는가.[336] 다만 공자가 답하신 뜻을 깊이 고증해 보면 간결과 조용함이 도道와는 구별이 있음을 알 것이네.[337] 더욱이나 소공蘇公은 간결하고 조용한 사람으로 소문났으나 실상 음험한 사람이네. 원우元祐(宋

---

335 黃門: 소식의 아우 蘇轍을 이른다. 황문은 당나라 시대 門下省을 별칭으로 黃門省이라 부른 데에서 문하성을 이르는 말이고, 소철이 門下侍郎을 역임한 데에서 그를 이르는 말로 쓰인 것이다.

336 子張이 '맑음과 … 다르겠는가. : 이는 『論語』「公冶長篇」에서 "자장이 묻기를, '영윤자문이 세 차례 영윤에 올랐으나 아무런 기뻐하는 빛이 없었고 세 차례 중도에 그만 둠을 당하였으나 아무런 노여워하는 기색이 없이 옛날 자신이 수행했던 정사를 새로 임명된 영윤에게 반드시 일러 주었으니 어느 정도의 사람입니까?' 하자, 공자가 '충성스러운 사람이다.'라고 말씀하니, 자장이 '인한 사람일까요?' 하니, 공자가 '모르겠다. 어찌 인한 사람이겠느냐!'라고 하였다. (이어 자장이 묻기를) '제나라의 대부 최자가 제나라 군주를 시해하자 진문자란 대부가 말 40필을 가지고 있었는데 이것을 버려두고 나라를 떠나 다른 나라에 이르러 「우리나라 대부 최자와 똑같다.」 하고서 그 나라를 떠났으며 어느 나라로 가 또 말하기를 「우리나라 대부 최자와 똑같다.」하고서는 떠나갔으니 어느 정도의 사람입니까?'하니 공자가 '깨끗한 사람이다.'라고 하였다. 자장이 '인한 사람일까요?'하자, 공자가 '모르겠다. 어찌 인한 사람이겠느냐!'라고 하였다.(子張問曰, 令尹子文, 三仕爲令尹, 無喜色, 三已之, 無慍色. 舊令尹之政, 必以告新令尹, 何如? 子曰忠矣. 曰仁矣乎? 曰未知, 焉得仁. 崔子弒齊君, 陳文子有馬十乘, 棄而違之, 至於他邦, 則曰猶吾大夫崔子也, 違之. 之一邦, 則又曰猶吾大夫崔子也, 違之, 何如? 子曰, 淸矣. 曰仁矣乎? 曰未知, 焉得仁.)"라고 한 말을 가져다가 설명한 것이다.

337 간결과 조용함이 … 것이네. : 맑음과 충성이 인이 될 수 없듯이 간결과 조용함이 도가 될 수 없음을 알 것이란 말이다.

哲宗의 연호) 연간의 말년에 재상 자리를 차지하려는 꾀를 내어 소인 양외楊畏를 힘을 다해 끌어들여 범충선공范忠宣公(范純仁)을 기울어뜨리게 하고 자신으로 대신해 보게 하려 하였네. 이윽고 효과가 없자 그를 탄핵하는 말을 좌중에서 낭독하여[338] 범공范公을 흔들려고 하였으니 이것이 어찌 도덕을 지닌 군자가 행할 일인가! 이 말은 희의 말이 아니고 예전 선배가 벌써 책에 써 놓은 것이네.[339]

吾弟乃謂其躬行, 不後二程, 何其考之不詳而言之之易也! 二程之學, 始焉未得其要, 是以出入於佛老. 及其反求而得諸六經也, 則豈固以佛老爲是哉! 如蘇氏之學, 則方其年少氣豪, 固嘗妄詆禪學, 及其中歲, 流落不耦, 鬱鬱失志, 然後匍匐而歸焉. 始終迷惑, 進退無據, 以比程氏, 正傷子先病後瘳, 先瘳後病之說, 吾弟比而同之, 是又欲洗垢而索孟子之瘢也.

우리 아우님이 말하기를, '그의 몸소 실천하는 것은 이정二程(明道와 伊川 형제)에 뒤지지 않는다.'라고 하였는데 어찌 그다지 고증이 분명하지 못하고 말을 그렇게 쉽게 하는가! 이정의 학문은 처음에 요점을 얻지 못한 까닭에 불교와 노장학에 드나들었네. 그러나 되돌려 구하여 육경六經에서 깨달음을 얻기에 이르렀는데 어찌 꼭 그렇게 불교와 노장학을 옳은 것으로 생각하였겠는가! 소씨의 학문은 바야흐로 나이 젊고 기운이 넘쳐날 때 참으로 선학禪學(불교의 선종 교리)을 법도에 맞지 않은 말들로 공격하였으나 중년에 이르러 지방을 전전하며 때를 얻지 못해 울적하게 뜻을 잃게 된 뒤에는 엉금엉금 기어 선학으로 되돌아갔네. 시종 미혹에 파묻혔고 나아가고 물러나는 것에 주장이 없었는데 이런 사람을 정씨程氏에 비긴다니, 바로 자네는 '앞서 병을 앓았다가 나중에 낫고 앞서 병을 나았다가 나중에 병을 앓았다.'[340]는 설을 범한 것인데, 우리 아우님이 비교하여 똑같은 사람으로 만들고자 하니, 이는 또한 땟자국을 씻고서 맹자의 흉터를 찾고자 하는 것이네.

又謂'程氏於佛老之言, 皆陽抑而陰用之'. 夫竊人之財, 猶謂之盜. 況程氏之學, 以誠爲宗, 今乃陰竊異端之說, 而公排之, 以蓋其跡, 不亦盜憎主人之意乎! 必若是言, 則所謂誠者安在, 而吾弟之所以裁抑之意,[341] 果何謂也! 挾天子以令諸侯, 乃權臣跋扈, 借資以取重於天下. 豈眞

---

338 元祐(宋 哲宗의 연호) … 낭독하여 : 원우 말년에 범순인을 左僕射侍御史로 삼으려 하자 楊畏가 소철에게 붙어 그를 재상으로 만들어 보고자 범순인의 불가함을 상소하였으나, 끝내 범순인이 임명되었다. 그 뒤 呂太防이 양외를 諫議大夫로 끌어들이러 하지, 범순인이 딘정하지 않아 등용할 수 없다고 하니, 어내방이 '옛적에 양외가 相公의 단점을 말한 것 때문이냐!'고 항의하자, 소철이 곁에 있다가 범순인을 탄핵하는 상소 문을 낭독하였다. 범순인은 이를 못들은 척 하였다.(『朱子大全箚疑輯補』 권41)

339 예전 선배가 … 것이네. : 『朱子大全箚疑輯補』 권41에는 이를 "『呂公家傳』 속에 있는 말(呂公家傳中語)"이라 하고 있다. 아마 여대림의 집안 기록인 듯하다.

340 '앞서 병을 … 앓았다.' : 이는 『揚子法言』 권10 「孝至篇」의 말이다. "어떤 사람이 물었다. '덕이 처음에 있었 다가 끝에 가서 없는 것과 끝에 가서 있고 처음에 없는 것은 어떤 것이 낫습니까?' 하니 '차라리 먼저 병을 앓았다가 나중에 나아야 할 것이다. 어찌 먼저 병이 나았다가 나중에 병을 앓을 일이겠느냐!(或問, 德有始而 無終, 與有終而無始也. 孰寧? 曰, 寧先病而後瘳乎, 寧先瘳而後病乎!)"를 인용하여 한 말이다. 여기서 먼저 병을 앓았다는 것은 정자를 가리켜 한 말이고 나중에 병을 앓았다는 것은 소씨를 이른다.

尊主者哉! 若儒者論道, 而以是爲心, 則亦非眞尊六經者. 此其心迹之間, 反覆眄援, 去道已不啻百千萬里之遠, 方且自爲邪說詖行之不暇, 又何暇攻百氏而望其服於己也!

또 말하기를, '정씨는 불교와 노장학의 말을 모두 겉으로는 억누르나 남몰래 그것을 사용하고 있다.'고 하였네. 남의 재물을 훔치는 것을 오히려 도둑이라고 말하네. 하물며 정씨의 학문은 '진실함誠'을 종지로 삼고 있는데 지금 이단의 학설을 몰래 훔쳐 쓰면서 공공연하게는 배격하는 것으로 정자의 일생을 단정한다면 또한 도둑이 주인을 미워한다는 뜻에 해당하지 아니겠는가! 굳이 이 말대로라면 이른바 '진실함'이 어디에 있으며 우리 아우님의 공경히 우러른다는 뜻은 과연 무엇을 두고 하는 말인가! 천자를 끼고서 제후들을 명령하는 것은 권력을 손에 쥔 신하가 발호하면서 힘을 빌려 천하에 중시되려는 것이네. 어찌 참으로 군주를 높이는 것이겠는가! 만일 선비가 도를 논하면서 이렇게 마음을 갖는다면 또한 진실하게 육경六經을 높이는 것이 아닐 것일세. 이는 마음과 행위 사이에서 왔다갔다 변화무쌍하여 도道와의 거리가 1백리 1천리 1만리 정도로 멀 뿐만이 아니니, 바야흐로 스스로가 사악한 말과 편파적인 행동을 하기에도 겨를을 내지 못할 터인데, 또 어느 겨를에 백씨百氏(제자백가)를 공격하여 그들이 자신에게 심복하기를 바랄 수 있겠는가!

凡此皆蘇氏心術之蔽, 故其吐辭立論, 出於此者十而八九. 吾弟讀之, 愛其文辭之工, 而不察其義理之悖, 日往月來, 遂與之化. 如入鮑魚之肆, 久則不聞其臭矣. 而此道之傳, 無聲色臭味之可娛. 非若侈麗閎衍之辭, 縱橫捭闔之辨, 有以眩世俗之耳目而蠱其心. 自非眞能洗心滌慮以入其中, 眞積力久, 卓然自見道體之不二, 不容復有毫髮邪妄雜於其間. 則豈肯遽然舍其平生之所尊敬向慕者, 而信此一夫之口哉! 故伊川爲明道墓表曰, '學者於道, 知所向, 然後見斯人之爲功, 知所至, 然後見斯名之稱情', 蓋爲此也.

이는 모두 소씨의 심술이 가려져 있기 때문에 그의 말이나 주장들은 여기에서 출발된 것이 10에 7~8이네. 우리 아우님이 그의 책을 읽으며 그 문장의 아름다움을 사랑하여 의리에 거슬림을 살피지 못하다가 날이 가고 달이 흐른 사이 마침내 그것에 따라 동화된 것이네. 마치 생선 파는 가게에 들어가 오래 머물다보면 비릿한 냄새를 맡지 못하는 것과 같네. 그리고 이 도가 전해지는 데에는 소리나 색깔, 냄새나 맛의 즐길만한 것이 없네. 사치스럽고 화려하며 거창하고 유장한 문장, 종과 횡을 자유자재로 나누고 모으는 변별이 세속의 이목을 현혹시켜 사람 마음을 푹 빠지게 함이 있는 것과는 같지 않네. 스스로가 참으로 마음과 생각을 씻어내고서 그 속에 들어가 참된 공부를 쌓는 힘을 오랫동안 쏟아, 탁연하게 도체道體는 두 가지로 나뉘지 않고 다시 털끝만큼의 사악함이나 부질없음도 그 사이에 섞여드는 것이 용납되지 않음을 봄이 있지 않다면, 어찌 즐겨 평생토록 존경하고 향해 사모하던 사람을 갑작스럽게 버리고 이 한 사내의 말을 믿으려하겠는가! 그래서 이천이 명도선생의 묘표墓表에 쓰기를, '학자가 도에서 향할 곳을 안 뒤에 이 사람의 공을 보게 되고, 도달한 경지를 안 뒤에 이 명도明道라는 호號가 실재에 부합함을 보게 될 것이다.'[342]라고 한 것이 이러한 까닭이네.

• • • • • • • • • • • • • • • •

341 裁抑之意 : 『朱文公文集』 권41 「答程允夫書」 3에는 '敬仰之意'로 되어 있다. 『朱文公文集』을 따라 번역한다.

然世衰道微, 邪僞交熾, 士溺於見聞之陋, 各自是其所是. 若非痛加剖析, 使邪正眞僞判然有歸, 則學者將何所適從, 以知所向! 況欲望其至之乎!"

그러나 세상은 쇠하여지고 도는 가려져서 사악과 거짓이 번갈아 왕성해지면서 선비들은 보고 들은 비루한 것들에 빠져 각기 자신들이 옳게 여기는 것만을 옳게 여기고 있네. 만일 통렬하게 변별하고 분석하여 사악함과 올바름, 참과 거짓을 갈라서 귀결 짓지 않는다면 배우는 자들이 앞으로 누구를 추종하여 향해 나아갈 곳을 알게 되겠는가! 하물며 그 경지에 이르기를 바라고자 하겠는가!'

又曰[343]: "蘇氏文辭偉麗, 近世無匹, 若欲作文, 自不妨模範. 但其辭意, 矜豪譎詭, 亦有非知道君子所欲聞. 是以平時每讀之, 雖未嘗不喜, 然旣喜未嘗不厭, 往往不能終帙而罷. 非故欲絕之也, 理勢自然, 蓋不可曉. 然則彼醉於其說者, 欲入吾道之門, 豈不猶吾之讀彼書也哉! 亦無恠其一胡一越, 而終不合矣."

(중간부분 생략) 이어 말하였다. "소씨 문장의 탁월하고 화려함은 근세에 짝할 자가 없으니 문장 공부를 하고 싶다면 본보기로 삼음이 해롭지 않을 것이네. 단지 그의 문장은 거만하고 호방하며 속임수를 써서 또한 도를 아는 군자로서는 보고자 하지 않음이 있네. 그런 까닭에 평소에 읽을 적마다 기쁨을 느끼지 않은 적이 없었으나 조금 기쁨을 느끼다가 염증을 내지 아니한 적이 없었으며, 이따금 한 권을 다 읽지 못하고서 중지하곤 하였네. 일부러 끊고자 해서가 아니었고 이치상 저절로 그렇게 된 것이니 나도 알 수 없는 일이네. 그렇다면 저들 소씨의 문장에 취한 자들이 우리 도의 문에 들어오고자 한다면 어찌 우리가 저들 책을 읽는 것과 같지 않겠는가! 한쪽은 북쪽에서 살고 한쪽은 남쪽에서 지내며 끝내 서로 합치되지 않은 것을 괴이하게 여길 것이 없네."

又曰: "東坡善議論, 有氣節."[344]

(중간부분 생략) 이어 말하였다. "동파는 사람이나 사물에 대한 비판이 훌륭하고 기절이 있네."

[58-5-6]

"蘇子由云, '學聖人不如學道'. 他認道與聖人做兩箇物事, 不知道便是無軀殼底聖人, 聖人便是有軀殼底道. 學道便是學聖人, 學聖人便是學道, 如何將做兩箇物事看!"[345]

342 明道라는 號가 … 것이다. : 명도라는 호는 선생이 돌아가신 뒤에 당시 태사 벼슬을 역임하고 물러나 있던 노국공 문언박(守太師致仕潞國公文彦博)이 명도선생의 墓表에 大宋明道先生程君伯淳之墓라고 쓰면서 선생의 호가 되었다. 문언박이 비 앞면에 이렇게 쓰자, 선생의 아우 이천선생이 비 뒷면에 선생의 공을 간략하게 서술한 속에 이 한 구절이 들어 있다.(『伊洛淵源錄』권3 「明道先生」)
343 又曰 : 『朱文公文集』권41 「答程允夫書」3의 긴 글을 중간에 생략하면서 '又曰'로 대신하였다.
344 『朱子語類』권130, 76조목
345 『朱子語類』권130, 94조목

(주자가 말했다.) "소자유蘇子由(蘇轍의 字)가 '성인을 배우는 것은 도를 배우는 것만 못하다.'346라고 하였다. 그는 도와 성인을 두 가지 것으로 인식한 것인데 도는 바로 몸뚱이가 없는 성인이고 성인은 바로 몸뚱이가 있는 도라는 것을 몰랐다. 도를 배우는 것은 바로 성인을 배우는 것이고 성인을 배우는 것은 바로 도를 배우는 것이니, 어찌 두 가지 것으로 볼 수 있겠느냐!"

[58-5-7]

"或謂蘇程之學, 二家當時自相排斥, 蘇氏以程氏爲姦, 程氏以蘇氏爲縱橫. 以某觀之, 只有荊公脩仁宗實錄, 言老蘇之書, 大抵皆縱橫者流, 程子未嘗言也. 如遺書賢良一段, 繼之以得志不得志之說, 却恐是說他. 坡公在黃州猖狂放恣, 不得志之說, 恐指此而言."

楊道夫問: "坡公苦與伊洛相排, 不知何故."

曰: "他好放肆, 見端人正士以禮自將, 却恐他來檢點, 故恁詆訾."

道夫曰: "坡公氣節有餘, 然過處亦自此來."

曰: "固是."

(주자가 말했다.) "어떤 사람이 '소씨와 정씨의 학문은 두 분이 당시부터 서로 배척하여 소씨는 정씨를 「간사하다.」라고 하고, 정씨는 소씨를 「종횡가縱橫家다.」라고 한다.'고 하였다. 내가 보건대 단지 형공荊公王安石이 『인종실록仁宗實錄』을 편수하며, '노소老蘇蘇洵의 글들은 대체로 종횡가縱橫家 유파다.'라고 하였고, 정자가 말한 적은 없다. 『이정유서二程遺書』 중 현량賢良에 대한 한 단락에서, 뜻을 얻고 얻지 못한 것을 이어 말한 것이 아마 소씨를 두고 한 말인 듯하다.347 파공坡公蘇軾이 황주黃州에 있을 적에 미친 사람처럼 방자하게 굴었으니348 뜻을 얻지 못했다는 말은 아마 이를 지적한 말일 것이다."

· · · · · · · · · · · · · · · ·

346 '성인을 배우는 … 못하다.': 『欒城後集』 권6 「孟子解二十四章」에, "학자들이 모두 성인을 배우고 있으나 성인을 배우는 것은 도를 배우느니만 못하다. 성인이 옳다고 한 것을 내가 옳다 하고, 그르다 한 것을 내가 그르게 여기니, 이는 겉모양으로 성인을 따르는 것이다. 겉모양으로 성인을 따르는 것은 이름은 그럴싸하나 실상은 잘못인데도 살피지 못하고 있다. 그런 까닭에 도의 반드시 미더운 것을 배우느니만 못하다.(學者皆學聖人, 學聖人者不如學道. 聖人之所是而吾是之, 其所非而吾非之. 是以貌從聖人也. 以貌從聖人, 名近而實非, 有不察焉. 故不如學道之必信.)"라고 하였다.

347 『二程遺書』 중 … 듯하다. 『二程遺書』 권1 「端伯傳師說」에서, "漢나라의 賢良策은 그래도 옳은 사람을 등용하였다. 公孫弘 같은 사람조차도 오히려 마지못해서일지라도 對策에 참여하였다. 후세의 현량들은 스스로 등용되기를 구하는 것일 뿐이다. 만일 과연 '내 마음 속에 단지 廷對(황제가 신하에게 정사에 대해 대답하게 하는 일)를 바라는 것은 천하의 일을 직언하고자 함에서라고 말한다면 그나마 나을 것이다. 만일 부귀에 뜻이 있으면 뜻을 얻게 되면 교만 방종하고 뜻을 잃으면 관습에 묶이지 않고 멋대로 행동하거나 슬퍼할 따름이다.(漢策賢良, 猶是人擧之. 如公孫弘者, 猶強起之, 乃就對. 至如後世賢良, 乃自求擧耳. 若果有曰我心只望廷對, 欲直言天下事, 則亦可尙矣. 若志在富貴, 則得志便驕縱, 失志則便放曠與悲愁而已.)"라고 하였다.

348 坡公蘇軾이 黃州에 … 굴었으니: 『宋史』 권338 「蘇軾傳」에 따르면, 소동파가 神宗 연간에 왕안석의 신법을 반대한 일로 그의 미움을 사서 좌천되어 杭州와 徐州를 전전하였는데 湖州에 있을 때 백성들에게 불편한 일들을 시로 지어 풍자한 것이 드러나 御史臺 감옥에 갇혀 거의 죽게 되었다. 이때 신종의 보살핌으로 黃州

양도부楊道夫[349]가 물었다. "파공이 힘써 이락伊洛(정자 형제를 이르는 말)과 서로 배척한 것은 무슨 까닭인지 모르겠습니다."

(주자가) 대답하였다. "그가 방종하게 구애됨이 없는 것을 좋아하여, 단정하거나 정직한 사람이 예의로 몸가짐 하는 것을 보면 그 사람이 자신을 점검할까 두려웠던 까닭에 저렇게 헐뜯고 비난한 것이다."

도부가 말했다. "파공은 기절이 넘쳐나지만 허물도 역시 여기서 비롯되었습니다."

(주자가) 말했다. "참으로 그렇다."

又云: "老蘇辨姦, 初間只是私意如此, 後來荊公做不著, 遂中他說. 然荊公氣習, 自是一箇要遺形骸離世俗底模樣, 喫物不知飢飽. 嘗記一書, 載公於飮食絶無所嗜, 唯近者必盡. 左右疑其爲好也, 明日易以他物, 而置此品於遠, 則不食矣, 往往於食未嘗知味也. 至如食釣餌, 當時以爲詐, 其實自不知了. 近世呂伯恭亦然, 面垢身汚, 似所不郵, 飮食亦不知多寡. 要之, 卽此便是放心. 辨姦以此等爲姦, 恐不然也. 老蘇之出, 當時甚敬崇之, 惟荊公不以爲然, 故其父子皆切齒之.

또 (주자가) 말하였다. "노소老蘇[蘇洵]의 「변간辨姦」[350]은 처음에 단지 혼자 생각이 이 같은 것이었으나, 뒤에 형공荊公[王安石]의 집착이 없는 것이 꼭 그가 말한 사람이었다. 그러나 형공의 기질은 본래 온전히 몸도 훨훨 털어버리고 속세도 벗어난 모양을 해보려고 하여 음식을 먹어도 배가 부른지 고픈지를 알지 못했다. 어떤 글을 한 번 본적이 있는데 공에 대해 기록하기를, '음식에 있어 전연 좋아하는 것이 없었고 가까이 놓인 음식만을 기어코 다 먹어치웠다. 좌우에서 그가 좋아하는 것인가 의아해하고서는 다음날 다른 음식으로 바꾸어 놓고 그 음식은 멀리 놓아두었더니 먹지 않았으며, 가끔은 음식을 먹으면서도 음식 맛을 알지 못하였다. 심지어 낚시 미끼를 먹었다는 것은 당시에 속이는 말로 생각하였으나 실재 자신이 몰랐다.'고 하였다. 근세에 여백공呂伯恭[呂祖謙][351]도 역시 그러하여 얼굴에 때가 끼고 몸이 더

團練副使로 좌천되자, 황주에 부임하여 농사꾼들과 어울려 산천을 돌아다녔다.(赴臺獄, 欲寘之死, 鍛鍊久之不決. 神宗獨憐之, 以黃州團練副使安置. 軾與田父野老, 相從溪山間.)고 하였다. 아마 이때 농사꾼들과 어울려 산천을 돌아다닌 것을 이렇게 말한 것 같다.

349 楊道夫: 주자의 문인. 자는 仲思. 崇安 사람이다. 아들 若海도 주자의 문인이다.(『閩中理學淵源考』 권20)

350 「辨姦」: 소순이 지은 문장의 편 이름이다. 문장 이름이 시사하듯 간악한 자를 변별하는 것을 내용으로 담았다. 그 글에 "얼굴에 때가 끼어 있으면 씻기를 잊지 않고 옷이 더러우면 빨기를 잊지 않는 것이 인간의 당연한 마음이다. 지금 그는 그러하지 않아 죄인들이 입는 옷을 입고 개나 돼지가 먹는 것을 먹으면서 쑥대 머리에 상주처럼 파리한 얼굴을 하고서 詩書를 논하는 것이 어찌 인간의 마음이겠느냐! 하는 일이 인정에 가깝지 않은 사람은 크게 간특하지 않은 사람이 드물다.(夫面垢不忘洗, 衣垢不忘澣, 此人之至情也. 今也不然, 衣臣虜之衣, 食犬彘之食, 囚首喪面, 而談詩書, 此豈其情也哉! 凡事之不近人情者, 鮮不爲大姦慝)"라고 하였는데, 역대 이 문장을 평하여 소순이 왕안석을 비꼬는 글이라고 하였다.

351 呂伯恭[呂祖謙]: 송나라 金華 사람. 자는 백공, 호는 東萊, 시호는 成, 나중에 忠亮으로 고쳐졌다. 隆興 연간의 진사. 벼슬은 國史院編修. 주자·張栻과 함께 東南三賢으로 불린다. 저서로 『東萊博議』와 『東萊集』이 있다.(『宋史』 권424)

러워도 마음 쓰지 않은 듯 하였고 음식도 역시 많고 적은 줄을 알지 못하였다. 요약하자면 바로 마음을 놓아버린 것이다. 「변간」에서 이런 사람들을 간악한 사람이라고 말하고 있으나 아마도 그렇지 않을 듯하다. 노소가 세상에 나왔을 때 당시에 매우 공경하고 존숭하였으나 형공만은 그렇게 생각하지 않았기 때문에 그들 부자父子가 모두 이를 갈았다.

然老蘇詩云, ‘老態盡從愁裏過, 壯心偏旁醉中來.’³⁵² 如此無所守, 豈不爲他荊公所笑! 如上韓公書求官職, 如此所爲, 又豈不爲他荊公所薄! 至如坡公著述, 當時使得盡行所學, 則事亦未可知. 從其遊者, 皆一時輕薄輩, 無少行檢, 就中如秦少游, 則其最也. 諸公見他說得去, 更不契勘. 當時若使盡聚朝廷之上, 則天下何由得平! 更是坡公首爲無稽, 游從者從而和之, 豈不害事! 但其用之不久, 故他許多敗壞之事未出. 兼是後來輩小用事, 又費力似他, 故覺得他簡好.”³⁵³

그러나 노소가 지은 시에, ‘늙은 모습은 모두 시름 속에 흘러가고 호방한 마음은 유독 술기운과 짝하여 오누나.’라는 것이 있다. 이처럼 마음에 지키는 것이 없으니 어찌 저 형공의 웃음거리가 되지 않겠는가! 한공韓公〔韓琦〕³⁵⁴에게 올린 편지에서 벼슬을 구하는 것도 하는 말이 이 같았다면 또 어찌 저 형공에게 얕잡아보게 만들지 않겠는가! 가령 파공坡公〔蘇軾〕의 저술이 당시에 그가 배운 대로 모두 행할 수 있게 되었다면 그가 행한 일들도 예측할 수 없었을 것이다. 그를 따라 종유한 자들도 모두 한 때의 경박한 무리들로 조금도 조행操行이 있지 않았으니, 그 중 진소유秦少游 같은 사람이 가장 심하다. 여러 사람들이 그가 하는 말을 듣고서는 더는 따져보려 들지 않았다. 당시에 만일 저들 모두가 조정에 모여 있게 되었다면 천하가 무엇을 말미암아 평안할 수 있었겠는가! 더더욱 파공이 앞장서서 뜬금없는 말을 하였고 종유하는 사람들이 붙좇아 화답하였으니 어찌 국가 정사에 해가 되지 않았겠는가! 단지 그가 등용된 지 오래지 않았던 까닭에 그가 파괴하는 허다한 일이 나타나지 않았다. 겸하여 뒤이어 뭇 소인들이 정권을 휘두르며 또 힘을 쓰는 일들이 그와 엇비슷하였던 까닭에 그를 좋은 사람으로 깨달은 것이다.”

[58-5-8]
又曰: “蘇黃門謂之近世名卿則可, 以顏子方之, 某不得不論也. 大抵學者貴於知道. 蘇公早拾蘇張之緖餘, 晚醉佛老之糟粕, 謂之知道可乎! 古史中論黃帝堯舜禹益子路管仲曾子子思孟子老聃之屬, 皆不中理, 未易縷擧. 但其辯足以文之. 世之學者窮理不深, 因爲所眩耳. 某數年前亦嘗惑焉. 近歲始覺其繆.”³⁵⁵

(주자가) 또 말하였다. “소황문蘇黃門³⁵⁶을 근세의 명재상이라고 말하는 것은 옳으나, 안자顏子에 견주는

---

352 壯心偏旁醉中來 : 『朱子語類』 권130, 63조목에는 ‘旁’자가 ‘傍’자로 쓰여 있다. 『朱子語類』를 따른다.

353 『朱子語類』 권130, 63조목

354 韓公〔韓琦〕: 소순이 재상 한기의 추천으로 祕書省校書郎에 올랐다.

355 『朱文公文集』 권41 「答程允夫書」 1

것에는 내가 말하지 않을 수 없다. 학문은 도를 아는 것을 귀히 여긴다. 소공은 일찍이 소진蘇秦과 장의張儀가 남긴 것을 주워 얻고, 만년에는 불교와 노장학의 찌꺼기에 푹 빠졌는데 도를 안다고 말할 수 있겠느냐! 『고사古史』[357] 중에서 논한 황제黃帝 · 요堯 · 순舜 · 우禹 · 익益 · 자로子路 · 관중管仲 · 증자曾子 · 자사子思 · 맹자孟子 · 노담老耼에 대한 것들은 모두 이치에 맞지 않아 일괄 들어 말하기가 쉽지 않다. 단지 그의 명쾌한 말솜씨가 문장으로 충분히 발휘되면서, 세상 학자들의 이치에 대한 궁리가 깊지 못하여 그로 인해 현혹되었을 뿐이다. 나도 몇 년 전에 역시 현혹된 적이 있었다. 근년에서야 비로소 그 잘못을 깨달았다."

[58-5-9]
問: "荊公與坡公之學."
曰: "二公之學皆不正. 但東坡之德行那裏得似荊公. 東坡初年若得用, 未必其患不甚於荊公. 但東坡後來見得荊公狼狽, 所以都自改了. 初年論甚生財, 後來見青苗之法行得狼狽, 便不言生財. 初年論甚用兵, 如曰'用臣之言, 雖北取契丹可也'. 後來見荊公用兵用得狼狽, 更不復言兵. 他分明有兩截底議論."[358]

물었다. "형공[王安石]과 파공[蘇軾]의 학문은 어떠합니까?"
(주자가) 대답하였다. "두 사람의 학문이 모두 바르지 않다. 단지 동파의 덕행 속에서는 형공과 유사함을 찾을 수 있다. 동파가 초년에 만일 등용되었다면 그로 인한 환난이 형공보다 심하지 않았을 것이라고 단정하지 못할 것이다. 단지 동파가 나중에 형공의 낭패를 보고서 모든 것을 스스로 바꾼 것이다. 초년에 재물의 생산에 대해 심하게 주장하더니 나중에 청묘법青苗法[359]의 낭패를 보고서 다시 재물의 생산에 대해 말하지 않았다. 초년에 군사 전략에 관해 심하게 주장하여 예컨대 '신의 말을 채용하면 북쪽으로 거란을 빼앗을 수 있을 것입니다.'[360]고 하더니 나중에 형공의 무력 사용이 낭패하는 것을 보고서 다시 군사 전략에 대해 말하지 않았다. 그 사람은 분명히 전후로 다른 주장을 한 사람이다."

---

356 蘇黃門: 위 [58-5-5]의 주석 참고
357 『古史』: 소철이 司馬遷의 『史記』의 형식을 본떠 本紀 · 世家 · 列傳으로 구성한 총 60권의 방대한 책이나. 「本紀」는 三皇에서 五帝 등 7편, 세가는 吳太伯 등 16편, 열전은 伯夷에서 滑稽傳까지 총 37편으로 구성되어 있다. 『唐宋八大家文鈔』를 편집한 茅坤은 이 글을 "『史記』가 빠뜨린 것을 보완하였다.(子由作古史, 以補史記之遺.)"라고 하였다.
358 『朱子語類』 권130, 19조목
359 靑苗法: 宋나라 王安石이 제정한 新法 가운데 한 가지. 곡식의 이삭이 푸를 때에 常平倉 곡식을 백성에게 꾸어주었다가 추수한 후에 利息(利子)을 붙여서 받아들이는 법이다. 민간의 高利를 없애고 정부의 세입을 증가시키기 위하여 매년 봄과 가을에 官에서 백성에게 2分의 利息으로 錢穀을 대여하던 제도였다. 그러나 뒤에 대신들의 제지로 폐지되고 말았다.(『宋史』 권327 「王安石傳」)
360 북쪽으로 거란을 … 것입니다. : 『東坡全集』 권44 「思治論」에서 한 말이다.

歷代一 역대 1

歷代一
역대 1

唐虞三代　당우삼대[1]

堯 요임금, 舜 순임금

[59-1-1]
程子曰: "得天理之正, 極人倫之至者, 堯舜之道也."[2]

정자程顥가 말했다. "천리天理의 바름을 얻고 인륜人倫의 지극함을 다한 것이 요순의 도이다."

[59-1-2]
"堯舜知他幾千年, 其心至今在."[3]

(정자가 말했다): "요순은 몇 천 년을 내다보았으니, 그의 마음은 지금껏 남아 있다."

[59-1-3]
"泰山雖高矣. 絶頂之外, 無預乎山也. 唐虞事業, 自堯舜觀之, 亦猶一點浮雲過於太虛爾."[4]

(정자가 말했다): "태산이 높다 하여도 맨 정상의 위는 산과 상관됨이 없다. 당우唐虞堯舜가 이룬 사업도

<hr>

1　唐虞三代: 여기서 唐은 요임금의 왕조 이름이고, 虞는 순임금의 왕조 이름이며, 三代는 夏나라·殷나라·周나라를 이른다. 삼대는 나라 이름을 들었으나 세 왕조를 세운 하나라의 우임금, 은나라를 세운 탕임금, 주나라를 세운 문왕과 무왕, 그리고 주나라 건국에서 전장제도를 마련한 周公까지를 이른다.

2　『明道文集』권2「奏疏表·論王覇之辨」. 선생이 神宗 熙寧 2년(1069년)에 呂公著의 추천으로 太子·中允에 임명되어 監察御使 직임을 수행하며 올린 상소의 첫 구절이다.

3　『二程遺書』권7

4　『二程粹言』권하「天地篇」

요순의 처지에서 보면 또한 한 점 뜬구름이 허공을 지나는 것과 같을 뿐이다."

[59-1-4]
龜山楊氏曰 : "舜在側微, 堯擧而試之. 愼徽五典, 則五典克從 ; 納于百揆, 則百揆時敍 ; 賓于四門, 則四門穆穆. 以至以天下授之而不疑, 觀其所施設. 舜之所以爲舜, 其才其德, 可謂大矣. 宜非深山之中所能久處. 而爲舜者, 當堯未之知, 方且飯糗茹草, 若將終身. 若使今人有才氣者, 雖不得時, 其能自己其功名之心乎! 以此見人, 必能不爲, 然後能有爲也. 非有爲之難, 其不爲尤難矣."[5]

구산 양씨[楊時]가 말했다. "순임금이 미천하게 지내던 시절에 요임금이 등용하여 시험해 보았다. 신중히 오전五典[五倫]을 아름답게 하라고 하였더니 오전이 너무도 순하게 시행되고, 백규百揆(모든 정무를 관장하는 벼슬)의 벼슬자리에 앉혔더니 모든 정무가 때에 맞게 펼쳐져 시행되고, 사문四門(사방 문)에서 손님을 맞는 벼슬에 앉혔더니 사방 문을 드나드는 사람들이 더없이 잘 조화를 이뤘다.[6] 천하를 그에게 물려주는 데에 이르러서도 의심을 하지 않았던 것은 순舜이 실행한 일들을 살펴보았기 때문이다. 순 임금이 순 임금이 될 수 있었던 것은 그의 재능과 그의 덕에 의해서이니 그것들이 컸다라고 말할 수 있다. 당연히 깊은 산중에 오래 머물러 있을 수 있는 사람이 아니다. 그러나 순은 요임금이 그를 알아주지 않았을 때는 또한 미숫가루를 밥 삼아 먹고 들나물을 반찬으로 먹으며 일생을 그대로 마칠 것 같았다.[7] 가령 지금 사람으로서 재능과 기백을 갖춘 자가 시대를 만나지 못하였어도 공명심功名心을 쉽게 스스로 잠재울 수 있을까! 이러한 점을 가지고 사람을 살핀다면 반드시 하지 않는 것이 있은 다음에야 하는 일이 있을 수 있다. 하는 것을 두기가 어려운 것이 아니고 (할 수 있는 데에도) 하지 않는 것이 더욱 어렵다."

禹 우

[59-2-1]
南軒張氏曰 : "禹之有天下也, 無所與於己."
又曰 : "禹之爲聖, 本由學而成, 皆其工夫至到者也."[8]

---

5 『龜山集』 권13 「語録 · 毗陵所聞」
6 순임금이 미천하게 … 이뤘다. : 이는 『書經』의 글들이다. 미천 운운은 「堯典」의 글이고 나머지는 모두 「舜典」의 글이다. 사문에서 운운은 사방 제후들의 조회나 빙문을 맞이하고 보내는 일을 이른다.
7 미숫가루를 밥 … 마칠 것 같았다. : 『孟子』 「盡心下」에서 "맹자가 말하기를, 순이 미숫가루를 밥 삼아 먹고 들나물을 반찬으로 먹을 적에 마치 일생을 그렇게 마칠 듯 하더니 그가 천자가 됨에 미쳐서는 12章服의 수놓은 옷을 입고 琴을 타고 두 왕비의 시중 받는 것을 마치 평소에 누리고 있었던 듯이 하였다(孟子曰, 舜之飯糗茹草也, 若將終身焉. 及其爲天子也, 被袗衣鼓琴, 二女果, 若固有之.)"라고 하였다.

남헌 장씨[張栻]가 말하였다. "우임금이 천하를 소유하고 있을 때, (그 천하가) 자신과 관련이 없는 것처럼 생각하였다."9

(남헌 장씨가) 또 말하였다. "우임금이 성인이 된 것은 본래 학문을 통하여 이루어진 것이니 모두 그의 공부가 지극한 경지에 이른 것이다."10

湯 탕, 文 문왕, 武 무왕

[59-3-1]

程子曰: "聖人無過. 湯武反之也, 其始未必無過, 所謂'如日月之食', 乃君子之過."11

정자가 말하였다. "성인은 허물이 없다. 탕왕·무왕은 성性을 회복시킨 성인이니12 그 처음에 허물이 없지 않았으나 이른바 '일식과 월식과 같은 것'이 바로 군자의 허물이다."13

[59-3-2]

或問: "高宗之於傅說, 文王之於太公, 知之素矣. 恐民之未信也, 故假夢卜以重其事."

曰: "然則是僞也. 聖人無僞."14

어떤 사람이 물었다. "고종에게 부열과, 문왕에게 태공은 본래 알고 있던 사람들이다. 백성들이 미더워하지 않을까하는 두려움에서 점과 꿈을 빌려15 이들의 등용을 중요하게 하였습니다."

. . . .

8 『癸巳論語解』「泰伯篇」의 "子曰, 禹吾無間然矣. 菲飮食而致孝乎鬼神, 惡衣服而致美乎黻冕, 卑宮室而盡力乎溝洫. 禹吾無間然矣."의 張栻 注에 의거함.

9 자신과는 관련이 … 하였다. : 『論語』「泰伯篇」의 "子曰, 巍巍乎舜禹之有天下也而不與焉."의 朱子 注에 "'不與'는 상관이 없다는 말과 같다. 그가 지위로써 즐거움을 삼지 않았다는 말이다.(不與, 猶言不相關. 言其不以位爲樂也.)"라고 하였다. 곧 왕의 지위를 전혀 즐거운 것으로 여기지 않고 자신과 별개의 것인 양 하였다는 말이다.

10 남헌 장씨의 말은 성인은 生而知之로 여기는데 우임금은 생이지지가 아닌 學而知之라는 말이다.

11 『二程外書』권2 「朱公掞問學拾遺」

12 탕왕·무왕은 … 성인이니 : 『孟子』「盡心下」에서 "요순은 타고난 성대로 성인이 된 분이고 탕임금은 성을 회복하였다.(堯舜性者也, 湯武反之也)"라고 하였다. 朱子의 注에서 "'反之'는 수양함으로 본성을 회복시켜 성인에 이른 것이다.(反之者, 脩爲以復其性, 而至於聖人也)"라고 하였다.

13 일식과 월식과 … 허물이다. : 『論語』「子張篇」에서 "자공이 말하기를, 군자의 허물은 일식이나 월식과 같다. 허물을 지었을 때 사람이 모두 볼 수 있고 회복되었을 때 사람들이 우러러 본다.(子貢曰, 君子之過也, 如日月之食焉. 過也, 人皆見之 ; 更也, 人皆仰之.)"라고 하였다. 곧 성인은 허물을 숨기지 않음이 일식이나 월식과 같아 허물을 바꾼 것까지도 누구나 볼 수 있다는 말이다.

14 『二程粹言』권하「聖賢篇」

15 고종에게 부열과 … 빌려 : 고종은 은나라의 왕이다. 이 기사는 『書經』「說命」에 근거한 것이다. 그 기사에

(정자가) 대답하였다. "그렇다면 거짓이다. 성인은 거짓이 없다."

[59-3-3]

或問: "湯之伐桀也, 衆以爲'我后不恤我衆, 舍我穡事而割正夏'. 而湯告以'必往', 是聖人之任者也. 文王'三分天下有其二, 以服事商', 是聖人之淸者也."

龜山楊氏曰: "非也. 湯之伐桀, 雖其衆有不悅之言, 憚勞而已. 若夏之人則不然, 曰'時日曷喪! 予及汝偕亡.' 故攸徂之民, 室家相慶, 簞食壺漿, 以迎王師. 湯雖欲不往, 不可得矣. 文王之時, 紂猶有天下三分之一, 民猶以爲君, 則文王安得而不事之! 至於武王, 而受罔有悛心, 賢人君子不爲所殺, 則或爲囚奴, 或去國, 紂之在天下爲一夫矣. 故武王誅之, 亦不得已也. 由此觀之, 湯非樂爲任, 而文王非樂爲淸也, 會逢其適而已."

어떤 사람이 물었다. "탕임금이 걸을 정벌하려 할 적에 백성들이 모두 '우리 임금님은 우리 백성을 걱정하지 않아 우리의 가을걷이 일을 버려두고 하나라를 단죄하여 바로잡고자 하신다.'[16]라고 하자, 탕임금이 그들에게 '반드시 (단죄하러) 가야 한다.'[17]고 말하였으니 이는 성인 중의 '천하의 중책을 자임한 성인입니다.'[18] 문왕은 '천하의 3분의 2를 소유하고서도 상나라를 복종하여 섬겼으니'[19] 이는 '성인 중의 맑은

· · · · · · · · · · · · · · ·

의하면 고종이 아버지 3년 상을 마치고서도 아무 말이 없자 신하들이 '군주는 신하의 법이 되는 것인데 말씀이 없으니 어찌할 바를 모르겠습니다.'라고 하니, 고종이 '나를 천하의 바른 잣대로 삼고자 하나 나의 덕이 그만 못해 말을 하지 않고서 천하 다스릴 도리를 생각하고 있었다. 그런데 꿈에 하늘의 상제가 나에게 어진 신하를 주셨으니 그가 내 대신 말을 할 것이다.'라고 하였다. 이에 고종이 꿈에 본 사람의 얼굴 모양을 그려 천하에 찾게 하였더니, 부열이 傅巖에서 살고 있었다. 마침내 그를 정승으로 등용하여 은나라가 중흥하였다.

문왕은 주나라 건국의 기초를 닦은 성스러운 군주이다. 태공을 얻은 일화를 『史記』「周本紀」에 의거하여 살펴보면 다음과 같다. 문왕이 사냥을 나가며 점을 쳤는데 점괘에 '이번 사냥에서 노획하는 것은 용도 아니고 이무기도 아니며 호랑이도 아니고 곰도 아닙니다. 노획하게 되는 것은 覇王을 보필할 사람입니다.'라고 하였다. 사냥을 나가 강태공을 渭水의 북쪽에서 만나 대화를 나누어 보고서는 문왕이 크게 기뻐하여, 우리 선군 太公(조상)께서 하시던 말씀이 '당연히 성인이 주나라로 찾아오는 날이 있을 것이니 그때 주나라는 일어날 것이다.'라고 하였는데 당신이 그 사람입니다. 우리 태공이 당신을 바라신 것이 오래였습니다. 하고서는 그의 호를 太公望이라고 하였다. 그를 수레에 싣고 함께 돌아와 스승으로 삼고서 문왕은 그의 계책으로 紂에 의해 羑里의 옥에 갇혔을 때 벗어날 수 있었고 마침내 무왕이 주나라를 건국할 수 있었다.

16 '우리 임금님이 … 하신다.': 『書經』「尙書·湯誓」

17 '반드시 (단죄하러) … 한다.': 『書經』「尙書·湯誓」

18 '천하의 중책을 … 성인입니다.': 이 말은 『孟子』「萬章下」에서 맹자가 伯夷, 伊尹, 柳下惠, 孔子의 행위와 덕을 평론한 말 중의 하나다. 그 말을 보면 "백이는 성인 중의 맑은 성인이고, 이윤은 성인 중의 천하를 책임진 성인이고, 유하혜는 성인 중의 어울림이 훌륭한 성인이고, 공자는 성인 중의 시기마다 적절히 한 성인이다.(孟子曰, 伯夷聖之淸者也, 伊尹聖之任者也, 柳下惠聖之和者也, 孔子聖之時者也)"라고 하였다. 그러니까 여기서 인용한 이 말은 이윤을 평론한 말이며, 이 말을 하기 전에 맹자는 이윤의 행위를 "그는 천하의 중책을 스스로 책임졌다.(其自任以天下之重也)"라고 하였다.

19 '천하의 3분의 … 섬겼으니': 『論語』「泰伯篇」에서 "천하를 3분하여 그 둘을 소유하고서도 은나라를 복종해

성인입니다.'"[20]

구산 양씨[楊時]가 대답하였다. "그렇지 않다. 탕임금이 걸桀임금을 정벌할 적에 그들 백성이 기뻐하지 않는 말을 한 것은 고생하는 것이 싫어서였을 따름이다. 하나라의 백성들은 그렇지 않아 '저 태양은 어느 때나 없어질까! 내가 너와 함께 망하겠다.'[21]라고 하였다. 그런 까닭에 쳐들어간 나라의 백성들은 처자식들이 서로 경사스러워하며 광주리에 담은 밥과 호리병에 담은 장국으로 왕의 군대를 맞이하였다.[22] 그러니 탕임금이 정벌하지 않으려 해도 그럴 수 없었다. 문왕시대에는 주紂임금이 아직 천하의 3분의 1을 가지고 있어 백성들이 아직 군주로 생각하고 있었다. 문왕이 어떻게 섬기지 않을 수 있겠는가! 무왕 시대에 이르러서도 수受(주紂의 다른 이름) 임금이 고치려는 마음이 없고 현명한 사람이나 군자들이 살해되지 않으면 혹여 갇히거나 종이 되고 혹은 나라를 떠나기도 하여[23] 주紂는 천하에서 한 남자가 되어 있었을 뿐이었다.[24] 그러므로 무왕이 그를 토벌한 것이니 또한 어쩔 수 없는 일이다. 이를 통하여 본다면 탕임금이 천하를 자임하기를 즐거워 한 것이 아니고 문왕도 맑게 하기를 즐거워 한 것이 아니다. 마침 그러한 때를 만났을 따름이다."

....

섬겼으니 주나라의 덕은 지극한 덕이라 이를 만하다.(三分天下有其二, 以服事殷, 周之德, 其可謂至德也已矣.)"라고 하였다.

20 '성인 중의 … 성인입니다.' : 이 말은 『孟子』「萬章下」에서 伯夷의 덕을 결론지은 말인데 이 말로 문왕의 덕을 비유한 것이다.

21 '저 태양은 … 망하겠다.' : 『書經』「尙書·湯誓」의 말이다. 백성들이 태양을 거론해 말한 것은 "걸이 스스로 말하기를, '나에게 천하가 있는 것은 하늘에 태양이 있는 것과 같아 태양이 없어져야 내가 망할 것이다.'라고 한 까닭에 백성들이 태양을 지목하여 이렇게 말한 것이다.(桀嘗自言, 吾有天下, 如天之有日. 日亡, 吾乃亡耳. 故民因以日目之.)"라고 하였다.

22 쳐들어간 나라의 … 맞이하였다. : 쳐들어간 나라의 백성들 운운은 『書經』「尙書·仲虺之誥」의 말이고, 광주리에 담은 밥 운운은 『孟子』「滕文公下」에서 맹자가 무왕이 은나라를 정벌하였을 때 은나라의 서민들이 무왕의 군대를 맞이하는 기쁜 마음을 표현한 말이다. 이 말을 가져다 탕임금의 고사로 인용한 것은 폭군을 싫어하고 구원해 줄 왕을 찾는 백성의 애틋한 마음은 언제나 동일할 것이라는 전제에서 한 말이다.

23 현명한 사람이나 … 떠나기도 하여 : 이 말은 『論語』「微子篇」의 "미자는 은나라를 떠나갔고, 기자는 종이 되었고, 비간은 간언하다가 죽었다. 공자가 말하기를 '은나라에는 세 분의 仁이 있다.'라고 하였다.(微子去之, 箕子爲之奴, 比干諫而死, 孔子曰, 殷有三仁焉.)"라고 하고 주자는 集注에서 "기자를 가두고 종을 삼자 거짓 미친 척하며 굴욕을 받아들였다.(囚箕子以爲奴, 箕子因佯狂而受辱)"라고 하였다. 당시 은나라 마지막 모습을 표현한 말이다.

24 紂는 천하에서 … 뿐이었다. : 민심을 잃은 紂는 왕이 아니고 일개 한 사람의 남자일 뿐이라는 말이다. 이 말은 맹자가 齊나라 宣王에게 한 말이다. 『孟子』「梁惠王下」에서 "제선왕이 '무왕이 紂를 정벌하였다고 하는데 그런 일이 있습니까?'라고 묻자, 맹자가 '옛 책에 그렇게 기록되어 있습니다.'라고 하자, 선왕이 '신하가 군주를 시해하는 것이 옳은 일입니까?'하니, 맹자가 '인의를 흠집 내는 사람은 한 사람의 남자라고 말하는 것이니 한 사람의 남자를 죽였다는 말을 들었고 군주를 시해했다는 말을 듣지 못하였다.(齊宣王問曰, 湯放桀, 武王伐紂. 有諸? 孟子對曰, 於傳有之. 曰, 臣弑其君可乎? 曰, 賊仁者謂之賊, 賊義者謂之殘. 殘賊之人謂之一夫, 聞誅一夫紂矣. 未聞弑君也.)"라고 하였다.

宣 선왕[25]

[59-4-1]

華陽范氏曰 : "昔周宣王任賢使能, 吉甫征伐於外, 而王之所與處者張仲孝友也. 夫使文武之臣征伐, 而左右前後得正良之士, 善其君心, 則讒言不至, 而忠謀見用. 此所以能成功也. 苟使憸邪之人從中制之, 則雖吉甫無以成其功. 宣王能復文武之業, 以致中興者, 內順治而外威嚴也.[26]

화양 범씨[范祖禹][27]가 말했다. "옛날 주나라 선왕이 현명한 사람을 임용하고 능력 있는 자에게 일을 시켜 길보吉甫가 밖에서 정벌을 수행할 적에 왕이 함께 일한 사람은 효자이자 우애가 돈독하였던 장중張仲이었다.[28] 문무를 겸전한 신하[29]에게 정벌하게 하고 전후좌우에 바르고 어진 사람을 얻어 군주의 마음을 선하게 하면 참소하는 말이 이르지 않아 진심에서 우러난 계책이 시행되게 된다. 이것이 공이 이루어지는 요인이다. 만일 간사한 사람을 시켜 조정에서 정책을 마련하게 하면 아무리 길보라 하여도 공을 이룰 수 없다. 선왕이 문왕과 무왕의 왕업王業을 회복하여 중흥을 이룬 것은 안으로 순하게 다스리고[30] 밖으로 위엄을 보여서이다."

<hr/>

25 宣王 : 주나라의 中興主이다. 厲王의 아들로 이름은 靖이다. 아버지 여왕이 학정을 일삼다 백성들에게 쫓겨나 彘 땅에 머무르다 죽는 동안 북쪽 獫狁의 침략을 받아 서울이 위협당하는 어려움을 겪었다. 선왕이 이때 등극하여 장군 尹吉甫를 등용하여 북쪽 험윤을 정벌하는 장거를 이룩하였다.(『詩經』 권5 「小雅 · 彤弓之什 · 六月」, 朱子註)

26 『唐鑑』 권19 「穆宗」 長慶元年十月

27 화양 범씨[范祖禹] : 송나라 華陽 사람. 자는 淳甫 시호는 正獻. 진사. 벼슬은 陝州知州事를 지냈다. 저서로 『唐鑑』 · 『范太史集』이 있다.(『宋史』 권337)

28 吉甫가 밖에서 … 張仲이었다. : 길보는 房陵 사람으로 선왕 시대에 북쪽의 험윤을 정벌하여 太原까지 내쫓았다. 『詩經』에 그의 무공을 기리는 시 「六月」과 그가 시를 지어 칭송하였다는 내용의 「崧高」 시가 전한다. 장중은 길보의 친구로 길보가 정벌 전쟁을 수행하는 중에 조정에서 선왕을 보필한 사람이다. 그를 평한 말은 길보의 무공을 찬양한 시인 「六月」에서 "길보가 잔치를 열어 기뻐하니 이미 복록을 크게 받았도다. 鎬 땅으로부터 돌아오니 우리 길보가 길을 떠난 지 오랜 세월이 흘렀도다. 여러 친구들에게 마시고 먹게 하니 자라구이와 잉어회로다. 누가 참여하였을까? 효자이자 우애가 돈독한 장중이로다(吉甫燕喜, 旣多受祉. 來歸自鎬, 我行永久. 飮御諸友, 炰鼈膾鯉. 侯誰在矣, 張仲孝友.)"라고 하였다. 여기서 장중은 단지 효도와 우애의 상징으로 거론하였는데 효도와 우애한 사람이라는 말에서 그를 올바른 사람으로 추정하였고 길보의 잔치에 참여하였으니 임금을 보필한 사람일 것으로 추정한 것이다.

29 문무를 겸전한 신하 : 윤길보를 지칭하는 말이다. 『詩經』의 「六月」 시 5장에서 "문무를 겸전한 길보여 만방이 법으로 삼도다(文武吉甫, 萬邦爲憲)"라고 하였다.

30 안으로 순하게 다스리고 : 순하게 다스린다는 말은 『禮記』 「聘義」에서, "빙문하는 예를 예의에 시행한다면 (나라가) 순히 다스려진다(用之於禮義則順治.)"라고 한 말에서 유래한 것이다.

伊尹 이윤, 傅說 부열

[59-5-1]

程子曰 : "伊尹之耕于莘 ; 傅說之築于巖, 天下之事, 非一一而學之 ; 天下之賢才, 非人人而知之也. 明其在我者而已."[31]

정자程頤가 말했다. "이윤이 신 땅에서 농사짓고 부열이 암 땅에 살적에 천하의 일들을 한 가지 한 가지 배운 것이 아니고, 천하의 재능이 출중한 사람을 한 사람 한 사람 안 것이 아니다. 자신에게 달려 있는 것을 밝혔을 따름이다."[32]

[59-5-2]

朱子曰 : "伊尹是兩截人,[33] 方其耕于莘野, 若將終身焉, 是一截人 ; 及湯三聘, 翻然而往, 便以天下之重爲己任, 是一截人."[34]

주자가 말했다. "이윤은 서로 다른 두 가지 삶을 산 사람이니 그가 신나라의 들녘에서 농사지을 적에 그것으로 일생을 마칠 것 같이 하였으니[35] 이것이 한 가지 사람이고, 탕임금이 세 번 초빙함에 이르러 마음을 바꾸고 천하의 중책을 자신의 책임으로 삼은 것이[36] 한 가지 사람이다."

總論 총론

[59-6-1]

程子曰 : "五帝公天下, 故與賢 ; 三王家天下, 故與子. 論善之盡, 則公而與賢, 不易之道也. 然賢人難得而爭奪興焉, 故與子以定萬世, 是亦至公之法也."[37]

....

31 『二程粹言下』 권하 「聖賢篇」

32 자신에게 달려 따름이다. : 이는 『大學』에서 밝힌 修身에만 노력하였음을 말한다. 곧 수신에 이르는 格物, 致知, 誠意, 正心 공부만 하였고 이후 평천하는 수신한 공부를 옮겨서 적용하였을 뿐임을 밝힌 것이다. 군자의 공부가 수신까지 곧 明明德이 중요한 것이지 治國, 平天下는 기회가 올 수도 있고 안 올 수도 있다는 말이다.

33 伊尹是兩截人 : 『朱子語類』 권58, 23조목에는 '伊尹是二截人'이라고 하여 '兩'자가 '二'자로 쓰여 있다.

34 『朱子語類』 권58, 23조목

35 莘나라의 들녘에서 … 하였으니 : 『孟子』「萬章上」에서, 맹자가 伊尹의 덕을 언급하여 신나라의 들녘에서 요순의 도를 즐거워하며 의가 아니면 천하를 준다 해도 돌아본 체 하지 않으며 스스로 만족스러워하였다고 하였다.

36 탕임금이 세 … 것이 : 『孟子』「萬章上」의 말을 인용하여 이윤이 천하를 바로잡아 백성을 구하고자 하는 중책을 스스로 책임진 전후 사정을 설명한 것이다.

정자가 말했다. "오제[38]는 천하를 공공의 것으로 생각한 까닭에 어진 사람에게 천하를 물려주고 삼왕[39]은 천하를 자신 한집안의 것으로 생각한 까닭에 아들에게 천하를 물려주었다. 최상의 선善을 가지고 논한다면 (천하를) 공공의 것으로 여겨 어진 사람에게 물려주는 것이 바꿀 수 없는 도리이다. 그러나 어진 사람을 얻기 어렵고 쟁탈이 일어나게 되어 있는 까닭에 자식에게 천하를 물려주는 것으로 만대를 안정시켰다. 이 역시 지극히 공정한 법이다."

[59-6-2]
"堯與舜更無優劣, 及至湯武便別. 孟子言性之反之, 自古無人如此說, 只孟子分別出來. 便知得堯舜是生而知之. 湯武是學而能之. 文王之德則似堯舜, 禹之德則似湯武. 要之, 皆是聖人."[40]

(정자가 말했다) "요임금과 순임금은 또한 우열이 없고 탕왕·무왕에 이르러 구별되었다. 맹자가 '타고난 본성대로 했고, 닦아서 회복시켰다.'[41]라고 말하니, 지금까지 아무도 이렇게 말하지 않았는데 단지 맹자가 구별 지어 말하였다. 여기에서 요임금·순임금은 생이지지生而知之하였고 탕왕·무왕은 배워서 능해졌음學而能之을 알 수 있다. 문왕의 덕은 요순과 유사하고 우임금의 덕은 탕왕·무왕과 유사하다. 결론을 내린다면 모두 성인이다."

[59-6-3]
"聖人無優劣. 堯舜之讓, 禹之功, 湯武之征伐, 伯夷之淸, 柳下惠之和, 伊尹之任, 周公在上而道行, 孔子在下而道不行, 其道一也."[42]

(정자程頤가 말하였다) "성인은 우열이 없다. 요·순의 천하 사양과, 우왕의 공훈, 탕왕·무왕의 정벌, 백이의 맑음, 유하혜의 조화로움, 이윤의 자임함, 주공의 지위를 얻어 도를 행함, 공자의 낮은 지위에서

. . . .

37 『二程粹言上』 권상 「論政篇」
38 오제 : 다섯 사람의 제왕을 이른다. 이 다섯 사람의 제왕은 여러 설이 있다. 『史記』의 「五帝本紀」에 의하면 황제(黃帝軒轅), 전욱(顓頊高陽), 제곡(帝嚳高辛), 당요(唐堯), 우순(虞舜)이다. 또 하나는 『禮記』「月令」에서 주장한 태호(太昊伏羲), 염제(炎帝神農), 황제(黃帝軒轅), 소호(少昊摯), 전욱(顓頊高陽)이다. 이밖에도 伏羲, 神農, 黃帝, 唐堯, 虞舜 등이다. 이들은 어진 사람에게 천하를 물려주고 아들에게 물려주지 않았다.
39 삼왕 : 하나라의 우왕, 상나라의 탕왕, 주나라의 무왕을 이른다. 이들은 천하를 아들에게 물려주었다. 이에 대한 말은 『孟子』「萬章下」에 자세하다. 맹자는 "하늘이 어진 이에게 주게 하면 어진 이에게 주고 하늘이 아들에게 주게 하면 아들에게 준다(天與賢則與賢, 天與子則與子.)"라고 하였다.
40 『二程遺書』 권2상
41 '타고난 본성대로 … 회복시켰다.' : 맹자의 이 말은 『孟子』에서 두 번 나온다. 한 곳은 「盡心上」의 "요·순은 본성대로 했고, 탕왕·무왕은 몸으로 실천하여 본성을 회복시켰고, 오패는 겉모양만을 빌려 자신의 욕심을 채웠다.(堯舜性之也, 湯武身之也. 五霸假之也.)"이고, 또 한 곳은 「盡心下」의 "요·순은 본성대로 성인이 되신 분이고 탕왕·무왕은 수양하여 회복시켰다.(堯舜性者也, 湯武反之也.)"라고 한 곳이다.
42 『二程遺書』 권25

도를 행하지 못한 것은 그 도리가 동일하다."[43]

[59-6-4]

張子曰: "稽衆捨己, 堯也; 與人爲善, 舜也; 聞善言則拜, 禹也; 用人惟己, 改過不吝, 湯也; 不聞亦式, 不諫亦入, 文王也. 皆虛其心以爲天下也."[44]

장자張載가 말하였다. "여러 사람들의 의견을 물어 자신의 뜻을 버린 분은 요임금이고,[45] 남의 선을 허여하여 도운 분은 순임금이고,[46] 선한 말을 들으면 절한 분은 우임금이고,[47] 사람 등용하기를 자신을 등용하듯이 하고 허물 고치기에 인색하지 않은 분은 탕임금이고,[48] 전혀 듣지 못했던 것이라도 법도에 맞고 간하는 말을 하지 않아도 적절하게 처리한 분은 문왕이다.[49] 모두가 자신의 마음을 비우고 천하를 위하였다."

[59-6-5]

華陽范氏曰: "象日以殺舜爲事, 舜爲天子則封之; 管蔡啓商以叛周, 周公爲相也則誅之. 其迹不同, 其道一也. 舜知象之將殺己也, 故象憂亦憂, 象喜亦喜, 盡其誠以親之而已矣. 象得罪

<hr>

43 그 도리가 동일하다.: 곧 이러한 결과들에 의해 우열이 나뉘는 것이 아니고, 성인들이 처한 상황에서 할 수 있는 도리를 다했다는 뜻이다.

44 『張子全書』 권4 「詩書」

45 여러 사람들의 … 요임금이고: 이는 순임금이 요임금의 덕을 칭송하여 한 말이다. 『書經』 「大禹謨」에서 "여러 사람의 의견을 물어 자신의 뜻을 버리고 남의 의견을 따랐으며, 하소연할 곳 없는 사람들에게 사납게 대하지 않았으며, 곤궁한 처지에 몰린 사람을 버리지 않은 것은 요임금만이 능히 해내셨다.(稽于衆, 舍己從人, 不虐無告, 不廢困窮, 惟帝時克.)"라고 하였다.

46 남의 선을 … 순임금이고: 이는 맹자가 순임금의 덕을 칭송한 말이다. 『孟子』 「公孫丑上」에서 "순임금은 큰 덕이 있으니 선을 남들과 함께 하는 것으로 생각하여 나를 버리고 남의 훌륭한 점을 따르고 남에게서 취하여 자신의 선으로 삼는 것을 즐겁게 생각하였다. 농사짓고 질그릇 굽고 고기잡이 하던 시절부터 제왕에 오르기까지 모두 남의 선함을 취한 것이었다. 남에게서 취하여 나의 선으로 삼는 것은 남의 선을 허여하여 도와주는 일이다. 그러므로 군자에게 남이 선을 행하도록 도와주는 것보다 큰 일은 없다.(大舜有大焉, 善與人同, 舍己從人, 樂取於人, 以爲善. 自耕稼陶漁, 以至爲帝, 無非取於人者. 取諸人以爲善, 是與人爲善者也. 故君子莫大乎與人爲善.)"라고 하였나.

47 선한 말을 … 우임금이고: 『書經』의 「大禹謨」, 「皋陶謨」 두 편에서 益이 하는 말을 듣고 절하고 皋陶의 말을 듣고 절하였다는 기록이 나온다. 이후 우임금의 덕목을 말할 적마다 반드시 이 일이 거론되었다.

48 사람 등용하기를 … 탕임금이고: 이 말은 탕임금의 신하 仲虺가 탕임금이 하나라를 정벌하고서 자신의 이 행위가 후세에 논란거리가 될 것을 부끄러워하자, 이를 부정하며 정벌의 정당성을 말하고 아울러 탕의 훌륭한 덕목을 거론한 말 중의 일부이다. '사람 등용하기를 자신을 등용하듯이'는 훌륭한 덕을 가진 사람이 있으면 마치 자신이 그러한 덕을 가진 양 바로 등용하여 능력 있는 사람을 기피하지 않고 수용한 것을 이른다.

49 전혀 듣지 … 문왕이다.: 이는 문왕의 덕을 칭송한 『詩經』의 「思齊」의 시구이다. 「思齊篇」 제4장에서 "문왕은 앞서 전혀 듣지 못했던 일일지라도 법도에 맞게 처리하였고 누가 간하지 않아도 적절하게 일처리가 되지 않은 것이 없었다."라고 하여 문왕이 生而知之의 성덕을 갖추었음을 노래하였다.

於舜, 故封之. 管蔡流言於國, 將危周公, 以間王室. 得罪於天下, 故誅之. 非周公誅之, 天下之所當誅也, 周公豈得而私之哉! 後世如有王者, 不幸而有害兄之弟如象, 則當如舜封之是也 ; 不幸而有亂天下之兄如管蔡, 則當如周公誅之是也. 舜處其常, 周公處其變, 此聖人所以同歸于道也."[50]

화양 범씨[范祖禹]가 말하였다. "상象이 날마다 하는 일이 순을 죽이려는 것이었으나 순이 천자가 되자 그를 봉해주었고,[51] 관숙管叔·채숙蔡叔은 상나라를 꾀어 주나라를 배반시켰는데 주공이 상국相國이 되자 그들을 죽였다.[52] 그들 자취는 똑같지 않으나 그 도리는 동일하다. 순임금은 상이 자신을 죽이려한다는 것을 안 까닭에 상이 근심하면 함께 근심하고 상이 기뻐하면 함께 기뻐하여 진심을 다해 그를 친하게 대하였을 따름이다. 상은 순에게 죄를 짓게 된 까닭에 그를 봉해준 것이고, 관숙·채숙은 나라에 유언비어를 퍼뜨려 주공을 위험에 빠뜨려 왕실을 이간질시켰다. 천하에 죄를 진 까닭에 그를 죽인 것이다. 주공이 죽일 것이 아니고 천하가 당연히 죽여야 할 사람이니, 주공이 어찌 사사로운 마음을 둘 수 있는 일이겠는가! 후세에 만일 천하의 왕이 된 사람에게 불행스럽게 형을 해치려는 상과 같은 아우가 있다면 당연히 순임금처럼 봉해 주는 것이 옳고, 불행스럽게 천하를 어지럽히는 관숙·채숙과 같은 형이 있다면 당연히 주공처럼 죽이는 것이 옳을 것이다. 순임금은 정상적인 일에 대한 대처이고 주공은 돌발적인 일에 대한 대처이니 이것이 성인이 함께 도道에 합치되는 것이다."[53]

[59-6-6]
五峰胡氏曰 : "堯舜以天下與人, 而無人德我之望 ; 湯武有人之天下, 而無我取人之嫌. 是故

50 『唐鑑』 권2 「高祖下」 9년 6월
51 象이 날마다 … 봉해주었고 : 이는 『孟子』 「萬章上」의 내용을 인용하여 축약한 것이다. 상이 순을 죽이려 한 것은 순에게 지붕을 손질하게 하고 집에 불을 질러 죽이려 한 일, 샘을 파게하고서 샘을 파려고 샘으로 들어가자 위에서 흙을 쏟아 내려 샘을 덮어 죽이려고 한 일들을 이른다. 천자가 되자 그를 봉해준 일은, 순이 천자가 되자 상을 有庫의 제후로 봉해준 것을 이른다.
52 管叔·蔡叔은 … 죽였다. : 이는 『書經』 「金縢」에 의거하여 살펴보면 무왕이 죽자 은나라를 감독시키려 파견시킨 관숙이 아우 채숙·霍叔과 함께 '주공이 어린 성왕을 이롭게 하지 않을 것이다.'는 유언비어를 유포시키자 주공이 섭정의 자리에서 나와 그들을 토벌하여 죽였다. 이 일에 대해서는 『詩經』의 豳風에 「鴟鴞」·「東山」·「破斧」 등의 시가 전한다.
53 이글은 똑같은 형제간이고 목숨에 대한 위협도 똑같았는데 대처하는 것은 전혀 상반되어, 순임금은 아우를 제후로 봉해주고 주공은 형을 정벌하여 죽인 것을 두고 처한 상황이 달랐을 뿐 마음마저 다른 것이 아님을 밝혔다. 또 이를 정상 대처 운운한 것은 『孟子』의 「萬章上」에서 맹자가 순임금이 아우 상을 유비 나라에 봉해준 것을 의심하는 제자 만장에게 "어진 사람은 아우에게 노여움을 가슴에 감춰두지 아니하며 원망을 묵혀두지 아니하고 친히 대하고 사랑할 따름이다. 친한 사람일수록 귀하게 해주고 싶고 사랑하는 사람일수록 부유하게 해주고 싶다. 유비에 봉해 준 것은 부유하게 해주고 귀하게 해주려 함이다. 자신은 천자가 되어 있고 아우는 필부로 지낸다면 친히 대하고 사랑하는 것이라고 말할 수 있겠는가!(仁人之於弟也, 不藏怒焉 ; 不宿怨焉, 親愛之而已矣. 親之欲其貴也, 愛之欲其富也. 封之有庫, 富貴之也. 身爲天子, 弟爲匹夫, 可謂親愛之乎!)"라고 하여, 아우를 봉해주는 것이 천자가 된 사람의 정상적인 형제 우애로 말하고 있다.

天下無大事, 我不能大, 則以事爲大, 而處之也難矣."[54]

오봉 호씨[胡宏][55]가 말하였다. "요순은 천하를 남에게 주면서도 천하를 받은 사람이 자신을 덕스러워하기를 바라는 마음이 없었고, 탕왕·무왕은 남의 천하를 소유하였으면서도 내가 남의 나라를 차지하였다는 혐의를 생각지 않았다. 이러므로 천하에는 큰일이 없는데 내가 역량을 키워내지 못하면 일을 크게 생각하여 대처가 또 어려워진다."

[59-6-7]

庸齋許氏曰: "五帝之禪, 三代之繼, 皆數然也. 其間如堯舜有子之不肖, 變也! 堯舜能通之以揖遜, 而不能使己子之不朱均. 湯武遇君之無道, 變也! 湯武能通之以征伐, 而不能使夏商之無桀紂. 聖人遇變而通之, 亦惟達於自然之數, 一毫之己私無與也."[56]

용재 허씨[許仲翔][57]가 말하였다. "오제가 제왕의 자리를 남에게 물려주고, 삼대三代가 아들에게 계승시킨 것은 모두 운수가 그런 것이다. 그 사이에 예컨대 요·순의 자식들이 불초한 것은 돌발적인 것이다! 요순이 그것을 능히 다른 사람에게 선양禪讓하는 것으로 변통하였지만 자신에게 단주丹朱와 상균商均[58] 같은 못난 아들이 없게 하지는 못하였다. 탕왕·무왕이 무도한 군주를 만난 것도 돌발적인 것이다! 탕왕·무왕이 능히 정벌하는 것으로 변통하였지만 하나라와 상나라에 걸왕桀王과 주왕紂王 같은 못난 군주가 없게 하지는 못하였다. 성인이 돌발적인 상황을 만나 변통한 것도 저절로 그러한 운수에 잘 대처한 것이지 일호라도 자신의 사사로운 마음이 관여된 것은 없다."

. . . .

54 『知言』 권3

55 오봉 호씨(胡宏, 1105~1155): 송나라 建寧 崇安 사람. 자는 仁仲, 五峰은 호이다. 胡安國의 아들이다. 楊時·侯仲良에게 배우고 부친의 학문을 계승하였다. 衡山에서 20여년 동안 강학하여 張栻을 제자로 키워 湖湘學派의 창시자가 되었다. 楊時 이후 남송에 洛學을 전파한 관건적인 인물이다. 저서는 『知言』·『五峰集』 등이 있다. 『宋史』 권435 『宋元學安』 권25 ; 권34 , 권42

56 『魯齋遺書』 권1 「語錄上」

57 용재 허씨[許仲翔]: 허중상은 문헌으로 찾을 길이 없다. 단지 그가 한 말을 가지고 찾아보면 이 말은 元나라 許衡의 저서 『魯齋遺書』에서 찾아볼 수 있다. 허형은 자는 仲平, 호는 魯齋이다.

58 丹朱와 商均: 단주는 요임금의 아들이다. 『書經』에 그를 평한 말들에 의하면 「堯典」에 요임금이 자신의 아들 단주를 후계자로 추천하는 신하에게 "아니다. 실없는 말을 늘어놓고 논쟁이나 벌이려 드니, 옳겠는가!(帝曰, 吁! 嚚訟可乎!)"라고 하였고, 이어 「益稷」에서 禹가 순임금에게 "단주처럼 오만하지 마십시오. 부질없이 노니는 것을 즐기고 오만하고 사나운 짓만을 저지르며 밤낮 없이 쉬지 않고 일을 저지르고 있습니다.(無若丹朱傲. 惟慢遊是好, 傲虐是作, 罔晝夜頟頟)"라고 하였다. 상균은 순임금의 아들이다. 『史記』「五帝本紀」의 虞舜에 대한 글에서, "순임금의 아들 상균도 불초하였다.(舜子商均亦不肖.)"라고 하였다.

春秋戰國 춘추전국[59]

魯衛 노나라와 위나라

[59-7-1]

程子曰 : "蒯聵得罪於父, 不得復立. 輒亦不得背其父, 而不與共國. 委於所可立, 使不失先君之社稷, 而身從父則義矣."[60]

정자[程頤]가 말하였다. "괴외는 아버지에게 죄를 졌으니 다시 군주가 될 수 없다. 첩도 역시 그의 아버지를 저버릴 수 없으니 나라 다스리는 일에 참여할 수 없다. 군주로 세울 만한 사람에게 나라를 맡겨 선군先君의 사직을 잃지 않게 하고 자신은 아버지를 따르는 것이 옳다."[61]

[59-7-2]

五峰胡氏曰 : "欲撥亂興治者, 當正大綱. 知大綱, 然後本可正而末可定. 大綱不知, 雖或善於條目, 有一時之功, 終必於大綱不正之處, 而生大亂. 然大綱無定體, 各隨其時事, 故魯莊之大綱, 在於復讎也 ; 衛國之大綱, 在於正名也. 讎不復, 名不正, 雖有仲尼之德, 亦不能聽魯衛之政矣."

오봉 호씨[胡宏]가 말하였다. "환난을 평정하고 치적을 일으키고자 하는 사람은 당연히 큰 강령을 바로 세워야 한다. 큰 강령을 안 다음에 근본이 바로잡아지고 결과를 안정시킬 수 있다. 큰 강령을 알지 못하면 내용상의 조그만 일을 잘 처리하여 한때의 공을 세울 수 있으나 끝내는 반드시 큰 강령이 바르지 않은 데에서 큰 어지러움이 일어난다. 그러나 큰 강령은 일정한 형체가 없어 각기 그들 시대의 정황에

59　春秋戰國 : 춘추시대와 전국시대를 이른다. 춘추시대는 공자가 『春秋』의 기원을 잡은 周나라 平王 49년(B.C. 722)부터 주나라 敬王 39년(B.C. 481)까지의 242년간을 이르고, 전국시대는 주나라 威烈王 23년(B.C.403) 晉나라가 韓·魏·趙나라로 나뉜 때부터 秦始皇 26년(B.C. 221) 여섯 나라를 통일한 때까지의 전쟁이 끊이지 않는 시기를 이른다.

60　『二程外書』 권9 「春秋錄拾遺」

61　이 기사는 『論語』 「子路篇」에 비교적 자세하다. 靈公의 태자 괴외가 어머니 南子의 음란함을 미워하여 죽이려 하다가 실패하고 아버지에게 쫓겨나 宋나라로 망명하였다가 다시 晉나라로 가서 당시 실세인 趙氏 집안에 의탁하였다. 이에 영공은 괴외의 아우 公子郢을 세우고자 하였으나 영이 거절하여 태자를 세우지 못하였다. 이런 사이에 영공이 죽어 남자가 다시 아들 영을 군주로 세우려 하였으나 또다시 거절하여 괴외의 아들 첩을 세웠다. 이가 바로 出公이다. 괴외는 진나라의 세력을 업고 위나라에 돌아와 군주가 되고자 하였다. 이를 아들 첩이 막아서 뜻을 이루지 못하다가 위나라 안의 세력과 손을 잡고 마침내 돌아와 아들을 쫓아내고 임금이 되니 바로 莊公이다. 출공이 재위 기간에 공자에게 위나라의 정사를 맡기려 하니 자로가 스승인 공자에게 "무엇을 먼저 하시렵니까?" 하고 물었을 때 공자가 正名을 내세운 것이 오늘날까지 인류의 가르침으로 영향을 미치고 있다. (『史記』 「衛康叔世家」)

따르게 된다. 그러므로 노나라 장공莊公의 큰 강령은 복수에 있고,[62] 위나라의 큰 강령은 명분을 바로잡는 일에 있다.[63] 원수를 갚지 않고 명칭이 바르지 않으면 중니仲尼孔子의 덕이 있다 하여도 또한 노나라와 위나라의 정사는 다스릴 수 없다."

管仲 관중[64]

[59-8-1]

或言: "使管仲而未死, 內嬖復六人, 何傷桓公之霸乎!"

程子曰: 管仲爲國政之時, 齊侯之心未蠹也. 旣蠹矣, 雖兩管仲將如之何! 未有盡心於女色, 而能盡心於用賢也.[65]

어떤 사람이 말하였다. "관중이 죽지 않았다면 안으로 사랑하는 여자가 다시 여섯 사람이 더 있었어도 환공이 패자가 되는 일에 무슨 방해가 되었겠습니까!"[66]

· ·

62　노나라 莊公의 … 있고: 장공은 桓公의 아들이다. 환공이 齊나라 僖公의 딸 文姜에게 장가들었다. 환공이 부인 문강과 동행하여 제나라에 갔는데 당시 군주였던 희공의 아들 襄公이 문강과 간통하였다. 이를 안 환공이 성을 내 부인 문강을 금지시켰으나 문강은 중지하지 않고 환공의 힐책을 양공에게 고해 바쳤다. 그러자 양공은 환공에게 잔치를 열어 술을 잔뜩 먹이고서는 돌아가는 환공을 彭生에게 수레에 태워 돌아가게 하였는데 팽생이 환공을 수레에 안고 태우면서 갈비뼈를 으스러뜨려 수레에서 죽게 하였다. 이에 노나라에서는 팽생의 생명을 요구하였고 제나라는 노나라의 요구를 받아들여 팽생을 죽이는 것으로 사건을 마무리하였다. 이때 장공의 나이 13세였다. 그 뒤로 문강은 제나라에 머무르며 양공과의 불륜을 수없이 이어갔다. 이를 『春秋』는 하나하나 기록하고 있다.(『春秋左傳』「桓公 18년」; 『列女傳』「孼嬖傳·魯桓文姜」)

63　위나라의 근 … 있다. : 『論語』「子路篇」에 "자로가 말하기를 '위나라 군주(蒯聵의 아들 輒)가 선생님의 의견을 기다려 정치를 하려고 한다면 선생님은 무엇을 우선하시렵니까?'라고 하자, 공자가 말씀하시기를, '반드시 명칭을 바로잡겠다.'(子路曰, 衛君待子而爲政, 子將奚先? 子曰, 必也正名乎!)"라고 하였다. 그에 대한 주자의 주에 "이때 出公(영공의 손자이자 괴외의 아들)이 자신의 아버지를 아버지라 하지 않고 그 할아버지 靈公을 아버지라고 하여 명칭과 실상이 어지러워졌다. 그러므로 공자가 명칭을 바로잡는 일을 우선으로 삼은 것이다 (是時, 出公不父其父, 而禰其祖, 名實紊矣. 故孔子以正名爲先)"라고 하였다.

64　管仲: 춘추시대 齊나라 潁上 사람. 이름은 夷吾, 중은 그의 字이다. 시호는 敬. 처음에 公子糾를 보필하여 그를 군주로 앉히려 하였으나 실패한 뒤 桓公이 된 사실상의 원수 관계인 小白을 섬겨 중국의 패자가 되게 하였다. 尊王攘夷를 주장하며 당시 유명무실해진 주나라 왕실을 옹호하였다. 그러나 맹자는 공자의 문하에서는 관중은 5척동자도 말하기를 부끄럽게 여기는 사람이라고 비판하였다. 저서로 『管子』가 있다.(『國語』「齊語」; 『史記』 권62)

65　『二程粹言下』 권하 「聖賢篇」

66　안으로 사랑하는 … 되었겠습니까!: 여기서 말하는 여자는 환공이 사랑한 여자들을 말한다. 『春秋左傳』「僖公 18년」 기사에 "제나라 환공에게는 부인 세 사람 王姬·徐嬴·蔡姬가 있었는데 모두 아들이 없었다. 제나라 환공은 여자를 좋아하여 안으로 사랑하는 여자가 많았는데, 안으로 부인처럼 사랑하는 사람이 여섯 명이었다.

정자가 말했다. "관중이 국정을 다스리고 있을 때 제나라 군주의 마음이 아직 병들어 있지 않았다. 이미 병들어 있었다면 관중 같은 이가 두 사람이 있더라도 어떻게 하지 못하였을 것이다. 아직 여색女色에 병들어 있지 않았기에 어진 이를 등용하는 데에 온 마음을 기울일 수 있었다."

[59-8-2]

涑水司馬氏曰: "孔子稱'管仲之器小哉', 先儒以爲管仲得君如此, 不勉之以王, 而僅止於霸, 此其所以爲小也. 愚以爲周天子存, 而管仲勉齊桓公以王, 是敎之簒也. 此管仲所耻而不爲, 孔子顧欲其爲之邪! 夫大人者, 顧時不用則已, 用則必以禮樂正天下. 使綱紀文章, 粲然有萬世之安, 豈直一時之功名而已邪! 管仲相桓公霸諸侯, 禹迹所及, 冠帶所加, 未能使之皆率職也, 而偁然自以天下爲莫己若也. 朱紘而鏤簋, 反坫而三歸, 此其器豈不小哉! 揚子曰, '大器其猶規矩準繩乎! 先自治而後治人,' 斯言得之矣."[67]

속수 사마씨[司馬光][68]가 말하였다. "공자가 '관중의 그릇은 작다.'[69]라고 하셨다. 옛 선비가 '관중이 군주의 신임을 얻음이 저와 같았으면서도 왕이 되어 천하를 다스리는 일에 힘쓰게 하지 못하고 겨우 제후의 패자가 되는데 그치게 하였으니 이것이 그의 그릇이 작은 까닭이다.'라고 말하고 있다.[70] 어리석은 나의

長衛姬가 武孟을 낳고 少衛姬가 惠公을 낳고 鄭姬가 孝公을 낳고 葛嬴이 昭公을 낳고 密姬가 懿公을 낳고 宋華子가 公子雍을 낳았다.(齊侯之夫人三, 王姬·徐嬴·蔡姬, 皆無子. 齊侯好內, 多內寵, 內嬖如夫人者六人. 長衛姬生武孟, 少衛姬生惠公, 鄭姬生孝公, 葛嬴生昭公, 密姬生懿公, 宋華子生公子雍)"라고 하였다. 이들 아들들 중 제나라 군주가 된 아들이 4명이나 있는 것으로 보더라도 이들이 군주가 되는 과정에 얼마나 많은 권력쟁탈전이 이어졌는지를 상상할 수 있다. 환공이 죽었을 때부터 권력을 차지하려는 싸움이 이어져 환공은 10월에 죽었으나 12월에야 제후 나라에 부고를 보낼 수 있었고 부고를 보내고서야 환공의 빈소를 겨우 만들 정도로 환공의 죽음과 함께 혼란을 겪었다.

67 『傳家集』 권65 「管仲論」

68 속수 사마씨[司馬光]: 송나라 夏縣 사람, 자는 君實, 호는 齊物子, 시호는 文正. 進士. 王安石의 新法을 반대하다가 한때 벼슬이 좌천되었으나 哲宗이 등극한 뒤 재상이 되어 백성에게 해가 되는 법은 모두 폐지하였다. 太師溫國公이 추증되었고 涑水先生이라 불리었다. 저서로 『資治通鑑』·『獨樂園集』·『書儀傳家集』 등이 있다.(『宋史』 권336)

69 '관중의 그릇은 작다.': 『論語』「八佾篇」의 말이다. 공자가 관중에 대해서 이렇게 말씀하자, 어떤 사람이 '그렇다면 관중은 검소한 사람입니까?' 하고 묻자, 공자는 관중의 사치를 들어 그렇지 않다고 말씀하였고, 이어 '예를 아는 사람입니까?' 하고 묻자, 공자는 관중의 참람한 행위들을 들어 그렇지 않다고 하시고 정작 왜 그릇이 작은지에 대해서는 말씀하지 않았다.

70 옛 선비가 … 있다.: 여기에서 말하는 옛 선비가 누구인지 분명하지 않으나 다만 『孟子』「公孫丑上」에서 맹자는 관중을 평하여 "임금의 신임을 얻음이 저 정도로 독차지 하였고 국정을 집행함이 저처럼 오래였는데에도 공훈의 빛남이 저처럼 비루하였다.(管仲得君, 如彼其專也; 行乎國政, 如彼其久也, 功烈如彼其卑也)"라고 하였고, 다시 관중이 자신이 섬기는 군주를 중국의 패자가 되게 하였다고 한 말에 대해 맹자는 "제나라로 왕천하하는 것은 손바닥 뒤집는 것과 같다.(以齊王, 由反手也)"라고 하여 맹자는 관중에게 제환공을 도와 왕천하하게 하지 못한 것을 관중의 한계라고 비판하였다. 그런데 이를 사마온공이 이러한 주장은 찬탈을 가르치는 것이라고 비판하였다. 매우 흥미로운 史觀이라 하겠다. 사마온공이 왜 맹자라고 직접 거론하지

생각으로는 주나라 천자가 존재해 있는데 관중이 제환공에게 왕이 되어 천하를 다스리는 일에 힘쓰게 하였다면 이는 찬탈을 가르친 것이다. 이는 관중이 부끄럽게 여기고서 하지 않은 것인데 공자가 도리어 그가 그렇게 하기를 바랐겠는가! 저 '큰 덕을 갖춘 사람[大臣]'은 다만 시대가 써주지 않으면 그만 두고 써주면 반드시 예악禮樂으로 천하를 바로잡는다. 그리하여 기강이며 예악 제도가 찬연하여 만세를 편안하게 한다. 어찌 다만 한때의 공명만일 따름이겠는가! 관중이 환공을 도와 제후의 패자가 되었을 때 우임금의 발자취가 미친 지역과 관대冠帶를 갖추어 입는 지역[71]이 아직 모두 천자국에 조공하도록 한 것은 아닌데도 교만하게 천하에 자신만한 사람이 없다고 스스로 생각하였다. 그리하여 주굉朱紘과 '조각한 궤[鏤簋]'를 사용하고[72] 반점反坫과 삼귀三歸[73]를 두었다. 이런 것들이 어찌 그릇의 작음이 아니겠느냐! 양자揚子(양웅)가 말하기를 '큰 그릇이란 규구規矩와 준승準繩과 같을 것이다! 먼저 스스로를 다스리고 나중에 남을 다스린다.'[74]라고 하였으니 이 말이 맞는 말이다."

....

않고 옛 先儒라고 하였는지도 또 하나의 흥미로운 점이다.

71 우임금의 발자취가 … 지역 : 우임금의 자취가 미친 지역은 우임금이 중국의 홍수를 다스리면 중국 전체 어느 지역도 우임금의 발자취가 미치지 않은 지역이 없었다. 그것이 오늘날 『書經』「禹貢」에 남아 있다. 冠帶 를 갖추어 입는 지역이란 곧 예에 맞게 의복을 챙겨 입는 곳이란 뜻으로 중국을 상징하는 말이다. 곧 여기서는 당시 제환공이 패자가 되었지만 중국 전체 제후를 이끌고 주나라 왕실에 신하된 도리로 조회가게 하지는 못하였음을 이른다.

72 朱紘과 '조각한 … 사용하고 : 이말은 『孔子家語』「曲禮子貢問」에 나온 말을 인용한 것이다. 주굉의 紘은 면류 관을 턱아래에서 묶어 드리우는 끈이다. 다만 신분에 따라 색깔이 서로 다른데 천자는 붉은 색[朱], 제후는 푸른 색[靑], 대부는 검은 색[緇]을 매게 되어 있다. 그런데 관중은 제후국의 정승으로 천자가 메는 붉은 색을 쓴 것은 잘못되었다는 말이다. 조각한 궤에서 簋는 본래 제사에서 黍稷을 담는 祭器로 그 모양은 안쪽은 모가 나고 겉은 둥글게 만들어져 있다.

73 反坫과 三歸 : 이는 『論語』「八佾篇」에서 공자가 관중의 예에 참람함을 언급하며 거론한 말이다. 반점은 두 나라의 군주가 만나 술을 마실 때 마시고 난 잔을 놓아두는 잔대받침이다. 삼귀는 이 책 57권 [57-5-2] 주석 참고

74 '큰 그릇이란 … 다스린다' : 『揚子法言』권6「先知篇」에 있는 말이다. 「先知篇」에서 "어떤 사람이 말하기를, '제나라는 이오를 얻어 패자가 되었습니다. 그런데 중니가 「그릇이 작다.」라고 하였습니다. 큰 그릇을 청해 묻고자 합니다.'라고 하자, 양자가 대답하기를 '큰 그릇이란 규구와 준승과 같을 것이다. 먼저 스스로를 다스리고 나중에 남을 다스린다.'(或曰, 齊得夷吾而霸, 仲尼曰, 小器. 請問大器. 曰, 大器其猶規矩準繩乎! 先自治而後治人之謂大器.)"라고 하였다. 여기서 먼저 스스로를 다스린다는 말은 규구의 규는 圓形의 자이고 구는 方形의 자이며, 준승의 준은 水平을 재는 자이고 승은 직선을 긋는 먹줄이다. 이들 기구는 먼저 기구 자체가 원형과 방형, 수평과 곧음을 얻어야 한다. 그리고 나서야 비로소 다른 사물들의 원형과 방형, 수평과 곧음을 바르게 잡아줄 수 있다. 이런 원형과 방형, 수평과 곧음을 가진 기구에 의해 만들어진 사물들은 모두 얻고자 하는 모양을 얻을 수가 있게 된다. 그런데 관중은 그 자신 이런 잣대의 역할을 할 수 있도록 수양되어 있지 않았다는 말이다. 『大學』에서 말하는 明明德이 되어 있지 않았으니 당연히 新民을 할 수 없다는 말이다.

荀息 순식[75]

[59-9-1]
涑水司馬氏曰：“晋獻公使荀息傅奚齊，荀息曰，臣竭其股肱之力，不濟則以死繼之. 及里克殺奚齊，荀息死之. ‘君子曰，詩所謂「白圭之玷，尚可磨也；斯言之玷，不可爲也.」荀息有焉.’ 杜元凱以爲‘荀息有此詩人重言之義.’ 以愚觀之，元凱失左氏之意多矣. 彼生與君言，死而背之者，是小人穿窬之行，君子所不識也. 夫立嫡以長，正也. 獻公溺於嬖寵，廢長立少. 荀息爲國正卿，君所倚信. 不能明白禮義以格君心之非，而遽以死許之. 是則荀息之言，玷於獻公未沒之前，而不可救於已沒之後也. 然則左氏之志，所以貶荀息，而非所以爲褒也.”[76]

속수 사마씨[司馬光]가 말하였다. “진晉나라의 헌공獻公이 순식에게 해제奚齊의 스승을 맡게 하자 순식이 말하기를, ‘신이 제 자신의 모든 힘을 다하겠습니다. 일을 이루지 못하면 죽음으로 잇겠습니다.’[77]라고 하였다. 급기야 이극里克이 해제를 살해하자 순식은 죽었다. ‘군자는 이를 두고 말하기를,『시경』에 「흰 옥에 있는 흠은 오히려 갈아서 없앨 수 있으나 뱉은 말의 흠은 어떻게 해 볼 수 없다.」라고 하더니 순식에게 이 점이 있었다.’라고 하였다.[78] 두원개杜元凱[79]는 ‘순식에게는 시인이 엄중하게 말한 뜻을 실행한 점이 있었다.’라고 풀이하였다.[80] 어리석은 내가 보기에는 원개가 좌씨左氏[左丘明]의 뜻을 그르친 것이 많다. 저들 생전에 군주와 한 말을 군주가 죽은 뒤 저버린 자는, 담장에 구멍을 뚫거나 담장을 넘어가

. . . .

75 순식 : 춘추시대 晉나라 사람이다. 자는 叔이다. 벼슬은 大夫였다. 진나라가 虞나라의 길을 빌려 虢나라를 치고 돌아오는 길에 우나라마저 멸망시키는 계책을 獻公에게 올려 시행시켰다. 이 책에서 거론되는 내용은 진헌공이 죽은 뒤 순식이 태자 해제의 스승으로 태자가 살해되자 순식이 죽은 것을 두고 논평하였다. 그러나 정작『國語』「晉語」에는 驪姬가 헌공에게 시집올 때 함께 따라온 媵妾이 낳은 卓子를 세우려다 이마저 살해되자 순식이 죽은 것으로 되어 있다.(『春秋左傳』「僖公 2년」~「僖公 10년」；『國語』「晉語」)

76 『傳家集』권65 「荀息論」

77 ‘신이 제 … 잇겠습니다.’ :『春秋左傳』「僖公 9년」9월의 기사이다. 이보다 앞서 진헌공은 驪姬에게 홀려 태자 申生을 살해하고 여희의 아들인 해제를 태자로 삼고 해제의 안전을 위해 당시 대부인 순식에게 태자를 부탁한 것이다. “헌공이 병이 깊어지자 순식을 불러서 말하기를, ‘저렇게 허약한 어린 아이를 대부에게 남겨 부탁하노니 어떻게 하려는가?’ 하니, 순식이 머리를 조아리고서 말하기를 ‘신이 저의 온몸의 힘을 다하고 덧붙여 忠과 貞의 마음을 다하겠습니다. 그것이 성공을 거둔다면 임금님의 신령함이고 성공을 거두지 못한다면 죽음으로 잇겠습니다.’라고 하였다.(初，獻公使荀息傅奚齊. 公疾，召之，曰以是藐諸孤辱在大夫，其若之何? 稽首而對曰，臣竭其股肱之力，加之以忠貞. 其濟，君之靈也；不濟，則以死繼之.)” 헌공이 죽자 신생과 뒷날 문공이 된 重耳와 惠公이 된 夷吾를 따르는 무리들이 난을 일으켜 해제를 살해하였다.

78 ‘군자는 이를 … 하였다. :『春秋左傳』「僖公 9년」10월의 기사이다. 君子는 좌전의 논평자, 즉 左丘明 자신을 말한다.

79 杜元凱 :『春秋左傳』의 주를 낸 杜預를 이른다. 원개는 두예의 字다.

80 ‘순식에게는 시인이 … 있었다.’라고 풀이하였다. :『春秋左傳』「僖公 9년」10월의 기사의 “荀息有焉”을 두예가 “荀息有此詩人重言之義.”로 풀이하였는데, 이 풀이를 사마광은 좌구명의 견해를 그르쳤다고 논평하였다.

도둑질 하는 소인의 짓이기에 군자가 아예 비난의 대상으로도 삼지 않는다. 적자嫡子를 장자로 삼는 것이 바른 도리이다. 헌공은 총애하는 여자에 빠져 장자를 폐하고 차자次子를 세웠다.[81] 순식은 나라의 정경正卿이었으니 군주가 의지해 믿는 사람이다. 그런데도 예의를 분명하게 밝혀 군주의 잘못된 마음을 바로잡지 아니하고 선뜻 죽음을 허락하였다. 이는 순식의 말이 헌공이 아직 죽기 전에 흠점을 남겨 헌공이 이미 죽은 뒤에 손써 볼 수 없게 된 것이다. 그렇다면 좌씨의 뜻은 순식을 폄하한 말이고 표창한 말이 아니다.”

狐偃 호언, 趙衰 조최[82]

[59-10-1]

西山眞氏曰：“狐偃·趙衰, 晉文之以父師事之者也. 從亡十有九年, 其所以輔翼扶持者, 不遺餘力矣. 然聖賢脩身治國之道, 二子蓋未嘗講也. 故其始霸也, 請王者之隧, 圍天子之邑, 勤天王之狩. 使二子嘗從事於格心之學, 素以義禮迪其君, 詎至於是哉! 以行事考之, 惟用人一節, 頗得古人推賢遜能之意, 其餘則皆孔門之所羞言者也. 然自二人而觀, 則子餘之言論風旨, 又非咎犯可及.”

서산 진씨[眞德秀]가 말하였다. “호언과 조최는 진문공이 어버이처럼 스승처럼 섬긴 사람들이다. 19년 동안 망명길을 따라다니며 문공을 돕고 붙잡아주는 일에 있는 힘을 남김없이 쏟았다. 그러나 성현의 몸을 닦고 나라를 다스리는 도리를 두 사람은 익힌 적이 없다. 그러므로 문공이 처음으로 패자가 되었을 적에 왕의 수도隧道를 청하고,[83] 천자의 고을을 포위하고,[84] 천자가 사냥하시는 곳에 힘을 다하였다.[85]

- - - - - - - - - - - - - - - - - - - -

81 헌공은 총애하는 … 세웠다. : 총애하는 여자는 驪姬를 이른다. 해제는 여희의 아들이다. 해제는 헌공의 아들들 중에서도 서열이 重耳나 夷吾에 비겨 밀리고 적실 부인의 아들도 아니다.

82 狐偃 趙衰 : 호언은 춘추시대 晉나라 사람으로 자는 子犯이다. 文公의 외삼촌이라 하여 舅犯으로 불렸으며 혹 咎犯으로 쓰기도 하였다. 문공이 공자였을 때 19년 동안의 망명 생활을 곁에서 보필하였고 진나라에 돌아와 제후가 된 뒤에는 그를 도와 많은 공을 세웠다.(『春秋左傳』「僖公 23년」~「僖公 25년」 ; 『國語』「晉語」) 조최는 晉나라 사람으로 자는 子餘이고, 시호는 成이다. 成子·成季·孟子餘라고도 한다. 공자 중이를 따라 19년 동안 망명 생활을 보필하였고 문공이 즉위한 뒤에는 卿이 되어 패업을 도왔다.(『史記』 권39)

83 왕의 隧道를 청하고 : 수도는 천자 장례의 하나이니, 시신을 담은 관을 壙中으로 옮기기 위해 광중까지 땅굴을 파서 만든 일종의 길이다. 이는 천자에게 장례에 쓰고, 제후는 羨道라 하여 땅굴이 아닌 광중까지 지상에 평평하게 낸 길을 이른다. 晉나라 문공이 僖公 24년에 망명 생활을 끝내고 모국으로 돌아가 군주의 자리에 올랐다. 바로 그해 주나라 천자 襄王이 동생 子帶의 반란을 만나 鄭나라로 피신하자 다음해 진문공이 秦나라와 함께 주나라의 반란을 제압하고 양왕을 서울로 복귀시켰다. 이에 양왕은 이를 감사하게 여기고 진문공에게 봉지를 더해주겠다고 하자 진문공은 천자의 장례 예인 수도를 자신의 장례에 쓸 수 있도록 해달라고 청하였다. 이에 양왕은 이것은 왕에게만 주어진 제도라며 거절하였다.(『春秋左傳』「僖公 24년」~「僖公 25년」 ; 『國

가령 두 사람이 지난날 군주의 마음을 바로잡는 학문에 노력하여 평소에 의리와 예의로 군주를 이끌었다면 어찌 이 지경에 이르렀으랴! 그들이 한 일을 가지고 살피면 오직 인재 등용 한 가지 일만큼은 제법 옛사람이, 현명한 사람에게 돌리고 능력 있는 사람에게 사양한 뜻이 있다 할 것이나 그 나머지 일은 모두 공자孔子 문하 사람들이 말하기를 부끄러워할 일이다.[86] 그러나 두 사람만 가지고 살핀다면 자여子餘(조최)의 말이나 풍취風趣는 또 구범이 미칠 수 있는 것이 아니다."[87]

• • • • • • • • • • • • • • • •
語』「晉語」)

84 천자의 고을을 포위하고 : 이는 진문공이 양왕을 복귀시키는 과정에서 자대를 도와 난을 일으킨 太叔이 머무르고 있는 溫을 포위한 것을 이른다. 제후의 신분으로 천자국의 고을을 포위한 것에 대해 죄악으로 이른 것은 昭公 23년 經에 "진나라 사람들이 천자의 땅인 교를 포위하였다.(晉人圍郊.)"라고 한 곳에서 찾을 수 있다. 이 때 주나라 천자 景王이 붕어하자 悼王이 등극하여 미처 자리를 잡기 전에 王子朝가 반란을 일으켜 도왕이 죽고 도왕의 아우 敬王이 등극하였다. 이때 晉나라가 왕자조를 공격한다는 명목으로 그가 머무르고 있는 郊를 포위하였는데 孔子가 『春秋』에 '진나라 군사가 자조를 포위하였다.'고 쓰지 않고 천자의 땅인 '교를 포위하였다.'고 썼다. 이를 송나라 趙鵬飛는 그의 저서 『春秋經筌』에서 "교는 천자의 고을이다. 진나라는 자조가 그곳에 있다고 하여 그 땅을 포위하였으나 성인이 자조를 포위하였다고 쓰지 않고 천자의 고을을 포위하였다고 곧바로 쓴 것은 왕국을 위해 고생하였다는 공적을 드러내기 위해 왕의 나라 서울을 범한 까닭이다.(郊, 天子之邑也. 晉蓋以子朝在是而圍之, 而聖人不書圍子朝, 而直書圍天子之邑, 圖勤王之績, 而得犯京師之誅.)"라고 하였다. 이 기사에 비춰보면 진문공의 죄도 저절로 드러나게 된다.

85 천자가 사냥하시는 … 다하였다. : 이는 僖公 28년에 진문공이 제후들을 溫 땅에 불러 모으고 양공을 하양으로 오게 한 다음 제후들을 거느리고 양공에게 조회하고, 이어 양공에게 겨울 사냥을 하게 한 일을 이른다. 이를 공자가 『春秋左傳』「僖公 28년」에서 "천자가 하양에서 겨울 사냥을 하였다.(天王狩于河陽.)"라고 썼다. 傳에서는 "이번 모임은 晉侯(진문공)가 양왕을 불러 제후들에게 조회하게 하고 또 왕에게 겨울 사냥을 하게 하였다(是會也, 晉侯召王, 以諸侯見. 且使王狩)"라고 하였다.

86 孔子 문하 … 일이다. : 이는 『漢書』권56 「董仲舒傳」에서 동중서가 江都易王에게 대답하는 말 중에 "어진 사람(仁人)은 그 의리만을 바로잡고 그 이익을 꾀하지 않으며 그 道만을 밝힐 뿐 그 공을 계산하지 않습니다. 그러므로 중니의 문하에서는 키가 5尺 남짓한 어린아이도 五覇의 일을 일컬어 말하기를 부끄러워합니다. 그것은 그들이 속임수와 힘을 앞세우고 어짊과 의리를 뒷전으로 생각하였기 때문입니다.(仁人者, 正其誼, 不謀其利 ; 明其道, 不計其功. 是以仲尼之門, 五尺之童, 羞稱五伯. 爲其先詐力而後仁誼也.)"라고 하였다. 바로 공자 문하 사람들은 인과 의리가 아니면 말하지 않고 그것을 부끄럽게 여긴다고 한 데에서 인과 의가 아닌 행위를 부끄럽게 일컫는 말이 되었다.

87 子餘(조최)의 … 아니다. : 자여의 사람됨을 살필 수 있는 말은 『春秋左傳』「僖公 25년」의 傳에 "진나라 군주가 原 지역의 수령을 시킬 사람을 묻자 환관인 勃鞮가 대답하기를, '옛날 조최가 병에 담은 밥을 들고 진문공을 수행하며 오솔길에서도 굶주리면서도 먹지 않았습니다.'(晉侯問原守於寺人勃鞮, 對曰, 昔趙衰以壺飧從, 徑, 餒而弗食.)"라고 말하여 원의 수령에 진문공을 수행하며 자신의 굶주림을 참아가며 문공을 도왔던 조최를 수령에 임명하게 하였다. 구범은 진문공의 외삼촌으로 그의 사람됨은 『春秋左傳』「僖公 24년」정월의 기사에서 살펴볼 수 있다. 진문공이 망명생활을 끝내고 진나라로 돌아가는 길에, "행차가 황하에 이르자 구범이 진문공에게 璧을 건네주며 '신이 말의 굴레와 고삐를 짊어지고 군주를 따라 천하를 순행할 적에 신의 죄가 매우 많았습니다. 신도 오히려 알고 있는데 하물며 주군이시겠습니까! 청컨대 이 길로 도망쳐 가겠습니다.'라고 하자, 공자 중이가 '맹세코 외삼촌과 똑같은 마음을 갖지 않는다면 저 황하의 신이 있을 것입니다.'하고 구범이 내민 벽을 황하에 던졌다.(及河, 子犯以璧授公子, 曰'臣負羈絏從君巡於天下, 臣之罪甚多矣. 臣猶知之,

趙文子 조문자[88]

[59-11-1]

東萊呂氏曰 : "趙文子其中退然, 如不勝衣 ; 其言吶吶然, 如不出諸其口. 及宋之盟, 談笑當衷甲之變, 神閑氣定而不亂. 晏子長不滿六尺, 及崔慶之盟, 白刃在前, 毅然賁育不能奪. 蓋其怯者血氣也, 其勇者義也."[89]

동래 여씨[呂祖謙]가 말하였다. "조문자는 그 몸이 유약하여 마치 옷도 감당하지 못할 듯하고 그 말소리는 낮고 느려 마치 입 밖으로 나오지 못할 듯하였다.[90] 송나라와의 맹약에 미쳐서는 옷 아래 갑옷을 껴입는 변고를 만났으면서도 웃으며 대화를 나누며 마음이 한가롭고 기상이 안정되어 어지러워짐이 없었다.[91] 안자晏子는 키가 채 6척尺이 되지 않았으나 최저崔杼 · 경봉慶封과의 맹약에서 시퍼런 칼날이 눈앞에 있는데에도 의연함이 맹분孟賁 · 하육夏育도 빼앗을 수 없었다.[92] 겁을 내는 것은 혈기이고 용맹을 내는 것은

　　而況君乎! 請由此亡.' 公子曰, '所不與舅氏同心者, 有如白水.' 投其璧于河.)"라고 하였다. 이를 晉나라의 趙文子는 그 사람은 "이익이 보이면 자신의 군주도 돌아보지 않은 것이니 그의 어짊은 일컬을 만한 것이 못된다. (見利不顧其君, 其仁不足稱也.)"라고 하였다. 곧 후세의 높은 벼슬을 이때 보장 받기 위해 귀국을 눈앞에 둔 어려운 시점에 자신의 이익을 주장하였다고 비판한 것이다.

88 趙文子 : 춘추시대 晉나라의 卿. 이름은 武. 일명 趙孟, 조문자로 불렸다. 시호는 文. 朔의 아들. 조씨 집안이 屠岸賈에게 죽임을 당하였을 때 유복자로 태어나 悼公 때 경이 되어 平公 때 국정을 장악하였다. 특히 그가 동의하여 宋나라의 주창에 따라 노나라 襄公 27년에 맺은 제후들과의 맹약은 弭兵之盟이라 하여 이후 약 40여년 동안 중국에서 전쟁을 종식시키는 성과를 거뒀다. 『春秋左傳』 襄公 27년. 『國語』 「晉語」

89 『東萊外集』 권6 「雜說」

90 조문자는 그 … 듯하였다. : 이 말은 『禮記』 「檀弓下」에서 조문자의 모습을 그려 놓은 것을 인용한 것이다.

91 송나라와의 맹약에 … 없었다. : 노나라 양공 27년에 宋나라의 주선으로 당시 강대국인 晉나라와 楚나라가 참여하여 아홉 나라가 전쟁의 완화를 목표로 맺은 맹약을 말한다. 세상에서 이를 弭兵之盟이라 하였다. 이때 초나라의 屈建(子木이라고도 한다)이 진나라의 군대와 함께 조문자를 죽이고 패권을 차지하기 위해 맹약에 대동시킨 자국 군대에게 겉옷 속에 갑옷을 입게 하여 전쟁을 준비하였다. 이를 알고서도 조문자가 아무런 동요 없이 이 맹약을 성공시켜 진나라가 이후 패권을 유지하였고 이후 초나라는 진나라를 감히 넘보지 못하였다.(『春秋左傳』 「襄公 27년」 ; 『國語』 「晉語」)

92 晏子는 키가 … 없었다. : 안자는 춘추시대 齊나라 晏嬰을 높여 이르는 말이고, 최경은 안영과 힌때 인물인 崔杼와 慶封이며, 분육은 전국시대 용맹이 뛰어났던 孟賁과 夏育을 이른다. 그의 키에 대한 말은 『史記』 권62 「管晏傳」에 나온 말이다. 『春秋左傳』 「襄公 25년」에 최저와 경봉이 모의하여 莊公을 최저의 집으로 유인하여 시해하였을 때 안영이 홀로 최저의 집을 찾아가 대문 밖에서 기다리며 주변에서 죽게 될 것이라는 걱정과 망명하라는 권유를 받고서도 대문이 열리기를 기다렸다 들어가 장공의 시신을 자신의 허벅지에 올려놓고 통곡한 뒤에 물러났으며, 이어 최저와 경봉이 장공의 이복동생인 景公을 군주로 세워 국정을 장악하고서 신하들을 모아놓고 맹세하는 자리에서 최저가 '맹세코 최저와 경봉과 함께 하지 않는 자'라고 말을 하는데, 안자가 하늘을 우러러 탄식하고서 '안영이 군주에게 충성하고 사직을 이롭게 하지 않는 자를 돕는다면 저 上帝가 있을 것이다.'하고서 이에 피를 마셨다.(曰所不與崔慶者, 晏子仰天歎曰, 嬰所不唯忠於君, 利社稷者是與, 有如上帝! 乃歃)"라고 하였다. 군주가 시해되고 새 군주가 등극하는 엄중한 시절에 안영의 이러한 행동은

의리이다."

[59-11-2]

西山眞氏曰: "趙文子之賢出於天資, 而未嘗輔之學. 故志不能帥氣, 年未及耄, 而偸惰形焉. 其視畢公弼四世而克勤小物, 衛武過九十, 而以禮自防, 何相去之遠耶! 此無他, 有理義以養其心, 則雖老而神明不衰. 苟爲不然, 則昏於豢養, 敗於戕賊, 未老而已然矣. 有志之士, 可不戒諸!"

서산 진씨[眞德秀]가 말하였다. "조문자의 현명함은 하늘로부터 타고난 자품에서 나온 것이지만 학문의 힘으로 그 자질을 돕지 못하였다. 그러므로 의지가 기질을 거느리지 못하여 나이가 채 늙지 않았는데 나태하고 구차함을 드러냈다.[93] 저 필공畢公은 네 명 왕을 보필하면서도 능히 작은 일까지 애를 썼고[94] 위 무공衛武公은 나이가 90이 넘어서도 예의로 자신을 지켰으니[95] 얼마나 서로 동떨어진 것이 큰가! 이는 다른 까닭이 아니다. 의리를 가지고 자신의 마음을 수양하면 늙더라도 정신이나 마음이 시들어지지 않으나, 진실로 그러함이 없으면 녹봉의 봉양에 정신이 흐려지고 주변의 꺾고 해치려는 데에서 무너져서 채 늙기 전에 그렇게 되고 만다. 뜻을 가진 사람들은 경계하지 않을 수 있으랴!"

힘이 장사인 맹분과 하육도 그의 기개를 빼앗을 없었다는 말이다.

93 나이가 채 … 드러냈다. : 이에 대해서는 『國語』「晉語」에서 살피면 秦景公의 아우 后子鍼이 형 경공의 박해를 피해 晉나라로 망명해오자 조문자가 그를 맞이하여 "秦나라가 오래 유지될 수 있겠습니까?"하니, 후자겸이 말하기를 "나라가 무도하여도 풍년이 들면 5년을 못 견디는 나라는 없다는 말을 들었습니다." 하였다. 이에 조문자가 하늘의 해를 쳐다보고서 "아침에서 저녁도 미처 생각할 수 없는데 누가 능히 5년을 기다리겠습니까!"라고 하였다. 이에 후자겸은 조문자의 죽음을 예언하며 "조문자가 지금 진나라의 정승으로 제후의 맹약을 책임지고 있으니 대대로 길이 이어나갈 덕을 생각하여 햇수를 멀리 이어질 방법을 책임지더라도 오히려 자신 한 몸이 잘 죽게 될 것인지 두려운 처지인데 지금 하루를 헛되이 보내면서 한 해를 더디게 생각하고 있으니 태만함과 구차스러움이 심하다."라고 하였다.(이상의 원문은 다음과 같다. 文子曰, "猶可以久乎?" 對曰, "鍼聞之, 國無道, 而年穀龢孰, 鮮不五稔." 文子視日, 曰, "朝夕不相及, 誰能俟五." 文子出, 后子謂其徒曰, "趙孟將死矣. 夫君子寬惠以恤後, 猶恐不濟. 今趙孟相晉國, 以主諸侯之盟. 思長世之德, 歷遠年之數, 猶懼不終其身. 今忨日而澈歲, 怠偸甚矣.")

94 畢公은 네 … 썼고 : 필공은 주나라 문왕의 아들로 이름은 高다. 康王 때 주나라의 옛 수도인 豊 땅에 봉해졌다. 강왕이 필공을 풍 땅에 봉하는 일을 기록한 『書經』「畢命」에 "공은 성대한 덕으로 능히 작은 일까지도 애를 써 4대를 보필하였다.(惟公懋德, 克勤小物, 弼亮四世.)"라고 하였다. 여기서 4대는 文王・武王・成王・康王을 이른다.

95 衛武公은 나이가 … 지켰으니 : 위무공은 주나라 때 衛나라의 제후로, 이름은 和이다. 犬戎이 幽王을 시해하자 군사를 동원하여 견융을 평정한 공으로 平王에 의하여 公의 작위를 받았다. 그의 덕을 칭송한 시는 『詩經』 衛風의 「淇奧」에 잘 나타나 있으며 자신을 경계한 시는 小雅의 「賓之初筵」에 잘 나타나 있다. 나이 90세가 넘어서도 행여 나태해질까 두려워하여 抑 시를 지어 늘 곁에서 외게 하였다는 고사가 유명하다.(『史記』 권37)

子産 자산[96]

[59-12-1]

或問: "子産相鄭, 鑄刑書, 作丘賦, 時人不以爲然. 是他不達'爲國以禮'底道理, 徒恃法制以爲國, 故鄭國日以衰削."

朱子曰: "是他力量只到得這裏. 觀他與韓宣子爭時, 似守得定. 及到伯有子晳之徒撓他時, 則度其可治者治之; 若治他不得, 便只含糊過. 亦然當時列國世卿,[97] 每國須有三兩族强大, 根株盤互, 勢力相依倚, 卒急動他不得; 不比如今大臣, 才被人論, 便可逐去. 故當時自有一般議論, 如韓獻子'分謗'之說, 只是要大家含糊過, 不要見得我是你不是. 又如魯以相忍爲國, 意思都如此. 後來張文潛深取之, 故其所著, 雖連篇累牘, 不過只是這一意."[98]

어떤 사람이 물었다. "자산이 정나라의 상국이 되어 형법의 조문을 주조하여 새기고[99] 구부법丘賦法을 제정하자[100] 당시 사람들이 수긍하지 않았다. 이는 그가 나라를 예의로 다스려야 하는 도리[101]를 알지 못하고 단지 법제에 의지해 나라를 다스리려 한 것이니, 그런 까닭에 정나라가 날로 쇠약해지고 국토가 줄어들었습니다."

· · · · · · · · · · · · · · ·

96 자산: 춘추시대 정나라의 卿. 자산은 그의 자이며 이름은 僑이다. 穆公의 손자여서 公孫僑라고도 하며 아버지 公子發의 자가 子國인 데에서 아버지의 자를 성으로 써서 國僑라고도 한다. 『論語』에서는 東里子産이라고 호칭하였다. 춘추시대 제일의 정승으로 꼽는다. 공자도 『論語』「公冶長篇」에서 "자산에게 군자다운 道 네 가지가 있다.(子謂子産, 有君子之道四焉.)"라고 평하였다.(『春秋左傳』「襄公 昭公」; 『史記』권119)

97 亦然當時列國世卿: 『朱子語類』권83, 109조목에는 '然'자가 '緣'자로 쓰여 있다. '緣'자를 따라 번역하였다.

98 『朱子語類』권83, 109조목

99 형법의 조문을 주조하여 새기고: 자산이 정나라의 상국이 되어 昭公 6년 3월에 이 일을 거행하였다. 杜預의 주에는 "형법조문을 솥에 주조해 새겨 나라의 고정된 법을 만들었다.(鑄刑書於鼎, 以爲國之常法.)"라고 하였다. 『春秋左傳』에 의하면 이 소식을 들은 晉나라의 叔向이 긴 편지를 보내 德治가 아닌 法治 역사와 그것에 의한 폐단을 역사적으로 고증하고 아울러 그대의 세상이 끝나면서 정나라는 실패할 것이라는 예언까지를 덧붙였다.

100 丘賦法을 제정하자: 昭公 4년에 자산이 정나라에 실시한 제도다. 『左傳』「昭公 4년」9월의 기사에 의하면 "정나라 자산이 구부법을 제정하자 나라 사람들이 그 제도를 비방하였다.(鄭子産作丘賦, 國人謗之.)"라고 하였다. 구부법은 두예의 주에 의하면 "1丘 16井에서 말 1필과 소 3마리를 군대에 대한 세금으로 내는 것이니 이는 옛날의 제도다. 자산이 제정했다는 것은 반드시 여기서 늘렸을 것이니 아마도 노나라가 丘甲法을 제정한 것과 같을 것이다.(丘十六井, 當出馬一匹, 牛三頭. 此古法也. 子産作之者, 必更有所增益. 如魯作丘甲之類.)"라고 하였다. 군대 명목의 세금을 증가시킨 것을 알 수 있다.

101 나라는 예의로 … 도리: 이는 공자가 子路의 용감함에 대해 한 말이다. 『論語』「先進篇」에서 공자가 子路·曾晳·冉有·公西華에게 자신들의 뜻을 말하도록 하자, 자로가 성큼 千乘의 나라를 다스려 3년이면 백성들을 용맹하게 하고 국가가 나아갈 바를 알게 하겠다고 하자, 공자가 씽끗 웃었다. 이에 증석이 자로의 말에 웃으신 이유를 묻자 공자께서 이렇게 말씀하셨다. "나라 다스리는 일은 예의로써 하는 것인데 그의 말에 사양하는 빛이 없었다. 그래서 웃었노라.(爲國以禮, 其言不讓. 是故哂之.)"

주자가 대답하였다. "이는 그의 역량이 단지 이 정도에서 그친 것이다. 그가 한선자韓宣子와 쟁론할 때를 살펴보면 자신의 뜻을 굳게 지키고 흔들리지 아니함이 있는 듯하였다.[102] 백유伯有와 자석子晳의 무리가 그를 충동질할 할 때[103]에 이르러서는, 마음속에서 다스릴 수 있는 자는 다스리고 그가 다스릴 수 없는 자는 얼버무려버렸다. 또한 당시 열국들에 대대로 경卿을 세습하는 집안들이 나라마다 강대한 두세 집안이 당연히 있어, 나무의 뿌리와 줄기가 단단하게 얽히듯 세력들이 서로 의지하고 있어 끝내 급히 저들을 움직일 수 없는 데에서 기인된 것이다. 요즈음의 대신들이 조금만 비판을 받으면 바로 쫓아내는 것과는 비교할 수 없다. 그러므로 당시에는 본래부터 일반적인 견해가 있었으니 예컨대 한헌자韓獻子의 비방을 나누어 갖자는 주장이니,[104] 단지 경대부卿大夫 집안들끼리 얼버무리고서 내가 옳고 네가 그름을 드러내

102 韓宣子와 쟁론할 … 듯하였다. : 이는 소공 16년에 晉나라의 한선자가 정나라에 사신 와서 벌어진 일을 이른다. 한선자는 韓起를 시호로 이르는 말이다. 한선자는 조문자를 이어 진나라의 집정대신이 되었다. 그가 정나라에 사신 와서 자신 소유의 것과 '짝을 이루는 環 하나가 정나라 장사꾼이 가지고 있는 것을 알고서는 정나라 군주를 뵙고서 이것을 구해달라고 청하였다. 이를 곁에서 들은 자산이 "이는 宮府에서 지키는 물건이 아니어서 우리 군주가 아실 일이 아니다.(非官府之守器也, 寡君不知.)"라고 하였다. 정나라의 대신들이 진나라의 권력을 집행하는 한선자의 요구를 무시하는 것이 국가의 환난을 초래할 수 있다며 구해서 주기를 권하자, 자산은 앞으로 큰 나라가 이것저것 요구했을 때 "어떤 것은 들어주고 어떤 것은 거부하게 되면 죄를 얻음이 더욱 커질 것이다.(一共一否, 爲罪滋大.)"라고 하였다. 뒤에 한선자가 장사꾼에게 그 옥을 구했는데 장사꾼이 기어코 이 사실을 대부에게 알려달라고 하였다. 이에 한선자가 자산에게 장사꾼에게 구입한 사실을 말하고 그 옥을 청하였다. 이에 자산은 "우리 정나라의 시조 桓公이 장사꾼들과 주나라에서 이 땅을 받아 나와서, 함께 개척하고 그들에게 약속하기를 '너희가 나를 배신하지 않는다면 나도 너희 물건을 강제로 사들이지 않겠으며 빼앗지도 않겠다. 너희가 좋은 물건으로 이익을 남기더라도 내가 관여하지 않겠다.(爾無我叛, 我無强賈, 毋或匄奪. 爾有利市寶賄, 我勿與知.)'라고 하여 오늘에 이르고 있습니다. 그런데 당신이 이 곳에 와서 상인의 것을 강탈하였으니 이는 우리나라에게 맹약을 배반하게 하는 것이니 불가합니다. 당신이 옥을 얻더라도 제후를 잃는다면 반드시 하지 않으실 것으로 생각합니다."라고 하였다. 한선자는 마침내 옥을 구입하는 것을 포기하였다.

103 伯有와 子晳의 … 때 : 백유는 良霄의 자이고, 정나라의 卿이었다. 자석은 公孫黑이고, 정나라의 公族이다. 노나라 襄公 29년에, 정나라와 초나라는 사이가 좋지 않았는데 정나라가 초나라에 사신을 보내는 것은 해마다의 관례라며 백유가 자석을 초나라에 사신으로 보내려 하자 자석이 이는 사실상 나를 죽음으로 몰아넣는 것이라며 서로 갈등을 빚었다. 이에 대부들이 조정하여 서로 화해시켰다. 백유가 술을 즐겨 밤이면 땅굴을 뚫어 술 마실 공간을 마련하고서 밤이면 이곳을 찾아 술을 마시며 날이 밝아 가신들이 조회 올 때까지도 나오지 않았다. 양공 30년에 백유가 또 다시 조정에서 자석의 초나라 사신 가는 일을 꺼내자, 자석은 백유가 지하 동굴에서 술을 먹고 취해 있는 사이 불을 질러 백유는 술에 취한 상태로 도망쳐 許나라로 달아났다. 이 때 주위에서 자산에게 자석이 옳고 그 집안 세력이 강하니 그를 도와 백유의 죄를 다스려야 한다고 하였으나 자산은 이를 실행하지 않았다. 또 昭公 원년에는 정나라 徐吾犯의 누이가 미인이었는데 公孫楚子南이 정혼한 것을 자석이 강제로 서오범의 집안에 納采禮를 행하였다. 이에 서오범이 이 사실을 자산에게 알리자 자산은 서오범에게 누이를 주고 싶은 사람에게 주게 하였다. 그리하여 자남이 선택되자 자석은 옷 속에 갑옷을 챙겨 입고서 자남을 죽이고 서오범의 누이를 아내로 맞이하려 자남에게 만나기를 청하였다. 이를 안 자남이 자석을 창으로 공격하여 상처를 입히자, 자산은 자석의 편을 들어 양쪽이 모두 타당한 이유가 있으나 나이가 적고 벼슬이 낮은 자에게 잘못이 있다 하고서 자남을 체포하여 그의 죄목을 다섯 가지나 열거하고 자남을 吳나라로 유배하였다. 이는 자산이 자석의 형세가 강함에 어쩔 수 없기 때문이었다.

지 말자는 것이다. 또 노魯나라가 서로 참는 것으로 나라를 다스린 것도 그 속셈은 모두 이 같다. 뒷날 장문잠張文潛[105]이 이러한 것을 깊이 터득한 까닭에 그의 저술은 수많은 편수와 끝없이 긴 글들이 있으나 단지 이런 뜻이 한결같을 따름이다."

[59-12-2]

西山眞氏曰："鄭子産以鄭簡公十二年爲卿, 明年得政. 簡公在位三十六年乃卒, 又歷事定公獻公聲公, 合凡四十餘年. 方其始也, 內則有諸大夫之爭權, 互相誅殺；外則晉楚之兵, 無歲不至城下, 國之危且弱, 幾不可爲矣. 子産於此從容回斡, 皆有次第. 其於內也, 務息諸大夫之爭, 而去其猶不可令者. 然根之難拔者, 不輕動以激其變；惡之旣稔者, 不緩治以失其機. 有勸懲之公, 而無忿疾之過. 故自子南逐, 子晳死, 豪宗大姓, 弭然聽順, 無復有梗其政者.

서산 진씨[眞德秀]가 말하였다. "정자산은 정鄭나라 간공簡公 12년에 경卿이 되어 다음 해부터 나라 정치를 행사하였다. 간공이 재위한 지 36년만에 죽고 또다시 정공定公·헌공獻公·성공聲公을 번갈아 섬겼으니 도합 모두 40여년이다. 바야흐로 그가 정사를 시작하였을 때 안으로는 여러 대부들이 권력을 다투어 서로 죽이고 죽었고 밖으로는 진晉나라와 초楚나라의 군대가 성城 아래까지 바싹 침략해 오지 않은 해가 없어 국가의 위험과 허약함이 거의 손써볼 수 없는 지경이었다. 자산이 이 지경에 조용히 주선하는 일들이 모두 질서가 있었다. 그가 안으로는 여러 대부의 다툼을 힘써 종식시켜 그들 중 여전히 말로 다스릴 수 없는 자들은 제거시켰다. 그러나 뿌리 뽑을 수 없는 자들은 가볍게 건드려서 그들의 변란을 격화시키지 않았고 악의 씨가 이미 여문 것은 다스리는 일을 늦추다 그 기회를 놓치지 않았다. 권면과 징계의 공정함이 있었고 분노하고 미워함의 지나침이 없었다. 그러므로 자남子南을 내쫓고 자석子晳이 죽으면서부터 권세를 누리는 집안과 번성한 집안이 조용히 순종해 따르고 다시 그의 정사를 가로막는 자가 없었다.

其於外也, 事大國以禮, 而不苟徇其求. 故終其身免於諸侯之討, 而鄭能以弱爲強. 考其所爲, 惟作丘賦, 鑄刑書, 見譏當世, 其餘鮮不合於理者. 然大人格心之業, 則未之聞焉. 豈其所事四公, 皆凡庸之主, 不足與有進耶? 不然, 何其無有以一善著者? 至於用人, 各以所長, 蓋得聖門

....

104 韓獻子의 비방을 … 주장이니 :『春秋左傳』「成公 2년」에 韓獻子(이름은 韓厥)가 晉나라의 司馬가 되어 齊나라가 魯나라를 침공하하는 것을 저지하는 전투에 참여하였다. "군대가 衛나라 땅에 이르렀을 때 한헌자가 어떤 사람 하나를 죽이려고 하였다. 이때 郤獻子가 말을 달려 그를 살리고자 하였다. 도착하였을 때는 형이 이미 집행된 뒤였다. 그러자 극자는 그 시체를 속히 조리돌리게 하고 그 노복에게 다음과 같이 말했다. '내가 비방을 나누어 갖으려 함이다.'(及衛地, 韓獻子將斬人, 郤獻子馳, 將救之. 至則旣斬之矣. 郤子使速以徇, 告其僕曰, 吾以分謗也)"

105 張文潛 : 송나라 張耒의 字. 蘇軾의 문인. 벼슬은 太常少卿·汝州知州事 등을 지냈다. 저서로『兩漢決疑』·『詩說』이 있고, 淸 乾隆帝 때 편찬된 四庫全書 속에 장문잠의 흩어진 저술을 모은『柯山集』이 있다.(『宋史』권444)

所謂器使之道, 春秋卿大夫未有能及之者. 後之以權衡人物爲職者, 當觀法焉."

그리고 밖으로는 큰 나라들을 예의로 섬기고 구차하게 그들의 요구에 따르지 않았다. 그런 까닭에 자신의 일생을 마치도록 제후들의 토벌을 면하여 정나라가 약한 나라로 강한 나라가 되었다. 그가 한 일들을 살펴보면 오직 구부법丘賦法을 제정한 일과 형법의 조문을 주조한 것이 당시 세상에서 비판을 받았고 그 나머지 일들은 이치에 합당하지 않은 일이 드물다. 그러나 대인大人으로 군주 마음의 잘못을 바로잡은 일106은 듣지 못하였다. 그것은 그가 섬긴 네 군주가 모두 평범한 군주여서 끌어올리기에 충분하지 않아서였을까? 아니면 어찌하여 그다지도 한 가지도 잘한 것으로 드러나는 것이 없을까? 사람을 등용하는 일에 있어서는 각기 그들이 가진 장점대로 등용하였으니 공자가 말한 '그릇에 따라 시킨다.'107는 도리를 얻었으니 춘추시대 경대부 중에는 따라갈 수 있는 자가 있지 않다. 뒷날 인물 선발의 책무를 진 자들은 당연히 본받아야 할 것이다."

商鞅 상앙108

[59-13-1]
或問: "商鞅說孝公帝王道不從, 乃說以霸道.109 鞅亦不曉帝王道, 但是先將此說在前者, 渠知孝公決不能從, 且恁地說, 庶可以堅後面霸道之說耳."110
朱子曰: "鞅又如何理會得帝王之道! 但是大拍頭去揮那孝公耳. 他知孝公是行不得, 他恁地說, 只是欲人知道我無所不曉."111

. . . .

106 大人으로 군주 … 일: 이는 『孟子』「離婁上」에서 "군주가 등용한 사람마다를 허물할 수 없고 군주가 행한 정사를 흠잡을 것이 없다. 대인의 덕을 갖춘 사람은 군주 마음의 잘못을 바로잡는다.(人不足與適也, 政不足 閒也. 惟大人爲能格君心之非)"라고 한 말을 인용하여 이러한 것이 자산한테서 찾아볼 수 없다는 말이다.
107 '그릇에 따라 시킨다.': 재주와 역량을 헤아려서 등용함을 말한다. 『論語』「子路」에 "군자는 섬기기는 쉬워도 달래기는 어려우며, 사람을 부리는데 있어서는 그릇의 정도에 따라 한다.(君子易事而難說也, … 及其使人也, 則器之.)"라고 하였다.
108 商鞅: 전국시대 衛나라의 庶孽公子. 앙은 이름이며 성은 公孫氏이다. 刑名家이다. 秦나라 孝公이 국가 중흥을 꾀하며 인재를 구할 때 左庶長으로 등용되었다. 기용되자 기존의 법령을 새로 바꾸고 井田 제도를 혁파하고 새로운 農地法을 제정하여 진나라를 부강하게 하였다. 商에 봉해져 商君으로 불렸다. 그러나 효공이 죽고 효공의 아들 惠公이 즉위하며, 혜공의 스승을 벌 준 해묵은 감정으로 체포하여 죽이려고 하였다. 이에 魏나라로 도망쳤으나 받아주지 않고 진나라로 되돌려 보내지자 자신의 封地인 상으로 달아났다가 진나라 군사에게 잡혀 車裂刑에 처해졌다.(『史記』「商君傳」)
109 乃說以霸道.: 『朱子語類』 권134, 79조목에는 '霸'자가 '伯' 글자로 쓰여 있다.
110 庶可以堅後面伯道之說耳.: 『朱子語類』 권134, 79조목에는 '霸'자가 '伯' 글자로 쓰여 있다.
111 『朱子語類』 권134, 79조목

어떤 사람이 물었다. "상앙이 진秦나라 효공孝公에게 제왕의 왕도 정치를 설득하였으나 따르지 않자 마침내 패권의 도리로 설득하였습니다.[112] 상앙도 제왕의 왕도 정치를 알지 못하면서 단지 우선 이 말을 앞세웠던 것은 효공이 결코 따르지 않을 것을 알았으면서도 우선 이같이 말을 해두어 다음에 하게 될 패권의 도리에 대한 말의 입지를 확고히 하려 한 것일 뿐입니다."

주자가 대답하였다. "상앙이 또 어떻게 제왕의 왕도를 이해했겠냐! 단지 판을 크게 벌려서 효공을 들썩이게 한 것일 뿐이다. 그는 효공이 행해내지 못할 것을 알면서도 그가 이같이 말한 것은 단지 사람들이 자신을 모르는 것이 없는 사람으로 알게 하고자 한 것이다."

[59-13-2]

問：“開阡陌.”

曰：“阡陌便是井田. 陌, 百也；阡, 千也. 東西曰阡, 南北曰陌. 或問南北曰阡,[113] 東西曰陌. 未知孰是. 但却是一箇橫, 一箇直. 且如百夫有遂, 遂上有涂, 這便是陌；若十箇涂, 恁地直在橫頭, 又作一大溝, 謂之洫, 洫上有路, 這便是阡. 阡陌只是疆界. 自阡陌之外有空地, 則只恁地閑在那裏. 所以先王要如此者, 也只是要正其疆界, 怕人相侵互. 而今商鞅却開破了, 遇可做田處, 便墾作田, 更不要恁地齊整. 這‘開’字非開創之‘開’, 乃開闢之‘開’.”[114]

개천맥開阡陌[115]에 대한 뜻을 물었다.

(주자가) 대답하였다. "천맥阡陌은 정전井田이다. 맥陌은 1백이고 천阡은 1천이다. 동서쪽으로 난 밭둑을 천阡이라 하고 남북 쪽으로 난 밭둑을 맥陌이라 한다. 혹자가 남북 쪽으로 난 밭둑을 '천'이라 하고 동서쪽으로 난 밭둑을 '맥'이라 하여 어느 말이 옳은지는 알 수 없다. 단지 하나는 가로로 난 밭둑이고 하나는 세로로 난 밭둑이다. 또 예컨대 1백 부夫(땅)[116]에 수遂(물길)[117]가 있고 '수'에 도涂(길)[118]가 있는 것은

112 제왕의 왕도 … 설득하였습니다. : 상앙이 진나라에 가서 효공의 신임을 받고 있던 景監을 통하여 효공을 알현하고 등용되기까지 모두 네 차례의 만남이 있었다. 처음에 삼대시대의 帝王이 되는 길, 두 번째는 천하의 왕이 되는 길, 세 번째는 패권의 길로 효공을 설득하였다. 세 번째의 만남에서 효공의 마음을 샀고, 이어 네 번째 만남에서 효공의 마음을 사로잡아 마침내 등용되었다.(『史記』「商君傳」)

113 或問南北曰阡 : 『朱子語類』 권134, 81조목에는 '或謂南北曰阡'이라고 하여 '問'자가 '謂'자로 쓰여 있다. 『朱子語類』를 따른다.

114 『朱子語類』 권134, 81조목

115 開阡陌 : 이는 상앙이 진나라의 孝公에게 등용되어 실시한 농경지 제도다. 예전의 井田 제도를 혁파하고 개천맥의 제도를 도입하였는데 상앙의 역사를 언급한 『史記』「秦本紀」에 이 말이 실려 있으나 정확하게 정의된 뜻을 알지 못해 주자에게 묻자 주자가 이같이 대답한 것이다.
'開'는 "開는 폐기해 파괴함이다(開者, 廢壞之.)"에 의하면 '해체해 없앴다'는 뜻으로 귀결된다.(『尙書埤傳』 권4 「夏書 禹貢 · 厥賦厥田 · '商鞅開阡陌' 注)

116 夫 : 고대 井田 제도에서의 1백 畝 넓이의 전답

117 遂 : 고대 井田 제도에서의 1백 묘 전답 머리를 흐르는 조그만 물길

118 涂 : 고대 井田 제도에서의 전답에 낸 수레 한 대 정도가 다닐 수 있게 낸 길

'맥'이고, 10개의 '도'가 지나는 그 지점의 가로지르는 곳에 또 하나의 큰 도랑을 내니 그것을 혁洫[119]이라 하고 '혁'의 주변에 난 길이 바로 '천'이다. '천'과 '맥'은 단지 경계일 뿐이다. '천'과 '맥' 밖의 빈 땅은 그 속에 단지 한가롭게 놀리는 땅으로 두었다. 선왕 시대에 이와 같이 하였던 것은 단지 경계를 바로잡자는 것이니 사람들이 서로 상대의 경계를 넘어설까 두려워하였다. 그런데 지금 상앙이 개척하여 파괴하고, 전답을 만들 만한 곳이 있으면 바로 개간하여 전답을 만들고 다시 이처럼 가지런하게 하려 하지 않았다. 여기서의 개開자는 개창開創한다는 뜻의 '개'자가 아니고 개벽開闢(개척)한다는 뜻의 '개'자이다."

[59-13-3]

或問: "商君初變法, 秦民不悅, 言不便者以千數. 令行之後, 秦道不拾遺, 鄕邑大治, 秦民後來言令便."

潛室陳氏曰: "始言不便, 猶是三代直道之民; 終復言便, 則戰國刑戮之民矣. 不下毒手, 如何得他合口! 當看商鞅行法始末."[120]

어떤 사람이 물었다. "상군商君(상앙)이 처음 법을 바꾸자 진나라 백성들이 달가워하지 않아 불편하다고 말하는 자들이 수천 명이었다. 법령이 시행된 뒤 진나라는 길에 흘린 물건을 주워가는 사람이 없었고[121] 고을이 크게 잘 다스려져 진나라 백성들이 나중에는 법령이 편리하다고 말하였습니다."[122]

잠실 진씨[陳埴]가 대답하였다. "처음에 불편하다고 말한 백성은 그래도 삼대 시절 올곧은 도를 행했던 백성이고[123] 끝에 가서 다시 편리하다고 말한 백성은 전국시대 형벌과 죽임에 시달린 백성이다. 맹독스

---

119 洫: 고대 井田 제도에서의 사방 10리의 전답에 깊이 8尺 너비 8尺으로 낸 물길.

120 『木鍾集』 권11 「史」

121 진나라는 길에 … 없었고: 이 말은 두 가지 뜻을 담고 있다. 하나는 제왕의 교화가 백성들에게 잘 스며들어 풍속이 아름다워진 것을 말하는 것, 하나는 형벌이 무서워 백성들이 감히 남의 물건에 손대지 않는 것이다. 우리나라에서도 중종 때 趙光祖가 大司憲에 오른 지 석 달 만에 길에 흘린 물건을 주워 담으려는 자가 없었고 남자와 여자가 길을 달리하여 걸었다고 실록에 적고 있다. 『中宗實錄』 37卷 14年(1519 己卯) 12月 10日(庚午)

122 고을이 크게 … 말하였습니다.": 상앙이 連坐法을 도입하여 백성들끼리 서로를 감시하게 하고, 불법행위를 눈감아준 자에 대한 처벌을 강화하고, 농사에 힘쓴 자를 상주는 등 법령을 바꾸자 당시 조정에서부터 이를 달가워하지 않아 심한 반대에 부딪쳤다. 그리하여 법령을 다 만들고서는 백성들이 이를 따르지 않을까 걱정하여, 수도의 남쪽 문에 세 길쯤 되는 나무를 가져다 두고서 이를 북쪽 문으로 옮겨 두는 자에게는 50金의 상을 주겠다고 현상금을 걸었다. 이를 실행한 자가 있자 바로 현상금을 지급하고 마침내 법령을 반포하였다. 법령이 반포된 후 많은 비난이 쏟아졌고 태자마저 이를 지키지 않은 일이 일어나자, 상앙은 태자를 벌할 수 없다며 태자의 스승에게 黥刑(이마에 먹물을 들이는 형벌)을 시행하였다. 10년이 지난 뒤 드디어 진나라는 길에 흘린 물건을 주워 가져가는 자가 없었다. 그리고 불편하다고 말한 백성들이 찾아와 법령이 편리하다고 말한 자들이 생겨났다. 상앙은 이들을 교화를 어지럽히는 자들이라며 이들을 모두 변방으로 이주시켜버렸다.

123 삼대 시절 … 백성이고: 『論語』「衛靈公篇」에 공자가 "내가 저들 백성에게 누구를 헐뜯어 말하고 누구를 칭찬해 말하랴! 만일 칭찬해 말하는 사람이 있다면 그것을 겪어봄이 있어서일 것이다. 이들 백성들은 삼대

러운 수단을 쓰지 않았다면 어떻게 그들의 입을 다물게 하였겠느냐! 당연히 상앙의 법령 시행 전말을 살펴보아야 할 것이다."

[59-13-4]

問: "秦謫戍法, 先發吏有謫籍, 及贅婿賈人, 又父母有市籍者, 所以重困商賈何故?"

曰: "秦自商君立法, 欲民務農力戰, 故重耕戰之賞. 以商賈務末, 不能耕戰, 故重爲謫罰以抑之. 所以立致富彊."[124]

(어떤 사람이) 물었다. "진나라의 죄지은 자를 변경으로 수비하러 보내는 법은 맨 먼저 관원으로서 적적謫籍[125]에 올라 있는 자와 췌서贅婿,[126] 장사하는 사람, 또 부모가 시장 호적에 올라 있는 사람들을 선발하여 장사하는 사람들을 거듭 곤경에 시달리게 한 것은 어인 까닭입니까?"[127]

(잠실진씨가) 대답하였다. "진나라는 상군商君이 법령을 제정하면서부터 백성들이 농사에 힘쓰고 전쟁에 힘을 다하게 하고자 한 까닭에 농사와 전쟁에 대한 상을 후하게 하였다. 장사들은 이익만 내려 힘쓰고 농사와 전쟁을 잘 수행하지 못한 까닭에 무겁게 징벌을 내려 억제하였다. 이것이 (진나라가) 금방 부강해진 까닭이다."

樂毅 악의,[128] 孫臏 손빈[129]

[59-14-1]

或問: "樂毅伐齊, 文中子以爲善藏其用, 東坡則責其不合妄效王者事業以取敗. 二說孰是?"

시절에 올곧은 도를 행하였던 백성들이다.(了口, 吾之於人也, 誰毁誰譽. 如有所譽者, 其有所試矣. 斯民也, 三代之所以直道而行也.)"라고 하였다. 여기서 올곧은 도(直道)에 대해서 朱子는 "저들 백성이 바로 삼대 시절에 선한 것은 선하다고 하고 악한 것은 악하다고 하여 사사로이 왜곡함이 없던 백성이다.(葢以此民, 即三代之時, 所以善其善惡其惡, 而無所私曲之民.)"라고 하였다.

124 『木鍾集』 권11 「史」

125 謫籍: 어떤 사유로 인해 벼슬에서 강등되거나 변경으로 좌천된 관원들을 기록해 놓은 책

126 贅婿: 장가들어 처가살이하는 사위. 秦漢시대에는 거의 노비에 가까웠다.

127 변경에 수비하러 가게 한 일은 『史記』 「秦始皇本紀」에 의하면 진시황 33년에 "지난날 죄를 짓고 달아났던 자, 처가살이하는 사람, 장사하는 사람들을 징발하여 陸梁 지역을 빼앗아 계림과 상군과 남해를 만들고 사람들을 보내 수비하게 하였다.(發諸嘗逋亡人 贅壻, 賈人, 畧取陸梁地, 爲桂林・象郡・南海, 以適遣戍.)"라는 기사가 있다. 여기서 왜 장사하는 사람들이 수비하러 가는 사람들에 끼게 되었는지 물은 것이다.

128 樂毅: 전국시대 燕나라 昭王 때의 上將軍. 연나라 소왕은 아버지 子噲 때 齊 나라 宣王의 공격을 받고 나라가 거의 패망으로 내몰렸다 회복한 뒤 등극하였다. 이에 원수를 갚고자 절치부심하며 인재를 구할 때 악의가 등용되어 마침내 秦韓魏趙의 연합군을 거느리고 제나라를 공격하여 제나라 70여성을 함락시키고 昌國君에 봉해졌다. 마지막 남은 莒와 卽墨 두 고을을 함락시키지 못하고 대치하던 중 소왕이 죽고 아들

어떤 사람이 물었다. "악의가 제齊나라를 정벌한 것에 대해 문중자文中子는 '자신이 행할 수 있는 힘을 잘 갈무리하였다.'[130]라고 하였고, 동파蘇軾는 그가 '합당하지 않게 잘못 삼왕三王의 일을 본받고자 하다가 실패하였다.'[131]고 책망하였습니다. 두 사람의 말은 어떤 말이 옳습니까?"

朱子曰: "這只是他每愛去立說,[132] 後都不去攷教子細. 這箇是那田單會守,[133] 後不柰他何. 當時樂毅自是兼秦魏之師, 又因人怨湣王之暴, 故一旦下齊七十餘城. 及旣殺了湣王, 則人心自是休了. 他又怕那三國來分他底, 連忙發遣了他. 以燕之力量, 也只做得恁地. 更是那田單也忠義, 盡死節守那二城. 樂毅不是不要取他, 也煞費氣力. 被他善守, 後不柰他何.

주자가 말하였다. "이 말은 단지 이 사람들이 매번 어떤 말을 하기는 좋아하나 이어서 자세히 고증하려 듦은 전연 없다. 저 사람 전단田單[134]은 수비할 줄을 알았으니 그 뒤에는 그를 어찌해볼 수 없었다. 당시에 악의는 본시 진秦나라와 위魏나라의 군사를 겸해 거느리고 또 백성들이 민왕湣王의 포악함에 대한 원망을 활용한 까닭에 하루아침에 제나라의 70여 성城을 함락하였다. 그러나 민왕이 살해된 뒤에는 백성들의 원망하는 마음이 저절로 잦아들었다.[135] 그는 또 저들 세 나라가 차지한 땅을 나누려 할 것이 두려워 연이어 바쁘게 저들 나라의 군사를 떠나보냈다. 연나라의 역량으로는 또한 단지 이렇게 할 수

惠王이 등극하게 되어서는 모함을 받아 상장군에서 해직되고 騎劫이 대신 임명되자 조나라로 망명하여 望諸君에 봉하여졌다.(『資治通鑑』「周赧王」 3~36년)

129 孫臏: 전국시대 제나라 사람. 龐涓과 함께 鬼谷子에게 병법을 배웠다. 뒤에 魏나라의 장군이 된 방연의 시기로 두 다리를 잃는 형벌을 받았으나 제나라에 중용되어 방연을 馬陵으로 유인하여 스스로 자살하게 하였다.(『史記』 권65)

130 文中子는 '자신이 … 갈무리하였다.': 문중자는 隋나라 王通의 私諡. 그의 저서 『中說』「王道篇」에서, "문중자가 악의론을 읽고서 '어진 사람이다 악의여! 자신이 행할 수 있는 힘을 잘 갈무리하였다.(子讀樂毅論曰, 仁哉樂毅! 善藏其用.)'라고 하였다."하고, 宋나라 阮逸의 注에, "'어진 사람이다, 악의여!'는 성을 도륙내지 않고 자신의 힘을 잘 갈무리한 것이다(仁哉美毅, 不屠城, 善藏用也)'라고 하였다.

131 蘇軾는 그가 … 실패하였다.': 이는 『東坡全集』 권43 樂毅論』의 내용을 줄여 이른 말이다. 곧 삼왕의 仁政을 펴서 그 인정이 제나라 사람들에게 스며들어 저절로 항복해 올 때를 기다리려 실패했다는 말이다.

132 這只是他每愛去立說: 『朱子語類』 권134, 68조목에는 '這是他們愛去立說'이라고 되어 있어 '只'자 한 글자가 없고, '每'자는 '們'자로 쓰여 있다.

133 這箇是那田單會守: 『朱子語類』 권134, 68조목에는 '箇'자가 '只'자로 쓰여 있다.

134 田單: 전국시대 제나라 臨淄 사람. 燕나라의 장수 악의가 제나라를 공격하여 70여성이 함락될 때 자신의 집안사람들에게 수레바퀴통 끝에 철망을 덧씌우고 피난길을 떠나게 하였다. 다른 수레들은 수레끼리 서로 부딪혀 수레바퀴통이 부러지며 모두 잡혔으나 전단 집안사람들만 무사하게 피난시킨 일이 알려져 즉묵을 수비하는 장군으로 추대되었다. 나중에 반간계를 써 악의를 물러나게 하였고 대신 부임한 騎劫을 소꼬리에 불을 붙여 앞세우는 전법으로 연나라를 무너뜨리고 함락된 70여 성을 회복시켰다. 거 땅에 있던 양왕을 복위시키고 安平君에 봉해졌다.(『資治通鑑』「周赧王」 36년)

135 민왕이 살해된 … 잦아들었다.: 초나라의 구원병을 이끌던 淖齒가 연나라와 제나라 땅을 분할해 통치하고자 하여 제나라 민왕을 살해하였다. 이때 민왕의 태자 法章(襄王)이 거 땅에 숨어살다가 왕으로 추대되었다.(『資治通鑑』「周赧王」 31~32년)

밖에 없었다. 여기에다 저 전단은 또한 충성스럽고 의로우며 절의를 위해 죽음까지도 다하려는 마음으로 두 성을 수비하였다. 악의가 저들 땅을 취하려 기운과 힘을 온통 쏟았다. 전단이 잘 수비한 뒤부터는 그곳을 어찌할 수 없었다.

樂毅也只是戰國之士, 又何嘗是王者之師! 他當時也恣意去鹵掠, 政如孟子所謂'毁其宗廟, 遷其重器', 不過如此擧措. 他當時那鼎也去扛得來, 他豈是不要他底! 但是田單與他皆會. 兩箇相遇, 智勇相角, 至相持三年. 便是樂毅也煞費氣力, 但取不得. 及騎劫用, 則是大段無能. 後被田單使一箇小術數子, 便乘勢殺將去. 便是國不可以無人. 如齊但有一田單, 盡死節恁地守, 便不奈他何."[136]

악의도 또한 단지 전국시대의 인물일 뿐이다. 또 어찌 조금이나마 왕도王道를 실행하려는 군대이겠는가! 그는 당시 마음 내키는 대로 노략질을 자행하여 바로 맹자가 말한 '그 나라의 종묘를 헐어내고 진기한 물건들을 옮겨 갔다.'[137]는 것과 같았으니, 한 짓이 이 같음을 넘어서지 못하였다. 그가 당시에 저 정鼎을 또한 옮겨왔으니[138] 그가 어찌 그 땅을 취하고자 아니했겠는가! 단지 전단과 악의는 모두 그것을 알고 있었다. 두 사람이 서로 접전하여 지혜와 용맹을 서로 겨루며 3년을 서로 버티는 데에 이르렀다. 바로 악의가 기운과 힘을 모두 쏟았으나 단지 그 땅을 얻지 못하였다. 기겁騎劫이 등용되는 데에 이르러 이 사람은 대단히 무능한 사람이다. 나중에 전단이 조그만 술수 몇 가지를 써서 말려들게 하더니[139] 바로 형세를 타고 살해하여버렸다. 이것이 나라에 인재가 없어서는 안 된다는 것이다. 제나라와 같은 경우

• • • • • • • • • • • • • • • • • • •

136 『朱子語類』 권134, 68조목

137 맹자가 말한 … 갔다.': 제나라가 연나라의 어지러운 틈을 타고 공격하여 쉽게 점령하였다. 이에 당시 중국의 여러 제후들이 연나라를 구원하려는 의논이 일었다. 이를 두려워한 제나라 宣王이 이에 대한 계책을 맹자에게 물었다. 이에 맹자는 제나라가 연나라를 점령한 뒤의 잘못한 행태를 비판하며 말하기를, "곧 연나라가 학정을 미워하여 제나라 군사의 공격을 반겼는데 제나라가 섬령하고서 자신의 父兄을 죽이고, 子弟들을 묶어가고, 종묘를 헐고, 진기한 물품들을 옮겨가고 있으니, 무엇이 그들 마음에 탐탁하겠는가!"라고 하였다. (『孟子』「梁惠王下」)

138 鼎을 또한 옮겨왔으니 : 정은 곧 국가의 상징을 이르는 말이다. 夏나라의 禹임금이 당시 중국의 쇠를 모아 鼎을 만든 데에서 후세에 이 정이 국가의 정통성을 상징하는 물건으로 일컬어졌다. 여기서는 연나라가 제나라의 모든 보물을 연나라로 옮긴 것에서 곧 국가의 상징인 어떤 보물도 연나라로 옮겨진 것을 지칭한 말로 쓰인 것 같다. 구체적으로 이시기 전후해서 '정'을 옮겨갔다는 기사도 없고 제나라에 어떤 '정'이 있었다는 기사도 확인할 수 없다.

139 전단이 조그만 … 하더니 : 기겁은 전단이 악의와 혜왕 사이를 이간시킨 반간계에 의하여 부임한 장수이다. 전단은 기겁의 군대를 무너뜨리기 위해 神이 전단의 군대를 돕고 있다는 것을 군대에 알리기 위해 가짜 神師를 만들어 군대의 마음을 북돋웠고, 제나라 군사가 연나라에 항복하는 것을 막기 위해 항복한 제나라의 군사들의 코를 베는 형벌을 시행하였고, 제나라 군대의 분개심을 북돋우기 위해 연나라에게 제나라 조상 묘를 모두 파헤치게 하였고, 노약자나 부녀자들을 성 위에서 지키게 하고 용맹한 군졸들은 모두 숨겨 두며 연나라에 사신을 보내 항복하겠다고 거짓 약속하였다. 이에 제나라 군사들은 싸우려는 마음이 날로 치솟고 연나라 군사들은 마음이 점점 해이해졌다.(『資治通鑑』「周赧王」36년)

단지 전단 한 사람이 죽을 절의를 다해 저와 같이 수비하였으니, 그에게 어찌할 수 없었던 것이다."

[59-14-2]

"樂毅苦即墨之圍, 乃用師之道, 適當如此, 用速不得. 又齊湣王人多叛之, 及死而其子立于苦, 則人復惜之, 不忍盡亡其國. 即墨又有田單, 故下之難. 使毅得盡其策, 必不失之."[140]

(주자가 말하였다) "악의의 거苦와 즉묵即墨의 포위는 군대 작전의 도리가 당연히 이러해야 한다. 또 제나라 민왕은 백성들이 대부분 배반하였으나 그가 죽고 그 아들이 거 땅에서 등극하게 되어서는 백성들이 다시 그를 안타깝게 여기고 차마 나라를 완전히 망하게 하지 못하였다. 즉묵에는 또한 전단이 있었던 까닭에 함락시키기 어려웠다. 악의에게 그의 책략을 다 쓸 수 있게 해주었다면 반드시 연나라 땅을 잃지는 않았을 것이다."

[59-14-3]

或問: "孫臏料龐涓暮當至馬陵, 如何料得如此好?"

沈僩曰: "使其不燭火看白書, 則如之何?"

曰: "臏料龐涓是簡絜底人, 必看無疑. 此有三樣, 上智底人, 他曉得必不看. 下智獃底人, 亦必不看, 中智底人必看, 看則墮其機矣. 嘗思古今智士之謀略詭譎, 固不可及, 然記之者, 能如此曲折書之, 而不失其意, 則其智亦不可及矣."

어떤 사람이 물었다. "손빈은 해질 무렵에 방연이 마릉에 도착할 것을 헤아렸는데[141] 어떻게 이처럼 잘 헤아렸습니까?"

심한沈僩[142]이 말하였다. "불을 켜서 하얀 나무 바탕에 써진 글을 보지 않았다면 어떻게 되었겠습니까?"

(주자가) 대답하였다. "손빈은 방연이 우유부단한 사람임을 헤아리고서 반드시 보리라고 의심하지 않았

. . . .

140 『朱子語類』 권134, 70조목

141 "손빈은 해질 … 헤아렸는데 : 이 사건은 주나라 顯王 28년에 魏나라가 장수 방연을 앞세워 韓나라를 치자 제나라가 한나라의 구원 요청을 받고 손빈을 軍師로 임명하여 일어난 전쟁이다. 이때 제나라는 한나라를 구원하기 위해 위나라의 수도를 향해 진격하였다. 이에 방연은 한나라 공격을 멈추고 제나라 군대의 공격을 막기 위해 위나라로 철수하였다. 여기에서 손빈은 저 유명한 減竈計(밥 지은 아궁이 숫자를 줄이는 계책)를 써서 방연의 마음을 풀어지게 하고서 후퇴를 거듭하였다. 방연은 이에 보병부대를 버리고 가볍게 무장한 기병부대를 거느리고 제나라의 군대를 추격하였다. 손빈은 방연의 군사가 해가 져서 어두워질 무렵에 마릉의 협곡에 이를 것을 헤아리고 길에 있는 나무의 껍질을 깎아내 하얗게 만들고서는 "방연이 이 나무 아래서 죽을 것이다.(龐涓死此樹下)"라고 써놓았다. 그리고 군사들 중 쇠뇌에 능한 자 1만여 명을 마릉의 길가에 매복시키고 깎아 세운 나무 밑에서 불이 반짝하고 켜지면 쇠뇌를 집중 발사하게 하였다. 손빈의 예상대로 방연은 어둠이 짙어질 무렵 마릉의 협곡에 도착하였고 나무에 써진 글씨를 보고자 횃불에 불을 붙였다. 글을 다 읽기도 전에 쇠뇌가 집중 발사되어 위나라 군사는 혼란에 빠졌다. 이에 방연은 패한 것을 깨닫고 목을 베어 자살하였다. 이 전투에서 위나라는 태자 申이 포로로 붙잡히는 참패를 당하였다.

142 沈僩: 朱子의 문인

다. 여기에는 세 가지 부류가 있을 수 있으니 상등의 지혜를 가진 사람은 (상대의 술수를) 간파하고 반드시 보지 않을 것이고, 하등의 지혜를 가진 어리석은 사람도 역시 굳이 보지 않을 것이고, 중등의 지혜를 가진 사람은 반드시 볼 것이며 보게 되면 그 계책에 떨어진다. 지난날 생각해보니 예나 지금이나 지혜로운 사람의 책략과 속임수는 참으로 미칠 수 없었다. 그러나 이를 기록하는 사람이 잘도 이처럼 자세한 정황을 기록하며 그 의도를 그르치지 않았으니 그 사람의 지혜도 또한 따라갈 수 없다."

毛遂 모수,[143] 趙括 조괄,[144] 魯仲連 노중련[145]

[59-15-1]
潛室陳氏曰: "毛遂上不數於其主, 下不齒於其徒, 而卒能奮身決起, 著名楚趙. 苟非見棄於人, 安能以有激乎? 吾觀戰國游士, 所以策名當時, 致身將相, 快平生之憤, 酬夙昔之願, 往往皆因所激而能致之. 蘇秦之相六國, 其家激之也. 張儀之相秦, 其友激之也. 范睢談笑而取秦柄, 其讎激之也. 故善用人者, 於其凌厲頓挫之時, 而乘其感慨奮激之氣, 則雖尋常之人, 皆能以自效於尺寸. 如其習安於豢養之餘, 而生平之意願已足, 則雖奇人節士, 亦或無以自見也."[146]

---

143 毛遂: 전국시대 趙나라 平原君의 식객. 조나라의 도읍 邯鄲이 秦나라에 포위되어 楚나라의 구원을 청할 때, 이 일을 책임진 평원군이 자신의 식객 중에서 20명을 뽑아 동행하려는 계획을 세우고서 19명을 선발하고 마지막 한 사람을 구하지 못해 고민하였다. 이때 모수가 따라가기를 자청하였으나 평원군이 내켜하지 않아, 끝까지 설득하여 마침내 합류하였다. 초나라 군주가 협상에서 망설이자, "진나라를 치는 것은 역대 초나라가 진나라에 입은 치욕을 갚는 일이요, 꼭 조나라만을 위한 것이 아닙니다."라는 강한 어조로 설득하여 마침내 조나라를 구해냈다. 이를 세상에서 毛遂自薦이라 한다.(『史記』「平原君虞卿傳」)
144 趙括: 전국시대 趙나라의 명장 趙奢의 아들. 어려서부터 병법을 익혀 천하에 자신을 당할 사람은 없다고 큰소리쳤다. 아버지와 전쟁에 관한 논쟁에서도 그는 아버지 조사를 능가하였으나, 조사는 조나라가 괄을 장수로 삼는다면 반드시 조나라의 군대를 무너뜨릴 것이라고 걱정하였다. 마침내 秦나라와의 전쟁에서 廉頗를 대신하여 나섰다가 白起에게 패하여 조나라 군사 40만 명이 長平에서 생매장되어 죽고 어린 군사 240명만 살아 돌아오는 참패를 당하였다.(『史記』「廉頗藺相如傳」)
145 魯仲連: 전국시대 齊나라 사람. 趙나라에 머무를 때 秦나라가 趙나라를 침략하자 魏(梁)나라와 조나라를 설득하여 진나라를 격퇴하였다. 이때 그가 "저 진나라가 기세를 펼쳐 천하의 제왕이 된다면 나 노중련은 동해 바다에 뛰어들어 죽을지언정 백성이 되기를 원하지 않는다.(彼即肆然而爲帝於天下, 則連有蹈東海而死耳, 不願爲之民也.)"고 했는데 이 말은 뒷날 많은 충신들의 입에 회자되는 명언이 되었다. 또 燕나라 장수가 齊나라를 공격하여 聊城을 함락시키고 연나라 왕과의 불화로 돌아가지 못하고 요성에서 버티고 있었다. 제나라의 田單이 이를 항복받지 못해 애태우자, 화살에 편지를 묶어 연나라 장수에게 전달하여 이를 읽은 장수가 자살하게 함으로써 요성을 회복시켰다. 제나라에서 벼슬을 내리려고 하자 바닷가로 도망쳐 받지 않았다. 뒤에 천하의 高士로 추앙되었다.(『史記』「魯仲連傳」; 『資治通鑑』권5 「周赧王 57년」)
146 『木鍾集』「史·毛遂」

잠실 진씨潛室陳氏[陳塤]가 말하였다. "모수는 위로는 자신의 군주가 손꼽는 중에 들지 못하고 아래로는 동료의 축에도 끼지 못하였으나[147] 마침내 몸을 떨치고 결연히 일어나 초나라와 조나라에 이름을 널리 드러냈다. 진실로 남들에게 버림받지 않았다면 어떻게 격분하는 마음이 일었겠는가? 내가 전국시대의 유세객들을 살펴보면 당시에 신하가 되겠다고 이름을 올리고서[148] 몸소 장상將相(장군이나 승상)의 지위에 올라 평생의 울분을 깨끗이 씻고 예전부터 품었던 소원을 보상받은 자들은 이따금 모두 격분된 마음으로 인해서 이룰 수 있었다. 소진이 여섯 나라 정승이 된 것은 그 집안사람들이 그를 격분시켜서이고,[149] 장의가 진秦나라 정승이 된 것은 그의 친구가 그를 격분시켜서이며,[150] 범수范雎[151]가 담소하면서 진나라 국정을 손아귀에 넣게 된 것은 그의 원수가 그를 격분시켜서이다.[152] 그러므로 사람을 잘 쓰는 사람은

- - - - - - - - - - - - - - - - - - - -

147 동료의 축에도 … 못하였으나 : 모수가 평원군의 허락으로 20명 선발에 겨우 들었는데 조나라로 가는 길에 먼저 선발된 19명이 자기네들끼리 눈길로 모수를 비웃은 일을 이른다.(『史記』「平原君虞卿列傳」)

148 신하가 되겠다고 … 올리고서 : 이 글의 원문 策命은 『左傳』「僖公 23년」의 "策名委質, 貳乃辟也"에서 온 말이다. 이에 대해 孔穎達의 疏는 "옛날 벼슬길에 오른 사람은 군주에게 자신의 이름을 簡策에 써 올려 자신이 그 군주에게 소속되었음을 밝힌다.(古之仕者, 於所臣之人, 書己名於策, 以明繫屬之也.)"고 하였다. 조선 시대에도 관리가 큰 죄를 범하면 仕版에서 이름을 삭제하였는데 이런 전례에서 비롯된 것이다.

149 소진이 여섯 … 격분시켜서이고 : 소진은 전국시대 東周의 洛陽 사람으로 合縱策을 성사시킨 유세객으로 유명하다. 그가 鬼谷先生에게서 공부한 뒤, 여러 해 동안 제후국을 돌며 자신의 경륜을 펼치려다가 실패하고 매우 곤궁한 모습으로 돌아오자 집안 식구들 모두가 비웃으며 "주나라는 본래 농사나 工商에 힘쓰는데 말재주에 공을 들였으니 곤궁해진 것이 당연하다."라고 하였다. 소진이 부끄럽고 자신의 신세가 한탄스러워 문을 닫아걸고 "남자가 머리를 처박고 공부하여 존귀한 영화를 얻지 못한다면 많은 공부를 어디에 쓰겠는가?" 하고 1년을 꼬박 공부한 다음, 燕나라에서부터 합종책을 설득하여 마침내 여섯 나라를 묶어 秦나라에 대항하는 연합국을 형성하고 여섯 나라의 재상이 되었다.(『史記』「蘇秦傳」)

150 장의가 秦나라 … 격분시켜서이며 : 장의는 전국시대 魏나라 사람으로 소진과 함께 귀곡선생의 제자이다. 소진이 여섯 나라를 묶어 연합시킬 때 趙나라를 연합에 동참시켰는데 마침 秦나라가 魏나라를 공격하여 승리하였다. 소진은 진나라가 조나라를 공격하게 되면 합종책이 무너질 것을 예견하고 진나라를 설득할 수 있는 사람은 장의밖에 없다고 판단하였다. 이에 楚나라에서 뜻을 얻지 못한 장의를 진나라로 들여보낼 계책을 꾸몄다. 사람을 시켜 소진이 출세했으니 찾아가 그대의 뜻을 펼쳐보라고 권유하였다. 장의가 찾아갔으나 며칠 만에 만나준 소진은 장의를 堂下에 앉히고 노복들에게 먹이는 음식을 대접하고, "자네 같은 재주로 이렇게 곤궁하게 지내다니 내가 자네를 부귀하게 만들 수 없겠는가만은 자네는 도와줄 만한 사람이 아니다."라고 푸대접하였다. 장의는 기대가 무너진 것은 물론 도리어 모욕을 당한 것에 한을 품었다. 소진을 꺾을 수 있는 나라는 진나라 밖에 없다고 생각한 장의는 진나라를 찾기로 하였고 이를 예상한 소진은 자신의 식객을 시켜 장의가 진나라로 가는 길에 필요한 수레며 차비를 일체 지원하였다. 마침내 秦惠王에게 등용되자, 식객이 물러가며 자초지종을 모두 말하고, "소진이 진나라가 조나라를 공격하여 합종책이 깨질 것을 염려하여 진나라의 정권을 잡을 수 있는 사람으로 당신을 지목하여 오늘까지 도움을 드린 것이다."라고 하였다. 이에 장의는, "내가 이제 막 등용되었는데 어찌 조나라를 치겠는가? 소진의 세상에 장의가 어찌 감히 말을 꺼내겠는가?"라고 하였다.(『史記』「張儀傳」)

151 范雎 : 범수의 이름은 기왕에 '범수'로 불려왔는데 '범저'로 읽어야 한다는 설이 제기되고 있다. '수'자는 왼쪽 편 방이 '目'인 '目+隹'로 쓰고, '저'자는 '且'인 '雎'로 쓴다. 그런데 범수의 이름을 쓴 판본들이 '目'과 '且'를 불분명하게 표기한 데에서 발생한 것이다.

152 범수가 담소하면서 … 격분시켜서이다. : 범수는 전국시대 魏나라 사람으로 자는 叔이다. 위나라의 中大夫

상대의 하늘 높던 등등한 기세가 좌절을 겪을 때 그의 슬픔과 울분을 이용하게 되면, 보통 사람이라 할지라도 자신이 가진 조그마한 것까지 고스란히 다하게 할 수 있다. 만일 잘 먹고 보양 받는 일에 편안히 길들여져 평생의 바람이 이미 만족스러워졌으면, 아무리 기인奇人이고 절의가 있는 사람일지라도 또한 자신을 드러낼 것이 없을 것이다."

[59-15-2]

"趙括虛張無實, 言大而才踈. 其父母知之, 趙廷之臣知之, 而敵國之人亦知之. 獨其君不之知者, 蓋當是時, 應侯行千金於趙, 以爲反間. 是必左右近臣, 陰受秦賂, 相與蒙蔽主知, 故其君不悟至此. 人多以名用人, 失之趙括, 不知括之在趙, 未嘗以名聞也. 使括而以名聞於趙, 則秦當忌之矣, 而胡爲利括之爲將也? 是括虛張踈繆之實, 已久聞於隣國, 其主不知之耳."153

(잠실 진씨가 말하였다.) "조괄은 헛되이 떠벌리며 실속이 없고, 말로는 큰소리치지만 재주는 서툴다. 그것을 그의 부모가 알았고154 조나라 조정의 신료도 알았으며 적국 사람들도 알았다.155 유독 조나라 군주만 알지 못했으니 당시 응후應侯가 조나라에 1천 금金을 뿌려 반간계를 부려서다.156 이는 틀림없이

....

須賈의 齊나라 사행에 수행하였다가, 齊襄王이 그의 뛰어난 말솜씨를 알아보고 金과 소고기와 술 등을 선물하였다. 수가는 이를 범수가 위나라의 비밀을 제나라에 누설하고서 얻은 선물이라 생각하고서 돌아와 이를 齊相 魏齊에게 알렸다. 위제는 범수를 불러다가 갈비뼈가 부러지고 이빨이 부러지도록 매질하였다. 범수가 죽은 척하자 거적에 말아 변소에 버려두게 하고서는 술에 취한 식객들에게 오줌을 싸게 하였다. 범수가 자신을 지키는 사람에게 살려줄 것을 부탁하여 위기를 벗어난 뒤 이름을 張祿으로 바꾸고 진나라로 들어갔다. 이때 진나라는 昭王이 다스리고 있었는데 소왕의 어머니 宣太后와 선태후의 친정 아우인 穰侯(이름은 魏冉)와 華陽君, 그리고 소왕의 아우 涇陽君과 高陵君 등이 정권을 쥐고 있었다. 양후가 멀리 齊나라를 공격하자 범수는 소왕에게 글을 올려 신임을 산 뒤 소왕을 만나는 기회를 만들었다. 소왕이 부르자 "왕은 보이지 않고 양후만 보인다."는 말로 왕의 의중을 떠본 뒤 소왕에게 遠交近攻을 설득하며 위염과 선태후를 제거하도록 하였다. 이어 상국으로 등용되고 應侯에 봉해졌다.(『史記』「范雎傳」)

153 『木鍾集』「史·趙括」

154 그의 부모가 알았고 : 조괄의 아버지 趙奢가 아들 조괄과 전쟁에 대해 이야기를 나누어 보고서는 그의 아내에게, "전쟁은 죽음의 땅인데 괄이 말을 쉽게 하니 조나라가 괄을 장수로 삼는다면 조나라 군대를 파괴할 사람은 반드시 괄일 것이다."라고 말하였다. 조사가 죽은 뒤 조괄이 염파를 대신해 장군으로 등용되어 진나라와의 전쟁에 나가게 되었다. 이에 조괄의 어머니는 조나라 孝成王에게 괄의 장수 등용 취소를 청하였다. 그러나 받아들여지지 않자 괄이 설사 소기의 성과를 얻지 못하더라도 그 죄를 어미인 자신에게 연좌시키지 말아줄 것을 청한 뒤 아들을 출전시켰다.(『史記』「廉頗藺相如傳」)

155 조나라 조정의 … 알았다. : 조괄이 장수로 등용되자 당시 병이 깊어 출전하지 못했던 인상여가, "왕께서 단지 명성만으로 조괄을 임명하였으나 그는 융통성이 없으며 단지 그 아버지가 가르쳐주는 병법만을 읽었지 임기응변을 모른다."고 평하였다.(『史記』「廉頗藺相如傳」)

156 應侯가 조나라에 … 부려서다. : 응후는 진나라의 상국 范雎를 이른다. 진나라가 조나라를 침략하여 장평 전투에서 승리를 거두자, 조나라의 장수 염파는 성문을 굳게 닫고 싸움에 응하지 않았다. 이에 조나라의 효성왕은 염파가 겁을 먹고 있는 것으로 알고 연이어 싸우도록 질책하였다. 이 사이 진나라의 응후는 1천 금의 뇌물을 조나라에 뿌리고서, "진나라가 두려워하는 것은 조사의 아들 조괄이 장군이 되는 것을 두려워할

좌우 측근 신하가 몰래 진秦나라의 뇌물을 받고 서로 함께 군주가 알지 못하게 가린 까닭에 조나라 군주가 깨닫지 못하고 이 지경에 이른 것이다. 사람들은 대부분, 명성으로 사람을 등용한 것이 조괄에서 잘못되었다고 말하고 있으나, 조괄이 조나라에서 명성이 드러난 적이 없었음을 알지 못하고 있다. 가령 조괄의 명성이 조나라에 쫙 돌았다면 진나라가 당연히 그를 꺼렸을 텐데 조괄이 장군이 된 것을 왜 이롭게 생각했겠는가? 이것은 조괄이 헛되게 떠벌리며 서툴고 오류투성이라는 실상이 이미 이웃나라에는 오래전에 소문나 있었는데 군주만 알아차리지 못했을 뿐이다."

[59-15-3]

問 : "趙長平之敗."

曰 : "長平之敗, 豈不哀哉? 此不惟一趙括爲之, 兵端一開, 平原君實爲之也. 蓋當是時, 秦嘗有事於魏韓, 而馮亭欲嫁禍於隣國, 故以上黨自歸於趙. 夫秦拔野王, 而上黨路絶, 是上黨之在韓也, 有已亡之形, 而秦有垂得之勢. 今韓以空名歸趙, 實欲嫁秦兵於趙, 此蓋馮亭狙詐之術耳. 夫秦日夜勞心苦力以蠶食於韓, 今上黨有垂得之勢, 而趙乃欲安坐而利之. 則雖彊大不能得之弱小, 而弱小顧能得之彊大乎? 且無故之獲, 有道之所深憂也. 非望之福, 哲人之所甚禍也. 平原不見天下之大勢, 暗於狙詐之術, 棄龜鑑之名言, 而自速危亡之禍, 則長平之敗, 豈獨趙括爲之哉?"[157]

조나라 장평의 패배에 대해 묻습니다.

(잠실 진씨가) 대답하였다. "장평의 패배가 어찌 슬프지 않겠는가? 이는 조괄 한 사람이 한 일이 아니니 전쟁의 발단은 실지 평원군이 만든 것이다.[158] 당시에 진秦나라는 위魏나라, 한韓나라와 전투를 벌였는

뿐이지, 염파는 상대하기 쉽고 또 곧 항복할 것이다.(秦之所畏, 獨畏馬服君之子趙括爲將耳. 廉頗易與且降矣.)"라고 하였다. 이에 효성왕은 조괄을 장군으로 임명하였다.(『資治通鑑』 권5 「周赧王 55년」)

157 『木鍾集』 史 「長平之敗」

158 실지 평원군이 … 것이다. : 진나라 장군 白起가 韓나라를 정벌하여 野王을 함락시키자 한나라의 상당은 수도인 新鄭과의 길이 끊겼다. 이에 상당의 수령 풍정은 상당을 조나라에 귀속시켜 진나라의 군대가 조나라를 공격하게 되면, 진나라는 조나라를 공격하려 들 것이고, 조나라는 이를 두려워하여 한나라와 손을 잡을 것이니, 조나라와 한나라가 손을 잡게 되면 진나라를 막아낼 수 있을 것으로 예측하였다. 이에 조나라에 사람을 보내 상당의 백성들이 진나라 보다는 조나라를 섬기려 하니 조나라에 상당을 바치겠다고 요청하였다. 조나라의 孝成王은 이를 平陽君豹에게 물었다. 평양군은 "성인은 까닭 없이 생긴 이익을 가장 재앙으로 여긴다.(聖人甚禍無故之利.)"고 반대하고, 이어 진나라가 한나라를 잠식하여 상당이 수도와의 중간 길이 끊겼는데 한나라가 상당을 진나라에 들여보내지 않음은 재앙을 조나라에 전가시키고자 함이라면서, 받아들여선 안 된다고 하였다. 이에 효성왕은 다시 평원군에게 물었고, 평원군은 받아들여야 한다고 하였다. 이에 평원군을 상당으로 보내 그 땅을 받아오게 하였다. 진나라는 이에 王齕을 시켜 상당을 공격하여 함락시키자, 상당의 백성들은 조나라로 도망쳤다. 조나라가 염파를 장평에 주둔시켜 이들 백성을 보호하자, 왕흘이 조나라를 공격하여 조나라는 연이어 패하였다. 이에 조나라의 장수 염파는 성문을 닫아걸고 싸움에 나서지 않았다. 마침내 효성왕은 염파를 불러들이고 조괄을 장수로 임명하였다가 참패하였다.(『資治通鑑』 권3 「周赧王

데, 풍정馮亭이 그 재앙을 이웃나라에 전가시키려 한 까닭에 상당上黨을 조나라에 귀속시켰다. 진나라가 야왕野王을 함락시키자 상당은 길이 끊겼으니, 이는 상당이 한나라에게는 이미 잃게 된 형국이고, 진나라에는 거의 손에 들어온 형세였다. 여기서 한나라는 조나라에 허울뿐인 이름만 돌아가게 한 것이고 실상은 진나라 군대를 조나라에 전가시킨 것이니, 이는 풍정이 기회를 노려 부린 속임수일 뿐이다. 진나라는 한나라를 잠식하기 위하여 밤낮으로 마음을 끓이고 힘을 수고롭게 하여 이때 상당이 거의 수중에 들어온 형세였는데 조나라가 편안히 앉아서 그 땅을 차지하고자 하였다. 강대국도 약소국에서 할 수 없는 일인데, 약소국이 도리어 강대국에게 할 수 있는 일이겠는가? 또 아무런 까닭 없이 얻는 이득은 도를 지키는 사람은 깊이 근심하고, 바라지 않던 복록을 명철한 사람은 극히 재앙으로 여겼다. 평원군은 천하의 대세를 보지 못하고 기회를 노려 부린 속임수에 마음이 어두워, 귀감으로 삼을 훌륭한 말[159]을 팽개치고 스스로 위험과 멸망의 화를 불러들였다. 그러니 장평의 패배가 어찌 조괄 혼자서 한 일이겠는가?"

[59-15-4]

"魯仲連亦戰國策士耳. 而奇氣踈節, 憤激陳義, 有非策士所能及者. 鷹隼高飛於雲漢, 虎豹長嘯於山林, 其頡頏飛騰之氣, 豈人之所能近哉? 一旦受人之羈縶, 而豢養於樊圈之中, 則與雞犬何異! 何者? 惟其有所欲故也.

(잠실 진씨가 말하였다.) "노중련도 역시 전국시대의 책략개[策士]일 뿐이다. 그러나 기이한 기개와 고고한 절의, 격분하여 펼치는 의리는 일반 책략가들이 미칠 수 있는 것이 아니었다. 매와 수리가 하늘 높이 구름 사이를 날고, 호랑이와 표범이 숲 속에서 크게 울부짖을 때 하늘을 오르내리며 힘차게 날아오르는 그의 기상을 어찌 보통 사람이 가까이 할 수 있겠는가? 하루아침에 남이 씌운 굴레와 줄에 묶여 버렁[160]과 우리 속에 길러진다면 닭이나 개와 무엇이 다르겠는가! 왜 그렇게 되었을까? 그것은 욕심내었던 까닭이다.

戰國游士, 大抵不勝其利欲之私心. 擔簦而往, 鼓篋而遊, 夫孰非有富貴之心者? 故一受人之羈縻, 甘人之豢養, 則雖有奇氣踈節, 將無所用之. 而俛首帖尾, 碌碌人下者, 往往而是也. 尚何望其憤激陳義哉? 仲連惟不見其所欲, 故不受人之羈縻, 不甘人之豢養. 是以高飛長嘯, 而足以頡頏於一世. 雖未必爲天下士, 而人固以天下士奇之矣."[161]

전국시대 유세객은 대체로 이욕에 대한 사사로운 마음을 건더내지 못하였다. 우산을 등에 메고 분주히 쏘다니고, 북소리에 맞추어 책 상자를 열어 공부할 적[162]에 누군들 부귀에 대한 마음이 없겠는가? 그러므

. . . .

55년」)

159 귀감으로 삼을 … 말: 평양군 표가 효성왕에게 한 말을 이른다.

160 버렁: 매사냥에서, 매를 팔 위에 받을 때 팔에 상처가 나지 않게 하기 위하여 팔에 끼는 일종의 토시 같은 두꺼운 장갑

161 『木鍾集』 「史 · 魯仲連」

162 우산을 등에 … 적: 우산을 등에 운운은 비가 오는 것에 구애받지 않고 분주히 사방을 쏘다니는 것을 이르고,

로 남이 씌우는 굴레와 줄에 한번 묶여 남이 길러주는 것을 달갑게 여기면, 아무리 기이한 기개와 고고한 절의를 가졌어도 그것들이 쓰일 곳이 없게 된다. 그런데도 머리를 숙이거나 꼬리를 내리고서 보잘것없이 남의 밑에서 노는 사람이 되는 것은 가끔 이 까닭이다. 그들에게서 어떻게 격분되어 펼치는 의리를 바랄 수 있겠는가? 노중련은 욕심낼 만한 것을 보지 않았던 까닭에, 남이 씌우는 굴레와 줄에 묶이지도 않았고 남들이 길러주는 것을 달갑게 여기지도 않았다. 그러므로 하늘 높이 날고 큰소리로 울부짖으며 한세상을 높이 오르내리며 살 수 있었다. 꼭 천하 최고의 인물은 아니겠지만, 사람들은 진실로 천하 최고의 인물로 여기고 기이해 하였다."[163]

藺相如 인상여[164]

[59-16-1]

龜山楊氏曰: "周室之季, 天下分裂爲戰國. 游談之士出於其間, 各挾術以干時君, 視其喜怒悲懼而揣闔之. 徼名射利, 固無足道者, 間有感憤激昂, 以就一時之功, 其材力有足過人, 而鮮克自重其身者何多耶? 予讀「藺相如傳」, 未嘗不壯其爲人, 而惜其如此也.

구산 양씨龜山楊氏[楊時]가 말하였다. "주나라 왕실 말년에 천하가 분열되어 전국시대가 되었다. 유세객들이 그 기간에 출현하여 각기 책략을 지니고서 당시 군주에게 등용되고자, 그들 군주의 기쁨과 노여움, 슬픔과 두려워하는 눈치를 살펴가며 벽합술揣闔術[165]을 행하였다. 명예를 구하고 이익을 얻고자 한 경우

. . . .

　　북소리 운운은 『禮記』「學記」 편의 글 "학교에 들어왔을 때 북을 쳐서 책 상자를 열어 책을 꺼내 공손한 마음으로 학업을 시작하게 한다.(入學鼓篋, 孫其業也.)"고 한 말을 인용한 것이다.

163　천하의 최고의 … 하였다. : 조나라가 진나라의 침략으로 위태로워지자 위나라에 구원을 청하였다. 이에 진나라는 위나라에 사신을 보내 "조나라는 조만간 함락되게 되어 있다. 만일 구원하는 나라가 있으면 반드시 군대의 방향을 바꿔 그 나라부터 먼저 공격하겠다."라고 하였다. 위나라는 구원군을 급히 중지시키고, 新垣衍을 조나라에 파견하여 진나라를 황제국으로 함께 섬길 것을 종용하였다. 이 말을 들은 노중련은 신원연에게, "위나라도 진나라와 똑같이 萬乘의 나라인데 순종하여 진나라를 황제 국가로 섬기면, 진나라는 천자의 격식에 따라 천하를 호령하여 제후 국가의 대신 중 자신 마음에 들지 않는 자는 내쫓고, 자신 마음에 든 자를 그 자리에 앉힐 것이다. 그렇게 되면 위나라 왕인들 어찌 편안할 수 있겠는가?"라고 하였다. 이에 신원연은 일어나 두 번 절하고서, "제가 오늘에야 선생이 천하 최고의 인물임을 알았습니다. 감히 다시 진나라를 황제로 섬기자는 말은 하지 않겠습니다.(吾乃今, 知先生天下之士也. 不敢復言帝秦矣.)"라고 하였다.(『資治通鑑』 권5 「赧王下 57년」)

164　藺相如 : 전국시대 趙나라 사람. 秦昭王이 城 열다섯 개와 조나라의 和氏璧을 바꾸자고 하였을 때, 화씨벽을 가지고 진나라에 갔다가 소왕이 성을 주려는 마음이 없음을 알고서는 꾀를 내어 화씨벽을 조나라로 되가져 왔다. 이후 上大夫에 올랐으나 이를 시기한 조나라 최고의 장수 廉頗의 질시를 받았으나 넓은 도량으로 포용하여 조나라 중흥에 힘썼다. 『史記』「廉頗藺相如傳」

165　揣闔術 : 세력을 분화시키고 끌어모으는 술법. 곧 당시 열국의 군주를 모아 연합국을 형성하거나 이미 형성

는 말할 것도 없고, 간혹은 분개하여 격앙된 마음으로 한때의 공훈을 이루기도 하고, 그 재주와 능력이 보통 사람을 충분히 넘어서는 사람조차 자신의 한 몸을 끝까지 자중하지 못하는 경우가 왜 그다지 많을까? 내가 「염파인상여전廉頗藺相如傳」을 읽으며 그 사람됨을 훌륭하게 여기면서도 그의 이런 면을 안타깝게 여기지 않은 적이 없었다.

夫秦籍累世之資, 肆虎狼之暴, 搏噬天下,[166] 有幷吞諸侯之心, 非可與禮義接而論曲直也. 相如區區掉三寸舌, 入睢眙不測之秦, 卒能以完璧歸, 亦足壯哉! 然當其捧璧睨柱, 示以必死, 蓋亦摩虎牙矣. 夫死非難, 死不失義, 不傷勇, 君子所難也. 且秦趙之不敵, 蓋雄雌之國也. 身之存亡, 非特一璧之重, 而社稷安危之機, 亦不在夫璧之存亡也. 然則趙之有璧, 存可也, 亡可也.

진나라는 여러 대의 자산을 바탕 삼아 호랑이와 이리 같은 포악함을 휘두르며 천하를 후려치고 물어뜯어, 제후 국가를 병탄하려는 마음을 가졌으니, 함께 예의를 갖춰 만나고 시비곡직을 가릴 수 없다. 인상여가 구구하게 세 치 혀를 놀려 후일 당할 환난을 예측할 수 없는 진나라에 들어갔다가[167] 끝내 화씨벽和氏璧을 온전하게 도로 가지고 돌아왔으니 또한 충분히 장대하다고 할 만하다. 그러나 당시 화씨벽을 쳐들고서 기둥을 노려보며 목숨도 결단코 버릴 수 있음을 내비친 것[168]은, 또한 호랑이 어금니를 건드린 것이다. 죽는 것은 어려운 일이 아니다. 죽더라도 의리를 잃지 않고 용기를 손상시키지 않는 것을 군자는 어렵게 여긴다. 또 진나라와 조나라는 맞수가 아니고, 자웅의 나라이다.[169] 자신 한 몸 죽고 사는 것은

• • • • • • • • • • • • • • •

된 연합국을 부수는 방법을 이른다. 전국시대 鬼谷子에게서 시작되어 소진 장의가 이를 실천하였다. 귀곡자의 저서에도 이를 맨 첫 편으로 구성하고 있다. 『鬼谷子』 「捭闔」

166 搏噬天下 : '搏'자는 '搏'자가 옳다.

167 후일 당할 … 들어갔다가 : 후일 당할 환난 운운은 진나라의 상국을 지낸 范雎의 고사다. 『史記』 「范雎傳」에서, 범수가 진나라의 상국이 되자 자신의 재산을 모두 내어서 자신이 그동안 살아오면서 겪은 은혜와 원망을 모두 갚아 "한 그릇 밥을 신세진 것도 반드시 갚고, 한번 눈알의 부라림을 당한 원망도 반드시 보복하였다. (一飯之德必償, 睚眦之怨必報.)"고 하였다. 이 말을 가져다가 후일의 보복을 상징하는 말로 차용한 것이다. 그리고 『史記』 「刺客列傳」·「游俠列傳」에도 '睚眦'가 나타나 있다.

168 화씨벽을 쳐들고서 … 것 : 인상여가 화씨벽을 조나라에서 가져와 진나라 昭王에게 바쳤다. 이에 소왕은 이것을 좌우의 신하들에게 돌려 보이기만 하고 처음 약속한 열다섯 개의 城을 조나라에 줄 생각을 하지 않았다. 이에 인상여는 소왕 앞으로 나아가 "화씨벽에 흠이 있으니 왕에게 그곳을 보여드리겠습니다."고 하였다. 화씨벽이 자신에게 되돌아오자 "신이 왕을 보니 성을 보상할 의향이 없는 까닭에 신이 다시 화씨벽을 취하게 된 것입니다. 대왕께서 기어코 신을 급하게 다그치시면 신의 머리는 이 화씨벽과 함께 기둥에 산산이 깨어질 것입니다." 하고서 화씨벽을 쳐들고서 기둥을 노려보자, 진나라 소왕은 화씨벽이 깨질까 조마조마하여, 신하를 불러 지도를 살펴 이곳의 15개 성을 조나라에 주겠다고 하였다. 인상여는 이에 "조나라 왕이 이 화씨벽을 보낼 때 5일 동안 재계하였으니 왕께서도 5일 동안 재계하고 받으시라." 하고서는 화씨벽을 몰래 조나라로 돌려보내고 자신은 진나라에 남았다.(『史記』 「廉頗藺相如傳」)

169 자웅의 나라이다. : 자웅은 어느 한 나라가 이기면 어느 한 나라는 지는 것을 이른다. 곧 둘이 서로 함께 할 수 없다는 것이다. 맹상군의 식객 馮驩이 秦나라 왕에게 진나라와 齊나라는 자웅에 해당하는 나라입니다. 진나라가 강해지면 제나라가 약해지니 두 나라가 함께 최고가 될 수 없는 형세입니다.(夫秦齊, 雄雌之國.

단지 화씨벽 하나의 소중함에 한정되지 않고, 사직의 안정과 위험도 또한 화씨벽이 있느냐와 없느냐에 달려 있지 않다. 그렇다면 조나라에게 있어 화씨벽은 있어도 그만, 없어져도 그만이다.

初, 相如捧璧入秦, 趙之君臣計議, 非有親秦之心, 特迫其威彊耳. 夫以小事大, 古之人有以皮幣犬馬珠玉而不得免者, 至棄國而逃, 況一璧乎? 雖與之可也. 相如計不出此, 乃以孤單之使, 逞螳怒之威, 抗臂秦庭, 當車轍之勢, 其危如一髮引千鈞. 豈不殆哉? 當是時, 使秦知趙璧終不可得, 則欲徼幸不死難矣. 若是則尚安得爲不失義, 不傷勇乎? 不三數年, 趙卒有覆軍陷城之禍者, 徒以璧爲之祟也. 然則全璧歸趙, 何益哉?

처음에 인상여가 화씨벽을 받들고 진나라에 들어갈 때 조나라의 군주와 신하가 계책을 세우며 오간 말은, 진나라를 친하게 여기는 마음이 있었던 것이 아니고 단지 그들의 강한 위력에 압박을 받아서 한 것일 뿐이다. 작은 나라가 강대한 나라를 섬기는 데에 있어 예전 사람 중에는 모피毛皮와 비단, 개와 말, 주옥을 가지고서도 침략을 피할 수 없자 나라를 버리고 도망치기까지 한 사람도 있었는데[170] 하물며 화씨벽 하나이겠는가? 비록 내주어도 그만일 것이다. 인상여는 이런 계책을 세우지 않고 단신으로 사행 길에 나서 사마귀의 노여움과 같은 위엄을 드러내고, 진나라 조정에서 어깨를 걷어 올리며 수레바퀴의 형세와 맞섰으니[171] 그 위태로움은 머리카락 한 올로 1천 균鈞(30근斤이 1균임)을 들어 올리는 일과 같았다. 어찌 위태롭지 않겠는가? 당시에 가령 진나라가 조나라의 화씨벽을 끝내 가질 수 없음을 알았다면 요행을 구하여 죽음을 당하지 않으려 해도 어려웠을 것이다. 이 같이 되었다면 어떻게 의리를 잃지 않음이 되며 용기를 손상시키지 않음이 되겠는가? 몇 년이 지나지 않아 조나라는 끝내 군대가 궤멸하고 성이 함락되는 재앙이 있었으니 단지 화씨벽이 그 빌미였다. 그렇다면 화씨벽을 온전하게 조나라로 귀환시킨 것이 무슨 도움된 일이었는가?

至於澠池之會, 則其危又甚矣. 方趙王之西也, 廉頗約以一月不返, 則立太子以絶秦望, 則是行也, 非有萬全之計, 雖無往可也. 傳曰, 智者慮; 義者行; 仁者守, 然後可以會. 三者一闕焉, 則危事矣. 挾萬秉之君, 蹈危事, 非得計也. 相如爲趙卿相, 其智勇不足重趙, 使秦不敢惴焉. 乃欲以頸血濺之, 豈孔子所謂暴虎馮河, 死而無悔者歟!

민지澠池의 회맹會盟[172]에 이르러서는 그 위험이 또 더욱 심하였다. 바야흐로 조나라 혜문왕惠文王이 서쪽

• •
秦强則齊弱矣, 此勢不兩雄.)"라고 한 말에서 연유하였다.(『史記』「孟嘗君傳」)

170 예전 사람 … 있었는데 : 이는 周나라 문왕의 할아버지 大王의 고사다. 주나라가 邠 땅에 국가를 세우고 있었을 때 狄人이 침략하자, 태왕은 적인에게 모피와 비단을 가져다 바치고, 개와 말을 가져다 바치고, 주옥을 가져다 바치며 전쟁을 모면하고자 하였다. 그러나 그것 모두가 실패하였다. 이에 태왕은 나라의 원로들을 모아놓고 "적인이 욕심내는 것은 우리의 국토다. 나는 들으니 백성을 먹여 살리는 땅 때문에 백성의 생명을 희생하지 않는다." 하고, 빈 땅을 버리고 梁山을 넘어 岐山으로 옮겨가 나라를 세웠다.(『孟子』「梁惠王下」)

171 사마귀의 노여움과 … 맞섰으니 : 이는 인상여가 진나라 조정에서 벌인 행동을 螳螂拒轍의 고사에 비겨 하찮게 평가한 말이다. 이 고사는 『莊子』「人間世篇」에 실려 있다.

으로 떠날 때 염파가 약속하기를 '한 달이 넘어도 돌아오지 않으시면 바로 태자를 세우고서 진나라에 대한 바람을 끊겠습니다.'[173]라고 하였다면 이 행차는 만전의 계책이 있었던 것이 아니니 가지 않았어도 옳은 일이다. 『곡량전穀梁傳』에서 '지혜로운 자가 생각하고, 의로운 자가 수행하고, 어진 사람이 (나라를) 지킨 뒤라야 회맹할 수 있다.'[174]고 하였다. 세 가지에서 하나만 모자라도 위험한 일이다. 만승의 군주를 끼어들게 하고 위험한 일을 감행하는 것은 옳은 계책이 아니다. 인상여가 조나라의 경상卿相이 되었으나 그의 지혜와 용맹은 조나라를 중후하게 하여 진나라가 감히 겁을 주지 못하도록 하기에는 부족하였다. 단지 목의 피를 진나라에 뿌리고자 하였으니[175] 어찌 공자가 말한 '맨손으로 호랑이를 때려잡고 맨몸으로 황하를 건너다가 죽는 것도 후회하지 않는 사람이다.'[176]가 아니겠는가?

嗚呼! 周道衰, 士無中行久矣. 區區戰國之際, 尚足追議其失哉? 予於相如, 惜其雄傑俊偉, 於戰國士, 有足稱者, 而其失如此, 故特爲之論著云."[177]

· · · · · · · · · · · · · · · · · · ·

172 澠池의 會盟 : 周나라 赧王 36년(기원전279년)에 조나라의 혜문왕과 진나라의 소왕이 민지에서 모인 모임. 진나라 소왕이 조나라에 사신을 보내 민지에서 만나자고 하였다. 혜문왕은 진나라에 두려움을 느껴 가지 않으려 하였다. 인상여와 염파가 나서서 왕이 가지 않으시면 조나라의 허약과 겁먹은 것을 보여주는 것이라고 하여, 혜문왕은 소왕과의 만남을 위해 마침내 길을 떠났다. 이때 인상여가 혜문왕을 수행하였다. 이 민지의 회맹에서 진나라 소왕은 술이 얼근하게 취하자 조나라 왕에게 악기 瑟을 연주해주기를 청하였다. 혜문왕이 소왕의 청에 따라 슬을 연주하자 진나라 御史가 왕 앞에서 "어느 해 어느 달 어느 날 진나라 왕이 조나라 왕과 만나 술을 마시면서 조나라 왕에게 슬을 연주하게 하였다.(某年月日, 秦王與趙王會飮, 令趙王鼓瑟.)"고 기록하였다. 이에 인상여가 소왕에게 진나라의 악기인 缶를 연주해줄 것을 청하였다. 소왕이 성을 내어 허락하지 않자 인상여는 缶를 소왕 앞으로 들고 나아가 "5步 안에서 인상여 제가 목의 피를 대왕에게 뿌리도록 하겠습니다.(五步之內, 相如請得以頸血濺大王矣.)"라고 위협하였다. 이에 소왕의 측근들이 인상여를 죽이려고 나서는 것을, 인상여가 눈을 치켜뜨고 꾸짖어 물리쳤다. 이에 소왕이 마지못해 부를 한 번 '땅' 치고서는 그만두었다. 이에 상여가 어사를 불러 "어느 해 어느 달 어느 날 진왕이 조왕을 위해 부를 쳤다.(某年月日, 秦王爲趙王擊缶.)"고 쓰게 하였다.(『史記』「廉頗藺相如傳」)

173 염파가 약속하기를 … 끊겠습니다.' : 혜문왕이 인상여를 대동하고 소왕과의 만남을 위해 떠나자 염파가 국경까지 혜문왕을 전송하고서 한 말이다. 당시의 매우 위험한 정황을 잘 나타내는 말이다.(『史記』「廉頗藺相如傳」)

174 『穀梁傳』에서 '지혜로운 … 있다.' : 魯나라 桓公이 齊나라 襄公과 회맹하기 위해 부인 姜氏를 대동하고 濼으로 갔다. 그런데 부인 강씨가 친정 오빠인 양공과 간통하였다. 환공이 이를 알고 부인 강씨를 질책하였다. 부인 강씨가 이를 양공에게 고자질하니 양공은 力士 彭生을 시켜 환공을 시해하게 하였다. 이를 두고 곡량전에서 평한 말이다. 곧 아무런 대비 없이 간 것이 무모하였다는 말이다. 여기서 조나라 혜문왕도 마찬가지로 무모한 걸음이었음을 평한 것이다.(『穀梁傳』「桓公」 18년)

175 단지 목의 … 하였으니 : 위 '澠池의 會盟' 주석 참고

176 '맨손으로 … 사람이다.' : 『論語』「述而」에 있는 말이다. "자로가 '선생님께서 삼군을 지휘하시게 되면 누구와 함께 하시겠습니까?' 하니, 공자는 '맨손으로 호랑이를 때려잡고 맨몸으로 황하를 건너다가 죽는 것도 후회하지 않는 사람을 나는 함께 하지 않을 것이다. 반드시 일에 임하여 두려워하고 계책 세우기를 좋아하여 성공시키는 자일 것이다.'라고 하였다.(子路曰, 子行三軍則誰與? 子曰, 暴虎馮河, 死而無悔者, 吾不與也. 必也臨事而懼, 好謀而成者也.)"

아! 주나라의 도가 쇠퇴하여 중용의 도를 행하는 사람이 사라진 지 오래다. 보잘것없는 전국시대를 무어 뒤따라 논의할 가치가 있겠는가? 나는 인상여에 대해서 그의 영웅적인 걸출함과 남다른 위대함은 전국시대의 인물 중 충분히 칭찬할 만하지만 그 잘못이 이와 같음을 애석히 여기므로 특별히 그를 위해 평론하는 글을 쓰는 것이다."

[59-16-2]

或曰: "藺相如其始能勇於制秦, 其終能和以待廉頗, 可謂賢矣. 以某觀之, 使相如能以待頗之術待秦, 乃爲善謀. 蓋柔乃能制剛, 弱乃能勝强. 今乃欲以匹夫之勇, 恃區區之趙, 而鬪强秦. 若秦奮其虎狼之威, 將何以處之? 今能使秦不加兵者, 特幸而成事耳."

어떤 사람이 말하였다. "인상여는 처음에 진나라를 제압하는 일에 용맹스러웠고, 끝에는 온화하게 염파를 예우하였으니[178] 현명하다고 이를 수 있다. 나의[179] 식견으로 보자면 인상여가 염파를 예우하는 방법으로 진나라를 예우하였다면 좋은 계책이었을 것이다. 부드러워야 강인함을 제압할 수 있고 연약해야 강함을 이길 수 있다. 필부의 용맹으로 보잘것없는 조나라를 믿고서 강성한 진나라와 전투를 벌이려 하였다. 만일 진나라가 호랑이와 이리와 같은 위엄을 일으켰다면 무슨 방법으로 대처했을까? 진나라가 침략하지 못하도록 한 것은 다만 요행으로 이루어진 일일 뿐이다."[180]

朱子曰: "子由有一段說, 大故取他. 說他不是戰國之士, 此說也太過. 其實他只是戰國之士. 龜山亦有一說, 大槩與公說相似, 說相如不合要與秦爭那璧. 要之, 恁地說也不得. 和氏璧也是趙國相傳以此爲寶, 若當時驟然被人將去, 則國勢也解不振.

. . . .

177 『龜山集』 권9 「史論 · 藺相如」
178 인상여는 처음에는 … 예우하였으니 : 인상여가 진나라에서 화씨벽을 안전하게 잘 되돌려오자 혜문왕은 그를 上大夫로 삼았고, 이어 澠池의 會盟에서 돌아와서는 그를 上卿으로 삼아 지위가 염파의 위에 있게 되었다. 염파가 이 소식을 듣고 자신은 성을 함락시킨 큰 공이 있고 인상여는 단지 말재간을 부렸을 뿐인데 내 윗자리에 있으니, 내가 그를 만나면 기어코 욕을 보여주겠다면서 별렀다. 이 소식을 들은 인상여는 병을 핑계하고 조회에도 나가지 않고 길을 가다가도 멀리서 염파를 만나면 수레를 돌려 피하였다. 이에 인상여의 주위 사람들이 이럴 양이면 인상여 곁에서 떠나겠다고 하였다. 그러자 인상여는 "내가 진나라 왕의 위세도 그 나라의 조정에서 꾸짖었던 사람인데 염파 장군을 두려워하겠는가? 강성한 진나라가 우리 조나라를 침략하지 않는 것은 우리 두 사람이 있어서이다. 그런데 두 마리의 호랑이가 싸운다면 그 형세가 함께 생존하지 못할 것이다. 내가 이렇게 하는 것은 국가를 우선 생각해서이다."라고 하였다.(『史記』「廉頗藺相如傳」)
179 나의 : 『朱子語類』 권134, 71조목에는 이 말을 물은 사람은 義剛이고 내某는 義剛으로 되어 있다. 의강은 黃義剛이며 주자의 문인이고 臨川 사람이다. 자는 毅然이다.
180 요행으로 이루어진 … 뿐이다 : 인상여가 진나라 소왕에게 화씨벽을 받으려면 5일 재계를 해야 한다고 하자 소왕이 허락하였다. 인상여는 그 사이 화씨벽을 몰래 조나라로 가져가게 하였다. 5일 기한이 끝난 뒤 인상여가 자초지종을 말하고 죄를 받겠다고 나서자 좌우에서 끌고 나가려는 것을 소왕이 만류하고 상여를 죽여도 화씨벽은 얻을 수 없고 진나라와 조나라 사이의 우호만 해친다 하고 인상여를 살려 돌려보냈다.(『史記』「廉頗藺相如傳」)

주자가 대답하였다. "자유子由도 한마디를 남기며 중요하게 그를 다뤘다.[181] 그를 일컬어 전국시대의 인물[182]이 아니라고 하였으니, 이 말은 너무 지나쳤다. 실상 그도 단지 전국시대의 인물일 뿐이다. 구산龜山[楊時]도 역시 이 사람에 대해 한마디 하였는데, 대개는 공의 말과 서로 유사하여 '인상여가 진나라와 화씨벽을 다투고자 한 것은 합당하지 않다'고 하였다. 결론을 맺자면 이런 말은 또한 옳지 않다. 화씨벽은 조나라가 또한 서로 전하며 보물로 여겼던 물건이니, 만일 그 당시 갑작스럽게 남의 나라가 가져가게 두었다면 나라의 형세가 풀려져 떨쳐 일어나지 못하였을 것이다.

古人傳國, 皆以寶玉之屬爲重, 若子孫不能謹守, 便是不孝. 當時秦也是强, 但相如也是料得秦不敢殺他後, 方恁地做. 若其他人, 則是怕秦殺了, 便不敢去. 如藺相如豈是孟浪恁地做? 他須是料度得那秦過了. 戰國時如此等也多. 黄歇取楚太子, 也是如此. 當時被他取了, 秦也不曾做聲, 只恁休了."[183]

옛사람들이 나라를 전하면서 모두 보옥붙이를 소중히 여겼으니, 만일 자손이 이들을 신중히 지켜내지 못하면 바로 불효이다. 당시 진나라는 강성한 나라였으나, 인상여는 또한 진나라가 감히 자신을 죽이지 못할 것을 헤아리고 비로소 그같이 행동하였을 것이다. 만일 다른 사람이었다면 진나라가 자신을 죽일까 두려워 감히 떠나지 못하였을 것이다. 인상여가 어찌 경솔하게 이 같은 일을 벌였겠는가? 그는 당연히 진나라가 취할 수 있는 일들을 헤아려 보았을 것이다. 전국시대에는 이와 같은 일들이 또한 많았다. 황헐黃歇이 초나라 태자를 구한 것도 또한 이 같은 일이다.[184] 당시 저들에게 빼앗겼다면, 진나라는 아무

· · · · · · · · · · · · · · · · · ·

181 子由도 한마디를 … 다뤘다. : 자유는 송나라 蘇轍의 字이다. 그의 저서 『古史』 권51 「廉頗藺相如傳」에서 그를 평하여, "소자는 말한다. 인상여는 전국시대의 인물이 아니다. 목숨을 걸고 의리를 행하여 강한 진나라에 굽히지 않고, 예로 나라를 다스려 염파와 따지고자 하지 않았다. 그의 강하거나, 부드럽거나, 나아가거나, 물러나는 것들에 대한 처신은 도를 배운 사람과 같다. 평화스러운 세상에 살았더라면 대신이 될 수 있었을 것이니 전국시대의 인물이 아니다.(蘇曰, 藺相如非戰國之士也. 以死行義, 不屈於强秦 : 以禮爲國, 不校於廉頗. 其處剛柔進退之際, 類學道者. 使居平世, 可以爲大臣矣, 非戰國之士也.)"라고 하였다.

182 전국시대의 인물 : 전국시대는 周나라의 왕권이 무너지고 제후 국가들이 마음대로 싸움을 벌였던 시대를 이른다. 역사적으로 전국시대의 시작은 주나라 威烈王 23년(기원전 403年)에 晉나라의 대부인 韓·魏·趙 세 성씨가 진나라에서 제후 국가로 독립한 것에서 시작되어 진시황이 천하를 통일하였을 때(기원전 221년)까지로 본다. 이 시기에 서의 날마나 선생이 일어나고 유세객들이 合從連橫의 명분으로 천하를 횡행하여 갖은 술수가 난무하였다. 이때를 정리한 책으로 『戰國策』이 있다. 전국시대의 인물이 아니라는 것은 전국시대의 특징인 속임수나 이익만을 챙기려 했던 인물들의 수준을 넘어섰다는 말이다.

183 『朱子語類』 권134, 71조목

184 黃歇이 초나라 … 일이다. : 황헐은 春申君으로 더 알려진 전국시대 초나라 재상이다. 초나라 태자는 뒤에 초나라의 考烈王이다. 이때 초나라는 진나라의 침략에 시달리자 춘신군의 계책으로 頃襄王이 태자 完을 진나라에 볼모로 보냈다. 경양왕이 병이 들자 춘신군은 진나라로 가서 당시 상국이었던 范雎에게 태자 완이 초나라에 복귀하여 왕이 되는 것이 진나라에 이익이 된다는 말로 설득하였다. 범수가 승낙하자 춘신군은 태자 완을 초나라 사신의 복장으로 변장시켜 초나라로 돌아가게 하고 자신은 태자의 집을 지켰다. 태자가 초나라에 돌아갔을 시간을 헤아려 춘신군은 이 사실을 진나라에 알렸다. 진나라 소왕이 그를 죽이고자 하였

런 말도 없이 단지 그대로 끝나고 말았을 것이다."

廉頗 염파,[185] 蘇秦 소진,[186] 張儀 장의[187]

[59-17-1]

東萊呂氏曰 : "趙使武襄君樂乘代廉頗, 頗怒攻武襄君, 廉頗出犇魏. 以是推之, 則向者肉袒負荊之悔, 特感相如之義, 而非眞悔也. 悔不發於己, 而發於人, 烏可久邪?"[188]

동래 여씨東萊呂氏[呂祖謙][189]가 말하였다. "조나라가 무양군 악승을 시켜 염파를 대신하게 하자 염파가 화를 내며 무양군을 공격하다가 염파는 위나라로 달아났다. 이 일로 미루어 본다면 지난날 웃통을 벗고 가시나무를 등에 지고서 후회했던 것[190]은 단지 인상여의 의리에 감동한 것이지 참된 후회가 아니었다. 후회가 자신의 마음에서 우러나오지 않고 남에게서 나왔으니 어찌 오래갈 수 있겠는가?"

[59-17-2]

"蘇秦約從, 說齊王曰, 夫韓魏所以畏秦者, 爲其與秦接境壤也. 韓魏戰而勝秦, 則兵半折, 四

으나 범수의 구원으로 초나라에 돌아가 완이 고열왕이 되면서 춘신군은 상국이 되었다. 『史記』「春申君傳」

185 廉頗 : 전국시대 조나라의 명장. 惠文王 때 齊나라를 크게 이긴 공으로 上卿에 오르며 명성이 천하에 드러났다. 인상여와 함께 刎頸之交를 맺고 조나라를 침략으로부터 보호하였다. 長平에서 조괄과 교체된 뒤 조괄이 대패하고, 연이어 燕나라의 침략을 받을 때 다시 장수에 등용되어 연나라를 크게 이겼다. 조나라 孝成王이 죽고 아들 悼襄王이 등극하고 나서 樂乘을 염파의 후임으로 삼자 염파는 악승을 공격하였고 악승이 도망쳤다. 염파도 魏나라로 달아나서 오래 있었으나 등용되지 못하고 다시 초나라로 가서 그곳에서 죽었다.(『史記』「廉頗藺相如傳」)

186 蘇秦 : 전국시대의 遊說家. 자는 季子. 鬼谷子의 제자. 秦나라에 대항하여 山東의 燕·趙·韓·魏·齊·楚에 合從을 설득하여 성공시켰다. 장의와 함께 권모술수에 능하였던 사람으로 평가된다.(『史記』「蘇秦傳」)

187 張儀 : 전국 시대의 유세가. 귀곡자의 제자. 秦나라의 재상이 되어 소진의 합종책에 대항하는 연횡책을 6국에 遊說하여 열국을 진나라에 복종하게 하였다.(『史記』「張儀傳」)

188 『東萊別集』 권12 「讀書雜記 1·己丑課程」

189 東萊呂氏 : 宋나라 呂祖謙(1137~1181)을 이르는 말. 자는 伯恭이고, 세칭 東萊先生이라 한다. 金華(현 절강성) 사람으로 주희·張栻과 함께 '東南三賢'으로 불리었다. 直秘閣著作郎·國史院編修·實錄院檢討를 역임하였다. 주희와 『近思錄』을 편찬하였고, 信州(현 강서성 上饒) 鵝湖寺에서 주희와 육구연 등을 초청하여 양쪽의 논쟁을 중재하기도 하였다. 저서는 『古周易』·『東萊左氏博儀』·『東萊集』 등이 있다.(『宋史』 권434 「呂祖謙傳」)

190 웃통을 벗고 … 것 : 인상여가 염파보다 높은 지위에 임명되자 염파는 소식을 듣고서 인상여를 욕보이려고 하였다. 인상여가 염파를 피하며 이는 조나라를 위한 것이지 염파를 두려워해서가 아니라고 하였다. 이 말을 전해 들은 염파가 인상여에게 감동을 받아 웃통을 벗고 가시나무를 등에 지고서 찾아가 자신의 잘못을 사과하고 서로 刎頸之交를 맺었다.(『史記』「廉頗藺相如傳」)

境不守；戰而不勝，國已危亡. 故韓魏所以重與秦戰, 而輕爲之臣也. 吾不知蘇秦之説韓魏敢出此語乎！ 此蘇秦之所以爲蘇秦也."[191]

(동래 여씨가 말하였다.) "소진이 합종의 맹약을 맺고자 제나라 왕을 설득하기를 '저 한나라와 위나라가 진나라를 두려워하는 것은 그들 나라가 진나라와 국경을 맞대고 있기 때문입니다. 한나라나 위나라가 진나라와 전쟁을 벌여 진나라를 이긴다 해도 군대의 절반을 잃어 사방 국경을 수비할 수 없고, 전쟁을 벌였다 이기지 못하면 나라는 벌써 위험해지거나 멸망합니다. 그러므로 한나라와 위나라는 진나라와의 전쟁을 어렵게 여기고 그 나라의 신하가 되는 것을 쉽게 생각하고 있습니다.'라고 하였다. 소진이 한나라와 위나라를 설득하면서 이 말을 감히 꺼냈을지 나로서는 알지 못하겠다. 이것이 소진이 소진에 머무는 까닭이다."[192]

[59-17-3]

"蘇秦張儀, 同門友也. 蘇秦將止秦兵, 不以情而遣儀, 乃以術而激儀, 何邪？ 蓋平昔師友之間, 未嘗用情, 故臨事不可以情告也."[193]

(동래 여씨가 말하였다.) "소진과 장의는 한 선생 문하에서 공부한 벗이다. 소진이 진나라 군대의 출동을 중지시키려 하고, 인정으로 대접하여 장의를 보내지 아니하고 술법을 써 장의를 격앙시킨 것[194]은 어째서일까? 그것은 평소 스승과 벗들 사이에 속마음을 털어놓은 적이 없었던 까닭으로 일에 임박하여 속사정을 말해줄 수 없어서이다."

屈原 굴원[195]

[59-18-1]

朱子曰："屈原之心, 其爲忠淸潔白, 固無待於辨論而自顯. 若其爲行之不能無過, 則亦非區區辨説所能全. 故君子之於人, 取其大節之純全, 而略其細行之不能無弊, 則雖三人, 猶必有師者, 況如屈子乃千載而一人哉！ 孔子曰, 人之過也, 各於其黨, 觀過, 斯知仁矣. 此觀人之法也.

. . . .
191 『東萊別集』 권12 「讀書雜記 1·己丑課程」
192 소진이 소진에 머무는 까닭이다. : 소진은 진나라와 맞서는 동쪽의 여섯 나라 곧 燕·趙·韓·魏·齊·楚나라의 합종을 설득하면서, 각 나라 군주에게 먼저 그 나라가 갖고 있는 이점으로 진나라에 대한 분개심을 부추겨 절대 진나라에 굴복할 수 없도록 하고, 다음으로 합종의 이점을 강조하는 언변으로 가는 나라마다 말을 바꾸며 상대 제후를 설득하였다. 이것이 당시 전국시대 유세객들의 전형적인 수법이었다.(『史記』「蘇秦傳」)
193 『東萊別集』 권12 「讀書雜記 1·己丑課程」
194 술법을 써 장의를 격앙시킨 것 : 위 [59-15-1] 참고
195 屈原 : 전국시대 초나라 사람. 이름은 平이고 원은 字이다. 懷王 때 三閭大夫로 정사를 주관하며 왕의 신임을

夫屈原之忠, 忠而過者也；屈原之過, 過於忠者也. 故論其大節, 則其他可以一切置之不問；論其細行, 而必其合於聖賢之榘度, 則吾固已言其不能皆合於中庸矣, 尚何説哉!"[196]

주자가 말했다. "굴원의 마음이 충성스럽고 맑으며 결백하다는 것은 참으로 변론할 것도 없이 저절로 드러난다. 그러나 그의 행실에 허물이 없을 수 없는 것 또한 구구한 변명으로 온전한 사람으로 만들어낼 수 없다. 그러므로 군자는 사람을 대해서 그의 큰 절의의 순수하고 온전함만을 취하고, 자잘한 행실의 폐단이 없을 수 없는 것은 생략한다. 그렇다면 사람 셋에서도 오히려 반드시 스승 삼을 만한 자가 있다[197]고 하였는데, 하물며 굴자屈子(굴원) 같은 천년 만에 나오는 한 사람이야 말할 것이 있으랴! 공자가 말하기를, '사람의 허물은 각기 그들 부류대로이니 허물을 보면 그 사람의 인仁을 알 수 있다.'[198]고 하였다. 이것이 사람을 관찰하는 방법이다. 굴원의 충성은 충성심이 넘치고, 굴원의 허물은 지나치게 충성한 것이다. 그러므로 그의 큰 절의에 대해 논한다면 다른 일들은 일체 놓아두고 따지지 않아야 할 것이고, 그의 세세한 행실을 논하여서 기어코 성현의 법도에 합치시키려 한다면, 나는 이미 그가 중용의 도리에 모두 합치될 수는 없다고 말하였으니,[199] 더 무슨 말을 하랴?"

范雎 범수[200]

[59-19-1]

涑水司馬氏曰："穰侯相秦, 秦益彊, 宰制諸侯, 如嚴主之役僕夫, 左右前後, 無不如志. 此穰侯之功也. 范雎非能爲秦忠謀, 亦非有怨於穰侯也. 欲行其説, 而穰侯適妨其路, 故控其喉拊其

받았으나, 주위의 비방을 받자 「離騷」를 지어 왕의 성찰을 기원하였다. 襄王 때 또다시 비방에 의해 長沙로 유배되자 「漁父詞」를 지어 자신의 마음을 밝히고 汨羅水에 몸을 던져 죽었다. 『楚辭』에 많은 작품이 전한다.(『史記』「屈原傳」)

196 『楚辭後語』권2 「反離騷」朱子集注

197 사람 셋에서도 … 있다 : 『論語』「述而」에서 공자가 말씀하기를, "세 사람이 길을 가는 중에도 반드시 나의 스승이 있으니, 그들 중 선한 행동은 가려 따르고 선하지 않은 것은 고칠 것이다.(三人行, 必有我師焉, 擇其善者而從之, 其不善者而改之.)"라고 하였다.

198 '사람의 … 있다.' : 『論語』「里仁」의 말이다. 여기서 '부류'라는 말은 『朱子集註』에서 "程子(程頤)가 사람의 허물은 각기 그들 부류대로이니 군자는 늘 후하게 하려다 잘못을 범하고 소인은 늘 박하게 하려다 잘못을 범하며, 군자는 사랑함에서 과오를 범하고 소인은 잔인함에서 과오를 범한다.(程子曰, 人之過也, 各於其類, 君子常失於厚, 小人常失於薄；君子過於愛, 小人過於忍.)"라고 하였다.

199 나는 벌써 … 말하였는데, : 주자가 『楚辭集註』의 서문에서, "굴원의 사람됨은 그의 뜻과 행실이 혹 중용의 도리에 지나쳐 본받을 수 없다. 그러나 모두 군주에게 충성하고 나라를 사랑하는 정성된 마음에서 나왔다.(原之爲人, 其志行雖或過於中庸, 而不可以爲法, 然皆出於忠君愛國之誠心.)"고 하였다.

200 范雎 : 범수의 이름 글자 '수'와 '저', 그리고 그의 출신에 대해서는 앞 [59-15-1]의 주에서 대략 밝혔다. 범수가 위나라에서 상국 魏齊에게 죽음에 이르는 형벌을 당한 뒤 진나라에서 위나라로 사신 온 王稽의 도움을

背, 而奪之位. 秦王視聽之不明, 遂至於遷逐母弟, 况穰侯何有哉? 穰侯雖擅權, 未至如雎之所言, 孔子惡夫佞者, 豈以此夫!"[201]

속수 사마씨涑水司馬氏[司馬光][202]가 말하였다. "양후穰侯[203]가 진秦나라의 상국이 되었을 때 진나라가 더욱 강성하여 제후를 다스려 통제하는 것이 마치 엄한 주인이 노복을 부리는 것 같아 사방 어디도 뜻처럼 되지 않는 것이 없었다. 이것은 양후의 공이다. 범수는 진나라를 위한 충성스런 책략을 세우지도 않았고 또한 양후에게 원한도 있지 않았다. 자신의 주장을 시행하고자 하는데 양후가 마침 그 길에 방해가 된 까닭에 목덜미를 거머쥐고 등을 휘어잡고서 그의 지위를 빼앗았다. 진나라 왕은 보고 들어 판단하는 것이 밝지 못하여 마침내 자신의 친동생마저 강등시켜 내쫓았으니[204] 양후 정도야 무슨 어려움이 있겠는가? 양후가 권력을 휘둘렀지만 범수가 언급한 정도까지는 아니니 공자가 '말 잘하는 사람을 미워한다.'[205]는 것이 아마 이런 까닭일 것이다."

....

받아 이름을 張祿으로 바꾸고 진나라에 잠입하였다. 이때 진나라는 昭王의 외삼촌인 穰侯가 실권을 장악하고 있었다. 양후는 자신의 采地를 넓히고자 韓나라와 魏나라의 국경을 넘어 齊나라를 치려고 하였다. 이때 범수가 소왕에게 글을 올려 그 부당성을 알리며, 소왕이 등극한 지 36년이나 되었으면서도 정권을 독단하고 있지 못함을 꼬집으며 은근히 양후를 비난하였다. 이 일을 인연 삼아 소왕을 만나는 기회를 만들었고, 소왕이 범수의 말을 듣고자 안달이 나도록 기다렸다가 마침내 양후의 정책들을 낱낱이 비난하여 마침내 客卿에 올랐다. 이후 宣太后의 독단, 양후의 제후국들에 대한 권력 남용을 들어 소왕의 어머니 선태후 등 외척 세력과 소왕의 친동생들을 제거하고 마침내 상국에 올라 진나라의 국정을 휘어잡았다.(『史記』「范雎傳」)

201 『傳家集』 권67 「范雎」
202 涑水司馬氏 : 송나라 司馬光(1019~1086)을 이르는 말. 자는 君實이고, 호는 齊物子이며, 시호는 文正이다. 夏縣 涑水鄕(현 산서성 夏縣) 사람으로 神宗 때 御使中丞으로 王安石의 신법에 반대하여 西京으로 좌천되었다가 哲宗 초년에 재상이 되어 신법 중에서 백성에게 해가 되는 것들을 모조리 폐지하였다. 죽은 뒤 太師溫國公이 추증되었다. 저서는 『文集』과 『資治通鑑』·『稽古錄』·『易說』·『潛虛』 등이 있다.(『宋史』 권336 「司馬光傳」)
203 穰侯 : 진나라 소왕 시대의 상국인 魏冉의 封號. 소왕의 어머니 선태후의 친정 의붓아버지 동생이기도 하다. 武王이 죽은 뒤 무왕의 아우인 어린 소왕을 등극시킨 공으로 신임을 받아 소왕 재위 기간 동안 네 차례나 상국에 올랐고, 장수가 되어 여러 전쟁에서 승리하였다. 또 白起를 장군으로 등용하여 여러 제후국들과의 전쟁에서 진나라의 위엄을 크게 떨쳤다. 이를 사마천은 "진나라가 동쪽으로 국토를 늘려 제후 국가들을 약화시키고서 천하에 稱帝하고, 천하가 모두 서쪽으로 머리를 조아리게 한 것은 양후의 공이다.(秦所以東益地, 弱諸侯, 嘗稱帝於天下, 天下皆西鄕稽首者, 穰侯之功也.)"라고 평하였다. 뒤에 범수가 그의 권력 남용을 비판하여 물러나 봉지로 돌아갈 때 이삿짐을 실은 수레가 1천여 대였다.(『史記』「穰侯傳」)
204 자신의 친동생마저 … 내쫓았으니 : 친동생은 소왕의 同母弟인 高陵君과 涇陽君을 이른다. 범수가 이들의 부유함이 왕실보다 넘친다고 공격하자, 소왕은 이들 모두를 관중을 떠나 각기 자신의 봉지로 떠나가게 하였다.(『史記』「穰侯傳·范雎傳」)
205 공자가 '말 … 미워한다.' : 공자가 자로에게 한 말이다. 『論語』「先進」에서, "자로가 자고를 비 고을의 수령으로 삼자, 공자께서 '남의 집 아들을 해치는 일이다.'라고 하였다. 자로가 '백성도 있고 사직도 있는데 왜 꼭 책을 읽어야만 학문이라고 할 수 있습니까?'라고 하자, 공자는 '이런 까닭에 말 잘하는 사람을 미워한다.'(子路使子羔爲費宰, 子曰, 賊夫人之子. 子路曰, 有民人焉: 有社稷焉, 何必讀書然後爲學. 子曰, 是故惡夫佞者.)고 하였다.

總論 총론

[59-20-1]

庸齋許氏曰: "春秋上下二百餘年, 其間人材, 有一節一行之可稱者, 固難以指而數. 若夫宏碩之器, 明敏之識, 端實之行, 正大之議論, 未嘗不相望于世. 今試擧其材美之著者言之, 如齊之鮑叔管仲, 晉之舅犯·先軫·郤克·趙衰, 宋之華元, 楚之子文·蔿賈, 秦之百里奚, 鄭之子産, 吳之季札. 此十數輩者, 皆足以尊主而庇民, 皆足以捍災而制變, 皆足以繼絶世而興治平. 若較之三代王佐之才, 固未可同日語, 若求之漢唐全盛之際, 未見有出其右者.

용재 허씨庸齋許氏(許衡)[206]가 말하였다. "춘추시대의 상하 2백여 년 동안,[207]의 인재 중 절의 한 가지와 행실 한 가지를 일컬을 만한 사람은 참으로 손가락으로 헤아리기 어렵다. 그릇이 컸던 사람, 식견이 명민했던 사람, 행실이 단정하고 성실했던 사람, 언론이 정대했던 사람이 세상에 서로 이어지지 않은 적이 없었다. 지금 시험 삼아 재능이 아름답게 드러났던 자를 거론한다면 제나라의 포숙아鮑叔牙·관중管仲,[208] 진晉나라의 구범舅犯·선진先軫[209] 극극郤克·조최趙衰,[210] 송나라의 화원華元,[211] 초나라의 자문子

---

206 庸齋許氏: 元나라 許衡을 말함. 懷孟 사람으로 자는 仲平, 호는 魯齋, 시호는 文正이다. 中書左丞, 集賢殿大學士兼國子祭酒 등의 벼슬을 지냈다. 성리학을 깊이 연구하였고 많은 정책을 개진하였다. 郭守敬과 함께 授時曆을 만들었다. 저서로 『讀易私言』, 魯齋遺書가 있다.(『元史』 권158 「許衡傳」)

207 춘추시대의 상하 … 동안: 공자가 저술한 『春秋』에 실린 기간을 이르는 말. 『春秋』는 노나라 隱公 원년에서 시작하여 哀公 14년까지 모두 242년의 역사를 싣고 있다.

208 제나라의 鮑叔牙·管仲: 춘추시대 제나라의 桓公을 보좌하여 霸業을 일군 사람들이다. 포숙아는 제환공의 옹립에 가장 큰 공을 세웠으나 관중에게 재상 자리를 사양하여 管鮑之交의 아름다운 우정을 후세에 남겼다. 『論語』 「憲問」에서 공자가 "관중이 아니었다면 우리는 머리를 풀어헤치고 옷깃을 왼쪽으로 여미는 오랑캐가 되었을 것이다.(微管仲, 吾其被髮左衽矣.)"라고 할 정도로 관중은 중국이 중화문화를 유지하는데 공이 컸음을 인정받은 인물이다.(『史記』 권32 「齊太公世家」; 권62 「管晏列傳」)

209 晉나라의 舅犯·先軫: 춘추시대 진나라의 文公을 보조하여 패업을 일군 사람들이다. 구범은 문공의 외삼촌으로 성명은 狐偃이고 자는 子犯이다. 구범은 문공의 외삼촌이라는 '舅'자에 그의 자 '犯'이 합하여져 붙여진 호칭이다. 문공이 驪姬의 화를 피해 19년 동안 제후국을 떠돌 때 보좌하였으며, 돌아와 즉위한 뒤 패업을 이루는 과정에 많은 공을 세웠다. 선진은 일명 原軫으로 불리기도 한다. 진문공이 즉위한 지 4년째 되던 해에 초나라와의 城濮 전투에서 中軍의 장수로 출전하여 의리에 근거한 바른 정세 판단으로 전쟁을 승리로 이끌었다. 『國語』 「晉語」

210 郤克·趙衰: 극극은 駒伯·郤獻子로도 불린다. 시호는 獻이다. 제나라에 사신 갔을 때 頃公의 부인이 그가 절름발이인 것을 보고 소리 내어 웃자, 돌아와 중군의 장수에 올라, 제나라를 靡笄에서 대패시키고 경공의 부인 蕭同叔子를 인질로 보내줄 것을 청하였다. 이 미계의 전투에서 화살에 맞아 흐르는 피가 신발까지 적시는데도 북채를 놓지 않고 북을 쳐 끝내 승리하였다. 그러나 공을 三軍의 군사에게 돌리는 미덕을 보였다. 조최는 자가 子餘, 시호가 成, 原季·成子·成季·孟子餘로도 불린다. 문공의 19년 망명생활을 보좌하였고 즉위한 뒤 패업을 보필하였다. 문공이 그를 卿에 임명하며 세 차례나 청하였으나 사양하고 다른 사람을 추천하기도 하였다.(『國語』 「晉語」)

文 · 위가蔿賈,[212] 진秦나라의 백리해百里奚,[213] 정나라의 자산子産,[214] 오나라의 계찰季札[215]이다. 이들 십여 명은 모두가 군주를 존귀하게 하고 백성을 감싸기에 충분하였고, 모두가 재앙을 막고 변란을 제압하기에 충분하였으며, 모두가 끊긴 왕조를 잇고 태평성세를 일으키기에 충분하였다. 삼대 시절의 성왕聖王을 도운 인재들에 비긴다면 참으로 함께 말할 수 없겠지만, 한漢나라와 당唐나라의 전성시대에서 찾아보

· · · · · · · · · · · · · · · · · ·

211 송나라의 華元 : 송나라의 대부. 文公 때 鄭나라와의 싸움에서 포로가 되었다가 도망쳐 돌아왔고, 晉나라와 楚나라 사이를 주선하여 우호를 성립시켰으며, 共公이 죽은 뒤 나라 안에 내분이 일자 司馬 蕩澤을 죽이고 平公을 옹립하였다.(『左傳』「宣公 2년」;「宣公 15년」;「成公 12」;「成公 15년」)

212 초나라의 子文 · 蔿賈 : 자문은 鬪穀於菟를 字로 이르는 말이다. 대부 鬪伯比의 아들로 태어났으나 갓난아기 때 들에 버려진 것을 범이 젖을 먹였다고 하여 이름을 穀於菟라고 하였다. 여기서 '穀'는 초나라 말로 젖, '於菟'는 범을 이른다. 成王 때 令尹이 되어 법을 엄정하게 시행하고, 가산을 털어 나라의 어지러움을 해결하였다. 弦을 멸망시키고 隨를 복속시키는 등 큰 공을 남겼다. 그가 세 번이나 영윤을 역임하고서도 정작 물러나는 날 하루 먹을 양식이 없을 정도로 청렴하였다. 이에 성왕은 자문의 집에 날마다 脯 한 묶음과 乾糧 한 광주리를 보내 먹고살게 하였다. 그러나 성왕이 祿俸을 지급하려 하면 그것을 거둘 때까지 달아나 있다가 그것을 거두고서야 집에 돌아오곤 하였다.(『左傳』「成公 4년」;『國語』「楚語下」)

위가는 초나라의 대부로 자는 伯嬴이다. 투누오도가 子玉에게 令尹 자리를 물려준 것을 보고서 모두 투누오도를 축하하였으나 당시 어린 나이였던 위가는 홀로 자옥이 그만한 그릇이 못 됨을 지적할 만큼 비범한 식견이 있었다. 노나라 文公 16년 초나라에 큰 흉년이 들자 戎을 비롯해서 庸과 麇나라가 초나라를 침략하여 초나라는 일시 지세가 험한 阪高로 피난하려는 논의를 하였다. 이때 위가가 "우리가 갈 수 있는 곳이라면 적의 군대도 갈 수 있다. 차라리 우리가 용나라를 공격하는 것만 못할 것이다. 저들은 우리가 굶주림에 군대를 동원하지 못할 것이라 생각하고 우리를 침략한 것이니 우리가 군대를 거느리고 나선다면 반드시 두려워 돌아갈 것이다."라고 하였다. 마침내 이 계책대로 실행하여 초나라는 저들 나라를 물리칠 수 있었다. (『左傳』「僖公 27년」;「文公 16년」)

213 秦나라의 百里奚 : 백리해는 百里傒로도 쓴다. 자는 井伯. 秦穆公에게 등용되어 그의 패업을 도왔다. 본래 虞나라의 대부였으나 군주의 어리석음을 보고 물러났다가 秦나라에 등용되었다. 일설에는 목공이 그를 羊가죽 5장으로 贖罪시켜 데려왔다고 하여 五羖大夫로 호칭한다고 하였다.(『孟子』「萬章上」;『史記』권5「秦昭襄王本紀」)

214 정나라의 子産 : 대부 公孫僑를 그의 字로 일컫는 말이다. 그가 東里에 산 데에서 東里子産이라고도 부르고 國僑라고도 부른다. 그가 약소국 정나라의 국정을 잡은 40여 년 동안 어느 국가도 정나라를 깔보지 못하였다. 공자는 『論語』「公冶長」에서 "자산에게는 군자의 도가 네 가지가 있으니, 그의 몸가짐이 공손하고, 군주를 섬김이 공경스럽고, 백성을 기르는 것이 은혜롭고, 백성을 부리는 것이 의로웠다.(子産有君子之道四焉, 其行己也恭 ; 其事上也敬 ; 其養民也惠 ; 其使民也義.)"고 하였다.

215 오나라의 季札 : 吳王 壽夢의 넷째 아들. 왕위를 사양하고 延陵에 봉해진 데에서 延陵季子라 일컫기도 한다. 여러 제후국에 오나라의 새 제후가 즉위하였음을 알리는 일로 빙문하는 길에 올랐을 때, 魯나라에서 堯舜과 夏殷周, 제후국들의 음악과 춤을 청하여 듣거나 보고서, 그 음악과 춤이 어느 왕조의 음악과 춤인지 그 나라의 역사와 통치자까지 알아맞혔고, 순임금의 음악을 연주하자 이보다 더할 음악이 없다며 이제 다른 음악이 있다 하여도 더 이상 청해 듣고자 아니 한다고 하였다. 徐나라를 방문하였을 적에 서나라의 군주가 계찰의 劍을 욕심내는 것을 알고서 돌아가는 길에 주려고 생각하였는데 그 사이에 그가 죽은 것을 알고서는 그의 무덤을 찾아가 칼을 걸어놓고 돌아갔다. 이 고사를 역사에서 季札挂劍이라 한다.(『左傳』「襄公 14년」;「襄公 29년」;「昭公 27년」)

아도 그들보다 나은 자를 볼 수 없다.

然考諸人之事業, 其大者, 僅能輔其君以主夏盟, 餘皆保全境內, 幸免社稷之變遷而已. 遂使後之議者, 謂其規模淺狹, 皆無能用於天下, 而止足以用一國. 斯言也, 果足以病諸人乎? 愚竊以爲春秋之時, 吾道與元氣會合者, 皆支離於光岳之分裂. 天綱地維, 一墜而難振 ; 民彛國政, 一壞而難修 ; 事物統類, 一紛亂而未易以整齊. 當是之時, 陰陽氣運之厄, 方有以成吾道之厄. 雖有偉人特起, 欲以天下爲己任, 吾知其材力無所施."[216]

그러나 여러 사람이 행한 사업들을 살펴보면 그중에서 큰 것이라 하여도 겨우 자신의 군주를 보좌하여 당시 중국 맹약의 맹주가 되게 하는 정도였고, 나머지는 모두 자신의 국토를 보전시키고 사직이 변고에 의해 옮겨지는 것을 요행으로 모면하게 할 따름이었다. 마침내 후세의 평론하는 자들로 하여금 '그들은 규모가 작고 좁아서 모두가 천하에 써볼 수는 없고, 단지 한 나라에 써볼 수 있는 정도이다.'라는 말을 하게 하였다. 이 말은 과연 여러 사람을 책망하기에 충분한 말일까? 나의 혼자 생각으로는 춘추시대에는 우리의 도道가 천지의 원기元氣[217]와 만나 합쳐져 있던 것이 중국 천하[218]가 분열되면서 모두 갈기갈기 찢겨져버렸다.[219] 하늘과 땅의 기강은 온통 추락하여 떨쳐 일어나기 어려웠고, 인간이 지닌 고유한 품성과 나라의 정사는 온통 무너져 수습하기가 어려웠으며, 사물의 큰 기강과 작은 조례는 온통 어지러워져 정돈하여 가지런히 하기가 쉽지 않았다. 이때를 만나 음과 양 기운의 운행에 닥친 액운이 바야흐로 우리 도의 액운을 만들어냈다.[220] 위대한 인물이 우뚝 일어서 천하 다스리는 일을 자신의 책임으로 삼고자 하여도 내가 생각하기에 자신의 재능과 힘을 펼칠 곳이 없었다."

• • • • • • • • • • • • • • • • • • • •

216 『魯齋遺書』 권1 「語錄上」

217 천지의 元氣 : 우주 자연을 형성하고 있는 기운. 인간이 천지의 기운을 받아 태어나듯이 이 기운이 모아져 있으면 그 기운을 받아 태어난 인간의 품성이 순수하여 선한 세상이 구현되고, 이 기운이 흩어져 있으면 인간의 품성도 순수하지 못해 세상이 시끄러워질 수밖에 없음을 이른다.

218 중국 천하 : 이 말의 원문인 光岳은 三光과 五岳을 이른다. 삼광은 하늘의 태양·달·별을 이르고, 오악은 중국을 대표하는 사방의 산과 중앙까지를 합한 다섯 산악이다. 다섯 산악에 대해서는 시대마다 거론하는 산악이 서로 달랐다. 여기서는 하늘과 땅을 대칭하는 말로 쓰였다.

219 모두 갈기갈기 찢겨져버렸다. : 여기서 갈기갈기 찢겨졌다는 말은, 춘추시대에 주나라 왕권이 무너지고 列國이 서로 다투게 되면서 三代 시절의 순수하게 지켜졌던 도가 흔들리며 기준이 없는 세상이 되었음을 이른다.

220 음과 양 … 만들어냈다. : 이는 역사는 천지 기운의 영향을 받아 영고성쇠가 있다고 보는 견해이다. 곧 천지를 이루는 음과 양의 氣는 동지와 하지가 있듯이 양이 성한 시대와 음이 성한 시대가 있어, 양이 성한 시대는 청명한 시대를 이루고 음이 성한 시대는 혼탁한 시대를 이룬다는 말이다. 이를 흔히 운명, 또는 氣數라고 한다.

秦 진나라

始皇 시황[221]

[59-21-1]

或云: "秦始皇用王翦, 將兵伐楚, 翦請田宅甚衆. 或者非之, 翦曰, 王怛中而不信人. 今空國中之甲士, 盡以委我, 儻不多請田宅爲子孫業, 則王疑我矣."

范陽張氏曰: "君臣至於此, 衰世之風也. 君不信其臣, 故以術而御其臣；臣不信其君, 故以術而防其君. 君臣上下, 無非以術相與, 欲其終始無間難矣. 然當此時, 三綱五常旣已淪斁, 使秦皇不疑其臣, 則臣下必移其權；使王翦不防其君, 則後日必被其禍. 君臣之風喪至此, 天下可知矣."[222]

어떤 사람이 말하였다. "진시황이 왕전王翦을 등용하여 군대를 거느리고 초나라를 정벌하게 하자,[223] 왕전이 매우 많은 전답과 저택을 청하였다. 그것을 어떤 사람이 비난하자 왕전이 말하기를, '왕께서는 속을 끓이시며 사람을 믿지 못하고 계신다. 지금 나라 안의 군사를 남김없이 동원하여 모두 나에게 맡기셨으니, 만일 많은 전답과 저택을 청하여 자손의 토대를 마련하려 들지 않으면 왕은 나를 의심할

---

221 始皇 : 진나라의 제1대 황제. 성은 嬴, 이름은 政이다. 즉위한 지 25년에 천하를 통일하였다. 봉건제도를 폐지하고 郡縣制를 확립하여 중앙집권 시대를 열었고, 문자와 도량형을 통일하고 만리장성의 수축을 완성하였으나, 아방궁을 짓는 등 왕권강화를 위한 여러 제도를 도입하며 焚書坑儒라는 역사의 오욕을 남겼다. 帝位 12년째에 巡行에 나섰다가 병을 얻어 돌아오지 못하고 砂丘에서 죽었다.(『史記』 권6 「秦始皇帝本紀」)

222 이 글의 출전은 확인할 수 없다. 다만 明나라 湛若水가 편찬한 『格物通』 권45 「事君使臣下」에 이 글 중 일부를 싣고 있다. 그 글을 확인하면 다음과 같다.
    張九成曰, "君不信其臣, 故以術而御其臣；臣不信其君, 故以術而防其君. 君臣上下, 無非以術相與, 欲其終始無間難矣."

223 진시황이 王翦을 … 하자 : 시황이 즉위한 21년째에 초나라를 치려고 장군 李信에게 필요한 군사 숫자를 묻자 이신은 20만 명이라고 하였다. 다시 왕전에게 물었을 때 60만 명이 아니면 불가하다고 하자, 시황은 "왕장군이 늙었구나. 왜 그다지 겁을 내는가?(將軍老矣. 何怯也.)"라고 하였다. 시황이 이신과 蒙恬에게 군사 20만 명을 주어 초나라를 치게 하자, 왕전은 병을 핑계하고 고향 頻陽으로 돌아갔다. 22년에 이신은 초나라와의 전투에 패하였다. 이에 시황은 왕전에게 사과하고 초나라 공략을 맡겼다. 왕전은 사양하다가 받아들이고서 60만 군사를 이끌고 초나라 정벌에 나섰다. 이때 시황은 왕전을 覇上까지 전송하였다. 왕전이 이곳 패상에서 시황에게 심할 정도로 좋은 전답과 저택을 청하자, 시황은 "장군은 떠나거라. 왜 가난을 근심하는가?(將軍行矣. 何憂貧乎?)"라고 하였다. 이에 왕전은 "대왕의 장군이 되어 공훈을 세운다 해도 끝내 侯에 봉해지지 못할 것입니다. 그런 까닭에 대왕이 저에게 마음이 쏠려 있을 때 전답과 저택을 청하여 자손을 위한 토대를 만들려고 한 것일 뿐입니다.(爲大王將, 有功, 終不得封侯. 故及大王之嚮臣, 以請田宅爲子孫業耳.)"라고 하였다. 왕전이 길을 나서 진나라의 남쪽 관문인 武關에 이르러서 전답과 저택을 청하는 사신을 무려 다섯 차례나 보냈다.(『資治通鑑』 권7 「秦始皇制」 21~23년)

것이다.'라고 하였다."

범양 장씨范陽張氏[張九成][224]가 대답하였다. "군주와 신하가 이 지경에 이른 것은 세상이 쇠한 풍조다. 군주가 자신의 신하를 믿지 못하는 까닭에 술수로 자신의 신하를 다스리고 신하가 자신의 군주를 믿지 못하는 까닭에 술수로 자신의 군주를 방어한다. 군주와 신하 윗사람과 아랫사람이 모두 술수로 서로 상대하니 끝까지 틈이 없이 지내려고 하여도 어려울 것이다. 그러나 당시에 삼강三綱과 오상五常[五倫]이 이미 무너졌으니 진나라 황제가 신하를 의심하지 않으면 신하가 반드시 권력을 가져갈 것이고, 왕전이 군주를 방어하지 않으면 후일 반드시 재앙을 입을 것이다. 군주와 신하의 기풍이 스러짐이 이 지경이었으니 천하를 알만하다."

[59-21-2]

或問：“自秦始皇變法之後, 後世人君皆不能易之, 何也?”

朱子曰：“秦之法, 盡是尊君卑臣之事, 所以後世不肯變. 且如三皇稱‘皇’, 五帝稱‘帝’, 三王稱‘王’, 秦則兼‘皇帝’之號. 只此一事, 後世如何肯變?”

어떤 사람이 물었다. "진시황이 법을 바꾼 뒤[225]로, 후세의 군주가 모두 그것을 바꿀 수 없었던 것은 무엇 때문입니까?"

주자가 대답하였다. "진나라의 법은 모두 군주를 높이고 신하를 낮추는 일이었던 까닭에 후세가 즐겨 바꾸려 하지 않았다. 예를 들면 삼황三皇은 황皇을 칭하고, 오제五帝는 제帝를 칭하고, 삼왕三王은 왕王을 칭하였는데 진나라는 황皇과 제帝의 호칭을 합하여서 썼다. 단지 이 한 가지 일도 후세가 어찌 기꺼이 바꾸겠는가?"

又問：“賈生‘仁義攻守’之說, 恐秦如此, 亦難以仁義守之.”

曰：“他若延得數十年, 亦可扶持整頓. 只是犯衆怒多, 下面逼得來緊, 所以不旋踵而亡. 如三皇·五帝·三王以來, 皆以封建治天下, 秦一切掃除, 不留種子. 秦視六國之君, 如坑嬰兒. 今年捉一人, 明年捉兩人, 絶滅都盡, 所以犯天下衆怒. 當時但聞秦字, 不問智愚男女, 盡要起而亡之. 陳涉便做陳王, 張耳便做趙王, 更阻遏他不住. 漢高祖自小路入秦, 由今襄陽·金·商·藍田入關,[226] 項羽自河北大路入關. 及項羽盡殺秦人, 想得秦人亦悔不且留取子嬰在也.”[227]

. . . .

224 范陽張氏 : 宋 錢塘의 張九成을 이르는 말. 자는 子韶, 호는 橫浦居士. 시호는 文忠. 楊時의 제자다. 紹興 연간에 廷對에서 1등을 하였다. 벼슬은 禮部侍郎. 太師가 증직되고 崇國公에 봉하여졌다. 저서로『橫浦集』· 『尙書說』·『中庸說』 등이 있다.(『宋史』 권374 ; 『宋元學案』 권40)

225 진시황이 법을 … 뒤 : 진시황은 천하를 통일하고서 자신이 "덕은 三皇의 덕을 동시에 갖고 공은 五帝를 능가한다.(德兼三皇, 功過五帝)"고 생각하여 천자를 칭하는 말을 ‘皇帝’라 일컫게 하고, 命은 ‘制(制書)’, 令은 ‘詔(詔書)’라고 칭하게 하였으며, 황제가 자신을 칭하는 말은 ‘朕’이라고 규정하였다. ‘朕’은 진나라 이전에는 누구나 자신을 이르는 제1인칭 보통 명사였다.(『資治通鑑』 권7 「秦始皇制」 26년)

226 由今襄陽·金·商·藍田入關 : 『朱子語類』 권134, 85조목에는 ‘入關’ 아래 ‘節錄作從長安角上入關’이라는 소

또 물었다. "가생賈誼의 인의仁義와 공수攻守에 관한 말[228]은 아마도 진나라가 이같이 했다 하여도 또한 인의로 지켜내기 어려웠을 것입니다."

(주자가) 대답하였다. "그 나라가 만일 수십 년 이어졌다면 또한 유지하여 정돈할 수 있었을 것이다. 단지 많은 사람에게 노여움을 많이 사 아랫사람의 핍박이 긴박하였던 까닭에 되돌리지 못하고 망한 것이다. 삼황·오제·삼왕 이래 모두 봉건제도로 천하를 다스렸는데 진나라는 일체 이를 쓸어 없애 종자조차 남기지 않았다.[229] 진나라는 육국六國의 군주[230] 보기를 마치 어린아이를 파묻는 것처럼 여겼다. 올해 한 사람을 붙잡고, 다음 해에 두 사람을 붙잡아서 모두를 남김없이 멸망시킨 까닭에 천하의 많은 사람에게 노여움을 샀다. 당시 단지 진나라의 '진秦' 소리만 들어도 지혜롭거나 어리석은 남녀를 따질 것 없이 모두 털고 일어나 멸망시키려 들었다. 진섭陳涉이 진陳나라 왕이 되고[231] 장이張耳가 조趙나

· · · · · · · · · · · · · · · · · · · ·

주가 있다.

227 『朱子語類』권134, 85조목

228 賈誼의 仁義와 … 말: 가생은 漢文帝 때 太中大夫를 지내다가 長沙王太傅로 좌천되어 湘水를 지나가다 弔屈原賦를 지은 賈다. 그가 지은 「過秦論」에서 진나라의 孝公 시대부터 시황이 천하를 통일하기까지와 통일 이후에 펼친 시책, 關中을 지키기 위한 전략 등을 거론하고, 시황이 죽은 뒤 하찮은 陳涉의 봉기로 진나라가 멸망에 이른 과정을 평론하였다. 여기서 가의는 진나라가 멸망한 것에 대한 이유로 "仁義를 베풀지 않고 공격과 수성의 형세가 달라서였다.(仁義不施, 而攻守之勢異也.)"고 하였다. 곧 통일국가를 이룩할 때 그토록 천하를 호령하던 그 군사와 그 요새가 그대로 보존되어 있었건만 보잘것없는 진섭에 의해 멸망의 길로 접어든 것은 인의를 천하에 베풀어 민심을 얻으려는 생각이 효공 때부터 존재하지 않았고, 통일 시기까지는 공격적인 천하 운용이 적절하였으나 통일 이후는 형세가 달라졌으니 守成에 대한 새로운 모색이 있었어야 하는데 그것을 못했다는 말이다.

229 삼황·오제 … 않았다. : 진나라가 천하를 통일하고서 다시 봉건제도를 실시하여야 한다는 설이 제기되었으나, 李斯의 건의를 받아들여 봉건제도를 폐하고 "천하를 36개의 군으로 나누고 군마다 수령과 丞尉와 監御史를 둔 것(分天下爲三十六郡, 郡置守·尉·監)"을 이른다. 진나라 이후 한나라는 봉건제도를 군현제도와 함께 복원하여 시행하였다.(『資治通鑑』권7 「秦始皇」26년)

230 六國의 군주: 진나라가 통일한 동쪽의 여섯 나라의 군주들이니, 통일한 순서대로 나열하면 진시황 17년(기원전 230년)에 韓, 시황 19년(기원전 228년)에 趙, 진시황 22년(기원전 225년)에 魏, 진시황 24년(기원전 223년)에 초, 진시황 25년(기원전 222년)에 燕, 진시황 26년(기원전 221년)에 齊의 군주이다. 이들 나라를 통일하면서 제나라의 군주는 굶어죽는 비참함마저 당하였다.(『資治通鑑』권7 「秦始皇」17~26년)

231 陳涉이 陳나라 … 되고: 陳勝을 字로 이르는 말. 진나라 말기 陽城 사람으로 중국 역사상 최초로 의병을 일으켰던 사람. 머슴살이 출신으로 二世皇帝 원년 7월에 漁陽으로 수자리 떠나는 사람의 일원으로 屯長의 직책을 띠고 大澤鄕에 머물던 중 비를 만나 약속 날짜에 이를 수 없게 되었다. 이때 국법은 날짜를 어길 경우 사형에 처하였다. 이에 진섭은 동료 둔장 吳廣과 대원들에게 모두 사형에 처해져야 함을 말하고, "장부가 죽지 않으면 그만이겠지만 죽을 바에는 큰 이름을 이루어야 한다. 왕후장상이 어찌 종자가 있겠는가?(壯士不死則已, 死則擧大名耳. 王侯將相寧有種乎?)"라고 하고서 마침내 봉기하니 중국 역사의 최초 농민 봉기다. 진나라의 황태자 扶蘇와 초나라의 명장 項燕을 詐稱하고 나라 이름은 大楚라 칭하고서 陳나라 지역을 차지하였다. 이때 진 지역의 父老들이 왕위에 오를 것을 권하자, 張耳의 諫言을 물리치고 진나라의 왕이 되었다. 이로부터 중국에 군사 봉기가 선풍적으로 일어나서 漢高祖와 項羽도 뒤따라 군사를 일으켰다. 그러나 다음해 진나라 장수 章邯의 공격을 받고 패해 도망치던 중 자신의 馬夫 莊賈에게 살해되었다.(『史記』「陳

라 왕이 되었으나[232] 다시 그들을 막아내지 못하였다. 한고조漢高祖는 작은 길을 통하여 진나라로 들어가니 지금의 양양襄陽·금주金州·상주商州·남전藍田을 통하여 무관武關으로 들어갔고,[233] 항우는 하북河北의 큰길을 통하여 함곡관函谷關으로 들어갔다.[234] 항우가 진나라 사람을 모두 죽였을 때 아마도 진나라 사람들은 또한 우선 자영子嬰을 살려내 남기지 못한 것을 후회하였을 것이다."[235]

茅蕉 모초,[236] 陳勝 진승

[59-22-1]

潛室陳氏曰 : "秦遷太后於離宮, 諫死者二十七人, 而後來之輸忠者猶未已. 夫秦無道極矣, 而在廷何多直節臣也? 且其諫者, 非必皆社稷之臣, 皆貴戚之卿也 ; 非必皆析秦之圭, 皆儋秦之

· · · · · · · · · · · · · ·
涉世家」 ; 『資治通鑑』 권7 「二世皇帝」 원년~2년)

232 張耳가 趙나라 … 되었으나 : 장이는 大梁 사람으로 魏나라에서 外黃의 令을 지냈다. 진섭이 의병을 일으키자 陳餘와 함께 참여하였다가 진섭의 명령을 받고 조나라 지역을 공략하는 武信의 부대에 소속되었다. 무신이 趙나라 지역을 함락시키고 왕위에 오르며 그는 右丞相에 임명되었다. 항우가 진나라를 무너뜨리고 천하 장수들을 나누어 봉할 때 조나라 지역인 常山王에 봉하여졌다.(『史記』 「張耳陳餘傳」)

233 漢高祖는 작은 … 들어갔고 : 서쪽 진나라를 공격하기 위해 모인 여러 장수들은 항우가 옹립한 楚懷王을 왕으로 모시고 그 명령에 따르는 체제였다. 회왕은 진나라 공격을 서두르기 위해 여러 장수들에게 약속하기를, "關中에 제일 먼저 들어가 평정한 자를 王(제후를 이름)으로 삼아주겠다.(楚懷王與諸將約, 先入定關中者, 王之.)"고 하였다. 이때 아무도 자원하는 사람이 없었고 오직 항우만 沛公(유방)과 함께 가겠다고 자원하였다. 그러나 여러 장수들은 항우의 잔혹함을 경험하고서 항우보다는 패공을 보내자고 하였다. 이에 회왕은 항우의 자원을 허락하지 않고 패공을 보내 진나라를 공략하게 하였다. 패공은 곧바로 진나라의 남쪽 길을 택하여 나아가며 高陽에서 酈食其와 만나 진나라로 가는 길에 별로 큰 싸움 없이 순조로웠고 마지막 관문인 무관은 張良의 계책을 채용해 함락시켰다. 무관은 진나라의 남쪽 관문이다. 진나라를 관중이라고 이르는 것은 진나라가 '사방의 관문 안에 있다.'고 하여 이른 말이다. 『史記』 「項羽本紀」의 裴駰 集解에 따르면 "동쪽은 函谷關, 남쪽은 무관, 서쪽은 散關, 북쪽은 蕭關이다."라고 하였다.(『資治通鑑』 권7 「二世皇帝」 2~3년)

234 항우는 河北의 … 들어갔다. : 항우는 함곡관 쪽으로 우회하여 공격하는 길을 잡아 진나라 최고의 장수 王離와 章邯의 군대와 맞닥뜨려 많은 전쟁을 치렀다. 항우가 河北을 평정하고 함곡관에 이르렀을 때 패공이 이미 관중을 평정한 뒤였다.(『資治通鑑』 권7 「二世皇帝」 3년)

235 항우가 진나라 … 것이다. : 항우는 진나라를 먼저 평정한 패공에 의해 닫힌 함곡관을 부수고 들어가 패공의 잘못을 사과 받은 뒤, 함양에 들어가 함양을 도륙하고, 진시황의 손자인 자영을 죽이고, 진나라 궁실에 불을 질러 그 불이 3개월 동안 그치지 않았다. 자영은 趙高에 의해 옹립되었으나 황제라 호칭되지 못하고 秦王이라 호칭되었다. 자영은 조고가 자신을 마지못해 세운 것을 알고서 병을 핑계하여 조고를 자신의 집으로 끌어들여 살해하였다 그런 다음 왕위에 올라 장수들을 내보내 관문을 지키게 하였다. 이러한 행동을 보았을 때 자영에게 그래도 어느 정도 제왕의 기질이 있었는데 그를 마지막에 보호하지 못하고 버린 것이 항우로부터 함양이 도륙당하게 하지 않았나 하는 생각을 하였을 것이란 말이다.(『史記』 권7 「秦始皇本紀」)

236 茅蕉 : 전국시대 齊나라 사람. 이름 초는 '焦'로 쓴 곳도 있다. 진시황이 아직 천하를 통일하기 전에 노애嫪毒

爵也 ; 又非必皆秦之所産, 皆直言之士也, 而爲是奮死而不顧.

잠실 진씨潛室陳氏[陳埴]가 말하였다. "진나라가 태후를 이궁離宮(별궁)으로 옮겨 살게 하자 이를 간하다가 죽은 신하가 27명이었는데,[237] 그 뒤로도 충성을 바친 자가 끊이지 않았다. 진나라는 매우 무도한 나라인데 조정에서 벼슬하는 사람 중 어찌하여 그다지 절의가 올곧은 신하가 많았을까? 그리고 그 일을 간쟁하는 사람이 반드시 꼭 모두 사직과 생명을 함께하는 신하[238]이거나 모두 왕실 집안의 높은 경대부만이 아니고, 반드시 꼭 모두 진나라에서 옥규玉圭(홀)를 나누어 받은 사람이거나 모두 진나라의 작위를 받은 사람들이 아니며, 또 반드시 꼭 모두 진나라 출신이거나 모두 올곧은 말을 하는 사람들만이 아니었는데도, 이 일을 위해 죽을힘을 떨쳐 목숨을 돌아보지 않았다.

蓋生乎戰國之世, 無一而非口舌之士 ; 仕於危亡之朝, 無一而非口舌之功. 故常喜出於波濤洶湧之間, 游人之所不能泳, 與濟俱没, 與汨俱出,[239] 而幸不死焉, 是其所以爲工耳. 若夫潢汙行潦, 弱翁稚子, 可褰裳而濟, 彼豈以是而動其心哉? 此所以積尸秦庭, 而後來者愈出而愈奇也. 雖然亦危矣. 逆驪龍之頷下而取其珠 ; 料虎口而奪之食. 若茅蕉者, 亦幸矣."[240]

전국시대에 태어나 어느 한 사람도 말재주를 피우지 않는 사람이 없었고, 위태하고 멸망해 가는 조정에 벼슬하며 어느 한 사람도 말재주로 공을 세우려 하지 않는 사람이 없었다. 그러므로 파도가 세차게 치솟는 사이에 뛰어들어 남들이 헤엄치지 못하는 곳을 헤엄치기를 좋아하며, 소용돌이치는 물의 한 중앙으로 함께 사라졌다가 솟구치는 물결과 함께 솟아올라 죽지 않는 것으로 요행을 삼았으니, 이것이 그들이 솜씨를 부린 것이다. 방죽이나 길바닥에 고인 물 정도는 허약한 늙은이나 어린아이도 바지를 걷고서 건널 수 있으니, 저들이 어찌 이 정도에 마음을 움직이겠는가? 이것이 진나라 조정에 시체가 쌓여도 뒤로 갈수록 더욱 뛰어들고 더욱 기발하여진 까닭이다. 그렇지만 역시 위험한 일이다. 검은 용驪龍의 턱밑을 더듬어[241] 여의주를 취하는 일이고 호랑이의 아가리를 더듬어 먹잇감을 빼앗는 일이다.

· ·

가 진시황의 母后와 사통하며 그 총애에 의지해 長信侯에 봉해지고 假父라 불려졌다. 모후와 사통한 사실이 진시황에게 들통 나자 반란을 일으키려 진시황에게 제압당해 노애는 車裂刑에 처해지고 삼족이 멸족되었으며, 노애의 아들로 태어나 숨겨져 키우던 두 아들은 죽임을 당하였다. 진시황은 모후를 雍에 유폐하고 이 일에 대해 말하는 자는 용서하지 않겠다고 내외에 천명하였으나 이 일을 거론하여 죽은 자가 27명에 이르렀다. 이때 모초가 나서서 진시황에게 "진나라는 한창 천하를 통일하고자 하는데 대왕께서 모후를 옮겨 살게 하였다는 소문이 퍼져 제후들이 이것을 들으면 이로 인해 진나라를 저버릴까 두렵습니다.(秦方以天下爲事, 而大王有遷母太后之名, 恐諸侯聞之, 由此倍秦也.)"고 하자, 진시황은 모후를 옹에서 맞이하여 함양의 甘泉宮에 다시 거처하게 하였다.(『史記』 권7 「秦始皇本紀」)

237 죽은 신하가 27명이었는데 : 27명이 누구인지는 분명하지 않다. 다만 이 기사를 쓰며 이 숫자만을 밝히고 있을 뿐이다.

238 사직과 생명을 … 신하 : 나라와 생명을 함께하는 신하를 이른다. 『史記』 「袁盎晁錯傳」에 "사직신은 군주가 살아 있으면 함께 살고 군주가 망하면 함께 죽는 사람이다.(社稷臣主在與在, 主亡與亡.)"라고 하였다.

239 與濟俱没, 與汨俱出 : 이 문장은 『莊子』 「達生」의 글인데 『莊子』에는 "與齊俱入, 與汨偕出"로 되어 있다.

240 『木鍾集』 「史 · 茅蕉」

모초 같은 사람은 또한 요행이다."

[59-22-2]

"陳涉之王也, 其事至微淺, 然縉紳先生, 抱祭器而往歸之; 張耳·陳餘·房君之徒, 又皆以興王之業說之. 舊史按其行事, 謂其不幸, 如是而致敗. 設不如是, 其事當復如何耶? 至其再三致意也, 猶曰其所置王侯將相, 竟足以亡秦. 且涉所置王侯將相微矣, 而史誇之. 若曰夫'涉起謫戌而首事', 志在免死而已, 其大要不過偸一時之欲, 其用軍行師, 未嘗有一日之規. 徒不勝其憤憤之心, 決一旦之死, 爲天下首事, 蓋未知烏止誰屋也. 在天下後世, 正不當以興王之事責之. 舊史猶復云云, 至今尚論涉事者, 猶惜其孰得而孰失也. 吁! 亦悲矣.

(잠실 진씨가 말하였다.) "진섭이 왕이 된 것은 그 일이 지극히 하찮은데도, 벼슬하던 사람들과 문사文士들이 제기祭器를 안고 찾아가 귀의하고,[242] 장이張耳·진여陳餘·방군房君의 무리는 또 모두 왕조 국가를 세우는 일로 설득하였다.[243] 옛 역사책은 진섭이 한 일을 점검하고서, '그가 불행스럽게도 이와 같아서 실패하였다.'고 말하였다.[244] 가령 이 같지 않았다면 그의 일이 다시 어찌 되었을 것인가? 재삼 그에게 마음을 쏟아 '그가 둔 왕후장상王侯將相들이 마침내 진나라를 멸망시켰다.'[245]고 말하기까지 하였다. 진섭이 임명한 왕후장상은 미미한 사람들이었는데도 역사책은 이렇게 과장하였다. '진섭은 수자리 살러가는 사람으로 일어나 맨 먼저 군사를 일으켰다.'[246]고 말하나, 뜻은 죽음을 모면하는 데 있을 따름이었으니,

- -

241 검은 용[驪龍]의 … 더듬어: 곧 逆鱗을 건드리는 위험성을 이른다.

242 祭器를 안고 … 귀의하고: 제기는 가장 소중한 물건이므로 그에게 완전히 귀의한 것을 제기를 거론하여 말한 것이다. 『禮記』「曲禮下」에 "군자는 가난해도 제기는 팔지 않는다.(君子雖貧, 不粥祭器.)"라고 하였다. 그토록 소중히 여기는 제기를 안고 갔다는 것은 그만큼 그를 믿었다는 말이다.

243 張耳·陳餘 … 설득하였다.: 장이와 진여는 모두 大梁 사람이고 두 사람 모두 처가 재산을 바탕으로 명성을 쌓았으며 장이는 수많은 식객까지 거느렸다. 진여는 장이를 아버지 섬기듯하며 서로 刎頸之交를 맺었다. 진승이 군사를 일으켜 옛 陳나라 땅을 차지하자 진 지역의 父老들은 진섭에게 王位에 오르기를 권유하였다. 이에 장이와 진여는 진승에게 군사를 일으키자마자 왕위에 오르는 것은 천하에 개인의 이익을 취하고자 하는 태도를 보이는 것이어서 옳지 않으니, 秦나라에 의해 망한 옛 제후국의 후손을 찾아 그들을 왕으로 봉하여 지원 세력을 만들면 제왕의 기반을 만들 수 있다고 권유하였다. 그러나 진승은 끝내 왕위에 올랐다. 방군은 蔡賜를 이르는 말로 방군은 그의 封號라고도 하고 벼슬 이름이라고도 한다. 上蔡 사람으로 진승에게 귀의하여 上柱國에 임명되었다. 이들처럼 식견 있는 사람들이 하찮은 진승에게 새로운 왕조 국가 설립을 권유하기까지 하였다는 말이다.(『史記』「陳涉世家」; 「張耳陳餘傳」)

244 옛 역사책은 … 말하였다.: 『史記』「陳涉世家」에서 司馬遷은 진섭이 진나라 장감에게 패하여 달아나다 그의 부하 莊賈에게 죽임을 당한 사실을 싣고서 이어 진섭이 실패하게 된 사연을 열거하였다. 그리고 마무리하는 말로 "여러 장수들이 이러한 까닭에서 진섭에게 친근히 귀부하는 자가 없었으니 이것이 그가 실패하게 된 까닭이다.(諸將以其故不親附, 此其所以敗也.)"라고 하였다.

245 '그가 둔 … 멸망시켰다.': 이는 『史記』「陳涉世家」의 사마천의 말이다. "진섭이 이미 죽었지만 그가 세웠던 侯王과 將相들이 끝내 진나라를 멸망시켰다.(陳勝雖已死, 其所置遣侯王將相, 竟亡秦.)"고 하였다. 진섭이 陳王에 오른 뒤 임명한 장수들을 살펴보면 武臣(뒷날 趙나라 왕이 되었음)·장이·진여·방군 정도이다.

크게 본다면 한때의 욕심을 취한 것에 불과하다. 그의 군대 지휘와 작전에는 하루 동안 지켜야 할 규율조차도 있은 적이 없었다. 단지 분통하고 분통한 마음을 억누르지 못하여, 하루아침에 죽기를 결단하고 천하에서 맨 먼저 군사를 일으켰으니, 까마귀가 어느 집 지붕에 앉을지 알 수 없기 때문이다.[247] 천하 후세의 처지에서 왕조 국가를 일으키는 일을 그에게 책임 지워서는 안 된다. 옛 역사책에서 여전히 운운한다고 지금까지도 진섭에 대해 논하는 사람들이 여전히 무엇은 잘하고 무엇은 실수라고 애석해하고 있다. 아! 슬프도다.

天下苦秦之禍, 故家遺俗, 豪人俠士, 喪氣略盡. 乃其所不慮之戍卒, 猶能爲天下而首事, 雖其人物卑陋, 事至微淺, 而古今猶幸之. 蓋積萬年之憾, 而發憤於陳王, 猶曰此秦民之湯武耳."[248]

천하가 진나라로 인한 재앙에 시달려 세족世族에 전해지던 풍속과 호걸이며 협객俠客들이 거의 남김없이 기세를 잃었다. 그런데 생각지도 못했던 수자리 떠나는 졸개가 오히려 천하를 위해 맨 먼저 군사를 일으켰으니 그 인물됨은 비루하고 한 일도 매우 미미하지만 예부터 지금까지 여전히 그 일을 다행스럽게 여긴다. 그것은 만년 동안 쌓인 한스러운 감정이 진왕陳王(진섭)에게서 분통이 폭발했기 때문이니 이 사람은 진나라 백성들에게는 탕임금이나 무왕이라고 말할 수 있을 것이다."

總論 총론

[59-23-1]

五峰胡氏曰: "一氣太息, 震蕩無垠, 海宇變動, 山勃川湮, 人消物盡, 舊迹亡滅. 是所以爲鴻荒之世歟! 氣復而滋, 萬物化生, 日以益衆, 不有以道之, 則亂; 不有以齊之, 則爭. 敦倫理, 所以道之也; 飭封井, 所以齊之也. 封井不先定, 則倫理不可得而敦.

오봉 호씨五峰胡氏[胡宏][249]가 말하였다. "한 덩이의 기氣가 크게 꺼지며 끝없이 요동치고, 천지가 변동되어 산이 무너지고 시내가 막혀, 인류가 사라지고 동식물들이 생명을 다하며, 옛날의 자취가 남김없이 사라

246 '진섭은 수자리 … 일으켰다.' : 위 [59-21-2] 주석 참고
247 까마귀가 어느 … 때문이다. : 이는 『詩經』「小雅·祈父之什·正月」 제3장의 시구 "까마귀의 내려앉음을 쳐다보니 어느 집으로 앉을까?(瞻烏爰止, 于誰之屋.)"라고 읊은 시에서 연유한 말이다. 곧 까마귀가 날다가 어느 집에 앉을지 알 수 없듯이 앞날은 어차피 예측할 수 없으니 이판사판 일을 벌인 것이란 말이다.
248 『木鍾集』「史·陳勝」
249 胡宏(1105~1155) : 송나라 建寧 崇安 사람. 자는 仁仲, 五峰은 호이고, 胡安國의 아들이다. 楊時와 侯仲良에게 수학하였고 부친의 학문을 계승하였다. 衡山에서 20여 년 동안 강학하며 張栻 등을 제자로 키워 湖湘學派의 창시자가 되었다. 양시 이후 남송에 洛學을 전파한 관건적인 인물이다. 저서는 『知言』·『五峰集』 등이 있다.(『宋史』 권435 「胡宏傳」; 『宋元學案』 권25; 권34; 권42)

졌다. 이것은 홍황鴻荒 세상이 된 것이다.[250] 기운이 회복되어 힘을 차리며 만물이 변화하여 생겨나고 날로 더욱 불어나니 그것들을 인도하지 않으면 혼란해지고, 가지런하게 하지 않으면 다투게 된다. 윤리를 돈독하게 하는 것이 그것들을 인도하는 일이요, 정전井田을 구획지어 바로잡는 것이 그것들을 가지런하게 하는 것이다. 정전의 구획을 먼저 확정해 두지 않으면 윤리를 돈독히 할 수 없다.[251]

堯爲天子, 憂之而命舜, 舜爲宰臣, 不能獨任, 憂之而命禹. 禹周視海內, 奔走八年, 辨土田肥瘠之等而定之, 立井牧多寡之制而授之, 定公·侯·伯·子·男之封而建之. 然後五典可敷, 而兆民治矣. 此夏后氏之所以王天下也.

요임금이 천자가 되어 이를 걱정하여 순을 임명하였고,[252] 순이 재상이 되어 혼자서 책임질 수 없자 이를 걱정하여 우禹를 임명하였다.[253] 우가 두루 천하를 살펴보고서 8년을 분주하게 뛰어다녀[254] 토질과 전답의 비옥함과 척박함의 등급을 변별하여 확정 짓고,[255] 정전과 목축지의 많고 적음에 대한 제도를 확립하여 내려주고, 공·후·백·자·남의 봉지를 규정지어 제후를 세웠다.[256] 그런 다음에 오전五典(오

. . . .

250 鴻荒 세상이 … 것이다. : 천지가 개벽하여 한 세상을 열었다가 다시 개벽 이전 상태로 돌아간 것을 이른다.
251 정전의 구획을 … 없다. : 정전은 국가가 백성에게 지급하는 전답이다. 이 전답의 크기가 균일하여야 백성들이 고르게 안정된 삶을 이룰 수 있고, 삶이 안정되어야 예의 교육을 비로소 시행할 수 있다는 말이다. 맹자는 이 정전을 王道 정치의 출발점으로 보아『孟子』「梁惠王上」에서 "1백 묘의 전답에 대해 그 농사 시기를 나라가 빼앗지 않으면 몇 식구의 가족이 굶주리지 않을 수 있고, 학교에서 가르치는 일을 신중히 하여 효도와 공손해야 하는 의리를 거듭하여 교육시킨다면 머리가 반쯤 희어진 노인이 길에서 짐을 이거나 지고 다니는 일이 없을 것이다(百畝之田, 勿奪其時, 數口之家可以無饑矣 ; 謹庠序之敎, 申之以孝悌之義, 頒白者不負戴於道路矣.)"라고 하였다.
252 요임금이 천자가 … 임명하였고 : 요임금이 순을 등용하여 섭정하게 한 것을 이른다. 요임금은 70여 년 동안 帝位에 재직하다 섭정할 사람을 추천받아 마침내 순을 등용하고, 28년 동안 순을 시켜 섭정하도록 하다가 천수를 다하고 돌아가자, 마침내 순이 천자 자리에 올랐다.(『書經』「堯典·舜典」)
253 순이 재상이 … 임명하였다. : 순이 섭정하는 동안 중국은 물바다의 상태로 백성들이 삶을 유지할 수 없었다. 이에 우를 등용하여 천하의 물을 바다로 빼내게 하였다. 다만 우를 등용한 시기에 대해서는『書經』의「舜典」에 실려 있어 마치 순이 요임금의 뒤를 이어 등극한 뒤의 일처럼 언급되어 있으나, 이「舜典」에서 다른 사람들을 임명하는 글에는 모두 "제왕이 말씀하기를(帝曰)"이라고 하고, 우를 등용하는 곳에서는 "帝曰"이라고 하지 않고 "순이 말하기를(舜曰)"이라고 되어 있는 점에서, 순이 아직 제위에 오르기 전에 우를 등용하여 물을 다스리게 한 것을 짐작할 수 있다. 아마 우를 등용한 것이 요임금 시절이었으나 물을 다스린 치적이 순임금의 치적이기도 하여 우의 등용을「순전」에 싣지 않았나 생각된다.
254 우가 두루 … 뛰어다녀 : 우가 천하의 물을 다스리기 위해 8년 동안 중국 천하를 이곳저곳 뛰어다녔다.『孟子』「滕文公上」에서는 이를, "우가 8년 동안 밖에서 지내며 세 차례나 자기 집 대문 앞을 지나가면서도 들어가지 못했다.(禹八年於外, 三過其門, 而不入.)"고 하였다.
255 토질과 전답의 … 확정짓고 : 우가 천하에 범람해 있는 홍수를 다스린 전후 일은『書經』「禹貢」에 실려 있다. 우가 홍수 물 다스리는 일을 처음 시작한 冀州부터 일을 마지막으로 끝낸 雍州까지, 9州를 州별로 나누어 홍수가 다스려진 산과 들과 강들을 기록하고, 이어 그 주의 흙 빛깔과 흙의 기름진 정도, 그리고 그 주에 부과하는 세금과 땅의 肥沃度까지를 밝혀 기록하였다.

륜)을 펼 수 있었고 백성이 다스려졌다. 이것이 하후씨[257]가 천하에서 왕도정치를 할 수 있었던 까닭이다.

後王才不出庶物, 大侵小, 强侵弱, 智詐愚. 禹之制浸隳浸紊, 以至于桀, 天下大亂. 而成湯正
之, 明其等, 申其制, 正其封, 以復大禹之舊, 而人紀脩矣. 此殷之所以王天下也.

후대 왕들의 재질은 수많은 사람 속에 뛰어나지 못해[258] 큰 이가 작은 이를 침해하고, 강한 이가 약한
이를 침해하고, 지혜 있는 이가 어리석은 이를 속였다. 우임금의 제도가 차츰 무너지고 문란하여져서
걸桀에 이르러 천하가 크게 어지러워졌다. 성탕成湯[259]이 이를 바로잡아 그 등급을 밝히고, 그 제도를
펴고, 그 봉토封土를 바로잡아 대우大禹가 세운 옛 제도를 회복시키자 사람들의 기강도 닦아졌다. 이것이
은나라가 천하에서 왕도정치를 할 수 있었던 까닭이다.

後王才不出庶物, 大侵小, 强吞弱, 智詐愚, 湯之制浸隳浸壞, 以至于紂, 天下大亂. 而周武王
征之, 明其等, 申其制, 正其封, 以復成湯之舊, 而五敎可行矣. 此周之所以王天下也.

후대 왕들의 재질은 수많은 사람 속에 뛰어나지 못해 큰 이가 작은 이를 침해하고, 강한 이가 약한
이를 합병하고, 지혜 있는 이가 어리석은 이를 속였다. 탕임금의 제도가 차츰 무너지고 문란하여져서
주紂에 이르러 천하가 크게 어지러워졌다. 주나라 무왕武王이 이를 바로잡아 그 등급을 밝히고, 그 제도
를 펴고, 그 봉토를 바로잡아 성탕成湯이 세운 옛 제도를 회복시키자 오교五敎(오륜)를 시행할 수 있게
되었다. 이것이 주나라가 천하에서 왕도정치를 할 수 있었던 까닭이다.

後王才不出庶物, 大吞小, 强侵弱, 智詐愚, 武王之制浸隳浸亂, 先變於齊, 後變於魯, 大壞於

256 공·후·백·자·남의 봉지를 … 세웠다. : 이는 『書經』「禹貢」 제일 끝에 실린 五服에 대한 내용이다. 오복
    은 중국 땅을 천자의 기주를 중심으로 5백 리씩 구획 지어 甸服, 侯服, 綏服, 要服, 荒服으로 나누고, 이들
    땅에 제후를 임명하여 세우고, 오랑캐 땅으로 규정지어 다스리는 등의 제도를 정한 것을 이른다. 여기서
    '服'은 천자를 복종하여 섬긴다는 뜻으로, 王畿 이외 지방의 구역 단위이다.
257 하후씨 : 이는 우임금이 순임금에게 천하를 물려받아 세운 夏나라를 이른다. 夏后라고도 하고, 夏氏라고도
    한다.
258 후대 왕들의 … 못해 : 군주의 지질을 두고 이른 말이다. 朱子의 「大學章句序」에 "한 사람이라도 총명하고
    슬기로워 자신의 본성을 다 실행한 사람이 수많은 사람들 속에서 나오게 되면, 하늘이 반드시 그를 임명하여
    모든 백성의 군주와 스승으로 삼아 다스리고 가르치게 하여 저들 백성의 본성을 회복시키도록 한다.(一有聰
    明睿智能盡其性者, 出於其閒, 則天必命之, 以爲億兆之君師, 使之治而敎之, 以復其性.)"고 하였다. 곧 군주는
    이런 덕목을 갖추어야 하는데 후대 왕들이 이런 뛰어난 덕목을 갖추지 못하였다는 말이다.
259 成湯 : 商나라를 건국한 탕임금을 이른다. 여기서 탕임금을 이르는 말 앞에 붙는 成자에 대해서 『書經』「仲虺
    之誥」의 "성탕이 걸을 남소에 유배하였다.(成湯放桀于南巢.)"고 한 글의 孔安國傳에 "탕임금이 걸을 정벌하
    여 무공을 이룬[武功成] 까닭에 成자를 호칭으로 썼다.(湯伐桀, 武功成, 故以爲號)"고 하였고, 陸德明釋文에
    는 공안국의 설을 그대로 싣고서 뒤이어 "어떤 사람들은 成은 시호라고 한다.(湯伐桀, 武功成, 故號成湯.
    一云, 成, 謚也.)"고 하였다.

秦, 而仁覆天下之政亡矣. 仁政旣亡, 有天下者, 漢唐之盛. 其不王, 人也非天也 ; 其後亡, 天也非人也.

후대 왕들의 재질은 수많은 사람 속에 뛰어나지 못해 큰 이가 작은 이를 침해하고, 강한 이가 약한 이를 침해하고, 지혜 있는 이가 어리석은 이를 속였다. 무왕의 제도가 차츰 무너지고 문란하여져서 제齊나라에서 먼저 변하고 노나라에서 뒤에 변하더니,[260] 진나라에서 크게 무너져[261] 인仁으로 천하를 감싸는 정치는 사라졌다. 인정仁政이 망하고 나서 천하를 소유한 자에 한나라와 당나라가 성대하였다. 그들이 왕도정치를 못한 것은 사람이지 하늘이 아니며, 그들이 나중에 망한 것은 하늘이지 사람이 아니다.

噫! 孰謂而今而後, 無繼三王之才者乎? 病在世儒不知王政之本, 議三王之有天下, 不以其道, 而反以亡秦爲可法也.”[262]

아! 누가 지금 이후에는 삼왕을 이을 인재가 없을 것이라고 말하는가? 그 병통은 세상의 선비가 왕도정치의 근본을 알지 못하여, 삼왕이 천하를 소유한 것을 논하면서 그분들의 도에 대해 말하지 아니하고, 거꾸로 망한 진나라를 본받을 만한 것으로 여기는 데에 있다.”

[59-23-2]
或問 : “關中形勝, 周用以興, 到得後來, 秦又用以興.”
朱子曰 : “此亦在人做. 當春秋時, 秦亦爲齊晉所軋不得伸. 到戰國時, 六國又皆以夷狄擯之, 使不得與中國會盟. 及孝公因此發憤, 致得商鞅而用之, 遂以強大. 後來又得惠文·武·昭襄, 皆是會做底, 故相繼做起來. 若其間有一二君昏庸, 則依舊做壞了. 以此見得形勝也, 須是要人相副.”
因言 : “昭王因范睢傾穰侯之故, 却盡收得許多權柄, 秦遂益強, 豈不是會?”[263]

. . . .

260 齊나라에서 먼저 … 변하더니 : 이는 『論語』「雍也」에서 공자가 “제나라가 한 번 변하면 노나라에 이르고, 노나라가 한 번 변하면 도의 경지에 이를 것이다.(齊一變, 至於魯, 魯一變, 至於道.)”라고 한 말에 연유한 것이다. 제나라는 무왕이 太公에게 봉해준 나라이고, 노나라는 무왕이 아우인 周公에게 봉해준 나라이다. 이 글의 주석에서 주자는 程子의 말을 인용하여, “노나라는 여전히 주공의 법제를 보존하고 있고, 제나라는 桓公의 霸權 시대를 경험하면서 간결함을 따르고 공을 중시하는 정치를 행하여, 태공이 남긴 법도가 남김없이 변하였다. 그러므로 한 번 변해야 노나라에 이를 수 있고, 노나라는 폐기되고 실추된 것을 손질하여 실행할 따름일 뿐이니 한 번 변하면 선왕의 도의 경지에 이를 수 있다.(魯猶存周公之法制, 齊由桓公之霸, 爲從簡尙功之治, 太公之遺法, 變易盡矣. 故一變, 乃能至魯, 魯則修擧廢墜而已, 一變則至於先王之道也.)”고 하였다. 이 말에 근거하여 제나라에서 먼저 변하고 노나라에서 뒤에 변하였다는 말을 한 것이다.
261 진나라에서 크게 무너져 : 진나라는 孝公이 商鞅을 左庶長으로 등용하여 變法을 실시하면서 連坐制를 도입하고 왕도 정치의 근간으로 여겼던 井田 제도를 무너뜨리고 지형의 형태에 따라 전답의 두둑을 새로 만드는 소위 開阡陌을 실시하였다.(『史記』권68「商君傳」)
262 『知言』권4
263 『朱子語類』권134, 78조목

어떤 사람이 물었다. "관중關中[264]은 지형이 뛰어나 주나라도 그 지형을 이용하여 일어났고 후세에 이르러서 진秦나라도 또 그 지형을 이용하여 일어났습니다."

주자가 대답하였다. "이는 또한 사람 하기에 달린 것이다. 춘추시대에 진秦나라는 또한 제나라와 진晉나라에 깔보여 기를 펴지 못하였다. 전국시대에 이르러서는 육국六國이 또 모두 오랑캐라고 내쳐 중국의 회맹에 참여할 수 없게 하였다. 효공孝公 때에 이르러서 이런 일들로 인해 분발하여 상앙商鞅을 초빙해 등용함으로써 마침내 강대하여졌다. 그 뒤로 또 혜문왕惠文王·무왕武王·소양왕昭襄王이 모두 해야 할 일을 알았던 군주들이었던 까닭에 서로 이어 나라를 이르켰다. 만일 그 중 한두 군주만 흐리멍덩하였어도 옛날처럼 무너졌을 것이다. 여기에서 지형의 뛰어남은 당연히 인물과 서로 부응해야 함을 알 수 있다."

이어서 말하였다. "소왕이 범수를 따라 양후의 세력을 넘어뜨린 까닭에 수많은 권력을 모두 거두어 잡으며 진나라는 마침내 더욱 강대해졌으니 어찌 이점을 알았던 것이 아니겠는가?"

[59-23-3]

問 : "溫公稽古錄秦論, 謂知及之, 仁不能守之, 雖得之, 必失之. 秦之謂矣. 又引賈生之論曰, 仁義不施, 而攻守之勢異也. 某竊謂秦以虎狼幷天下, 設使守之以道, 且不可保, 況又非其道耶? 論者不當徒咎其守之非道, 而不論其攻之已不善也."

물었다. "사마온공司馬光의 『계고록稽古錄』「진론秦論」[265]에 '지혜가 있어 알았더라도 인仁으로 지켜내지 못하면 얻었더라도 반드시 잃을 것이다.'[266]라고 하니 진나라를 이른 말이다.' 하고 또 가의賈誼의 말 중 '인의仁義를 베풀지 아니하고 공격과 수비의 형세가 달라서이다.'[267]라고 한 말을 인용하였습니다. 저는 혼자서 이렇게 생각하였습니다. 진나라가 호랑이와 이리 같은 사나움으로 천하를 병탄하였으니 설사 도리에 따라 지키더라도 또한 보전하지 못할 터인데, 하물며 도리를 따르지 않은 것이겠습니까? 이를 논하는 자들은 단지 그들이 도리에 따라 다스리지 않음만을 탓하고 그들이 공격하여 얻은 것이 이미 선하지 않았음을 논하지 않은 것은 부당합니다."

曰 : "賈生溫公之論, 若究其極, 固爲有病. 然彼其立論, 非爲攻取者謀, 以爲可以如是取之而無害也. 乃爲旣得之後而謀, 以爲如是則或可以守耳. 今且試以身處胡亥子嬰之地, 而自謀所以處之之宜, 則彼前日取之之逆者, 旣不可及矣. 吾乃可以拱手安坐, 以待其亡耶?"

---

264 關中 : 秦나라 지역을 이르는 말. 진나라는 사방 국경에 모두 천혜의 관문이 있어 진나라를 관문 안에 있는 나라라는 뜻으로 이렇게 불렀다. 네 곳의 관문은 『史記』「項羽本紀」의 "관중은 산과 황하로 막혀 사방이 요새이다.(關中阻山河四塞.)"의 裴駰 集解에 "동쪽은 函谷關, 남쪽은 武關, 서쪽은 散關, 북쪽은 蕭關이다.(東函谷, 南武關, 西散關, 北蕭關.)"라고 하였다.

265 『稽古錄』「秦論」 : 『稽古錄』 권11 「二世」 원년

266 「지혜가 있어 … 것이다.」 : 『論語』「衛靈公」

267 '仁義를 베풀지 … 달라서이다.' : 『新書』「過秦」

(주자가) 대답하였다. "가의와 사마온공의 말은 궁극적으로 살펴보면 참으로 병통이 있다. 그러나 저들 주장은 공격하여 차지한 계책을 두고 이 같은 방법으로 차지한 것이 해될 것이 없다고 말한 것은 아니다. 단지 이미 얻은 뒤의 도모가 이 같았다면 혹여 지킬 수 있었을 것이라고 말한 것일 뿐이다. 지금 시험 삼아 자신이 스스로 호해와 자영[268]의 처지에서 자신이 처신해야 할 마땅한 도리를 꾀해 본다면, 저 나라가 전날 도리에 어긋나게 취한 것은 이미 어찌할 수 없는 것이다. 그렇다고 내가 두 손 모으고 편안히 앉아서 망하기를 기다릴 수 있겠는가?"

．．．．．．．．．．．．．．．

268 호해와 자영 : 호해는 진나라 二世皇帝이고, 자영은 진시황의 맏아들인 태자 扶蘇의 아들이다. 진시황의 죽음을 은폐하고 환궁한 뒤 권력을 장악한 환관 趙高가 태자 부소를 제치고 호해를 옹립하였다가 다시 시해하고 자영을 옹립하였다. 자영은 등극한 지 46일 만에 한고조에게 항복하였다.(『資治通鑑』권8「秦紀 · 二世皇帝」3년 ;『資治通鑑』권9「漢紀 · 太祖高皇帝」원년)

歷代二 역대 2

歷代二
역대 2

西漢 서한

高帝 고제

程子曰 : "高祖其勢可以守關, 不放入項王. 然而須放他入來者有三事 : 一是有未阬二十萬秦子弟在外, 恐内有父兄爲變 ; 二是漢王父母妻子在楚 ; 三是有懷王."[1]

정자程子가 말했다. "고조는 관중關中을 지켜 항왕項王項羽이 들어오지 못하게 할 만한 세력이 있었다.[2] 그런데도 그를 들어오도록 놓아둘 수밖에 없었던 데에는 세 가지 사정이 있다. 첫째는 아직 파묻히지 않은 진나라 자제로 구성된 20만 군사가 밖에 있어서[3] 안에 있는 부형들이 변란을 일으킬까 두려워서이

---

1 『二程遺書』 권15 이 권은 伊川(程頤)의 말이나 권15에 "어떤 사람들은 명도선생 말이라고 한다.(或云明道先生語.)"라고 하여 누구의 말인지 분명하지 않다.

2 고조는 … 있었다. : 한고조와 항우는 모두 秦나라에 반대하여 군사를 일으킨 장수들이다. 이때 항우가 가장 뛰어난 장수였고 그 형세도 가장 컸다. 이때 항우가 范增의 계책에 따라, 망한 초나라의 마지막 군주 懷王의 손자 心을 찾아 다시 초나라의 군주로 옹립하며 호칭을 懷王이라 하였다. 이 회왕이 명분상 전체 의병의 군주였다. 회왕이 전체 장수들에게 약속하기를 "맨 먼저 관중에 들어가 평정한 사람을 왕으로 삼겠다.(先入定關中者王之.)"고 하였다. 이때 항우가 자원하였으나 당시 여러 장수들은 항우보다는 沛公(劉邦)을 보내야 한다고 하였다. 이에 패공이 관중을 치러 들어가는 장수로 임명되어 진나라의 남쪽 관문인 武關을 통하여 들어가 진나라의 마지막 왕인 子嬰의 항복을 받았다. 항우는 진나라의 여러 땅들을 공략하며 진나라 최고의 명장인 章邯과 싸워 항복받느라 패공이 이미 평정한 뒤에 진나라의 동쪽 관문인 함곡관을 통하여 진나라에 들어가게 되었다. 항우가 함곡관으로 들어온다는 소식을 들은 패공은 항우가 들어오면, 자신이 이곳 관중을 차지하지 못할 것으로 예상하고 함곡관에 군사를 보내 항우를 막고자 하였다. 그러자 항우는 함곡관을 격파하고서 진나라에 들어와 鴻門에 주둔하였다.(『史記』 권7 「項羽本紀」 ; 『資治通鑑』 「秦紀 · 二世皇帝」 2~3년)

고, 둘째는 한왕漢王(유방)의 부모와 처자식이 초나라에 있어서이며,[4] 셋째는 회왕懷王이 있어서이다."[5]

[60-1-2]

元城劉氏與馬永卿論圍碁曰: "碁中有一事, 今與公論之. 某嘗見高碁云, '高低碁不甚相遠, 但高碁識先後著耳. 若低碁即以後著爲先著, 故敗.' 昔有高碁曰漢高帝, 方黥布以窮來歸, 故洗足不起以挫其銳, 布欲自殺. 後見張御從官如漢王, 則又大喜過望, 此識先後著也. 又有低碁曰梁武帝, 方侯景以窮來歸, 遽裂地而王之. 其後景凡有所須, 輒痛挫抑之, 故景反而梁亡, 此以後著爲先著也."

원성 유씨元城劉氏[劉安世][6]가 마영경馬永卿[7]과 바둑에 대해 논하기를, "바둑에는 한 가지 방법이 있으니

. . . .

3 아직 파묻히지 … 있어서 : 항우가 함곡관에 이르러 오는 동안 진나라의 장수 장감과 漳水의 남쪽에서 벌인 두 차례의 전쟁을 승리로 이끌었다. 이에 장감은 진나라 군사를 이끌고 항우에게 항복하였다. 이때 진나라에서 함께 항복한 장수는 바로 長史 司馬欣과 董翳였다. 항우는 이들 군사를 이끌고 河北 지역을 평정한 뒤 함곡관으로 들어가고자 新安에 이르렀다. 이때 진나라의 군사들 사이에서 "章 장군이 우리를 속이고 諸侯(항우를 이름)에게 항복하였다. 우리가 함곡관으로 들어가 진나라를 격파한다면 매우 좋겠지만, 만일 그렇게 되지 않으면 항우는 우리 무리를 포로로 잡아 동쪽으로 돌아가고, 진나라는 또 우리 부모를 모두 베어 죽일 것이니 어떻게 하면 좋을까?(章將軍等詐吾屬降諸侯, 今能入關破秦, 大善 ; 即不能, 諸侯虜吾屬而東, 秦又盡誅吾父母妻子, 奈何?)"라고 쑤군거렸다. 이에 항우는 장감, 장사 사마흔, 도위 동예(都尉翳)만을 살리고 나머지 20만의 군사를 밤중에 공격하여 新安城 남쪽에 묻어버렸다. 程子는 여기서 패공이 항우의 군사를 막으려 한 시점이 아직 항우가 이들 20만 군사를 죽이지 않았을 때로 말한 듯하다.(『資治通鑑』 권8 「秦紀・二世皇帝」 3년 ; 권9 「漢紀・高帝」 원년)

4 漢王의 부모와 … 있어서이며 : 항우가 함곡관을 넘어 진나라에 들어간 해는 한나라 高帝 원년인 기원전 206년의 일이고, 漢王 劉邦의 부모와 왕비 呂氏를 포로로 붙잡은 것은 1년 뒤인 고제 2년(기원전 205년)의 일이다. 이때 이미 항우는 진나라를 완전히 격파하고서 자신은 西楚霸王에 오르고, 처음 회왕과의 약속을 어기고 패공을 진나라의 서쪽 땅인 漢中 땅의 왕으로 봉하였다. 이에 유방은 한중으로 잠시 돌아가 있다가 군사를 일으켜 옛 진나라의 땅을 차지하고 여세를 몰아 항우가 齊나라를 치러 자리를 비운 서초의 수도 彭城을 쳐서 함락시켰다. 이에 항우는 제나라를 치는 일을 잠시 미루고 돌아와 유방의 군사를 공격하여 일거에 완전히 초토화시켰다. 다행히 나무를 넘어뜨리고 지붕을 날리는 바람이 불어 항우의 군사가 흩어진 사이에 유방은 10여 기병과 탈출하였다. 이때 유방의 부모와 呂后가 항우의 군대에 붙잡혀 인질이 되었다.(『資治通鑑』 권9 「漢紀・高帝」 2년)

5 懷王이 있어서이다. : 회왕은 여러 장군들과 약속하기를 "관중에 먼저 들어가 평정하는 자를 왕으로 삼겠다.(先入定關中者, 王之.)"고 하였는데, 항우가 패공과 함께 서쪽으로 향하여 관중으로 들어가려 하였으나 여러 장군들이 항우의 포로 살육 등을 문제로 들어 패공만 서쪽으로 경략하게 하였다. 이렇게 되어 패공은 武關을 통하여 관중에 먼저 들어가고 항우는 길을 달리하여 函谷關으로 늦게 들어오게 되었다. 관중을 함락하라고 보낸 회왕의 처지에서 본다면 항우나 유방은 모두 아군들이니 항우의 함곡관 진입을 막을 수 있는 명분이 없다는 말로 이해된다.(『史記』 「高祖本紀」)

6 元城劉氏[劉安世] : 송나라 사람. 자는 器之, 시호는 忠定. 司馬光의 제자. 熙寧 연간의 진사. 벼슬은 諫議大夫. 강직하여 殿上虎라고 불렸다. 章惇의 무리에게 몰려 오랜 귀양살이를 하였다. 학자들이 元城先生이라 불렀다. 저서로 『盡言集』이 있다.(『宋史』 권345 ; 『宋元學案』 권20)

지금 공에게 말해보겠소. 내가 지난날 바둑의 고수를 만났더니 '바둑의 고수와 하수는 서로 차이가 많이 나는 것이 아니고 단지 고수는 먼저 두어야 할 수와 나중에 두어야 할 수를 알 뿐입니다. 하수는 나중에 두어야 할 수를 먼저 두는 까닭에 패하는 것입니다.'라고 하였소. 예전의 고수로는 한고조漢高祖가 있으니, 경포黥布가 한참 곤궁하여 귀의하여 왔을 적에 일부러 발을 씻으며 자리에서 일어나지 않는 것으로 그의 등등한 기세를 꺾어버리자 경포는 자살하고자 하였소. 그 뒤 휘장이며 일상 용구들이며 수발드는 관원이 한왕漢王(한고조)의 것과 똑같음을 알고서는 곧 기대 이상의 대우에 크게 기뻐하였으니,[8] 이는 수의 선후를 안 것이오. 또 하수로는 양무제梁武帝가 있으니, 후경侯景이 한참 곤궁하여 귀의하여 왔을 적에 대뜸 국토를 쪼개 왕을 시켰소. 그 뒤 후경이 요구하는 것마다 번번이 통렬히 꺾어버린 까닭에 후경이 반란을 일으켜 양나라는 망하였으니,[9] 이는 뒤에 두어야 할 수를 먼저 두었기 때문이오." 하였다.

又曰: "圍棊有過行者, 必須皆是高棊. 而當局者爲利害所昏, 故藉傍人指之爾. 若低棊雖是提耳而明告之, 亦不悟也. 昔漢高帝聞韓信欲爲假王, 輒大怒慢罵, 良平躡足, 此過行法也. 且高帝見處不甚相遠, 但高帝當局而迷爾. 使良平遇暗主, 雖累千萬言亦何益哉?"[10]

....

7 馬永卿: 송나라 揚州 사람. 자는 大年. 大觀 연간의 進士. 벼슬은 永城主簿, 夏縣令. 亳州에 귀양 온 劉安世에게 26년간 가르침을 받았다. 저서로 『元城語錄』, 『懶眞子』가 있다.(『宋元學案』 권20)

8 黥布가 한참 … 기뻐하였으니: 경포의 본 이름은 英布이다. 黥刑을 당한 데에서 영포보다는 주로 경포로 불렸다. 秦나라 六縣 사람이다. 항우와 유방 사이를 오가며 벼슬하여 항우 휘하에서는 九江王에 봉해졌고, 나중에 항우의 명을 받고 義帝를 시해하였다. 유방에게 다시 귀의하여서는 淮南王에 봉해졌고, 나중에 반란을 일으켰다가 실패하여 살해되었다. 이글은 경포가 항우의 휘하에서 구강왕으로 있을 때 한고조의 명을 받은 隨何가 그를 달래어 한나라로 귀의하게 하면서 있었던 일이다. 이때 제나라의 田榮이 항우에게 반란을 일으켜 스스로 제나라 왕위에 올랐다. 이에 항우가 제나라를 치고자 구강왕 경포에게 군사를 징발해서 함께할 것을 부탁하였으나 병을 핑계로 따르지 않았고, 한고조가 항우의 본거지 彭城을 칠 때도 초나라를 돕지 않았다. 이에 항우는 사신을 보내 경포를 꾸짖었고 경포는 두려움을 느꼈다. 이때 수하가 경포에게 찾아갔는데 마침 항우의 사자도 와 있었다. 수하는 항우의 사신을 죽이고 초나라에 귀의할 것을 종용하였다. 이에 경포는 한나라의 사신을 죽였다. 항우는 마침내 경포를 공격하였고 경포는 싸움에 져서 수하와 함께 지름길로 한고조에게 귀의하였다. 이때 한고조는 평상에 앉아 발을 씻으며 경포를 받아들였다. 경포가 벌컥 화를 내며 한나라로 귀의한 것을 후회하고 자살하고자 하였다. 한고조의 거처에서 나와 자신의 숙소로 가자 숙소의 시설이며 시중드는 관리가 한고조의 거처와 똑같은 것을 보고서 크게 기뻐하였다.(『史記』「黥布傳」)

9 侯景이 한참 … 망하였으니: 후경은 남북조시대 南朝梁의 朔方 사람으로 자는 萬景이다. 北魏 明帝 때 鮮于脩禮를 따라 定州에서 난을 일으켰고, 명제가 죽은 뒤 爾朱榮에게 의탁하여 공을 세우며 용맹을 드날렸다. 뒤에 北齊를 일으킨 高歡이 북위의 정승이 되어 이주영의 집안을 도륙내자 다시 고환에게 의지하였다. 고환이 죽으며 아들 高澄에게 내가 죽으면 후경은 너에게 쓰일 인물이 아니라고 하여서, 고징이 불러들여 죽이려 하자 다시 梁武帝(蕭衍)에게 사람을 보내 항복하기를 청하였다. 양나라의 여러 신하들이 모두 반대하였으나 무제는 독단으로 후경을 받아들여 河南王에 봉하였다. 뒤에 고징이 군사를 보내 후경의 근거지 渦陽을 공격, 수많은 군사와 말을 남김없이 잃으며 세력이 완전히 무너졌다. 그런데도 무제가 북위와 화해하려 하자 두려움을 갖고 남은 군사를 모아 반란을 일으켜 수도를 함락시키고 무제를 굶어죽이고 이어 簡文帝를 옹립하였다가 곧 시해하고 스스로 제위에 올라 漢帝라 하였으나 王僧辯에게 토벌되었다.(『梁書』「武帝本紀」;「侯景傳」)

또 말하기를, "바둑은 훈수에 의해 두는 것이 있으니, 반드시 모두가 고수여야 하오. 바둑을 두는 사람은 이해에 마음이 어두워진 까닭에 곁사람이 지적해주는 것에 도움을 받소. 그런데 하수의 사람일 것 같으면 귀를 잡아당겨 분명하게 일러주어도 또한 깨닫지 못하오. 예전에 한고조가 한신韓信이 '임시 왕假王]이 되겠다는 말을 듣고서 버럭 크게 화를 내어 오만하게 꾸짖다가 장량張良과 진평陳平이 발을 밟아[11] (제지하였으니) 이것이 훈수에 의해 두는 법이오. 또 고조의 수준도 서로 차이가 많이 나지 않았지만 단지 고조는 바둑을 두고 있어 혼미하였을 뿐이오. 가령 장량과 진평이 혼미한 군주를 만났었다면 몇 천만 마디 말을 한들 또한 무슨 도움이 되었겠소?" 하였다.

[60-1-3]

或問 : "高祖爲義帝發喪是詐, 後如何却成事?"

朱子曰 : "只緣當時人和詐也無, 如五伯假之, 亦是諸侯皆不能假故也."[12]

어떤 사람이 물었다. "고조가 의제義帝[懷王]를 위해 장례를 (천하에) 공표한 것은 속임수였는데 나중에 어떻게 왕업王業을 이루었습니까?"

주자가 대답하였다. "단지 당시 사람들은 속임수조차도 없었기 때문이다. 예컨대 오패五霸는 인의仁義를 빌렸지만[13] 또한 제후들은 모두 빌릴 수 없었기 때문이다."

[60-1-4]

"漢高祖取天下, 所謂仁義者, 豈有誠心哉? 其意本謂項羽背約. 及到新城, 遇三老董公遮道之言, 方假此之名, 以正彼之罪. 所謂縞素發喪之擧, 其意何在? 似此之謀, 看當時未必不是欲項羽殺之而後罪之也."[14]

. . . .

10 『元城語錄解』 권中

11 한고조가 韓信이 … 밟아 : 한신이 齊나라를 평정하고 한고조에게 사신을 보내 "제나라는 속이고 변화가 많은 이랬다저랬다 하는 나라이고, 남쪽으로 초나라와 국경을 맞대고 있으니 청컨대 임시 왕이 되어 제나라를 진압시키겠습니다.(齊僞詐多變反覆之國也, 南邊楚, 請爲假王以鎭之.)"라고 하였다. 이때 한고조는 항우와의 전쟁에서 연거푸 패하며 활을 가슴에 맞고 成皐에 머물러 치료하다 廣武에 주둔하고 있었다. 이 말을 들은 한고조는 크게 화를 냈다. 이에 장량과 진평이 한고조의 발을 슬쩍 밟으며 귀에 대고 "한나라가 바야흐로 불리하니 한신이 스스로 왕이 되겠다는 것을 어떻게 금할 수 있겠습니까?(漢方不利, 寧能禁信之自王乎?)"라고 하며 잘못하면 변란만 생길 것이라고 하자, 한고조는 말을 바꾸어 "대장부가 제후 국가를 평정하였으면 바로 진짜 왕이 될 일이지 어찌 임시 왕이 될 것이냐?(大丈夫定諸侯, 即爲眞王耳, 何以假爲.)"라고 하였다. 그리고 장량을 보내 제나라 왕의 印信을 한신에게 채워주었다.(『資治通鑑』 권10 「漢紀·高帝」 4년)

12 『朱子語類』 권135, 5조목

13 五霸는 仁義를 빌렸지만 : 이는 『孟子』 「盡心上」의 "요순은 본성 그대로 했고 탕무는 몸으로 닦아 본성을 회복하였고 오패는 仁義의 이름만을 빌렸다.(堯舜性之也, 湯武身之也, 五霸假之也.)"는 말에서 연유했다. 곧 인의를 빌리는 일도 오패만이 할 수 있었듯이 거짓으로 의제를 위하는 일도 한고조만이 할 수 있었다는 말이다.

14 『朱子語類』 권134, 59조목

(주자가 말하였다.) "한고조가 천하를 취하며 말한 인의仁義가 어찌 진실 된 마음에서이겠는가? 그의 생각은 본래 항우가 약속을 어긴 것만을 생각하였다. 신성新城에 이르러서 삼로三老인 동공董公이 길을 막고서 한 말을 듣고서야 비로소 이 인의의 명분을 빌려 항우의 죄를 단정하였다.[15] 이른바 흰 상복喪服을 차려입고 (회왕의) 장례를 공표한 일도 그 의중이 어디에 있었는가? 이 같은 계책들에서 당시 (유방이) 꼭 항우를 죽여서 죄주려고 했던 것을 살필 수 있다."

[60-1-5]

"廣武之會, 太公旣已爲項羽所執. 高祖若去求告, 他定殺了. 只得以兵攻之, 他却不敢殺. 時高祖亦自知漢兵已強, 羽亦知殺得無益, 不若留之, 庶可結漢之懽心." 一云[16] : "使高祖屈意事楚, 則有俱斃而已. 惟其急於攻楚, 所以致太公之歸也."

問: "舜棄天下猶敝屣."

曰: "如此則父子俱就戮爾, 亦救太公不得. 若分羹之語, 自是高祖説得不是."

(주자가 말하였다.) "광무廣武에서 마주하였을 적에 태공太公(한 고조의 아버지)은 이미 항우에게 붙잡혀 있었다. 고조가 만일 (그의 아버지를) 돌려달라고 말하였다면[17] 그는 반드시 죽었을 것이다. 단지 군사로

....

15 新城에 이르러서 … 단정하였다. : 한왕(유방)은 이때 항우의 지시에 의해 처음 회왕이 약속한 관중, 곧 진나라의 왕이 되지 못하고 항우의 분배에 따라 진나라의 서쪽인 漢中 지역의 왕에 봉해졌다. 마지못해 한중의 왕이 되었다가 곧 관중을 다시 함락시키고 이어 동쪽으로 항우를 정벌하고자 나섰다. 한편 회왕은 이전에 항우가 황제로 높여 義帝라 호칭하고 江南 땅을 그에게 봉하여 반군의 상징으로 삼았는데, 봉지로 가는 도중에 九江王 黥布 등을 시켜 양자강에서 의제를 시해하게 하였다. 한왕의 군대가 동쪽으로 洛陽의 新城에 이르렀을 때 三老 벼슬에 있던 董公(이름은 알지 못함)이 한왕의 길을 막아서 "신은 듣자하니 '덕에 순응하는 자는 창성하고 덕을 거스르는 자는 망한다.'라고 하였고, '군사를 일으키는데 명분이 없으면 일은 이루어지지 않는다.'라고 하였습니다. 그러므로 '상대가 역적임을 밝혀야 적을 항복시킬 수 있다.'라고 말하는 것입니다. 항우가 무도하여 그의 군주를 추방하였다가 시해하였으니 천하의 역적입니다. 仁은 용맹에 의지하지 않으며 義는 힘에 기대지 않습니다. 대왕께서는 의당 3軍의 군사를 거느리시고 의제를 위하여 흰 상복을 차려입고 제후들에게 알려 정벌한다면 천하가 그 덕을 우러러보지 않을 자가 없을 것입니다. 이는 三王이 했던 일입니다.(臣聞順德者昌, 逆德者亡.' '兵出無名, 事故不成.' 故曰, '明其爲賊, 敵乃可服.' 項羽爲無道, 放殺其主, 天下之賊也. 夫仁不以勇, 義不以力. 大王宜率三軍之衆, 爲之素服, 以告諸侯而伐之, 則四海之內, 莫不仰德. 此三王之擧也.)"라고 하였다. 이에 한왕은 장례를 공표하고서 저고리의 옷소매를 빼고 통곡한 다음 3일 동안 喪主처럼 행동하였다. 이어 제후들에게 사신을 보내 의제가 항우에 의해 시해되었음을 알리고 그 죄를 토벌하기 위해 자신이 군사를 일으켜 여러 제후들과 의제를 시해한 항우를 치고자 한다고 하였다.(『資治通鑑』 권9 「漢紀‧高帝」 원년~2년)

16 一云 : 『朱子語類』 권135, 7조목에는, '인걸이 기록한 어록(人傑錄云)'이라고 하였다.

17 廣武에서 마주하였을 … 말하였다면 : 이때 한왕은 韓信을 시켜 燕나라‧趙나라‧齊나라를 공격하게 하여 제나라까지 거의 수중에 장악하였고, 彭越을 시켜 楚나라를 공격하게 하여 항우가 나가 싸우는 동안의 군량미 조달 길을 막고 梁나라도 공략하도록 하였다. 이에 항우는 팽월의 양나라 공격을 물리치고자 한나라와 전선을 이루어 대치하고 있던 成皐를 曹咎에게 맡기고 팽월 공략에 나섰다. 항우가 양나라의 10여 성을 얻었을 때 조구는 한나라에 패하여 성고가 한나라 수중으로 들어갔다. 이에 항우는 부랴부랴 군사를 이끌고 돌아와

그를 공격하는 것만이 그가 감히 죽일 수 없게 하는 것이었다. 이때 고조도 한나라의 군사가 이미 강했졌음을 스스로 알았고, 항우도 (한고조의 아버지를) 죽이는 것은 도움 될 것이 없으니 붙잡아두어 그나마 한나라의 환심을 묶어두는 것만 못함을 알았다." 어떤 곳에서는 이렇게 말하기도 하였다. "가령 고조가 뜻을 굽히고 초나라를 섬겼더라면 함께 죽임을 당할 따름이었다. 급하게 초나라를 공격하는 것만이 태공을 돌아올 수 있게 하는 일이었다."

"순임금은 천하를 버리기를 해진 짚신처럼 여겼다."[18]는 일에 대해 물었다."

(주자가) 대답하였다. "이같이 하였다면 부자가 함께 죽임을 당하고 또한 아버지도 구원하지 못했을 것이다. '국물을 나누어 달라.'는 것과 같은 말은 본래 고조의 잘못된 말이다."

[60-1-6]

"高祖斬丁公, 赦季布, 非誠心欲伸大義, 特私意耳. 季布所以生, 蓋欲示天下功臣, 是時功臣多, 故不敢殺季布. 旣是明大義, 陳平・信・布皆項羽之臣, 信・布何待反而誅之?"[19]

(주자가 말하였다.) "고조가 정공의 목은 베고 계포를 사면한 것[20]은 성심으로 대의를 펴고자 한 것이

광무에 주둔하여 한왕과 일전을 준비하였다. 그러나 군량미가 부족하였다. 이에 이전부터 볼모로 붙잡아 두었던 한왕의 아버지를 이용하고자 하여 큰 도마를 만들어 한왕의 아버지를 그 위에 올려놓고 "지금 급히 항복하지 않으면 내가 태공을 삶아버리겠다.(今不急下, 吾烹太公.)"고 하자, 한왕은 "내가 항우와 함께 북향하여 회왕에게 명령을 받들어 형제가 되겠다고 약속하였으니 나의 아버지는 바로 너의 아버지다. 기필코 너의 아버지를 삶고자 하거든 나에게도 국물 한 그릇을 나누어 주기 바란다.(吾與羽俱北面受命懷王, 約爲兄弟, 吾翁即若翁. 必欲烹而翁, 幸分我一杯羹.)"라고 하였다. 이에 항우가 성을 내어 죽이려고 하자 項伯이 "천하의 일은 예측할 수 없다. 또 천하를 도모하는 사람은 집을 돌보지 않으니 죽인다 하여도 도움 될 것이 없고 단지 재앙만 더 만들 뿐이다.(天下事未可知. 且爲天下者不顧家, 雖殺之無益, 祇益禍耳.)"고 하자 항우는 그 말을 따랐다. 이때 한왕이 아버지 삶은 국물을 한 그릇 나누어 달라고 한 것을 두고 이렇게 평한 것이다.

18 "순임금은 천하 … 여겼다." : 『孟子』 「盡心上」에서, "도응이 묻기를, '순이 천자이고 고요가 법 집행 담당자인데 瞽瞍(순임금의 아버지)가 사람을 죽였다면 어떻게 할까요?'라고 하자 맹자는 '고수를 체포할 뿐이다.' 하니 '그렇다면 순이 금지하지 않겠습니까?' 하자 '순이 어떻게 금지하랴! (그 법 집행은) 물려받은 것이다.' '그렇다면 순은 어떻게 처신하겠습니까?' '순은 천하 버리기를 마치 해진 짚신처럼 여겨서 (고수를) 몰래 빼내 등에 업고 도망쳐 바닷가를 따라 정착하여 죽도록 흔연하게 즐거워하며 천하를 잊어버릴 것이다.(桃應問曰 : 舜爲天子, 皐陶爲士, 瞽瞍殺人, 則如之何? 孟子曰 : 執之而已矣. 然則舜不禁與? 曰 : 夫舜惡得而禁之, 夫有所受之也. 然則舜如之何? 曰 : 舜視棄天下, 猶棄敝蹝也. 竊負而逃, 遵海濱而處, 終身訢然樂, 而忘天下.)"고 한 말이 있다. 물론 이는 가설일 뿐 실재한 일은 아니다. 다만 이를 인용하여 한왕의 아버지를 생각하는 마음이 순임금의 이러한 마음과 어떠한가를 비교하고자 한 것이다.

19 『朱子語類』 권135 「歷代 2」 11조목

20 고조가 정공의 … 것 : 정공과 계포는 항우의 마지막 신하들이다. 한고조가 항우를 이기고 천하를 통일하고서 항우의 장군으로 자신을 여러 차례 군색한 궁지로 몰아넣은 계포를 1천금의 현상금을 걸고 찾았다. 계포는 魯나라의 주씨 집[朱家]에 종으로 팔려 자신의 신분을 숨겼다. 주씨 집에서는 그가 계포임을 알아차리고서 농토와 집을 마련해 주고서, 洛陽으로 가서 滕公(夏侯嬰)을 만나 설득하기를 "계포가 무슨 죄인가? 신하란 각기 자신의 주군을 위해 직분을 수행할 뿐이다. 항우의 신하였던 사람들을 어떻게 다 죽일 수 있겠는가? 지금 제왕께서 천하를 얻자마자 사사로운 원한으로 한 사람을 찾고 있으니 어찌해서 속 좁음을 내보이는가?

아니고 단지 사사로운 뜻이었을 뿐이다. 계포를 살려둔 까닭은 천하의 공신에게 보여주고자 한 것이니, 이 당시에 공신이 많았던 까닭에 감히 계포를 죽이지 못한 것이다.[21] 기왕에 대의를 밝히고자 함이었다면 진평陳平·한신韓信·경포黥布도 모두 항우의 신하였는데 한신·경포는 왜 반란하기를 기다렸다가 죽였겠는가?"[22]

[60-1-7]

南軒張氏曰: "惟仁義足以得天下之心, 三王是也. 高帝之興, 亦有合乎此, 是以能剪暴秦滅强項而卒基漢業. 方懷王遣將入關, 諸老將固以爲沛公素寬大長者, 而心歸之. 至於三章之約, 其所以得乎民者深矣, 此非其所謂仁者歟? 予每愛三老董公之説, 以爲順德者昌, 逆德者亡, 兵出無名, 事故不成, 名其爲賊, 敵可乃服. 三軍之衆爲義帝縞素, 聲項羽之罪而討之, 於是五十六萬之師, 不謀而來從, 義之所感也. 使斯時高帝不入彭城, 置酒高會, 率諸侯窮羽所至而誅之, 天下即定矣. 惜其誠意不篤, 不能遂收湯武之功. 然漢卒勝, 楚卒亡者, 良由於此名正義立故也."[23]

남헌 장씨南軒張氏[張栻]가 말하였다. "인의仁義만이 천하 사람의 마음을 얻을 수 있으니 삼왕三王[24]이 그러한 분들이다. 고조의 성공도 또한 여기에 합치됨이 있다. 그런 까닭에 포악한 진나라를 싹둑 잘라버리고

. . . .

또 계포처럼 어진 사람을 한나라가 급하게 찾는다면 이 사람은 북쪽 胡族에게 달아나지 않으면 남쪽 越나라로 달아날 뿐이다.(季布何罪? 臣各爲其主用職耳. 項氏臣豈可盡誅邪? 今上始得天下, 而以私怨求一人, 何示不廣也. 且以季布之賢, 漢求之急, 此不北走胡, 南走越耳.)라고 하여, 등공이 한고조에게 이 말을 아뢰자 사면하고 불러들여 郞中 벼슬을 내렸다. 정공은 계포의 의붓아버지 동생이다. 한고조와 彭城의 서쪽에서 서로 긴 무기를 쓸 수 없을 정도로 서로가 바짝 맞붙어 短刀를 들고 싸우게 되었을 때, 한고조가 정공에게, "두 어진 사람이 왜 서로를 곤경에 빠트릴 일인가?(兩賢豈相厄哉?)"라고 하니 정공이 군사를 이끌고 돌아가버렸다. 항우가 죽자 정공이 한고조를 알현하였다. 한고조는 정공을 군대에 조리돌리며 "정공은 項王의 신하로 충성하지 않아 항왕이 천하를 잃게 한 자이다.(丁公爲項王臣不忠, 使項王失天下者.)"라고 하고서 마침내 머리를 베고 "뒷날 신하 된 자가 정공을 본받지 않게 하려 함이다.(使後爲人臣, 無傚丁公也.)"라고 하였다.(『前漢書』「李布欒布田叔傳」)

21 이 당시에 공신이 많았던 까닭에 감히 계포를 죽이지 못한 것이다. : 이 말은 곧 항우에게 절대 충성한 계포를 등용함으로써 자신의 공신들에게도 절대 충성한 공신들을 버리지 않겠다는 뜻을 무언중에 보여준 것이라는 말이다. 당시 공신들은 자신이 세운 공을 인정받지 못해 한때 웅성거림이 심하였다. 이를 장량의 계책에 의해 고조가 평생 미워했던 雍齒라는 장군을 什方侯에 봉하여 주는 것으로 다독인 일도 있었다.(『資治通鑑』 권11 「漢紀·高帝」 6년)

22 陳平·韓信 … 죽였겠는가? : 이들 세 사람은 한고조의 한나라 건설에 가장 큰 공을 세운 사람들이나 모두 한고조에게 오기 전에 항우의 신하였던 사람들이다. 곧 정공을 두 마음을 가진 일로 응징하여 죽였다면 이들도 두 마음을 가진 사람들인데도 한신과 경포가 반란을 꾀하였을 때 죽인 것은 앞뒤가 맞지 않는 일이라는 말이다.

23 『南軒集』 권16 「史論·漢楚爭戰」

24 三王 : 夏나라의 禹王, 殷나라의 湯王, 周나라의 文王과 武王을 이른다.

강한 항우를 멸망시키고서, 마침내 한나라 왕업의 터전을 일구었다. 회왕이 장수를 보내 관중關中에 들여보낼 적에 여러 노숙老宿한 장수들이 패공이 본래 크게 관후한 장자長者라 하여 마음이 한사코 그에게로 쏠렸다.[25] 삼장三章의 법을 약속할 때[26]에 이르러서 백성의 마음을 깊이 얻었으니, 이것이 고조의 인仁함이 아니겠는가? 나는 언제나 삼로三老인 동공董公이 한 말을 좋아한다. 그는 '덕에 순응한 사람은 창성하고 덕을 거스르는 사람은 망하며, 군사를 일으키는 데 명분이 없으면 일은 이루어지지 아니하고, 상대가 적이 된 연유를 일컬어 말해야 적을 마침내 항복시킬 수 있다.'고 하였다. 삼군의 군사가 의제義帝를 위해 흰 상복을 차려입고 항우의 죄를 성토하자, 이에 56만의 군사가 서로 상의도 없이 찾아들었으니 의리에 감동한 것이다.[27] 만일 이때 고조가 팽성彭城으로 들어가 술을 준비하여 성대한 모임을 열지 않고,[28] 제후의 군사를 이끌고 항우가 머물고 있는 곳을 끝까지 추격하여 그를 죽였다면 천하는 바로 안정되었을 것이다. 애석하게도 그의 정성된 뜻이 독실하지 못해 끝내 탕무湯武의 공을 이루어내지 못했다. 그러나 한나라가 끝내 이기고 초가 끝내 망한 것은 참으로 명분이 바르고 의리를 확립시킨 일에서 연유한 것이다."

• • • • • • • • • • • • • • • • • • • •

25 회왕이 장수를 … 쏠렸다. : 회왕이 항우의 옹립으로 帝位에 오르면서 당시 천하에서 일어난 모든 세력의 군주로 자리하였다. 그가 장수들에게 약속하기를 "먼저 관중에 들어가 평정하는 자를 (관중의) 왕으로 삼겠다.(先入關中者, 王之)"고 하였다. 이때는 진나라의 세력이 강해 아무도 관중에 들어가려는 자가 없었다. 그런데 항우의 삼촌 項梁이 진나라 장수 章邯에게 패하여 목숨을 잃었다. 그래서 항우가 패공과 함께 관중으로 쳐들어가기를 자원하였다. 회왕의 여러 노련한 장수들이 모두 항우는 사람됨이 표독하고 사나워 지나가는 곳마다 죽이고 파괴시키지 않음이 없으니, 長者를 보내 의리를 내세워 진나라의 父老들에게 알린다면 항복시킬 수 있을 것이라고 하고서 패공이 그러한 사람이니 보낼 만하다고 하였다. 이에 회왕은 항우의 청을 허락하지 않고 패공을 보내 서쪽으로 진나라를 공략하게 하였다.(『資治通鑑』 권8 「秦紀 · 二世皇帝」 2년)

26 三章의 법을 … 때: 패공이 관중을 평정하고서 진나라 여러 고을의 父老와 호걸들을 불러 모으고서 "부로들께서 진나라의 세세한 법에 고생한 지 오래 되었소! 내가 제후들과 약속하기를 관중에 먼저 들어가 평정한 사람을 왕으로 삼기로 하였으니 내가 당연히 관중의 왕이 될 것이오. 부로들과 약속하건대 법은 3장일 뿐이오, 사람을 죽인 자는 죽이고, 사람을 상해한 자와 도적질한 자는 그 죄를 받게 될 것이오. 나머지 진나라의 모든 법을 다 없애겠으니 여러 관리나 백성들은 모두 예전처럼 집안에서 잘 지내도록 하시오.(父老苦秦法久矣! 吾與諸侯約, 先入關者王之, 吾當王關中, 與父老約, 法三章耳. 殺人者死, 傷人及盜抵罪. 餘悉除去秦法, 諸吏民皆案堵如故.)"라고 하였다. 그리고서 사람을 보내 진나라의 관리와 여러 고을을 돌며 알리게 하였다. 진나라 백성들은 크게 기뻐하여 다투어 소며 양이며 돼지고기와 술을 준비하여 패공의 군사를 대접하였으나 패공은 이것도 사양하고 받지 않았다. 이에 백성들이 더욱 기뻐하며 행여 패공이 자신들의 왕이 되지 못할까 걱정하였다.(『資治通鑑』 권9 「漢紀 · 高帝」 원년)

27 이에 56만의 … 것이다. : 한왕이 동공의 말을 받아들여 회왕의 장례 준비를 시작하고 천하에 이를 알리자 천하에서 호응한 군사 수가 당시 56만에 이르렀다. 당시 한왕이 항우에게서 처음 한왕에 봉해져 漢中으로 들어갈 때 군사 수는 불과 3만이었다. 만 1년 만에 그에게 호응한 수가 이렇게 불어난 것이다.(『資治通鑑』 「漢紀 · 高帝」 원년~2년)

28 고조가 彭城으로 … 않고 : 한왕은 이 군사를 이끌고서 항우의 나라 西楚의 수도인 팽성을 공격하여 함락시키고서, 그 나라에 갈무리된 각종 보물을 거두어 차지하고 날마다 술을 준비하여 큰 잔치를 벌였다. 이때 항우는 반기를 든 齊나라를 공략하느라 서초를 비운 사이였다.(『資治通鑑』 권9 「漢紀 · 高帝」 2년)

[60-1-8]

問 : “高祖規模弘遠, 何事可驗?”

曰 : “約法三章. 用三老董公仁義之説. 此二事可驗.”[29]

물었다. “고조의 규모가 크고 원대한 것을 어떤 일에서 증험할 수 있습니까?”

(남헌 장씨가) 대답하였다. “삼장의 법을 약속하고 삼로인 동공의 인의에 대한 말을 채택한 이 두 가지 일에서 증험할 수 있다.”

[60-1-9]

“嘗讀漢史至平城之圍, 内外不通者七日, 用陳平秘計, 僅而獲免, 未嘗不爲高帝危之. 班固號良史, 於陳平之計, 亦莫得聞, 意必猥陋可羞之甚. 故平亦恥譚, 不欲自貽笑於後世也. 猶幸有平計可用耳. 脱或無策, 則漢家社稷豈不寒心? 雖欲斬十使, 封婁敬, 尚及爲乎? 一聽之誤, 爲禍如此, 幸免而悔, 所失已多. 曷若審聽於初, 而不輕用以取辱乎?”

(남헌 장씨가 말하였다.) “일찍이 『한서漢書』를 읽으며 평성平城의 포위에 7일 동안 안팎이 막혔다가[30] 진평陳平의 비밀스런 계책을 써서 겨우 모면한 데에 이르면,[31] 고조를 생각하는 마음에서 위험스러워하

. . . .

29 『西山讀書記』 권25에 남헌 장씨의 말로 실려 있다.

30 平城의 포위에 … 막혔다가 : 한고조 7년에 흉노에게 항복한 韓王信을 고조가 직접 군사를 이끌고 평정하러 나섰다가 겪은 일을 이른다. 한왕 신이 패하여 흉노로 달아나자 한왕 신의 남은 세력이 다시 형세를 결집하여 흉노에게 달아난 한왕 신과 한고조에게 항거하였다. 이때 흉노도 가세하였다. 고조가 晉陽에 머물러 있는데 흉노의 冒頓이 代谷에 있다는 소식이 들렸다. 사신을 보내 흉노의 형세를 살펴보게 하였는데 살피고 온 10명의 무리 모두가 공격할 수 있다고 하였다. 다시 婁敬에게 살펴보게 하여 그가 돌아오기 전에 군사 32만을 출발시켜 공격에 나섰다. 이때 누경이 돌아와서, 두 나라가 서로 공격할 때는 의당 자랑스러운 것들만 내보이는 것인데 파리하고 노약자들만 볼 수 있었으니 이는 필시 奇兵을 숨겨 이점을 노린 것이라며 흉노는 공격할 수 없다고 하였다. 이때 한나라 군대가 이미 출발한 상태여서 한고조는 누경에게 “제나라 녀석이 말재간으로 벼슬을 얻고서는 실없는 말로 우리 군대의 사기를 꺾고 있다.(齊虜以口舌得官, 今乃妄言沮吾軍.)”고 하고서 누경을 감옥에 가두었다. 고조가 평성에 먼저 도착하고 다른 군대가 미처 도착하기 전에 묵특이 정예 기병 40만 명으로 고조를 白登에서 포위하였다. 그리하여 7일 동안 한나라 군대는 안팎이 서로 소식이 단절되었다. 이때가 한겨울이었다.(『資治通鑑』 권11 「漢紀 · 高帝」 7년)

31 陳平의 비밀스런 … 이르면 : 이때 진평의 계책이 어떤 것이었는지 어느 곳에도 언급한 곳은 없다. 다만 『資治通鑑』「漢紀 · 高帝」 7년에서 “고조가 진평의 비밀스런 계책을 써서 사신을 몰래 閼氏(흉노의 황후)에게 보내 후하게 선물하였다. 연지는 묵특에게 ‘두 군주가 서로를 곤경에 빠트려선 안 됩니다. 지금 한나라를 얻는다 해도 선우께서는 끝내 차지할 수 없습니다. 또 한나라 군주는 신령함이 있으니 선우께서는 이 점을 살펴보십시오.(帝用陳平祕計, 使使間厚遺閼氏. 閼氏謂冒頓曰, 兩主不相困. 今得漢地, 而單于終非能居之也. 且漢主亦有神靈, 單于察之.)”라고 하자, 묵특은 포위의 한쪽을 풀어 고조가 나갈 수 있게 해주었다고 하였다. 다만 이를 應劭가 桓譚의 『新論』에 의거하여, 진평이 화가에게 미녀를 그리게 하여, 그 그림을 몰래 연지에게 보여주며, 지금 황제가 곤경에 처하여 이 미녀들을 바치려 한다고 하였다. 연지는 그 미녀들에 의해 자신이 누리는 총애를 잃을까 두려웠다. 이에 선우에게 한나라 천자에게도 신령함이 있을 것이니 설사 한나라 땅을 차지한다 하여도 소유할 수 없을 것이라고 하였다. 이에 선우는 포위의 한쪽을 풀어 고조가 뚫고 나왔다고

지 않은 적이 없다. 반고班固를 훌륭한 역사가라고 부르는데도 진평의 계책만큼은 또한 듣지 못했으니, 아마도 매우 비루하고 부끄러울 만한 일이어서일 것이다. 그런 까닭에 진평도 역시 부끄럽게 여기고서 숨겨, 스스로 후세에 웃음거리를 남기려 하지 않았을 것이다. 그나마 진평의 계책을 쓸 수 있었던 것이 다행이다. 만일 그 계책마저 없었다면 한나라 왕조의 사직은 어찌 한심스러워지지 않았겠는가? 사신 다녀온 10명의 목을 베고 누경婁敬을 봉해주고자 한들 할 수 있는 일이겠는가?[32] 한 번 솔깃해 따른 잘못이 이 같은 재앙이 되었으니 요행히 재앙을 모면하고 후회하였으나 이미 잃은 것이 컸다. 어찌 처음에 자상하게 듣고 가볍게 움직이다 치욕을 당하지 않은 것만이야 하겠는가?"

又曰 : "高祖平生好謀能聽, 自起布衣以有天下, 用人之言, 鮮有誤者. 至此忽輕信十輩之言, 其病安在? 蓋由急於功利之故. 惟帝貪易擊之利, 遂欲邀功於遠夷. 此念旣萌, 利害倒置. 故十輩之言, 得以入之. 雖有婁敬之忠, 反怒其妄言沮軍也. 是故爲人主者, 又當端其一心, 勿以小功淺利, 自惑其聰明, 則臣下是非之言可以坐照, 而挾功利之説者, 亦無隙之可乘矣."[33]
또 말하였다. "고조는 평생 동안 계책 내기를 좋아하고 사람들의 말을 잘 들어 무명인無名人으로 일어나 천하를 소유하였고, 남의 말을 쓰는 일에서도 잘못이 적었다. 이 일에 이르러서만 홀연히 열 사람의 말을 가볍게 믿었으니 그 병통은 어디에 있을까? 아마도 공리功利를 다급하게 여긴 일에서 비롯되었을 것이다. 고조는 손쉽게 공격할 수 있다는 이점을 탐내, 마침내 멀리 있는 오랑캐에게서 공을 세워보고자 하였을 것이다. 이 생각이 이미 싹트자 이해에 대한 생각이 뒤바뀌었다. 그것에서 열 사람의 말이 먹혀든 것이다. 누경의 충성이 있었으나 도리어 부질없는 말로 군사의 사기를 꺾는다고 성을 냈다. 그러므로 군주가 된 사람은 또한 마땅히 자신의 한 마음을 단정하게 지니고 조그만 공과 하찮은 이익으로 자신의 총명을 흐리게 하지 않으면, 신하들의 시시비비에 관한 말을 앉아서 환히 알아내, 공리를 끼고 말하려는 자가 또한 이용할 수 있는 틈이 없게 된다."

[60-1-10]
潛室陳氏曰 : "楚懷王之立也, 天將以興漢乎? 懷王之死也, 天將以亡楚乎? 夫懷王項氏所立, 此宜深德於項. 今觀懷王在楚, 曾無絲粟之助於楚, 而獨屬意於沛公. 方其議遣入關也, 羽有

･･･････････････････････････
하였다. 그러나 顔師古는 이는 환담의 억측일 뿐 어느 책에도 전하여지지 않는 말이라고 부정하였다.

32 사신 다녀온 … 일이겠는가?: 백등의 포위에서 풀려나온 고조는 廣武에 도착하여 누경을 풀어주고 "내가 공의 말을 듣지 않았다가 평성에서 곤경에 빠졌다. 내가 앞서 사신 다녀와 공격할 만하다고 한 10명의 무리 모두를 이미 목 베었노라.(吾不用公言, 以困平城. 吾皆以斬前使十輩言可擊者矣.)"라고 하고, 누경에게 2천 户를 봉해 關內侯로 삼고 建信侯라고 호칭하였다. 누경은 한고조 5년(기원전 202년)에 한고조가 천하를 통일 하고서 수도를 임시 洛陽으로 정하고서 아직 확정 짓지 못하고 있을 때, 관중을 수도로 삼아야 하는 당위성을 주장하여 그 안이 채택되면서 고조가 자기 집안의 성 劉를 하사해 劉敬으로 불렸다.(『史記』「劉敬傳」; 『資治通鑑』 권11 「漢紀·高帝」 5년)

33 이 책에서는 이 말을 남헌 장씨의 말로 인용하였으나 남헌 장씨의 문집에서 찾을 수 없었다.

父兄之怨於秦, 所遣宜莫如羽者, 顧不遣羽而遣沛公. 曰: '吾以其長者不殺也,' 沛公之帝業蓋
於是乎興矣. 至其與諸將約也, 曰: '先入關者王之.' 沛公先入關而羽有不平之心, 使人致命於
懷王, 蓋以爲懷王爲能右己也, 而懷王之報命但如約而已. 以草莽一時之言, 而重於山河丹書
之誓, 羽雖欲背其約, 其如負天下之不直何? 是沛公之帝業又於此乎定矣.

잠실 진씨潛室陳氏陳塤가 말하였다. "초회왕의 등극은 하늘이 한나라를 일으키려 함이었을까? 회왕의
죽음은 하늘이 초나라를 망하게 하려 함이었을까? 회왕은 항씨가 옹립하였으니[34] 회왕은 의당 항우에게
깊은 은덕을 느껴야 했다. 지금 살펴보면 회왕은 초나라에 대해서 일찍이 실낱 한 오라기나 좁쌀 한
톨 만큼의 보탬이 없고 유독 패공에게 마음을 쏟았다. 바야흐로 관중에 들어갈 사람을 내보내는 일을
의논할 적에 항우는 부형에 대한 원한이 진나라에 있었으니[35] 보낼 사람은 당연히 항우 만한 사람이
없었는데 도리어 항우를 보내지 아니하고 패공을 내보냈다. 그러면서, '나는 장자長者가 백성을 살해하지
않아서이다.'[36]라고 하였으니, 패공이 제왕에 오르는 일은 아마도 여기에서 기인起因하였을 것이다. 회왕
이 여러 장수들과 약속하면서 '먼저 관중에 들어간 사람은 관중의 왕으로 삼겠다.'고 하였다. 패공이
먼저 관중에 들어갔으나 항우는 못마땅한 마음이 있어 사람을 시켜 회왕에게 보고하게 하며, 회왕이
충분히 자신을 편들어 줄 것으로 생각하였는데 회왕의 대답은 단지 약속과 같이 하라고 할 뿐이었다.[37]

• • • • • • • • • • • • • • • • • • • •

34 회왕은 항씨가 옹립하였으니 : 項梁이 조카 항우를 데리고 陳涉(陳勝)에 이어 봉기하여 몇 차례의 성공을
거두고 薛 땅에서 앞으로 계책을 설계할 때 范增이 70여 세의 노인으로 찾아와 "진섭의 실패는 당연한 것입니
다. 진나라가 六國을 멸망시킬 때 초나라가 가장 잘못이 없었습니다. 회왕이 진나라에 들어갔다가 돌아오지
못하자 초나라 사람들이 지금까지도 가장 불쌍히 여기고 있습니다. 그래서 초나라의 南公은 '초나라는 3戶밖
에 되지 않아도 진나라를 망하게 하는 것은 반드시 초나라이다.'라고 하였습니다. 지금 진승이 맨 먼저 일을
일으켰으나 초나라의 후예를 세우지 않고 자신이 왕이 됨으로서 그 세력이 오래가지 않았습니다. 지금 그대가
江東에서 일어나자 초나라에서 벌떼처럼 일어난 장수들이 모두 다투어 그대에게 따라붙은 것은 그대의 집안
이 대대로 초나라의 장군이어서 다시 초나라의 후예를 세울 수 있으리라 생각해서입니다.(陳勝敗, 固當. 夫秦
滅六國, 楚最無罪. 自懷王入秦不反, 楚人憐之至今. 故楚南公曰, '楚雖三戶, 亡秦必楚.' 今陳勝首事, 不立楚後
而自立, 其勢不長. 今君起江東, 楚蠭起之將皆爭附君者, 以君世世楚將, 爲能復立楚之後也.)"라고 하니, 항량이
그 말에 따라 민간에서 양을 치고 있던 초회왕의 손자 心을 찾아 楚懷王으로 옹립하였다.(『資治通鑑』 권8
「秦紀・二世皇帝」 2년)
35 항우는 부형에 … 있었으니 : 항우의 삼촌 항량이 진나라의 장수 章邯과의 定陶 싸움에서 패하여 죽었다.(『資
治通鑑』 권8 「秦紀・二世皇帝」 2년)
36 '나는 長者가 … 않아서이다.' : 회왕이 여러 장수들에게 관중에 맨 먼저 들어가 평정시키는 자는 관중의 왕으
로 삼아주겠다고 약속하자 항우가 자원하였다. 그러나 회왕 주변의 노련한 장수들이 패공을 추천하며 패공은
본래 크게 관대한 장자여서 보낼 만하다고 하였다. 이에 패왕은 항우를 허락하지 않고 패공을 보내 진나라를
공략하게 하며 진섭과 항량이 죽은 뒤 남은 군사를 그에게 주었다.(『資治通鑑』 권8 「秦紀・二世皇帝」 2년)
37 항우는 못마땅한 … 뿐이었다. : 항우가 진나라의 수도 함양을 도륙 내고 여러 장수의 공을 정하기 전에
진나라를 평정한 사유를 회왕에게 아뢰게 하자, 회왕은 약속과 같이 하라는 말로 패공을 진나라의 왕으로
삼고자 하였다. 이에 항우는 성을 내며 "'회왕은 우리 집안이 옹립한 왕일 뿐 아무런 공훈도 정벌도 없는데
어떻게 맹약을 독단할 수 있겠는가? … 3년 동안 들판에서 지내며 진나라를 멸망시키고 천하를 평정한 사람은
모두 將相 여러분과 나의 힘이다. 회왕이 공훈은 없으나 당연히 땅을 나누어 왕이 되게 하겠다.'고 하자,

풀숲에서 한때 했던 말이 산하山河보다도 단서철권丹書鐵券의 맹서보다도 소중하여져서[38] 항우가 그 약속을 저버리고자 하여도 천하에서 옳지 못한 사람이라는 누명을 짊어져야 하니 어쩌겠는가? 패공의 제왕의 왕업은 또 여기에서 결정지어졌다.

夫項氏之興, 本假於亡楚之遺孽. 顧迫於亞父之言, 起民間牧羊子而王之, 蓋亦謂其易制無他, 而豈料其賢能若是邪? 始而爲項氏之私人, 而今遂爲天下之義主; 始以爲有大造於楚, 而今則視羽蔑如也. 則羽此心之鬱鬱悔退, 豈能久居人下者? 自我立之, 自我廢之, 或生或殺, 羽以爲此吾家事, 而不知天下之英雄得執此以爲辭也. 故自三軍縞素之義明, 沛公之師始堂堂於天下, 而羽始奄奄九泉下人矣. 懷王之立, 曾不足以重楚. 而懷王之死, 又適足以資漢. 然則范增之謀, 欲爲楚也, 而秖以爲漢也. 嗚呼! 此豈沛公智慮所能及哉? 其所得爲者天也; 此豈范增項羽智慮之所不及哉? 其所不得爲者亦天也."[39]

항씨가 일어난 것은 본래 망한 초나라의 남은 그루터기에 의지한 것이다. 다만 아보亞父[40]의 말에 떠밀려서 민간의 양치기였던 사람을 일으켜 왕으로 삼은 것은 또한 그를 손쉽게 부릴 수 있으며 별다른 탈이 없을 것이란 생각이었는데, 그의 현명한 능력이 이 같을 줄이야 어찌 생각이나 했겠는가? 처음에는 항씨 집안이 세운 개인이었으나 지금은 마침내 천하의 의주義主[41]가 되었고, 처음에는 초나라에 큰 은덕이 있을 것으로 생각하였는데 지금에 와서는 항우를 하찮게 무시하였다. 그렇다면 항우가 자신의 마음속에 답답하고 후회스러우면서 위축되었을 것이니 어찌 오랫동안 남의 밑에서 머무를 수 있었겠는가? 내가 세웠으니 내가 폐위시키고, 살리던 죽이던 항우는 이를 자신의 집안일로 생각하였고, 천하의 영웅들이 이를 꼬투리 잡아 구실을 삼으리라곤 알지 못하였다. 그러므로 삼군이 하얀 상복을 차려입게 된 의리가 명백하여지면서 패공의 군사는 비로소 천하에 당당해졌고, 항우는 비로소 가장 밑바닥을 헤매는 보잘것없는 사람이 되었다. 회왕을 왕으로 세운 것이 조금도 초나라에 보탬이 되지 않고, 회왕의 죽음은 또다만 한나라에게만 도움이 되었다. 그렇다면 범증의 계책은 초나라를 위하고자 한 것이었는데 단지 한나라를 위한 것이 되었다. 아! 이것이 어찌 패공의 지혜와 계책으로 미칠 수 있는 것이겠는가? 그렇게 될 수 있었던 것은 하늘이다. 이것이 어찌 범증과 항우의 지혜와 계책으로 미칠 수 없는 일이었겠는가?

여러 장수들은 모두 '좋습니다.'라고 하였다.(懷王者, 吾家所立耳, 非有功伐, 何以得專主約? … 暴露於野三年, 滅秦定天下者, 皆將相諸君與籍之力也. 懷王雖無功, 固當分其地而王之. 諸將皆曰善.)"(『資治通鑑』 권9 「漢紀·高帝 원년」)

38 풀숲에서 한때 … 소중하여져서: 풀숲이란 어떤 큰 준비를 하고서 한 말이나 행동이 아니고 초라하게 쉽게 한 말을 이른다. 산하는 언제나 변치 않는 것을 상징하는 말이다. 단서철권은 제왕들이 공신에게 대대로 죄를 면해주겠다는 등의 약속을 쇠에 붉은 글씨로 써서 내린 문건을 이른다. 곧 회왕이 관중에 먼저 들어간 자를 왕으로 삼아주겠다고 한 약속은 그다지 권위를 갖지 않는 말이었음을 이른다.

39 『木鍾集 권11 「史·楚懷王」

40 亞父: 항우가 范增을 아버지에 버금가는 분이라는 뜻으로 높여서 부른 말. 뒤에 범증을 이르는 말로도 쓰였다.

41 義主: 의로움의 상징적인 인물, 즉 義兵의 君主라는 말이다.

그렇게 될 수 없었던 것도 또한 하늘이다."

[60-1-11]

"高帝之爲義帝發喪也, 三軍縞素, 天下之士歸心焉. 雖然, 帝亦詭而用之耳. 夫帝之於懷王也,
君臣之分未定也. 生則嘗以天下之義主而事之,[42] 死則以爲天下之義主而喪之. 此蓋項氏之
短, 而大其辭以執之, 是三老董公之善謀, 豈出於帝之本情哉?"[43]

(잠실 진씨가 말하였다.) "고조가 의제義帝[44]를 위해 장례를 공표하고 삼군이 하얀 상복을 차려입자 천하
사람들이 마음을 그에게 돌렸다. 그러나 고조도 또한 속임수로 그 꾀를 사용했을 뿐이다. 고조에게 있어
회왕은 임금과 신하의 분수가 아직 정해져 있지 않았다. 생전에는 늘 천하의 의주라 하여 섬겼고 죽어서
는 천하의 의주라 하여 초상을 치른 것이다. 이는 항우에게 모자란 점이었기에 그 구실을 확대시켜
꼬투리 잡은 것이니, 이는 삼로인 동공의 좋은 계책이지 어찌 고조의 본마음에서 나온 것이겠는가?"

[60-1-12]

問 : "高帝約法三章如何?"

曰 : "沛公之始入關也, 與秦父老約法三章, 是時沛公猶未王關中也, 而輒與其民私約如此, 殆
類於兒曹嘔呴之爲者.[45] 當雌雄未定之時, 務爲寬大長者以媚悅斯民, 孰不能者? 及項氏旣滅,
天下一家, 正高帝創法定令之時也, 而三章之法, 不移如山, 豈兒輩呴嘔之恩,[46] 姑以媚悅於一
時者哉? 使其仁心仁聞, 出於至誠憐恤之意, 雖草莽私約, 遂以爲漢世不刊之典, 眞主一言, 其
利博哉!"[47]"[48]

물었다. "고조가 삼장의 법을 약속한 것은 어떻습니까?"

(잠실 진씨가) 말하였다. "패공이 처음 관중關中에 들어와 진나라의 원로元老들과 삼장의 법을 약속하였
으나,[49] 이때 패공은 여전히 아직 관중의 왕이 아니었는데 대번에 그곳 백성들과 이같이 사사롭게 약속

---

42 生則嘗以天下之義主而事之 : 『木鍾集』「史·高帝爲義帝發喪」에는 '生則未嘗' 운운하였다. 살아서는 천하의
    의주로 섬겨본 적이 없었다는 뜻이다.

43 『木鍾集』 권11 「史·高帝爲義帝發喪」

44 義帝 : 회왕을 천자로 추대하여 이른 호칭. 항우가 진나라의 수도 함양을 도륙하고서 천하를 여러 장수들에게
    봉해주기 앞서 회왕을 의제로 높이고서, "예전의 제왕들은 국토가 사방 1천리이고 반드시 上流에서 살았다.
    (古之帝者, 地方千里, 必居上游.)"라고 하고 의제를 江南에 옮겨 살게 하고 도읍지는 郴으로 정하였다.(『資治
    通鑑』 권9 「漢紀·高帝」 원년)

45 殆類於兒曹嘔呴之爲者 : 『木鍾集』 권11 「史·高帝約法三章」에는 '嘔呴'가 '嘔呴'로 되어 있다. 『木鍾集』에 따른다.

46 豈兒輩呴嘔之恩 : 『木鍾集』 권11 「史·高帝約法三章」에는 '呴嘔'가 '呴嘔'로 되어 있다. 『木鍾集』에 따른다.

47 其利博哉 : 『木鍾集』 권11 「史·高帝約法三章」에는 '其利溥哉'로 되어 있다. 『木鍾集』에 따른다.

48 『木鍾集』 권11 「史·高帝約法三章」

49 패공이 처음 … 약속하였으나 : 윗글 [60-1-7]의 주석 참고

했으니 거의 아이들에게 따뜻한 입김을 후후 불어주는 짓 같았다. 승부가 아직 결정되지 않은 때에 크게 관후한 장자가 되기에 힘써 저들 백성의 환심을 사는 것이야 누가 못하겠는가? 항우가 이미 멸망하고 천하가 한 집안이 되어 바로 고조가 법령을 창제하여 제정할 때에 이르러, 그 삼장의 법이 산처럼 끄떡하지 않았으니 어찌 아이들에게 따뜻한 입김을 후후 불어주는 은혜이며, 잠시 한때 환심을 사려는 짓이었겠는가? '어진 마음仁心'과 '어진 명성仁聞'이 지극한 정성과 불쌍해하는 뜻에서 나왔으므로, 풀숲에서 사사로이 한 약속이었을망정 마침내 한나라 왕조 불후의 법전이 되었으니 참 군주의 한마디 말은 그 이로움이 크다!"

[60-1-13]

問 : "高祖大封同姓, 卒有尾大不掉之患, 高祖明達, 何不慮此?"

曰 : "懲戒亡秦孤立之弊, 故大封同姓, 聖人謂百世損益可知, 此類是也. 周以封建亡, 故秦必損之. 秦以不封建亡, 故漢必益之. 事勢相因, 必至於此. 兼漢初戶口減少, 封諸王時計地,[50] 故封三庶孼分天下半, 其後戶口日蕃, 所以彊大."[51]

물었다. "고조가 동성同姓 친족에게 많은 토지를 봉해주었다가 마침내 꼬리가 커져서 제어하지 못하는 환난이 있었으니[52] 고조 같은 밝은 지혜와 통달한 식견으로 어찌하여 이를 염려하지 못하였습니까?" (잠실 진씨가) 말하였다. "망한 진나라가 고립무원했던 폐단을 거울삼아 경계한 까닭에 동성의 친족에게 많은 토지를 봉해준 것이니 성인이 말씀한 '백대百代라도 줄이고 늘릴 것을 알 수 있다.'[53]는 것이 이러한 부류이다. 주나라는 봉건封建으로 망한 까닭에 진나라는 기어코 그 제도를 덜어냈고, 진나라는 봉건하지

---

50 封諸王時計地 : 『木鍾集』권11「史」에는 '計戶而不計地'라고 하였다. 곧 봉해주는 땅의 民戶를 계산하고 땅의 넓이는 계산하지 않는다는 말이다. 『木鍾集』의 글을 따라야 뜻이 더욱 명확해진다.

51 『木鍾集』권11「史」.『木鍾集』에서는 이 글의 '물었다.'를 제목으로 삼고 다음 '대답하였다.'는 자신의 의견을 서술하는 방법으로 편찬되어 있다. 이를 인용하면서 問答형식으로 바꾸었다.

52 고조가 同姓 … 있었으니 : 고조가 천하를 통일하였을 때 형제가 많지 않았고 아들들도 허약하였다. 이에 여러 집안사람들을 제후에 봉하여 울타리를 만들고자 하였다. 그리하여 아우 元王 交에게 楚, 형 喜에게 代, 아들 悼惠王 肥에게 齊, 사촌아우 賈에게 荊, 아들 厲王 長에게 淮南, 아들 隱王 如意에게 趙, 아들 建을 燕에 봉하여 주었다. 이들 중 孽子인 肥에게 齊나라 70여 城, 庶弟 交에게 楚나라 40여 성, 형님의 아들 濞에게 吳나라 50여 성을 봉해주어 이 세 사람에게 봉해준 땅이 천하의 반이었다. 이 밖에도 종형 賈에게 荊 53縣을 봉해주었다. 이 중 오왕 비는 孝景帝 때 膠西王 卬과 일곱 나라를 우호 세력으로 끌어들이고는 반란을 일으켜 경제가 이를 평정하는데 매우 힘들었다.(『史記』「吳王濞傳」;『漢書』「諸侯王表」;『資治通鑑』권11「漢紀·高帝」6년 ;「孝景帝」3년)

53 '百代라도 줄이고 … 있다.' : 『論語』「爲政」에서 "자장이 묻기를 '10왕조의 앞날을 알 수 있습니까?'라고 하자, 공자가 말하기를 '은나라는 하나라의 예를 따랐으니 은나라가 줄이고 늘린 것들을 알 수 있고, 주나라는 은나라의 예를 따랐으니 주나라가 줄이고 늘린 것들을 알 수 있다. 혹여 주나라를 잇는 왕조가 있다면 100왕조의 앞날이라도 알 수 있을 것이다.'(子張問, 十世可知也? 子曰, 殷因於夏禮, 所損益可知也 ; 周因於殷禮, 所損益可知也. 其或繼周者, 雖百世可知也.)"라고 한 말을 인용한 것이다. 곧 왕조들마다 앞 왕조의 제도와 폐단을 거울삼아 새 왕조의 제도를 마련하면서, 심했던 것은 줄이고 모자란 점은 보강함을 이른다.

않음으로 망한 까닭에 한나라는 기어코 늘린 것이다.[54] 일의 형세란 서로 맞물리므로 반드시 이렇게 된다. 겸하여 한나라 초기에는 호구戶口가 감소하였는데 여러 왕들을 봉해줄 때는 (민호民戶를 계산하고) 땅은 계산하지 (않는) 까닭에 세 사람의 서얼庶孼을 봉하며 천하의 반을 나누어주었고, 그 뒤로 호구가 날로 번성해진 까닭에 강성하고 커진 것이다."

[60-1-14]

問: "漢高人謂其寬仁長者, 韓·彭·英·盧, 曾未免於誅死, 何耶?"

曰: "方事之殷, 能奪諸公死力, 是高祖善將將處. 及事之定, 置諸公於死, 即將將之餘習未忘. 寬仁其天資, 殘忍是無學問."[55]

물었다. "한나라 고조는 사람들이 그를 관대하고 인후仁厚한 장자라고 일렀는데, 한신韓信·팽월彭越·영 포英布[黥布]·노관盧綰이 죽임이나 토벌[56]당함을 면하지 못한 것은 어째서입니까?'

. . . .

54 주나라는 封建으로 … 것이다. : 주나라는 武王이 상나라를 이기고서 아우 周公旦을 魯, 아우 召公奭을 燕, 아우 叔鮮을 管, 아우 康叔을 衛, 아우 叔度를 蔡, 아우 叔振鐸을 曹, 아들 唐叔虞를 晉에 봉하여 왕실의 울타리를 삼고자 하였다. 진나라가 천하를 통일하였을 때 丞相 綰이 "燕·齊·荊은 지역이 멀어 왕을 두지 않으면 진정시킬 수 없습니다. 여러 아들을 왕으로 세워두도록 하십시오.(燕齊荊地遠, 不爲置王, 無以鎭之, 請立諸子.)"라고 하자, 李斯가 "주나라는 문왕과 무왕이 아들과 아우를 봉한 同姓의 나라가 매우 많았으나 뒤에 자손들이 대수가 멀어지며 서로 원수처럼 공격하는 것을 주나라 천자가 금지시키지 못했습니다. 지금 천하가 폐하의 신령함을 힘입어 통일되었으니 모두 郡縣으로 만들고 여러 아들과 공신은 나라의 세금으로 크게 상을 내린다면 충분히 손쉽게 제압할 수 있을 것입니다. 천하에 다른 생각이 없게 하는 것이 편안하게 하는 방법입니다. 제후를 두는 것은 불편합니다.(周文武所封子弟同姓甚衆, 然後屬疏遠, 相攻擊如仇讐, 周天子弗能禁止. 今海内賴陛下神靈一統, 皆爲郡縣, 諸子功臣以公賦税重賞賜之, 甚足易制. 天下無異意, 則安寧之術也. 置諸侯不便.)"라고 하였다. 이에 시황제는 "다시 제후국을 세우는 것은 전쟁을 뿌리내리는 일이다. 그러 고서 편안하기를 구한다면 어찌 어렵지 않겠는가?(又復立國, 是樹兵也. 而求其寧息, 豈不難哉?)"라고 하고 봉건제를 폐하고 천하에 36郡을 두었다. 한나라는 다시 봉건제를 도입하여 많은 아들들을 여러 지역에 봉하 였다.(『史記』「周本紀」;「三代世表」;『資治通鑑』「秦紀·始皇帝」26년)

55 『木鍾集』권11「史」

56 韓信·彭越·英布(黥布)·盧綰이 죽임이나 토벌 : 이 네 사람은 한결같이 한나라 건국에 가장 힘을 보탰던 장수들이다. 이들 네 사람을 『漢書』「韓彭英盧吳傳」에 의거하여 살피면 다음과 같다.

한신은 淮陰 사람이다. 끼니를 얻어먹어야 할 정도로 가난하였다. 항우를 섬기다가 한고조에게 귀의하여 大將軍에 오른 뒤 趙나라·齊나라를 평정한 공으로 齊王에 봉해졌다. 항우가 한고조의 세력에 위험을 느끼고 武涉을 보내 항우, 유방, 한신 셋이서 천하를 셋으로 나누어 각기 왕이 되어 다스리자고 설득하였으나 따르지 않았다. 항우가 죽은 뒤 장량의 꾀에 속아 휘하 군대를 한고조에게 잃고 楚王에 봉해지며 한고조가 자신을 두려워함을 알았다. 무고를 입고 다시 淮陰侯에 봉해졌고, 謀叛을 꾀하다 呂后에게 붙잡혀 죽었다.

팽월은 자가 仲이고 昌邑 사람이다. 젊은 시절 鉅野에서 좀도둑 노릇하며 살다가 좀도둑 떼를 몰고 봉기하여 한고조가 창읍을 공격할 때 전쟁을 도왔으나 소속되지는 않았다. 항우가 진나라를 평정하였을 때 군사 1만을 거느리고서 어디에도 속하지 않다가, 한고조가 장군에 임명하고 항우를 치게 하자, 공을 세우고 魏나라 相國 에 임명되었다. 한고조가 항우와 자웅을 다툴 때 떠돌이 군사를 조직하여 후방에서 항우 군사의 군량 조달 길을 끊어 항우를 괴롭히는 한편 한고조의 군량을 조달한 공으로 梁王이 되었다. 陳豨의 모반을 다스리고자

(잠실 진씨가) 말하였다. "천하 통일의 일이 한창 벌어졌을 적에 여러 사람의 죽을힘을 능히 빼앗아 낸 것은, 고조가 장수를 잘 거느린다는 것[57]이고, 통일의 일이 확정되었을 때 여러 사람을 죽게 한 것은 장수를 잘 거느리는 버릇이 아직 사라지지 않아서이다. 관대하고 인후함은 타고난 자질이고, 잔인함은 학문이 없어서이다."

[60-1-15]
問 : "漢高祖爲義帝發喪, 與曹操挾天子以令天下, 未審如何."
曰 : "爲義帝發喪, 因人之短而執之. 挾天子以令天下, 負己之有而挾之. 雖皆詭之爲名, 但一則豪傑起事, 擧動光明 ; 一則奸雄不軌, 蹤跡暗昧. 爲義帝發喪, 無君之罪在項羽 ; 挾天子以令諸侯, 無君之責在曹操."[58]
물었다. "한고조가 의제를 위해 장례를 공표한 일과 조조가 천자를 끼고서 천하를 호령한 것[59]은 어떠한

· · · · · · · · · · · · · · · · · · · ·

한고조가 출정하며 군사를 내어 도우라는 명령을 따르지 않았다. 이것이 빌미가 되어 모반의 무고를 입고 한고조에게 잡혀 庶人으로 강등되어 蜀 땅으로 옮겨지던 중 여후의 꾀에 걸려 죽임을 당하였다. 죽은 팽월의 시체는 젓으로 담아서 제후들에게 돌려졌다.
영포는 六땅 사람이다. 좀도둑으로 지내다가 項梁(항우의 삼촌)을 따라나서 항우의 군대가 가는 곳마다 선봉에 서서 무용을 드날렸다. 九江王에 봉해졌고 항우의 명령을 따라 義帝를 彬에서 시해하였다. 뒤에 한나라에서 보낸 隨何의 설득에 의해 한고조에게 귀의하여 淮南王에 봉해졌다. 한신이 죽고 이어 팽월이 젓으로 담겨지자 두려움을 느끼던 중 무고를 입자 군사를 일으켰으나 한고조의 정벌에 패하여 달아나다가 살해당하였다. 노관은 한고조와 한 동네인 豊 땅에서 생일을 같이하여 태어난 사람으로 한고조 휘하에서 가장 친한 사람으로 일컬어졌다. 한고조가 봉기하여 천하를 통일하는 동안 곁에서 수행하여 長安侯(장안은 진나라의 서울인 함양임)에 봉해졌다. 다시 燕王에 봉해진 지 6년째 되던 해에 陳豨의 모반에 연루되어 의심을 받자 흉노에게 도망쳐 東胡盧王에 봉해졌다.

57 고조는 장수를 … 것 : 한고조가 韓信을 洛陽에 붙잡아 와서 어느 날 여러 장수들이 거느릴 수 있는 군사의 수에 대해서 다음과 같은 말을 주고 받았다. "나는 얼마나 거느릴 수 있는가?' 하자, 한신이 '폐하는 불과 10만 군사를 거느릴 수 있습니다.' 하였다. 한고조가 '그대는 어떤가?' 하자, 한신은 '신은 많으면 많을수록 좋습니다.' 하였다. 한고조가 웃으며 '많으면 많을수록 좋다면서 왜 나에게 사로잡혔는가?' 하자, 한신이 다음과 같이 말하였다. '폐하는 군사는 잘 거느리지 못하시나 장수를 잘 거느리십니다. 이것이 信이 폐하에게 사로잡힌 까닭입니다. 또 폐하는 하늘이 내린 것이지 사람의 노력으로 이뤄진 것이 아닙니다.'(如我能將幾何? 信曰, '陛下不過能將十萬.' 上曰, '於君何如?' 曰, '臣多多而益善耳.' 上笑曰, '多多益善, 何爲爲我禽?' 信曰, '陛下不能將兵, 而善將將. 此乃信之所以爲陛下禽也. 且陛下所謂天授, 非人力也.')" 한고조가 장수를 잘 거느리는 것을 타고난 자질이라고 평가하였다.(『史記』「淮陰侯傳」)
58 『木鍾集』 권11 「史」
59 조조가 천자를 … 것 : 조조는 한나라의 丞相의 지위에 올라 자신의 말을 모두 천자의 말로 바꾸어 천하에 명을 내렸다. 이를 『三國志』「張範傳」에서 장범의 아우 張承이 袁術과 나눈 말을 빌려 살피면 이러하다. 원술이 장승에게 "지금 조조가 피폐한 군사 수천 명으로 10만의 군사와 맞서려 하니 자신의 힘을 헤아리지 못한다고 말할 수 있다. 그대는 어떻게 생각하는가?(今曹公欲以弊兵數千, 敵十萬之衆, 可謂不量力矣! 子以爲何如?)"라고 하자, 장승이 "한나라의 德이 쇠하기는 하였으나 天命이 아직 바뀌지 않았으며, 지금 조조가 천자를

것인지 잘 알지 못하겠습니다."

(잠실 진씨가) 말하였다. "의제를 위해 장례를 공표한 것은 남의 결점을 이용해 꼬투리 잡은 것이고, 천자를 끼고서 천하를 호령한 일은 자신이 소유한 것을 배경삼아 협잡한 것이다. 모두 속임수로 명분을 삼은 것들이지만 단지 한 사람은 호걸스럽게 일을 처리하여 행동이 광명하고, 한 사람은 간웅으로 법도에서 벗어나 자취가 음험하다. 의제를 위해 장례를 공표한 일은 군주를 무시한 죄가 항우에게 있고, 천자를 끼고서 제후를 명령한 것은 군주를 무시한 책임이 조조에게 있다."

[60-1-16]

魯齋許氏曰: "高祖自有取天下才量. 如推車子, 須是自推得六七分, 則人扶領二三分, 雖陟峻處都行得. 若全推不得, 全仰別人, 平地上也行不得, 況陟險乎? 諸功臣但輔翼之也, 躡足不悟, 後大害事."[60]

노재 허씨魯齋許氏[許衡]가 말하였다. "고조에게는 본시 천하를 차지할 수 있는 재량이 있었다. 예컨대 수레를 밀 때에는 모름지기 자신이 6~7분 정도는 밀어야 하니, 남이 2~3분 정도를 붙잡고 이끌어주면 험준한 곳을 오르는 것도 모두 해낼 수 있다. 만일 전연 밀지 못하고 순전히 남에게 의지한다면 평지도 갈 수 없는데 하물며 험준한 곳을 오름이랴? 여러 공신들은 단지 도움을 주었을 뿐 발을 밟는데도 깨닫지 못하였다면[61] 뒷날 일에 크게 해가 되었을 것이다."

文帝 문제[62]

[60-2-1]

程子曰: "漢文帝殺薄昭, 李德裕以爲殺之不當, 溫公以爲殺之當, 説皆未是. 據史不見他所以殺之之故, 須是權事勢輕重論之. 不知當時薄昭有罪, 漢使人治之, 因殺漢使也, 還是薄昭與漢使飲酒, 因忿怒而致殺之也. 漢文帝殺薄昭, 而太后不安柰何? 旣殺之, 太后不食, 而死柰

끼고서 천하에 명령을 내리니 1백만의 군사라도 맞설 수 있을 것입니다.(漢德雖衰, 天命未改, 今曹公挾天子以令天下, 雖敵百萬之衆可也.)"라고 대답하였다. 여기서 10만의 군사는 원술의 군사를 이른다. 당시 조조가 천자를 등에 업고 狐假虎威하였음을 비판한 말이다.

60 『魯齋遺書』 권1 「語錄上」

61 발을 밟는데도 … 못하였다면: 위 [60-1-2]의 주석 참고

62 文帝: 한나라 高祖의 아들. 이름은 恒. 어머니는 薄夫人이다. 고조가 陳豨의 반란을 정벌하고 代 땅을 평정하였을 때 8세의 나이로 代王에 봉하여졌다. 고조가 죽은 뒤 呂后가 呂氏 왕조를 세우려다 죽고 여씨 친정 사람들이 일으키려는 반란을 제압한 周勃과 陳平 등 大臣들에 의하여 천자로 옹립되었다. 재위 20년 동안 많은 치적을 남겨 三代 이후 賢主로 꼽힌다.(『史記』 「孝文本紀」; 『漢書』 「文帝記」)

何? 若漢治其罪而殺漢使, 太后雖不食不可免也. 須權他那箇輕, 那箇重, 然後論他殺得當與 不當也."[63]

정자[程子]程頤가 말하였다. "한문제가 박소薄昭를 죽인 것[64]을 두고 이덕유李德裕는 '죽인 것은 옳지 않았다.'고 하고,[65] 사마온공은 '죽인 것은 마땅하다.'고 하였으나[66] 말들이 모두 옳지 않다. 역사책에 의거하면 박소를 죽인 까닭을 찾아볼 수 없으니 당연히 일의 형세상의 경중을 저울질하여 논할 수밖에 없다. 당시 박소에게 죄가 있어 한나라가 사신을 보내 그의 죄를 다스리려 하자 그로 인해 한나라 사신을 살해한 것인지, 아니면 박소가 한나라 사신과 술을 마시다가 분노로 인해 죽인 것인지 알 수 없다. 한문제가 박소를 죽여 태후[67]가 불안해하여도 어찌할 것이며, 죽인 뒤에 태후가 음식을 끊는다 하여도 이미 죽였는데 어찌할 것인가? 만일 한나라가 그의 죄를 다스리려 하였는데 한나라에서 보낸 사신을 죽였다면 태후가 음식을 끊는다 하여도 면할 수 없는 일이다. 당연히 어떤 것이 가볍고 어떤 것이 중한지를 저울질한 다음이라야 그를 죽인 것이 옳은지 그른지를 논할 수 있을 것이다."

. . . .

63 『二程遺書』 권18

64 한문제가 薄昭를 죽인 것 : 박소는 한문제의 어머니 薄夫人의 친정동생이다. 한문제가 代王으로 있을 때 누나 박부인과 대 땅에서 함께 머물렀다. 한문제가 한나라 천자로 옹립될 때 공을 세워 軹侯에 봉해졌다.(『漢書』 「外戚傳」)

65 李德裕는 '죽인 … 하고' : 이덕유는 唐나라 사람으로 자는 文饒이다. 穆宗과 武宗 때 翰林學士, 淮南節度使 등을 역임하고 재상에 올랐다. 저서로 『次柳氏舊聞』·『會昌一品集』이 있다. 그의 저서 『會昌一品集』「評史· 張禹論」에서 "한문제가 박소를 죽인 것은, 단죄는 옳았으나 의리로 보면 미안한 일이다 … 태후가 아직 생존하여 있는데 유일한 아우 박소를 단죄하며 망설이는 마음을 두지 않은 것은 어머니 마음을 위로하려는 것이 아니다.(漢文帝誅薄昭, 斷則明矣, 於義則未安也. … 太后尚存, 唯一弟薄昭, 斷之不疑, 非所以慰母氏之心也.)" 라고 하였다.

66 사마온공은 '죽인 … 하였으나' : 사마온공의 저서인 『資治通鑑』 권14 「漢紀·文帝」 10년에서, 앞 이덕유의 문제를 비판하는 말을 인용하고, 이어 "신의 어리석은 생각에는 법은 천하의 公器입니다. 법 집행을 잘하는 사람이 가깝거나 먼 사람에게 똑같이 집행하지 않는 곳이 없으면 사람이 감히 믿는 구석에 기대 범하려 들지 않습니다. 박소는 본디 長者로 일컬어졌으나 문제가 그를 위해 어진 스승을 두지 않고 군사 담당의 일을 맡게 하여 교만하게 犯上의 죄를 범하여 한나라의 사신을 살해하는데 이르렀으니 믿는 구석이 있지 않았다면 그러했겠습니까? 만일 또 놓아두고 용서한다면 成帝와 哀帝의 세상과 무엇이 다르겠습니까?(臣愚以 爲法者天下之公器, 惟善持法者, 親疏如一, 無所不行, 則人莫敢有所恃而犯之也. 夫薄昭雖素稱長者, 文帝不爲 置賢師傅, 而用之典兵, 驕而犯上, 至於殺漢使者, 非有恃而然乎? 若又從而赦之, 則與成哀之世何異哉?)"라고 하여 문제의 박소에 대한 행위를 잘한 일로 평가하였다. 그러나 다시 "魏文帝가 늘 한문제의 아름다움을 칭송하면서도 그가 박소를 살해한 일에 대해서는 찬성하지 않으며 '외갓집은 당연히 은혜로 길러야 할 뿐 권력을 빌려주는 것은 옳지 않으며, 법에 저촉되는 죄를 저지르면 또 어쩔 수 없이 해쳐야 한다.'고 하여 문제가 처음에 박소를 금하지 않았음을 비평하였으니, 이 말이 맞는 말입니다. 그렇다면 어머니 마음을 위로하고자 하는 사람은 처음을 조심해야 합니다.(魏文帝嘗稱漢文帝之美, 而不取其殺薄昭, 曰, '舅后之家, 但當養 育以恩而不當假借以權, 旣觸罪法, 又不得不害.' 譏文帝之始不防閑昭也, 斯得之矣. 然則欲慰母心者, 將慎之 於始乎!)"라고 하여 박소를 처음에 너무 방치하여 나라의 사신을 죽이는 오만함에 이르게 한 것을 문제의 잘못으로 평가하였다.

67 태후 : 문제의 어머니로 문제가 즉위한 뒤 皇太后에 봉해졌다. 문제보다 2년 뒤 죽었다.(『漢書』 권97)

[60-2-2]

龜山楊氏曰 : "文帝以竇廣國有賢行欲相之, 恐天下以爲私, 不用, 用申屠嘉. 此乃文帝以私意自嫌, 而不以至公處己也. 廣國果賢邪, 雖親不可廢 ; 果不賢邪, 雖疎不可用. 吾何容心哉? 當是時, 承平日久, 英才間出, 擇可用者用之可也. 必曰'高帝舊臣'過矣."[68]

구산 양씨龜山楊氏[楊時] 말하였다. "문제는 두광국竇廣國[69]이 어진 행실이 있다 하여 상국으로 삼으려다가 천하 사람들이 사사로운 일이라고 할까봐 등용하지 않고 신도가申屠嘉를 등용하였다. 이는 바로 문제가 사사로운 마음이라고 스스로 꺼린 것이지 지극히 공정함으로 처신한 것이 아니다. 광국이 과연 현명하다면 아무리 친한 사람이라 해도 폐해선 안 되며, 과연 현명하지 않다면 아무리 먼 사람일지라도 등용해선 안 된다. 내가 왜 그런 일에 마음 써야할 일인가? 당시에 평화로운 세상이 이어진 지 오래되어 영명한 재주를 가진 자가 간간이 배출되었으니 등용할 만한 사람을 가려 등용하는 것이 옳은 일이다. 꼭 '고제의 옛 신하여야 한다.'고 말하는 것은 지나치다."[70]

[60-2-3]

朱子曰 : "三代以下, 漢之文帝, 可謂恭儉之主."[71]

주자가 말하였다. "삼대 이후로 한나라의 문제는 공손하고 검소한 군주라고 말할 수 있다."

[60-2-4]

問 : "文帝好黃老, 亦不免有慘酷處. 莫是纔好淸淨, 便至於法度不立, 必至慘酷, 而後可以服人?"

曰 : "自淸淨至慘酷, 中間大有曲折, 却如此說不得. 惟是自家好淸淨, 便一付之法, 有犯罪者, 都不消問自家, 但看法如何, 只依法行. 自家這裏更不與你思量得, 此所以流而爲慘酷."

물었다. "문제가 황로학黃老學을 좋아하여 역시 참혹한 면이 있음을 벗어나지 못했습니다. 청정淸淨을 좋아하는 순간 바로 법도가 확립되지 않는데 이르게 되니, 반드시 참혹하게 한 뉘라야 사람을 복종시킬 수 있어서가 아니겠습니까?"

· · · · · · · · · · · · · · · · · · ·

68 『龜山集』 권9 「史論·申屠嘉」

69 竇廣國 : 문제의 후비인 竇皇后의 친정 아우. 자는 少君이고 봉호는 章武侯이다.(『漢書』 권97)

70 이 글은 『資治通鑑』 권15 「漢紀·文帝後」 2년의 기사를 살펴보면 "승상 張蒼이 면직되었다. 문제가 황후의 아우 두광국이 어질고 덕스러운 행실이 있어 승상을 삼고자 하다가 '천하 사람들이 광국에게 내가 사사롭게 한다고 할까봐 오랫동안 생각했으나 옳지 않았다.'고 하였으나 한고조 때의 대신으로 나머지 사람 중에는 그만한 사람을 찾을 수 없었다. 御史大夫로 梁나라 출신의 신도가가 예전에 발의 힘으로 쇠뇌를 당긴 재능으로 벼슬에 등용되어 고조를 따른 사람이었던 연고로 관내후에 봉하고 승상을 삼았다.(丞相張蒼免. 帝以皇后弟竇廣國賢有行, 欲相之, 曰, '恐天下以吾私廣國, 久念不可.' 而高帝時大臣, 餘見無可者. 御史大夫梁國申屠嘉, 故以材官蹶張從高帝, 封關內侯. … 以嘉爲丞相.)"고 하였다.

71 『朱子語類』 권135, 29조목

(주자가) 대답하였다. "청정으로부터 참혹은 중간에 큰 곡절이 있으니, 선뜻 이같이 말해서는 안 된다. 자신이 청정을 좋아하여 하나같이 법에다 맡겨버리고, 범죄자가 생겨나면 전혀 자신에게서 생각해보려 하지 않고 단지 법이 어떤지만 살펴 그저 법대로만 시행하였다. 자신이 그 속에서 다시 한 번 그 죄에 대해 생각해보려 하지 않은 것이 흘러가 참혹함이 되어버린 것이다."

或曰: "黃老之敎, 本不爲刑名, 只要理會自己, 亦不說要慘酷, 但用之者過耳."
曰: "緣黃老之術, 凡事都先退一着做, 敎人不防他. 到得逼近利害, 也便不讓別人, 寧可我殺了你, 定不容你殺了我. 他術多是如此, 所以文景用之如此. 文帝猶善用之, 如南越反, 則卑辭厚禮以誘之; 吳王不朝, 賜以几杖等事. 這退一着, 都是術數. 到他敎太子, 晁錯爲家令. 他謂太子亦好學, 只欠識術數, 故以晁錯傳之. 到後來七國之變, 弄成一場紛亂. 看文景許多慈祥愷悌處, 都只是術數. 然景帝用得不好, 如削之亦反, 不削亦反."[72]

어떤 사람이 말했다. "황로학의 가르침은 본시 형명학을 하자는 것이 아니라 단지 자신을 이해하려는 것일 뿐이며, 또한 참혹해야 한다고도 말하지 않았으니 단지 쓰는 자들이 지나쳤을 뿐입니다."
(주자가) 대답하였다. "황로학의 술법은 모든 일에서 하나같이 우선 한 걸음 물러나 남들이 자신을 경계하지 않도록 한다. 그러나 이해가 절박한 일이 닥치면 또한 남에게 사양하지 않고 차라리 내가 너를 죽일지언정 결코 네가 나를 죽이게 하지 않는다. 저들의 수법은 대부분 이와 같기 때문에 문제文帝와 경제景帝가 사용하기를 이와 같이 하였다. 문제는 그나마 잘 사용하였으니 예컨대 남월南越이 반란을 일으키자 겸손한 말과 두터운 폐백을 가지고 그들을 달랬고,[73] 오왕吳王이 조회하지 않자 궤장几杖을 하사하였다.[74] 이렇게 한 걸음 물러나는 것이 모두 술수이다. 문제가 태자를 교육시키는 데에는 조조晁錯

72 『朱子語類』 권39, 63조목
73 南越이 반란을 … 달랬고 : 尉佗가 秦나라 2세 때 南海尉 벼슬을 하다 마침내 반란을 일으키고 南越武帝를 자칭한 일을 이른다. 고조는 남월이 너무 먼 곳에 있어 정벌할 수 없자 그를 南越王에 봉하고 남쪽 지역의 평화를 도모하였다. 呂后가 집정하며 남월과의 시장 무역을 일체 중지시키자 위타는 군사를 일으켜 한나라의 長沙 지역을 공격하였고 이를 진압하기 위해 파견한 한나라 군사들은 중간에 돌림병을 만나 변변히 싸워보지도 못하고 진퇴양난에 빠졌다. 이때 여후가 죽자 군사들은 철수하였다. 이에 위타는 한나라 변경을 공격하고 한편으로 남쪽의 여러 소수민족 국가들을 회유하여 국토가 1만여 리에 이르렀다. 이에 稱帝하며 천자의 상징인 黃屋左纛(천자 수레의 장식)을 타고 모든 의장을 중국 천자와 동일하게 하였다. 文帝가 등극하면서 위타의 고향 眞定에 있는 위타 아버지 묘소 관리를 위해 고을을 따로 봉하고, 명절이나 설이면 제사를 받들게 하며 그의 사촌들에게 높은 벼슬을 내려 총애하였다. 그리고 사신을 보내 문제 스스로 나는 고조의 측실자식이라는 공손한 말로 그를 달랬다.(『史記』「南越傳」)
74 吳王이 조회하지 … 하사하였다. : 오왕은 고조의 형 劉仲의 아들인 劉濞이다. 유비가 태자 劉賢을 보내 문제를 뵙게 하였는데, 유현이 황태자와 술을 마시고 博戱(장기)를 즐기다 황태자와 박희의 길을 다투는 태도가 공손치 않아 황태자가 판으로 쳐서 죽였다. 죽은 시체를 오나라로 보내자 유비는 시체를 되돌려 보내 長安에 묻히게 하였다. 이 일로 유비는 병을 핑계하고 문제에게 조회하지 않으며 사신들만 보냈다. 한나라는 오나라에서 사신이 올 때마다 그들을 구금하고 오왕의 직접 조회를 요구하였다. 그러다가 한 사신이 너무 다그쳐

로 가령家令을 삼았다. 문제는 태자 역시 학문을 좋아하나 단지 술수에 대한 식견이 모자라다고 여긴 까닭에 조조를 태자의 스승으로 삼은 것이다.[75] 후일 칠국七國의 변란이 일어나 한바탕 분탕질이 쳐졌다.[76] 문제와 경제에게 자애롭고 선하며 사람 좋고 따뜻한 면을 허다하게 볼 수 있으나, 모두 술수일 뿐이다. 그러나 경제는 좋지 않게 사용하였으니, 예컨대 '봉지封地를 삭감하여도 역시 반역할 것이고 삭감하지 않아도 역시 반역할 것이다.'[77]라고 한 것과 같은 것이다."

[60-2-5]

問: "文帝欲短喪, 或者要爲文帝遮護, 謂非文帝短喪, 乃景帝之過."

曰: "恐不是恁地. 文帝當時遺詔, 教大功十五日, 小功七日, 纖三日. 或人以爲'當時當服大功者只服十五日. 當服纖者只三日.' 恐亦不解恁地. 臣爲君服, 不服則已, 服之必斬衰三年, 豈有此等級? 或者又説, '古者只是臣爲君服三年服, 如諸侯爲天子, 大夫爲諸侯, 及畿內之民服之. 於天下吏民無三年服. 道理必不可行'. 此制必是秦人尊君卑臣, 却行這三年, 至文帝反而復之耳."[78]

물었다. "문제가 상기喪期를 단축하려고 하자 어떤 사람이 문제를 감싸고자 '문제가 상기를 단축한 것이

. . . .

오왕이 더욱 올 수 없게 된 것이라고 하자 마침내 문제는 오왕에게 궤장을 하사하고 오왕이 나이 늙었음을 이유로 조회를 면제시켜 주었다.(『史記』「吳王濞傳」)

75 태자 역시 … 것이다. : 晁錯는 鼂錯로도 쓴다. 조조는 형명학을 배웠다. 문제에게 글을 올려 "앞 세상의 군주들이 종묘를 받들지 못하고 그들 신하에게 협박을 받거나 살해당한 것은 모두 술수를 몰라서입니다. 황태자가 읽은 책은 많으나 술수를 깊이 알지 못한 것은 그 글 내용을 깊이 따져 읽지 않아서입니다. 많은 책을 읽고서도 그 글 뜻을 모른다면 이는 고생스럽기만 하고 보람이 없는 것입니다. 신이 적이 살피건대 황태자는 재능과 지혜가 높고 기이하며, 말타기·활쏘기 등의 기예에 보통보다 훨씬 뛰어납니다. 그러나 술수에 대해 아는 바가 없으니 폐하의 마음을 자신의 마음으로 삼고 있어서입니다. 적이 원하오니 폐하께서 지금 세상에 쓸 수 있는 성인의 술수를 뽑아서 황태자에게 내려 때때로 태자에게 눈앞에 닥친 일에 쓰도록 하십시오.(竊觀上世之君, 不能奉其宗廟, 而刼殺於其臣者, 皆不知術數者也. 皇太子所讀書多矣, 而未深知術數者, 不問書説也. 夫多誦而不知其説, 所謂勞苦而不爲功. 臣竊觀皇太子材智高奇, 馭射伎蓺過人絶逺, 然於術數未有所守, 以陛下爲心也. 竊願陛下幸擇聖人之術可用今世者, 以賜皇太子, 因時使太子陳明於前.)"라고 하자, 문제는 훌륭한 말이라 여기고서 그를 태자의 가령으로 삼았다. 가령은 한나라 때 둔 벼슬로 황실의 일을 담당하였다. 후에는 제후국에도 이 벼슬을 두었다.(『史記』「晁錯傳」)

76 七國의 변란이 … 쳐졌다. : 조조는 사람이 본래 각박하였다. 그러나 임시변통에 뛰어나 경제의 가령 시절 꾀주머니[智囊]로 불렸다. 경제가 즉위한 뒤 조조는 어사대부에 올라 제후에게 봉해준 땅을 삭감하여 황실의 권위를 높이려다가 吳楚七國이 골육을 이간시키는 조조를 죽여야 한다는 명분으로 반란을 일으켜 참수되었다.(『史記』「晁錯傳」)

77 '封地를 삭감하여도 … 것이다.' : 이 말은 晁錯가 문제와 경제에게 한 말이다. 그러나 문제는 오왕 유비에게 궤장을 하사하며 그를 다독였고, 경제는 "삭감하면 그들의 반란이 빨라져 재앙이 작고, 삭감하지 않으면 반란이 더뎌지며 재앙이 클 것입니다.(削之, 其反亟, 禍小; 不削, 反遲, 禍大.)"라는 말을 받아들여 여러 유씨들에게 봉해준 땅을 삭감시켰다. 결국 오초칠국의 반란이 일어났다.(『史記』「晁錯傳」)

78 『朱子語類』 권135 역대2, 33조목

아니라 바로 경제의 잘못이다.'[79]라고 말하고 있습니다."

(주자가) 대답하였다. "아마 그렇지 않을 것이다. 문제가 당시에 유조遺詔로 '대공大功은 15일, 소공小功은 7일, 섬纖은 3일을 하게 하라.'고 하였다.[80] 이 유조를 두고 어떤 사람이 '당시에 대공복을 입어야 할 자는 단지 15일만 복을 입고, 소공복을 입어야 할 자는 단지 7일만 복을 입고 섬복纖服을 입어야 할 자[81]는 단지 3일만 복을 입어야 한다.'고 하였다. 아마 또한 이렇게 해석해서는 안 될 것이다. 신하가 군주를 위한 상복을 입지 않으면 그만이겠지만 입으면 반드시 참최 삼년 복을 입어야 하니 어찌 이런 등급이 있겠는가? 어떤 사람이 또 '옛날에는 단지 신하가 군주를 위해 삼년 복을 입었으니, 예컨대 제후가 천자를 위해서, 대부가 제후를 위해서 입고, 그리고 기내畿內의 백성이 입었다. 천하의 관리나 백성은 삼년 복을 입는 일이 없으니 도리에 반드시 시행할 수 없어서다.'라고 하였다. 이 제도는 반드시 진秦나라

• •

79 '문제가 상기를 … 잘못이다.' : 宋나라의 王應麟이 그의 저서 『通鑑答問』 「漢文帝·遺詔短喪」에서 "문제의 고명으로 인해서 천하 공통의 상복을 폐기하였으니 이는 경제의 잘못이 아니겠습니까?(因文帝之顧命, 廢天下之通喪, 此非景帝之過歟?)"라고 하였다.

80 문제가 당시에 … 하였다. : 이 글에 대한 해석은 여러 논란이 있다. 먼저 『史記』 「孝文本紀」와 『漢書』 「文帝紀」에는 "下棺하고서 大紅을 입고 15일, 小紅을 입고 14일, 섬을 입고 7일을 하고 상복을 벗는다.(己下, 服大紅十五日, 小紅十四日, 纖七日, 釋服.)"라고 하였다. 이 책과 이 글의 출전인 『朱子語類』의 '小功七日, 纖三日'과는 글이 완전히 서로 다르다. 그러나 문제의 유조를 기록한 어떤 책도 주자의 말과 같은 곳은 없다. 아마 주자가 잘못 인용한 듯하다. 우선 주자가 인용한 글에 따라 번역 하였다. 그러나 이 유조는 후세에 천자 자리를 물려받는 태자들이 하나같이 이를 근거로 以日易月 제도를 채택한 喪禮의 획기적 기원을 제공하였다. 따라서 이 글에 대한 주석들을 살펴보기로 한다.
服虔은 "모두 당연히 大功布와 小功布라고 해야 한다. 纖은 가는 베이다.(皆當言大功·小功布也. 纖, 細布衣也.)"라고 하였다. 그러니까 大紅을 대공포로 읽어야 한다는 말이고, 대공포는 대공 9개월 상복을 입어야 할 자의 상복 베를 말한다. 이 베는 7升, 8승, 9승까지 있고, 소공포는 10~12승까지의 베를 쓰며, 가는 베로 지은 옷은 禪祭를 지낸 뒤에 입는 15승의 가는 베이다. 應劭는 "紅은 小祥과 大祥에 붉은 색 천으로 옷깃의 선을 두르는 것이고 纖은 禪祭이다. 모두 36일 만에 상복을 벗는 것이니, 이는 하루를 한 달로 치는 것이다.(紅者, 中祥·大祥以紅爲領緣, 纖者, 禪也. 凡三十六日而釋服矣, 此以日易月也.)"고 하였다. 여기서 36일은 15와 14와 7일을 합한 숫자이다. 晉灼은 "『漢書』에 으레 紅자를 功자로 쓴다.(漢書例以紅爲功也.)"라고 하고, 顏師古도 "紅자는 功자와 동일한 글자다.(紅與功同)"라고 하여 앞 복건의 설을 옹호하였다. 또 貢父는 "문제가 이러한 상복 기간을 제정한 것은 결단코 장례를 마친 뒤의 일이다. 장례를 치르기 전에는 아직 참최복을 입어야 한다. 한나라의 여러 제왕들이 붕어한 날에서 장례까지는 1백여 일이고 아직 장례를 치르기 전에는 복을 벗지 않는다 … 이에 대해 말하는 사람들이 마침내 以日易月이라고 하여 또 장례까지의 날수를 합산시키지 않은 것은 모두 큰 오류이다. 문제의 뜻을 살펴보면 장례를 마치고서는 重服(3년이나 1년 복에 입는 상복)은 벗고 대공복과 소공복을 지어 입으라는 것이니 점점 吉服으로 나아가라는 것일 뿐이다.(文帝制此喪服, 斷自已葬之後. 其未葬之前, 則服斬衰. 漢諸帝自崩至葬有百餘日者, 未葬則服不除矣. … 説者遂以日易月, 又不通計葬之日, 皆大謬也. 攷之文帝意, 既葬除重服, 制大功·小功, 所以漸即吉耳.)"라고 하였다. 또 응소가 以日易月이란 해석을 하면서 15와 14와 7을 합하여 36일 만에 복을 벗는다고 한 것을 두고 안사고는 36은 이일역월로 치면 36개월이 되어야 하는데 소상과 대상 담제를 모두 합한 달은 27개월이어서 36이란 말과는 서로 맞지 않다고 하였다.

81 纖服을 입어야 … 자 : 纖은 가는 베를 이르니 섬복은 상복 중 제일 가벼운 3개월 緦麻服을 이른 말인 듯하다.

가 군주를 높이고 신하를 낮추려는 데에서 이 삼년 복을 시행했다가 문제 때 이르러 되돌려 회복시킨 것일 뿐이다."[82]

[60-2-6]

南軒張氏曰: "文帝初政, 良有可觀. 蓋制事周密, 爲慮深遠, 懇惻之意, 有以得人之心, 三代而下, 亦未易多見也. 文帝以庶子居藩國, 入踐大統, 知己之立, 爲漢社稷, 非爲己也, 故不敢以爲己私. 有司請建太子, 則先示博求賢聖之義, 而又推之於吳王淮南王. 有司請王諸子, 則先推諸兄之無後者而立之. 其辭氣溫潤不迫, 其義誠足以感人也. 凡所以施惠於民者, 類非虛文, 皆有誠意存乎其間. 千載之下, 即事而察之, 不可掩也. 史於其編年日: '帝旣施惠天下, 諸侯·四夷, 遠近驩洽, 乃修代來功.' 觀諸此, 又可見其明先後之宜, 而不敢私己, 記史者亦可謂 '善發明' 矣.

남헌 장씨南軒張氏[張栻]가 말하였다. "문제의 정사 초기에는 참으로 볼 만한 점이 있다. 일처리가 주밀하고, 생각은 깊고 원대하며, 간절한 뜻은 사람들 마음을 얻었으니, 삼대 이후 또한 손쉽게 자주 볼 수 있지 않다. 문제가 서자로 번국藩國의 제후로 있다가 들어와 대통을 이었을 때, 자신의 즉위가 한나라의 사직을 위한 것이고 자신을 위한 것이 아님을 알았던 까닭에 감히 사사로운 욕심을 부리지 않았다. 담당 관원이 태자를 세우자고 청하자 먼저 어질고 성스러운 사람을 널리 구해야 한다는 뜻을 보이고, 또 오왕吳王과 회남왕淮南王을 추천하였다.[83] 담당 관원이 여러 아들을 왕으로 삼자고 청하자 우선 여러

---

82 문제 때 … 뿐이다. : 천자를 위한 삼년 상복을 누구까지 입는 것이 옳은가를 두고 논한 말이다. 이에 대한 설은 『朱子語類』 권89, 25조목의 글을 살펴보면 이해가 빠르다. "공경대부와 열국의 제후들이 각기 천자를 위해 삼년 상복을 입고, 열국의 경대부는 또 각기 자기 나라의 군주를 위해 삼년 상복을 입으니 단지 자신의 군주를 위해 복을 입는 것이다. 예컨대 제후의 대부는 본국의 제후를 위해 삼년의 상복을 입었으면 다시 천자를 위해 삼년 복을 입지 않는다. 백성은 기내에 사는 백성들만은 천자를 위한 상복과 본국의 군주를 위한 삼년 상복을 입는다.(公卿大夫與列國之諸侯, 各爲天子三年之喪; 而列國之卿大夫, 又各爲其君三年之服, 蓋止是自服其君. 如諸侯之大夫, 爲本國諸侯服三年之喪, 則不復爲天子服. 百姓則畿內之民, 自爲天子服本國之君服三年之喪也.)"고 하였다. 『儀禮』「喪服」에 3개월 상복에 대해 말하며 "서인이 나라의 군주를 위해서 입는다.(庶人爲國君.)"고 하였다. 천하의 백성들은 천자를 위해 緦麻 3개월 복만 입으면 된다는 말이다. 그렇다면 한나라에서 천자가 죽었을 때 천하의 백성들이 삼년 상복을 입은 것은 곧 秦나라 시대에 잘못 정해진 것이었는데 문제가 이 유조로 바로 잡은 것이라고 주자가 말한 것이다.

83 먼저 어질고 … 추천하였다. : 문제가 천자에 등극한 해에 담당 관원이 미리 태자를 세워두는 것이 종묘를 높이는 일이라고 청하였다. 이에 문제는 "짐이 이미 부덕하여 천하의 어질고 성스러우며 덕이 있는 사람을 널리 구하여 천하를 선위하지는 못할지언정 '미리 태자를 세우겠다.'고 말하는 것은 나의 부덕을 가중시키는 일이다. 서서히 하도록 하라.(朕旣不德, 縱不能求天下賢聖有德之人而禪天下焉, 而曰'豫建太子', 是重吾不德也. 其安之.)"고 하였다. 그러나 담당 관원이 연이어 "미리 태자를 세워두는 일은 종묘와 사직을 중후하게 하고 천하를 잊지 않는 일입니다.(豫建太子, 所以重宗廟·社稷, 不忘天下也.)"라고 하자, 문제는 "楚王은 季父이고, 吳王은 형이며, 淮南王은 아우이니, 어찌 미리 세워둔 것이 아니겠는가? 지금 이들에서 가려 등용하지 않고 꼭 아들이어야 한다고 말한다면 사람들이 나를 어질고 덕이 있는 사람은 잊어버리고 아들만 고집한

형 중 나라가 끊긴 사람을 추천하여 세웠다.[84] 그 말씨는 온화하고 점잖아 박절하지 않았으며 그 의리는 참으로 사람을 감동시키기에 충분하였다. 백성들에게 은혜를 베푸는 일들은 대부분 헛되게 꾸미려는 것이 아니었으니 모두 정성스러운 뜻이 그 사이에 담겼다. 천년 뒤에도 그가 한 일들에 나아가 살펴보면 숨길 수 없는 것이 있다. 사신史臣이 그 편년체 역사에서 '황제가 천하에 은혜를 베풀자 제후국과 사방 오랑캐들이 멀거나 가깝거나 할 것 없이 흡족히 즐거워하였으며, 이어 대代에서 한나라에 들어와 대통을 잇게 하는 일에 대한 공을 정리하였다.'[85]고 하였다. 이러한 것들에서 보면 또한 그가 선후의 마땅한 순서에 밝았고 감히 사사로운 욕심을 챙기지 않은 것을 볼 수 있으니, 역사를 기록하는 자들 또한 '잘 드러내 밝혔다.'고 말할 수 있을 것이다.

· · · · · · · · · · · · · · · · · · · ·

것이라고 말할 것이다. 이는 천하를 걱정하는 일이 아니다.(楚王, 季父也 ; 吳王, 兄也 ; 淮南王, 弟也, 豈不豫哉? 今不選擧焉, 而日必子, 人其以朕爲忘賢有德者, 而專於子. 非所以優(일본에 憂)天下也.)"고 하였다. 오왕은 뒤에 반란을 일으킨 劉濞였고 회남왕은 劉長이었다. 그러나 담당 관원이 기어이 아들을 놔두고 다른 곳에서 구할 수 없다며 맏아들 劉啓를 세우자고 청하자 마침내 그대로 따랐다.(『資治通鑑』 권13 「漢紀·文帝」 원년)

84 여러 아들들을 … 세웠다. : 문제 2년 3월에 담당 관원이 문제의 아들을 제후로 세우자고 청하였다. 이에 문제는 조서를 내려 "앞서 趙의 幽王(이름은 如意)이 옥에 갇혀 죽은 것을 짐이 매우 불쌍히 여겨 이미 그의 태자 劉遂를 趙王으로 삼았다. 유수의 아우 劉辟彊과 齊나라 悼惠王의 아들 朱虛侯 劉章과 東牟侯 劉興居는 공훈이 있어 왕을 삼을 만하다.(前趙幽王幽死, 朕甚憐之, 已立其太子遂爲趙王. 遂弟辟彊及齊悼惠王子朱虛侯章東牟侯興居有功, 可王.)"고 하여 유벽강과 유장과 유흥거를 각기 왕으로 봉하고 이어 아들 劉武를 代王, 劉參을 太原王, 劉揖을 梁王으로 삼았다.(『漢書』 「文帝紀」)

85 史臣이 그 … 정리하였다. : 이 문장은 『漢書』 「文帝紀」와 『資治通鑑』 권13 「漢紀·孝文皇帝上」 등에 실려 있다. 여기서 代에서 들어와 운운한 말은 문제가 원년 6월에 조서를 내려 "대신들이 여러 여씨를 목 베고 짐을 영접하였을 때, 짐은 의심을 가졌고 모두가 짐을 만류하였다. 중위 宋昌만이 짐에게 권하여 짐이 이미 종묘를 보존할 수 있었기에, 이미 송창을 높여 衛將軍을 삼았으니, 송창을 봉하여 壯武侯로 삼는다. 짐을 따랐던 여섯 사람도 벼슬을 모두 九卿에 이르게 하라.(方大臣誅諸呂迎朕, 朕狐疑, 皆止朕. 唯中尉宋昌勸朕, 朕已得保宗廟, 已尊昌爲衛將軍, 其封昌爲壯武侯. 諸從朕六人, 官皆至九卿.)"고 하였다. 이보다 앞서 대신들이 여러 여씨들이 유씨의 종묘사직을 여씨의 천하로 바꾸려고 하자 周勃과 陳平 등 옛 高祖의 신하들이 그들을 제거하고 당시 代王으로 있던 劉恒(문제)을 황제로 옹립하자고 의견을 모았다. 사람을 보내 뜻을 전달하자 대왕은 측근들과 의논하였다. 이때 郞中令 張武는 따라서는 안 된다는 의견을 내면서 그 이유를, 그들은 옛 고조 때의 장군들로 군사작전에 익숙하고 속임수가 많으니 그들의 생각이 여기에 있지만 않을 것이라며, 大王(유항)을 맞이한다고 말하나 실속을 알 수 없다고 하였다. 이때 宋昌은 그것은 잘못된 것이라며 저들의 의견에 따라야 한다고 주장하였다. 이에 문제는 어머니에게 말씀드렸으나 역시 결정을 내리지 못하였다. 다시 점을 쳐 天王이 될 것이라는 점괘를 얻었다. 이에 외삼촌인 薄昭를 주발에게 보내 알아보게 하였다. 박소가 돌아와 의심할 것이 없다고 아뢰자 대왕은 송창을 參乘으로 삼고 장무 등 여섯 사람은 역말을 타게 하여 長安으로 나아갔다. 渭橋에 이르자 한나라의 신하들이 나와 맞이하여 옥쇄와 부절을 바쳤으나 받지 않고 장안에 있는 代王의 私邸로 가서 의논하기로 하였다. 사저에서 다시 주발 등이 천자 자리에 즉위할 것을 청하자 문제는 서쪽을 향하여 세 번 사양하고 남쪽을 향하여 두 번 사양한 다음 마침내 천자에 즉위하였다.(『資治通鑑』 권13 「漢紀·高后」 8년)

其待夷狄蓋亦有道. 以南越尉佗之強恣, 自高帝猶難於服之, 而帝特施恩惠遣使遺以一書, 而佗即自去帝制, 下令國中稱'漢皇帝賢天子', 皇恐報書不敢慢. 予嘗詳味帝所與書, 則知忠信之可行於蠻貊也如此. 書之首辭曰: '朕高皇帝側室子也, 棄外奉北藩于代.' 蓋後世之待夷狄, 往往好爲夸辭, 於是等, 皆在所蓋覆矯飾以示之者也. 而帝一以其實告語之. 彼亦豪傑也, 見吾推誠如此, 則又安得不服? 故其報書首曰: '老夫故越吏也', 文帝不以高帝側室之子爲諱, 則佗敢以越吏爲歉哉? 若吾以驕辭蓋之, 則彼亦且慢以應我必然矣. 推此一端, 忠信可行於蠻貊, 可不信哉?

문제가 이적夷狄을 대하는 것에 또한 도리가 있었다. 남월南越 위타尉佗의 거센 방자함은 고조 때부터도 또한 복종시키기 어려웠는데 문제가 남다른 은혜를 베풀어 사신을 파견해 한 통의 글을 보내자, 위타는 바로 그때부터 황제 제도를 버리고 나라에 영令을 내려 '한나라의 황제는 어진 천자다.'라고 칭하고는 황공한 마음으로 답장을 마련하고 감히 교만하게 굴지 않았다. 내가 지난날 문제가 보낸 편지를 자상하게 음미하고서 충신忠信은 오랑캐 지역에서도 행해질 수 있음[86]이 이와 같음을 알았다. 글의 머리말에 '짐은 고황제의 측실자식으로 외방에 버려져 대代에서 북번北藩의 일을 받들었습니다.'라고 하였다. 후세에 이적을 대하며 이따금 과장되게 말하기를 즐겼으니, 이런 일은 모두 덮어 숨기거나 속임수로 꾸미는 일이었다. 그러나 문제는 한결같이 사실대로 알려주었다. 저 위타도 역시 호걸인데 우리 쪽이 이같이 성심으로 대하고 있음을 보고서 또 어찌 복종하지 않을 수 있겠는가? 그러므로 그 답장의 첫머리에 '늙은이는 옛날 월越나라의 관리입니다.'라고 하였다. 문제가 고제의 측실자식인 것을 숨기지 않았으니, 위타가 감히 월나라의 관리였음을 겸연쩍어 하겠는가? 만일 우리 쪽에서 교만한 말로 이 사실을 덮었다면 저쪽도 역시 또 거만한 말로 우리에게 응대할 것은 필연이다. 이 한 가지 일에서 미루어본다면 충신忠信하면 오랑캐 지역에서도 행해질 수 있다는 말을 믿지 않을 수 있겠는가?

以文帝天資之美, 初政小心畏忌之時, 得道學之臣佐之, 治功之起, 豈不可追三代之餘風? 惜其大臣不過絳·灌·申屠嘉之徒, 獨有一賈誼爲當時英俊, 而誼之身, 蓋自多所可恨, 而卒亦不見庸也. 故以帝之賢, 僅能爲一時之小康, 無以垂法於後世. 如淮南薄昭之事, 未免陷於刑名之家衰世之事. 至於即位歲久, 怠肆亦萌, 新垣平之邪說故得以入之, 然終以其天資之高旋即悟也. 其終詔有曰: '惟年之久長, 懼于不終', 蓋可見帝之能察乎此矣. 嗚呼. 亦賢矣哉! 故予猶重惜其諸臣之無以佐下風也."[87]

. . . .

86 忠信은 오랑캐 … 있음: 이것은 『論語』「衛靈公」의 말이다. "자장이 행해짐에 대해 묻자, 공자가 말하기를 '말이 진실하고 미더우며 행동이 두텁고 공경스러우면 남쪽의 오랑캐와 북쪽의 오랑캐[蠻貊] 지역이라도 행해질 수 있겠지만, 말이 진실하고 미덥지 않으며, 행동이 두텁고 공경스럽지 않으면 (자신의) 고을일망정 행해지겠는가?'라고 하였다.(子張問行, 子曰, 言忠信, 行篤敬, 雖蠻貊之邦行矣 ; 言不忠信, 行不篤敬, 雖州里行乎哉?)"

87 『南軒集』 권16 「史論·文帝爲治本末」

문제의 타고난 아름다운 자질로 갓 정사를 시작해 마음을 졸이며 두려워할 때 도학道學을 익힌 신하의 보좌를 얻었다면, 다스린 공효의 우뚝함이 어찌 삼대의 유풍遺風을 뒤따르지 못하였겠는가? 애석하게도 그 대신이란 사람들이 강후絳侯[周勃]·관영灌嬰·신도가申屠嘉 무리였고, 홀로 한 사람 가의賈誼만 당시 탁월한 영걸이었으나 가의는 본디 그 자신이 한스러운 것이 많았고 끝내 또한 등용되지도 못하였다.[88] 그러므로 문제의 어짊으로도 겨우 한때의 소강小康[89]을 이루고 후세에서 법 삼을 만한 일은 남기지 못하였다. 예컨대 회남왕[90]과 박소의 일들은 형명가刑名家와 도덕성이 쇠퇴한 시대에 일어날 수 있는 일에 빠짐을 면하지 못하였다. 즉위한 세월이 오래되어서는 게으름과 방종함이 또한 움터 신원평新垣平의 사악한 말[91]이 먹혀들기도 하였으나, 끝내 그의 타고난 높은 자질로 곧바로 깨달았다. 그의 임종臨終

• • • • • • • • • • • • • • •

88 賈誼만 당시 … 못하였다. : 가의는 洛陽 사람으로 제자백가에 통달하여 나이 20여 세에 문제에게 이름이 알려져서 博士에 등용되었다. 당시 조정에 내려지는 안건에 대한 논의에서 여러 노사숙유들조차 입을 열지 못하는 일들을 가의가 거침없이 대답하여 식견을 인정받았다. 등용된 지 1년 만에 太中大夫에 오르며 당시 한나라가 미처 손대지 못한 正朔을 정하는 일에서 온갖 전장제도를 바꾸는 일들을 앞장서 결정하였다. 문제가 그에게 公卿의 지위를 맡기려 하자 周勃과 灌嬰 등이 헐뜯어서 마침내 문제도 그에 대한 총애를 거두고 長沙王太傅로 내보냈다. 다시 梁懷王太傅로 옮겨진 뒤 양회왕이 말에서 떨어져 죽자 스스로 스승으로서의 책임을 다하지 못한 것을 자책하다 죽었다. 이때 그의 나이 33세였다. 그가 올린 上書는 賈誼上書라는 이름으로 후세 선비들에게 크게 칭송을 받았다.(『史記』「賈誼傳」)

89 小康 : 조금 안정된 세상이라는 말이다. 堯舜 시대를 가장 태평한 시대라는 뜻에서 大同의 시대라고 하고, 禹·湯·文王·武王·成王·周公의 시대를 대동 시대보다는 못해도 그런대로 조금 다스려진 세상이라 하여 소강 시대라고 한다.(『禮記』「禮運」)

90 회남왕 : 회남왕 劉長을 이른다. 유장은 고조의 여섯째 아들로 고조가 회남왕 黥布의 반역을 진압하고 아들 유장을 이곳에 봉하였다. 문제의 사랑을 믿고 문제를 大兄이라 부르기도 하고 스스로의 儀仗을 천자와 똑같이 차리는 등 방자함이 끝이 없었다. 모반을 도모한 것이 드러나서 죄를 다스려야 한다는 주장이 끝없이 일었으나, 문제가 끝까지 보호하여 목숨은 유지한 채 蜀으로 유배 도중 음식을 끊고 죽었다. 이때 袁盎이 문제에게 "주상께서 본래 회남왕을 교만하게 만들고 엄한 스승이나 상국을 두지 않은 까닭에 이 지경에 이르렀습니다. 또 회남왕은 사람됨이 대쪽 같사온데 지금 갑작스럽게 꺾어버리면 신은 그가 안개에 노출되거나 이슬을 맞아 병에 걸려 죽게 될까 두렵사오니 폐하께서 아우를 죽였다는 이름이 있게 되면 어쩌시렵니까?(上素驕淮南王, 弗爲置嚴傅相, 以故至此. 且淮南王爲人剛, 今暴摧折之, 臣恐卒逢霧露病死, 陛下爲有殺弟之名, 奈何?)"라고 하였다. 곧 문제가 처음부터 회남왕의 방종을 다스리지 않아 마침내 모반이라는 죄악에 빠지게 하였다고 비판한 것이다. 문제는 아우가 유배 도중에 죽었다는 말을 듣고서 그에게 厲王의 시호를 내리고 묘도 제후의 의장을 갖추어 꾸미게 하였고 그의 아들 네 사람을 회남 땅과 다른 지역에 왕으로 봉해주었다.(『史記』「淮南衡山傳」)

91 新垣平의 사악한 말 : 신원평은 趙나라 사람으로 新垣은 성이고 平은 이름이다. 문제의 재위 연간에 雲氣를 잘 살피는 것으로 문제를 알현하여 長安의 북동쪽에 신령한 기운이 서려 있으니 하늘의 상서가 내려진 것이라 하며 사당을 세워야 한다고 주청하였다. 이에 문제는 渭陽五帝廟를 세우고 친히 찾아가 제사를 지내고서 신원평에게 몇 千金의 상을 내리고 上大夫로 삼았다. 이어 신원평은 사람을 시켜 옥으로 만든 술잔을 궁궐 문에서 바치게 하고서는 문제에게 궁궐 문에 寶玉의 氣가 찾아들고 있다고 아뢰었다. 이윽고 살펴보니 과연 옥 술잔을 바친 자가 있었다. 또 天氣를 살피니 해가 하늘 중앙에 거듭 뜨게 되어 있다고 하였다. 과연 그 말대로 해가 뒷걸음질하여 하늘 중앙에 거듭해 자리 잡았다. 이에 문제는 자신의 등극 17년을 새로운 원년으로 바꾸었다. 여기에서 문제의 재위기간은 전16년과 후7년이 만들어졌다. 그 뒤 周나라 때 사라진 鼎이 泗水

조서에 '세월이 오래 흐르며 제위帝位를 마무리하지 못할까 두려웠다.'는 말이 있으니, 문제가 이러한 점들을 잘 살피고 있었음을 볼 수 있다. 아! 역시 어질도다. 그래서 나는 여전히 문제의 여러 신하가 휘하에서 보좌함이 없었음을 더더욱 애석해 한다."

[60-2-7]

或問[92]: "肉刑始于苗, 堯因之而不革, 更虞夏商周而又不革, 漢文以一女子之言而革之. 何唐虞三代不知出此也? 文帝除之而刑亦措, 何邪?"

潛室陳氏曰: "先儒謂井田·學校·封建·肉刑, 四者廢一不可. 不知秦變古法, 凡古人教民養民處, 掃地不存, 單獨留肉刑以濟其虐. 雖微文帝, 必有變之者. 此蓋損益盈虛, 理勢必至, 能通變宜民, 雖成康復起, 不能易也."[93]

어떤 사람이 물었다. "육형肉刑은 묘족苗族에서 시작되어[94] 요임금이 그대로 따라 바꾸지 않았고, 순임금과 하夏나라, 상商나라, 주周나라를 거치면서도 역시 바뀌지 않았는데, 한문제가 여자 한 사람의 말에 의하여 바꾸었습니다.[95] 어찌하여 당우唐虞와 삼대는 이렇게 할 줄 몰랐습니까? 문제가 없애서 육형이 역시 사라진 것은 어째서입니까?"

잠실 진씨가 대답하였다. "앞 시대의 선비들은 정전井田·학교學校·봉건封建·육형肉刑 네 가지는 하나

- - - - - - - - - - - - - - - - - - - -

에 있다고 건의하자 문제는 이곳에 사당을 세우고 솥이 출현하도록 제사를 지내려 하였다. 이때 신원평의 모든 것은 속임수라는 상서가 올라와서, 사실을 조사시켜 신원평을 죽였다. 그 뒤로 문제는 신원평의 주장에 따라 세운 사당제사에 참석하지 않았다.(『史記』「封禪書」)

92 或問: 『木鍾集』 권11 「史」에는 '或問' 두 글자가 없다. 『木鍾集』의 「史」는 저자인 陳埴이 자문자답형으로 역사를 평가한 글이다. 그래서 '或問'은 있지 않다. 다만 『性理大全書』를 편찬하며 이 편제에 맞추기 위해 이 두 글자를 보충한 것이다.

93 『木鍾集』 권11 「史」

94 肉刑은 苗族에서 시작되어 : 『書經』「呂刑」에 "묘족 사람들이 신한 징사를 시행하지 않고 형벌을 세정하여 다섯 가지 사나운 형벌을 만들고서 그것을 '法'이라고 하였다. 죄 없는 사람을 죽이고 처음으로 코를 베고, 귀를 베고, 여자 음부에 말뚝을 박고, 먹물 들이는 짓을 지나치게 행하여 걸려든 자들에게 형벌을 내리며 죄 없는 사람에게까지 아울러 형벌을 내리니 곡직을 따져 차등을 둠이 없었다.(苗民弗用靈, 制以刑, 惟作五虐之刑, 曰法. 殺戮無辜, 爰始淫爲劓刵椓黥, 越玆麗刑, 并制罔差有辭.)"라고 하였다. 바로 이것이 육형의 시원이다.

95 한문제가 여자 … 바꾸었습니다 : 한문제 13년 5월에 제나라의 太倉令 淳于公(公은 존칭. 이름은 意)이 죄를 지어 長安으로 압송되게 되었다. 이때 순우공은 딸만 5명을 두고 아들이 없었다. 순우공은 장안으로 압송되기에 앞서 탄식하기를 "자식을 낳으면서 아들을 낳지 못해 어려울 때 아무런 도움이 되지 못하는구나.(生子不生男, 有緩急非有益也.)"라고 하였다. 이 말을 들은 딸 緹縈이 아버지를 따라나서 장안에 이르러 문제에게 "첩은 죽은 사람은 다시 살릴 수 없고 끊긴 四肢는 다시 이을 수 없어, 다시 허물을 고치고 새로운 사람이 되고자 하여도 그 길이 없음을 슬프게 생각합니다. 첩이 관아의 종년이 되는 것으로 아버지의 죄를 속죄 받아 스스로 새로워질 수 있게 되기를 원합니다.(妾傷夫死者不可復生, 刑者不可復屬, 雖復欲改過自新, 其道無由也. 妾願沒入爲官婢, 贖父刑罪, 使得自新.)"라고 하였다. 이에 문제는 지금 육형이 있지만 간악한 죄악이 그치지 않음은 나의 덕이 천박하고 교화가 밝지 않아서이며, 사지를 끊고 살갗에 먹물을 새겨 죽도록 원형을 회복할 수 없게 하는 것은 가슴 아픈 일이고 부덕한 일이라 하고서 육형을 없애도록 하였다.(『史記』「孝文本紀」)

도 폐할 수 없다고 생각하였다. 진秦나라가 옛 법을 바꾸어 옛 사람들이 백성을 가르치고 기른 것들을 쓸어버린 듯 보존하지 않고 홀로 육형만을 남겨 그들의 학정을 떠받칠 줄은 몰랐다. 문제가 아니라도 반드시 바꿀 사람은 있을 것이다. 줄이거나 늘리며 채우거나 비우는 것은 사리의 추세 상 반드시 이르게 되어 있는 것이니 변통하여 백성에게 마땅하게 적용하는 것은 성왕成王과 강왕康王이 다시 임금이 된다 하여도 바꿀 수 없는 일이다."[96]

[60-2-8]

問[97] : "漢文平生所爲, 大抵出於黃老, 至其得力處, 亦是黃老. 不聞有無情少恩之病, 何邪?"[98]

曰[99] : "文帝天資粹美, 却能轉得黃老不好處作好處. 景帝天資刻忍, 却將黃老好處轉作不好處."[100]

물었다. "한문제가 평생 한 일은 대체로 황로학에서 나왔고, 그가 힘을 얻은 곳도 역시 황로학입니다. 인정이 없다느니 은혜로움이 적은 병통이 있다는 소문이 없는 것은 어째서입니까?"

(잠실 진씨가) 대답하였다. "문제는 타고난 자질이 순수하고 아름다워 황로학의 좋지 않은 점을 전환시켜 좋은 점으로 만들어낼 수 있었다. 경제는 타고난 자질이 각박하고 모질어 황로학의 좋은 점을 가지고 좋지 않은 점으로 전환시켰다."

[60-2-9]

問 : "漢文殺薄昭, 李德裕以爲殺之不當. 溫公以爲殺之當. 未知孰是."

曰 : "雖未免少恩, 然以文帝仁厚之資爲之, 乃是借一人以行法. 於仁厚中, 有神武焉."[101]

물었다. : "한문제가 박소를 죽인 것을 두고 이덕유는 죽인 것이 부당하다고 하였고, 사마온공은 죽인 것이 당연하다고 하였습니다. 어느 말이 맞는지 모르겠습니다."[102]

---

96 成王과 康王이 … 일이다 : 『家語』「刑政」에 "중궁이 공자에게 묻기를 '형벌에 지극한 사람은 정사를 쓰는 일이 없고, 정사에 지극한 사람은 형벌을 쓰는 일이 없다. 형벌에 지극하여 정사를 쓰지 않은 것은 걸주의 세상이 그런 세상이고, 정사에 지극하여 형벌을 쓰지 않은 것은 성왕과 강왕의 세상이 그러한 세상이다.'라고 들었는데 참으로 그러합니까?(仲弓問於孔子曰, 雍聞, 至刑無所用政; 至政無所用刑. 至刑無所用政, 桀紂之世是也; 至政無所用刑, 成康之世是也. 信乎?)"라고 하여, 성왕과 강왕이 형벌을 쓰지 않은 군주로 일컬어졌음을 볼 수 있다. 또『史記』「周本紀」에 "성왕과 강왕의 세상에는 천하가 평안하여 40여 년 동안 형벌을 놓아두고 쓰지 않았다.(故成康之際, 天下安寧, 刑錯四十餘年不用.)"라고 하였다. 역사상 성왕과 강왕 세상에 형벌을 전혀 쓰지 않은 것으로 일컬어지고 있으나 형벌이 필요한 세상이 되면 두 군주도 쓸 수밖에 없다는 말이다.

97 問 : 『木鍾集』권11「史」에는 이 글자가 없다. 편의상 보충한 것이다. 다음 단락의 '問'도 마찬가지이다.

98 何邪? : 『木鍾集』권11「史」에는 이 두 글자가 없다. 편의상 보충한 것이다.

99 曰 : 『木鍾集』권11「史」에는 이 글자가 없다. 편의상 보충한 것이다. 다음 단락의 '曰'도 마찬가지이다.

100 『木鍾集』권11「史」

101 『木鍾集』권11「史」

102 이 글은 윗글 [60-2-1] 참고

(잠실 진씨가) 대답하였다. "은혜로움이 적었음은 면키 어려우나 문제가 인자하고 후덕한 자질로 그렇게 한 것은 바로 천자라는 힘을 빌려 법을 집행한 것이니 인자하고 후덕한 중에 신령한 위풍이 서려 있는 것이다."

[60-2-10]

問: "漢文時, 吳王不朝, 賜以几杖. 此與唐之陵夷, 藩鎭邀節旄者何異? 不幾於姑息之政歟?"

曰: "文帝是純任德教, 權綱在上, 伸縮由己. 唐一向姑息, 權柄倒持于下, 予奪由人, 兩事不可同日語."[103]

물었다. "한문제 때 오왕吳王이 조회하지 않자 궤장을 하사하였으니 이 점은 당나라가 쇠락해지며 번진藩鎭이 절모節旄를 요구한 것[104]과 무엇이 다릅니까? 고식적인 정치에 가깝지 않겠습니까?"

(잠실 진씨가) 대답하였다. "문제는 순수하게 도덕과 교화에 맡기고 조정의 권세와 기강이 군주에게 있어 펼치고 거두어들이는 것이 자신에게 달려 있었다. 당나라는 한결같이 고식적이어서 조정의 권세를 거꾸로 신하가 쥐고 있어 주거나 박탈하는 것이 남의 손에 있었으니 두 나라의 일을 똑같이 말할 수는 없다."

[60-2-11]

問: "晦翁以三代而下, 皆人欲而非天理. 且如漢文帝資稟純粹, 如何斷以人欲?"

曰: "晦翁此語, 止謂秦漢而下, 不曾有徹底理會學問人. 其中好者, 只是天資粹美, 暗合聖賢, 元不從學問中來. 文帝是 若似此人主, 更從學問中徹底理會, 便是湯文以上人."[105]

물었다. "회옹晦翁朱子이 '삼대 이후는 모두 인욕人欲이요, 천리天理에 의한 것이 아니다. 그러나 한문제 같은 사람은 타고난 자품이 순수하였으니 어찌 인욕이라고만 단정하겠는가?'라고 하였습니다."

(잠실 진씨가) 대답하였다. "회옹의 이 말은 단지 진한秦漢 이후 학문을 철저하게 이해한 사람이 있은 적이 없고, 그 가운데 아름다운 자는 단지 타고난 자품이 순수하고 아름다워 성현의 덕과 은연중에 합치한 것이고, 원래 학문에 의해 나오지 않았다는 것이다. 문제가 그런 사람이다. 이러한 군주가 다시

---

103 『木鍾集』 권11 「史」

104 당나라가 쇠락하여지며 … 것: 절모는 군주가 지방 수령에게 주는 일종의 標信이다. 모양은 기다란 징대에 旄牛의 꼬리털을 달았다. 이 절모를 받은 사람은 상을 내리는 일과 사람을 죽이는 일을 혼자서 집행할 수 있는 특권이 주어졌다. 당나라 때 당시 번진의 節度使들이 이를 황제에게 요구하고 황제는 羈縻 정책의 일환으로 이들 요구를 수용하였다. 『唐書』 「牛僧孺傳」에 幽州가 전란을 일으켜 그 우두머리 李載義를 축출하자 文宗은 곧 어전회의에 붙였다. 이때 우승유는 "이 반란은 국가와 크게 상관이 없습니다. 安祿山과 史思明의 난리 이후 반란이 이처럼 이어지고 있습니다 … 지금의 楊志誠은 전날의 이재의이니 단지 그대로 그들을 어루만져 편안하게 하고 奚族과 거란이 들어와 노략질하는 것만을 막는다면 조정으로서는 다행입니다. 임시 節旄를 그들에게 준다면 반드시 힘을 다할 것입니다.(自安史已來, 翻覆如此. … 至今志誠, 亦由前載義也. 但因而撫之, 俾扞奚契丹不令入寇, 朝廷所賴也. 假以節旄, 必自陳力.)"라고 말하고 있다.

105 『木鍾集』 「近思雜問附」

학문 속에서 철저하게 이해한다면 바로 탕임금이나 문왕 이상의 사람일 것이다."

[60-2-12]

問: "天下之患, 莫大於本小末大. 周之内輕外重, 宜若難久, 而卒綿遠. 漢之内重外輕, 宜若足以相制, 而猶有七國之禍, 何邪?"

曰: "周雖諸侯彊大, 猶能支吾數百年. 先史喻爲百足蟲所以難死者, 扶之者多也. 漢七國之禍亦自外重, 自此以後日以輕矣."[106]

물었다. "천하의 걱정거리는 밑동은 작은데 끝은 큰 것보다 클 것이 없습니다. 주나라는 중앙은 허약하고 지방이 강성하여 의당 오래가기가 어려울 것 같았는데 끝내 오래 이어졌습니다. 한나라는 중앙은 강성하고 지방은 허약하여 의당 충분히 서로서로 견제할 수 있을 것 같았는데 오히려 칠국七國의 재앙[107]이 있었으니 어째서입니까?"

(잠실 진씨가) 대답하였다. "주나라는 제후가 강대하였으나 오히려 수백 년을 지탱하였다. 지난 시대의 역사가들이 발이 1백 개인 벌레가 죽기 어려운 까닭에 비유하니, 붙잡아주는 자가 많아서이다. 한나라의 칠국 재앙은 역시 지방이 강성한 데서 시작되어 이로부터 이후 날로 허약해졌다."

景帝 경제[108]

[60-3-1]

五峰胡氏曰: "漢景以郅都寗成爲中尉, 以嚴酷治宗室貴戚, 人人惴恐. 夫親親尊尊之道, 必選天下有節行賢德之人爲之師傅, 爲之交遊, 則將有大人君子可爲天下用, 何有憂其犯法耶? 治百姓亦然, 修崇學校所以敎也. 刑以助敎而已, 非爲治之正法也."[109]

오봉 호씨五峰胡氏[胡宏][110]가 말하였다. "한나라 경제는 질도郅都[111]와 영성寗成[112]을 중위中尉로 삼아 엄하

---

106 『木鍾集』 권11 「史」

107 七國의 재앙: 晁錯가 경제의 총애를 입고 御史大夫에 올라 그동안 책봉된 여러 종실의 죄를 다스려 왕실의 권위를 높이고자 그들 封地의 삭감을 주장하였다. 이에 따라 여러 종실의 국가가 땅을 삭감당하였다. 이에 吳王濞가 두려움에 떠는 종실 국가들을 회유하여, 조조는 골육을 이간시키고 한나라 사직을 위험하게 하는 사람이니 토벌해야 한다고 군사를 일으켰다. 이때 따라 나선 국가가 膠東王雄渠, 菑川王賢, 濟南王辟光, 楚王戊, 趙王遂였다. 경제는 袁盎의 제안을 받아들여 조조를 죽여 천하에 사과하고 군대를 보내 진압하였다.(『史記』 「吳王濞傳」)

108 景帝: 한나라의 4대 황제. 이름은 啓. 竇皇后의 아들. 문제가 代에 있을 때 얻은 세 아들이 죽으면서 태자로 책봉되고 제위에 올랐다. 아버지와 함께 나라를 잘 다스려 세상에서 이때를 文景之治라 일렀다. 제위 16년(『史記』 「孝景本紀」; 『漢書』 「景帝紀」)

109 『知言』 권5

고 혹독하게 종실의 귀척貴戚들을 다스려 사람마다 두려워 떨었다. 친족을 친히 대하고 존귀한 사람을 높이는 도리는, 반드시 천하에서 절의 있는 행실과 어진 덕이 있는 사람을 선발하여 그들을 스승으로 삼고 그들과 교유하게 하면 천하에 쓸모 있는 대인군자가 있게 될 터이니 어찌 그들이 법을 범할까 걱정할 일이 있겠는가? 백성을 다스리는 일도 역시 마찬가지이니 학교의 제도를 닦고 숭상하는 것은 교육하기 위해서다. 형벌은 교육을 돕는 것일 뿐이요, 정치의 바른 방법은 아니다."

武帝 무제[113]

[60-4-1]

朱子曰："武帝病痛固多, 然天資高, 志向大, 足以有爲. 使合下便得簡眞儒輔佐, 豈不大有可觀? 惜乎無眞儒輔佐, 不能勝其多欲之私, 做從那邊去了? 欲討匈奴, 便把呂后嫚書做題目, 要來揜蓋其失. 他若知得此, 豈無修文德以來道理? 又如討西域, 初一番去不透, 又再去, 只是要得一馬, 此是甚氣力? 若移來就這邊做, 豈不可? 末年海內虛耗, 去秦始皇無幾. 若不得霍光收拾, 成甚麼? 輪臺之悔, 亦是天資高, 方如此. 嘗因人言, 太子仁柔不能用武, 答以'正欲其守成, 若朕所爲, 是襲亡秦之迹', 可見他當時已自知其罪. 向若能以仲舒爲相, 汲黯爲御史大夫, 豈不善?"[114]

주자가 말하였다. "무제는 병통이 참으로 많으나 타고난 자질이 높고 세운 뜻이 커서 업적을 이루기에

· ·

110 오봉 호씨(胡宏 1105~1155)：송나라 建寧 崇安 사람. 자는 仁仲, 五峰은 호이며, 胡安國의 아들이다. 楊時 · 侯仲良에게 배우고, 衡山에서 강학하여 張栻 등을 제자로 길렀다. 저서로『知言』·『五峰集』등이 있다.(『宋史』권435 ;『宋元學案』권25 ; 권34 ; 권42)

111 郅都：한나라 河東의 太陽 사람. 中尉 시절 권문귀족과 귀척 등에 대한 법 집행이 엄격하여 蒼鷹이라고 불렸다. 臨江王이 잡혀와 경제에게 올리는 글을 쓰고자 刀筆을 원하였으나 끝내 주지 않았다가, 魏其侯의 도움으로 경제에게 올리는 글을 써 올린 뒤 자살하자, 두태후가 미워하여 참형을 내리게 하였다. 사람이 매우 정립하였고, 鴈門太守 시절에는 흉노가 그를 무서워하여 허수아비를 세워 실노라 명명하고 騎射하게 하였더니 맞히는 자가 없을 정도로 매서웠다.(『史記』권122 ;『漢書』권90)

112 寗成：한나라 穰 땅 사람. 질도가 죽은 뒤 다시 귀척들이 발호하자 경제가 중위로 발탁하였다. 질도처럼 형벌이 혹독하였으나 질도 만큼 청렴하지 못했다. 무제가 경제를 이어 등극하면서 죄에 연루되어 갇히자 탈옥한 뒤 고향에 돌아가 가난한 백성들을 도왔다. 뒤에 죄가 사면되었다.(『史記』권122)

113 武帝：한나라의 5대 황제. 이름은 徹. 어머니는 王美人. 경제의 여러 아들 중 중간쯤의 아들이다. 太學을 일으켰고, 영토를 사방으로 확장하며 西域까지 길을 텄고, 神仙術에 빠져 많은 토목공사를 일으키며 가혹한 세금과 형벌을 시행하였다. 최초로 年號 법을 제정하여 10여 개에 달하는 연호를 재위 기간에 사용하였다.(『漢書』「武帝紀」)

114 『朱子語類』권135「역대 2」42조목

충분하였다. 만일 등극 초기에 바로 참된 유자儒者의 보좌를 받았다면 어찌 크게 볼만하지 않았겠는가? 애석하게도 참된 유자의 보좌도 없었고, 자신의 욕심 많은 사사로움도 이겨내지 못하였으니, 지향점을 어디에 두고 일했겠는가? 흉노를 토벌하고자 하면서는 여후呂后를 업신여겼던 글을 명분삼아[115] 흉노를 토벌하고자 한 계책의 실수를 감추고자 하였다.[116] 무제가 이런 수단을 알았다면 어찌 문덕文德을 닦아서 찾아 조회하게 할 방법이 없었겠는가?[117] 또 서역西域을 토벌하면서는 한 번의 토벌로 이루지 못하자 또다시 재차 시도하였으나 단지 하나 말을 얻자는 것일 뿐이었으니[118] 이 어찌 힘을 써야할 일인가?

• • • • • • • • • • • • • •

115 흉노를 토벌하고자 … 명분삼아 : 무제가 흉노를 정벌하려 하면서 그 이유를 밝힌 조서를 내려 "고황제께서 짐에게 平城에서 포위되어 곤욕을 치르신 걱정거리를 남겨주셨고, 高后(呂后) 때 선우의 편지는 더할 수 없이 이치에 어긋났다. 예전에 제나라의 襄公이 9대조의 원수를 갚자 『春秋』에서는 그것을 크게 찬양하였다.(高皇帝遺朕平城之憂, 高后時單于書絶悖逆. 昔齊襄公復九世之讐, 春秋大之.)"고 하였다. 이때 한나라는 大宛을 정벌하여 위세를 천하에 떨치고 있을 때였다. 이에 무제는 이 기회를 타고 흉노족을 무릎 꿇리고자 하면서 이 명분을 내세웠다. 선우가 여후에게 보낸 편지는 惠帝 때의 일로 그 편지는 "고독히 의지할 곳 없는 군주는 습기 찬 늪 지역에서 태어나 평원의 말과 소가 방목되는 곳에서 자랐기에 여러 번 변경에 이르러 중국에 가서 놀기를 원했습니다. 폐하는 홀로 군주 자리에 올라 외로이 의지할 곳 없이 혼자 살고 있소. 두 군주가 스스로 즐길 만한 것이 없으니 원컨대 각기 가지고 있는 것으로 없는 것과 바꾸기를 원합니다.(孤僨之君, 生於沮澤之中, 長於平野牛馬之域, 數至邊境, 願遊中國. 陛下獨立, 孤僨獨居. 兩主不樂, 無以自虞, 願以所有, 易其所無.)"라고 하였다. 사실상 과부인 당신과 홀아비인 나 선우가 서로 어울려 지내자는 것이었다. 이에 여후는 크게 노하여 흉노를 정벌하고자 하였으나 자제하고 서로 화친하는 것으로 끝을 맺었다.(『漢書』「匈奴傳」)

116 흉노를 토벌하고자 … 하였다. : 무제의 아버지 경제는 흉노와 화친하여 關市(일종의 국경 무역)를 열고 선물도 보내고 翁主를 시집보내기도 하며 사이가 좋았다. 무제도 등극하여 앞서의 관계를 유지하였다. 그러다가 흉노와 국경을 이룬 馬邑 사람 聶翁壹을 시켜 흉노와 친하게 지내게 한 뒤, 그들에게 마음을 넘기고자 한다는 소식으로 선우를 마음으로 끌어들이게 하고, 30만 복병을 대비시켜 그들을 초토화시키려 하였다. 그러나 선우가 섭옹일의 말에 속아 기병 10만을 이끌고 왔다가 속임수를 눈치채고 도망쳐 버렸다. 이때부터 한나라와 흉노 사이에 수없는 침략이 오갔다. 바로 이 마음의 계책을 무제의 잘못으로 말한 것이다.(『漢書』「匈奴傳」)

117 文德을 닦아서 … 없었겠는가? : 이 말은 공자가 제자인 冉有와 季路(子路)에게 한 말이다. 염유와 계로가 季氏의 家臣으로 있을 때 계씨가 魯나라의 附庸國으로 있는 顓臾를 정벌하려고 하자, 이의 잘못을 질책하는 말 중에 한 말이다. 내용은 다음과 같다. "나라를 가진 자나 대부가 된 자는 적은 것을 걱정하지 않고 고르지 아니함을 걱정하며, 가난을 걱정하지 않고 안정되지 아니함을 걱정한다. 고르면 가난할 것이 없고 화합하면 적을 것이 없고 안정되면 기울어질 일이 없다. 이 같은 까닭에 먼 지역 사람들이 복종하지 않으면 문덕을 닦아서 그들이 찾아오게 하고 찾아온 뒤에는 편안하게 해준다.(有國有家者, 不患寡而患不均 ; 不患貧而患不安. 盖均無貧 ; 和無寡 ; 安無傾. 夫如是, 故遠人不服, 則脩文德以來之, 旣來之, 則安之.)" 무제도 공자의 이 말을 본받았어야 한다는 말이다.(『論語』「季氏」)

118 西域을 토벌하면서는 … 뿐이었으니 : 무제는 마음의 일이 있은 뒤 5년째 되던 해에 衛靑 등 장군 네 사람에게 각기 1만 군사를 이끌고 흉노를 토벌하게 하였으나 위청 이외에는 모두 패배하였다. 다시 韓安國을 보내 국경 고을 漁陽에 주둔시켰으나 흉노의 포위에 겨우 목숨을 부지하는 수모를 당하였다. 이에 다시 위청을 보내 흉노족을 대패시켰다. 이후 수없는 흉노와의 대대적인 전쟁이 이어졌다. 무제가 이렇게 흉노와의 전쟁에 매달린 것은 말 때문이었다. 무제가 점을 쳤는데 "神馬가 북서쪽에서 찾아올 것이다.(神馬當從西北來.)"

만일 방법을 바꾸어 문덕을 닦아 찾아 조회하게 할 방법을 시도했다면 어찌 불가했겠는가? 말년에 천하의 재정이 텅 비게 된 것은 시황시대와 거의 엇비슷하였다. 만일 곽광霍光을 등용하여 수습하지 않았다면[119] 무슨 꼴이 되었겠는가? 윤대輪臺의 후회[120]는 역시 타고난 자질이 높아서 바야흐로 이 같을 수 있었다. 일찍이 어떤 사람의 '태자가 어질고 유약하여 용맹하지 못한다.'는 말에 대답하기를 '태자는 수성守成하는 군주였으면 싶고, 짐이 하는 일들은 망한 진秦나라의 행적을 답습하는 것이다.'라고 하였으니, 그가 당시에 이미 자신의 잘못을 알고 있었음을 알 수 있다. 만일 동중서董仲舒로 상국을 삼고 급암汲黯으로 어사대부를 삼았다면[121] 어찌 훌륭하지 않았겠는가?"

[60-4-2]

南軒張氏曰:"武帝奢侈窮黷之事,與秦皇相去何能尺寸?然不至於亂亡者有四事焉. 高帝寬大, 文景惠養, 其得民也深, 流澤滲漉, 未能遽泯;非若秦自商鞅以來, 根本已蹶, 民獨迫於威而强服耳, 此一也. 武帝所爲, 每與六經戾, 夫豈眞能尚儒者?然猶表章六經, 聘召儒生爲稽古禮文之事, 未至蕩然盡棄名教如秦之爲, 此二也.

남헌 장씨南軒張氏[張栻]가 말하였다. "무제가 사치하고 무력을 남용해 전쟁을 벌였으니[122] 진시황과의 차이가 어찌 척촌尺寸[123]이나 되겠는가? 그러나 혼란과 멸망에 이르지 않은 것은 네 가지 이유에서이다.

....

란 점괘가 나왔다. 이때 張騫이 서쪽에 사신 갔다가 돌아오며 烏孫의 좋은 말을 가져다 바쳤다. 이에 무제는 그 말에게 天馬라는 이름을 붙였다. 이어 大宛國의 명마 汗血馬를 얻었는데 오손의 말보다 더욱 장대하였다. 이에 무제는 오손의 말을 西極馬로 이름을 바꾸고 대완국의 말을 天馬라고 하였다. 이후 전쟁을 수행하며 말이 귀해지자 더욱 서역의 말들에 마음을 빼앗겨 이를 얻고자 수없는 사신을 보내고 이 길을 방해하는 흉노족의 퇴치를 급선무로 여기게 되었으며, 말을 사들이는데 말을 듣지 않는 대완국 등의 정벌에 힘을 쏟게 되었다.(『漢書』「張騫李廣利傳」; 「匈奴傳」; 「西域傳」)

119 霍光을 등용하여 … 않았다면 : 한무제는 32년 동안 군대를 계속 출병시켜 서역과 흉노를 공격하였다. 그리하여 말년에는 국가의 재정이 바닥났고 帝位를 이을 만한 아들도 마땅치 않았다. 태자인 戾太子는 巫蠱之禍로 자살하고 나머지 아들들도 허물이 많아 제왕의 덕에 마땅하지 않았다. 무제를 이어 등극한 昭帝는 그때 나이가 겨우 8세였다. 이 8세 황제의 보필을 책임진 사람이 바로 곽광이다. 이에 무제는 죽기 전날 8세 아들을 곽광에게 맡기고 죽었다.(『漢書』「霍光傳」; 「西域傳」)

120 輪臺의 후회 : 윤대는 지금의 신강 위구르 자치구에 있던 나라 이름이다. 한무제가 이들 서역을 개척하느라 많은 국력을 허비하였으나 신하들은 이곳의 풍부한 자원을 욕심내 이들 지역에 校尉 세 사람을 보내 다스리자고 하였다. 무제는 그동안의 전쟁으로 수없는 무고한 백성이 희생되고, 貳師將軍 李廣利마저 흉노에 항복하는 것을 보고서 먼 지역 정벌의 잘못을 뉘우쳤다. 이에 서역 윤대의 땅을 포기한다는 조서를 내리고 다시 군대를 동원하여 전쟁을 벌이는 일을 하지 않았다. 윤대는 『史記』에는 侖頭로 표기하고 있다.(『漢書』「西域傳」)

121 董仲舒로 상국을 … 삼았다면 : 동중서는 『性理大全書』 권57 「諸子 1·董子」를 참고할 것. 급암은 東郡 北陽 사람으로 자는 長孺이다. 경제 때 太子洗馬를 지냈고, 무제 때 謁者를 거쳐 東海太守를 지내며 많은 치적을 쌓았고, 황제의 면전에서 直言을 잘하여 무제가 社稷之臣이라 불렀다. 河內 지역의 화재를 살피러 갔다가 河南의 재해 상황이 극심한 것을 보고서 독단으로 창고의 문을 열게 하여 이재민을 구휼한 뒤 스스로 죄를 청하기도 하였다.(『史記』「汲黯傳」)

122 무력을 남용해 전쟁을 벌였으니 : 이 번역의 원문인 窮黷은 窮兵黷武를 줄여 이른 말이다.

고조高祖의 큰 관대함과 문제와 경제의 은택과 양육이 백성의 마음을 얻은 것이 깊고 퍼져나간 은택이 깊이 스며들어 갑작스럽게 지워질 수 없었으니, 진나라 상앙商鞅 이후 근본이 뿌리째 뽑혀 백성들이 단지 위세에 눌려 억지로 복종하던 상황과는 같지 않았으니, 이것이 첫째다. 무제가 한 일들은 매번 육경六經[124]과 어긋났으니 어찌 참으로 유자儒者를 잘 숭상했다 하겠는가? 그러나 육경을 현양顯揚시켜 드러내고 유생儒生을 초빙해 옛 예악과 제도에 관한 일들을 살피게 하였기에[125] 진나라처럼 사람이 지켜야 할 바른 가르침을 씻은 듯이 완전히 팽개치는 데까지 이르지 않았으니, 이것이 둘째다.

輪臺之詔, 雖云'已晩', 然詳味其辭, 蓋眞知悔者, 誠意所動, 固足以回天人之心. 自詔下之後, 不復萌前日之爲, 思與民休息矣, 與卒死於行而不之悟者蓋甚有間. 秦穆之誓, 聖人取其悔過, 列之於書. 予於輪臺之詔, 每三復焉, 蓋以爲存亡之幾所係耳, 此三也. 惟其能悔過也, 故自是之後, 侈欲之機息, 而淸明之慮生, 是以能審於付託. 昭帝之初, 霍光當政, 述文景之事以培植本根, 於是興利之源窒, 而惠澤復流, 有以祈天永命矣, 此四也.

윤대의 조서를 '너무 늦었다.'고 말할 수 있겠지만 그러나 거기에 담긴 말을 세심하게 음미해 보면 참으로 뉘우칠 줄 아는 군주였으며, 정성스러운 뜻이 담겨 있어 하늘과 백성의 마음을 돌리기에 참으로 충분하였다. 조서가 내려진 뒤부터는 다시 예전의 일을 하려 하지 않고 백성들과 쉬는 일만 생각하였으니 마침내 순행 길에서 죽음을 맞으면서도 깨닫지 못한 사람[126]과는 매우 큰 차이가 있다. 진나라 목공穆公의 맹서는 성인께서 그가 잘못을 뉘우치고 있는 점을 취해 『서경』 속에 열거하였다.[127] 내가 윤대의

123 尺寸 : 한 尺, 한 寸라는 뜻으로 매우 미미한 것을 이른다.

124 六經 : 육경은 『漢書』 「武帝紀贊」의 顔師古注에 "『詩經』・『書經』・『禮(周禮 儀禮 禮記)』・『樂經』・『周易』・『春秋』"라고 하였다.

125 육경을 顯揚시켜 … 하였기에 : 무제가 建元 원년(기원전 140)에 각기 어진 사람을 추천하게 하며 申不害・商鞅・韓非子・蘇秦・張儀의 말을 배운 자들을 제외시킨 賢良科에서 董仲舒와 公孫弘을 등용하였고 이어 여러 차례 현량과를 보여 인재를 등용하였다. 또 五經博士를 두어 진나라 때 여러 박사를 두었던 것을 오경에 한정시켜 선발함으로써 유학이 증진되었다.(『漢書』 「武帝紀」)

126 순행 길에서 … 사람 : 진시황을 이르는 말이다. 진시황은 재위 37년째 되던 해 정월달(진나라는 10월이 정월이다.)에 左丞相 李斯와 아들 胡亥를 따르게 하고 순행 길에 올라, 九疑山에서 舜임금에게 제사 지내고, 會稽에서 禹임금에게 제사하고, 南海에서 진나라의 덕을 찬양하는 비를 세운 다음 平原津에 이르러 병이 났으나 순행을 계속 하다가 7월에 沙丘平臺에서 죽었다. 이 일로 인해서 태자 扶蘇가 왕위에 오르지 못하고 호해가 아버지 뒤를 이어 등극하는 비극이 발생하였다. 곧 죽을 때까지도 백성을 편히 쉬게 한 날이 없었음을 비판한 것이다.(『史記』 「秦始皇本紀」)

127 진나라 穆公의 … 열거하였다. 『書經』의 마지막 篇인 「秦誓」를 이르는 말이다. 「진서」의 小序에 의하면, "『左傳』에 '기자가 정나라에서 사람을 시켜 진나라에 알리기를 「정나라 사람이 나에게 그 나라의 북문 열쇠를 맡게 하였으니 만일 군대를 몰래 숨겨 이곳으로 온다면 정나라를 얻을 수 있을 것이다.」고 하였다. 이에 목공은 이를 건숙에게 물었다. 그러자 건숙은 「옳지 않습니다.」라고 하였다. 목공은 그 말을 받아들이지 않고 맹명・서걸・백을을 시켜 정나라를 치게 하였다. 그러자 晉나라의 양공이 군사를 거느리고 秦나라 군대를 殽 땅에서 패배시키고 그들 세 장수를 가두어 버렸다. 이에 목공은 잘못을 뉘우치고 뭇 신하들에게

조서를 매번 세 번씩 거듭해 읽는 것은 존망의 기틀이 매인 것으로 생각해서일 뿐이니, 이것이 셋째다. 그가 능히 허물을 뉘우친 까닭에 사치와 욕심이 사라지고 청명한 생각이 우러나와, 태자를 부탁할 자를 잘 살필 수 있었던 것이다. 소제昭帝 초기에 곽광이 정사를 맡아, 문제와 경제가 했던 일을 따라 행하는 것으로 뿌리를 북돋워 이익을 추구하려는 근원이 막히고 혜택이 다시 퍼져나가, 나라의 역사가 영원하기를 하늘에 빌 수 있었으니, 이것이 넷째다.

以四者相須而維持, 是以能保其祚. 然向使武帝老不知悔, 死於熾然私欲之中, 則決不能善處其後. 雖使賴高文景之澤以免其身, 旋即殆矣. 故予深有取於輪臺之詔, 以爲存亡之幾所係也. 然其能卒知悔者, 則以其平日猶知誦習六經之言, 聽儒生之論, 至於力衰而意怠, 則善端有時而萌故耳. 然則其所以不至亂亡者, 亦豈偶然也哉?"[128]

이 네 가지 것들이 서로 의지하여 유지된 까닭에 국가가 잘 보존될 수 있었다. 그러나 만일 무제가 늙어서까지 후회할 줄 모르고 치열하게 사욕만을 부리다가 죽었다면 결코 그 뒷일을 잘 마무리하지 못하였을 것이다. 고조·문제·경제의 은택에 힘입어 자신 한 몸이 화를 면하였더라도 바로 곧 위험에 빠졌을 것이다. 그래서 내가 윤대의 조서를 깊이 취하는 것이니 존망의 기틀이 매인 일이기 때문이다. 그러나 끝내 후회할 줄 안 것은 그가 평일에 그나마 육경의 말을 외워 익힐 줄 알았고 유생의 주장들을 들었던 까닭이며 힘이 쇠약해지고 마음이 게을러질 때까지도 선한 마음이 때때로 움틀 수 있었던 연유다. 그렇다면 그가 혼란하고 멸망에 이르지 않은 것이 또한 어찌 우연이겠는가?"

[60-4-3]

潛室陳氏曰: "武帝之伐匈奴也, 不絶大漠, 不襲王庭, 則不足以泄其怒; 其通西域也, 不窮河源, 不歷懸度, 則不足以快其欲; 其事土木也, 不千門萬戸則不息; 其聚歛也, 不告緡則不休; 其深刑也, 不根株則不已; 其崇儒也, 不辟雍則不樂; 其務農也, 不代田則不爲; 至其老而悔過, 不下輪臺之詔則不足. 蓋天地之間, 凡可以力致者, 武帝皆能以力致之. 而有不容於力致者, 獨其終身用力於神仙, 曾不獲如其意.

잠실 진씨潛室陳氏[陳塤]가 말했다. "무제의 흉노 정벌은 광대한 사막을 가로지르고 왕정王庭을 습격하지 않으면[129] 자신의 노여움을 삭히기에 충분하지 않았고, 서역西域의 길을 트면서는 황하의 근원까지 다하

· ·
맹서의 말을 고하였다.'라고 하였다. 이것을 사관이 篇으로 만든 것이다.(『左傳』'杞子自鄭使告于秦曰, 「鄭人使我掌其北門之管, 若潛師以來, 國可得也.」 穆公訪諸蹇叔, 蹇叔曰, 「不可.」 公辭焉, 使孟明西乞白乙伐鄭. 晉襄公帥師敗秦師于殽, 囚其三帥. 穆公悔過, 誓告羣臣.' 史錄爲篇.")고 하였다.

128 『南軒集』권16 「史論」

129 광대한 사막을 … 않으면: 중국 북서쪽의 드넓은 사막 지역을 가로 질러 흉노 토벌에 나선 일을 이른다. 무제는 장건에 의해 서역의 길을 연 뒤 서역으로 가는 길을 가로막고 있는 흉노를 치기 위해 수많은 전쟁을 치러 마침내 국경을 서역 멀리까지 넓힌 것으로 유명하다. 여기서 왕정은 흉노의 선우가 군막을 세워 조정을 삼고 있는 곳을 이른다. 『文選』司馬遷의 「報任少卿書」李善注에 "선우가 사는 곳을 왕정이라 호칭한다.(單

고 현도懸度를 지나지 않으면[130] 자신의 욕심을 상쾌히 하기에 충분하지 않았고, 토목공사를 시작하면 문門 1천 개 호戶 1만 개가 아니면 그치지 않았고,[131] 세금을 거두면서는 고민告緡하지 않으면 중지하지 않았고,[132] 형벌의 엄격함에는 뿌리가 뽑히지 않으면 중지하지 않았고, 유자를 높이면서는 벽옹辟雍이 아니면 즐겁지 않았고,[133] 농사에 힘쓰면서는 대전代田이 아니면 하지 않았고,[134] 늙어서 잘못을 뉘우치

于所居之處, 號曰王庭.)"고 하였고, 『漢書』 「匈奴傳上」에는 "(무제) 이후로 흉노족들이 멀리 달아나 사막 남쪽에 왕정이 없었다.(是後匈奴遠遁, 而漠南無王庭.)"고 하였다.

130 西域의 길을 … 않으면 : 서역은 무제가 처음으로 길을 연 지역이다. 『漢書』 「西域傳」에 의하면 서역에는 36개의 나라가 나중에 50여 나라로 나뉘었다면서, 그 땅은 흉노의 서쪽이고 烏孫의 남쪽에 해당하며 동서 6천여 리요, 남북 1천여 리라고 하였다. 아울러 황하의 근원이 이곳에서 발원하여 땅속으로 흐르다가 積石에 이르러 중국의 황하가 된다고 기술하고 있다. 이곳을 무제는 張騫을 시켜 처음으로 길을 연 뒤 수차례 정벌 전쟁을 벌여 마침내 서역 여러 나라가 중국의 위엄을 두려워하여 사신을 보내왔다고 하였다. 황하의 근원은 『史記』 「大宛傳」에 張騫이 大夏에 사신 갔다가 13년 만에 돌아와 그간에 다닌 곳을 말하는 중에 "于寘의 서쪽은 물들이 모두 서쪽으로 흘러 西海로 들어가고, 동쪽의 물은 동쪽으로 흘러 鹽澤으로 들어가니 염택의 물이 지하수로 흘러 그 남쪽에서 황하의 근원으로 발원합니다. 그곳은 옥돌[玉石]이 많고 황하는 중국으로 흘러듭니다.(于寘之西, 則水皆西流, 注西海 ; 其東水東流, 注鹽澤. 鹽澤潛行地下, 其南則河源出焉.)"라고 하였다. 중국 역사에서 황하의 근원을 찾아낸 첫 기록이다. 懸度는 烏耗國의 서쪽에 있던 땅으로 지금의 아프가니스탄 지역이다. 그곳은 돌산이어서, 험한 계곡은 줄을 매달고 건너야(懸度)만 건널 수 있어서 붙여진 지명이다.

131 토목공사를 시작하면 … 않았고 : 문은 두 짝 문을 이르고 호는 한 짝 문을 이른다. 무제는 온갖 神들에게 제사 지내는 곳에 집을 짓고, 신선 술에도 마음을 쏟아 신선을 섬기거나 제사 지내는 많은 집을 곳곳에 지었다. 궁중에도 柏梁臺・銅柱・承露盤을 만들었고 백량대가 불타자, 越 지방 무당 勇의 "월나라 풍속에서는 화재가 나면 다시 집을 지으며 반드시 이전보다 크게 짓는 방법으로 재앙을 제압한다.(越俗有火㷔, 復起屋, 必以大, 用勝服之.)"는 말에 따라 그 자리에 建章宮을 새로 지으면서 이런 큰 규모로 지었다.(『史記』 「武帝紀」)

132 세금을 거두면서는 … 않았고 : 고민은 부잣집에서 재산을 숨겨 세금을 탈취한 것을 고발하게 하는 것이다. 무제가 사방 소수민족 정벌에 국고가 비자 이 법을 제정하여 신고한 자에게 반을 포상하는 방법으로 재정을 충당하였다. 『史記』 「酷吏傳」에 "告緡令(세금 포탈 고발 시행령)을 발표하여 포악한 부자들을 없앴다."고 하였고, 그 글의 張守節 『正義』에 "무제가 사방 이적을 정벌하여 국가 재정이 부족해졌다. 그러므로 백성들에게 농지・집・배・수레・축산・노예 등까지 세금을 물리면서 그 모든 것을 공평히 돈錢으로 계산하였다. 1천 錢마다 1算(세금 단위)으로 하여 1等을 내고 상인은 갑절로 물렸다. 만약 숨기고 세금을 내지 않는 경우 고발하면 반을 고발한 사람에게 주고 나머지 반은 관청으로 들어갔다.(出告緡令, 鉏豪彊幷兼之家." 張守節正義, "武帝伐四夷, 國用不足, 故稅民田宅・船乘・畜産・奴婢等, 皆平作錢數. 每千錢一算, 出一等, 賈人倍之. 若隱不稅, 有告之, 半與告人, 餘半入官.)"고 하였다.

133 유자를 높이면서는 … 않았고 : 벽옹은 太學을 이른다. 태학을 벽옹이라고 별칭하는 것은 辟은 璧자와 통용자이고, 璧은 가운데가 뚫린 둥그런 옥이다. 태학의 터가 둥글고 터 밖으로 둥그런 해자를 둘러 다리를 건너 들어갈 수 있게 만든 모양이 서로 엇비슷하여 붙여진 이름이다. 周나라의 양식이라고 한다. 漢 班固의 『白虎通義』 卷上 「辟雍」에 "천자가 벽옹을 세우는 것은 어째서인가? 예악을 행하고 덕화를 펼치기 위해서다. 辟은 璧이니, 璧의 둥근 것을 본뜨고 또 하늘을 본받았다.(天子立辟雍何? 所以行禮樂宣德化也. 辟者, 璧也. 象璧圓, 又以法天.)"고 하였다. 둥근 하늘을 본받아 하늘의 섭리를 태학에서 가르치고자 한 것이라는

면서는 윤대의 조서를 내리지 않으면 충분하지 않게 여겼다. 천지 사이에 힘으로 이룰 수 있는 것은 무제가 모두 힘으로 이뤄냈다. 그러나 힘으로 이뤄내지 못한 것이 있었으니 단 하나 평생토록 신선이 되고자 힘을 썼으나 자신의 뜻대로 이루지 못하였다.

蓋嘗凝神於蓬萊, 蛻形於海上, 魂交黃帝而夢接安期矣. 亦嘗父事少君, 師事文成 · 五利 · 公孫卿, 而實齊魯之士矣, 而卒莫能致也, 豈其力尙不足耶? 嗚呼! 武帝窮奢極欲, 以從富貴之樂, 使神仙道家之事爲不無, 蓋非帝之所可冀, 矧其實無有哉? 今徒狃於力之所可爲, 而謂神仙可以力致, 曾不察其理之有無也. 使天下而有是理, 則須帝之力而可致 ; 如其無是理也, 則雖帝之力何所用哉? 觀諸此, 世之言神仙者, 亦可以已矣."[135]

일찍이 봉래蓬萊에 온 정신을 쏟고,[136] 바닷가에서 형체의 허물을 벗고,[137] 황제黃帝와 꿈속에서 사귀고,[138] 꿈에서 안기安期를 만나려고 하였다.[139] 또 소군少君을 아버지로 섬기고, 문성장군文成將軍 · 오리장

. . . .

말이다.

[134] 농사에 힘쓰면서는 … 않았고 : 代田은 일종의 地力을 높이는 방법이다. 『漢書』「食貨志上」의 "무제가 말년에 … 조과를 수속도위로 삼자 조과가 대전법을 잘 시행하여 1묘에 3畎(견)을 만들었다. 해마다 畎을 번갈아 하게 한 까닭에 그것을 대전이라 하니 옛날 법이다. 후직이 처음으로 전답에 물길을 내고 쟁기 두 개를 짝을 짓게 하니 깊이와 너비 각기 한 尺인 것을 畎이라고 한다.(武帝末年, … 以趙過爲搜粟都尉. 過能爲代田, 一畝三畎. 歲代處, 故曰代田, 古法也. 后稷始甽田, 以二耜爲耦, 廣尺深尺曰畎.)"고 하였다. 이에 대해 顔師古는 "代는 바꾸다.(代, 易也)"라고 하였다. 그러나 '바꾸다'가 어떤 것을 의미하는지는 설명하지 않았다. 다만 「식화지」의 문장으로 이해했을 때 물길을 해마다 바꾼다는 말로 이해해야 하는데 물길을 해마다 바꾸는 것이 가능할지 의문이다. 그리고 『漢語大詞典』에서는 대전을 輪作法이라 하고, 곧 한 전답을 3등분하여 해마다 농작물을 바꾸어 재배하여 연작으로 인한 지력의 저하를 막는 것(西漢趙過在畎田法基礎上發展而成的一種輪作法. 將一畝地分爲三份, 每年輪流耕種, 以保養地力.)이라고 주석하고 있다.

[135] 『木鍾集』 권11 「史 · 書武帝行事」

[136] 蓬萊에 온 … 쏟고 : 봉래는 중국에서 예전부터 신선이 산다고 전해지는 渤海에 있다는 산이다. 方丈 · 瀛洲와 함께 三神山으로 불린다. 무제는 李少君으로부터 竈王에 제사하여 복을 얻고, 밥을 먹지 않고 늙지 않을 수 있다는 말을 듣고서 미혹되었다. 이소군이 丹沙로 황금을 만들어 그 황금으로 만든 그릇에 음식을 담아 먹으면 계속 장수할 수 있고 장수하여 봉래산의 신선을 만나 封禪祭를 지내면 죽지 않게 되니 그분이 바로 황제라고 하였다. 그리고 그런 방법을 아는 사람이 봉래산에 사는 安期生인데 안기생은 신선으로 봉래산을 드나드나 자기와 의기가 맞는 사람만 만나주고 그렇지 않으면 만나주지 않는다고 하였다. 이에 무제는 조왕에 친히 제사 지내고 方士들을 보내 안기생과 같은 사람을 구하게 하고 단사로 황금을 만드는 일을 진행하도록 하였다.(『史記』「郊祀志」)

[137] 바닷가에서 형체의 … 벗고 : 바닷가는 중국에서 삼신산이 있다는 발해를 이르고, 형체의 허물은 매미처럼 속세의 몸을 버리고 신선이 되어가는 것을 이른다.

[138] 黃帝와 꿈속에서 사귀고 : 황제는 神農氏를 이어 중국의 황제가 되었다는 전설상의 인물이다. 그가 신선술을 배워 신선이 되어 용을 타고 하늘로 날아갔다는 전설에 의하여 도가에서 숭배한다.

[139] 꿈에서 安期를 … 하였다. : 안기는 『漢書』「郊祀志」에는 安期生으로 표기하고 있고, 安期公으로 표기한 곳도 있다. 方士와 도교에서 신선으로 받드는 인물이다.

군五利將軍·공손경公孫卿을 스승으로 섬겼으며,[140] 제齊와 노魯 지역의 선비들을 빈객으로 예우하였으나[141] 끝내 이룰 수 없었으니 어찌 힘이나 숭상함이 부족해서였겠는가? 아! 무제는 사치와 욕심을 끝까지 다하며 부귀의 즐거움을 누렸다. 설사 신선이나 도가道家의 일이 있더라도 제왕이 바랄 일이 아닌데 하물며 실제 그런 일이 없겠는가? 지금 공연히 힘으로 해내는 일에 익숙하여 신선도 힘으로 이룰 수 있을 것으로 생각하고, 한 번도 그런 이치가 있는지 없는지에 대해 살펴보지 않았다. 가령 천하에 이럴 이치가 있다면 당연히 제왕의 힘으로 이룰 수 있었을 것이나, 만일 그럴 이치가 없다면 아무리 제왕의 힘일지라도 어디에 쓰겠는가? 이러한 것들에서 살핀다면 세상의 신선에 대해 말하는 자들을 또한 중지시킬 수 있을 것이다."

[60-4-4]
問 : "漢法宰相必出於列侯, 武帝變而通之, 是耶, 非耶?"
曰 : "漢法非軍功不侯. 非列侯不相. 儒者旣無軍功可論, 永無入相之路. 此高祖馬上之陋規, 非三代之宏規. 至武帝元朔中, 始下詔嘉先聖之道, 招四方之士. 遂以御史大夫公孫弘代薛澤爲丞相, 封平津侯. 丞相封侯, 自弘始也. 其後遂爲故事. 夫武帝崇儒之君子, 厭文吏武功之不學無識, 陋國初淺近之規. 以爲儒道不能光顯, 遂革其故習. 不吝厚爵重封以激屬儒者, 則武帝之美意, 人亦孰得而非之也?"
물었다. "한나라의 법에 재상은 반드시 열후列侯에서 나왔는데[142] 무제가 바꾸어 터놓았으니 옳았습니

----

140 少君을 아버지로 … 섬겼으며 : 소군은 李少君을 이른다. 문성장군은 少翁을 이르는 말로 무제가 소옹에게 내린 벼슬이다. 무제가 총애하던 李夫人을 잃고 애통해 하자 소옹이 이 틈을 타 밤에 이부인과 竈王神의 모습을 무제에게 볼 수 있게 하였고 그 공으로 문성장군이 되었다. 그 뒤 궁중의 온갖 기물에 구름무늬의 수레를 그리면 神과 통할 수 있다고 하였으나 세월이 지나도 아무 효험이 없자 형벌을 받고 죽었다. 오리장 군은 무제가 方士인 欒大에게 내린 벼슬이다. 난대는 소옹과 동문생임을 자칭하고 무제에게 안기생과 羨門 (진시황 시대의 신선)이 자신의 스승인데, 그들은 황금을 만들 수 있고, 터진 황하를 막을 수 있고, 불사약을 얻을 수 있고, 신선을 이르게 할 수 있으나 앞의 소옹처럼 될까 두려워 말을 할 수 없다고 하였다. 이에 무제는 아무것도 아끼지 않고 모두 들어줄 것을 약속하자, 난대는 황제가 자신을 극진하게 높여주고 믿어주 어야 神을 만날 수 있고, 신이 만나주고 안 만나주고는 무제에게 달린 것이라고 하였다. 이에 무제는 난대에 게 오리장군·天士將軍·地士將軍·大通將軍을 제수하고 이어 2千戶를 봉하여 樂通侯로 삼고, 연이어 衛長 公主를 그에게 시집보냈다. 그러나 효험이 없어 허리가 잘리는 형벌을 받았다. 공손경은 난대가 형벌을 받아 죽은 뒤 무제에게, 황제가 寶鼎을 만든 뒤 신선이 되어 하늘로 올라갔는데 지금이 바로 그 시기와 부합한다며 자신에게 전래한 서찰이 있는데 그 서찰을 보면 황제가 신선이 된 뒤 한나라 고조의 손자나 증손자에 성덕이 있는 군주가 나타나서 神을 만나 봉선제를 지내고 신선이 될 것이라 쓰여 있다고 하였다. 이에 무제는 공손경을 郎으로 삼고 神이 나타나는 기미를 살피게 하였다.(『史記』「郊祀志」)
141 齊와 魯 … 예우하였으나 : 당시 신선술을 아는 사람들이 주로 옛 제나라와 노나라와 燕나라 지역 사람들이 어서 이들 나라 사람들을 초빙하여 후하게 예우하였다.
142 한나라의 법에 … 나왔는데 : 열후는 爵位 이름이다. 秦나라 제도에서 작위를 20등급으로 제정한 것 중 가장 높은 작위로 진나라 때는 본래 徹侯였다. 한나라가 진나라의 제도를 그대로 따라 쓰다가 무제의 이름

까? 틀렸습니까?"

(잠실 진씨가) 대답하였다. "한나라 법에 군대의 공이 아니면 후侯가 되지 못하고, 열후가 아니면 재상이 되지 못하였다. 유자儒者는 이미 군대의 공을 논할 만한 것이 없었으니 재상이 될 수 있는 길이 영원히 끊겼다. 이는 고조가 전쟁을 통해 천하를 얻은 것[143]에서 생긴 비루한 법규이고, 삼대三代(하·은·주) 시절의 위대한 법규는 아니다. 무제가 원삭元朔(무제의 연호. 기원전128~123) 연간에 이르러서야 비로소 조서를 내려 선성先聖의 도道를 아름답게 여기고 사방 선비를 초빙하였다.[144] 그리고 마침내 어사대부 공손홍公孫弘을 설택薛澤의 대를 잇는 승상으로 삼고 평진후平津侯에 봉하였다. 승상丞相이 후侯에 봉해지는 일은 공손홍에서 비롯되었다.[145] 그 뒤 마침내 선례故事로 굳혀졌다. 무제는 선비 중의 군자를 승상하며, 법을 집행하는 관리[文吏]와 무공武功을 세운 자들의 불학무식함을 싫어하고 국가 초기의 천근하게 세운 법규를 비루하게 여겼다. 유도儒道를 빛나게 드러낼 수 없다고 생각되자 마침내 예전의 관습을 바꾸었다. 높은 작위와 중대한 봉호封號를 아끼지 않고 선비들을 격려하니, 무제의 아름다운 뜻을 뉘라서 또한 비난할 수 있겠는가?

然公孫弘起自徒步之中, 以明『春秋』一經, 不四年而超取相位, 貴至封侯, 則論者不能不於是 而有憾焉. 蓋武帝以利而用儒, 儒者見利而求用. 自弘以明經而爲相, 後之爲儒者, 孰不欲競

· ·

徹을 피하여 通侯로 고쳤는데 간혹 열후로도 표기하였다. 한나라에서는 열후만이 승상이 될 수 있었던 사실은 무제가 공손홍을 승상으로 임명하는 기사 『漢書』「公孫弘傳」에 의거해 살피면 "元朔 연간(기원전 128~123년)에 설택을 대신해 승상을 삼았다. 앞서 한나라는 늘 열후 중에서 승상을 삼았는데 공손홍만 작위가 없었다.(元朔中, 代薛澤爲丞相. 先是, 漢常以列侯爲丞相, 唯弘無爵.)"고 하여, 열후가 아닌 사람 중에서 공손홍이 처음으로 승상이 되었던 것이다. 이를 『資治通鑑』 권19 「世宗孝武皇帝中之上」 元朔 5년에 "승상이 되고 나서 제후에 봉해진 것은 공손홍에서 시작되었다.(丞相封侯自弘始.)"고 기록하였다.

143 전쟁을 통해 … 것 : 이 말의 근원은 『史記』「酈生陸賈傳」의 "육가가 때때로 (고조에게) 나아가 『詩經』이며 『書經』에 대해 말하면 고조가 그를 꾸짖기를 '나는 말 위에서 천하를 언었는데 어떻게 『詩經』과 『書經』을 공부하란 말인가?'라고 하였다. 육가가 말했다. '말 위에서 살며 천하를 얻었더라도 어찌 말 위에서 천하를 다스릴 수 있겠습니까?(陸生時時前說稱詩書. 高帝罵之曰, '酒公居馬上而得之, 安事詩書? 陸生曰, '居馬上得之, 寧可以馬上治之乎?')"라고 한 말에서 유래한 것이다.

144 무제가 元朔 … 초빙하였다. : 무제가 원삭 원년 겨울 11월에 내린 조서를 이른다. 이 조서에서 무제는 五帝 三王의 정치는 仁義에 근본하고 勸善刑暴에서 나온 것이라며 무제 자신의 정책 방향을 오제 삼왕에 두고 있음을 밝히고, 전국 모든 二千石을 받는 관료와 禮官과 博士들에게 어진 인재를 천거하도록 하였다.(『史記』 「武帝紀」)

145 丞相이 侯에 … 비롯되었다. : 공손홍에게 작위가 없어 승상 임명에 난관이 있자 무제는 조서를 내렸다. 『漢書』「公孫弘傳」을 살피면 무제는 "옛날에는 현능함을 살펴 직위를 안배하고 재간을 헤아려 벼슬을 수여하여 공로가 큰 자는 그 녹봉이 많았고 덕이 훌륭한 사람은 높은 작위를 얻었다. 그러므로 무공을 세워 중한 명성이 드러나고 文德으로 표창되었다. 高成縣 平津鄉의 650戶를 승상 공손홍에게 봉하여 平津侯로 삼는다.(古者, 任賢而序位 ; 量能以授官, 勞大者厥祿厚 ; 德盛者獲爵尊, 故武功以顯重, 而文德以行褒. 其以高成之平津鄉戶六百五十封丞相弘爲平津侯.)"고 하였다. 이어 "그 뒤부터 이는 선례가 되었으니 벼슬이 승상에 올라 封侯된 것은 공손홍부터 시작된 것이다.(其後以爲故事, 至丞相封, 自弘始也.)"라고 기록하고 있다.

章句之末習, 以僥倖於一遇? 利祿之門一開, 而士大夫之心術自兹蠱壞矣. 况漢家以軍功立國, 必以列侯爲相, 雖漢之陋規, 然而非軍功不侯, 則漢之良法. 使儒者而不相則已, 使儒者而可相, 則自版築而遽登相位乎何慊? 而猶欲假封侯以爲重, 此又武帝之不善變也.

그러나 공손홍[146]이 평민 신분으로 벼슬길에 나와 『춘추』 한 경서經書에 밝은 것을 가지고 채 4년이 되지 않아 훌쩍 재상 지위를 차지해 고귀함이 후侯에 봉해지는 데 이르렀으니, 말하는 사람들로서는 이 점에 유감이 없을 수 없다. 무제는 이로운 까닭에 유자儒者를 등용하였고, 유자는 이로움을 보고서 등용되기를 구하였다. 공손홍이 명경明經[147]으로 재상이 되면서부터 뒷날의 유자가 누군들 장구章句나 다투는[148] 말단의 버릇으로 요행히 한 번 현달해보고자 하지 않겠는가? 녹봉을 이롭게 여기는 문이 한 번 열리면서 사대부들의 마음이 이때부터 좀먹고 무너졌다. 하물며 한나라는 군대의 공으로 나라를 세웠으니 반드시 열후로 재상을 삼는 것이 한나라의 비루한 법규이기는 하지만, 군대의 공이 아니면 후를 삼지 않은 것은 한나라의 좋은 법규이다. 만일 유자라서 재상을 삼지 않겠다면 그만이겠지만, 유자 일망정 재상을 삼을 수 있다면 담장 쌓는 일을 하다 갑작스럽게 재상 지위에 오른들 무슨 혐의가 있겠는가?[149] 그런데도 오히려 후에 봉하는 일을 빌려서 중후하게 하고자 하였으니, 이 점은 또 무제가 좋게 변화시키지 못한 것이다.

故自弘之侯平津也, 而由相封侯者, 漢史自爲恩澤侯, 自是以恩澤侯者相望於前後. 使恩澤而可侯, 則無復軍功之足競矣. 故自侯法之旣壞, 至元成之間, 士大夫之氣習, 豢養於富貴之餘, 無復剛心銳氣之可畏, 而委靡巽懦之風, 猶婦人女子生長于閨房之中. 求欲如周昌 · 趙堯 · 申屠嘉 · 張蒼輩, 愈不可得矣. 夫相者旣非眞儒, 侯者又非軍功, 是武帝更張之善意, 不免一擧而兩失. 蓋自命相之法變, 而儒者之心術壞 ; 自封侯之法變, 而士大夫之氣習壞. 更張之善者猶若此, 更張而不善則奈何? 此變法之所以難也. "[150]

그런 까닭에 공손홍이 평진후가 되면서 재상으로 후侯에 봉해진 사람들을 『한서漢書』에는 스스로 은택후

146 공손홍 : 菑川의 薛縣 사람. 자는 季이다. 젊은 시절 獄吏로 지내다 죄를 범해 파면된 뒤 나이 40에 『春秋』를 배우기 시작하여 여러 雜家들의 설들까지 섭렵하였다. 무제 초기 60세의 나이에 賢良으로 추천되어 博士가 되었고, 몇 년 사이에 승상에 올랐다.(『漢書』「公孫弘傳」)

147 明經 : 經書의 뜻에 환함을 이른다. 공손홍이 현량과에 응시하여 무제가 경서에 근거하여 출제한 글과 공손홍이 경서에 근거하여 서술한 답안이 『漢書』「公孫弘傳」에 전한다. 공손홍은 그 과거에서 장원으로 급제하였다.

148 章句나 다투는 : 章句之學으로 일컬어지는 학문 방법이니, 곧 경전에 담긴 성인의 뜻을 구하지 않고 단지 章을 나누고 句를 떼는 데에 정신 쏟는 것을 이른다. 이는 송나라 학자들이 한나라 때 학풍을 무시하는 말로 자주 인용한다.

149 담장 쌓는 … 있겠는가? : 殷나라 때 傅說의 고사를 이른다. 부열이 高宗의 꿈에 나타나자 꿈에 본 모양을 그려 천하에 찾게 하여 찾았더니 傅巖에서 담장 쌓는 일을 하고 있었다. 이에 그를 찾아 재상으로 등용하여 은나라가 중흥을 이루었다. 그 내용이 『書經』「說命」편에 담겨 있다.

150 『木鍾集』 권11「史」

恩澤侯라고 칭하였고[151] 이때부터 은택에 의해 후로 봉해진 자가 앞뒤 서로 줄을 이었다. 만일 은택으로 후가 될 수 있다면 군대의 공은 다시 경쟁할 수 없게 된다. 그러므로 후를 봉하는 법이 무너지고 난 뒤 원제元帝와 성제成帝 연간에 이르러서는 사대부의 기질과 습성이 부귀에 길들여진 나머지 다시는 마음이 굳건하고 기개가 날카로운 두려움을 느낄 수 없고, 유순하고 나약한 기풍은 마치 부인네나 아녀자가 규방 안에서 성장한 것 같았다. 주창周昌,[152] 조요趙堯,[153] 신도가申屠嘉,[154] 장창張蒼[155]과 같은 무리 정도를 찾고자 하여도 더더욱 얻을 수 없었다. 재상이 이미 참된 유자가 아니고 후侯 또한 군대의 공에 의한 것이 아니었으니 무제가 경장更張하려 한 좋은 뜻은 일거양실一舉兩失을 면치 못하였다. 재상을

· ·

151 恩澤侯라고 칭하였고 : 『漢書』에 「外戚恩澤侯傳」을 따로 한 편으로 편집하여, 高祖 때부터 平帝 때까지 봉해진 사람들을 나열하였다.

152 周昌 : 沛 땅 사람. 한고조를 따라 봉기하여 항우와의 전쟁에 세운 공을 인정받아 御史大夫에 오르고 이어 汾陰侯에 봉해졌다. 주창이 고조가 쉬고 있는 곳으로 아뢸 말이 있어 들어갔다가 고조가 戚姬를 끌어안고 있는 모습을 보고서는 돌아서서 달려 나가자 고조가 쫓아가 붙잡아서는 그의 목에 올라타고서 묻기를 "나는 어떤 군주이냐?" 하니, "폐하는 하나라의 桀과 은나라의 紂와 같은 군주이십니다."라고 대답하였다. 또 한고조가 태자를 폐하고 척희가 낳은 如意를 세우려 하자 앞장서 강력하게 반대한 일로 呂后가 "그대가 아니었으면 태자가 거의 폐위될 뻔하였다."고 감사해 하기도 하였다. 여의가 10세의 나이로 趙王에 봉해진 뒤 고조가 여후와 척희의 관계로 조왕의 안위를 걱정해 주창을 조나라의 상국으로 임명하여 사랑하는 아들의 안위를 부탁하였다. 고조가 죽은 뒤 여후가 조왕을 불러들이자 주창이 병을 핑계 대고 들어가지 못하게 하였다. 이러기를 세 차례가 넘자 여후는 주창을 불러들여 꾸짖은 다음 주창이 없는 사이 조왕을 불러들여 죽였다.(『史記』「張丞相傳」)

153 趙堯 : 趙 땅 사람. 고조에게 趙王如意를 위해 주창을 상국으로 등용할 것을 건의하고 자신은 주창을 대신하여 어사대부에 올랐다. 반란한 陳豨의 정벌에 공을 세워 江邑侯에 봉해졌다. 주창을 추천한 사실을 안 여후에 의해 면직되었다. 여후의 세력을 두려워하지 않고 주창을 추천한 것이 용기 있는 행동이었음을 칭송한 것이다.(『漢書』「張周趙任申屠傳」)

154 申屠嘉 : 梁나라 사람. 시호는 節. 한고조 시절 都尉에 올랐다. 효문제 때 張蒼을 이어 승상에 오르며 故安侯에 봉해졌다. 신도가가 문제를 알현하려 조정에 들어갔는데 이때 太中大夫 鄧通이 문제의 총애를 믿고 전상의 문제 곁에서 흐트러진 모습을 하고 있었다. 신도가는 아뢰는 말을 마친 다음 "폐하께서 신하를 총애하시면 부귀하게 해주실 일이요, 조정의 예절만큼은 엄숙하게 해야 합니다.(陛下愛幸臣, 則富貴之 ; 至於朝廷之禮, 不可以不肅.)"라고 하자, 문제가 "그대는 말하지 말라. 내가 좋아하고 있다.(君勿言, 吾私之.)"고 하였다. 이에 신도가는 승상부로 돌아와 등통을 불러들이는 공문을 발송하며 오지 않으면 목을 베겠다고 하였다. 등통이 문제에게 이 사실을 알리고 승상부로 나아가자 신도가는 전상에서 감히 장난을 친 것은 불경한 짓이니 목을 베겠노라고 하였다. 이에 등통은 온 머리에 피가 흐르도록 머리를 조아려 사죄하였고, 문제의 구원으로 겨우 목숨을 유지하였다. 또 晁錯(鼂錯)가 경제의 총애를 믿고 기왕의 여러 법령을 변경시키고 여러 제후들의 封地를 줄이는 일로 소요를 일으키며 그가 집무하는 內史의 출입문이 불편하다고 太上皇廟의 바깥 담장을 헐고 문을 새로 냈다. 이에 신도가는 이를 꼬투리로 조조를 죽여야 한다고 경제에게 아뢰었다. 그러나 경제는 조조에게 죄를 묻지 않았다. 이에 신도가는 먼저 목을 베고 나중에 아뢰어야 하는 것을 잘못하여 조조에게 속았다는 말을 남기고 피를 토하고 죽었다.(『史記』「張丞相傳」)

155 張蒼 : 陽武 사람. 시호는 文. 秦나라에서 御史로 있다가 죄를 짓고 도망쳐 한고조에게 귀의하였다. 趙나라의 陳餘를 사로잡은 공을 세우고 代의 상국에 임명되었다. 어사대부를 거쳐 승상에 올랐다. 특히 律曆과 당시 지도와 호적 등의 일에 매우 밝았다.(『史記』「張丞相傳」)

임명하는 법이 변하면서부터 유자의 마음이 무너졌고, 후를 봉하는 법이 변하면서부터 사대부의 기질과 습성이 무너졌다. 경장을 잘했다는 일도 이러한데, 경장을 잘못한다면 어떻겠는가? 이 점이 법을 변화시키기 어려운 점이다."

宣帝 선제[156]

[60-5-1]

豫章羅氏曰："漢宣帝詰責杜延年治郡不進, 乃善識治體者. 夫治郡不進, 非人臣之大罪, 而宣帝必欲詰責之, 何耶? 蓋中興之際, 内之朝廷, 外之郡縣, 法度未備, 政事未修, 民人未安堵. 或治郡不進, 則百職廢矣, 烏可不責之? 夫一郡尚爾, 況天下乎? 予謂漢宣帝識治勢."[157]

예장 나씨豫章羅氏[羅從彦][158]가 말하였다. "한나라 선제가 두연년杜延年이 군郡을 다스릴 때에 진전이 없었던 점을 힐책한 것은 정치의 본질을 잘 안 것이다.[159] 군을 다스릴 때에 발전이 없는 것은 신하의 큰 죄가 아닌데도, 선제가 기어이 힐책하고자 한 것은 어째서일까? 중흥할 즈음에는 안으로 조정과 밖으로 군현郡縣에 법도가 미비하고 정사가 손질되어 있지 않으면 백성이 안도하지 못한다. 혹여라도 군을 다스릴 때에 진전이 없으면 모든 일을 망치게 되니 어떻게 힐책하지 않을 수 있겠는가? 한 군郡도 그러한데 하물며 천하는 어떠하겠는가? 나는 한나라 선제가 다스리는 형세를 알았다고 생각한다."

[60-5-2]

或問："宣帝言‘漢雜王伯’, 此説也似是."

朱子曰："這箇先須辨別得王伯分明, 方可去論他是與不是."

胡叔器云："如約法三章, 爲義帝發喪之類, 做得也似好."

曰："這箇是他有意無意?"

. . . .

156 宣帝：한나라 제7대 황제. 이름은 詢, 자는 次卿. 武帝의 증손. 戾太子의 손자. 재위 25년.(『漢書』「宣帝紀」)

157 『豫章文集』 권11 「雜著·議論要語」

158 豫章羅氏[羅從彦]：宋나라 劍浦 사람. 자는 仲素. 존칭은 豫章先生. 시호는 文質. 楊時에게 程子의 학문을 이어받아 李侗에게 전수하였다. 羅浮山에서 후생을 기르며 학문에 정진하였다. 저서에 『豫章文集』·『尊堯錄』 등이 있다.(『宋史』 권428；『宋元學案』 권16；권25；권39)

159 杜延年이 郡을 … 것이다.：두연년은 南陽 杜衍 사람으로 자는 幼公이며 杜周의 아들이다. 昭帝 때 建平侯에 봉해지고, 선제 때 食邑이 4,300戶에 이르렀다. 九卿의 지위에 머문 지 10여 년에 죄에 연루되어 北地太守에 임명되었다. 그런데 治績에 발전이 없었다. 이에 선제는 봉인한 조서를 내려 두연년을 꾸짖었다. 두연년은 良吏를 등용하여 지방의 토호 세력을 다스려 군이 깨끗하여지며 아무 사고가 없었다. 선제는 상으로 황금 20근을 내렸다. 이어 西河太守로 옮겨서는 치적이 매우 높았다.(『漢書』「杜周傳」)

叔器曰:"有意."

曰:"旣是有意. 便不是王."

又曰:"宣帝也不識王伯, 只是把寬慈底便喚做王, 嚴酷底便喚做伯."[160]

어떤 사람이 물었다. "선제가 '한나라는 왕도王道와 패도霸道가 섞여 있다.'[161]고 한 말은 또한 맞는 말인 듯합니다."

주자가 대답하였다. : "이는 우선 왕도와 패도에 대한 변별이 분명하여야 비로소 이 말의 옳고 그름을 말할 수 있다."

호숙기胡叔器[胡安之]가 말하였다. "약법삼장約法三章[162]과 의제義帝를 위해 장례葬禮를 공표한 것[163]과 같은 일은 한 일이 또한 좋은 듯합니다."

(주자가) 대답하였다. "이 일에 다른 의도가 담겨져 있는가? 담겨져 있지 아니한가?"

숙기가 말하였다. "담겨져 있습니다."

(주자가) 대답하였다. "의도가 담겨져 있으면 왕도는 아니다."

(주자가) 또 말하였다. "선제는 또 왕도와 패도를 알지 못하였다. 단지 너그럽고 자애로우면 왕도라 말하고, 엄하고 혹독하면 패도라고 말하고 있다."

[60-5-3]

南軒張氏曰:"宣帝謂'漢家雜伯', 固其所趨若此. 然在漢家論之, 則蓋亦不易之論也. 自高祖取天下, 固以天下爲己利, 而非若湯武弔民伐罪之心. 故其卽位之後, 反者數起而莫之禁, 利

．．．．．．．．．．．．．．．．

160 『朱子語類』권135, 53조목

161 '한나라는 王道와 … 있다.': 元帝가 태자로 있을 때 아버지 선제가 법제에 정통한 관리들을 임용하고 刑名學으로 신하들을 제약하며, 대신 楊惲과 蓋寬饒가 조정을 비난한 말로 인해 벌을 받아 죽어가는 것을 보았다. 어느 날 술자리에 모시는 기회를 얻어 조용히 아버지에게 "폐하께서는 형벌 집행이 너무 각박하시니, 의당 儒生을 등용토록 하십시오.(陛下持刑太深, 宜用儒生.)"라고 하자, 선제는 성낸 낯빛으로 "한나라에는 본래 제도가 있고, 본디 패도와 왕도를 섞어서 써왔다. 어떻게 도덕과 교화만을 쓰겠으며 周나라 정치만을 사용할 수 있겠는가?(漢家自有制度, 本以霸王道雜之. 奈何純任德教, 用周政乎?)"라고 하였다.

162 約法三章: 이는 고조가 한 일들이다. 약법삼장은 고조가 진나라의 수도 咸陽을 함락하고서 그동안 진나라의 세세한 법률에 처덕인 백성들을 위로하기 위해, 진나라가 시행해 온 모든 법령을 무효화하고 '새로 세 가지 법령을 약속하니, 사람을 죽인 사람은 사형하고, 사람에게 상해를 입히거나 도둑질 한 자는 그만큼의 죄를 내린다.(與父老約, 法三章耳 : 殺人者死, 傷人及盜抵罪.) 는 것이었다.(『史記』「高祖本紀」) 자세한 것은 [60-1-7] 참고

163 義帝를 위해 … 것: 항우가 제후의 패자로 진나라를 함락시키고 제후들을 각기 봉하기 전에, 그동안 명분상 받들어 왔던 楚懷王을 義帝로 옹립하고 봉지를 江南으로 정해 옮겨가게 하고서는 黥布를 시켜 시해하게 하였다. 한고조가 항우를 치려고 나서자 新城의 三老 벼슬에 있던 董公이 한고조에게 군대는 명분에 의해 사기가 좌우된다며 의제를 시해한 것을 항우의 죄를 들어 천하에 공표하고 의제의 초상을 치르도록 권하였다. 이에 고조는 그의 말을 따라 전 군사에게 흰옷을 입히고 항우를 토벌하는 전쟁을 공표하였다.(『史記』 권1「高祖本紀」3년 3월)

之所在, 固其所趨也. 至其立國規模, 大抵皆因秦舊, 而無復三代封建井田公共天下之心矣. 其合於王道者, 如約法三章, 爲義帝發喪, 要亦未免有假之之意, 其誠不孚也.

남헌 장씨南軒氏張栻가 말하였다. 선제가 '한나라에는 패도가 섞여 있다.'고 하였으나 사실 그가 지향하는 것도 그와 같았다. 그러나 한나라를 두고 평론 한다면 또한 바꿀 수 없는 확정적인 말이다. 본시 고조가 천하를 취한 것부터 천하를 자신의 이익으로 생각한 것이고, 탕임금이나 무왕처럼 백성을 위로하고 죄지은 자를 치고자 한 마음은 아니었다. 그러므로 그가 즉위한 뒤 반란이 여러 차례 일어났으나 금하지 못하였으니 이익이 있는 바는 본디 추구하게 되어 있어서이다. 그가 국가를 세운 규모에 있어서도 대체로 모두 진秦나라의 옛것을 따르고 삼대시절의 봉건封建과 정전井田을 회복시켜 천하를 공공의 것으로 생각하려는 마음은 없었다. 그중에서 왕도에 합치된 것은 약법삼장과 의제를 위해 장례를 공표한 것이었으나 요컨대 또한 명분만을 빌리려는 의도가 있음을 벗어나지 못하여 그 진실성이 믿기지 않는다.

則其雜伯, 固有自來. 夫王道如精金美玉, 豈容雜也? 雜之, 則是亦伯而已矣. 惟文帝天資爲近之, 然其薰習操術, 亦雜於黃老刑名, 考其施設, 動皆有術. 但其資美而術高耳, 深玩自可見. 至於宣帝則又伯之下者, 桓文之罪人也. 西京之亡, 自宣帝始. 蓋文景養民之意, 至是而盡消靡矣. 且宣帝豈眞知所謂德教者哉, 而以爲不可用也? 如元帝之好儒生, 蓋竊其近似之名, 委靡柔懦, 敗壞天下者, 其何德教之云? 夫惟王者之政, 其心本乎天理, 建立人紀, 施於萬事, 仁立義行, 而無偏弊不擧之處. 此古人之所以制治保邦, 而垂裕乎無疆者. 後世未嘗眞知王道, 顧曰 : '儒生之說迂闊而難行', 蓋亦未之思矣."[164]

그렇게 패도가 섞여든 것은 본디 근원이 있다. 왕도는 순정純正한 금金이나 아름다운 옥玉과 같으니 어찌 섞임이 용납되겠는가? 섞이면 또한 패도일 따름이다. 문제文帝는 타고난 자질이 근사하였으나 그가 길들여지고 마음 쓰는 일들은 또한 황로형명黃老刑名에 섞여졌으니, 그가 한 일을 살펴보면 일마다 모두 술수이다. 단지 그의 자질이 아름답고 술수가 높았을 뿐이니, 깊이 살펴보면 저절로 알 수 있다. 선제에 이르러서는 또 패도 중에서도 하등이니 제환공齊桓公과 진문공晉文公의 죄인이다.[165] 서경西京[166]이 망한 것도 선제로부터 시작되었다. 문제와 경제가 백성을 양육한 뜻이 이때에 이르러 모두 사그라졌다. 또 선제가 어찌 소위 도덕과 교화를 참되게 알았으며 (패도를) 써서는 안 될 것으로 여겼겠는가? 예컨대 원제元帝의 유생儒生을 좋아한 것[167]은 근사하다는 이름만 도둑질한 것이었으니, 힘없이 휩쓸리며 유순하

---

164 『南軒集』권16「史論·漢家雜伯」

165 齊桓公과 晉文公의 죄인이다. : 곧 제환공과 진문공은 춘추시대 五霸로 일컬어지던 군주이다. 그러니까 문제가 한 일들은 이들 수준에도 못 미친다는 말이다. 『孟子』「告子下」에서 맹자가 "오패는 삼왕의 죄인이고, 지금의 제후들은 오패의 죄인이며, 지금의 대부들은 지금 제후들의 죄인이다.(五霸者三王之罪人也 ; 今之諸侯五霸之罪人也 ; 今之大夫今之諸侯之罪人也.)"라고 한 말에서 연유한 것이다.

166 西京 : 後漢이 수도를 동쪽 洛陽으로 옮긴 뒤, 前漢의 수도 長安을 이르는 말. 여기서는 전한을 이르는 말로 쓰였다.

167 元帝의 儒生을 … 것 : 원제는 宣帝의 태자이다. 태자로 있을 때 儒者를 좋아하여 선제에게 유생 등용을

고 나약하여 천하를 무너뜨린 사람인데 어떻게 도덕과 교화를 운운할 수 있겠는가? 왕도를 펴는 자의 정치는 그 마음이 천리天理에 바탕하고 사람의 기강을 확립시키므로, 모든 일을 해나가는데 인仁이 확립되고 의義가 행해져서, 치우치거나 가려져 시행되지 않는 일이 없다. 이것이 옛 사람들이 정책을 제정하고 나라를 보전하여 끝없는 후세에 드리워줌이 여유로웠던 까닭이다. 후세에는 왕도를 참되게 안 적도 없으면서 다만 '유생의 말은 우활하여 시행하기 어렵다.'라고만 하니, 또한 생각지 않아서이다."

[60-5-4]

或問 : "孝宣綜覈名實, 而王成以僞增戶口褒賞, 遂起天下俗吏之僞, 然綜覈者安在?"

潛室陳氏曰 : "刑名術數之家, 各是執一實以御百虛. 老蘇所謂'人服吾之識其一, 而不知吾之不識其九'也. 宣帝殆用此術, 間有受人欺處, 不害他大體也."[168]

어떤 사람이 물었다. "효선제孝宣帝[宣帝]가 명칭과 실제를 종합해서 샅샅이 조사하였으나[169] 왕성王成[170]이 거짓으로 호구戶口를 늘려 칭찬받고 상이 내려지자 마침내 천하의 속된 관리들의 속임수가 시작되었으니, 그렇다면 종합해 샅샅이 조사했다는 것이 어디에 있는 것입니까?"

잠실 진씨가 대답하였다. "형명학의 술수에 종사한 자는 각기 알찬 하나를 가지고 백 가지의 부족한 것을 통치한다. 노소老蘇(蘇洵의 字)가 말한 '사람들은 내가 그중의 하나를 알고 있는 것에 승복하고, 내가 나머지 아홉 가지를 모른다는 것은 모른다.'는 것이다. 선제는 거의 이 방법을 썼으니, 간혹 사람들에게 속임을 당하기도 하였으나, 그의 대체적인 면에 해가 되지는 않는다."

....

말씀드렸다가 "우리 왕조를 어지럽힐 사람은 태자이다.(亂我家者, 太子也.)"라는 탄식을 들었으며, 이 일로 인해 하마터면 태자에서 폐위될 뻔한 위험을 겪었다. 『漢書』「元帝紀贊」에 "젊은 시절부터 유자를 좋아하더니 즉위하여서는 유생을 불러 등용하여 정사를 맡겼다.(少而好儒, 及卽位, 徵用儒生, 委之以政.)"고 하였다.

168 『木鍾集』 권11 「史」

169 명칭과 실제를 … 조사하였으나 : 이것은 『漢書』「武帝紀」의 贊에 있는 말이다. 찬에서 "효선제의 정치는 공이 있으면 반드시 상을 내리고 죄가 있으면 반드시 벌을 내리며, 명칭과 실제를 종합해서 샅샅이 조사하고, 정사와 문학과 법 집행에 종사하는 관리는 모두 능력이 정통하였다. … 공훈은 祖宗을 빛냈고 업적은 후세에 드리웠으니 중흥을 이루었다고 말할 수 있다.(孝宣之治, 信賞必罰, 綜核名實, 政事文學法理之士, 咸精其能. … 功光祖宗, 業垂後嗣, 可謂中興.)"고 히었디.

170 王成 : 출신에 대해서는 알려지지 않은 인물이며 膠東의 상국으로 治績이 뛰어나 선제 시대 맨 처음으로 표창되었다. 선제가 내린 조서에 "공이 있는데 상 주지 않고 죄가 있는데 벌을 내리지 않는다면 요순이라 할지라도 천하를 교화시킬 수 없다고 들었다. 지금 교동의 상국 왕성은 위로하고 찾아오게 하는 일에 게으르지 않아 떠도는 백성들이 스스로 찾아든 자가 8만여 명에 이르고, 치적도 남들과 다른 공로가 있다. 왕성에게 關內侯의 작위와 녹봉 中二千石을 내린다.(蓋聞有功不賞, 有罪不誅, 雖唐虞不能以化天下. 今膠東相成, 勞來不怠, 流民自占八萬餘口, 治有異等之效. 其賜成爵關內侯, 秩中二千石.)"고 하였다. 그러나 미처 벼슬에 등용되기 전에 왕성은 죽고 말았다. 그 후 승상과 어사를 시켜 지방 고을에서 올린 치적들을 조사시키자, 어떤 사람이 지난번 교동의 상국 왕성이 거짓으로 숫자를 부풀려 큰 상을 받은 뒤로 세속 관리들이 대부분 헛된 명부를 조작하고 있다고 하였다.(『漢書』「循吏傳」)

元帝　원제[171]

[60-6-1]

涑水司馬氏曰：“甚矣，闇君之不可與言也！天實剝喪漢室，而昏塞孝元之心，使如木石不可得入，至於此乎！哀哉！京房之言，如此其深切著明也，而曾不能喻，何哉？『詩』云：‘匪面命之，言提其耳，匪手攜之，言示之事.’ 又云：‘誨爾諄諄，聽我藐藐.’ 噫！後之人可不以孝元爲監乎？”[172]

속수 사마씨涑水司馬氏[司馬光]가 말하였다. “심하다, 혼매한 군주에게 말을 올릴 수 없음이여! 하늘이 실상 한나라 왕조를 무너뜨리려 하고 있는데 꽉 막힌 원제의 마음은 마치 목석木石처럼 뚫고 들어갈 수 없음이 이 지경에 이르렀단 말인가! 애달프도다! 경방京房의 말[173]이 이처럼 깊고 간절하며 분명하거늘 이를 능히 깨닫지 못하니, 어째서인가？『시경』[174]에 ‘낯을 대해 말해주었을 뿐만 아니라, 귀를 당겨 일러주었노라. 손을 잡아 이끌었을 뿐만 아니라, 일로 보여주기까지 하였노라.’고 하고, 또 읊기를, ‘너에게 고분고분 일러주었거늘 내말은 듣는 둥 마는 둥일세.’라고 하였으니, 아! 후세 사람들이 원제를 거울삼지 않을 수 있겠는가？”

項羽 范增附　항우 부록 범증[175]

[60-7-1]

涑水司馬氏曰：“世皆以項羽不能用韓生之言，棄關中之險，故失天下，竊謂不然. 夫秦據函谷，東嚮以制天下. 然孝‧惠‧昭‧襄以之興，而二世子嬰以之亡. 顧所以用之之道何如耳，地形不足議也. 項羽放殺其君，不義之名，明於日月. 宰制天下王諸侯，廢公義而任私意，逐其

---

171 元帝 : 한나라 제8대 황제. 이름은 奭. 자는 盛. 어머니는 恭哀許皇后. 예술에 대한 재능이 뛰어나 글씨, 琴瑟, 퉁소, 作曲, 연주 등의 솜씨에 뛰어났다. 어려서부터 儒者를 좋아하였고 즉위하여서는 그들에게 정사를 위임하여 다스렸다. 우유부단하다는 말을 들었다.(『漢書』「元帝紀」)

172 『傳家集』 권67 「評‧京房對漢元帝」

173 京房의 말 : 경방은 자가 君明. 본래 姓은 李氏이고 頓丘 사람이다. 焦延壽에게 易을 배웠다. 저서로는 『京氏易傳』이 있다. 원제에게 永光 연간(기원전 43~39년)과 建昭 연간(기원전 38년~34년)에 災異에 관하여 여러 차례 상소하다가 石顯 등의 미움을 사서 죽임을 당하였다.(『漢書』 권75)

174 『詩經』:「大雅‧抑」 제10장과 11장의 시이다. 다만 시경 10장의 글귀 순서는 “匪手攜之，言示之事. 匪面命之，言提其耳.”로 되어 있다.

175 范增 : 秦나라 말기 居鄛 사람. 봉기한 항우를 도와 여러 세력의 패자가 되게 한 공으로 亞父(아버지에 버금가는 사람)로 불렸다. 항우에게 유방을 죽이도록 여러 차례 권하였으나 듣지 않고, 도리어 유방의 반간계에 빠져 자신이 의심을 받게 되자 벼슬을 내놓고 돌아가다가 등창이 나서 죽었다.(『史記』 권7)

君以置其臣, 其受封者爭奪不服, 疎斥忠良, 猜忌有功, 使臣下皆無親附之意. 推此道以行之, 雖重金襲湯, 不能以一日守也, 况三秦之險哉?"[176]

속수 사마씨가 말하였다. "세상에서 모두 항우가 한생韓生의 말[177]을 잘 쓰지 못하여 관중關中[178]의 험준함을 버린 까닭에 천하를 잃은 것이라고 하나, 나는 그렇게 생각하지 않는다. 진나라는 함곡函谷에 의지하여 동쪽으로 향해 천하를 통치하였다. 그러나 효공孝公·혜공惠公·소공昭公·양공襄公[179]은 그 땅으로 일어났지만 이세황제二世皇帝와 자영子嬰[180]은 그 땅으로 망하였다. 다만 그것을 쓰는 도리가 어떤가에 달려 있을 뿐이니, 지형地形은 논의할 만한 것이 못된다. 항우는 군주를 내쫓고 시해하여[181] 의롭지 않다는 명성이 해와 달보다 분명했다. 천하의 왕들과 제후들을 맡아 임명하면서도 공중의 의로움을 폐하고 사사로운 뜻을 개입시켜, 그 나라의 군주를 내쫓고 그 신하를 배치함[182]으로써 그들 봉후封侯된 자들마저

176 『傳家集』 권67 「評·項羽誅韓生」

177 韓生의 말: 한생은 韓氏 성의 사람이라는 뜻으로 구체적으로 누구인지는 모른다. 항우가 함양을 도륙 내고, 항복한 진나라 왕 子嬰을 살해한 다음 진나라의 궁실을 불태워 3개월 동안 불이 그치지 않았다. 그리고 항우가 진나라의 보물들을 거두어서 동쪽으로 돌아가려 하자 한생이 "관중은 산에 의지하고 황하가 둘러쳐 있어 사방이 요새이고 비옥하니 도읍하여 패자가 될 수 있습니다.(關中阻山帶河, 四塞之地, 肥饒, 可都以伯.)"라고 하였다. 항우는 진나라가 모두 이미 불타 부스러기가 된 것을 보고, 또 고향인 동쪽으로 돌아갈 것을 생각하여 "부귀해져 고향에 돌아가지 않으면 마치 비단옷 입고 밤길 걷는 것과 같다.(富貴不歸故鄕, 如衣錦夜行.)"고 하자, 한생이 "사람들이 초나라 사람은 원숭이에 관을 씌워놓은 것이라고 하더니 과연 그렇도다.(人謂楚人沐猴而冠, 果然.)"라고 비난하자, 항우가 그 말을 듣고서는 한생의 목을 베어버렸다.(『漢書』 「項籍傳」)

178 關中: 秦나라 지역을 이르는 말이다. 진나라가 동쪽에는 函谷關, 남쪽에는 武關, 서쪽에는 散關, 북쪽에는 蕭關이 있어, 그 사방 관문 안에 있는 나라라고 하여 붙인 이름이다. 따라서 여기서는 진나라의 서울 咸陽을 수도로 정하고 그 지역을 제왕의 영토로 삼으라는 뜻이다. 『史記』 「項羽本紀」에 "관중은 산과 내가 험하고 사방이 막혔으며 땅이 비옥하니 도읍하여 패자가 될 수 있다.(關中阻山河四塞, 地肥饒, 可都以霸.)"고 하고, 배인의 『集解』에 "동쪽은 함곡관, 남쪽은 무관, 서쪽은 산관, 북쪽은 소관이다.(東函谷, 南武關, 西散關, 北蕭關.)"라고 하였다.

179 孝公·惠公·昭公·襄公: 秦나라 선대 군주들이다.

180 二世皇帝와 子嬰: 이세황제는 진시황의 아들 胡亥이고, 자영은 진시황의 손자이자 태자 扶蘇의 아들. 趙高가 이세황제를 시해하고 자영을 秦나라 王으로 옹립하자, 자영은 조고를 죽이고 유방을 막으려 하였으나 패하였다. 자영은 왕에 오른 지 46일 만에 유방에게 항복하였고, 뒤에 함양에 들이온 항우에게 죽임을 당하였다.(『資治通鑑』 권8 「二世皇帝下」 3년)

181 항우는 군주를 … 시해하여: 항우가 九江王 黥布를 시켜 義帝를 시해한 일을 이른다.

182 그 나라의 … 배치함: 항우가 천하의 제후들에게 땅을 나누어 제후에 봉해 주면서 齊나라의 후손 田市를 膠東에 봉하고 田都를 齊王으로 삼아 옛 제나라 지역을 다스리게 하고, 趙나라의 후손 趙歇을 代王으로 삼고, 조나라의 정승 張耳를 常山王으로 봉해 옛 조나라 땅을 다스리게 한 일들을 이른다. 이 일로 인해 제나라의 田榮이 군사를 일으켜 전도를 공격하자 전도는 항우에게 달아났고, 다시 전시가 교동으로 가는 것을 막자 전시는 항우가 두려워 교동으로 몰래 가려다가 전영에게 붙잡혀 죽임을 당하였다. 조나라의 장이와 陳餘는 본래 刎頸之交를 맺고 죽음을 함께 하기로 하고 봉기하였는데, 항우가 평소 장이를 존경한 처지라서 왕에 봉해주고 진여는 侯에 봉하였다. 진여는 "항우가 천하를 분배하는 것이 공평하지 않아 예전 왕의

쟁탈하고 복종하지 않았으며, 충성스럽고 어진 인재는 멀리하고 공훈이 있는 자들은 시기하여 신하들마저 모두 친하게 따를 뜻이 없게 하였다. 이런 방법을 가지고 행한다면 쇠를 가지고 성곽을 겹으로 쌓아올리고 해자를 두 겹으로 두른다 하여도 하루도 지킬 수 없을 터인데 하물며 삼진三秦의 험준함이겠는가?'

[60-7-2]

龜山楊氏曰: "予讀漢紀, 至'高祖謂項王「有一范增不能用, 故爲我禽」', 常以爲信然. 及讀「項羽傳」, 觀范增所以佐羽者, 然後知羽雖用增, 無益於敗亡也. 夫秦人齗齗其民, 天下背而去之, 莫肯反顧. 當是時, 民之就有道, 正猶飢者之嗜食, 不必芻豢稻粱, 而皆可於口也. 項籍以閭閻匹夫之資, 首天下豪傑, 西向而並爭, 視秦車之覆, 曾不知戒, 猶蹈其故轍. 欲以力致天下, 所過燒夷殘滅, 是以秦攻秦也. 范增曾無一言及此, 乃區區欲立楚後, 爲足以懷民望, 何其謬哉! 其後項王卒有弑義帝之名, 爲敵國之資, 增實兆之也. 增之得計, 不過數欲害沛公耳. 使項王不改其轍, 則前日之亡秦是也. 借令沛公死, 天下其無沛公乎!"[183]

구산 양씨가 말하였다. "내가 『한서漢書』의 본기本紀를 읽다가 '고조가 항왕項王은 「한 사람 범증이 있었는데 잘 쓰지 못한 까닭에 나에게 붙잡힌 것이다.」'[184]라고 말한 대목에 이르러 늘 참으로 그렇다고 생각하였다. 그러나 「항우전項羽傳」을 읽게 됨에 미쳐 범증이 항우를 보좌한 것을 보고 난 뒤로는 항우가 설사 범증을 썼더라도 (항우의) 존망存亡에 도움 될 것이 없다는 것을 알았다. 진나라가 자신의 백성을 못살게 하여 천하 사람들이 등지고 떠나며 기꺼이 되돌아보려 하지 않았다. 이러한 때를 당해서 백성들이 도덕적인 사람에게 나아가는 것은 바로 굶주린 자가 음식을 달게 여기는 것과 같아, 꼭 소고기·돼지고기[185]가 아니고 쌀밥·기장밥이 아니더라도 모두 입에 맞는다. 항적項籍은 시골마을의 일개 장부의 자질

· · · · · · · · · · · · · · · · · ·
　　장군들은 좋은 땅을 주고, 예전의 왕들은 나쁜 땅으로 옮겨 봉하여 지금 조나라 왕이 代땅에 살게 되었다.(項羽爲天下宰不平, 盡王諸将善地, 徙故王王惡地, 今趙王乃居代.)"라고 하고 제나라 전영과 함께 항우에게 항거하였다. 『史記』「張耳陳餘傳」

183　『龜山集』권9「史論·項羽」
184　'고조가 項王은 … 것이다.': 한고조가 항우를 평정하고 황제에 등극한 뒤 술자리를 마련하고서 "列侯와 장군들은 감히 짐에게 숨기지 말고 모두 자신의 생각을 말해보도록 하라. 내가 천하를 차지하게 된 까닭은 무엇이며, 項氏가 천하를 잃게 된 까닭은 무엇인가?(列侯諸將, 無敢隱朕, 皆言其情. 吾所以有天下者何? 項氏之所以失天下者何?)"라고 하자 高起와 王陵이 고조와 항우의 인품 때문이었다고 대답하였다. 이에 고조는 "공들은 하나만 알고 둘은 모른 것이다. 장막 안에서 책략을 세워 천 리 밖의 승부를 결정짓는 일은 내가 子房(張良의 字)만 못하고, 국가를 안정시키고 백성을 다독이며 군량을 공급하여 양식이 끊이지 않게 하는 것은 내가 蕭何만 못하고, 1백 만 군사를 묶어 전쟁마다 반드시 이기고 공격마다 반드시 얻는 것은 내가 韓信만 못하다. 세 사람은 모두 인걸인데 내가 잘 썼으니, 이것이 천하를 얻게 된 까닭이다. 항우는 범증 한 사람이 있었는데 잘 쓰지 못하였으니, 이것이 나에게 붙잡힌 까닭이다.(公知其一, 未知其二. 夫運籌策帷帳之中, 決勝於千里之外, 吾不如子房; 鎭國家撫百姓, 給餽饟, 不絶糧道, 吾不如蕭何; 連百萬之軍, 戰必勝攻必取, 吾不如韓信. 此三人皆人傑也, 吾能用之, 此吾所以取天下也. 項羽有一范增, 而不能用, 此其所以爲我擒也.)"라고 하자 뭇 신하들이 흔쾌히 수긍하였다.(『史記』「高祖本紀」)

로 천하 호걸의 우두머리가 되어 서쪽을 향해 나아가며 천하를 함께 다투었다. 진나라 수레가 엎어진 것을 보고서도 조금의 경계도 할 줄 모르고, 여전히 그 옛 자국을 따라가며 힘으로 천하를 얻고자, 지나는 곳마다 불태우고 파괴하여 남김없이 손상시켰으니, 이는 진나라로 진나라를 공격한 것이다. 그런데도 범증이 이에 대한 한 마디 언급은 없고, 구구하게 초나라의 후손을 세우는 것으로 백성들의 바람을 끌어안기에 충분한 것으로 삼고자 하였으니 얼마나 잘못되었는가? 그 뒤 항왕이 마침내 의제義帝를 시해하였다는 이름을 남겨 상대 나라의 이익이 되게 한 것은 범증이 실상 조짐을 만든 것이다. 범증이 잘 세운 계책은 패공을 자주 죽이고자 한 것에 불과할 뿐이다. 항왕에게 자신이 걷고 있는 악행을 고치게 하지 않은 것은 바로 지난날 망한 진나라 모습이다. 설령 패공이 죽는다 하여도 천하에 패공 같은 사람이 없겠는가?"

[60-7-3]

或問: "高祖言'項羽有一范增, 不能用, 所以亡.'' 夫項羽之失無數, 初未聞范增之有諫. 使項羽而終用范增, 又將如何?"

潛室陳氏曰: "係興亡處, 但看人物有無是第一節. 范增豈三傑比耶? 但就項羽人物言之, 有此人耳."[186]

어떤 사람이 물었다. "고조가 말하기를 '항우는 한 사람 범증이 있었는데 잘 쓰지 못한 것이 망한 까닭이다.'라고 하였습니다. 항우의 잘못이 셀 수 없었는데도 애초 범증이 간하는 말을 들을 수 없습니다. 만일 항우가 끝까지 범증을 썼다면 또 어떻게 되었겠습니까?"

잠실 진씨가 대답하였다. "흥망과 관계되는 곳에서는 단지 인물이 있었는가의 여부가 첫째 관건이다. 범증이 어찌 삼걸三傑[187]에 비견될 수 있겠는가? 단지 항우 쪽 인물에 나아가 말한다면 이 한 사람이 있었을 뿐이다."

董公 동공[188]

[60-8-1]

庸齋許氏曰: "方楚漢爭雄之時, 能使沛公激發天下之大機括者誰歟? 二老董公說之以三軍素

---

185 소고기 · 돼지고기: 이 글의 원문 芻豢은 『孟子』「告子上」의 "그러므로 의리가 내 마음에 즐겁기가, 마치 추환이 내 입맛을 즐겁게 하는 것과 같다.(故義理之悅我心, 猶芻豢之悅我口.)"라고 한 말에서 왔다. 朱子의 集注에 "풀을 먹여 키운 짐승을 芻라고 하니 소와 양이 그것들이고, 곡식을 먹고 큰 짐승을 豢이라고 하니 개와 돼지가 그것들이다.(草食曰芻, 牛羊是也 ; 穀食曰豢, 犬豕是也.)"라고 하였다.

186 『木鍾集』 권11「史」

187 三傑: 한고조를 도와 한나라 건국에 공을 세운 세 사람. 곧 張良, 蕭何, 韓信을 이른다. 한고조가 이들을 일러 人傑이라고 한 데에서 연유한 말이다.

服, 共誅楚之弒義帝者. 順德逆德之辭, 昭然與日月爭光. 人心稍知義者, 其從順去逆, 已於此
決擇矣. 董公之説, 又豈蕭何文墨議論之比? 以子房號爲帝師, 籌幄之間亦未見有此大計. 當
時仗義而西, 天下爲之響應者, 董公力也."[189]

용재 허씨庸齋許氏許仲翔[190]가 말하였다. "초나라와 한나라가 승부를 다툴 때 패공에게 천하의 큰 관건을
불러일으키게 한 사람은 누구일까? 삼로 동공三老董公이 삼군三軍에게 소복素服을 입혀 초나라의 의제義帝
를 시해한 자를 함께 주벌하도록 설득한 일이다. 덕에 순응함과 덕을 거스른 것에 대한 말은 그 밝음이
해와 달과 빛을 다툴 것이다. 사람이 조금이라도 의리를 아는 자이면 순응함을 따르고 거스름을 떠날
것이니 이미 여기에서 선택이 결정된다. 동공의 말이 또 어찌 소하의 문서나 만지작거리고 의견이나
제시한 일[191]에 비길 수 있겠는가? 자방子房(장량의 자字)이 고조의 스승으로 호칭되었으나 책략을 내는
장막 안에서는 이런 큰 계책을 낸 것을 보지 못했다. 당시에 정의를 내세워 서쪽으로 진격할 적[192]에

188 董公 : 河南의 新成 사람. 유방이 처음 진나라 함락에 나섰을 때 관중을 함락한 자를 관중의 왕으로 봉한다는
약속이 있었다. 그런데 항우가 이를 지키지 않고, 유방을 관중의 서쪽 漢中의 왕에 봉하였다. 유방은 이에
불만을 품고 군사를 일으켜 關中을 함락시키고 이어 동쪽으로 항우 정벌에 나섰다. 마침 신성을 지나가는데
당시 삼로로 있던 동공이 길을 막고. 항우가 九江王 黥布 등을 시켜 義帝를 彬에서 시해한 내용을 전하며
"신은 듣자하니 '덕에 순응하는 자는 창성하고 덕을 거스르는 자는 망한다.'라고 하였고, '군사를 일으키는데
명분이 없으면 일은 이루어지지 않는다.'라고 하였습니다. 그러므로 '상대가 역적임을 밝혀야 적을 항복시킬
수 있다.'라고 하는 것입니다. 항우가 무도하여 그의 군주를 추방하였다가 시해하였으니 천하의 역적입니다.
仁은 용맹에 의지하지 않고 義는 힘에 의지하지 않습니다. 대왕께서는 의당 3軍의 군사를 거느리시고 의제
를 위하여 흰 상복을 차리고 제후들에게 알려 정벌한다면 천하가 그 덕을 우러르지 않음이 없을 것입니다.
이는 三王이 행했던 일입니다.(臣聞 '順德者昌. 逆德者亡.' '兵出無名, 事故不成.' 故曰, '明其爲賊, 敵乃可服.'
項羽爲無道, 放殺其主, 天下之賊也. 夫仁不以勇, 義不以力. 大王宜率三軍之衆, 爲之素服, 以告諸侯而伐之,
則四海之內, 莫不仰德. 此三王之擧也.)"라고 하자, 한왕은 "좋은 말이오. 선생이 아니었으면 들을 수 없는
말이오.(善, 非夫子無所聞.)"라고 하였다. 이에 한왕은 장례를 공표하고서 저고리의 옷소매를 빼고 통곡한
다음 3일 동안 슬프게 지냈다. 이어 제후들에게 사신을 보내 의제가 항우에 의해 시해되었음을 알리고 그
죄를 토벌하기 위해 자신이 군사를 일으켰으니. 여러 제후들과 의제를 시해한 항우를 치고자 한다고 하였
다.(『漢書』「高帝紀上」; 『資治通鑑』 권9 「漢紀·高帝」 원년~2년)
189 『庸齋集』 권5 「論·論漢唐誅賞」
190 庸齋許氏許仲翔 : 이 글은 용재 허씨라고 되어 있고 앞 「先儒姓氏」에 용재 허씨의 이름은 허중상으로 기록
되어 있다. 그런데 이 글은 宋나라 趙汝騰의 문집 『庸齋集』 권5에 실려 있다.
191 소하의 문서나 … 일 : 한고조가 천자가 된 뒤 공신들의 공을 정하는 일을 두고 서로 다퉈 한 해가 다하도록
끝내지 못하였다. 소하의 공을 가장 크게 여겨 우선 酇侯로 봉하고 食邑 8,000户를 봉하였다. 이에 공신들이
반발하여 "신들은 친히 단단한 갑옷을 입고 예리한 병장기를 들고서 많게는 1백여 전투를 치르고 적게는
수십 번의 싸움을 치르며 성을 공격하고 땅을 공략하여 크고 작은 각각의 차이가 있습니다. 지금 소하는
말이 땀 한 방울 흘린 노고도 없고 단지 문서나 만지작거리고 의견이나 제시하며 싸워본 적이 없는데 도리어
신들의 위에 있는 것은 무슨 까닭입니까?(功臣皆曰, 臣等身被堅執兵, 多者百餘戰, 少者數十合, 攻城畧地,
大小各有差. 今蕭何未有汗馬之勞, 徒持文墨議論, 不戰, 顧居臣等上, 何也?)"라고 하였다. 여공신들이 소하의
공을 문서 나부랭이나 만지작거린 사람으로 무시하였다.
192 당시에 의리를 … 적 : 서쪽으로 진격한 것은 한고조가 회왕의 명을 받들고 서쪽으로 진나라를 공격할 때의

천하가 고조에게 메아리처럼 호응한 것은 동공의 힘이다."

蕭何 소하

[60-9-1]

龜山楊氏曰: "高帝收民於暴秦傷殘之餘, 而蕭何秉國鈞, 盡革秦苛法, 與之更始, 天下宜之, 作畫一之歌. 其法令終漢世守之, 莫能損益也. 班固謂'爲一代宗臣', 豈虛語哉? 然高皇帝旣平天下, 於功臣猶多忌刻. 何爲宰輔, 至出私財以助軍費, 買田宅以自汙. 以是媚上僅能免, 其甚至於械繫之, 猶不知引去. 豈工於爲天下而拙於謀身耶? 蓋不學無聞, 暗於功成身退之義. 貪冒榮寵, 惴惴然如持重寶, 惟恐一跌, 然而幾蹈者亦屢矣. 蓋高帝慢而侮人, 而輕與人爵邑, 故不得廉節之士, 而一時頑鈍嗜利無恥者多歸之. 以何之賢猶不免是, 惜夫!"[193]

구산 양씨가 말하였다. "고조는 포악한 진나라에 의해 상처 입고 망가진 백성들을 거두었고, 소하는 국가의 국정을 잡고서 진나라 시대의 까다로운 법령을 모두 바꾸고 함께 옛것을 바꾸어 새롭게 하니 천하가 이를 합당하게 여기고 획일가畫一歌[194]를 지어 불렀다. 그 법령이 한나라가 망할 때까지 지켜지며 늘리거나 줄일 수 없었다. 반고班固가 '한 시대에 가장 존경받는 신하였다.'[195]라고 한 말이 어찌 빈말이겠는가? 그러나 고황제高皇帝高祖가 천하를 평정한 뒤 공신들끼리 오히려 각박하게 투기하는 일이 많았다. 소하가 재보宰輔(재상)가 되어 사재私財를 털어 군비軍費에 보태고,[196] 전답과 주택을 사들여 자신의 명예

일이고, 항우를 공격한 일은 고조가 옛날 진나라가 있던 서쪽에서 동쪽을 공격한 것인데 왜 서쪽이라는 말을 썼는지 이해하기 어렵다. 西자는 東자의 오자가 아닌지 의심스럽다.

193 『龜山集』 권9 「史論·蕭何」

194 畫一歌: 한나라 시대 소하와 조참의 덕스러운 정치를 백성들이 칭송하여 부른 노래. 『漢書』 「循吏傳」에 "한나라가 일어난 초기에 진나라의 폐정을 되돌리며 백성들을 쉬게 하고, 모든 일을 간편하고 손쉽게 하여 법망이 매우 너그러웠다. 상국인 소하와 조참이 관후하고 청정함으로 천하를 인솔하자 백성들이 획일가를 불렀다.(漢興之初, 反秦之敝, 與民休息, 凡事簡易, 禁罔疏闊, 而相國蕭曹以寬厚淸靜爲天下帥, 民作畫一之歌.)"고 하였다. 그 노래 가사에 대해서는 顏師古의 注에 "소하가 만든 법을 먹줄이 畫 한 듯하고, 조참이 이어 상국이 되니 지켜서 잃지 않았네.(蕭何爲法, 講若畫一; 曹參代之, 守而勿失.)"라고 하였다. 단지 畫一에 대해선 『史記』 「曹相國世家」의 裴駰 『集解』에 "畫은 곧다直라는 뜻이고, 또 밝다明라는 뜻이다. 법이 밝고 곧음이 마치 一자를 그어놓은 것과 같은 것이다.(畫訓直, 又訓明, 言法明直, 若畫一也.)"고 하였다. 또 顏師古는 "畫一은 법이 정제한 것을 말한다.(畫一, 言其法整齊也.)"라고 하였다. 진나라의 까다로운 법에 시달리던 백성들에게 매우 획일적인 간명한 법을 시행하여 백성들이 그들의 법집행에 편안해함을 노래한 것이다.

195 '한 시대에 … 신하였다.': 『漢書』 「蕭何曹參傳」에 반고가 소하와 조참을 하나의 전으로 묶어 기술하고 마지막에 評者로서 붙인 말이다. 소하와 조참 모두를 한꺼번에 칭송한 말이다.

196 私財를 털어 … 보태고: 한고조가 한고조 11년(기원전 196년)에 일어난 陳豨의 반란을 평정하기 위해 邯鄲으로 출정하였을 때, 韓信이 진희와 연루되었음을 안 呂后가 소하의 계책을 써서 한신을 포박하여 처형하였

를 더럽히면서,[197] 이런 방법으로 군상의 예쁨을 사는 것으로 겨우 목숨을 면하였고, 그는 심지어 차꼬를 차고 오랏줄에 묶이면서까지 여전히 떠날 줄을 몰랐다.[198] 어찌하여 천하를 위한 일에는 교묘하였으면서 자신을 위한 계책에는 서툴렀던 것일까? 그것은 학문이 없고 견문이 없어 공을 세우고서는 물러나야 하는 의리[199]에 어두워서이다. 영화와 총애를 막무가내로 탐하여 벌벌 떨며 마치 귀중한 보화를 손에 쥐고 행여 미끄러질 듯 두려워하였으나 거의 넘어질 뻔한 일이 또한 여러 차례였다. 고조는 거만하게 남들을 업신여겼으나 사람들에게 작위와 고을을 가볍게 준 까닭에 청렴하고 절이 있는 사람은 얻지 못하고, 한 시대의 어리석고 굼뜨며 이익만을 좋아하고 부끄러움이 없는 자들이 대부분 귀의하였다. 소하의 현명함을 가지고서도 오히려 이를 면하지 못하였으니 애석하도다!'

• • • • • • • • • • • • • • • • • • • •

다. 이 말을 밖에서 전해들은 한고조는 소하를 丞相에서 相國으로 승진시키고, 5천 戶를 더 봉해주고, 군사 5백 명과 都尉 한 사람을 시켜 상국을 호위하게 하였다. 이때 모든 사람들이 소하를 축하하였으나 秦나라 때 東陵侯에 봉해졌던 召平이 찾아와 이는 재앙의 시작점이라며 군주는 밖에 나가 들녘에서 지내는데 당신은 국내에 머물러 있으며 화살이며 돌멩이 맞는 일이 없었다. 당신에게 이러한 것들을 내린 것은 당신의 마음을 의심하여서이다. 호위 군대를 설치하여 당신을 호위하는 것은 당신을 총애하여서가 아니다. 그러니 봉해준 것을 사양하고 집안 재산으로 군비를 도와야 군주의 마음이 기뻐할 것이라고 하였다. 상국이 그 말대로 하자 고조는 크게 기뻐하였다.(『史記』「蕭相國世家」)

197 전답과 주택을 … 더럽히면서 : 이 일은 한고조 12년(기원전 195년)에 있었던 일이다. 한고조가 黥布의 반란을 평정하기 위해 군사를 거느리고 밖에 나가 있으면서 여러 차례 사신을 보내 상국 소하가 무엇을 하는지 살폈다. 이때 소하는 지난해 진희의 반란이 일어났을 때처럼 자신의 재산을 털어 군비를 충당하고 힘을 다해 당시 관중의 백성을 보살폈다. 이때 어떤 사람이 "그대 집안사람들이 모두 죽임을 당하는 일이 머지않았습니다. 당신의 지위가 상국이니 올려줄 수 있는 벼슬이 있습니까? 당신이 이곳 관중에 처음 들어왔을 때 관중 백성들의 마음을 얻어 지금 10여 년이니 백성들이 모두 당신을 따르는데, 늘 다시 힘쓰고 힘써 백성들의 화평한 마음을 얻고 있습니다. 군상께서 자주 당신을 살피는 것은 당신이 관중을 동요시킬까 하여서입니다. 그러니 당신은 많은 농토를 사들여 싼값에 대여하는 일로 자신의 명예를 더럽혀야만 군상의 마음이 편안해질 것입니다."라고 하였다. 이에 소하가 그대로 따르자 고조는 크게 기뻐하였다.(『史記』「蕭相國世家」)

198 차꼬를 차고 … 몰랐다. : 소하가 당시 수도 長安의 땅이 비좁은데 군주의 동산인 上林苑은 빈 땅이 많이 버려져 있어, 이 땅을 백성들에게 경작하게 하고 단지 이삭만 털어가고 볏 짚은 짐승들의 먹이가 되게 하자고 청하였다. 이 말을 들은 고조는 크게 성을 내어 "상국이 장사치들의 많은 돈을 받아먹고서 나의 동산을 청하여 백성들의 예쁨을 사려는 짓이다."라고 하고서는 소하를 차꼬를 채우고 오랏줄로 묶어 감옥에 가두게 하였다. 이때 王衛尉(위위는 벼슬 이름)가 고조에게, "임금께서 관중을 비우고 항우와 대치하는 동안과 진희와 경포의 반란을 평정하는 사이 계속 관중을 비웠는데 이때 소하가 관중을 지키고 있었으니 이때 소하가 발만 한 번 놀렸어도 관중은 임금의 땅이 아니었을 터인데 그때를 그대로 넘기고서 장사치들의 돈을 탐내겠습니까?"라고 하였다. 고조는 못마땅하였으나 그날로 소하를 풀어주자, 소하는 맨발로 고조에게 나아가 사죄하였다.(『史記』「蕭相國世家」)

199 공을 세우고서는 … 의리 : 이는 『老子』「運夷」제9장에 있는 말이다. 『老子』에는 "공을 이뤄 명예가 성취되었으면 자신은 물러나는 것이 하늘의 도이다.(功成名遂, 身退. 天之道)"라고 하였다.

[60-9-2]

元城劉氏曰: "蕭何治未央宮之意深矣. 高帝項王皆楚人. 豐沛臨淮, 相去至近, 二人之心, 豈一日忘山東哉? 羽見秦地皆已燒殘, 乃思東歸. 使其如昔日之盛, 未必不都關中也. 漢五年夏, 雖自雒陽駕之關中, 然長安宮殿未成, 寄治櫟陽, 又高帝之在關中無幾時矣. 五年秋, 親征臧荼復至雒; 六年十二月, 取韓信還至雒陽. 七年冬十月, 自征韓信, 又自雒陽至長安. 時宮闕已成, 乃自櫟陽徙都長安, 則高帝都長安之心方定矣. 然何欲順適其意以就大事, 不欲令窺其秘也, 故假辭云爾, 此何之深意也. 而史氏見蕭何之意, 又不欲明言之, 又不欲不言之, 乃書'上說'兩字, 以見高帝在何術中, 而且樂都關中也."[200]

원성 유씨元城劉氏[劉安世]가 말하였다. "소하가 미앙궁未央宮[201]을 세운 뜻은 깊다. 고조와 항왕項王은 모두 초나라 사람이다. 풍패豊沛와 임회臨淮[202]는 서로의 거리가 지극히 가까우니 두 사람 마음이 어찌 하루인들 산동山東[203]을 잊었겠는가? 항우는 진나라 지역이 모두 이미 불타 부서진 것을 보고서 이내 동쪽으로 돌아갈 생각을 가졌다.[204] 만일 예전처럼 융성하였다면 반드시 관중을 도읍지로 삼지 않지 않았을 것이다. 한나라 5년(기원전 202년) 여름 낙양에서 관중으로 수레를 몰아갔으나[205] 장안궁長安宮의 궁전이 아직 낙성되지 않아 치소治所(행정 본부)를 역양櫟陽에다 마련하였고,[206] 또 고조가 관중에 머문 것도 얼마

. . . .

200 『元城語録解』卷下

201 未央宮 : 한나라가 長安에 두 번째로 지은 궁전 이름. 앞서 長安宮을 지었고, 이어 미앙궁을 지어 장안궁은 태후의 거처로 쓰였다.

202 豊沛와 臨淮 : 풍패는 유방의 고향이고, 임회는 항우의 고향이다. 풍패에서 패는 沛縣이고, 풍은 패현 소속의 행정구역의 하나이다. 그런데 유방이 제왕이 되자 고조의 고향 마을 풍을 沛 글자 위에 올려서 불렀다. 우리나라에서도 조선시대 全州를 太祖의 발상지라고 하여 豊沛鄕이라고 불렀다.

203 山東 : 전국시대 이후 한나라 때까지 函谷關으로 지칭되는 崤山과 華山의 산맥을 중심으로 동쪽 지역을 이르는 말. 關東이라 부르기도 한다. 여기서는 항우와 유방의 고향 지역이 산동에 있어서 그들 지역을 이르는 말로 쓴 것이다.

204 항우는 진나라 … 가졌다. : 초회왕에게 진격의 책임을 부여받은 유방이 진나라를 무너뜨리고 咸陽에 들어간 것은 기원전 206년 10월이었고, 항우는 12월에 함곡관을 넘어 진나라 땅으로 들어갔다. 항우는 먼저 들어간 유방을 힘으로 제압하고서 함양에 들어가서, 진시황의 손자 子嬰을 죽이고 함양을 불태워버렸다. 이때 아방궁 등이 불타며 불이 3개월 동안 꺼지지 않았다. 항우는 진나라의 모든 보화와 부녀자들을 포로로 잡아 동쪽으로 돌아갔다. 이때 韓生이 항우에게 관중의 지리적 이점을 설명하며 이곳을 근거지로 삼아 패업을 이루도록 설득하였다. 그러나 항우는 진나라 궁실이 이미 모두 불타 부서진 데에다 또 고향이 있는 동쪽으로 돌아갈 생각이 있었다. 그래서 "부유하고 귀해진 뒤 고향에 돌아가지 않으면 비단옷 입고 밤길 걷는 것과 같으니 누가 알아주겠는가?"라고 하고서 돌아가버렸다.(『史記』「項羽本紀」)

205 한나라 5년(기원전 202년) … 몰아갔으나 : 낙양은 당시 한나라가 수도로 삼고 있던 곳이다. 이때 婁敬이 隴西 지역으로 수자리를 살러가는 길에 낙양을 지나다가 한고조를 찾아보고 "낙양은 지리적으로 덕이 높은 군주가 근거지로 삼을 수 있는 지역이고, 덕이 없는 군주는 쉬이 망할 곳이다."라고 하고서 관중을 수도로 추천하였다. 이 말을 여러 신료들에게 묻자 모두가 산동 지역 사람들이라서 낙양을 수도로 주장하였다. 마침내 장량에게 의견을 물어 서쪽의 장안을 수도로 정하고 고조가 그날로 장안으로 달려갈 준비를 하였다. 이 공으로 누경은 奉春君에 봉해지고 劉氏 성을 하사받았다.

되지 않는다. 5년 가을에 친히 장도臧荼를 정벌하고서 다시 낙양에 이르렀고, 6년 12월에 한신韓信을 붙잡아서 낙양으로 되돌아왔으며, 7년 겨울 10월에 스스로 한왕 신韓王信을 정벌하였고, 또 낙양으로부터 장안長安에 이르렀다. 이때 궁궐이 이미 낙성되어 그제야 역양에서 장안으로 도읍을 옮겼으니, 고제가 장안을 도읍지로 삼으려는 마음은 그제야 정하여진 것이다. 그러나 소하는 고조의 비위를 순하게 맞춰가며 큰일을 이루고자 하였고, 자신의 비밀스런 마음을 엿보게 하려 하지 않은 까닭에 핑계 말을 둘러댄 것이니[207] 이는 소하의 깊은 마음이다. 사관史官이 소하의 의도를 읽고서 또 그것을 분명하게 말하고자 아니하면서 또 말을 않으려고도 하지 않아 이에 '상이 기뻐하였다.上說'라는 두 글자를 써서 고조가 소하의 술수 속에 있었고 또 관중에 즐겁게 도읍한 것을 드러냈다."

[60-9-3]

南軒張氏曰: "蕭何佐高帝, 定一代規模, 亦宏遠矣. 高帝征伐多在外, 何守關中, 營緝根本. 漢所以得天下者, 以關中根本先壯故也, 此何相業之大者. 又何爲相之初, 首薦韓信爲大將, 而三秦之計遂定, 此亦得爲相用人之體. 曹參雖不逮何, 然以摧鋒陷陣勇敢果銳之氣而施之治民, 乃能盡歛芒角, 以清淨爲道, 遵何約束, 不務變更, 其人亦寬裕有識矣, 此參相業也.

남헌 장씨南軒張氏[張栻]가 말하였다. "소하가 고조를 보좌하여 한 왕조의 제도와 틀을 정한 것은 또한 크고 원대하였다. 고조가 정벌하느라 밖에서 지내는 시간이 많았는데 소하는 관중을 지키며 뿌리를 손질하여 가다듬었다. 한나라가 천하를 얻은 것은 관중이라는 뿌리가 먼저 굳건하였던 까닭이니, 이 점이 소하의 재상으로서의 큰 업적이다. 또 소하가 상국이 된 초기에 맨 먼저 한신을 천거하여 대장大將으로 삼으면서[208] 삼진三秦의 계책이 마침내 정하여졌으니,[209] 이 역시 상국이 되어 적임자를 등용해야

• •

206 治所(행정 본부)를 櫟陽에다 마련하였고: 이 글의 원문 寄治는 어떤 지역에 어떤 사정이 있어 직접 그 지역에 치소를 두기 어려울 때 임시 다른 지역에 치소를 두는 제도이다. 예를 들면 북한 지역에 해당하는 5道의 도지사를 임명하고 그들이 사무보는 곳을 남한 내에 두는 것과 같은 제도이다. 수도를 장안으로 정하였으나 이때 관중의 장안에 장안궁이 낙성되지 않아 바로 옮기지 못하고 역양에 임시 머물렀다.

207 핑계를 둘러댄 것이니: 소하는 관중이 수도로 적지인 것을 알고 있었으나 항우에 의해 불태워진 뒤 주변 환경이 너무 스산하여 고조가 마음을 붙이지 못하고 있음을 알아차렸다. 이에 7년 10월에 장안궁을 낙성시킨 다음 고조가 흉노의 선우 冒頓을 공격하고 있던 기간에 未央宮을 기공하였다. 미앙궁은 장안궁의 서쪽 1里 정도에 터를 잡은 것으로 규모는 주위가 28리 정도였다. 고조가 묵특을 잡지 못하고 7년 2월(당시 한나라는 진나라 제도를 따라 10월을 歲首로 삼고 있었다.)에 돌아왔을 때 이미 미앙궁 공사가 시작되어 있었다. 이를 『漢書』「高祖本紀」에 의해 살피면, 고조는 미앙궁의 장엄과 화려함을 보고서 크게 성을 내어 소하에게 "천하가 흉흉하게 몇 해를 고생에 시달려 성공과 실패를 예측할 수 없는데 왜 이다지 궁실을 과도하게 짓는가?(天下匈匈, 勞苦數歲, 成敗未可知, 是何治宮室過度也?)"라고 하자, 소하는 "천하가 지금 아직 안정이 되어 있지 않은 까닭에 그 기회를 이용하여 궁실을 지을 수 있는 것입니다. 또 천자는 천하를 하나의 집으로 삼고 있으니 장엄하고 화려하지 않으면 위엄을 제고시킬 수 없으며, 또 후세에 이보다 더 잘 지을 수 없게 해야 합니다.(天下方未定, 故可因以就宮室. 且夫天子以四海爲家, 非令壯麗, 亡以重威, 且亡令後世有以加也.)"라고 하자, "한고조는 기뻐하였다.(上說)"고 적고 있다.

208 한신을 천거하여 … 삼으면서: 한신은 처음에 項梁을 따르다가 항량이 죽자 항우를 따르면서 郎中 벼슬에

하는 법도를 얻은 셈이다. 조참曹參[210]은 소하에는 미치지 못하지만 그러나 적군의 예봉을 꺾고 적진을 함락시킨 용감하고 당차며 날카로운 기개를 백성 다스리는 일에 베풀며, 이내 날카롭고 모난 것들을 모두 거두어들이고 청정淸淨을 법도로 소하가 정한 법규를 따르고 변경하기를 힘쓰지 않았다. 이 사람도 역시 관후하고 여유로우며 식견이 있었으니 이 점은 조참의 재상 업적이다.

然二子惜皆未之學. 以高帝之資質, 何不能贊助遠追三代之法? 創業垂統貽之後嗣, 一時所定, 未免多襲秦故. 如井田·封建等事, 皆不能復古. 在高帝之世, 反者固已數起, 此在何爲可憾也. 至參但知以淸淨不擾爲善, 而不知呂氏之禍已復著見, 當逆爲之處以折其謀. 惠帝憂不知所出, 但爲滛樂不聽政, 而曾不能引義以强其君心爲可罪也矣."[211]

그러나 두 사람은 애석하게도 모두 학문이 있지 않았다. 고조처럼 자질은 갖춘 사람을 어찌하여 도와 멀리 삼대三代의 법을 뒤따르게 하지 못했을까? 왕업王業을 일궈 자리를 이어가도록 후세 자손에게 남겼으나 일시에 정한 것들이라서 대부분 진나라 옛것에 대한 답습을 면치 못하였다. 예컨대 정전井田·봉건

임명되었으나 눈에 띄는 신임을 얻지 못하였다. 이에 유방에게 귀의하였다. 유방에게서도 등용되지 못하였고 소하와 어울려 지내면서 남다른 인정을 받았다. 한고조가 漢王이 되어 서쪽 끝 漢中 땅으로 나아갈 때 한고조의 군사들은 산동 출신들이어서 많은 장수와 군사들이 중간에 고향으로 도망쳤다. 한신도 이 중 한 사람이 되어 떠나갔는데 소하가 이 말을 듣고서 한고조에게 미처 사유를 말하지 않고 한신을 만류하러 길을 나섰다. 이를 소하가 도망친 것으로 소식을 들은 한고조는 양쪽 손을 잃어버린 것처럼 어찌할 바를 몰랐다. 소하가 한신을 데리고 돌아오자 한고조는 한신의 사람됨을 물었다. 그러자 소하는 한고조가 천하를 경영하려는 생각이 있다면 한신이 반드시 필요한 인물임을 설파하였다. 그 말을 들은 한고조는 마침내 한신을 대장으로 삼기로 하고 대장 임명식이 있을 것을 발표하였다. 이때 한고조를 따르던 장수들은 모두들 각기 한고조가 자신을 대장에 임명하리라 기대하였다. 마침내 한신이 임명되자 전체 군대가 모두 깜짝 놀랐다. 이를 『史記』「淮陰侯傳」에 "군인들마다 각자 대장이 될 것이라고 여겼는데 대장을 임명하는데 한신이었다. 온 군대가 모두 놀랐다.(人各自以爲得大將, 至拜大將, 乃信也, 一軍皆驚.)"고 기록하고 있다. 한신을 알아본 것이 소하뿐이었음을 보여주는 대목이다.

209 三秦의 계책이 … 정하여졌으니 : 삼진은 秦나라의 옛 땅인 관중을 3등분하여 세 제후국으로 만든 것을 이른다. 항우는 한고조를 진나라의 서쪽 땅 한중에 봉하고서 또 진나라를 3등분하여 자신에게 항복한 진나라 출신의 장수들을 그 땅에 봉하여 한고조가 다시 동쪽으로 진출하는 것을 막고자 하였다. 세 장수는 바로 雍王에 봉해진 章邯, 塞王에 봉해진 司馬欣, 翟王에 봉해진 董翳이다. 한고조가 한신을 대장에 임명하고 천하를 평정할 계책을 묻자, 한신은 유방은 관중을 처음 함락시키고서 민심을 얻었고 항우는 수도 함양을 불태워 관중의 인심을 잃었다고 하였다. 이어 지금 관중에 봉해진 세 사람은 모두 항우에게 항복한 사람들로 新安에서 휘하 20만 군사가 항우에 의해 땅에 묻히는 죽임을 당하여 관중 지역 사람들의 원한이 골수에 사무쳤으니 한고조가 삼진에 격문만 한 장 전하여도 삼진은 손쉽게 평정할 수 있다고 하였다. 고조는 이에 한신과 옹왕 장감에 대한 공격을 시작으로 삼진을 차례로 평정하였다. 그러니까 고조 원년(기원전 206년) 4월에 한중으로 들어갔다가, 8월에 다시 동쪽 정벌에 나서서 그들을 맨 먼저 평정하기 시작한 것이다.(『資治通鑑』 권9 「漢紀·高帝」 원년)

210 曹參 : 한고조를 따라 소하와 함께 봉기한 장군 출신의 정승. 자세한 것은 뒤 [60-13-1]~[60-13-3] 참고

211 『南軒集』 권16 「史論·蕭曹相業」

封建과 같은 일들을 모두 옛날대로 회복시키지 못한 점이다. 고조가 살아 있을 적에 반란이 벌써 이미 자주 일어났으니 이 점은 소하에 있어 유감인 점이다. 조참에 이르러서도 단지 청정하게 하고 시끄럽지 않게 하는 것이 훌륭한 줄만 알았고, 여씨呂氏의 재앙[212]이 이미 다시 드러났는데도 당연히 미리 조치하여 그 음모를 꺾을 줄 몰랐다. 혜제惠帝가 걱정 속에 어찌할 바를 모르고 단지 술에 찌든 채 오락에 빠져[213] 정사를 살피지 않는데도 의리로 이끌어 그 군주의 마음을 강화시키지 못한 것은 죄가 될 만하다.”

[60-9-4]

東萊呂氏曰：“蕭何治未央, 但欲高帝安於此, 不欲之他爾. 要之, 創業之君, 自當以儉爲先, 何慮不及此也.”[214]

동래여씨東萊呂氏[呂祖謙]가 말하였다. “소하가 미앙궁未央宮을 세운 것은 단지 고조가 장안長安을 마음

----

212 呂氏의 재앙 : 呂后가 남편 고조에 이어 아들 혜제가 죽자, 少帝를 등극시키고 자신이 稱制(황제 명을 발표함)하며, 등용시킨 친정의 여씨 세력이 여후가 죽은 뒤 군사를 일으켜 유씨 왕조를 장악하고자 한 일을 이른다. 고조는 천하를 평정하고 난 뒤, 흰 말을 죽여서 맹서하기를 “유씨가 아닌 사람이 王이 되면 천하가 함께 그를 공격해야 한다.(非劉氏而王, 天下共擊之.)”고 하였다. 여후는 아들 혜제의 초상에 눈물 없는 울음소리만 냈다. 이에 장량의 아들 辟彊이 승상에게, “황제에게 건장한 아들이 없어 태후가 그대들을 두려워하고 있습니다. 당신이 태후의 친정 큰오라버니 아들 呂台와 손자 呂産, 작은오라버니 아들 呂祿을 장군으로 삼자고 청하여 南軍과 北軍의 군대를 거느리게 하고 여러 여씨들이 궁궐에 들어와 조정에서 일을 할 수 있게 한다면 태후의 마음이 편안해질 것이고 당신들도 화를 벗어날 수 있을 것입니다.”라고 하였다. 승상이 그 말대로 하자 여후는 통곡하며 슬픔을 다하였다. 이어 승상 陳平과 絳侯 周勃의 찬성으로 친정 조카와 손자를 왕으로 임명하였다. 여후가 죽으면서 조카 趙王 여록을 上將軍으로 삼아 북군을 거느리게 하고 손자 呂王 여산을 상국에 임명하여 남군에 머물게 하고서는, “지금 여씨가 왕이 되어 있는 것을 대신들이 불평하고 있다. 내가 죽으면 대신들이 변란을 일으킬까 두려우니 군대를 장악하고 궁궐을 호위하도록 하라.”고 하였다. 여러 여씨들이 난을 일으키려 머뭇거리는 사이에 齊王 劉襄이 여씨를 제거해야 한다고 군사를 일으켰다. 이에 여산은 대장군 灌嬰을 시켜 유양을 물리치게 하였다. 이러는 사이에 승상 진평과 태위 周勃, 朱虛侯 劉章이 힘을 합하여 여씨 세력들을 군사로 제압하였다. 그리고서 소제가 혜제의 아들이 아니라고 하여 퇴위시키고 代王에 봉해져 있던 文帝를 맞이하여 새 황제로 받들었다.(『史記』「呂后本紀」；「孝文本紀」)
213 惠帝가 걱정 … 빠져 : 혜제는 고조와 여후 사이에 태어난 아들이다. 그러나 사람됨이 인자하기만 하고 나약하여 고조는 늘 戚夫人에게서 얻은 아들 如意로 태자를 바꿔 세우고자 하였다. 대신들의 반대와 張良의 도움으로 태자 자리를 유지하였으나, 여후는 척부인과 여의에게 앙심을 품었다. 고조가 죽은 뒤 여후는 趙王에 봉해진 여의를 불러 鴆毒을 탄 술을 먹여 죽이고, 척부인의 손과 발을 모두 자르고 눈알을 제거하고 귀를 불로 지지고 벙어리가 되는 약을 먹여서 사람돼지人彘라고 이름 붙여서는 변소에 머물게 하였다. 그리고는 이를 아들 혜제를 불러서 보게 하였다. 혜제가 처음에 누구인지 몰랐다가 물어보고서야 척부인인 줄 알고서는 통곡한 뒤 이내 병을 얻어 1년여를 일어나지 못하였다. 그리고는 사람을 시켜 태후에게 “이는 사람으로서 할 수 있는 일이 아닙니다. 신은 태후의 아들이니 결코 천하를 다스릴 수 없습니다.(此非人所爲, 臣爲太后子, 終不能治天下.)” 하고서 날마다 술에 찌들어 오락으로 지내며 정사를 돌보지 않았다.(『史記』「呂后本紀」)
214 『東萊外集』 권6 「雜說・己亥秋所記」

편히 생각하고 다른 지역으로 가지 않게 하려는 뜻이었다. 중요한 것은 창업 군주는 본시 당연하게 검소를 으뜸으로 삼아야 하는데 소하는 생각이 이 점에 미치지 못하였다.”

[60-9-5]

潛室陳氏曰: “沛公之入關也, 諸將爭走金帛財物之府庫, 蕭何獨先入收丞相府圖籍藏之. 以故沛公得知天下阨塞, 戶口多少强弱之處. 世常以刀筆吏少何, 此特書生之論耳. 何非刀筆吏, 何以知丞相府之有圖籍耶? 然刀筆吏多矣, 而何獨知丞相府之有圖籍, 則自其爲郡縣小吏時, 固已習於國家之體要若此, 此其器已不在人下矣. 況當草莽角逐之時, 見秦氏府庫宮室之盛, 雖沛公不能不垂涎者. 而何之器度越人如此, 沛公之有愧多矣.

잠실 진씨潛室陳氏[陳塤]가 말하였다. “패공이 관중關中에 들어갔을 때 여러 장수들은 금은과 비단 창고로 앞다투어 달려가는데, 소하만은 홀로 먼저 승상부丞相府로 들어가 지도와 호적을 보관하였다. 이런 까닭에 패공이 천하의 험한 요새와 호구戶口의 많고 적음과 강하고 약한 곳들을 알 수 있었다. 세상에서 늘 소하를 도필리刀筆吏[215]라고 하찮게 여기나 이는 다만 서생書生 수준의 말일 뿐이다. 소하가 도필리가 아니었다면 어떻게 승상부에 지도와 호적이 있음을 알 수 있었겠는가? 그러나 도필리는 많았으나 소하 혼자서만 승상부에 지도와 호적이 있음을 알았으니, 그가 군현郡縣의 낮은 관리로 있을 적부터 벌써 국가의 핵심 체제에 익숙하여 이 정도였을진대 이것은 그 기량이 벌써 남의 아래에 있지 않은 것이다. 하물며 당시는 거친 들녘에서 각축할 때라서 진나라의 창고와 궁실의 융성함을 보고는 패공도 군침을 흘리지 않을 수 없었다.[216] 그런데도 소하는 기량의 크기가 보통사람을 뛰어남이 이 같았으니, 패공이

<hr>

215 刀筆吏: 문서를 취급하는 관원. 본래 刀筆은 종이가 아직 만들어지기 전에 竹簡에 글씨를 쓸 때 그 필기구로 쓰였던 데에서 유래한 말이다. 혹자는 刀는 죽간에 글씨를 새기는 도구이고, 筆은 베에 쓰던 도구라고 한다. 소하가 고조와 한 고향인 沛縣의 主吏(功曹) 출신이어서 이르는 말이다.

216 패공도 군침을 … 없었다.: 패공이 관중을 함락하고 진시황의 궁중에 취한 모습을 『資治通鑑』 권9 「漢紀‧高帝」 원년에는 다음과 같이 서술하고 있다. “패공이 진나라의 궁실, 휘장, 개와 말, 귀한 보물, 부녀자들이 몇천 가지로 헤아려지는 것을 보고서는 그곳에 머물고자 하는 생각을 가졌다. 樊噲가 간하기를, ‘패공께서는 천하를 소유하고자 하십니까, 부잣집 늙은이가 되려고 하십니까? 이들 모든 화려하고 사치스런 물건은 모두 진나라를 망하게 한 것들인데 패공께서는 무엇에 쓰려 하십니까? 원컨대 급히 霸上으로 돌아가시고 궁중에 머물지 마십시오.’라고 하였으나 패공은 듣지 않았다. 이에 장량이 ‘진나라가 무도하였던 까닭에 패공께서 여기에 들어오실 수 있었습니다. 천하를 위해 천하를 병들게 한 자를 제거하려 한다면 의당 흰옷을 차려 입으셔야 합니다. 지금 막 진나라에 들어와 바로 이곳의 즐거움에 편안해한다면 이는 세상에서 말하는 「桀을 도와 학정을 행한다」는 것입니다. 또 충성스런 말은 귀에 거슬리나 행실에 이롭고, 독한 약은 입에 쓰나 병에 이로우니 원컨대 패공께서는 번쾌의 말을 따르십시오.’라고 하자, 패공은 패상으로 되돌아가 주둔하였다.(沛公見秦宮室帷帳狗馬重寶婦女以千數, 意欲留居之. 樊噲諫曰, 沛公欲有天下邪, 將爲富家翁邪? 凡此奢麗之物, 皆秦所以亡也. 沛公何用焉? 願急還霸上, 無留宮中. 沛公不聽. 張良曰: 秦爲無道, 故沛公得至此. 夫爲天下除殘賊, 宜縞素爲資. 今始入秦, 即安其樂, 此所謂助桀爲虐. 且忠言逆耳利於行, 毒藥苦口利於病, 願沛公聽樊噲言. 沛公乃還軍霸上.)”라고 하였다. 당시 함양의 화려함에 상하가 모두 도취되어 있었는데 소하만이 그러하지 않았음을 칭찬한 말이다.

부끄럽게 여겨야 할 점이 많다.

及項羽王沛公於漢中也, 沛公意大不滿, 自絳灌以下, 莫不勸攻項羽. 何獨諫曰: '能屈於一人
之下, 而伸於萬乘之上者, 湯武是也. 願大王王漢中, 養其民以致賢人, 收用巴蜀, 還定三秦,
天下可圖也.' 嗚呼! 何之器度若此, 其位當不在人下矣. 昔者晉重耳之亡也, 從亡三人者, 皆
相國之器也. 夫以羇旅喪亡之餘, 而其從者皆可以相國, 君子曰: '用臣如三人, 公子何患於喪
乎? 吁! 此固沛公所以興也."[217]

항우가 패공을 한중漢中의 왕으로 임명하였을 때[218]도 패공의 마음은 불만이 컸고 주발周勃과 관영灌嬰
이하 사람들도 항우를 공격하자고 권고하지 않은 사람이 없었다. 그런데도 소하 혼자서 간하기를 '한
사람 밑에 잘 굽혀서 만승萬乘의 윗자리에 나아간 것은 탕임금과 무왕이 그분들입니다. 원컨대 대왕은
한중의 왕이 되어 그곳 백성들을 길러 어진 인재를 초치하고, 파촉巴蜀을 거두어 이용하고 다시 삼진三秦
을 평정한다면 천하를 도모할 수 있을 것입니다.'라고 하였다. 아! 소하의 그릇의 크기가 이와 같았으니
그의 지위는 당연히 남의 밑에 있어야할 사람이 아니다. 예전에 진晉나라 중이重耳[219]가 망명하였을 때
망명길을 따라나선 세 사람 모두 상국이 될 만한 그릇이었다. 모든 것을 잃고 객지를 떠도는 처지였음에
도 그를 따르는 자들이 모두 상국이 될 만한 자들이었던 까닭에 군자가 말하기를, '신하를 쓴 것이 저
세 사람과 같았으니 공자公子가 지위 잃었다고 어찌 걱정하겠는가?'라고 하였다. 아! (소하의) 이 말이
참으로 패공이 일어나게 된 까닭이다."

· · · · · · · · · · · · · · · · · · · ·

217 『木鍾集』권11「史 · 蕭何」
218 항우가 패공을 … 때: 진나라의 왕 子嬰이 패공에게 항복하고, 뒤이어 이른 항우가 함양을 도륙하여 모두
   불태운 다음 마침내 천하를 나누어 그동안 공을 세운 장수들에게 상을 내렸다. 패공은 처음 회왕과의 약속에
   의해 관중의 왕이 되는 것이 마땅하였으나, 항우는 강력한 경쟁 상대인 패공을 관중의 왕으로 삼는 것이
   싫었다. 그러나 회왕은 처음의 약속대로 패공을 관중의 왕으로 삼으라는 대답을 보내왔다. 이에 항우는
   巴와 蜀은 길이 험하고, 진나라에서 죄를 짓고 옮겨 살게 하는 사람들이 사는 곳이라는 점에 착안하여,
   파와 촉 땅도 역시 관중의 땅이라 하고서, 패공을 漢王에 봉하고 파와 촉과 漢中을 영지로 봉해주었다.
   한왕이 된 유방은 몹시 화가 나 항우를 공격하고자 하였다. 이때 周勃, 灌嬰, 樊噲 등이 모두 나서서 공격을
   권유하였으나, 소하는 '험한 한중 땅의 왕일망정 죽는 것보다는 낫지 않겠습니까?(雖王漢中之惡, 不猶愈於死
   乎?)'라고 간하자, 한왕이 '어찌하여 죽는단 말이냐?(何爲乃死也?)'라고 하니, 소하가 '군사가 현재 항우만
   못하니 백전백패입니다. 죽지 않고 어쩌겠습니까?(今衆弗如, 百戰百敗. 不死何爲?)'라고 하였다.(『資治通鑑』
   권9「漢紀 · 高帝」원년)
219 晉나라 重耳: 전국시대 五覇의 한 사람인 晉文公을 이른다. 아버지 獻公이 驪姬에게 빠져 여희 소생인
   奚齊를 태자로 세우려 하면서 태자 申生을 죽이고 다른 公子들마저 죽이려 하자 夷吾와 망명길에 나섰다가,
   19년을 떠돌다 돌아와 진나라의 제후가 되었다. 그가 처음 망명하였을 때『春秋左傳』「僖公 23년」의 기사에
   는 그를 따른 사람으로 狐偃, 趙衰, 顚頡, 魏武子, 司空季子 다섯 사람을 대표적으로 언급하고 있다. 그리고
   중이가 망명길에 들른 鄭나라에서 叔詹은 정나라 군주에게 중이의 앞날에 희망이 있을 것이라며 그를 따르
   는 세 사람이 충분히 윗사람이 될 수 있다고 하였다. 그 세 사람을 杜預는 호언, 조최, 賈佗라고 하였다.(『春
   秋左傳』「僖公 23년」)

[60-9-6]

問: "蕭何未央之營前殿建北闕, 周匝二十重九十五步;[220] 街道周廻七十里; 臺殿四十三所; 宮門闥凡九十五. 壯麗如此, 宜高帝之所以怒. 溫公譏其非, 元城乃以爲'蕭何堅漢高都長安之深意.' 當從何說爲正?"

曰: "高帝都關中之意猶豫未決, 蓋嫌殘破故也. 何大建宮室以轉其機, 至其自夸壯麗. 今人皆譏其無識, 不知何不欲以據形勢定根本, 正言於高帝, 恐費分疎, 姑假世俗之言以順適其意."

與買田宅自汚意同[221]

물었다. "소하가 미앙궁의 앞쪽 궁전을 짓고 뒷쪽 궁궐을 세우니 둘레는 22리里 95보步,[222] 전체 둘레 길은 70리, 누대와 전각殿閣은 43개, 궁의 문은 모두 95개였습니다. 장엄하고 사치스러움이 이 같았으니 의당 고조가 성을 내게 된 것입니다. 사마온공司馬溫公은 소하의 잘못을 비난하였고,[223] 원성 유씨元城劉氏는 '소하가 한고조에게 장안을 도읍으로 굳건하게 결정하게 하려는 깊은 뜻이었다.'[224]고 하였으니, 당연히 어떤 말을 따르는 것이 옳겠습니까?'

(잠실 진씨) 대답하였다. "고조가 관중을 도읍으로 정하려는 마음을 망설이며 결정하지 못한 것은 부서지고 파괴된 것이 싫었기 때문이었다. 소하가 크게 궁전을 세워 그러한 마음을 전환시킨 것이며, 그 장엄하고 화려함을 스스로 자랑스럽게까지 여긴 것이다. 이를 두고 지금 사람들이 모두 그의 무식함

. . . .

220 周匝二十重九十五步: 『陝西通志』 권72 「古蹟·宮闕」의 기사에 의하면, "미앙궁은 주위가 22리 95보 5척이고 둘레 길이 70리이다.(未央宮周廻二十二里九十五步五尺, 街道周廻七十里, 臺殿四十三, 其三十二在外; 其十一在後宮, 池十三, 山六, 池一山一亦在後宮, 門闥九十五.)라고 하였다. 이글의 重자가 『섬서통지』에는 二里로 되어 있다. 二里가 옮겨 쓰는 과정에서 重자로 잘못 쓰여진 것 같다.

221 『木鍾集』 권11 「史」

222 步: 길이의 단위. 주나라 때는 8尺, 진나라 때는 6척, 이후 혹 5척을 나타내기도 하였다.

223 司馬溫公은 소하의 … 비난하였고: 고조가 흉노의 선우 冒頓 공격에 실패하고 돌아왔을 때 소하는 미앙궁을 짓고 있었다. 그 화려함에 성을 냈다가 소하가 하는 말을 듣고 기뻐하였다는 내용은 앞 [60-9-2]에 소개하였다. 이를 사마광은 자신이 편찬한 『資治通鑑』 권11 漢紀 고제 7년에서 평론하였다. 그 내용은 "왕이 된 자는 仁義로 아름다움을 삼아야 하고 도덕으로 위엄을 삼아야 한다. 궁실로 천하를 복종시킨다는 말은 듣지 못하였다. 천하가 아직 안정되어 있지 않으면 마땅히 욕심을 이겨내고 씀씀이를 절약하여 백성들의 급한 일에 달려가야 한다. 그런데도 다만 궁실을 우선했으니 어찌 힘써야 할 것을 알았다고 할 수 있으랴? 예전에 우임금은 궁실을 낮지마게 지었으나 (하나라의 마지막 왕) 걸은 傾宮(아슬아슬하게 높아 곧 비스듬히 허물어질 것 같은 궁전)을 지었다. 王業을 일궈 자리를 이어가도록 한 군주는 몸소 절약하여 검소하게 사는 모습을 자손에게 보여주어도 그 끝에 이르면 지나친 사치로 흐르는데 하물며 사치함을 보여줄 일이겠는가? 그리고서 하는 말이 「후세에 이보다 더 잘 지을 수 없게 해야 한다.」고 하였다. 어찌 잘못이 아니랴? 효무제 때 이르러 마침내 궁실 짓는 일로 천하를 피폐하게 하였으니 酇侯(소하의 봉호)에 의해서 그것이 열린 것이 아니라고 하지 못할 것이다.(臣光曰, 王者以仁義爲麗, 道德爲威. 未聞其以宮室塡服天下也. 天下未定, 當克己節用, 以趨民之急, 而顧以宮室爲先, 豈可謂之知所務哉! 昔禹卑宮室, 而桀爲傾宮, 創業垂統之君, 躬行節儉, 以示子孫, 其末流猶入於淫靡, 況示之以侈乎? 乃云'無令後世有以加', 豈不謬哉? 至于孝武, 卒以宮室罷敝天下, 未必不由酇侯啟之也.)"라고 하였다.

224 元城劉氏는 '소하가 … 뜻이었다.': 앞 글 [60-9-2] 참고

을 비판하고 있다. 그러나 소하가 형세에 의지해 근본을 안정시켜야 하는 까닭을 고조에게 똑바로 말하려고 아니한 것은 공연한 시비만 일으킬까 두려워 잠시 세속적인 말을 가져다 그의 비위를 맞추려 한 의도를 알지 못해서이다." 전답과 집을 사들여 자신의 명예를 욕되게 한 뜻도 동일하다.[225]

韓信 한신[226]

[60-10-1]

龜山楊氏曰: "韓信以機變之才, 因思歸之衆以臨江東, 而燕·代·趙·齊之間無堅城彊敵矣. 其用奇無窮, 所向風靡, 自漢興名將, 未有倫儗也. 至其軍脩武也, 又輔以張耳. 二人皆勇略蓋世. 余竊怪漢王自稱漢使晨馳入壁, 卽臥內奪其印符. 麾召諸將易置之, 而耳信未之知也. 此其禁防闊疎, 與棘門霸上之軍何異耶? 使敵人投間竊發, 則二人者可得而虜也. 豈古所謂有制之兵者? 信亦有未逮歟!"[227]

구산 양씨龜山楊氏[楊時]가 말하였다. "한신이 상황에 기민하게 대처하는 재능을 지니고서 고향으로 돌아가기를 생각하는 군사[228]를 이용하여 강동江東 지역[229]을 공격하니, 연燕·대代·조趙·제齊나라들 사이에는 견고한 성곽도 강한 적수도 없었다. 그의 기발한 계책은 무궁무진하여[230] 향하는 곳마다 바람 앞에 풀처럼 쓰러졌으니 한나라가 세운 명장들 중 견주어 어림할 자가 없다. 그가 수무脩武에 주둔해서는

---

225 전답과 주택을 … 동일하다. : 앞 글 [60-9-1] 참고

226 韓信 : 한나라 淮陰 사람. 빈곤한 시절을 보내다가 項梁과 項羽의 봉기에 참여하였다. 다시 유방에게 귀의하여 소하의 천거로 大將軍에 올랐다. 서쪽 漢中을 벗어나 三秦을 격파하고 항우를 이길 계책을 처음으로 유방에 권유하였고, 魏·代·趙·燕·齊나라를 함락시키는 혁혁한 공을 세워 장량·소하와 함께 한나라 건국의 三傑로 불렸다. 齊王에 봉해졌을 때, 항우가 중국 천하를 삼등분하여 서로 독립하자는 제안을 받고 물리치자 휘하의 蒯通이 다시 설득하였으나 끝내 받아들이지 않았다. 楚王으로 옮겨 봉해졌다가 모반한다는 밀고에 의해 한고조에 붙잡혀 직위를 박탈당하였고 이어 淮陰侯에 봉해졌다. 陳豨의 모반에 참여한 일로 呂后에게 붙잡혀 죽으며 '교활한 토끼가 죽으면 토끼를 사냥하던 개는 삶겨 죽는다.(狡免死, 走狗烹.)'라는 유명한 말을 남기기도 하였다.(『史記』「淮陰侯傳」)

227 『龜山集』권9「史論·韓信」

228 고향으로 돌아가기를 … 군사 : 한신의 군대는 본래 한고조가 진나라를 치기 위해 동원한 山東 사람들로 구성된 군대이다. 따라서 그들은 서쪽 관중에서 늘 고향 생각을 할 수 밖에 없었다. 한고조가 한중에서 한신을 대장군으로 임명하고 동쪽으로의 진출 계획을 세워 마침내 관중을 항복 받고 연이어 동쪽으로 진출하였다. 이때 한신은 한고조를 배반하고 항우와 우호조약을 맺은 魏王豹를 응징하여 항복 받고 이어 한고조의 명령에 따라 代와 趙 등을 연이어 격파하였다.(『史記』「淮陰侯傳」)

229 江東 지역 : 강동은 보통 양자강 남쪽 지역을 이르는 말이나 이 글에서 이르는 燕·代·趙·齊는 양자강 남쪽이 아니다. 따라서 황하의 동쪽으로 보는 것이 타당할 듯하다.

230 기발한 계책은 무궁무진하여 : 한신의 대표적인 병법은 趙나라를 치면서 벌인 背水陣이라 할 수 있다.

또 장이張耳를 시켜 보필하게 하였다.[231] 두 사람은 모두 용맹과 계략이 당시 시대를 덮는 사람이다. 내가 혼자서 괴이하게 여기는 것은 한왕이 스스로 한나라 사신을 자칭하고서 새벽같이 성안으로 달려들어가[232] (그들이) 누워 자는 방에 들어가 그들의 인신印信과 병부兵符를 빼앗아 여러 장수를 깃발로 불러서 바꾸어 배치하는데도 장이와 한신은 그것을 몰랐다는 점이다. 이는 그들의 금령禁令 규범이 엉성하였던 것이니 극문棘門과 패상霸上의 군대[233]와 무엇이 다른가? 만일 적군이 아무도 모르게 틈을 노렸다면 두 사람은 포로로 잡혔을 수도 있다. 어찌 옛날에 말한 법도 있는 군대라고 하겠는가? 한신도 또한 미치지 못한 곳이 있다."

[60-10-2]

或問: "太史公書項籍垓下之敗, 實被韓信布得陣好, 是以一敗而竟斃."

朱子曰: "不特此耳. 自韓信左取燕 · 齊 · 趙 · 魏, 右取九江英布, 收大司馬周殷, 而羽漸困于

---

231 張耳를 시켜 … 하였다. : 장이는 大梁 사람으로 魏나라에서 外黃令을 지냈다. 진섭의 의병에 陳餘와 함께 참여하여, 항우가 진나라를 무너뜨리고 천하 장수들을 나누어 봉할 때 조나라 지역인 常山王에 봉하여졌다. 그 뒤 진여와 사이가 나빠져 그의 공격을 받고 무너지자 한고조에게 귀의하였다. 한고조가 그를 한신에게 보내 조나라 공격을 돕게 하였다. 조나라를 함락시킨 뒤 장이는 다시 趙王에 봉해졌다.(『史記』「張耳陳餘傳」)

232 한왕이 스스로 … 들어가: 한고조의 3년이 되던 해에 있었던 일이다. 한고조가 관중을 평정하고 남쪽의 항우를 공격하고 한신은 북쪽의 여러 항우 세력들을 공격하는 일로 서로 나뉘어 있었다. 이때 한고조는 항우의 공격을 받아 滎陽에서 패하고, 이어 成皋에서 참패하여 겨우 滕公과 둘이서 수레를 함께 타고 성고를 탈출할 수 있었다. 이에 북쪽으로 황하를 건너 小脩武의 驛站에서 자고서는 새벽에 한신과 장이가 주둔해 있는 조나라의 성벽으로 달려가서는 한나라의 사신이라 하고서 바람같이 달려들어갔으나 한신과 장이는 아직 잠자리에서 일어나지 않고 있었다. 이에 한고조는 바로 한신과 장이가 자고 있는 방으로 들어갔다. 그리하여 지금 글에서 말하고 있는 일들을 진행하고 한신과 장이의 군대를 모두 빼앗아버렸다. 한신과 장이가 일어나자 한고조와 장이는 조나라를 돌며 조나라를 지키게 하고 한신은 조나라의 相國으로 임명하여 조나라에서 아직 군대에 징발되지 않은 사람들을 징발하여 제나라를 공격하도록 명령을 내렸다.(『資治通鑑』 권10「漢紀 · 高帝」3년)

233 棘門과 霸上의 군대 : 기율이 없는 군대를 이르는 말이다. 한나라 文帝 때 흉노가 침략하자 劉禮는 霸上, 徐厲는 棘門, 周亞夫는 細柳에 주둔토록 하여 흉노에 대비토록 하였다. 문제가 이들 군대를 친히 위로하고자 찾았을 때 패상과 극문에서는 곧바로 달려들어갈 수 있었다. 그러니 주아부를 찾았을 때는 주아부의 군영에 기율이 반듯하여 선발대가 성문에 이르러 문제가 찾아온 이유를 밝혔으나 "군대 안에서는 장군의 명령을 듣고, 천자의 조칙은 듣지 않는다.(軍中聞將軍之令, 不聞天子之詔.)"며 들여보내지 않았다. 문제가 마침내 성문에 이르렀으나 역시 들어갈 수 없자, 문제는 부절을 갖춘 사신에게 조칙을 내려 주아부에게 위로하러 왔음을 밝혔다. 그제야 주아부는 성문을 열게 하였다. 문제가 들어가려고 하자 성문 담당 군사는 문제를 호위한 車騎에게 "장군께서 군영에서는 말을 달릴 수 없게 하였습니다."라고 하였다. 문제는 이에 스스로 말고삐를 잡고서 천천히 나아갔다. 中營에 이르렀을 때 주아부가 나와 揖하며 "무장한 군사는 절을 하지 않습니다. 軍禮로 천자에 인사드리기를 청하겠습니다."라고 하였다. 문제가 위로를 마치고 성문을 나서며 "이 사람은 참으로 장군이다. 지난번 패상과 극문은 마치 애들 장난 같았다. 그곳의 장수는 덮쳐서 포로로 잡을 수도 있다. 그러나 주아부는 범할 수 있겠는가?"라고 하였다. 『漢書』「張陳王周傳」

中而手足日蹙. 則不待垓下之敗, 而其大勢蓋已不勝漢矣."[234]

어떤 사람이 물었다. "태사공太史公이 항적項籍(항우)이 해하에서 패한 것[235]을 기록하면서 '실상은 한신이 펼친 진陣이 좋아서였다. 그런 까닭에 한 번 패하면서 끝내 쓰러진 것이다.'라고 하였습니다."

주자가 대답하였다. "다만 이뿐이 아니다. 한신이 동쪽의 연나라 · 제나라 · 조나라 · 위나라를 취하면서부터 오른쪽으로 구강왕九江王 영포英布를 취하였고,[236] 대사마大司馬 주은周殷을 사로잡으면서[237] 항우는 점점 안으로 곤궁해지고 수족이 날로 잘려져 나갔다. 해하에서의 패배를 기다릴 것도 없이 그 대세가 이미 한나라를 이길 수 없었다."

張良 장량

[60-11-1]
程子曰: "張良亦是箇儒者, 進退間極有道理. 人道漢高祖能用張良, 却不知是張良能用高祖. 良計謀不妄發, 發必中. 如後來立太子事, 皆是能使高祖必從. 使之左便左, 使之右便右, 豈不是良用高祖乎?"[238]

정자程子[程頤]가 말하였다. "장량은 역시 유자儒者이다. 벼슬에 나아가고 물러나오는 데에 매우 도리가 있다. 사람들은 한고조가 장량을 잘 썼다고 말하나, 장량이 고조를 잘 쓴 것을 알지 못하고 있다. 장량은 계책을 함부로 내지 않았고 냈을 적에는 반드시 적중하였다. 예컨대 후일 태자를 세우는 일[239]에서도

• • • • • • • • • • • • • • • •

234 『朱子語類』 권135 「歷代 2」 9조목
235 項籍(항우)이 해하에서 … 것 : 항우가 서초패왕이 된 지 4년(기원전 203년)째 되던 해에 도와주는 사람은 유방에 비해 적고 군량은 다하여 걱정에 휩싸였다. 이때 유방의 사신이 찾아와 지난해부터 인질로 잡고 있던 유방의 아버지와 처 呂氏를 풀어달라고를 청하였다. 이에 항우는 유방과 洪溝를 경계로 서쪽은 유방, 동쪽은 항우가 다스리기로 평화 협정을 맺고 인질들을 돌려보냈다. 항우가 군사를 풀고 동쪽으로 돌아가고 유방이 서쪽으로 돌아가려 하자, 장량과 진평은 항우를 살려 보내는 것은 호랑이를 살려두어 환난을 남기는 일이라고 공격을 주장하였다. 이에 유방은 군사를 정비하며 한신과 팽월을 불러 함께 공격에 나섰다. 해하 전투에서 한나라는 우월한 군사력으로 항우를 이기고 마침내 성을 여러 겹으로 포위하였다. 항우는 의병을 일으켜 천하를 다툰 8년 동안 져본 적이 없다가 이 전투에서 패하며 마침내 기병 8백 명을 거느리고 東城으로 달아났으나 동성에 이르렀을 때는 따르는 기병이 고작 28명이었다. 이에 烏江을 건너 吳나라 땅으로 달아나기를 포기하고 스스로 죽음을 택하였다.(『資治通鑑』 권10 「漢紀 · 高帝」 4~5년)
236 오른쪽으로 九江王 … 취하였고, : 영포는 黥布로도 불린다. 영포가 항우를 따라 구강왕에 봉해졌는데 한고조가 隨何를 시켜 漢王 3년(기원전 204년)에 초나라를 배반하고 한나라를 따르게 하였다.(『史記』 「黥布傳」)
237 大司馬 周殷을 사로잡으면서 : 漢王 5년(기원전 202년)에 경포와 劉賈가 九江에 들어가 초나라 대사마인 주은을 달래 초나라에 귀의시키고 구강의 군사를 얻어 항우와의 전쟁을 유리하게 하였다.(『史記』 「黥布傳」)
238 『二程遺書』 「楊遵道録」
239 태자를 세우는 일 : 고조는 여후에게서 얻은 아들이 인자하기만 하고 나약하여 戚夫人에게서 얻은 아들

고조가 모두 반드시 따르도록 하였다. 왼쪽으로 가게 하면 바로 왼쪽으로 갔고 오른쪽으로 가게 하면 바로 오른쪽으로 갔으니, 어찌 장량이 고조를 쓴 것이 아니겠는가?"

[60-11-2]

或言 : "正叔云 : '人言沛公用張良, 沛公幾曾用得張良? 張良用沛公耳. 良之從沛公, 以爲韓報秦也. 旣滅秦, 於是置沛公關中, 辭歸韓. 已而見沛公有可以取天下之勢, 故又從之. 已取天下, 便欲棄人間事從赤松子遊, 良不爲高祖之臣可見矣.' 此論甚好, 以前無人及此."

어떤 사람이 말하였다. "정숙正叔이 '사람들은 패공이 장량을 썼다고 말하나 패공이 어찌 장량을 써본 적이 있는가? 장량이 패공을 썼을 뿐이다. 장량이 패공을 따른 것은 한韓나라를 위해 진秦나라에 대한 원수를 갚고자 한 것이다. 진나라가 멸망하자 이에 패공을 관중에 놓아두고 떠나와 한나라로 돌아왔다. 이윽고 패공이 천하를 취할 수 있는 형세가 있음을 본 까닭에 또 고조를 따랐다. 천하를 취하고 나서는 바로 인간의 일을 버리고 적송자赤松子[240]를 따라 노닐고자 하였으니 장량이 고조의 신하가 아니었음을 볼 수 있다.'고 하니, 이 말씀이 매우 좋습니다. 예전에 아무도 이렇게 말하는 사람이 없었습니다."

龜山楊氏曰 : "此論亦未盡. 張良蓋始終爲韓者. 方沛公爲漢王之國, 遣良歸韓. 良因說沛公燒絶棧道, 此豈復有事漢之意? 及良歸至韓, 聞項羽以良從漢王, 故不遣韓王成之國, 與俱東至彭城殺之. 先是良說項梁以韓諸公子橫陽君成可立, 梁遂使良求韓成立爲韓王. 良爲韓司徒. 良以韓見殺之故,[241] 於是又間行歸漢, 其意蓋欲爲韓報項羽也. 至漢高祖用其謀, 已破項羽,

---

如意로 태자를 바꿔 세우고자 하였다. 대신들이 이를 반대하였으나 고조의 마음을 바꿀 수 없었다. 이에 여후는 장량을 다그쳐 고조의 마음을 돌리게 하라고 하였다. 장량은 황제가 예전에 천하를 얻지 못해 급하실 때는 나의 계책을 써주셨지만, 지금은 천하가 안정되고 사랑하는 마음에서 태자를 바꾸려고 하는 것이니 골육 사이의 일은 나와 같은 사람이 1백 명이 있어도 소용이 없다고 사양하였다. 계속 여후가 친정 사람인 呂澤을 시켜 다그쳤다. 이에 장량은 "황제가 평소에 욕심을 냈으나 불러들이지 못한 사람이 넷이다. 이들을 후한 폐백과 태자의 겸손한 편지로 초빙하여 태자를 따라 조정에 들어가 황제의 눈에 띄게 해야 한다. 황제가 이들 네 사람이 누구인지 묻는다면 이들 네 사람의 어짊을 알게 되어 도움이 될 것이다."라고 하였다. 이에 그 네 사람을 초빙하니 세상에서 말하는 商山四皓인 東園公ㆍ綺里季ㆍ夏黃公ㆍ甪里(녹리)先生이다. 이들이 태자의 초빙에 응하여 나아와 태자를 보필하게 되었다. 어느 날 고조가 연 잔치에 상산사호가 태자를 모시고 참여했다가 이를 기이하게 여긴 고조가 그들의 이름을 묻고서는 예전에 자기가 초빙하지 못한 사람들임을 알았다. 또 이들에게서 태자가 어질고 효성스러우며 선비를 사랑하는 사람이라는 명성을 듣고서 찾아왔다는 말을 듣게 되었다. 이에 고조는 그 자리에서 태자의 보필을 부탁하고 척부인을 불러 상산사호를 보게 하였다. 그리고 태자의 우익이 이미 형성되어 내가 태자를 바꾸고자 하여도 바꿀 수 없다고 하였다. 이 말을 들은 척부인은 흘쩍이며 눈물을 뿌렸다.(『史記』「留侯世家」)

240 赤松子 : 상고시대의 신선. 여러 설이 있어 神農氏의 雨師, 導引術에 능하였던 사람, 帝嚳의 스승이라고 한다.

241 良以韓見殺之故 : 『龜山集』 권13 「語錄 4ㆍ餘杭所聞」에는 韓자가 成자로 쓰여 있다. '成'자가 더 타당할 듯하다.

平定天下, 從高祖西, 都關中.

구산 양씨가 말하였다. "이 말도 역시 미진하다. 장량은 처음부터 끝까지 한韓나라를 위해 일한 사람이다. 바야흐로 패공이 한중漢中의 왕이 되어 나라로 떠나가며 장량을 내보내 한韓나라로 돌아가게 하였다. 장량이 그 기회를 이용하여 패공에게 '잔도棧道[242]를 불태워 끊으십시오.'라고 하였으니 이 말에 어찌 다시 한왕을 섬기려는 의도가 있는가?[243] 장량이 돌아와 한나라에 이르러서, 항우가 장량이 한왕漢王을 따른다는 까닭으로 짐짓 한왕 성韓成을 내보내 자신의 나라로 가게 하지 않고 함께 동쪽으로 가다가 팽성彭城에 이르러 한왕韓王을 죽였다는 소문을 들었다. 이보다 앞서 장량이 항량項梁(항우의 숙부)에게 한韓나라 여러 공자公子들 중 횡양군 성橫陽君成을 (제후로) 세울 만하다고 설득하자,[244] 항량은 마침내 장량에게 한성韓成을 찾게 하여, 세워서 한왕韓王을 삼고 장량은 한나라의 사도司徒로 삼았다. 장량은 한왕 성이 살해당한 까닭에 또다시 지름길을 따라 한漢나라로 돌아갔으니, 그 의도는 한韓나라를 위해 항우에 대한 원수를 갚고자 함이다. 한고조가 그의 계책을 써서 항우를 격파하고 천하를 평정하자 고조를 따라 서쪽으로 가서 관중에 도읍을 정하였다.

於是始導引辟穀, 有從赤松子之語. 蓋爲韓報仇之心, 於是方已故也. 據良當時說高祖燒絶棧道, 然後歸韓, 此亦似有意. 使韓王成若在, 良輔之, 并天下未可知. 良意以謂可與之爭天下者獨高祖, 高祖旣阻蜀不出, 其他不足慮矣. 不幸韓王成爲項羽所殺, 故無以自資, 而卒歸漢也.

· · · · · · · · · · · · ·

242 棧道 : 낭떠러지의 험한 바위에 길을 만들고자 바위를 파내고 나무토막을 밖으로 걸쳐서 만든 바위 계단 길. 『史記』「高祖本紀」의 司馬貞 『索隱』에 "험한 낭떠러지를 이루는 곳에 곁으로 바위를 파서 시렁을 걸쳐 만든 길이다.(險絶之處, 傍鑿山巖, 而施梁爲閣.)"라고 하였다.

243 한왕을 섬기려는 … 있는가? : 한고조가 한왕이 되어 漢中으로 나아가자 장량은 전송 길에 나섰다. 한고조가 장량에게 한나라로 돌아가라 하자 장량은 한고조에게 "지나는 길의 잔도를 불태워 다른 나라의 군사가 몰래 습격하는 것에 대비하고, 또 항우에게 동쪽으로 나아갈 뜻이 없음을 보이십시오.(去輒燒絶棧道, 以備諸侯盜兵襲之, 亦示項羽無東意.)"라고 하였다. 이것을 세상은 한고조에 대한 충정에서 한 말이라고 보았는데 구산 양씨는 이는 또한 한고조를 다시 동쪽으로 진출할 수 있는 길을 끊어 자신이 생각한 韓王成을 도와 천하를 도모하려는 의도에서 한 말로 본 것이다.(『史記』「高祖本紀」)

244 橫陽君 成을 … 설득하자, : 진승이 의병을 일으켜 陳을 함락시키고서 왕위에 올라 張楚라 호칭하였다가 秦나라 장수 章邯에게 패하며, 휘하 군사 莊賈에게 살해당하였다. 이때 항량도 조카 항우를 데리고 봉기하여 서쪽으로 진격하던 중 이 소식을 듣고 薛에서 진로를 모색하게 되었는데, 居鄹 사람 范增이 나이 70세로 항량의 군대에 참여하였다. 항량에게 "진승의 실패는 진나라에 망한 제후국 중 가장 애달프게 죽은 楚懷王의 후손을 세우지 않고 자신이 먼저 왕이 된 까닭에 있다. 또 항량의 봉기에 초 땅의 장수들이 따라나선 것은 회왕의 후손을 세울 것을 믿어서이니, 회왕의 후손을 세워야 한다."고 하였다. 이에 항량은 그 말에 따라 회왕의 후손을 찾아서 양치는 목동으로 있던 회왕의 후손 心을 찾아내 회왕이라 호칭하였다. 이때 장량이 유방을 따라 항량의 군대에 참여하였다가 항량이 초나라의 후손을 찾아 세우는 것을 보고서는 항량에게 "당신이 이미 초나라의 후손을 임금으로 세웠는데 韓나라의 여러 공자 중 횡양군 성이 가장 어질어 왕으로 세울 만하니 더욱 우호세력을 세워야 한다."고 설득하였다. 이에 항량은 장량에게 韓成을 찾게 하여 韓王으로 삼았다.(『資治通鑑』 권7 「秦紀 二世皇帝」 원년~2년)

如高祖亦自用, 張良不盡. 良之術亦不止於如此, 須更有事在. 其臣高祖, 非其心也. 不得已耳."245

이에 비로소 도인술導引術을 익히며 곡식으로 지은 음식을 먹지 않고서 적송자를 따르고자 한다는 말을 하였다.246 한韓나라를 위해 원수를 갚으려는 마음이 이때에 바야흐로 끝났기 때문이다. 장량이 당시 고조에게 잔도를 불태워 끊도록 설득하고 난 뒤 한韓나라로 돌아간 일에 의거해서 본다면, 이 일 역시 의도가 있는 듯하다. 가령 한왕 성韓王成이 만일 생존하였다면 장량이 그를 보필하여 천하를 합병하였을 것인지도 알 수 없다. 장량의 뜻은 함께 천하를 다툴 수 있는 사람은 한 사람 고조뿐이라고 생각하였는데, 고조가 이미 촉蜀 땅에 갇혀 빠져나오지 못하게 되었으니 다른 것은 생각할 것이 없었다. 불행하게도 한왕 성마저 항우에게 살해된 까닭에 혼자서 의지할 곳이 없어지자 마침내 한漢나라로 돌아간 것이다. 만일 고조가 또한 자신의 생각대로 행동하여 장량이 자신의 능력을 다할 수 없었다면, 장량의 술수는 또한 이 같은 것에 그치지 않고 반드시 다시 벌이는 일이 있었을 것이다. 그가 고조의 신하가 된 것은 그의 마음이 아니다. 부득이함에서였을 뿐이다."

[60-11-3]

"子房起布衣徒步, 以三寸舌爲帝者師, 其奇謀秘計轉敗爲成, 出於困急之中者數矣. 故高祖稱之配蕭韓爲三傑. 天下旣平, 功高者徃徃以才見忌. 疑釁一開, 雖韓信有解衣推食之誠, 猶不克終, 竟以葅醢. 蕭何雖能以功名自全, 而見疑亦屢矣. 是三人者惟子房功成智隱. 不邇權勢. 視去權利如脫敝屣. 雖寄身朝市, 而翛然如江湖萬里之遠, 鴻飛鳳擧, 繒繳不及. 方諸范蠡其優矣哉! 夫漢興將相於去就之際, 皆中機會而不違理義者, 吾獨於子房得之矣."247

(구산 양씨가 말하였다.) "자방子房이 평민248으로 일어나 세 치 혀로 제왕의 스승이 되었으니, 그의 기발한 꾀와 비밀스러운 계책은 실패를 전환시켜 성공을 일구어내고 곤궁하며 다급한 데에서 벗어나게 한 것이 여러 차례였다. 그리하여 고조가 그를 일컬으며 소하와 한신에 짝지어 삼걸三傑249이라 한 것이다.

- -

245 『龜山集』 권13 「語錄 4·餘杭所聞」

246 導引術을 익히며 … 하였다. : 수도를 낙양에서 장안으로 정하고, 고조를 따라 장안으로 들어온 장량은 본래 병이 많은 사람이었던 까닭에 도인술을 익히며 대문을 닫아걸고 세상에 나가지 않았다. 도인술은 道家에서 행하는 양생술로 호흡을 조절하고 신체를 단련하는 방법으로 병을 물리치고 불로장생을 꾀하는 한 방법이다. 곡식으로 지은 밥을 먹지 않는 것은 辟穀을 이르는 말인데, 곡식으로 지은 밥을 먹지 않고 대체 藥物을 복용하는 방법이다. 이 역시 도인술과 함께 행하는 장생술의 일종이다.

247 『龜山集』 권9 「史論·張良」

248 평민 : 이 글의 원문 '布衣徒步'는 모두 평민 신분을 나타내는 말이다. 布衣는 비단옷에 상대하여 이르는 말로 삼[麻], 칡[葛], 무명으로 지은 옷을 이른다. 漢나라 桓寬의 저서 『鹽鐵論』 「散不足」에 "옛날에는 서인은 70세 노인이 되어야 비단옷을 입었고, 나머지는 삼베옷을 입었을 따름이다.(古者庶人耆老而後衣絲, 其餘則麻枲而已.)"라고 하였다. 徒步는 수레를 타는 사람에 상대하여 이르는 말로 수레는 大夫가 탄 데에서 도보하는 평민을 이른다.

249 三傑 : 고조가 항우를 평정하고서 낙양의 南宮에 술자리를 열고서 잔치에 참여한 여러 徹侯와 장수들에게

천하가 평정된 뒤 높은 공훈을 세운 자들이 왕왕 재능 때문에 경계의 대상이 되었다. 의심으로 인한 환난이 한 번 열리자, 한신에게는 옷을 벗어 입혀주고 자신의 밥을 주어서 먹게 한 진정한 마음이 있었음에도 오히려 끝까지 유지하지 못하고 끝내 젓을 담아버렸다.[250] 소하도 공훈과 명성으로 자신을 온전히 하였으나 또한 여러 차례 의심 받았다. 이들 세 사람 중 자방만이 공훈을 이루고서도 지혜를 숨기고 권세를 가까이 하지 않았다. 권세와 재화財貨를 버리기를 마치 헤진 신짝 벗어던지듯이 하였다. 몸은 조정에 맡기고 있었지만 초연한 모습이 마치 멀리 강호江湖 만 리 밖에 있는 것과 같아, 높은 하늘 위의 기러기와 표연히 날아오른 봉황에게 화살이 미칠 수 없었다. 범려范蠡[251]에 비한다 해도 그가 훌륭하리

자신이 천하를 차지한 까닭과 항우가 천하를 잃은 까닭을 말하게 하였다. 그리고서 자신이 그 까닭에 대해 장량, 소하, 한신의 공을 말하고서 "이들 세 사람은 모두 인걸이다. 나는 이들을 잘 쓴 까닭에 천하를 얻었고, 항우는 한 사람 범증이 있었는데 그를 잘 쓰지 못하였다. 이것이 그가 천하를 잃은 까닭이다."라고 하자, 잔치에 참여한 뭇 신하가 모두 흔쾌히 수긍하였다.(『資治通鑑』 권11 「漢紀‧高帝」 5년)

250 한신에게는 옷을 … 담아버렸다. : 한신이 齊王에 봉해져 있을 때, 항우가 보낸 武涉이 한신에게 "유방은 은혜를 모른 사람이다. 항우가 오늘 망한다면 한신은 내일 죽게 될 것이다."라며 세 나라가 서로 중국을 나누어 차지할 것을 제의하자 사양하였다. 이에 한신 휘하의 蒯通이 한신에게 다시 제왕으로 천하를 삼분하여 차지할 것을 권유하였다. 그러자 한신은 "한왕이 나를 매우 두텁게 대접해주어 나를 그의 수레에 타게 했고 자신의 옷을 나에게 입게 하였고 자신의 밥을 나에게 먹게 하였다. 내가 들으니 남의 수레를 탄 사람은 그 사람의 환난을 분담해야 하고, 남의 옷을 입은 사람은 그 사람의 근심을 함께 해야 하며, 남의 밥을 먹은 사람은 그 사람의 일에 죽어야 한다고 하였다. 내 어찌 이익을 추구하여 의리를 배반할 수 있겠는가?(漢王遇我甚厚, 載我以其車 ; 衣我以其衣 ; 食我以其食. 吾聞之, 乘人之車者載人之患 ; 衣人之衣者懷人之憂 ; 食人之食者死人之事, 吾豈可以鄕利倍義乎?)"라고 하고서 끝내 사양하였다. 그러나 진희의 역모에 연루되어 呂后에게 잡혀 죽임을 당하였다.(『史記』 「淮陰侯傳」)

251 范蠡 : 춘추시대 越나라 大夫. 자는 少伯. 會稽에서 패한 句踐을 도와 吳王 夫差를 멸망시키고 구천을 霸王으로 불리게 하였다. 그의 행적을 『國語』 「越語」에 의거하여 살피면 다음과 같다.
"월나라 군대가 오나라를 멸망시키고 돌아오는 행차가 五湖에 이르자 범려는 '군왕께서는 덕에 힘쓰십시오, 신은 다시 월나라에 들어가지 않을 것입니다.'라고 하니, 월나라 왕이 '나는 그대가 하는 말이 무슨 말인지 의심스럽다.' 하였다. 대답하기를, '신은 들으니 「신하된 사람은 임금이 국사를 걱정하면 신하는 수고로워야 하고, 임금이 치욕을 당하면 신하는 임금을 위하여 죽어야 한다.」고 하였습니다. 종전에 군왕께서 회계산에서 치욕을 당하셨는데 신이 그때 죽지 않은 까닭은 이번 일을 위하여서였습니다. 지금 복수하는 일이 이미 이루어졌으니 저는 회계산에서 치욕을 당하실 때 당연히 받았어야 할 벌에 따르고자 합니다.'라고 하니, 월나라 왕이 '맹세코 그대의 악행을 덮어 주지 않거나 그대의 덕을 찬양하지 않는 사람은 그 몸이 월나라에서 좋게 죽지 못하도록 할 것이다. 그대가 내 말을 따른다면 그대와 월나라를 나누어 가질 것이고, 내 말을 따르지 않는다면 그대를 죽이고 처자식도 죽일 것이다.'라고 하였다. 범려가 대답하기를, '신은 군왕의 명령을 들었으니 군왕께서는 법령을 집행하십시오, 신은 저의 뜻대로 떠나겠습니다.'하고서 마침내 배를 타고 五湖로 떠나가서 그가 마지막이 어떻게 되었는지 알 수 없다.(反至五湖, 范蠡辭於王曰, '君王勉之, 臣不復入越國矣'. 王曰, '不穀疑子之所謂者何也?' 對曰, '臣聞之, 爲人臣者, 君憂臣勞 ; 君辱臣死. 昔者君王辱於會稽, 臣所以不死者, 爲此事也. 今事已濟矣, 蠡請從會稽之罰'. 王曰, '所以掩子之惡, 揚子之美者, 使其身無終沒於越國. 子聽吾言, 與子分國. 不聽吾言, 身死, 妻子爲戮'. 范蠡對曰, '臣聞命矣. 君行制, 臣行意'. 遂乘輕舟以浮於五湖, 莫知其所終極.)"
그러나 『史記』 「越王句踐世家」와 「貨殖傳」에는 이와 다르게 구천을 떠나 강호를 떠돌며 성명을 바꾸고 지내

라! 한나라가 등용한 장상將相으로 물러나고 나아가는 사이에 모두 기회에 적중하고 의리에 어긋나지 않은 사람을 나는 오직 자방에서 찾을 수 있었다."

[60-11-4]

或問: "養虎自遺患事, 張良當時若放過, 恐大事去矣. 如何?"

朱子曰: "若只計利害, 即無事可言者. 當時若放過未取, 亦不出三年耳."

問: "幾會之來, 間不容髮. 况沛公素無以繫豪傑之心, 放過即事未可知."

曰: "若要做此事, 先來便莫與項羽講解. 旣已約和, 即不可爲矣. 大抵張良多陰謀. 如入關中初, 賂秦將之爲賈人者, 此類甚多."

問: "伊川却許以有儒者氣象, 豈以出處之際可觀耶?"

曰: "爲韓報仇事亦是. 是爲君父報仇.[252]"[253]

어떤 사람이 물었다. "호랑이를 길러 스스로 환난을 남기는 일을 장량이 당시에 만일 방치하였다면[254] 아마 큰일은 틀어졌을 것입니다. 어떻습니까?"

주자가 대답하였다. "만일 단지 이해만 따진다면 말할 수 있는 일은 없다. 당시에 만일 방치하고 챙기지

· ·

다 齊나라로 가서 계속 월나라에 남아 구천을 섬기는 大夫種에게 편지를 보내 "나는 새가 다 잡히면 좋은 활은 틀어박히고, 교활한 토끼가 죽으면 잘 달리는 개는 삶겨집니다. 월나라 왕은 사람 모양이 목이 길고 까마귀 입을 하고 있어서 환난은 함께 할 수 있으나 즐거움을 함께 할 수는 없습니다. 그대는 어찌 떠나지 않습니까?(蜚鳥盡, 良弓藏; 狡兔死, 走狗烹. 越王爲人長頸鳥喙, 可與共患難, 不可與共樂. 子何不去?)"라고 하였다. 그 뒤 鴟夷子皮로 이름을 바꾸고 지내다 다시 陶 땅으로 가서 朱公이라고 자칭하고 장사를 하여 거부가 되었다고 하였다.

252 亦是是爲君父報仇. :『御纂朱子全書』 권61 「歷代·西漢」에는 "亦自是爲君父報仇"로 되어 있다.

253 『御纂朱子全書』 권61 「歷代·西漢」

254 장량이 당시에 … 방치하였다면: 이는 한고조 4년(기원전 203년) 9월에 항우와 한고조가 천하를 서로 나누어 갖기로 약속하고서 군사를 돌려 되돌아가려다 장량의 말을 들은 한고조가 마음을 바꾸어 항우를 다시 공격하기로 한 일을 이른다. 『資治通鑑』 권10 「漢紀·高帝」 4년 기사에서 살피면 "항우가 자신을 돕는 세력도 적고 식량도 다해감을 느끼고 있었는데 한신이 또 다시 군대를 이끌고 공격해와서 이를 걱정하고 있었다. 이때 한나라에서 侯公을 보내 예전에 포로로 잡은 한고조의 아버지를 되돌려달라고 청하였다. 이에 항우는 한나라와 천하를 洪溝를 중심으로 둘로 나누어 서쪽은 한나라 것으로, 동쪽은 초나라의 것으로 하자고 약속하였다. 9월에 항우가 한고조의 아버지와 呂后를 돌려보내고 군사를 이끌고 해산하여 동쪽으로 돌아갔다. 한고조도 서쪽으로 돌아가려고 하는데 장량과 진평이 '한나라가 천하의 태반을 차지하고 있고 제후들이 모두 우리에게 붙어 있는데 초나라는 군사도 지치고 식량도 다하였으니 이는 하늘이 망하게 하는 때입니다. 지금 놓아 보내고 공격하지 않는다면 세상에서 말하는 「호랑이를 길러 스스로 환난을 남긴다.」는 것입니다.' 라고 하였다. 이에 한고조는 그들 말을 따랐다.(項羽自知少助, 食盡, 韓信又進兵擊楚, 羽患之. 漢遣侯公說羽請太公. 羽乃與漢約, 中分天下, 割洪溝以西爲漢, 以東爲楚. 九月楚歸太公呂后, 引兵解而東歸. 漢王欲西歸, 張良陳平說曰, 漢有天下太半, 而諸侯皆附. 楚兵疲食盡, 此天亡之時也. 今釋弗擊, 此所謂養虎自遺患也. 漢王從之.)"고 하였다.

않았다 하여도 또한 3년을 넘기지 못하였을 것이다."

물었다. "기회가 찾아든 시기는 털끝의 차이를 용납하지 않습니다. 더욱이 패공은 본래 호걸들의 마음을 붙잡아둘 수 있는 것이 없었으니 방치하였다면 일은 알 수 없었을 것입니다."

(주자가) 대답하였다. "만일 이 일을 하고자 하였다면 앞서 항우와 화해를 하지 않아야 했다. 이미 화해를 약속하고서야 해서는 안 된다. 대체로 장량은 음모가 많다. 예컨대 관중에 들어가던 초기에 진나라 장수 중 장사꾼이었던 자들에게 뇌물을 쓴 것과 같은 일[255]들이니, 이런 종류의 일이 매우 많다."

물었다. "이천伊川(程頤)이 유자儒者다운 기상이 있다고 인정한 것[256]은 어찌 나아가고 물러나는 것들이 볼 만하여서가 아니겠습니까?"

(주자가) 대답하였다. "한韓나라를 위해 원수를 갚은 일도 또한 그러하다. 이는 군주를 위해 원수를 갚은 것이다."

[60-11-5]

"三代以下人品, 皆稱子房孔明. 子房今日說了脫空, 明日更無愧色. 畢竟只是黃老之學. 及後疑戮功臣時, 更尋討他不著."[257]

(주자가 말하였다.) "삼대 이후의 인품을 두고는 모두 자방과 공명孔明[258]을 일컫는다. 자방은 오늘 실없는 소리를 하고서도 다음 날 다시 부끄러워함이 없다. 필경은 단지 황로학黃老學일 뿐이다. 후일 공신을 의심하여 살육할 때에 미쳐서도 다시 그의 죄상을 뒤졌으나 찾지 못하였다."[259]

[60-11-6]

問 : "子房孔明人品."

- -

255 진나라 장수 … 일 : 패공이 초회왕의 명령에 따라 관중 함락의 책임을 지고 진격하여 마지막 관문 武關을 격파하고서 다시 군사 2만을 거느리고 嶢關의 군사를 공격하고자 하였다. 이때 장량이 "진나라 군사는 아직 강하여 가볍게 볼 수 없습니다. 신이 듣건대 저들 장수는 백정의 자식들이라고 하니 장사치들은 손쉽게 이익으로 마음을 바꿀 수 있습니다. … 역이기를 시켜 많은 보화를 가지고 진나라 장수들을 구워삶게 하소서.(秦兵尙彊, 未可輕, 臣聞其將屠者子, 賈豎易動以利. … 令酈食其持重寶啗秦將.)"라고 하였다. 진나라 장수들이 예상대로 진나라를 배반하고 패공과 연합하여 함께 서쪽의 함양을 습격하고자 하였다. 패공이 이 말을 들으려 하자 장량은 "이는 홀로 저들 장수들이 배반하고자한 것일 뿐 아마 군사들은 따르지 않을 것입니다. 따르지 않는다면 반드시 위험에 빠지게 되니, 저들이 해이해진 기회를 이용하여 공격하는 것만 못할 것입니다.(此獨其將欲叛耳, 恐士卒不從. 不從必危, 不如因其解擊之.)"라고 하였고 패공은 군사를 이끌고 진나라 군대를 공격하여 크게 격파하였다.(『史記』「留侯世家」)

256 伊川(程頤)이 儒者다운 … 것 : 윗글 [60-11-1] 참고

257 『朱子語類』 권135, 17조목

258 孔明 : 삼국시대 蜀漢의 승상인 諸葛亮을 이르는 말. 제갈량의 자가 공명이다. 유비를 도와 대의를 세운 것이 정의에 벗어나지 않았다고 하여 그를 이렇게 높이 평가한다.

259 다시 그의 … 못하였다. : 『朱子語類考文解義』 권35에서 이 글의 '尋討他不著'에 대해 '尋討其罪過不得'이라고 주석하고 있다.

曰: "子房全是黃老, 皆自『黃石』一編中來."

又問: "一編非今之『三略』乎?"

曰: "又有『黃石公素書』. 然大率是這樣說話."

輔廣云: "觀他愽浪沙中事, 也甚奇偉."

曰: "此又忒煞不黃老, 爲君報仇. 此是他資質好處. 後來事業, 則都是黃老了, 凡事放退一步. 若不得那些清高之意來緣飾遮盖, 則其從衡詭譎, 殆與陳平輩一律耳."

問: "邵子云, '智哉留侯! 善藏其用', 如何?"

曰: "只燒絶棧道, 其意自在韓而不在漢. 及韓滅無所歸, 乃始歸漢. 則其事可見矣."[260]

물었다. "자방과 공명의 인품은 어떻습니까?"

(주자가) 대답하였다. "자방은 전연 황로학이니 모두 『황석黃石』[261] 한 책 속에서 나왔다."

또 다시 물었다. "그 한 책은 지금의 『삼략三略』이 아닙니까?"

(주자가) 대답하였다. "또 『황석공소서黃石公素書』라는 책도 있다. 그러나 크게는 그런 종류의 말이다."

보광輔廣[262]이 말하였다. "그가 박랑사博浪沙에서 한 일을 보면 또한 매우 기이하고 위대합니다."

(주자가) 말하였다. "이 일만큼은 또한 특별히 황로학과 관련이 없는 군주를 위해 원수를 갚은 일이다.

<hr>

260 이 글은 『朱子語類』 권135, 19조목의 일부와 18조목의 일부를 편집하여 한 문장으로 구성하고 있다. "問: 邵子云" 이하는 18조목이다.

261 『黃石』: 黃石公의 저서로 알려진 일종의 兵書. 『黃石公三略』과 『黃石公素書』 두 종류의 책이 있다. 일반적으로 『소서』와 『삼략』으로 불린다. 장량이 얻은 책은 『삼략』을 이른다. 이 책을 얻은 일에는 일화가 있다. 장량이 韓나라가 秦나라에 의해 망하자 원수를 갚고자 동쪽으로 倉海君을 찾아가 만나 뵙고 한 사람의 力士를 얻어 돌아왔다. 진시황이 동쪽 순수 길에 博浪沙에 이르렀을 때 이 사람과 함께 진시황의 수레에 철퇴를 던져 죽이려 하였으나 뒷 수레를 맞춰서 실패하였다. 진시황이 화를 모면하고서는 범인을 찾자 장량은 下邳로 몸을 숨겼다. 하비에서 어느 날 길을 걷다가 허름한 옷차림의 노인을 만났는데 노인이 신을 다리 아래로 떨어뜨리고서는 장량에게 신을 주어 오게 하였다. 장량이 신을 주어 오자 노인은 신을 신기라면서 발을 내밀었다. 신을 신은 노인은 그대로 떠나갔다가 한참 뒤에 다시 돌아와 "어린 사람이 가르칠 만하다." 하고서는 5일 뒤 아침에 이곳에서 만나자고 하였다. 장량이 약속한 날 그곳으로 갔더니 노인이 먼저 와 있으면서 "노인과 약속하고서 늦게 온 것은 왜인가?" 하고서는 5일 뒤에 다시 이곳에서 만나자 하고 가버렸다. 5일 뒤 장량이 첫닭이 울자마자 찾아갔는데 역시 노인이 먼저 아 기다리고 있다가 성을 내며 "늦은 것은 왜인가?" 하고 떠나면서 5일 뒤에 다시 일찍 찾아오라고 하였다. 5일 뒤 장량이 밤중이 채 되기 전에 찾아갔더니 노인이 이내 이르러 와 기뻐하며 "당연히 이러해야지."라고 하고서는 한 편의 책을 내주고서는 "이 책을 읽으면 王天下하는 사람의 스승이 될 것이다. 앞으로 10년이 지나면 일어날 것이고 또 13년이 되면 그대는 나를 濟北에서 만나게 될 것이니 穀城山의 黃石이 바로 나일 것이다."고 하고서는 떠나버렸다. 아침에 그 책을 보니 바로 『太公兵法』이었다. 장량은 기이하게 생각하고 늘 이 책을 외우게 되었다. 그 뒤 장량은 곡성산에서 하비의 노인이 말한 누른빛의 돌을 만나 이 돌을 평생 모시고 제사를 지내다 죽으면서 이 돌도 함께 묻었다고 한다.(『史記』 「留侯世家」)

262 輔廣: 宋 나라 趙州 사람. 자는 漢卿, 호는 潛菴. 呂祖謙과 朱熹의 제자이다. 저서로 『四書纂疏』·『六經集解』 등이 있다.(『宋元學案』 권64)

이 일이 그의 자질에서 훌륭한 점이다. 나중에 한 일들은 모두가 황로학일 뿐이니, 모든 일에서 그저 한 걸음 물러서 있었다. 만일 이러한 청고淸高한 의도를 가져다 꾸미고 가릴 수 없었다면 그의 종횡으로 쏟아낸 속임수는 거의 진평陳平의 무리와 똑같았을 것이다."

물었다. "소자邵子[邵雍]가 '지혜롭다! 유후留侯(張良의 封號)는 지혜 쓰는 일을 잘도 숨겼도다.'263라고 하였는데 어떻습니까?"

(주자가) 대답하였다. : "단지 잔도棧道를 불태워 끊어버리게 한 것은 그 의도가 본래 한韓나라에 있었고 한漢나라에 있지 않았다. 한韓나라가 멸망하여 돌아갈 곳이 없어지자 그제야 비로소 한漢나라로 돌아갔으니, 그 일에서 살펴볼 수 있다.264"

[60-11-7]

南軒張氏曰 : "子房蓋有儒者氣象, 三代之後未易得也. 五世相韓, 篤春秋復讎之義, 始終以之. 其狙擊嬴政, 非輕擧也. 其復讎之心, 苟得以一擊而遂焉, 則亦慊矣. 此其大義根諸心, 建諸天地而不可泯者也. 子房之心, 非以功利也, 始終爲韓, 而漢之爵祿不足以縻縻之. 故子以爲有儒者之氣象,265 三代之後未易多得. 此其出處大致也. 至於從容高帝之旁, 其計策不汲汲於售, 而所發動中節會, 使高帝從之, 有不庸釋者. 蓋子房非有求於高帝, 故能屈伸在己, 而動無不得. 此豈獨可以知計名哉!"266

남헌 장씨가 말하였다. "자방은 유자儒者의 기상이 있으니 삼대三代 이후 손쉽게 얻을 수 있는 사람이 아니다. 5대 동안 한韓나라 정승을 지낸 집안267으로 『춘추』의 복수 의리268에 독실하여 끝까지 그것을

. . . .

263 '지혜롭다! 留侯(張良의 封號)는 … 숨겼도다.' : 소옹의 저서 『皇極經世書』 권13 「觀物外篇上」에 있는 말이다.

264 韓나라가 멸망되어 … 있다. : 소옹의 이 말을 宋나라 張行成은 『皇極經世衍義』에서 "유후가 지혜를 쓰는 일은 모두 그 일이 놓인 상황에 따라 이롭게 전개시켜서 그가 행한 자취를 찾아보지 못한다.(留侯用智, 皆因其勢而利導之, 不見有爲之迹.)"고 하였다. 그런데 주자는 여기서 장량이 지혜를 잘 감추어 남들이 속내를 알아볼 수 없다는 뜻으로 풀이한 듯하다. 곧 장량이 한고조를 한중에서 다시 나올 수 없도록 잔도를 불태우게 한 것은, 겉으로는 항우에게 한고조가 동쪽 진출을 꿈꾸지 않은 것처럼 위장한 것이지만, 실상은 韓나라로 돌아가 군주 韓成을 받들고 천하 통일의 꿈을 꾸는 일에 방해가 될 것으로 보이는 한고조의 동쪽 진출 길을 끊어 韓나라의 뒷날을 도모한 것으로 이해한 것이다. 그러나 한성이 항우에게 죽음을 당하자 옛날의 생각을 숨기고 한고조를 다시 찾아가 섬겼다고 본 것이다.

265 故子以爲有儒者之氣象 : 『南軒集』 권16 「史論·張子房平生出處」에는 '子以爲'가 '予以爲'로 되어 있다.

266 『南軒集』 권16 「史論·張子房平生出處」

267 5대 동안 … 집안 : 장량의 할아버지 開地는 한나라의 昭侯, 宣惠王, 襄哀王 등 3대 임금의 상국을 지냈고, 아버지 平은 釐王과 悼惠王 두 왕의 상국을 지내서, 아버지와 할아버지가 5대 동안 한나라 상국을 지냈다.(『史記』 「留侯世家」)

268 『春秋』의 복수 의리 : 『春秋』에서 복수의 당연함을 말하고 있는 것으로 莊公 4년에 있었던 齊나라 襄公이 杞나라를 정벌하여 杞侯가 기나라를 버리고 떠나가게 한 일을 대표적으로 거론한다. 이를 『公羊傳』의 기사에 의거한다면, 제양공의 9대조인 哀公이 기나라의 참소로 周나라에서 烹刑을 당해 죽었다. 이에 9대손인 양공이 그 원수를 갚아 기나라를 멸망시켰다고 하고서, 공자가 이를 "기후가 자신의 나라에서 영원히 떠났

실천하였다. 그가 영정嬴政[秦始皇]을 저격한 것[269]은 경솔히 행한 일이 아니다. 그의 복수하려는 마음이 진실로 한 차례의 공격으로 성취되었다면 또한 만족하였을 것이다. 이는 대의大義가 마음속에 자리 잡고 있어서 천지에 확립시켜야 하고 스러지게 할 수 있는 것이 아니었다. 자방의 마음은 공을 세우거나 이익을 보려함이 아니었고 끝까지 한韓나라를 위하자는 것이었으므로 한漢나라의 작록으로는 그를 묶어 두기에 부족하였던 것이다. 그러므로 내가 유자의 기상이 있고 삼대 이후 손쉽게 많이 얻을 수 있는 인물이 아니라고 한 것이다. 이것이 그가 벼슬에 나아가고 물러난 대략이다. 고조의 곁에서 조용히 지내는 데에 이르러서도 그는 계책을 채택시키고자 급급해하지 않았으나, 낸 계책마다 때에 적중하여 고조가 따르고 버려둘 수 없음이었다. 자방이 고조에게 구하는 것이 있지 않은 까닭에 나아가고 물러나는 것이 자신에게 달렸고, 하는 일마다 합당하지 않은 것이 없었다. 이것을 어찌 다만 계책을 낼 줄 안 사람으로만 말할 수 있으랴!'

[60-11-8]

"高帝之英武, 慢侮士大夫, 其視隨何·酈食其·陸賈輩皆撫而忽之. 至如蕭相國之功, 一旦下之廷尉, 亦不顧也. 獨於子房蓋敬而不敢慢, 順而不可强, 則以子房所守在義, 而不以利故爾. 嗟乎! 秦漢以來, 士賤君肆, 正以在下者急於爵祿, 而上之人持此, 以爲眞足以驕天下之士故也. 若子房者, 其可得而驕之哉? 雖然, 以高帝之英武, 而能虛己以聽信子房, 蓋亦可謂明也已矣, 可謂遠也已矣."[270]

(남헌 장씨가 말하였다.) "고조의 탁월한 용맹으로 사대부들을 거만하게 업신여겨, 저들 수하隨何,[271] 역이기酈食其,[272] 육가陸賈[273] 무리들을 모두 등을 토닥이며 손쉬운 사람으로 여겼다. 소상국蕭相國과 같

· ·
다.(紀侯大去其國.)고 쓰고 제양공이 기나라를 멸망시켰는데도 멸망시킨 나라를 거론하지 않은 것은 공자가 양공의 이 일을 훌륭하게 여겨 감추어준 것(不言齊滅之, 爲襄公諱也.)이라고 말하였다. 그리고 이어 "9대가 흘렀는데 복수할 수 있는가? 1백 대라도 옳다.(九世猶可復讐乎? 雖百世可也.)"라고 하였다. 이를 근거로 후세에 복수의 의리가 끝없이 펼쳐진 것은 이 일을 잘못 이해한 것이라는 설이 뒤따랐다.

269 嬴政[秦始皇]을 저격한 것 : 윗주석 262 참고

270 『南軒集』권16「史論·張子房平生出處」. 이 글은 본래는 윗글 [60-11-7]과 한 편의 글이다. 왜 『性理大全書』 에서 단락을 나누었는지 알 수 없다. 실수인지 모르겠다.

271 隨何 : 윗글 [60-1-10-2]의 기사 중 '九江王 英布를 취하였고'이 주서 참고

272 酈食其 : 한나라의 陳留 高陽 사람. 가난하였으나 누구도 함부로 대할 수 없어 狂生으로 불렸다. 나이 60여세 때 監門으로 재직하며 막 군사를 일으킨 劉邦에게 진류를 함락시킬 계책을 말한 공으로 廣野君이라 불렸다. 그 뒤 沛公(유방)의 유세객이 되어 齊나라를 설득 70여 城을 항복 받았으나 속았다고 생각한 제나라에 烹刑을 받고 죽었다. 유방을 처음 만났을 때 유방의 무례한 태도를 지적하며 잘못을 사과하게 한 용기를 보이기도 하였다.(『史記』「酈食其傳」)

273 陸賈 : 한나라의 楚 땅 사람. 한고조를 도와 천하를 평정하고 南越王 尉佗를 설득하여 한나라에 복속시킨 공으로 太中大夫에 올랐다. 고조에게 말 등에서 천하를 얻었다고 말 등에서 천하를 다스릴 수는 없다며 文德과 武勇을 함께 써야 한다고 진언하여 고조를 부끄럽게 한 일화로 유명하다. 당시에 고조에게 지어 올린 글이 바로 『新語』이다. 惠帝 때 陳平·周勃과 힘을 합하여 呂后의 친정 집안 세력을 물리치고 文帝를

이 공훈을 세운 자에 이르러서도 하루아침에 정위廷尉에게 내리며 또한 망설이지 않았다.[274] 홀로 자방에게 만은 공경하고 감히 거만하지 않았고, 순종하고 강요할 수 없었던 것은 자방의 지조가 의리에 있고 이익을 취하려 하지 않은 까닭이다. 아! 진한秦漢 시대 이래 선비가 천하여지고 군주가 멋대로 군 것은 바로 신하들이 작록爵祿에 급급해 하여, 군상으로 있는 자가 이를 쥐고서 천하의 선비들에게 충분히 교만할 수 있다고 생각한 까닭이다. 자방 같은 사람에게야 교만할 수 있겠는가? 그러나 고조 같은 탁월한 용맹을 가지고서도 자신을 잘 비우고 자방의 말을 따르고 믿었으니, 지혜가 밝다고 할 수 있으며 원대하다고 말할 수 있을 것이다."

[60-11-9]

或問 : "高帝暮年猜忌功臣, 張良不能開釋帝意, 及見諸將沙中偶語, 乃指示曰 : '此屬相聚謀反'. 毋乃益其猜忌之心, 而溫公反謂因事納忠, 何也?"

潛室陳氏曰 : "子房言無虛發. 平生智謀, 都因事方用. 所以撥轉主心, 如轉戶樞."

어떤 사람이 물었다. "고조가 만년에 공신들을 시기하였는데, 장량이 고조의 그런 마음을 털어내게 하지 못하였다가 여러 장수가 모래밭에서 마주해 말을 나누는 모양을 보고서는 마침내 그들을 가리키며, '저들 무리가 서로 모여서 반란을 꾀하고 있습니다.'[275]라고 하였습니다. 고조의 시기하는 마음을 부추기는 일이었는데도 사마온공은 도리어 '사태를 이용하여 충성스런 말을 올린 것이다.'[276]라고 하였으니

. . . .

맞아들이는 일에 공을 세웠다.(『史記』「陸賈傳」)

274 蕭相國과 같이 … 않았다. : 윗글 [60-9-2] 참고

275 '저들 무리가 … 있습니다.' : 한고조 6년(기원전 201년)에 고조가 공신을 공에 따라 侯에 봉하는 일을 시작하여 20여 명을 끝내고는 나머지는 날마다 우열을 따지는 논쟁만을 벌일 뿐 결정을 내리지 못하였다. 이때 고조가 멀리 모래 더미에서 사람들이 모여 앉아 말을 나누는 모습을 보았다. 이에 장량에게 "저들은 무슨 말을 나누는가?"라고 하자, 장량은 "폐하는 모르셨습니까? 저들이 반란을 꾀하고 있습니다."라고 하였다. 고조가 그 이유를 묻자 장량은 "폐하께서 평민 신분으로 일어나 저들 무리의 힘으로 천하를 차지해 지금 천자가 되셨는데, 봉해준 사람은 모두 蕭何와 曹參처럼 친구로 지내던 친한 사람이고 죽이는 자는 모두 평소에 원수로 여긴 자들입니다. 지금 군사를 관장하는 관리가 공훈을 계산하여 보니 천하의 땅을 가지고도 두루 봉해주기 부족하다고 하니 저들 무리는 폐하가 다 봉해주지 아니할까 두렵고, 또 평소의 과실로 의심을 사 베임을 당할까 두려운 까닭에 서로 모여 반란을 꾀하고 있습니다.(陛下起布衣, 以此屬取天下, 今陛下爲天子, 而所封皆蕭曹故人所親愛, 而所誅者皆生平所仇怨. 今軍吏計功, 以天下不足徧封, 此屬畏陛下不能盡封, 恐又見疑平生過失及誅, 故即相聚謀反耳.)"라고 하였다. 이 말을 듣고 고조가 걱정이 되어 방법을 장량에게 물었다. 이에 장량은 폐하께서 미워하고 있다는 사실을 모두가 알고 있는 신하 중 대표적인 사람을 우선 봉해준다면 저 사람들이 마음을 놓을 것이라고 하였다. 이에 고조는 군사를 일으키기 이전의 원한으로 늘 자신을 궁지로 몰아넣고 힘들게 하여 죽이고자 하였으나 공이 많아 참아 살려주고 있던 雍齒를 什方侯에 봉해주었다. 이어 공훈을 결정짓고 봉해주는 일을 앞당기도록 재촉하자, 여러 신하가 모두 기뻐하며 "옹치도 侯에 봉해졌는데 우리 무리는 걱정할 것이 없다.(雍齒尚爲侯, 我屬無患矣.)"고 하였다.

276 '사태를 이용하여 … 것이다.' : 사마광이 그의 저서 『資治通鑑』에서 이 일에 대해 평한 말이다. 권11 漢紀 고제 6년의 기사에 "장량이 고제의 謀臣이 되어 심복의 임무를 맡았으니, 당연히 아는 것을 말하지 않는 일이 없어야 한다. 어떻게 여러 장수가 반란을 꾀하려 한다는 말을 듣고서도 굳이 고제가 여러 장수들이

어째서입니까?"

잠실 진씨가 말하였다. "자방은 말을 헛되이 한 적이 없다. 평생의 지혜와 계략은 모두 일이 벌어져서야 쓴 것이다. 그렇기에 군주의 마음 돌리기를 마치 문지도리를 돌리듯이 하였다."

[60-11-10]

問: "子房之於漢高, 言無不盡. 晚年廢立, 乃不敢言. 至四皓之來而後定, 豈天下旣定, 子房之言不足以動帝之聽耶?"

曰: "此事子房自度不能得之於口舌之間, 故於人主機括中撥轉來. 伊川生平不喜人用智. 獨喜子房此著, 具見易傳可玩味. 自是轉移君心一道理, 未可以一筆勾斷."

물었다. "자방이 한고조에게 말을 다하지 않은 것이 없으나, 만년에 (태자를) 폐위하고 새로 세우는 일에서 있어서는 감히 말을 꺼내지 못했습니다. 사호四皓가 찾아옴에 이른 뒤에야 결정되었으니[277] 그것은 천하가 평정되고 난 뒤에는 자방의 말이 고조의 마음을 움직이기에 충분하지 못해서가 아닙니까?" (잠실 진씨가) 대답하였다. "이 일은 자방 자신이 말로 성사시킬 수 없는 일이라고 헤아린 까닭에 군주의 마음속에서 전환시킨 것이다. 이천伊川程頤은 평생 동안 사람들의 지혜 쓰는 것을 좋아 하지 않았으나 홀로 자방의 이 일만큼은 좋게 여겼으니 『역전易傳』을 모두 살펴보면 음미할 수 있다.[278] 본래 군주의 마음을 바꾸는 한 가지는 한 마디로 단정 지을 수 없다."

[60-11-11]

"沛公有三傑, 故雖遷漢中而卒定三秦. 項羽無三傑, 故雖王三將而終不能有三秦. 嗚呼! 羽非失險也, 失人也. 夫項羽遷沛公於巴蜀, 而王三降將以拒漢, 漢勢若已屈矣. 吁! 彼豈知巴蜀果非死地也耶? 羽以巴蜀爲死地而謀遷沛公, 沛公亦以死地視巴蜀而忿嫉項羽. 當是時也, 取捨屈伸之理, 惟蕭何知之. 故何勸王王漢中收用巴蜀, 還定三秦.

(잠실 진씨가 말하였다.) "패공은 삼걸三傑[279]을 두었던 까닭에, 한중漢中으로 옮겨졌으나 끝내 삼진三秦을 평정하였다. 항우는 삼걸이 없었던 까닭에 세 사람의 장수[280]를 왕으로 삼고서도 끝내 삼진을 소유하

무리지어 말히는 것을 목건히기를 기다린 뒤에 비로소 말할 수 있겠는가? 이는 고제기 천하를 얻은 초기에 자주 愛憎의 감정에 따라 벌과 상을 시행하여 혹 때로 지극히 공정함을 해치자 여러 신하들이 이따금 실망하며 자신을 위태롭게 여기는 마음이 있었다. 그러므로 장량이 이 사태를 이용하여 충성스런 말을 올려 고제의 생각을 바꾼 것이다. … 장량과 같은 사람은 잘 간하는 사람이라고 말할 것이다.(張良爲高帝謀臣, 委以心腹, 宜其知無不言. 安有聞諸將謀反, 必待高帝目見偶語, 然後乃言之邪? 盖以高帝初得天下, 數用愛憎行誅賞, 或時害至公, 羣臣往往有觖望自危之心. 故良因事納忠, 以變移帝意. … 若良者, 可謂善諫矣.)"라고 하였다.

277 四皓가 찾아옴에 … 결정되었으니: 윗글 [60-11-2] 참고

278 『易傳』을 모두 … 있다.: 伊川(程頤)의 저술 『易傳』 坎卦 六四爻의 爻辭 '納約自牖'의 주에서 살펴볼 수 있다.

279 三傑: 윗글 [60-11-3]의 주석 참고

지 못하였다. 아! 항우는 험준한 요새를 잃은 것이 아니고, 사람을 잃었다. 항우가 패공을 파촉巴蜀으로 옮기게 하고서, 항복한 세 장수를 왕으로 삼아 한나라를 막게 하였으니 한나라의 형세는 이미 기울어진 듯했다. 아! 그가 어찌 파촉이 예측한 대로 죽음의 땅이 아님을 알았겠는가? 항우는 파촉을 죽음의 땅으로 생각하고서 계책을 세워 패공을 옮겨가게 하였고,[281] 패공도 역시 파촉을 죽음의 땅으로 본 까닭에 항우에게 분통을 터뜨리며 증오하였다.[282] 이때를 당하여 취할 것과 버릴 것, 굽힐 것과 펴야 하는 이치를 오직 소하만이 알았다. 그런 까닭에 소하는 패공에게 한중의 왕이 되어 파촉을 거두어 차지하고 다시 삼진을 평정하자고 권하였다.[283]

及其旣就國也, 項羽肺肝之謀, 惟張良知之. 故良說王燒絶棧道, 以示項羽無東意. 此蕭何之所以强沛公之行也, 而張良所以安沛公之心也. 使巴蜀而果能爲死地也, 則蕭何張良之謀是置沛公於死也. 蕭何張良, 可謂見之明計之熟矣. 至於韓信登壇之日, 畢陳平生之畫略, 論楚之所以失. 及漢之所以得. 漢一日擧兵而東, 秦民其爲沛公耶? 爲三降將耶? 此三秦還定之謀, 所以卒定於韓信之手也.

고조가 이미 한중의 땅으로 나아가기로 한 뒤에는, 항우 마음속의 계책을 장량 혼자서만 알았다. 그런 까닭에 장량이 고조에게 잔도를 불태워 끊어서 항우에게 동쪽으로 진출할 뜻이 없음을 보이라고 설득하

---

280 세 사람의 장수 : 항우에게 항복한 秦나라의 장수 章邯, 董翳, 司馬欣을 이른다. 항우는 이들이 옛 진나라의 장수였던 것을 이용해 한고조가 동쪽 정벌 길에 만나는 첫 관문인 이 지역을 그들에게 봉해주어 한고조를 막고자 한 것이다. 윗글 [60-9-3]의 주석 참고

281 항우는 파촉을 … 하였고 : 항우가 진나라를 무너뜨리고 공을 세운 장수들에게 땅을 나누어 봉해줄 때 한고조가 걸렸다. 그것은 회왕이 군사를 일으킨 장수들에게 함양에 맨 먼저 들어간 사람은 그 땅의 왕으로 삼겠다고 한 약속이 있어서였다. 약속대로 한다면 유방에게 당연히 秦나라의 咸陽을 봉해주어야 했다. 항우는 이것이 싫었다. 이에 한 가지 꾀를 생각해 냈다. 그것은 진나라의 서쪽 땅인 巴蜀이었다. 파촉은 우선 길이 험하여 한고조가 운신하기가 쉽지 않다는 것이 그의 마음에 들었다. 또 하나 명분이 서야 하는데 파촉은 진나라에서 죄를 지은 자들이 옮겨와 사는 땅이어서 파촉도 곧 진나라 땅이라고 할 수 있어서였다. 이에 범증과 이를 의논하고서 이 땅을 유방에게 봉해주었다.(『資治通鑑』 권9 「漢紀·高帝」 원년 2월)

282 패공도 역시 … 증오하였다. : 漢王에 봉해진 유방은 본래 회왕이 약속했던 관중이 아닌 가장 서쪽 파촉의 땅을 봉해준 항우에게 화가 났다. 이에 항우를 군사로 공격하려 들었다. 그를 따르던 周勃, 灌嬰, 樊噲가 덩달아 패공의 의견에 맞장구를 쳤다.(『資治通鑑』 권9 「漢紀·高帝」 원년 2월)

283 소하는 패공에게 … 권하였다. : 소하는 漢王에게 "험한 한중 땅의 왕일망정 죽는 것보다는 낫지 않겠습니까?(雖王漢中之惡, 不猶愈於死乎?)"라고 간하자, 한왕이 "어찌하여 죽는단 말이냐?(何爲乃死也?)"라고 하니, 소하가 "군사가 현재 항우만 못하니 백전백패입니다. 죽지 않고 어쩌겠습니까? 한 사람 아래 몸을 잘 굽혔다가 만승천자 자리에서 몸을 편 것은 탕임금과 무왕이 그분들입니다. 신은 원컨대 대왕께서 한중의 왕이 되어 어진 사람을 초빙하여 그곳 백성을 기르고, 巴 땅과 蜀 땅을 거두어 차지하고서 삼진을 다시 평정한다면 천하를 도모하실 수 있을 것입니다.(今衆弗如, 百戰百敗. 不死何爲? 夫能詘於一人之下, 而信於萬乘之上者, 湯武是也. 臣願大王王漢中, 養其民以致賢人, 收用巴·蜀, 還定三秦, 天下可圖也.)"고 하자 한고조는 좋다고 하고서 한중으로 나아갔다.(『資治通鑑』 권9 「漢紀·高帝」 원년 2월)

였다. 이 일에서 소하는 패공의 행동을 강화시켰고 장량은 패공의 마음을 안정시켰다. 가령 파촉이 예측한 대로 정말 죽는 땅이었다면 소하와 장량의 계책은 패공을 죽음의 땅에 방치한 것이다. 소하와 장량은 보는 눈이 밝고 계책이 완숙한 사람이라고 말할 수 있을 것이다. 한신에 있어서는 대장군에 등단한 날에 평생 세워왔던 계략을 모두 펼쳐보였다. 초나라가 인심을 잃고 있는 까닭과 한나라가 인심을 얻고 있는 까닭들을 논하였다. 한나라가 하루아침에 군사를 일으켜 동쪽으로 나왔을 적에 진나라 백성이 패공을 위하였겠는가? 항복한 세 사람의 장수를 위하였겠는가? 이 점이 삼진을 다시 평정한 계책이 마침내 한신의 손에서 확정된 까닭이다.[284]

噫! 三傑宜人傑也. 向也蕭何張良有卓越之見, 而始勸沛公之入 ; 今也韓信乘罅漏之餘, 而徑勸沛公之出. 其入也, 所以養其出也 ; 其出也, 所以用其入也. 三子之見, 智謀略同, 故蹙楚之效同. 孰謂關中非沛公囊中物耶?

아! 삼걸은 당연히 인걸이다. 지난번에는 소하와 장량이 탁월한 견해가 있었기에 비로소 패공에게 (한중으로) 들어갈 것을 권하였고, 지금에 와서 한신은 약점의 틈을 비집고 곧장 패공에게 진출을 권하였다. 들어간 것은 진출을 양성한 것이었고, 진출한 것은 들어간 것을 이용한 것이었다. 세 사람의 견해는 지혜와 책략이 거의 비슷한 까닭에 초나라를 곤궁으로 몰아넣은 효험도 동일하다. 누가 관중이 패공의 호주머니 속 물건이 아니었다고 말할 수 있겠는가?

善乎! 史臣之論高祖曰 : '從諫如轉圜也.' 夫天下之勢, 成敗未易料也. 見近者昧其勢, 而慮遠者審其勢. 蓋勢者, 成敗之所係也. 一擧措之不謹, 則俄頃之間, 大事去矣. 方羽之王三降將於三秦, 而王高祖於漢中也, 高祖蓋不勝其忿, 而欲奮於一擊之間. 周勃等又從而從曳之. 當是時, 高帝死固未可保, 而何以成敗爲也? 及蕭相國進諫, 而高祖翻然改悟, 罷兵就國. 徐起而還定之, 如取諸寄, 此豈有他術也? 知成敗之勢在己而已. 己能屈之, 亦能伸之. 是以高帝之還定三秦也, 不在於引兵故道之時, 而在於不攻項羽之日 ; 不在於拜將之後, 而在於聽諫之初."[285]
훌륭하다! 사신史臣이 고조를 두고 논하기를, '간하는 말을 따르는 것이 마치 둥근 것을 굴리는 것 같았다.'[286]라고 하였다. 천하의 형세는 성공과 실패를 쉽게 헤아릴 수 없다. 근시안적인 사람은 형세를 볼 수 없으니 원대한 것을 생각하는 사람이라야 형세를 살필 수 있다. 형세에는 성공과 실패가 매여 있다.

<hr>

284 삼진을 다시 … 까닭이다. : 윗글 [60-9-3] 참고
285 『木鍾集』 권11 「史·高祖還定三秦」
286 '간하는 말을 … 같았다.' : 이 말은 한나라 成帝 永始 3년(기원전 14년)에 南昌尉 梅福이 상서한 글 중에서 고조에 대한 평론 속의 말이다. 매복은 "예전에 고조는 선을 받아들이는데 마치 따라잡지 못할까 하는 듯이 하였고, 간하는 말을 따르기를 마치 둥근 것이 굴러가듯이 하였으며, 말을 듣는데 잘 할 수 있는지를 따져보지 않았고, 공훈을 거론하는데 그 사람의 평소 행실은 논하지 않았다.(昔高祖, 納善若不及 ; 從諫如轉圜 ; 聽言不求其能 ; 擧功不考其素.)"고 하였다.(『資治通鑑』 권31 「漢紀·成帝永始」 3년 12월)

한 번의 행동을 신중히 하지 않으면 잠간 사이에 큰일은 틀어져버린다. 바야흐로 항우가 항복한 세 장수를 삼진의 왕으로 삼고, 고조를 한중의 왕으로 삼았을 적에 고조는 분통을 억누르지 못해 한 번의 전쟁에 힘을 쏟고자 하였다. 주발周勃 등은 또 따라 그것을 부추겼다. 이때에 당면하여 고조는 죽음조차 도 보장할 길이 없는데 어떻게 성공과 실패를 말할 수 있었겠는가? 소상국이 간하는 말을 올림에 미쳐서 야 고조가 확 뒤집듯 깨닫고서 군사를 해산시키고 자신의 나라로 나아갔다. 서서히 군사를 일으켜 다시 평정하기를 마치 맡겨둔 물건을 찾듯이 하였으니 이것이 어찌 다른 술책이 있어서였겠는가? 성공과 실패의 형세가 자신에게 달려 있음을 알았을 뿐이다. 이미 능히 굽혔고 또한 능히 폈다. 이런 까닭에 고조가 삼진을 다시 평정한 것은 군사를 고도故道로 이끌고 나갈 때[287]에 정해진 것이 아니고 항우를 공격하지 않은 시간에 정해진 것이며, 대장군을 임명한 뒤에 정해진 것이 아니고 간하는 말을 따른 처음에 정해진 것이다.”

彭越 팽월[288]

[60-12-1]

龜山楊氏曰: “天下之禍, 莫大乎不明分. 分之不明, 由較材程力之過也. 予觀韓彭之亡, 皆以 此歟! 蓋西漢之初, 高皇帝以匹夫起阡陌之中, 一時名將, 非屠販亡命輕猾之徒, 則里巷齠齔 布衣之交也. 其平居握手, 素非有君臣等威也. 論其材力, 亦豈足相過哉? 天下未平, 而大者 已王, 小者已侯, 皆連城數郡. 一搖足, 則秦項之爭復搆矣. 漢方收民於百戰凋瘵之餘, 而臨諸 侯王之上, 凛乎其猶蹈春氷而常恐其潰也. 故疑隙一開, 則葅醢隨之矣.

구산 양씨[楊時]가 말하였다. “천하의 재앙에 분수가 분명하지 않은 것보다 큰 것은 없다. 분수가 분명해 지지 않는 것은 재주를 비교해보거나 힘을 헤아려보는 잘못에서 연유한다. 내가 한신韓信과 팽월의 죽음

· ·

287 군사를 故道로 … 때: 고도는 유방이 한중에서 군사를 정비하여 항우를 공격하고자 동쪽으로 진출할 때 군사를 이끌고 통과한 지역 이름이다. 유방은 이 길을 통해 나와 맨 먼저 雍王 章邯을 공격하여 연전연승하 며 옹을 함락하였다. 이에 동예와 사마흔이 따라서 항복하였다.(『資治通鑑』 권9 「漢紀 · 高帝」 원년 8월)

288 彭越: 한나라 昌邑 사람. 字는 仲. 陳涉과 項羽가 군사를 일으킬 때 어디에도 소속되지 않았다. 항우가 關中을 함락하고 제후들을 봉한 일에 불만을 품은 齊王 田榮이 장군으로 발탁하며 항우를 공격하게 하자, 초나라 군사를 크게 격파하여 魏(梁)나라 지역의 여러 성곽을 차지하였다. 다시 한고조에게 귀의하자 한고조 가 그를 위나라 相國에 임명하였다. 한고조가 彭城에서 항우에게 패할 때 팽월도 항우에게 패하여 차지한 성곽들을 모두 잃고 북쪽으로 달아났다. 그 뒤 한고조와 항우의 싸움에서 양나라를 배경으로 유동 병력을 거느리고 항우의 군량미 운송 길을 끊어 항우를 초조하게 만들었다. 한고조가 垓下에서 항우와의 마지막 전투를 준비하며 그를 梁王에 봉하자 비로소 군사를 거느리고 참여하여 공을 세웠다. 陳豨의 반역을 토벌하 러 나선 한고조가 군사 지원을 명하였으나 이에 응하지 않았다가 반역을 도모한다는 참소를 입고 삼족이 몰살당하였다.(『史記』 「彭越傳」)

을 살펴보니 모두 이러함에서였다. 서한西漢 초기에 고조는 한 평범한 사람으로 허허벌판에서 일어났고, 한 시대의 명장들은 가축 잡는 일을 하거나 장사치들과 죄를 짓고 도망쳐 떠도는 경박하고 교활한 무리가 아니면 한 마을에서 어린 시절을 함께 한 빈천한 친구들이다. 그들은 평소에 손을 맞잡고 지낸 처지여서 본시 군주와 신하에 상응하는 위엄이 없었다. 그들의 재능과 힘을 논한다 하여도 어찌 상대를 초월하기에 충분하겠는가? 천하가 아직 평정되지 않아 힘이 큰 자는 왕이 되고 작은 자는 후侯가 되어 모두 몇 개의 군을 연합하여 차지하였다. 발만 한 번 까딱여도 진秦나라와 항우項羽의 싸움이 다시 얼크러질 처지였다. 한나라가 바야흐로 수많은 전쟁에 지쳐 있는 백성들을 거두어 모아 제후 왕의 윗자리에 자리하였으니 오싹함이 마치 봄 얼음을 밟고서 늘 얼음이 깨어질까 두려워하는 것 같았다. 그러므로 한차례 의심의 단서가 열리자 곧장 젓 담아 죽이는 일이 뒤따랐다.

嗚呼! 是豈知先王所以維持天下者哉? 雖朝委裘植遺腹而不亂者, 亦有名義以正其分耳. 故君君臣臣而天下治. 如將較材程力以彊弱勝負爲君臣, 則天下之禍何時已哉? 漢之君臣不知出此, 卒至相夷而不悟, 悲夫!"[289]

아! 이것이 어찌 천하를 유지시킨 선왕의 방도를 아는 것이겠는가? 선대왕이 남긴 옷에 조회하게 하고 유복자를 왕으로 세우더라도 어지러워지지 않는 것[290]은 또한 명분과 정의가 있어 그 분수를 바로잡는 방법일 뿐이다. 그러므로 군주는 군주답고 신하는 신하다워 천하가 다스려지는 것이다. 만일 재주를 비교해보거나 힘을 헤아려보아 강함과 약함, 낫고 못함으로 군주와 신하를 정하려 든다면 천하의 재앙이 어느 때 그치겠는가? 한漢나라의 군주와 신하가 이런 방향으로 나아가야 함을 알지 못해 마침내 서로 죽이면서까지도 깨닫지 못하였으니 슬프도다!"

[60-12-2]

或問: "司馬溫公言, '漢之所以得天下者, 大抵皆韓信之功.' 則知彭越又其次耶? 今考其本末, 二子各有所長. 其功一也. 故張漢家之勢者, 信之功多於越. 破魏取代, 仆趙脅燕, 擊齊滅楚是也. 困項氏之勢者, 越之功多於信. 焚楚積聚而項氏敗, 擾梁地而項氏急是也. 未審如何."

潛室陳氏曰: "彭越人物功勳, 皆非信比. 但其常以游兵出入梁楚間, 爲項氏腹心之疾, 所以有功於漢."

어떤 사람이 물었다. "사마온공司馬光이 말하기를 '한나라가 천하를 얻은 까닭은 대체로 모두 한신韓信의

289 『龜山集』 권9「史論·彭越」

290 선대왕이 남긴 … 것: 천하가 잘 다스려졌을 때를 예로 들어 한 말이다. 漢나라의 賈誼가 文帝에게 올린 상소문의 한 토막이다. 가의가 당시 제후로 봉해진 劉氏 집안 사람들의 封地가 너무 커서 천자의 명령이 잘 시행되지 않은 폐단이 있음을 지적하고서 이들 봉지를 줄인다면 "갓 태어난 아이를 천자 자리에 앉혀두어도 편안하고 유복자를 황제로 세우고 죽은 천자가 남긴 옷에 조회하게 하여도 천하가 어지러워지지 않을 것이다.(臥赤子天下之上而安. 植遺腹, 朝委裘, 而天下不亂.)"라고 하였다.(『漢書』「賈誼傳」)

공이다.'291라고 하였습니다. 그렇다면 팽월은 또 그 다음이라고 할 수 있습니까? 지금 그들의 전후 일들을 살펴보면 두 사람은 훌륭함이 각각 있으니, 그들의 공훈은 동일합니다. 한나라의 형세를 넓힌 것은 한신의 공이 팽월보다 크니, 위魏나라를 격파하고서 대代나라를 얻고 조趙나라를 쓰러뜨리고서 연燕나라를 협박하고 제齊나라를 공격하고 초楚나라를 멸망시킨 것이 그것입니다. 항우의 형세를 곤경에 빠뜨린 것은 팽월의 공이 한신보다 많으니, 초나라가 쌓아놓은 것을 불태워 항우를 패하게 하고, 양梁나라 지역을 소란하게 하여 항우의 마음을 초조하게 한 것292이 그것입니다. 이를 어떻게 볼지 모르겠습니다." 잠실 진씨陳墺가 대답하였다. "팽월의 인물과 공훈은 모두 한신에게 비교될 수 없다. 단지 그가 늘 유격병遊擊兵으로 양나라와 초나라 지역을 들락날락하여 항우의 심장부에 병통을 만들어 내 한나라에 공훈을 세운 것이다."

曹參 조참

[60-13-1]
程子曰 : "曹參去齊, 以獄市爲託. 後之爲政者, 留意於獄者則有之矣, 未聞有治市者."293

. . . .

291 '한나라가 천하를 … 공이다.' : 이는 한신이 陳豨의 역모에 연루되어 呂后에게 붙잡혀 죽은 것을 기록한 뒤 司馬光이 한신을 평가한 말 속의 한 구절이다. 사마광은 "세상에서 간혹 한신이 맨 먼저 큰 계책을 건의하여 고조와 한중에서 군사를 일으켜 삼진을 평정하고, 마침내 군사를 나누어 북쪽을 공격하여 魏나라의 군주를 사로잡고, 代나라를 빼앗고, 趙나라를 쓰러뜨리고, 燕나라를 협박하고, 동쪽으로 제나라를 공격하여 차지하였고, 남쪽으로 초나라를 垓下에서 멸망시켰으니 한나라가 천하를 얻은 것은 대체로 모두 한신의 공이다.(世或以韓信首建大策, 與高祖起漢中, 定三秦, 遂分兵以北, 禽魏取代, 仆趙脅燕, 東擊齊而有之, 南滅楚垓下, 漢之所以得天下者, 大抵皆信之功也.)"라고 하였다.
292 초나라가 쌓아놓은 … 것 : 한고조가 漢中에서 동쪽의 항우를 공격하고자 출정한 것이 고조 원년(기원전 206년) 8월이었다. 고조 2년에 팽월이 3만 군사를 거느리고 한고조에게 귀의하며 항우의 영지였던 梁나라의 땅 10여 성을 함락시켰다. 그러나 항우의 공격을 받아 한고조는 彭城에서 패하여 아버지와 아내 呂氏를 항우에게 포로로 붙잡히고 자신만 간신히 빠져나오는 수모를 당하였다. 이어 한고조 3년에는 滎陽에서 항우에게 참패를 당했다. 이때 팽월도 전일에 함락시켰던 양나라의 성곽을 모두 잃고 북쪽 황하로 달아나 유격병으로 양나라를 헤집고 다니며 항우에게 조달되는 군량미 수송을 방해하였다. 이에 항우는 팽월을 잡고자 成皐의 싸움을 終公에게 맡기고 팽월 소탕작전에 나섰다. 이 사이 한고조는 종공을 격파하고 다시 항우의 본거지인 성고를 함락시켰다. 항우는 팽월을 격파하고 성고를 다시 공격하여 한고조의 군사를 몰살시켰다. 한고조는 간신히 滕公과 둘이서 포위를 탈출하여 신분을 숨기고 한신의 진영을 새벽에 기습하듯이 들어가 한신의 군대를 빼앗아 군주로서의 체면을 간신히 유지하였다. 한고조가 다시 기세를 되찾자 劉賈와 盧綰을 팽월에게 보내 초나라 땅에 들어가 팽월을 도와 초나라가 쌓아둔 군량미를 불태워버리도록 하였다. 이에 항우는 다시 한고조와의 싸움을 접고 팽월 등을 소탕하려 군사를 되돌려 돌아왔다. 이때 "항우가 廣武에 주둔하며 한고조와 대치하여 몇 달 뒤 군량미가 달렸다.(羽亦軍廣武, 與漢相守. 數月, 楚軍食少.)"는 기사를 살필 수 있다.(『資治通鑑』 권10 「漢紀·高帝」 4년)

정자程頤가 말하였다. "조참이 제齊나라를 떠나며[294] 옥사獄事와 시장 일을 부탁하였다. 훗날의 위정자들에서 옥사에 마음을 두는 사람은 있었지만 시장을 다스린 자가 있었다는 말은 듣지 못하였다."

[60-13-2]

龜山楊氏曰 : "曹參從高帝起豐沛間, 與之並馳者, 皆一時熊羆之士, 而陷敵攻堅必以參爲首. 宜其勇悍彊鷙, 果於擊斷. 天下已定, 參爲齊相, 乃退然不自用, 盡召長老諸先生, 問所以安集百姓者. 旣得蓋公, 避正堂舍之, 尊用其言而齊大治. 其後爲漢相, 亦以治齊者治天下, 故其効如之. 觀參所爲, 其始以戰鬪爲功, 而終則以淸淨無爲自守, 何其不相侔也? 非其資務學, 樂用人言而勇於自克, 其何能爾? 若參者, 可不謂賢矣夫?

구산 양씨가 말하였다. "조참이 고조를 따라 풍패豐沛에서 일어나, 함께 말머리를 나란히 하고 전쟁터를 휩쓴 자들은 모두 한 시대의 맹수처럼 용맹한 사람이었으나 적군을 함락시키고 단단한 성을 공격하는 일에는 반드시 조참을 으뜸으로 쳤다.[295] 당연히 용맹스럽고 사나우며 강하고 맵차 결단에 과감하였다. 천하가 평정된 뒤 조참이 제나라의 상국이 되어서는 겸손히 자신의 생각으로 행동하지 않고 나이 많은 분과 여러 학덕을 갖춘 자를 모두 불러서 백성을 편안히 살 수 있게 할 방안을 물었다. 갑공蓋公을 얻은 뒤에는 정당正堂을 비워 그에게 살게 하고 그가 말한 것을 높이 받들어 시행하여 제나라가 크게 잘 다스려졌다.[296] 그 뒤 한漢나라 상국이 되어서도 제나라를 다스리던 방법으로 천하를 다스린 까닭에 그 효험이 지난날과 똑같았다. 조참이 한 일들을 살펴보면 그가 처음에는 싸우는 일을 공훈으로 삼았고, 나중에는 청정淸淨과 무위無爲로 스스로를 지켜냈으니 어찌하여 서로 그렇게 같지 않을까? 그의 자품이 학문에 힘써 남의 말을 즐겁게 따르고 자신을 극복하는 일에 용감하지 않았다면 어떻게 그럴 수 있겠는

---

293 『二程遺書』 권17

294 조참이 齊나라를 떠나며 : 한고조가 庶長男 劉肥를 齊王으로 봉하며 조참을 제나라의 相國으로 임명하였다. 惠帝가 등극하여 제후 국가에 상국을 두는 것을 없애고 丞相을 두게 하면서 다시 제나라 승상에 임명되었다. 혜제 2년(기원전 193년)에 蕭何가 죽자 소하의 뒤를 이어 승상에 오르며 제나라를 떠나왔다. 제나라에 상국과 승상으로 재임한 것이 모두 9년이었다. 이때 후임 승상에게 獄事와 시장을 잘 다스릴 것을 부탁하였다.(『史記』 「曹相國世家」)

295 적군을 함락시키고 … 쳤다. : 한고조 6년(기원전 201년)에 한나라 창업에 공을 세운 사람들을 侯에 봉하고 그중에서도 큰 공을 세운 18명의 서열을 정하고자 하였을 때 모두가 "平陽侯 曹參은 신체에 70곳의 상처를 입어가며 성을 공격하고 지역을 점령하여 공훈이 가장 많으니 의당 1등이 되어야 합니다.(平陽侯曹參, 身被七十創, 攻城略地, 功最多, 宜第一.)"라고 하였다. 그러나 결국 蕭何가 1등에 올랐고 조참은 2등을 차지하였다.(『史記』 「蕭相國世家」)

296 蓋公을 얻은 … 다스려졌다. : 조참이 제나라 상국이 되어 나이 많고 학덕이 높은 사람들을 모두 불러서 백성들을 편안히 살게 할 방안을 묻자 사람마다 말이 달라 조참이 결정을 내리지 못했다. 膠西 지역에 갑공이란 사람이 黃老學에 훌륭하다는 말을 듣고 그를 후한 폐백으로 초빙하였다. 갑공은 조참에게 "국가를 다스리는 방법은 청정을 귀히 여기면 백성은 저절로 안정된다.(治道貴淸靜而民自定)"고 하였다. 이에 조참은 정당을 그에게 비워주어 살게 하였다. 따라서 조참의 정치는 황로학에 기초한 것이었다. 조참이 9년간 머물다 돌아오자 제나라에서는 그를 賢相이라고 크게 칭송하였다.(『史記』 「曹相國世家」)

가? 조참과 같은 사람은 현명한 사람이라고 말할 수 있지 않을까?

初參與蕭何有隙, 何且死, 所推賢唯參. 參代何爲相國, 擧事無所變更, 一遵用何法. 二人者, 苟無體國之誠心, 忘一己之私忿, 則排陷紛更, 將無所不至. 推之以爲賢, 守之而勿失, 尚何有哉? 其卒爲一代宗臣, 蓋有以也."[297]

처음에 조참이 소하와 틈이 있었으나 소하가 죽으면서 현명한 사람으로 추천한 것은 조참뿐이었다.[298] 조참도 소하를 대신하여 상국이 되어서는 모든 일을 변경하지 않고 하나같이 소하의 법을 따라 썼다. 두 사람에게 진실로 나라를 제 몸처럼 여기는 참된 마음으로 자신의 사사로운 분노를 잊어버리지 않았다면 배격하여 함정에 빠뜨리며 어지럽게 변경시켜 하지 않는 짓이 없었을 것이다. 추천하여 현명하다고 하였고, 지키고서 잃지 않았으니[299] 거기에 무엇이 있겠는가? 그들이 마침내 한 시대의 으뜸 신하가 된 것은 까닭이 있다."

[60-13-3]

"後世如曹參, 可謂能克己者. 觀參本武人, 攻堅陷敵, 是其所長. 至其治國爲天下, 乃以淸淨無爲爲事, 氣質都變了."[300]

(구산 양씨가 말하였다.) "후세에서 본다면 조참 같은 사람은 극기克己를 잘한 사람이라고 말할 수 있을 것이다. 조참을 살펴보면 본시 무인武人으로 단단한 적진을 공격하고 적군을 함락시키는 것이 그의 훌륭한 점이었다. 그런데 나라를 다스리고 천하를 다스리는 일에 이르러서는 청정과 무위로 일을 삼았으니 기질이 완전히 변한 것이다."

---

297 『龜山集』권9「史論·曹參」

298 조참이 소하와 … 조참뿐이었다. : 한고조가 처음 군사를 일으킬 때 함께한 사람은 조참과 소하였고, 한고조가 어려울 때는 서로 사이가 좋았다. 그러나 조참은 전쟁터의 장군으로 소하는 후방에서 한고조를 지원하는 일을 맡으면서, 서로의 사이가 벌어져 관계가 좋지 않았다. 소하가 병이 들어 위중하자 惠帝가 소하의 집을 찾아 병문안을 하면서 하면서 나눈 대화이다. "'君이 죽은 뒤엔 누가 君을 대신할 만한가?'라고 묻자, 소하는 '신하는 군주만큼 아는 사람이 없습니다.'라고 하였다. 이에 혜제가 '조참은 어떤가?' 하니 소하는 머리를 조아리며 '황제께서 잘 아신 것입니다. 신은 죽어도 한이 없습니다.'(君卽百歲後, 誰代君者? 對曰, '知臣莫如主.' 孝惠曰, '曹參何如?' 何頓首曰, '帝得之矣! 臣死不恨矣.')"라고 하였다. 한편「曹相國世家」를 살펴보면 "혜제 2년에 소하가 죽었다. 조참이 이 소문을 듣자 집안사람에게 급히 행장을 준비하게 하고서 '내가 상국으로 들어갈 것이다.'라고 하였다. 얼마 있지 않아 과연 사신이 이르러 조참을 불렀다.(惠帝二年, 蕭何卒, 參聞之, 告含人趣治行, "吾將入相." 居無何, 使者果召參.)"라고 하였다.(『史記』「蕭相國世家」;「曹相國世家」)

299 지키고서 잃지 않았으니 : 조참이 한나라 상국이 된 지 3년 만에 죽자 백성들이 그의 정치를 노래하기를 "소하의 법 집행은 마치 한 一자를 그어놓은 듯 명확하고, 조참은 이어받아서 지키고 바꾸지 않았다. 淸淨을 일삼아 백성은 하나같음에 편안하였다.(蕭何爲法, 顜若畫一 ; 曹參代之, 守而勿失. 載其淸淨, 民以寧一.)"고 하였다.

300 『龜山集』권13「語録 4·餘杭所聞」

婁敬　누경[301]

[60-14-1]

龜山楊氏曰："婁敬建和親之策, 欲以適長公主妻單于, 以謂冒頓在, 固爲子壻, 子壻死, 外孫爲單于, 豈聞孫敢與大父亢禮哉? 可毋戰以漸臣也, 其說何謬哉? 且子壻之與外孫, 孰與父子親也? 彼且殺父以代立, 況妻之父乎! 其何足恃哉? 然屬人主厭兵, 故以一言之謬, 而遂成千載之患, 惜夫!"[302]

구산 양씨가 말하였다. "누경이 화친책和親策을 건의하며[303] 적실 소생의 맏공주公主를 선우單于의 아내로 삼아주고자 하면서 말하기를 '묵특의 생전에는 당연히 사위이며, 사위가 죽으면 외손자가 선우가 될 것이니 외손자가 감히 외할아버지와 맞수의 예절을 차리려 한다는 말을 들어봤는가? 싸우지 않고 점차 신하로 삼을 수 있는 일이다.'라고 하였으니 그 말이 얼마나 오류인가? 우선 사위와 외손자가 부자 사이의 친함만 하겠는가? 저 선우는 아버지를 시해하고 대신 등극하였는데[304] 하물며 아내의 아버지이겠는가! 그것을 어찌 믿을 수 있겠는가? 그러나 군주가 전쟁을 싫어할 때였던 까닭에 한 마디의 실수가 마침내 천고의 걱정거리로 굳어졌으니[305] 애석하다."

- -

301　婁敬 : 누경은 처음 이름이고 한고조에게 洛陽을 버리고 關中을 도읍지로 정할 것을 진언한 공으로, 한고조로부터 劉氏 성을 하사받아 劉敬으로 불렸다. 자세한 내용은 윗글 [60-9-2] 주석 참고

302　『龜山集』권9 「史論・婁敬」

303　和親策을 건의하며 : 한고조가 흉노의 선우를 잡고자 平城을 공격하여 도리어 7일 동안 포위되는 고초를 겪다가 陳平의 계책으로 풀려나 돌아왔다. 이때 선우 묵특의 군사는 30만을 헤아렸다. 한나라의 韓王信이 代에서 흉노에게 항복하였고, 陳豨가 한고조에게 반란을 꾀하여 한왕 신과 힘을 합해 한나라를 공격하였다. 여기에다 묵특이 해마다 한나라의 북쪽을 침략하였다. 이에 한고조는 흉노와 우호 관계를 성립시키고자 그 방법을 누경에게 물었다. 이에 누경은 적실 소생의 맏공주를 선우에게 시집보낼 것을 제안하였다. 이때 그 맏공주는 이미 趙王 張敖의 왕후가 되어 있었다. 呂后의 강력한 반대로 결국 宗室의 딸을 데려다가 흉노에게 속여서 시집보내고 화친을 약속하였다. 이때 그 딸을 데려간 사람은 누경이었다.(『史記』 「劉敬傳」；「匈奴傳」)

304　선우는 아버지를 … 등극하였는데 : 묵특은 아버지 頭曼의 태자였으나 아버지가 계모에게 낳은 동생으로 태자를 바꾸려 하면서 月氏國에 인질로 보내졌다. 월지국에서 자신을 죽이려 하자 천리마를 훔쳐 타고 돌아왔다. 이에 아버지 두만이 군사 1만을 주었다. 묵특은 소리를 내는 화살鳴鏑을 만들어 자신이 쏘는 명적이 향하는 곳에 모두가 화살을 집중해 쏘도록 훈련을 시켜 이를 따르지 않는 군사는 모두 살해하였다. 그리하여 명적을 자신의 愛妾과 아버지 두만이 아끼는 천리마에 쏘아 따르지 않는 자를 모두 죽여 명령의 준엄함을 군사들에게 보였다. 그 뒤 아버지 두만의 사냥에 따라나섰다가 아버지를 향해 명적을 날려 아버지를 시해하고 마침내 흉노의 선우가 되었다.(『史記』 「匈奴傳」)

305　군주가 전쟁을 … 굳어졌으니 : 한고조가 평성에서 진평의 공개되지 않은 秘策을 써서 흉노의 포위에서 풀려난 뒤 화친을 맺고자 딸을 흉노에게 시집보냈다. 누경이 흉노에게 해마다 일정량의 솜, 비단, 술, 쌀, 다른 음식물 등을 바치기로 하고 서로 형제 국가가 되기로 화친조약을 맺었다.(『史記』 「匈奴傳」)

周勃 주발

[60-15-1]

程子曰: "周勃入北軍, 問曰: '爲劉氏左袒. 爲呂氏右袒'. 旣知爲劉氏, 又何必問, 若不知而問, 設或右袒當如之何? 已爲將乃問士卒, 豈不謬哉? 當誅諸呂時, 非陳平爲之謀, 亦不克成, 及迎文帝至霸橋,[306] 曰: '願請間', 此豈請間時耶? 至於罷相就國, 每河東守行縣至絳, 必令家人被甲執兵而見, 此欲何爲? 可謂至無能之人矣."[307]

정자程頤가 말하였다. "주발이 북군北軍에 들어가 묻기를 '유씨를 위하려는 사람은 왼쪽 소매를 벗고, 여씨를 위하려는 자는 오른쪽 소매를 벗도록 하라.'[308]고 하였다. 이미 유씨를 위할 것을 알고 있었다면 또 왜 꼭 물을 일이며, 만일 알지 못하고 물었다가 가령 오른쪽 소매를 벗었다면 과연 어떻게 했을 것인가? 이미 장수가 되었으면서 (이를) 사졸들에게 물었으니 어찌 잘못이 아닌가? 여러 여씨를 죽이는 상황에서도 진평이 그에 대한 꾀를 내지 않았다면[309] 역시 이뤄내지 못했을 것이다. 문제文帝를 맞이하여

---

306 霸橋: 『史記』「文帝紀」에는 '渭橋'로 쓰여져 있다.

307 『二程遺書』권18 「劉元承手編」

308 주발이 北軍에 … 하라. : 여후는 고조의 아들 혜제가 죽은 뒤 혜제의 아들 少帝恭을 등극시켰으나 나이가 어리다는 이유로 자신이 稱帝하며 8년 동안 집권하였다. 그동안 친정 여씨를 왕으로 삼고자 하여, 맨 먼저 친정아버지를 추존하여 宣王을 삼고 친정 오빠 呂澤을 悼武王으로 삼고, 여택의 아들 呂台를 呂王으로 삼으며 齊나라의 濟南을 呂나라로 만들었다. 또 소제 공이 자신의 어머니가 살해당한 사실을 알고 자신이 자라면 변고를 만들 것이라고 하자 소제 공을 유폐시켜 죽이고 혜제의 아들 義를 등극시키고 이름도 弘으로 바꾸게 하였다. 이후 여태의 아우 呂産을 呂王에 봉하였다가 梁王으로 봉하고 太傅를 삼아 수도에 남아 있게 하였고, 친정 오빠의 아들 呂祿을 趙王에 봉하고, 呂通을 燕王에 봉하여, 여후가 죽을 때 왕이 된 여씨가 3명이었다. 군대 체제도 바꾸어 南軍과 北軍으로 만들었다. 여후가 죽으면서 여산에게 내가 죽으면 대신들이 여씨를 왕으로 삼은 것에 불만을 품고 변란을 일으킬지 모르니 군대를 거느리고 궁궐을 호위하여 실권을 잃지 말라고 당부하였다. 여후가 죽자 여씨들이 반란을 도모하며 망설이는 사이 齊王 劉襄이 고조의 嫡長孫이라는 명분으로 군사를 일으켜 여씨를 소탕하겠다고 나섰다. 이 당시 상국 지위에 있던 呂産은 灌嬰을 파견하여 제왕의 반란을 진압하려 하였으나, 관영은 제왕과 세력을 모아서 여씨 세력을 치려고 들었다. 당시 여씨 세력은 모두 남군과 북군을 차지하고 있어 대신들이 모두 힘을 쓸 수 없었다. 주발은 이때 명목은 군대의 최고 수장인 太尉 자리에 있었으나 군대에 들어갈 수조차 없었다. 한편 酈商의 아들 酈寄가 呂祿과 사이가 좋았다. 주발과 진평은 역상을 협박하여 역기에게 속임수로 여록에게 자신의 나라인 조나라로 돌아가는 것이 천하의 의심을 덜고 영원히 조나라 왕으로서의 지위를 유지하는 길임을 설득하게 하였다. 여록은 친구가 자신을 속이는 것으로 생각하지 않고 충고로 받아들여 軍權을 태위인 주발에게 넘겼다. 주발이 여록이 넘긴 북군에 들어가고자 하였으나 符節이 없어 북군에 들어갈 수가 없자 부절 담당 紀通의 힘을 빌어 부절을 차고 북군에 들어가 유씨를 위하려는 세력을 규합하여 마침내 여씨들을 소탕하였다. 『資治通鑑』권13 「漢紀·高皇后」 8년)

309 여씨를 죽일 … 않았다면 : 주발이 북군을 차지하였으나 남군에 呂産이 있어 어쩌지 못하였다. 이에 진평이 朱虛侯 劉章을 불러 태위 주발을 보좌하도록 하였다. 주발은 주허후를 궁궐문을 지키는 監門에 임명하고

패교霸橋에 이르렀을 때에 '잠시 시간을 내주십시오.'[310]라고 하였으니 이때가 어찌 시간 내주기를 청할 때인가? 상국에서 면직되어 자신의 제후국諸侯國으로 나아가서도 하동군수河東郡守가 현縣을 순행하다가 강絳(주발의 봉지) 땅에 이를 적마다 반드시 집안사람들에게 갑옷을 입고 무기를 잡게 하고서 만나보았으니[311] 이것이 무엇을 하고자 한 짓인가? 지극히 무능한 사람이라고 말할 수 있을 것이다."

[60-15-2]

或問: "周勃雖則重厚少文, 可屬大事. 然其畏誅, 令家人持兵自衛, 似未得人臣事君之義. 而班固以爲漢伊周, 何耶?"

潛室陳氏曰: "周勃處事, 然有周章處. 如旣入軍, 復問左右袒, 迎文帝至渭橋, 却欲入私謁. 皆非召之不來, 麾之不去擧動. 安劉事特幸成耳."

어떤 사람이 물었다. "주발은 중후하고 꾸밈이 적으니 큰일을 맡길 만하였다. 그런데도 그가 죽임을 당할까 두려워하여 집안사람들에게 무기를 잡고 자신을 호위하게 하였으니 신하가 군주를 섬기는 의리를 얻지 못한 듯하다. 그런데도 반고班固가 '한나라의 이윤伊尹이요 주공周公이다.'[312]라고 한 것은 어째서인가?"

잠실 진씨가 대답하였다. "주발은 일처리에 매우 주저스러움이 있다. 예컨대 군대에 들어가고 나서도 다시 왼쪽 소매를 벗을지 오른쪽 소매를 벗을지를 묻고, 문제를 맞아 위교渭橋[313]에 이르렀을 때도 들어가 사사롭게 뵙고자 하였으니, 이는 모두 '불러도 오지 않고 손을 내저어도 떠나지 않는'[314]

. . . .

아무도 궁중 출입을 못하도록 금지시켰다. 이때 여산이 未央宮에 들어가 난을 일으키려 하였다. 주허후가 이를 막자 여록이 들어가지 못하고 주위를 배회하였다. 주발이 여록을 죽이라는 말을 못하고 주허후에게 군사 1천을 주어 황제를 호위하게 하자 주허후는 그 군사를 지휘하여 여산을 죽였다. 이것으로 여씨 세력은 완전히 제거되었다.(『資治通鑑』 권13 「漢紀·高皇后」 8년)

310 文帝를 맞이하여 … 하였으니: 여씨를 소탕한 대신들은 代 땅에 있는 고조의 아들 문제를 맞아 황제로 추대하기로 하였다. 문제가 측근들의 반대를 떨치고 대신들의 추대를 수락하여 長安의 渭橋에 이르자 모든 대신들이 나열하여 신하를 칭하며 문제에게 절을 올렸다. 이때 주발이 "시간을 내주십시오."라는 말을 올리자, 문제를 따라온 中尉 宋昌이 "말하고자 하는 것이 공적인 것이면 공적으로 말하고 말하고자 하는 것이 사적인 것이면 제왕은 사적인 것은 받아들이지 않는다.(所言公, 公言之; 所言私, 王者不受私.)"고 하였다. 이에 주발은 무릎을 꿇고 문제에게 옥새와 부절을 바쳤다.(『史記』 「孝文本紀」)

311 河東郡守가 縣을 … 만나보았으니: 문제가 황제가 되어 주발을 右丞相에 임명하고 황금 5천 斤과 食邑 1만 戶를 내렸다. 이때 어떤 사람이 당신은 여러 여씨를 죽이고 代王을 천자로 세워 위엄이 천하를 진동시켰고 큰 상까지 받았으니 곧 화가 닥칠 것이라고 하자 승상을 사직하고 자신의 봉지인 絳으로 돌아갔다. 이때 하동 태수가 하동지역을 순행하다가 강 땅에 이르면 행여 자신이 죽임을 당하지 않을까 하고 집안사람들을 무장시켰다. 그 뒤 주발이 모반을 꾀한다는 참소가 있어 감옥에 붙잡혔다가 풀려나기도 하였다.(『史記』 「絳侯周勃世家」)

312 班固가 한나라의 … 것: 반고가 엮은 『漢書』 「張陳王周傳」의 贊에서 이렇게 말하였다.

313 渭橋: 윗글 [1-15-1]에는 패교라 하고 여기에서는 위교라 하여 이름이 다른 것은 霸水와 涇水 두 강물이 장안 부근에 이르러 합하여지며 위수로 불린 데에서 두 이름이 생긴 것이다.

행동은 아니다. 유씨의 사직을 안정시킨 일은 단지 요행으로 이루어진 것일 뿐이다."

歷代三 역대 3

歷代三
역대 3

西漢 서한

陳平 진평

[61-1-1]

或問: "陳平當王諸呂時, 何不諫?"

程子曰: "王陵廷爭不從則去其位. 平自意復諫者, 未必不激呂氏之怒也. 夫漢初君臣, 徒以智力相勝, 勝者爲君, 其臣之者, 非心說而臣事之也. 當王諸呂時, 而責平等以死節, 庸肯苟死乎?"[1]

어떤 사람이 물었다. "진평이 여러 여씨呂氏를 왕으로 봉하던 시점에서[2] 왜 간하는 말을 하지 않았습니까?"

정자程子가 대답하였다. "왕릉王陵이 조정에서 간쟁하며 따르지 않자 벼슬을 빼앗았다.[3] 진평이 혼자

---

1 『二程粹言』「君臣篇」.

2 여러 呂氏를 … 시점에서: 呂后는 孝惠帝가 붕어하자 칭제하며 친정 여씨들을 왕에 봉하고 싶었다. 이에 右丞相 王陵에게 이를 물었다. 그러자 왕릉은 예전에 "고조가 白馬를 잡아두고 맹세하기를 '유씨가 아닌 사람이 왕이 된다면 천하가 그를 함께 공격하라.'고 하였습니다. 지금 여씨를 왕으로 봉하는 일은 약속이 아닙니다.(高帝刑白馬盟曰, '非劉氏而王, 天下共擊之.' 今王呂氏, 非約也.)"라고 하자 여후는 달갑게 여기지 않았다. 다시 좌승상 진평과 絳侯 周勃에게 물었다. 주발 등은 "고조가 천하를 평정하고 아들과 아우를 왕으로 봉하였습니다. 지금 태후께서 칭제하고 계시니 친정오빠나 아우 등 여러 여씨를 왕으로 봉하는 것에 불가할 것은 없습니다.(高帝定天下, 王子·弟. 今太后稱制, 王諸呂, 無所不可.)"라고 대답하였다. 태후는 즐거워하며 친정오빠의 아들 呂台, 呂産, 呂祿, 여태의 아들 呂通을 왕에 봉하고, 여씨 6명을 列侯로 삼았다.(『漢書』「高后紀」; 『資治通鑑』 권13 「漢紀 5·고황후」 원년)

생각에 다시 간하면 반드시 여씨呂后의 노여움만 격화시킬 것 같았다. 한나라 초기의 군주와 신하는 단지 지혜와 힘으로 서로 겨루어서 이긴 자가 군주가 되었으니 신하 된 자도 기쁜 마음으로 신하가 되어 섬긴 것은 아니었다. 여러 여씨를 왕으로 봉할 시점에 진평 등에게 죽음의 절의를 요구했다 하여도 어찌 기꺼이 죽었겠는가?"

[61-1-2]

"陳平只是幸而成功, 當時順却諸呂亦只是畏死. 漢之君臣, 當恁時豈有樸實頭爲社稷者? 使後來少主在事變, 那時他也則隨却. 如令周勃先入北軍, 陳平亦不是推功讓能底人, 只是占便宜, 令周勃先試難也. 其謀甚拙, 其後成功亦幸. 如人臣之義, 當以王陵爲正."[4]

(정자가 말하였다.) "진평은 단지 요행으로 성공했을 뿐이니 당시 여러 여씨에게 순응한 것도 역시 단지 죽음이 두려워서일 뿐이다. 한漢나라의 군주와 신하가 그 당시 어찌 성실한 마음으로 사직을 위하려는 자가 있었던가? 후일 소주少主가 사변 속에 놓였는데도[5] 당시에 그는 또한 그대로 따랐다. 예컨대 주발이 북군北軍에 먼저 들어간 일[6]만 해도 진평은 또한 공을 상대에게 미루고 능력을 사양하는 사람이 아니니, 단지 편리함을 차지하고서 주발에게 먼저 난리를 점검시켜본 것일 뿐이다. 그의 계책은 매우 졸렬하니 뒷날의 성공은 또한 요행이다. 신하 된 의리는 당연히 왕릉으로 바름을 삼아야 한다."

[61-1-3]

"陳平雖不知道, 亦知學. 如對文帝以宰相之職, 非知學, 安能此?"

(정자가 말하였다.) "진평이 도는 알지 못하나 또한 학문은 알았다. 예컨대 문제文帝에게 대답한 재상에 대한 직분은[7] 학문을 몰랐다면 어떻게 능히 이 같이 대답했겠는가?"

....

3 王陵이 조정에서 … 빼앗았다. : 여후가 왕릉의 반대 의견을 듣고서 한 달이 채 안 되어 그를 우승상에서 황제의 스승인 太傅로 임명하여 정승의 권한을 빼앗으려 하자 왕릉은 병을 핑계하고 고향으로 돌아갔다.(『資治通鑑』 권13 「漢紀 5・고황후」 원년)

4 『二程遺書』 권19 「楊遵道録」

5 少主가 사변 … 놓였는데도 : 효혜제의 황후 張氏(장씨는 여후가 낳은 魯元公主의 딸이다.)는 아들을 낳지 못했다. 그래서 거짓으로 임신한 것처럼 숨기고서 후궁의 美人(후궁의 한 계급)이 낳은 아들을 데려다가 자신의 아들을 삼고 그 미인을 죽여 없앤 다음 태자로 세웠다. 바로 少帝恭이다. 이를 少主라고 칭한 것이다. 고후 4년(기원전 184년)에 소제는 자신이 효혜황후의 아들이 아닌 사실을 알고서 "황후가 어떻게 내 어머니를 죽이고 나를 자식이라 이름 붙일 수 있는가? 내가 아직 장성하지 않았으니 장성하면 변란을 일으킬 것이다."라고 하였다. 여태후가 이 소식을 듣고서는 난을 일으킬까 두려웠다. 이에 永巷에 유폐시켜 아무도 만날 수 없게 하고서, 정신병이 있어 황제의 직책을 수행할 수 없다며 폐위를 선언하였다. 그리고는 소제를 몰래 죽였다. 다시 효혜제의 아들 恒山王 義를 세워 황제로 삼고 이름을 弘으로 바꾸었다. 홍도 후세에 少帝로 廟號를 올려 한나라에는 두 명의 소제가 있다. 모두 여후가 칭제하는 8년 사이에 일어난 일들이다.(『史記』「呂太后本紀」)

6 주발이 北軍에 … 일 : 앞 60권 [60-15-1]의 주석 참고

7 文帝에게 대답한 … 직분은 : 문제가 여씨들의 난이 평정된 뒤 옹립되어 천자 자리에 오르자 천하의 일을

[61-1-4]

龜山楊氏曰: "呂后問宰相, 高祖曰: '陳平智有餘難以獨任, 王陵少戇可以佐之', 則高祖固有疑平之心矣. 然終其世不見其隙. 蓋天下初定, 國家多故, 諸侯內叛, 夷狄外陵. 平爲護軍, 常從征伐, 不據重兵, 不親國柄, 故能免也. 然高祖謂'平難獨任, 王陵可以佐之', 而陵終以戇見疎, 無益於國. 其後平專爲丞相, 天下無間言, 卒以功名終, 不其反歟? '知人惟帝難之', 信矣夫!"[8]

구산 양씨[楊時]가 말하였다. "여후가 재상감을 묻자,[9] 고조가 '진평은 지혜는 남아나지만 혼자에게만 맡기기 어려우니, 왕릉이 조금 미련스러우나 보좌시킬 수 있을 것이다.'라고 하였으니, 고조는 본시 진평을 의심하는 마음이 있었다. 그러나 고조가 세상을 마치도록 그와 틈이 발생하지 않았다. 천하가 막 평정되어 국가에 이런저런 일들이 많았으며, 제후들이 안에서 반란을 일으키고 오랑캐들은 밖에서 넘보았다. 진평이 호군護軍[10]이 되어 늘 고조를 따라 정벌하기는 하였으나 많은 군대를 거느린 일도 없었고 나라의 권력을 직접 쥐지 않았던 까닭에 화를 면했던 것이다. 그러나 고조가 '진평은 혼자에게만 맡기기 어려우니 왕릉으로 보좌시킬 수 있을 것이다.'라고 평하였으나 왕릉은 끝내 미련스러움으로 멀리함을 당하여

. . . .

분명하게 알고 싶어졌다. 이에 우승상 周勃에게 "천하 한 해 동안의 옥사 판결은 얼마 정도인가?"라고 물었다. 그러자 주발은 알지 못한다고 사죄하였다. 문제가 다시 "천하 한 해 동안에 錢穀의 수입과 지출은 얼마 정도인가?"라고 물었다. 주발은 다시 알지 못한다고 사죄하며 등줄기에 흐른 땀이 옷을 적셨다. 이에 문제는 이를 좌승상 진평에게 물었다. 진평은 "담당 관리가 있습니다."라고 대답하였다. 문제가 "담당자가 누구인가?" 하자, 진평은 "폐하께서 옥사의 판결을 묻고자 하신다면 廷尉에게 요구하고, 전곡을 물으려면 治粟內史에게 물으십시오." 하였다. 이에 문제는 "각기 담당자가 있다면 그대가 담당하고 있는 일은 무엇인가?"라고 재상의 책임을 거론하였다. 이에 진평은 사죄하며 "황공하옵니다. 폐하께서 신의 노둔함을 알지 못하시고 재상 벼슬을 맡기셨습니다. 재상은 위로는 천자를 보좌하여 陰陽기운을 조절해 네 계절이 순조롭도록 하고, 아래로는 만물이 적시에 생장하도록 하며, 밖으로는 사방의 이민족과 제후들을 어루만져 안정시키고, 안으로는 백성들이 친근한 마음으로 의지하고 경대부들이 각기 자신의 직분을 다할 수 있게 하는 것입니다.(主曰! 陛下不知其駑下, 使待罪宰相. 宰相者, 上佐天子理陰陽, 順四時, 下育萬物之宜, 外鎭撫四夷諸侯, 內親附百姓, 使卿大夫各得任其職焉.)"라고 하였다. 이에 문제는 그의 답변을 칭찬하였다. 『史記』「陳丞相世家」

8 『龜山集』 권9「史論·陳平」

9 여후가 재상감을 묻자: 고조 12년(기원전 195년)에 고조의 병세가 깊어지자 여후가 고조에게 물었다. "폐하가 돌아가신 뒤 蘇相國(蕭何)이 죽게 된다면 누구를 시켜 대신하게 해야 합니까?"라고 묻자, 고조는, "조참이 적합하다." 그 다음 차례를 묻자, 고조는 "왕릉이 적합하다. 그러나 왕릉은 조금 미련스러우니 진평이 도울 수 있을 것이다. 진평은 지혜는 남아나나 혼자에게만 맡기기는 어렵다.('陛下百歲後, 蕭相國即死, 令誰代之?' 上曰, '曹參可.' 問其次, 上曰, '王陵可. 然陵少戇, 陳平可以助之. 陳平智有餘, 然難以獨任.')"고 하였다.(『史記』「高祖本紀」)

10 護軍: 秦漢시대에 둔 護軍都尉나 中尉를 이르는 말. 장수 사이의 책임 관계 조절을 맡았다. 『資治通鑑』 권63「漢紀 55·獻帝」 建安 5년의, "중호군과 장소가 함께 여러 일을 관장하였다.(中護軍與張昭共掌衆事.)"의 胡三省 주에 "진나라가 호군도위를 두었고 한나라가 그대로 따랐다. 고조가 진평을 호군중위로 삼았고 무제가 다시 호군도위로 만들어 大司馬에게 속하게 하였다.(秦置護軍都尉, 漢因之. 高祖以陳平爲護軍中尉, 武帝復以爲護軍都尉, 屬大司馬.)"라고 하였다.

나라에 도움 되지 못하였다. 그 뒤 진평은 혼자서 승상을 지냈으나[11] 천하에서 흠하는 말이 없어 마침내 공훈과 명예를 지닌 채 세상을 마쳤으니, 그 반대가 아닌가? '사람을 알아보는 일은 요임금도 어려워했다.'[12]는 말이 진실이구나!'

[61-1-5]

或問: "文帝問陳平錢穀刑獄之數而平不對, 乃述所謂宰相之職. 或以爲'錢穀刑獄, 一得其理, 則陰陽和, 萬物遂, 而斯民得其所矣'. 宰相之職, 莫大於是. 惜乎平之不知此也."

朱子曰: "平之所言, 乃宰相之體. 此之所論亦是一說, 但欲執此以廢彼則非也. 要之相得其人, 則百官各得其職. 擇一戶部尚書, 則錢穀何患不治, 而刑部得人, 則獄事亦淸平矣."[13]

어떤 사람이 물었다. "문제가 진평에게 전곡錢穀과 형옥刑獄의 숫자를 물었는데 진평은 대답하지 않고 소위 재상의 직분을 말하였습니다. 어떤 사람은 '전곡과 형옥이 한결같이 순리대로 다스려지면 음양陰陽이 조화를 이루고 만물이 각기 제 삶을 이루어 백성이 제자리를 얻는다.'고 하였습니다. 재상의 직분이 이보다 큰 것이 없는데도 애석하게 진평이 이를 알지 못했습니다."

주자가 대답하였다. "진평이 한 말은 바로 재상의 체통이다. 그대가 한 말도 역시 일설일 수는 있으나 단지 이를 고집하여 저것을 무시하는 것은 옳지 않다. 결론을 짓는다면 상국의 자리에 적임자를 얻으면 모든 자리가 각기 직분에 맞는 관원을 얻게 된다. 한 사람의 호부상서戶部尚書를 가려 임명하면 전곡이 다스려지지 않을까 어찌 걱정이겠으며, 형부상서刑部尚書에 적임자를 얻으면 옥사獄事는 또한 맑고 공평해질 것이다."

[61-1-6]

或問: "良·平漢之功臣也. 十八侯之次, 良·平何以不與? 高后四年差次功臣, 其位愈下, 何歟?"

潛室陳氏曰: "漢封功臣, 其盟誓之辭曰: '非軍功不侯.' 於軍功中又三事最重, 一曰從起豐沛; 二曰從入關中破秦; 三曰從定三秦. 十八侯位次全論此三事. 良平皆後附,良雖從沛公, 但其時自有故君韓氏. 所以不在此數. 又良平皆帷幄謀議, 不履行陣, 所以諸軍功者率在先."[14]

....

11 진평은 혼자서 … 지냈으나: 우승상 주발이 문제의 물음에 대답하지 못한 뒤, 자신의 역량이 좌승상 진평에게 미치지 못함을 스스로 알고서 병으로 사면을 청하였다. 이에 진평이 혼자서 승상의 직책을 수행하였다.(『史記』「陳丞相世家」)

12 '사람을 알아보는 어려워했다.': 사람을 알아보기 어려움을 이르는 말이다. 『書經』「虞書·皐陶謨」에서 "고요가 '아름답습니다. 사람을 알아보는 데 있으며 백성을 편안하게 하는 데 있습니다.'라고 하자, 우임금이 '쉽지 않은 일이다. 모든 일을 다 이같이 할 수 있음은 요임금마저도 어려우셨다.'(都! 在知人, 在安民. 禹曰, 吁! 咸若時, 惟帝其難之.)"라고 하여 사람을 알아보는 일은 요임금에게도 어려운 일이었다는 말을 여기서 이렇게 인용한 것이다.

13 『朱子語類』 권135, 34조목

어떤 사람이 물었다. "장량과 진평은 한나라의 공신입니다. 18명 후侯의 위차位次[15]에 장량과 진평은 왜 포함되지 않았습니까? 고후高后[呂后] 4년(기원전 184년)에 공신들의 차등을 정할 적에 그들 지위가 더욱 낮아졌는데 어째서입니까?"[16]

잠실 진씨가 대답하였다. "한나라가 공신을 봉하면서 그 맹서하는 말에 '군대에서 세운 공이 있지 않으면 후侯를 삼지 않는다.'고 하였다. 군대에서 세운 공훈 중에서도 또 세 가지가 가장 중요하였으니, 첫째 풍패에서 따라 봉기한 일, 둘째 관중에 함께 들어가 진나라를 격파한 일, 셋째 삼진三秦[17] 평정에 따라 나선 일이었다. 18명 후의 위차는 이들 세 가지 일만을 온전히 따진 것이다. 장량과 진평은 모두 한고조에게 나중에 따라붙은 장량은 패공을 따랐으나 단지 그때 본래 자신의 예전 군주 한씨韓氏가 살아 있었다. 까닭에 18명 수효에 끼이지 못한 것이다. 또 장량과 진평은 모두 장막에 머물며 계책을 세웠고 전쟁에 뛰어들어 싸우지는 않았으니 그런 까닭에 군대에서 공훈을 세운 자들이 모두 앞선 것이다."

王陵 왕릉

[61-2-1]

或問 : "王陵·周勃·陳平處呂后之事, 如何?"

南軒張氏曰 : "夫以呂氏之凶暴, 欲王諸呂, 其誰扼之? 獨問此三人者, 蓋亦有所憚也. 非特憚此三人, 蓋實憚高帝之餘威流澤之在天下也. 陵引高帝白馬之盟以對, 其言明切, 固足以折其姦心, 如砥柱之遏橫流也. 使二子者對復如陵, 吾知呂氏將悚焉若高帝臨之在上, 且懼天下之變, 或縮而不敢, 未可知也. 彼二子者, 乃唯然從之, 反有以安其邪志而遂其凶謀. 既分王諸

14 陳埴, 『木鍾集』卷11「史」

15 18명 侯의 位次 : 한고조가 군사를 일으켜 한나라를 세우기까지 제일 큰 공훈을 세운 18명의 지위 순서. 이 밖에도 한고조 때 총 143명이 侯에 봉해졌고, 孝惠帝 때 3명, 高后 때는 다시 31명이 늘었다. 공신의 위차에 대해서는 소하와 조참을 서로 우위에 놓으려는 다툼까지 벌어지는 등 공신을 정하는 일은 쉬운 일이 아니었다. 그래서 고후 2년(기원전 186년)에 공신의 위차를 승상 진평에게 총 정리하게 하는 어려운 과정을 거쳤다. 18명은 『漢書』「高惠高后文功臣年表」의 顔師古 주에 의하면 酇侯蕭何, 平陽侯曹參, 宣平侯張敖, 絳侯周勃, 舞陽侯樊噲, 曲周侯酈商, 魯侯奚涓, 汝陰侯夏侯嬰, 潁陰侯灌嬰, 陽陵侯傅寬, 信武侯靳歙, 安國侯王陵, 棘蒲侯陳武, 清河侯王吸, 廣平侯薛歐, 汾陰侯周昌, 陽都侯丁復, 曲成侯蟲達이다.

16 高后(呂后) 4년 … 어째서입니까? : 『漢書』「高惠高后文功臣年表」에는 "고후 2년에 다시 승상 진평에게 조서를 내려 열후들 공훈의 차례를 정해 차례대로 기록하여 종묘에 두게 하였다."고 하였다. 따라서 여기서 4년이라고 한 것은 아마 진평이 2년 동안 위차를 정한 기간이 감안된 듯하다. 여기서 장량은 62등이 되었고 진평은 47등으로 정하여졌다. 장량은 고조가 직접 손꼽은 공신이었고 소하에게 8천戶를 봉한 데 반해 장량은 1만호를 봉해주었을 정도로 공이 컸었다. 그런데도 나중에 그렇게 낮아진 것이다.

17 三秦 : 項羽가 劉邦을 巴蜀으로 보내놓고, 關中을 삼등분하여 秦나라의 항복한 장수 章邯, 司馬欣, 董翳를 왕으로 삼아서 유방을 견제한 지역

呂, 而呂氏羽翼成就, 氣燄增長. 然則呂氏之欲簒漢, 二子實助之. 予謂二子方對呂氏時, 其心特畏死耳, 未有安漢之謀也. 退而聞王陵之責, 顧高帝之眷, 思天下後世之議, 於是而不違, 則有卒安社稷之言耳. 雖然, 使二子未及施計, 先呂氏而死, 則是乃畔漢輔呂, 不忠之臣, 尚何道哉?

어떤 사람이 물었다. "왕릉·주발·진평이 여후에 대해 대처한 일[18]은 어떻습니까?"

남헌 장씨南軒張氏[張栻]가 대답하였다. "저 여씨의 흉포함으로 여러 여씨를 왕으로 봉하고자 하는데 뉘라서 그것을 막겠는가? 유독 이들 세 사람에게만 물은 것은 또한 그들이 꺼려져서이다. 이들 세 사람만 꺼려질 뿐 아니라 실상은 세상에 남아있는 고조의 다하지 않은 위엄과 유전된 은택까지 꺼려졌다. 왕릉이 고조가 백마白馬를 죽이며 행한 맹서의 말[19]을 인용하여 대답하니 그 대답의 명백함과 절실함은 참으로 그의 간악한 마음을 꺾기에 충분함이, 마치 지주산砥柱山[20]이 범람하는 물결을 막아서 있는 것과 같았다. 저들 두 사람의 대답도 다시 왕릉과 같았다면 내 짐작으로는 여씨는 아마도 고조가 마치 하늘에서 내려다보고 있는 것처럼 두렵고, 또 천하의 변란이 두려워 혹여 몸을 움츠리고 감행하지 않았을지도 알 수 없는 일이었다. 저들 두 사람이 예!예! 하고 따라 도리어 그의 사악한 뜻을 편안하게 해주어 그의 흉악한 계책이 이루어지게 하였다. 여러 여씨를 왕으로 나누어 봉한 뒤에는 여씨의 우익이 만들어지며 불같은 기세가 더욱 보태졌다. 그렇다면 여씨가 한나라 찬탈 욕심은 두 사람이 실상 도운 것이다. 나는 두 사람이 여씨의 물음에 대답할 때 그들 마음은 단지 죽음만이 두려웠을 뿐 한나라를 안정시킬 계책은 있지 않았다고 생각한다. (조정에서) 물러나와 왕릉의 질책을 듣고서야, 고조가 돌봐줬던 일을 돌아보고 천하 후세의 비난을 생각하자 이에 허둥지둥 '끝에 가서 사직을 안정시킬' 운운의 말을 한 것[21] 뿐이다. 그러나 만일 두 사람이 계책을 미처 펼치지 못하고 여씨보다 먼저 죽었다면 곧 이들은 한나라를 배반하고 여씨를 보필한 불충한 신하였을 터이니 무엇을 말할 것이 있겠는가?

....

18 왕릉·주발·진평이 여후에 … 일: 위 [61-1-1] 참고
19 고조가 白馬를 … 말: 위 [61-1-1] 참고
20 砥柱山: 황하의 도도한 물결을 기둥처럼 우뚝이 막아서듯 서 있는 산. 三門山이라고도 한다. 거센 물결 속에서도 굳건하게 서 있으므로 난세에 절조를 지키는 인물을 비유하는 말로 쓰인다. 지금의 河南省 三門峽市의 巫山아래에 있었으나 그동안 황하의 물길을 다스리며 깎아내 지금은 없다. 北魏 시대 酈道元이 편찬한『水經注』「河水 4」에는 "옛날 우임금이 홍수를 다스릴 적에 … 황하의 물이 나뉘어 흐르며 산을 포위하고 흘러가 산이 황하 물속에서 마치 기둥 같은 까닭에 지주산이라는 이름이 붙여졌다.(昔禹治洪水 … 河水分流, 包山而過, 山見水中若柱然, 故曰砥柱山也.)"고 하였다.
21 '사직을 안정시킬' … 것: 이를『史記』「여태후본기」에 의거하여 살펴보면 다음과 같다. 왕릉과 진평, 그리고 강후 주발이 조정의 조회가 파하자, "왕릉이 진평과 주발을 꾸짖기를 '처음에 고조와 歃血하고 맹세할 때 그대들은 그 자리에 없었던가? 지금 고조가 붕어하시고 태후가 女主가 되어 여씨를 왕으로 봉하고자 하는데 그대들이 한껏 사욕을 챙겨 그 뜻에 순종하고 맹약을 배반하고 있으니 무슨 면목으로 지하에서 고조를 뵈려는가?' 하니, 진평과 강후 주발은 '지금 면전에서 잘못을 지적하고 조정에서 간쟁하는 것은 우리가 그대만 못하나, 사직을 온전히 하여 유씨의 자손을 안정시키는 일은 그대가 우리만 못할 것이다.' 하였다.(王陵讓陳平·絳侯曰; 始與高帝啑血盟, 諸君不在邪? 今高帝崩, 太后女主, 欲王呂氏, 諸君從欲阿意背約, 何面目見高帝地下? 陳平·絳侯曰, 於今面折廷爭, 臣不如君; 夫全社稷, 定劉氏之後, 君亦不如臣.)"고 하였다.

抑二子安劉氏之計亦踈矣. 不遏之於爪牙未就之初, 而捄之於搏擊磔裂之後. 觀其閒居深念, 與刼酈寄入北軍等事, 亦可謂窮迫僥倖之甚, 夫豈全謀哉? 酈寄不可刼, 北軍不可入, 呂嬃之謀行, 則亦殆矣. 忠於人國者, 固如是哉? 人臣之立朝, 徇義而已, 利害所不當顧也. 功業之成, 不必蘄出於吾身也. 義理苟存, 則國家可存矣. 借使王陵以正對, 平勃又以正對, 呂氏一日而尸三子於朝, 三子雖死, 而大義固已皎然如白日; 轟然如震霆, 天下之義士, 將不旋踵四面並起而亡呂氏矣. 安劉氏者, 豈獨三子爲能哉?

두 사람이 유씨의 사직을 안정시킨 계책도 엉성하기만 하다. 발톱과 이빨이 아직 자라지 않은 초기에 막지 않고 공격을 입고 찢겨진 뒤에야 구원에 나섰다. 그가 조정에서 물러나와 있으면서도 골똘히 생각한 일[22]과 역기를 협박하여 북군에 들어간 일[23]들을 살펴보면 또한 매우 더없이 군색하고 요행한 일이라고 말할 수 있으니 그것이 어찌 온전한 계책이겠는가? 역기를 협박할 수 없고 북군에 들어갈 수 없어 여수呂嬃의 계책[24]이 행해졌다면 또한 위험했을 것이다. 나라에 충성하는 사람이 참으로 이럴 수 있겠는가? 신하가 조정에서 벼슬하면서는 의리를 따를 따름이니 이해는 당연히 돌아볼 것이 아니다. 공훈과 업적의 성공도 굳이 내 몸에서 나오기를 바랄 필요도 없다. 의리가 진실로 존재하면 국가는 보존될 수 있다. 가사 왕릉이 바른 말로 대답하고 진평과 주발도 또 바른 말로 대답하여, 여씨가 하루에 세 사람의 시체를 조정에 내걸어 세 사람이 죽는다 하더라도 대의大義가 진실로 이미 저 태양처럼 밝고 천둥소리처럼 울려 퍼져, 천하의 의로운 사람들이 곧바로 사방에서 함께 일어나서 여씨를 쓰러뜨릴 것이다. 유씨의 사직을 편안히 하는 일이 어찌 세 사람만이 할 수 있는 일이겠는가?

使人臣當變故之際, 畏死貪生, 不知徇義, 而曰: '吾欲用權以濟事于後', 此則國家何所賴焉? 亂臣賊子所以接踵於後世也. 其弊至於如荀彧·馮道之徒, 而論者猶或賢之, 豈不哀哉? 夫所

<hr />

22 조정에서 물러나와 … 일: 이를 『史記』「酈生陸賈傳」에서는 "여태후 때 여러 어씨를 왕으로 봉히여 여러 여씨가 권력을 좌지우지하며 어린 천자[少主]를 겁박하려 들면서 유씨를 위험에 빠뜨렸다. 우승상 진평은 이것을 걱정하였으나 힘으로 간쟁할 수도 없고 자신에게 화가 미칠까도 두려워 늘 조정에서 물러나와 있으면서 깊은 생각에 빠졌다.(呂太后時, 王諸呂, 諸呂擅權, 欲劫少主, 危劉氏. 右丞相陳平患之, 力不能爭, 恐禍及己, 常燕居深念.)"고 하였다.

23 역기를 협박하여 … 일: 여기서 말하는 협박한 내용이 구체적으로 언급된 곳은 없이 협박하였다고만 말하고 있을 뿐이다. 자세한 것은 앞 60권 [60-15-1] 참고

24 呂嬃의 계책: 여수는 여후의 친정 아우이자 樊噲의 부인이다. 呂須로도 쓴다. 역상은 진평과 주발이 겁을 주자 아들 酈寄를 시켜 북군을 거느리고 있는 呂祿을 속여 군대를 太尉인 주발에게 돌려주고 자신의 封國인 趙나라로 돌아가도록 설득하게 하였다. 이 말을 들은 여록이 한편으로는 따르려 하면서도 망설여져 여러 집안사람들에게 이를 알렸다. 이에 혹은 잘한 일이라 하고 혹은 잘못된 일이라 하였다. 결정을 내리지 못하고 고모인 여수를 방문하여 전후 사실을 말하자, 여수는 크게 성을 내며, "네가 장수가 되었으면서 군대를 버린다면 여씨는 이제 머무를 곳이 없게 된다.(若爲將而棄軍, 呂氏今無處矣.)"고 하고서 자신이 가지고 있던 珠玉과 귀중한 기물들을 모두 내어 마루에 흩어 놓고서는 "다른 사람이 차지하게 하지 말라.(無爲他人守也.)"고 하였다. 여기에서 여수는 여록의 일을 반대하고 있었음을 살필 수 있다.(『史記』「여태후본기」)

貴乎權者, 謂其委曲以行其正也. 若狄仁傑是已. 其始終之論, 皆以母子天性爲言, 拳拳然日
以復盧陵王爲事. 然其所以紆餘曲折而卒成其志者, 則用功深矣. 潛授五龍夾日以飛, 仁傑豈
必功業於其身者哉? 人臣之義, 當以王陵爲正；濟大事者, 當以狄仁傑爲法."[25]

신하가 변고를 만났을 즈음에 죽음을 두려워하고 살기를 욕심내 의리를 따라야 함을 모르고서 '내가 권도로 나중에 일을 성공시키고자 한다.'고 말한다면, 이런 사람에게 국가가 무슨 도움을 받을 수 있겠는가? 난신적자가 후세에 연달아 이어지는 까닭이다. 그 폐단은 순욱苟彧[26]과 풍도馮道[27]와 같은 무리에 이르러서도, 논하는 자들이 오히려 혹 어질게 여기고 있으니[28] 어찌 애달프지 않은가? 권도를 귀히 여기는 것은 곡진하게 그 바른 도리를 행하는 것을 말하니 적인걸狄仁傑[29] 같은 사람이 그런 사람이다. 그가 처음부터 끝까지 주장하는 말은 모두 어머니와 아들은 하늘에 의해서 정해진 것임을 말하며 성심으로 날마다 여릉왕盧陵王의 복귀만을 일삼았다.[30] 그러나 우여곡절 끝에 끝내 자신의 뜻을 이룬 까닭은 힘을

．．．．．．．．．．．．．．．

25 『南軒集』「史論・王陵」

26 荀彧 : 後漢 潁川 潁陰 사람. 彧은 郁으로 쓰기도 한다. 자는 文若. 封號는 萬歲停侯. 시호는 敬이다. 孝廉으로 추천되어 벼슬에 나왔고, 曹操에게 발탁되어 조조를 도와 그의 謀士로 활약했다. 董昭가 조조에게 魏公의 작위를 올리려 하는 것에 반대한 것이 조조의 미움을 사서 결국 자살하였다. 순욱이 조조를 도우면서 그가 의도했든 안했든 결국 후한이 조조에게 기우는 일이 되었다는 평을 후세에 남겼다.(『後漢書』「鄭孔荀傳」)

27 馮道 : 오대시대 瀛州 景城 사람. 자는 可道. 호는 長樂老. 시호는 文懿. 後唐에서 재상으로 발탁된 이후 後晉・遼・後漢・後周에서 11천자를 섬기며 30년 동안 고위직의 벼슬을 지냈고 재상 직위도 20년 넘게 복무하였다.(『舊五代史』 권126)

28 혹 어질게 … 있으니 : 순욱에 대해서 『後漢書』를 편찬한 范曄은 「鄭孔荀傳」에서 순욱을 평하여 "순욱의 (조조에 대한) 보좌는 참으로 병든 나라에 마음이 움직여서이다. 공이 세워지며 운세가 바뀌었으니 한 일들이 의심스럽게 되었지만 마음만은 정도에서 떠나지 않았다.(彧之有弼, 誠感國疾. 功申運改, 迹疑心一.)"고 순욱을 변호하였고, 『三國志』「荀彧傳」에서 陳壽는 순욱을 평하여 "순욱이 청수하고 바른 도리에 통달하여 제왕을 보필할 수 있는 기풍이 있으나 거울처럼 기민하게 내다보는 식견은 자신의 뜻을 채울 만하지 못하였다.(荀彧淸秀通雅, 有王佐之風, 然機鑒先識, 未能充其志也.)"고 하였는데, 裴松之는 순욱이 동소의 조조에 대한 찬양에 반대하다 죽은 것을 들어 "조조의 패업이 융성하여진 뒤 한나라를 망하게 하려는 의도가 드러났다. 그 뒤 자신의 한 몸을 죽여 절의를 따름으로써 본래 마음을 펴보였다. 당시에 큰 올바름을 온전히 하였고 백대에 정성된 마음을 펼쳤으니 책임이 막중하였고 갈 길이 멀었으며 뜻을 행하고 의리를 확립시켰다고 말할 수 있을 것이다. 그것을 두고 '채우지 못하였다.'고 말하는 것은 그것은 거의 옳지 않은 말일 것이다!(及至霸業旣隆, 翦漢迹著. 然後亡身殉節, 以申素情. 全大正于當年, 布誠心于百代, 可謂任重道遠, 志行義立. 謂之未充, 其殆誣歟!)"라고 하였다.

29 狄仁傑 : 唐나라 幷州 太原 사람. 자는 懷英. 시호는 文惠. 明經科에 급제. 벼슬은 大理丞, 地官侍郎, 魏州刺史, 河北道行軍副元帥. 則天武后에게 直諫을 잘하였고, 姚崇 등의 유능한 선비를 추천하여 朝野의 존경을 받았다. 武三思로 皇統을 잇게 하려는 大逆을 막는 등 당 황실의 회복과 수호에 힘썼다. 燕國公에 봉해지고, 뒤에 梁國公이 추봉되었다.(『舊唐書』 권89 ; 『新唐書』 권115)

30 어머니와 아들, … 일삼았다. : 盧陵王은 中宗을 말함. 중종은 아버지 高宗의 뒤를 이어 등극하였다가 어머니 則天武后에게 폐위 당하면서 여릉왕으로 봉해졌다. 그 뒤 태자는 均州와 房陵을 옮겨 다녔다. 측천무후가 친정의 武三思를 태자로 세우고자 재상들의 의견을 물었을 때 아무도 입을 열지 못하는데, 적인걸이 나서서 "신이 살피니 하늘과 백성이 당나라 왕조(곧 李氏 왕조)에 싫증을 내지 않고 있습니다. 지난번 흉노가 변경을

들인 것이 깊어서이다. '몰래 오룡五龍에게 건네주어 끼고서 하늘을 날게 하였다.'[31]고 하였으니, 인걸이 공훈과 업적을 어찌 꼭 자신의 손으로만 이뤄내려 한 것인가? 신하의 의리는 당연히 왕릉으로 바름을 삼아야 하고, 큰일을 이뤄내는 것은 마땅히 적인걸로 법을 삼아야 한다."

叔孫通 숙손통

[61-3-1]

朱子曰 : "叔孫通爲綿蕞之儀, 其效至於群臣震恐, 無敢喧譁失禮者. 比之三代燕享群臣氣象, 便大不同. 蓋只是秦人尊君卑臣之法. 魯二生之不至, 亦是見得如此, 未必能傳孔孟之道. 只是他深知叔孫通之爲人, 不肯從他耳."[32]

주자가 말하였다. "숙손통이 끈으로 줄을 긋고 띠 풀로 자리를 표시해가며 만든 의례[33]는 그 효험이

침략하였을 적에 폐하께서 梁王 무삼사에게 저자에서 용맹한 사람을 모집하게 하였는데 한 달이 넘도록 1천 명을 채우지 못하였습니다. 여릉왕에게 대신하게 하자 채 열흘이 못 되어 금방 5만 명이 되었습니다. 지금 왕통을 잇고자 하신다면 여릉왕이 아니면 마땅한 사람이 없습니다.(臣觀天人未厭唐德. 比匈奴犯邊, 陛下使梁王三思募勇士於市, 踰月不及千人, 廬陵王代之, 不浹日輒五萬. 今欲繼統, 非廬陵王莫可.)라고 하였다. 무후는 역정을 내고 의논을 중지하였다. 그 뒤 어느 날 측천무후가 꿈 이야기를 하며 내가 자주 雙陸에서 지는 꿈을 꾼다고 하였다. 이에 적인걸은 '쌍륙에서 이기지 못하는 것은 아들이 없어서입니다.'라고 하고 이어 측천무후에게 친정의 무삼사에게 왕통을 넘겼을 때 훗날 武氏 왕조에서 고모할머니를 종묘에 모시고 제사지내주지 않을 것이니 오직 여릉왕을 세워야 千秋에 종묘에서 제사를 얻어 잡수실 수 있을 것이라고 하였다. 이에 측천무후는 바로 여릉왕을 불러들였다. 여러 사람들이 여릉왕의 복위를 간언하였지만 듣지 않던 측천무후가 적인걸의 말을 따른 것에 대해 역사 기록은 "적인걸이 매번 어머니와 아들은 하늘에 의해 정해진 것임을 말하면 측천무후가 치미는 마음을 참고 들었으나 감동이 없지 않았던 까닭에 마침내 당나라 왕조가 이어진 것이다.(仁傑每以母子天性爲言, 后雖忮忍, 不能無感, 故卒復唐嗣.)"라고 하였다. 적인걸이 여릉왕을 중종으로 복위시킨 것은 이런 은근한 설득에 의한 것이었다.(『新唐書』 권115)

31 '몰래 … 하였다.' : 이는 적인걸의 여릉왕 복귀가 격렬한 간쟁을 거치지 않고 거의 주변 사람조차도 몰래 이루어진 것임을 찬양하여 한 말이다. 『新唐書』 「狄仁傑傳」의 贊에서, "측천무후가 당나라가 쇠한 틈을 타 살생의 권한을 손아귀에 걸머쥐고 천하를 협박하여 제왕의 자리를 빼앗자, 적인걸이 부끄러움을 무릅쓰고 충성을 떨쳐냈다.(武后乘唐中衰, 操殺生柄, 劫制天下而撼神器. 仁傑蒙恥奮忠.)"면서 그 공이 천하를 덮을 만한 일이었으나 아는 사람이 없었던 까닭에 당나라 呂溫이 찬송하기를 "虞淵(전설상 해가 진다는 곳)에서 해를 가져다 咸池(전설상 해가 목욕한다는 곳)에서 깨끗이 씻겼다네! 몰래 五龍(군주가 될 사람)에게 건네주어 끼고서 하늘을 날게 하였네!(取日虞淵, 洗光咸池. 潛授五龍, 夾之以飛.)"라고 하였는데 세상에서 名言이라고 하였다."

32 『朱子語類』 권135, 22조목

33 숙손통이 … 의례 : 한고조가 진나라의 세세한 법령을 모두 없애버리고 간단하게 줄여버리자 신하들이 조정에서 술을 마시고 공훈을 서로 따지면서 함부로 고함지르고 칼을 빼내 기둥을 후려치는 일까지 벌어졌다. 이에

뭇 신하들을 놀래고 두렵게 하여 감히 말썽을 피우거나 예절을 거스른 자가 없는 데에 이르렀다. 그러나 삼대 시절의 (군주가) 뭇 신하들과 잔치하던 기상에 비기면 사뭇 같지 않다. 그것은 단지 진나라의 군주는 높이고 신하는 낮추려는 예법이기 때문이다. 노나라의 두 유생儒生이 이르지 않은 것[34] 역시 이 같음을 내다보고, 공자와 맹자의 도를 전하는 일을 기필할 수 없었기 때문이었다. 그들이 숙손통의 사람됨을 깊숙이 알았던 까닭에 기꺼이 그를 따라 나서지 않은 것이다."

[61-3-2]

或問 ; "叔孫通定禮樂, 召兩生不至. 曰 : '禮樂積德百年而後可興.' 漢初朝廷無禮, 群臣拔劒擊柱. 若從兩生, 無救於目前. 從叔孫, 則又因陋就簡. 揚子雲獨以大臣許兩生, 如何?"

潛室陳氏曰 : "人有所不爲也, 而後可以有爲. 叔孫通盜儒. 稍有節操人便不因之而進. 兩生不是欲待百年, 但以叔孫通非興禮樂之人, 故設辭以拒之耳. 子雲以其自重難進, 有所不爲, 故以大臣許之. 蓋因其出處之間, 可卜其事業也."

어떤 사람이 물었다. "숙손통이 예악을 제정하며 두 유생을 불렀으나 이르지 아니하고 '예악은 덕스러운 정사가 1백 년이 쌓인 뒤에야 만들어질 수 있는 것이다.'라고 하였습니다. 한나라 초기의 조정은 예의가 없어 뭇 신하들이 칼을 빼들어 기둥을 후려쳤습니다. 만일 두 유생의 말을 따른다면 눈앞의 어지러움을 구제할 수 없고, 숙손통의 생각을 따른다면 또한 거칠고 불완전한 대로 이뤄내야 했습니다. 양자운이 홀로 두 유생을 대신大臣의 재목으로 허여한 것[35]은 어째서입니까?"

- -

한고조는 이것들에 싫증을 느꼈다. 이때 숙손통이 이를 감지하고 조정에서 지켜야 할 예절을 만들어야 한다며 옛날 예절과 진나라의 예절을 섞어서 만들어보고자 한다고 나섰다. 이에 한고조는 어렵지 않겠느냐며 자신이 행할 수 있는 정도의 예를 제정해 보라고 하였다. 이에 숙손통은 노나라에서 공맹의 도를 익힌 자 30명을 초빙하고 한고조의 측근으로 학문을 한 자, 그리고 자신의 제자 1백여 명을 데리고 한적한 들로 나가 새끼줄로 줄을 긋고 띠 풀로 자리를 표시하여 조정의 예의를 연습시켰다. 이렇게 한 달여를 연습시킨 뒤 한고조에게 관람하게 하자 한고조는 이 정도라면 내가 행할 수 있겠다 하였다. 드디어 長樂宮이 완성되고 한고조 7년이 되는 새해가 되었다. 이에 숙손통은 이들을 데리고 조정에 나아가 모든 예절을 지휘하였다. 술이 아홉 순배가 돌았으나 감히 옛날처럼 객기를 부리는 자가 없었다. 이에 한고조는 "내가 오늘에야 황제의 존귀함을 알게 되었노라.(吾廼今日知爲皇帝之貴也.)"라고 하고서 숙손통에게 太常 벼슬을 내리고 황금 5백 근을 하사하였다.(『史記』「숙손통전」)

34 노나라 두 … 것 : 숙손통이 한나라 조정의 예절을 제정하려고 노나라에 가 학자들을 초빙하였다. 이때 두 유생이 숙손통의 초빙에 응하지 않았다. 그리고 하는 말이 "지금 천하가 막 안정되어 (전쟁에서) 죽은 자들을 아직 장례 치르지 못하였고 다친 사람들이 아직 치유되지 않았는데 또 예악을 만들고자 하고 있습니다. 예악이 만들어지는 것은 덕스러운 정사가 1백 년이 쌓인 뒤라야 일어나는 것입니다. 나는 차마 공이 하려는 일을 할 수 없습니다. 공이 하려는 것은 옛날과 맞지 않으니 나는 갈 수 없습니다. 공은 떠나가고 나를 더럽히지 마십시오!(今天下初定, 死者未葬 ; 傷者未起, 又欲起禮樂. 禮樂所由起, 積德百年而後可興也. 吾不忍爲公所爲. 公所爲不合古, 吾不行, 公往矣, 無汙我!)"라고 하였다. 이에 숙손통은 "그대들은 참으로 비루한 儒者들이다. 시대의 변화를 알지 못하고 있다.(若眞鄙儒也, 不知時變.)"고 하고서 초빙에 응한 30명을 데리고 서쪽 진나라로 떠났다.(『史記』「숙손통전」)

잠실 진씨가 대답하였다. "사람은 하지 않는 것이 있은 다음이라야 업적을 남길 수 있다.[36] 숙손통은 도유盜儒[37]이다. 조금의 절조가 있는 사람이면 그를 통해 벼슬에 나가지 않을 것이다. 두 유생이 1백 년을 기다리고자 한 것이 아니고 단지 숙손통이 예악을 일으킬 수 있는 사람이 아니었으므로 일부러 둘러대는 말로 거절한 것일 뿐이다. 양자운은 그들의 자중하고 나아가기를 어렵게 여긴 것을, 하지 않음 이 있는 것으로 여긴 까닭에 대신의 재목으로 허여한 것이다. 사람의 벼슬에 나아가고 나아가지 않는 그것에 따라서 그 사람이 이뤄낼 수 있는 일을 점칠 수 있다."

四皓 사호[38]

[61-4-1]

朱子曰 : "漢之四皓, 元稹嘗有詩譏之, 意謂楚漢分爭却不出, 只爲呂氏以幣招之便出來, 只定 得一箇惠帝, 結裏小了, 然觀四皓, 恐不是儒者, 只是智謀之士."[39]

주자가 말하였다. "한나라의 사호를 원진元稹이 일찍이 시를 지어 비평하니,[40] 그 의도는 초나라와 한나 라가 나뉘어 다툴 때는 나오지 않다가 단지 여씨가 폐백으로 초빙하자 퍼뜩 세상에 나와 단지 한 사람 혜제의 일만을 안정시켰으니 결과가 하찮다는 것이었다. 그러나 사호를 살펴보면 아마도 유자儒者는 아닐 성싶고 단지 지혜로운 책략가인 듯하다."

. . . .

35 두 유생을 … 것 : 양웅의 저서 『揚子法言』 「五百篇」에, "양웅이 '예전에 齊魯 지역에 大臣이 있었는데 史官이 그 이름을 전하지 않았다.'고 하자, 묻기를 '어느 정도이면 대신이라고 합니까?'라고 하니, '숙손통이 군신 간의 의례를 제정하려고 제로지역에서 선생의 학덕을 갖춘 사람들을 불렀는데 데려오지 못한 사람이 두 사람 이었다.'고 하였다.(昔者, 齊魯有大臣, 史失其名. 曰, 如何其大也? 曰, 叔孫通欲制君臣之儀, 微先生於齊魯, 所 不能致者二人.)"라고 하였다.
36 사람은 하지 … 있다. : 이 말은 『孟子』 「離婁上」의 "孟子曰, 人有不爲也而後, 可以有爲."라는 말을 이렇게 인용한 것이다.
37 盜儒 : 입으로는 仁義를 말하면서 행동은 도둑놈 같은 선비라는 말이다. 『新唐書』 「牛僧孺李宗閔傳」의 贊하는 말에서, "입으로는 선왕의 말씀을 말하면서 행동은 저잣거리의 사람과 같은 자를 이름하여 도유라고 한다.(大 口道先王語, 行如市人, 其名曰'盜儒'.)"고 하였다.
38 四皓 : 진나라 말기에 商山에 은거하였던 네 노인. 곧 東園公, 綺里季, 夏黃公, 甪里先生. 자세한 것은 성리대 전서 권60의 [60-11-1]의 주석 참고(『史記』 「留侯世家」)
39 『朱子語類』 권135, 24조목
40 한나라의 사호를 … 비평하니 : 원진은 唐나라 시인이다. 그의 저서 『元氏長慶集』 「古詩·四皓廟」에서 그를 풍자하여 "혜제가 끝내 대를 잇지 못하여 여씨의 화가 이로 인해 생겨났다. 유씨 왕조를 안정시키려는 뜻은 가졌으나 주발과 진평만은 못하다.(惠帝竟不嗣, 呂氏禍有因. 雖懷安劉志, 未若周與陳.)"라고 비판하였다.

[61-4-2]

問: "四皓是如何人品?"

曰: "是時人材都没理會, 學術權謀, 混爲一區. 如安期生·蒯通·蓋公之徒, 皆合做一處. 四皓想只是箇權謀之士. 觀其對高祖言語重, 如'願爲太子死', 亦脅之之意."

물었다. "사호는 어떤 인품입니까?"

(주자가) 대답하였다. "이 당시의 인물들은 도대체 이해할 수 없으니, 학술과 권모가 뒤범벅으로 한통속이다. 예를 들면 안기생安期生·괴통蒯通·갑공蓋公[41] 같은 무리도 모두 합하여 한 부류이다.[42] 사호는 생각건대 단지 권모술수의 인물일 뿐이다. 그가 고조에게 대답하는 말을 살피면 엄중하여, 예컨대 '원컨대 태자를 위해서 죽겠다.[43]'라고 한 말은 또한 위협하는 뜻이기도 하다."

又問: "高祖欲易太子, 想亦是知惠帝人才不能負荷."

曰: "固是, 然便立如意亦了不得. 蓋題目不正, 諸將大臣不心服. 到後來呂氏橫做了八年, 人心方憤悶不平. 故大臣誅諸呂之際, 因得以誅少帝, 少帝但非張后子, 或是後宮所出亦不可知. 史謂: '大臣陰謀以少帝非惠帝子', 意亦可見. 少帝畢竟是呂氏黨, 不容不誅耳. 杜牧之詩

· · · · · · · · · · · · · · ·

41 安期生·蒯通·蓋公: 모두 도가류의 사람들이다. 안기생은 秦漢시대 인물로 齊 땅 사람이다. 진시황이 동쪽을 순수할 때 3일 동안 함께 이야기를 나누고 많은 金帛을 내렸으나 받지 않고 떠났다. 후에 진시황이 사람을 보내 만나고자 하였으나 풍랑이 일어 만나지 못하고 돌아왔다. 한무제 때 李少君이 무제에게 자신이 안기생을 섬에서 만났다며 안기생은 丹沙를 황금으로 변화시키는 신통력이 있다고 하자, 무제가 方士들을 보내 蓬萊를 찾아가 안기생을 따르는 사람들에게 이 술법을 배워오라고 하였으나 만나지 못하였다. 괴통과 친하였다고 하며 후세에 바다의 신선으로 불렸다. 괴통은 한나라 초기의 유세가로 涿郡 范陽 사람이다. 武臣君을 설득하여 싸우지 않고 燕과 趙의 30여 성을 얻게 하였고 韓信을 설득하여 齊나라를 얻게 한 다음 자립하기를 권유하였다. 안기생과 친하였다고 하며 長短說에 능하였다. 항우가 안기생과 괴통을 찾았으나 끝내 두 사람이 거절하여 만나지 못하였다. 저서로 『雋永』이 있었다고 하나 전하지 않는다. 갑공은 성이 갑씨이고 이름은 전하지 않는다. 한나라 膠西 사람으로 黃老學을 樂臣公에게 전수받아 익혔다. 曹參이 齊나라 상국이 되었을 때 "정치의 도리는 청정을 귀하게 여겨 백성이 저절로 안정되게 해야 한다.(治道貴清靜而民自定.)"고 하여 조참이 그를 스승으로 받들었다.(『史記』「封禪書」;「曹相國世家」;「樂毅傳」太史公曰;「田儋傳」太史公曰)

42 모두 합하여 … 부류이다.: 『朱子語類考文解義』권35에 이에 대해 "합하여 한 부류이다.[合爲一類]"라고 하였다.

43 태자를 위해서 죽겠다.: 이에 대한 전후 사실을 기록한 『史記』「留侯世家」에는 고조가 어느 날 태자를 따르는 네 노인을 보고서 "그대들은 누구인가?"라고 하자 네 사람이 각기 자신의 이름을 말하였다. 이에 고조가 깜짝 놀라 "내가 공들을 몇 해 동안 찾았는데 공들이 나를 피하더니 지금 그대들이 어떻게 되어 내 아이를 따라 노는가?"라고 하자, 네 사람이 "폐하께서는 선비를 무시하고 나무라는 말씀을 잘하셔서 신들이 의리상 모욕을 받아들일 수 없었던 까닭에 두려워 도망쳤습니다. 가만히 듣자 하니 태자는 사람됨이 인자하며 효성스럽고 공경히 선비를 사랑하여 천하 사람들이 목을 길게 뽑고 태자를 위해 죽고자 하지 않음이 없다고 하기에 신들이 찾아왔습니다.(吾求公數歲, 公辟逃我, 今公何自從吾兒游乎? 四人皆曰, 陛下輕士善罵, 臣等義不受辱, 故恐而亡匿. 竊聞太子爲人仁孝, 恭敬愛士, 天下莫不延頸欲爲太子死者, 故臣等來耳.)"라고 하여, 『史記』에는 천하 사람들이 태자를 위해 죽고자 한다고 하였는데 주자는 사호가 태자를 위해 죽고자 한다고 말한 것이다.

云 : ‘南軍不袒左邊袖. 四老安劉是滅劉.’”[44]

또 물었다. “고조가 태자를 바꾸고자 한 것은 생각건대 또한 혜제가 (제왕의 직책을) 감당할 수 없음을 알아서였을 것입니다.”

(주자가) 대답하였다. “참으로 그렇기는 하나, 그렇지만 여의如意[45]를 세웠어도 이겨내지 못하였을 것이다.[46] 그것은 제목이 바르지 않아[47] 여러 장수와 대신들이 심복하지 않아서다. 후일 여씨가 8년 동안 날뛰고서야 사람들 마음이 바야흐로 억울해하고 고민하며 불평하였다. 그러므로 대신들이 여러 여씨를 주벌誅伐할 즈음에 그 길로 소제少帝까지 주벌하였으나 소제가 단지 장후張后의 자식은 아니었으나 혹여 후궁에서 낳은 자식이었는지는 또한 알 수 없는 일이다. 사관史官이 ‘대신들이 몰래 꾀를 꾸미며 소제가 혜제의 자식이 아니라고 하였다.’[48]고 한 것에서 그 뜻을 찾아볼 수 있다. 소제가 필경 여씨의 무리였을 것이니 다스리지 않을 수 없었을 것이다. 두목지杜牧之의 시[49]에,

· ·

44 『朱子大全』권135, 25조목

45 如意 : 한고조가 태자로 세우고자 하였던 戚夫人의 아들로 趙王에 봉해졌다가 고조가 죽자 여후에게 살해되었다.(『史記』「呂太后本紀」)

46 如意를 세웠더라도 … 것이다. : 이 글의 원문 ‘立如意亦了不得’을 『朱子語類考文解義』권134 「歷代 2」에는 “감당할 수 없음을 말한다.(謂不能負荷也)”고 하였다. 곧 대를 이어 천자 노릇을 수행하지 못하였을 것이란 말이다.

47 제목이 바르지 않아 : 이 글의 원문 ‘題目不正’을 『朱子語類考文解義』권134 「歷代 2」에는 “적장자가 아님을 말한다.(謂非嫡長也.)”고 하였다.

48 ‘대신들이 몰래 … 하였다.’ : 이 글에서 운위되고 있는 소제는 여태후가 두 번째 세운 소제로 이름은 義였다가 황제가 되면서 弘으로 개명한 황제이다. 『漢書』「張陳王周傳」의 「周勃傳」기사에 따르면 주발이 진평과 朱虛侯 劉章과 여씨 세력의 핵심인 呂祿과 呂産을 모두 죽였다. 그리고서는 “음모를 꾸며 소제와 제천왕, 회양왕, 항산왕은 모두 혜제의 아들이 아닌데, 여태후가 속임수로 남의 자식을 혜제의 아들이라 이름 붙인 것이다. 그 어미는 죽이고 후궁에서 양육시켜 효혜제에게 아들로 삼게 하고 후계자로 세워 여씨 세력을 강화시키는 데 썼다. 지금 여러 여씨를 이미 멸망시켰으니 소제가 장성하여 정권을 잡게 된다면 우리 무리는 남아나는 자가 없을 것이다.(陰謀以爲少帝及濟川淮陽恒山王皆非惠帝子, 呂太后以計詐名它人子. 殺其母, 養之後宮, 令孝惠子之, 立以爲後, 用彊呂氏. 今已滅諸呂, 少帝即長用事, 吾屬無類矣.)”고 하고서 代王으로 가 있는 문제를 세웠다라고 하였다. 그러니까 지금의 소제와 앞서 여태후가 살해한 소제 그리고 효혜제의 아들이라 하여 여태후가 세 곳에 봉한 아들들을 모두 여태후가 속임수로 이름 붙인 아들들이라고 하여 이들을 모두 죽인 것이다. 이를 음모라고 표현한 것에 대해 『朱子語類考文解義』권134 「歷代 2」에는 “대신들이 弑逆이라 이름 붙여지는 것을 감당할 수 없어 이런 말을 한 것이다.(大臣不欲當弑逆之名 而爲此言.)”라고 하였다. 곧 신하로서 군주를 죽인 것은 시해에 해당하므로 이 죄를 피하기 위해 이런 말을 꾸몄다는 것이다.

49 杜牧之의 시 : 두목지는 杜牧을 그의 字로 이른 말이며, 호는 樊川이다. 唐나라 京兆 사람이다. 그는 죽으면서 평생 지은 글을 모두 불태웠다. 저서로 樊川集이 전한다. 그의 시 題商山廟라는 절구시의 마지막 구절들이다. 이 시에서 ‘남군은 왼쪽 소매를 벗지 않고는’, 『史記』「呂太后本紀」에 의하면, 太尉인 주발이 그동안 여록의 지휘를 받던 남군에 들어가 “여씨를 위하고자 하는 사람은 오른쪽 옷소매를 벗고 유씨를 위하고자 하는 사람은 왼쪽 옷소매를 벗어라.”라고 하자 군대가 모두 왼쪽 옷소매를 벗었다고 기록되어 있는데 두목지가 이를 비틀어 이렇게 거꾸로 말한 것이다. 또 ‘사로’는 四皓라는 말을 이렇게 바꾼 것이다.

南軍不袒左邊袖　　남군은 왼쪽 소매를 벗지 않았고
四老安劉是滅劉　　사로의 유씨 안정은 유씨를 멸망시켰다.

고 하였다."

趙堯 조요, 季布 계포, 劉章 유장, 張蒼 장창, 酈寄 역기

[61-5-1]
龜山楊氏曰 : "予讀漢史至呂戚之事, 未嘗不爲之廢卷太息也. 以高帝之明, 惓惓於趙王, 其念深矣. 然卒用趙堯之策, 可謂以金注也. 且呂后以堅忍之資, 濟之以深怨積怒, 其於趙王也, 欲得而甘心焉久矣. 雖韓・彭之强, 有弗利於己, 去之猶發蒙耳. 一貴强相, 何足以重趙哉? 善爲高皇計者, 盍亦反諸己而已? 不以袵席燕好之私, 亂嫡妾之分, 使貴者不陵, 賤者不逼, 夫夫婦婦而家道正矣. 是將化天下以婦道如關雎之時,[50] 豈特無母禍而已哉!"[51]

구산 양씨가 말하였다. "내가 한漢나라 역사를 읽다가 여후呂后와 척부인戚夫人의 일에 이르게 되면 책을 덮고 긴 탄식을 하지 않은 적이 없다. 고조의 밝은 지혜로 조왕趙王에게 간절히 마음을 둔 것은 그 생각이 깊었다. 그러나 끝내 조요의 계책[52]을 채택한 것은 황금을 걸고 내기[53] 했다고 할 만하다. 또 여후는

- -

50　時 : 『龜山集』「史論・趙堯周昌」에는 '詩'자로 되어 있다.
51　『龜山集』「史論・趙堯周昌」
52　조요의 계책 : 조요는 한고조의 신하이다. 『史記』「張丞相傳」의 기사에 의거하면 다음과 같다. "조요가 고조를 모시고 있는데 고조가 홀로 마음이 즐겁지 않아 슬피 노래를 불렀다. 뭇 신하들이 고조가 슬피 노래를 부르는 까닭을 알지 못하였다. 조요가 나아가 묻기를, '폐하께서 즐겁지 않으신 것은 조왕은 나이 어린데 척부인과 여후 사이에 틈이 있어서가 아니십니까? 돌아가시고 난 뒤 조왕이 혼자서 온전하지 못할까 하는 염려 때문이 아니십니까? 하자, 고조가 '그렇다. 내가 혼자서 이를 걱정하고 있으나 방법을 알지 못하겠다.' 조요가 '폐하께서는 단 하나 조왕을 위해서 존귀하고 힘이 강한 재상을 두어야 하나, 여후와 태자며 뭇 신하들이 평소부터 공경하고 어려워하는 사람이라야 좋을 것입니다.' 하니, 고조가 '그렇다. 나의 생각도 이같이 하고자 하니, 뭇 신하 중에 누가 합당할까?' 하였다. 조요가 '어사대부 周昌입니다. 그는 굳세게 참아내고 진실 정직하며 또 여후에서부터 태자와 대신들까지 모두 평소에 공경하고 어렵게 여기고 있으니, 단지 주창이 합당합니다.' 하니, 고조가 '좋다.'하고서 이에 주창을 불러 '내가 공에게 수고를 끼치려 하니, 공은 억지로라도 나를 위하여 조왕의 상국이 되어다오.'라고 하였다.(趙堯侍高祖, 高祖獨心不樂, 悲歌. 羣臣不知上之所以然. 趙堯進請問曰, 陛下所爲不樂, 非爲趙王年少而戚夫人與呂后有郤邪? 備萬歲之後而趙王不能自全乎? 高祖曰, 然. 吾私憂之, 不知所出. 堯曰, 陛下獨宜爲趙王置貴强相, 及呂后太子羣臣素所敬憚乃可. 高祖曰, 然. 吾念之欲如是, 而羣臣誰可者? 堯曰, 御史大夫周昌, 其人有堅忍質直, 且自呂后太子及大臣皆素敬憚之. 獨昌可. 高祖曰, 善. 於是乃召周昌, 謂曰, 吾欲固煩公, 公彊爲我相趙王.)" 이에 의해 조요의 계책에 따라 조왕을 주창에게 의지시킨 것을 알 수 있다. 주창은 세자를 여의로 바꾸는 것을 가장 반대하여 여후가 이에 무릎을 꿇고 감사해 하였던 사람이

강인한 자질로 깊은 원한과 쌓인 분노를 풀고자 하며, 조왕도 잡아다가 시원하게 죽이고자 한 것이 오래였다. 한신韓信과 팽월彭越[54] 같은 강한 자들마저 자신에게 불리하자 제거하기를 마치 벙거지 벗기듯 했다.[55] 한 사람의 존귀하고 힘이 강한 재상이 어찌 조왕을 편안히 할 수 있겠는가? 고조 황제를 위한 좋은 계책이라면 어찌 또한 고조 자신에게 되돌려야 하지 않을까? 침실 사랑의 사사로움으로 적실과 첩의 분수를 어지럽히지 않아, 존귀한 자는 (아랫사람을) 능멸하지 않고 천한 자는 (윗사람을) 핍박하지 않아, 지아비가 지아비답고 지어미가 지어미다워야 가정의 도리가 바로 선다. 이것이 천하를 교화하여 부도婦道를 관저關雎의 시詩[56]와 같게 하는 것이니 어찌 어머니로 인한 재앙만 없을 뿐이겠는가!"

[61-5-2]

"桓公殺公子糾, 召忽死之, 管仲不死, 孔子稱其仁. 管仲之不死, 繩以『春秋』之法, 則其義固有在矣, 世莫有能窺之者. 方季布髡鉗奴辱於朱家, 非有深計遠慮也, 期以免死而已. 班固謂 '賢者誠重其死'. 夫死非其所, 固賢者所重也. 然君子固有舍生而取義者. 固之爲此說, 豈非以管仲之事與之乎? 是皆未明春秋之法也. 揚子曰: '明哲不終事項, 其義得之矣.'"[57]

(구산 양씨가 말하였다.) "제환공齊桓公이 공자 규公子糾를 살해하자 소홀召忽은 죽고 관중管仲은 죽지 않았는데 공자가 관중은 인仁하다고 말씀하셨다.[58] 관중이 죽지 않은 것을 춘추필법春秋筆法의 잣대로

....

기도 하다.

53 황금을 걸고 내기 : 『莊子』「達生」에 "기왓장을 걸고 내기를 하면 (솜씨가) 신묘하고, 혁대를 걸고 내기를 하면 (마음이) 망설여지고, 황금을 걸고 내기를 하면 (마음이) 혼란하여진다.(以瓦注者巧, 以鉤注者憚, 以黃金注者惛.)"고 하여 내기의 대상이 크면 클수록 마음이 흔들려 제대로 판단하지 못한다고 하였다. 곧 한고조가 세자를 바로 세우는 일이 너무 중대한 일이어서 마음이 혼란에 빠져 제대로 판단하지 못하였다는 말이다.

54 韓信과 彭越 : 한신은 『性理大全書』 권60 [60-10-1] 이하를 참고하고, 팽월은 『性理大全書』 권60 [60-12-1] 이하 참고

55 벙거지 벗기듯 했다. : 이 글의 원문 發蒙은 『史記』「淮南衡山傳」의 '如發蒙耳'에 대한 裴駰의 『集解』에 "벙거지 같은 것은 벗기기가 매우 쉽다.(如蒙巾, 發之甚易.)"고 하였다.

56 關雎의 詩 : 관저는 『詩經』의 맨 첫머리에 실린 시로, 문왕이 성덕을 갖춘 왕비 姒氏를 맞아오자 주나라 백성들이 사씨의 덕이 요조숙녀의 婦德을 드러내고 있는 것에 감탄하여 이 시를 지어 찬양한 것이다. 여기서 저구는 옛날에는 징경이 새라고 말하였으나 지금은 물수리라고 한다. 이 새는 한 번 짝을 지으면 영원히 변치 않고 늘 함께 노닐면서도 서로 문란한 짓이 없다고 한다.

57 『龜山集』「史論・季布」

58 齊桓公이 … 仁하다고 말씀하셨다. : 이 말은 『論語』「憲問篇」에서 자로의 물음에 공자가 대답한 말을 인용한 것이다. 그 글에 의하면, "자로가 '제환공이 공자 규를 살해하였는데 소홀은 죽고 관중은 죽지 않았으니, 仁하지 않다고 말할 것입니다.'라고 하자 공자가 '제환공이 제후를 규합시키면서도 군사의 힘을 동원하지 않은 것은 관중의 힘이었으니, 뉘라서 그의 仁 같음이 있으랴! 뉘라서 그의 仁 같음이 있으랴!'라고 하였다.(子路曰, 桓公殺公子糾, 召忽死之, 管仲不死, 曰未仁乎! 子曰, 桓公九合諸侯, 不以兵車, 管仲之力也, 如其仁如其仁!)"라고 하였다. 여기서 환공과 공자 규는 모두 제나라 襄公의 아들들로 양공의 정치가 어지러워지자 鮑叔牙는 公子小白(후일의 제환공)을 받들고 莒나라로 망명하고, 양공이 無知에게 시해당하자 관중과 소홀은 공자 규를 받들고 노나라로 망명하였다. 제나라가 무지를 살해하자 노나라의 장공은 공자 규를 제나라에 들여보내

대본다면 그 의리가 참으로 담겨 있으나 세상에서는 그것을 잘 깨달아 아는 자가 있지 않다. 계포가 바야흐로 머리를 깎고 머리에 형틀을 차고서 주가朱家의 집에서 곤욕을 치를 때[59] 깊은 계책이나 원대한 생각이 있어서가 아니었고 죽음에서 벗어나기를 기대할 따름이었다. 반고班固는 '현명한 사람은 참으로 그 죽음을 아낀다.'[60]고 말하였다. 죽을 곳이 아닌 곳에서 죽는 것은 현명한 자가 참으로 아끼는 일이다. 그러나 군자는 참으로 사는 길을 버리고 의리를 취함이 있다.[61] 반고가 한 이 말은 어찌 관중의 일을 계포에게 허여한 것이 아니겠는가? 이는 모두 춘추필법에 밝지 못하기 때문이다. 양자揚子가 '명철하였으면 끝까지 항우를 섬기지 않았을 것이다.'[62]라고 하였으니, 그가 말한 뜻이 옳다."

• • • • • • • • • • • • • • • • • • • •

기 위해 군사를 동원해 제나라와 싸웠으나 실패하였다. 이 사이 소백은 거나라에서 제나라에 들어가 군주의 자리에 올랐다. 군주의 자리에 오른 환공은 노나라에 사람을 보내 공자 규를 죽이고 관중과 소홀은 귀국시켜 주기를 요청하였다. 이에 소홀은 공자 규를 따라서 죽고 관중은 죄인의 신분으로 귀국하였다. 환공은 관중을 등용하여 霸諸侯의 위업을 달성하여 五覇의 한 사람으로 불리는 치적을 남겼다. 여기서 소홀과 관중의 처신을 두고 비판이 일어 후세에 분분한 시비를 낳았다. 앞서 주자가 관중의 죽지 않음에 의리가 담겨 있다는 것도 바로 그러한 것에 대한 의견을 말한 것이다. 이를 두고 『論語』에서도 여러 차례 공자와 제자의 문답이 있음을 볼 수 있다.(『春秋左傳』「莊公 8년」 ; 「莊公 9년」)

59 계포가 바야흐로 … 때 : 계포는 초나라 사람으로 항우의 장수 시절 여러 차례 한고조를 무척이나 힘들게 하였다. 항우가 죽고 한고조가 황제가 되자 천하에 포고령을 내려 계포에게 현상금 1천 金을 걸면서 감히 감추어주는 자는 삼족에게 죄가 미칠 것이라고 하였다. 계포는 濮陽의 周氏 집안으로 가서 몸을 숨겼다. 주씨는 계포를 자신의 힘으로 숨겨줄 수 없음을 알고 계포의 머리를 깎고 목에 형틀을 채워 시신을 싣는 廣柳車에 태우고서 집안사람들 수십 명을 동원하여 魯나라 사람인 朱家의 집으로 가서 그를 팔아넘겼다. 주가는 그가 계포임을 알고서 그가 살 수 있도록 마련해주고서, 洛陽으로 滕公을 찾아가서, "고조가 천하를 차지하자마자 자신의 사사로운 원한을 갚고자 이처럼 급하게 그를 찾는 것은 옳지 않다. 계포가 고조를 괴롭힌 것은 자신의 군주를 위한 것이니 그것이 죄이겠는가?"고 하자, 등공이 고조에게 이러한 말을 올려 계포의 죄를 용서받았다. 이를 두고서 당시 "여러 훌륭한 사람들은 모두 계포가 강한 기질을 죽이고 부드럽게 대처한 것을 훌륭하게 여겼다.(諸公皆多季布能摧剛爲柔.)"고 하였다. 고조는 그를 郎中에 올렸다. 계포는 신의를 절대로 지켜, '황금 1백 근을 얻는 것보다 계포의 승낙을 한 번 얻는 것이 낫다.(得黃金百斤, 不如得季布一諾)'는 季布一諾(계포일낙)이라는 속담이 만들어졌다.(『史記』「季布傳」)

60 '현명한 사람은 … 아낀다.' : 이는 반고가 그가 편집한 『漢書』「季布傳」의 마지막 贊에 언급한 말이다. 대강 살펴보면 "그가 자신의 재능을 자부하면서도 욕됨을 받아들이며 부끄러워하지 않은 것은 자신이 아직 충분하지 못했다고 생각하는 것을 써보는 기회를 두고자 함에서이다. 그러므로 끝내 한나라의 명장이 된 것이니 현명한 자는 참으로 그 죽음을 아낀다.(彼自負其材, 受辱不羞, 欲有所用其未足也. 故終爲漢名將, 賢者誠重其死.)"고 하였다. 그러나 이는 『史記』「季布傳」의 사마천의 太史公曰 역시 전후 서술도 똑같고 마지막 '賢者誠重其死.'란 말도 똑같다. 굳이 사마천을 말하지 않고 반고를 말한 까닭이 무엇인지 알기 어렵다.

61 군자는 참으로 … 있다. : 이는 『孟子』「告子上」의 "사는 것도 또한 내가 하고자 하는 것이고 의리도 또한 내가 하고자 하는 것이나 두 가지를 겸하여 얻을 수 없다면 사는 길을 버리고 의리를 취할 것이다.(生, 亦我所欲也 ; 義, 亦我所欲也, 二者不可得兼, 捨生而取義者也.)"를 인용한 말이다.

62 '명철하였으면 끝까지 … 것이다.' : 이는 양웅의 저서 『揚子法言』「重黎篇」에 있는 말이다. 그 말을 살피면 "어떤 사람이 의리를 묻자 '일이 알맞음을 얻은 것을 의리라 한다.' 어떤 사람이 물었다. '계포가 참아낸 것은 할 수 있는 일입니다.' 하니, '능히 해낼 수 있는 자는 하겠지만 명철한 사람은 하지 않는다.' 어떤 사람이 '계포처럼 다급해지면 명철한 사람일지라도 어쩌겠습니까?' 하니, '명철하였으면 끝까지 항우에게 벼슬하지

[61-5-3]

"予讀高五王傳至劉章言田事, 及誅諸呂一人亡酒者, 未嘗不爲之寒心也. 方高后欲强諸呂, 雖大臣平勃等皆俛首取容而已. 其志非忘漢也, 觀王陵之事, 則可鑑矣. 使章以才見忌, 不得宿衛禁中, 則後雖欲有爲也, 尚何及哉?"[63]

(구산 양씨가 말하였다.) "내가 「고오왕전高五王傳」을 읽다가 유장劉章이 농사일을 말하고 여러 여씨 중 술을 피해 도망친 자를 죽인 일[64]에 이르면 가슴 아프지 않은 적이 없다. 바야흐로 고후高后[呂后]가 여러 여씨들을 강화시키고자 할 때 진평陳平과 주발周勃 같은 대신들도 모두 머리를 숙이고 자기 한 몸만 편안하기를 구할 따름이었다. 그들의 뜻이 한나라를 잊어서가 아니고 왕릉王陵의 일[65]을 보았을 적에 거울삼을 수 있어서였다. 만일 유장이 재능으로 인해 기피대상이 되어 금중禁中을 숙위할 수 없었다면, 뒷날 어떤 일을 하고자 하였을 때 또한 어찌 미칠 수 있었겠는가?"[66]

[61-5-4]

"張蒼吹律調樂定律令, 若百工作程品, 其有意乎推本之也. 當是時, 漢廷公卿皆武夫軍吏, 無能知書者. 唯蒼自秦時爲柱下史, 明習天下圖書, 尤邃於律曆, 有所建明, 宜無不從也. 然其術學踈陋, 猶以漢當水德之盛, 正朔宜因秦弗革, 卒以此絀, 惜夫!"[67]

<hr />

않았을 것이다.(問義曰, 事得其宜之謂義. 或問季布忍焉可爲. 曰能者爲之, 明哲不爲也. 或曰當布之急, 雖明哲如之何? 曰明哲不終項仕.)"라고 하였다.

63 『龜山集』「史論 · 朱虛侯」

64 劉章이 … 일: 유장은 고조와 曹夫人 사이에서 태어난 齊悼惠王肥의 둘째 아들이다. 아버지가 죽자 형 襄은 아버지를 이어 哀王이 되었고, 유장은 여태후의 친정 呂祿의 딸과 결혼한 뒤 朱虛侯에 봉해지고 이어 長安의 宿衛를 담당하였다. 유장의 나이 20세가 되어 유씨 집안이 여씨에게 눌려 지내는 것을 분해하였다. 어느 날 잔치를 벌이자 스스로 酒吏(술자리에서 술에 관한 일을 관장하는 사람)가 되기를 원하여 여태후가 허락하자, "신은 장군 집안 종자라서 군법으로 술을 돌리겠습니다.(臣, 將種也, 請得以軍決行酒.)" 하자 여태후가 이를 허락하였다. 술이 얼근하여졌을 때 태후에게 "농사일에 대해 말씀드리겠습니다." 하고서는 태후가 허락하자, "땅을 깊이 파서 씨를 조밀하게 뿌리나 가꿀 종자는 드문드문 세우고, 뿌렸던 종자가 아닌 것은 호미로 제거합니다.(深耕槪種, 立苗欲疏, 非其種者, 鉏而去之.)"라고 하여 은근히 여씨를 제거해야 한다는 뜻을 비쳤다. 이에 여태후는 침묵하였다. 술자리 시간이 길어지며 어느 여씨 한 사람이 술을 피해 달아나는 일이 일어나자, 유장은 칼을 뽑아들고 달려가 그를 베어버렸다. 태후와 좌우가 대경실색하였으나 이미 주리를 처리하여 맡긴 일이라서 죄를 물을 수 없었다. 이때부터 모든 여씨들은 유장을 꺼리고 대신들이라 할지라도 유장에게 의지하게 되었다.(『漢書』「高五王傳」)

65 王陵의 일: 윗글 [61-1-1]과 [61-2-1] 이하 참고

66 禁中을 … 있었겠는가?: 유장은 금중 숙위의 일을 유지하다가 주발이 태위로 呂祿의 북군을 접수하고 여씨들을 제거하는 일을 하려할 때, 南軍을 거느리고 있는 呂産이 반란을 일으키고자 未央宮으로 들어갔다. 이에 주발은 유장에게 천자를 지키라는 명을 내려 천자궁을 책임 지웠다. 유장이 군사를 얻어 미앙궁에 들어갔을 때 여산은 이미 궁중에 들어가 있었다. 이에 유장이 여산을 공격하여 달아나는 그를 뒤좇아 죽였다. 이로써 여씨 제거의 일을 비로소 성공할 수 있었다.(『史記』「呂太后本紀」)

67 『龜山集』「史論 · 張蒼」

(구산 양씨가 말하였다.) "장창[68]이 율관律管(십이율관)을 불어 음악의 음정을 조절하며 율령律令(악률에 관한 법령)을 제정하고, 모든 기술자들을 위해[69] 규범을 제정하면서 근본을 추구하는 데에 뜻을 두었다. 당시에 한나라 조정의 공경公卿은 모두 무인武人 출신의 군인들이어서 글을 아는 자가 없었다. 장창만이 진秦나라 시절부터 주하사柱下史[70]가 되어 천하의 서적을 밝게 알았고 율력律曆에는 더욱 조예가 깊어 건의하는 일이 있으면 당연히 따르지 않을 수 없었다. 그러나 그의 학술은 거칠고 비루하여 한나라는 수덕水德의 성한 때에 해당하니 정삭正朔(정월달)은 의당 진나라를 따르고 고쳐서는 안 된다고 하다가 끝내 이로 인해 배척당하였으니[71] 애석하다!"

[61-5-5]

"諸呂之王非漢約, 天下莫與也. 産祿擅兵欲危劉氏, 忠臣所共切齒, 而酈寄固與之友善, 而商亦莫之禁, 何也? 其謀呂祿也, 劫之而後從, 則商寄之罪均矣. 雖絳侯賴之以入北軍, 功不足以贖其罪也. 使商不就劫而呂氏得志, 則寄之父子得無非望乎? 其賣友非其本心也."[72]

(구산 양씨가 말하였다.) "여러 여씨를 왕에 봉한 것은 한나라가 한 약속[73]이 아니라서 천하가 돕지 않았다. 여산呂産과 여록呂祿이 군사를 좌지우지하며 유씨를 위험에 빠뜨리려 하자 충신들은 함께 이를 가는데도, 역기는 그대로 그들과 사이좋게 지냈고 역상도 또 그것을 금하지 않았으니 왜일까? 여록을 도모할 적에 겁을 준 뒤에야 따랐으니 역상과 역기의 죄[74]는 똑같다. 강후絳侯가 그의 힘을 빌어 북군에

---

68 장창: 秦나라에서 御史를 지내고 한나라에서 丞相을 지냈다. 음률과 역법에 조예가 깊어 한나라 초기의 정삭과 음률을 기초하였다. 1백여 세를 살며 영화를 누렸다. 죽은 뒤 文侯의 시호가 내려졌다.(『史記』「張蒼傳」)

69 모든 기술자들을 위해: 이 글의 원문인 '若百工'에 대해 『史記』「張蒼傳」에서, 晉灼은 "若은 미리 준비하는 것이다.(豫及之辭)"라고 하였다. 如淳은 "若은 순함이다.(若, 順也.)"라고 하였다. 진작의 설을 따랐다.

70 柱下史: 周·秦의 관직 이름. 漢 이후의 御史이다. 전각의 기둥 아래에서 임금을 모시고 서 있었으므로 이렇게 부른다.

71 끝내 이로 … 배척당하였으니: 장창이 역법을 제정하였는데 고조가 군사를 이끌고 진나라의 마지막 관문 武關을 격파하고 霸上에 이른 것이 10월이었고, 진나라가 본시 10월을 정월로 삼았던 까닭에 10월을 그대로 정월로 정하였다. 또 음양오행의 운행에 근거하여 한나라가 천하를 통일한 시기는 水德에 해당하는 때라는 설을 제기하여 진나라가 써오던 검은색을 그대로 숭상하였다. 여기서 수덕이라는 말은 周나라가 은나라를 공격할 때 赤烏가 나타나는 祥瑞가 있다 하여 주나라가 붉은 색을 숭상하자, 秦나라는 주나라를 이기고서 오행설에 근거하여 '불을 이기는 것은 물(水克火)'인 것을 근거로 검은색을 숭상하였다. 장창이 한나라의 건국이 주나라를 이긴 것에 해당한다고 하여 수덕을 주장하고 검은색을 쓴 것이다. 그런데 魯나라 사람 公孫臣이 文帝에게 글을 올려 한나라는 土德에 해당하는 시기이고, 그 증거로 黃龍이 나타날 것이라고 하였다. 문제가 이를 장창에게 묻자 장창은 옳지 않다고 하여 그 일은 논의가 중지되었다. 그 뒤 황룡이 成紀 지역에 나타나자 문제는 공손신을 불러들여 博士로 삼고 토덕에 근거한 曆法과 제도들을 준비시키며 元年까지 바꾸었다. 이에 장창은 병을 이유로 물러났다.(『史記』「張敞傳」)

72 『龜山集』「史論·酈寄」

73 여러 여씨를 왕에 봉한 것은 한나라의 약속: [61-1-1] 참고

74 역상과 역기의 죄: 여후가 죽은 뒤 여후의 친정 조카들인 여록과 여산은 왕실 유씨들과 주발과 진평 등의 세력이 두려워서 난을 일으키고자 하였다. 이때 주발은 군권을 책임진 太尉 벼슬에 있으면서도 여록의 북군

들어갔으나, 공이 그가 지은 죄를 속죄하기에는 부족하다. 만일 역상이 겁주는 것을 따르지 않고 여씨가 뜻을 얻게 되었다면 역기 부자는 바라지 않던 복록이 없었겠는가? 그가 친구를 속인 것은 그의 본심이 아니다."

張釋之 장석지

[61-6-1]

龜山楊氏曰: "'君子欲訥於言而敏於行', 利口捷給, 古人賤之. 若上林尉, 居其位不知其任, 至十餘問不能對, 是謂不任職, 非訥於言者也. 張釋之以絳侯張相如方之, 過矣. 文帝問絳侯天下一歲決獄幾何? 絳侯不能對. 又問天下錢穀一歲出入幾何, 又不能對. 帝以問陳平, 平條析甚辨, 文帝善之. 絳侯愧汗洽背, 自以其能不及平遠甚. 若是以絳侯爲賢, 平爲喋喋可乎? 予謂上林尉眞亡賴. 而虎圈嗇夫雖口對響應亡窮, 然上所問乃其職事, 非利口捷給也. 豈足深過之歟?"[75]

구산 양씨가 말하였다. "'군자는 말은 느리고 행동은 민첩하고자 해야 한다.'[76]라고 하였으니, 능숙하고 재치 있는 말솜씨를 옛 사람들은 천하게 여겼다. 상림위上林尉[77]가 상림위라는 벼슬에 있으면서 자신의 책무를 알지 못해 10여 가지의 물음에 대답하지 못할 지경이었으니,[78] 이는 책무를 감당하지 못했다고

과 여산의 남군을 다스릴 수 없었다. 이에 여록·여산 무리와 사이가 좋은 酈寄를 이용해 그들을 제압할 계책을 세웠다. 이에 역기의 아버지 酈商에게 겁을 주어 아들 역기에게 여록을 속이게 하였다. 이에 역기는 여록에게 지금 왕에 봉해진 유씨 집안의 9명과 여씨 집안의 3명은 대신의 의논을 거쳤고 제후들이 모두 옳다고 하였다. 그런데 지금 여태후가 죽고 황제의 나이가 어린데 그대가 그대의 나라 趙나라로 나아가 藩臣의 도리를 행하지 않고, 上將의 직책으로 군사를 거느리고 이곳에 머물러 있어 대신과 제후의 의심을 사고 있으니, 빨리 상장의 직책과 군사를 태위에게 돌려주고 나라로 돌아가겠다고 대신들과 맹약을 맺는다면 그대는 편안하게 왕 자리를 누릴 것이라고 설득하였다. 이에 여록은 그 말에 혹하여 망설이다 태위 주발에게 군권을 넘겨주었다. 이로 인해 주발과 진평은 마침내 여씨들을 제거할 발판을 마련할 수 있었다. 『史記』「呂太后本紀」

75 『龜山集』「史論·張釋之」

76 '군자는 말은 … 한다.': 『論語』「里仁篇」의 공자 말이다.

77 上林尉: 秦漢 시대 황제나 귀족들의 소풍과 사냥을 위해 기이한 꽃과 나무, 짐승들을 기르던 일종의 공원을 맡아 관리하던 벼슬

78 10여 가지 … 지경이었으니: 이 기사는 『史記』「張釋之傳」에 의하여 살피면 다음과 같다. 문제가 謁者僕射인 장석지를 데리고 호랑이를 기르는 곳에 이르러, "문제가 상림위에게 여러 새와 짐승의 등록된 문서 정황을 물으며 10여 가지를 물었는데 상림위가 이곳저곳을 쳐다보며 모두 대답하지 못하였다. 그러자 호랑이를 기르는 일을 맡고 있는 색부가 곁에서 상림위를 대신하여 문제가 묻는 새와 짐승의 등록 정황을 매우 자세하게 대답하는 것이, 자신의 대답 솜씨가 메아리처럼 무궁함을 보이고자 하는 듯하였다. 이에 문제는 '관리의 잘못

말할지언정 말이 느린 사람이 아니다. 장석지가 강후絳侯와 장상여張相如에게 비긴 것은 잘못이다.[79] 문제가 강후에게 '한 해 동안 천하 재판의 판결은 얼마나 되는가?'라고 묻자 강후가 대답하지 못하였다. 또 다시 '천하 전곡錢穀이 한 해 동안 들고 나는 것이 얼마인가?'라고 묻자 또 대답하지 못하였다. 문제가 진평에게 묻자 진평의 조리 있는 분석이 매우 분명하여 문제가 훌륭하게 여겼다. 강후는 부끄러움에 흘린 땀이 등을 적셨고 스스로 자신의 능력이 진평에게 훨씬 미치지 못하다고 생각하였다. 이 같은데도 강후를 어질게 여기고 진평을 말 많은 사람이라 말할 수 있을까? 나는 상림위는 참으로 무능한 사람이라고 여긴다. 호랑이 우리 담당 색부嗇夫의 대답은 메아리처럼 막힘없이 응대하였으나, 문제의 물음이 그의 담당 업무여서이지 능숙하고 재치 있는 말솜씨가 아니다. 어찌 깊이 허물할 만한 일이겠는가?"

[61-6-2]
或問: "'張釋之爲廷尉, 天下無寃民. 于定國爲廷尉, 民自以不寃'. 二者何以異?"

東萊呂氏曰: "以史氏之辭論之, 則民自以爲不寃者, 勝於天下無寃民. 蓋天下無寃民者, 所斷皆當其罪, 罪人未必皆心服也. 然以實效之, 則定國實不勝釋之."[80]

어떤 사람이 물었다. "'장석지가 정위廷尉가 되자 천하에 원통해하는 백성이 없었고, 우정국于定國[81]이 정위가 되자 백성들이 저절로 원통해하지 않았다.'[82]고 했습니다. 두 사람은 어떻게 다릅니까?"

동래 여씨東萊呂氏[呂祖謙]가 대답하였다. "사관史官이 한 말로 논한다면 백성들이 저절로 원통하지 않은

- -

됨이 이 같단 말인가? 상림위는 무능한 사람이다.' 하고서 장석지에게 조칙을 내려 색부를 上林令에 임명하였다.(上問上林尉諸禽獸簿, 十餘問, 尉左右視, 盡不能對. 虎圈嗇夫從旁代尉, 對上所問禽獸簿甚悉, 欲以觀其能口對響應無窮者. 文帝曰, '吏不當若是耶? 尉無賴!' 乃詔釋之拜嗇夫爲上林令.)'고 하였다.

79 絳侯와 張相如로 … 잘못이다. : 역시 『史記』「張釋之傳」에 의하여 살피면, 장석지가 문제의 조칙을 받고 문제와 주고 받은 말이 있다. "폐하께서는 絳侯 周勃을 어떤 사람이라고 생각하십니까?'라고 하니, 문제는 '長者이다.', 또다시 묻기를 '東陽侯 張相如는 어떤 사람입니까?'라고 하니, 문제는 다시 '장자이다.'라고 하였다. 장석지는 '강후와 동양후를 장자라고 하셨으나, 이들 두 사람은 일을 설명하는 말을 제대로 꺼내지 못하였는데 어째서 저 색부의 줄줄 재치 있는 말솜씨를 가르치려 하십니까? 진나라는 … 자신의 잘못을 듣지 못하다가 2세 만에 망하여 천하가 무너졌습니다. 지금 폐하께서 색부의 구변을 이유로 등급을 뛰어넘어 등용하시려 하니 신은 천하 사람들이 이 바람에 휩쓸려 구변만 다투고 실상이 없게 될까 두렵습니다.'(陛下以絳侯周勃何如人也? 上曰, 長者也. 又復問, 東陽侯張相如何如人也? 上復曰, 長者. 釋之曰, 夫絳侯東陽侯稱爲長者, 此兩人言事, 曾不能出口, 豈敎此嗇夫諜諜利口捷給哉? 且秦 … 不聞其過, 陵遲而至於二世, 天下土崩. 今陛下以嗇夫口辯而超遷之, 臣恐天下隨風靡靡, 爭爲口辯而無其實.)" 이에 문제는 '좋은 말이다.' 하고서 색부를 등용하려던 일을 중지하였다. 이어서 진평의 일을 설명하였으니 이 기사는 [61-1-3]과 [61-1-5]에 자상하다. 장상여는 문제 때 太子의 師傅였다는 기록(『史記』「萬石張叔傳」)과 여기서 문제가 장자라고 한 말로 미루어, 아마 중후한 품성을 지닌 인물이었던 것 같다.

80 『東萊別集』「師友問答·答學者所問」

81 于定國 : 한나라 宣帝와 元帝 때의 인물. 고향은 郯이다. 자는 曼淸, 시호는 安侯이다. 정위로 재직하며 옥사 처리가 공평하여 장석지와 함께 훌륭한 관리로 칭송되었다. 아버지 于公도 옥사 처리가 공평하여 부자간에 옥사를 밝혔다는 평을 얻었다. 벼슬은 丞相을 지내고 西平侯에 봉해졌다.(『漢書』「雋疏于薛平彭傳」)

82 '장석지가 廷尉가 … 않았다.': 이 말은 『漢書』「雋疏于薛平彭傳」 중의 「于定國傳」에 있다.

것이 천하에 원통해하는 백성이 없는 것보다 낫다. 천하에 원통해 하는 백성이 없는 것은 판결이 모두 자신의 죄에 합당할망정 죄인이 모두 마음으로 승복한 것은 아니다. 그러나 실상을 가지고 살펴보면 우정국은 실상 장석지만 못하다."

[61-6-3]

或問: "張釋之爲廷尉, 天下無寃民. 于定國爲廷尉, 民自以不寃'. 若趙・蓋・韓・楊之死, 謂 之不寃可乎? 或者説宣帝時, 廷尉不獨一于定國. 雖不獨在定國, 而定國坐視四子之死, 亦不 能效張釋之之守法, 如何?"

潛室陳氏曰: "漢卿有罪, 未必悉下廷尉, 自有詔獄, 多丞相御史大夫治之, 或下中二千石雜 議. 廷尉所謂平者, 非必皆寬縱之謂. 剛不吐, 柔不茹者, 平也. 趙・蓋・韓・楊之死, 今作文 人但浪説耳."[83]

어떤 사람이 물었다. "장석지가 정위가 되자 천하에 원통해 하는 백성이 없고 우정국이 정위가 되자 백성이 저절로 원통해하지 않았다.'고 했습니다. 그러나 조趙・갑蓋・한韓・양楊의 죽음[84]을 원통함이 없다고 말하는 것이 옳겠습니까? 어떤 사람은 선제宣帝 시대에 정위가 우정국 한 사람만이 아니었다고 합니다. 우정국 혼자 있었던 것이 아니더라도 우정국이 네 사람의 죽음을 앉아서 바라만 보았으니, 또한 장석지가 고수한 법의 도리를 본받지 못한 것[85]이니 어떻습니까?"

....

83 『木鍾集』「史」

84 趙蓋韓楊의 죽음: 이들은 모두 宣帝 때 억울하게 죽은 사람들이니, 趙廣漢・蓋寬饒・韓延壽・楊惲(양운)이다. 조광한은 霍光을 도와 선제를 옹립한 공으로 關內侯에 봉해졌다. 京兆尹에 거듭 재임하며 權貴를 가리지 않고 법을 적용하다가 탄핵을 받아 허리가 잘리는 형벌을 당했다.(『漢書』 권76)
갑관요는 司隸校尉로 재직하며 가리지 않고 잘못을 직언하다가 선제의 의심을 사서 하옥되자 자살하였다. (『漢書』 권77)
한연수는 諫大夫・東郡太守・左馮翊의 벼슬을 거치며 가는 곳마다 선정을 베풀어 민심을 샀다. 어사대부 蕭望之의 무고로 조정에서 죄가 논의되고 선제의 미움이 겹쳐 棄市刑에 처해졌다. 형장에 나가는 그를 시민 수천 명이 전송하며 술과 안주를 바쳐 거의 1섬의 술을 마시고 형장에서 죽어갔다.(『漢書』 권76)
양운은 司馬遷의 외손자이다. 곽씨의 모반을 고발하여 左曹에서 中郞將에 오르고 平通侯에 봉하여졌다. 남의 잘못을 말하기 좋아하다가 庶人으로 강등되었고, 서인으로 강등된 뒤 孫會宗에게 답한 편지에 원한 섞인 말이 많았는데, 이를 본 선제가 노하여 대역무도죄를 적용하여 허리가 잘렸다. 이를 기록한 『資治通鑑』 권27 「漢紀・宣帝」 五鳳 4년의 기사에서 司馬光은 평론하기를, "선제의 현명함과, 魏相과 丙吉이 승상으로 재직하고, 우정국이 정위로 있었건만 趙蓋韓楊의 죽음은 뭇 사람들의 마음에 흡족하지 않았다.(以孝宣之明, 魏相・丙吉爲丞相, 于定國爲廷尉, 而趙・蓋・韓・楊之死, 皆不厭衆心)"고 하였다.

85 장석지가 고수한 … 것: 장석지는 정위로 있으면서 문제의 거동에 말을 놀라게 한 죄로 잡혀 들어온 자에게 벌금만 물린 일로 문제의 노여움을 사자 "법은 천자와 천하 사람의 공공의 것입니다. 지금 법이 이렇게 되어 있는데 다시 더 높인다면 백성들이 법을 믿으려 하지 않을 것입니다. 또 그때에 폐하께서 그 자리에서 죽였다면 끝났을 것입니다. 지금 정위에게 이미 내려졌고, 정위는 천하 공평의 상징이라서 한 번 기울면 천하의 법 집행이 모두 높아지거나 낮아지게 되니 백성들이 어느 곳에 손과 발을 놓겠습니까?(法者天子所與天下公共

잠실 진씨가 대답하였다. "한나라 공경이 죄가 있을 때 꼭 정위에게 모두 내려지지는 않았고, 본디 조옥 詔獄(황제의 뜻을 받들어 심리하는 옥사獄事)이 있어 대부분 승상丞相과 어사대부御史大夫가 심리하였고 간혹 중이천석中二千石[86]에게까지 내려져 함께 논의하였다. 정위가 이른바 공평의 상징이라는 말[87]은 꼭 모두 를 너그럽게 풀어준 것만을 이르지 않고, 강하여도 풀어주지 않고 약하여도 죄를 내리지 않는 것이 공평이다. 조·갑·한·양의 죽음은 오늘날 글을 짓는 사람들의 단지 낭설들일 뿐이다."[88]

周亞夫 주아부

[61-7-1]
五峰胡氏曰: "周亞夫霍光不學不知道, 能進不能退, 殺身亡宗, 是功名富貴誤之也. 知道者, 屈伸通變與天地相似, 功名富貴, 何足以病之? 張子房進於是矣."

오봉 호씨五峰胡氏[胡宏]가 말하였다. "주아부[89]와 곽광霍光[90]은 학문도 없고 도道도 알지 못하였으며 나아

- -

也. 今法如此而更重之, 是法不信於民也. 且方其時, 上使立誅之則已. 今既下廷尉, 廷尉天下之平也. 一傾而天下用法皆爲輕重, 民安所錯其手足?)"라고 하자 문제가 정위의 말이 옳다 하고 받아들였다. 또 그 뒤 고조 사당 의 '옥 고리[玉環]'가 도둑맞아 범인이 잡히자 문제가 화를 내며 정위에게 내려 죄를 다스리게 하였다. 장석지 가 이를 범인의 죄가 棄市에 해당한다고 아뢰자, 문제는 "내가 정위에게 죄를 다스리게 한 것은 族刑(부모와 형제와 처자식을 죽이는 멸족 형벌)을 내리고자 한 것이다.(吾屬廷尉者, 欲致之族.)"라고 하자, 장석지는 "법 은 이것으로 충분합니다. 기시와 (일족을 죽이는 것은 어차피) 똑같은 죄이나, 형벌의 부당성과 타당성의 차원에서는 차등이 있습니다. 지금 종묘의 기구를 훔친 일로 일족을 죽이는 형벌을 내린다면 만에 하나 가령 어리석은 백성이 고조 능의 봉분에 손대는 자가 있다면 폐하께서는 어떤 형벌을 내리시렵니까?(法如是足也. 且罪等, 然以逆順爲差. 今盜宗廟器而族之, 有如萬分之一, 假令愚民取長陵一抔土, 陛下何以加其法乎?)"라고 하자, 문제는 태후에게 말씀드리고 정위의 말을 받아들였다. 바로 장석지가 법의 뜻을 굽히지 않고 끝까지 고수한 것을 우정국은 해내지 못했다는 말이다.(『史記』「張釋之傳」)
86 中二千石: 녹봉의 지급에 따른 職秩 명칭의 하나. 漢나라 때 가장 높은 녹봉이다. 『漢書』「宣帝記」의 注에 의하면, "한나라의 제도에 녹봉 2천 석[秩二千石]이라고 한 것은 1년에 1천 4백 10석을 받으니, 실제로는 2천 석에 차지 않는다. 그런데 中二千石이라고 한 것은 1년에 2천 1백 60석을 받는 것이니, 대략의 수를 들어서 말하였기 때문에 '중이천석'이라고 하였다. 中의 뜻은 찼대滿는 뜻이다.(漢制秩二千石者, 一歲得一千 四百四十石, 實不滿二千石也. 其云中二千石者, 一歲得二千一百六十石, 舉成數言之, 故曰中二千石. 中者, 滿 也.)"라고 하였다. 곧 중이천석이란 2천 석을 꽉 채운 녹봉이란 뜻이다.
87 정위가 이른바 … 말: 이는 장석지가 문제의 거둥에 말을 놀라게 한 죄로 잡혀온 자에게 벌금형에 처한 뒤, 불만을 나타낸 문제에게 정위의 중요성을 강조하며 한 말이니, "정위는 천하 공평의 상징이라서 한 번 기울면 천하의 법 집행이 모두 높아지거나 낮아지게 되니 백성들이 어느 곳에 손과 발을 놓겠습니까?(廷尉天 下之平也. 一傾而天下用法皆爲輕重, 民安所錯其手足?)"라고 하였다.(『史記』「張釋之傳」)
88 오늘날 글을 … 뿐이다. 우정국에게 죄가 있다는 사마광 등의 평가를 잘못이라고 말한 것이다.
89 주아부: 絳侯 周勃의 아들이다. 許負가 관상을 보며 "將相이 되어 나라의 권세를 잡을 것이나 나중에 굶어죽

갈 줄만 알고 물러날 줄을 몰라, 자신을 죽게 하고 집안을 망하게 하였으니 공명과 부귀에 의해 잘못된 것이다. 도를 아는 사람은 굽히고 펴며 변통하는 것이 천지와 서로 같은데 공명이나 부귀가 어떻게 병들게 할 수 있겠는가? 장자방張子房[張良]이 이 경지에 오른 사람이다.[91]"

[61-7-2]

或問 : "周亞夫'軍中聞將軍令, 不聞天子詔', 不知是否."

朱子曰 : "此軍法."

又問 : "大凡爲將之道, 首當使軍中尊君親上. 若徒知有將而不知有君, 則將皆亞夫固無害也. 設有姦將一萌非意, 則軍中之人, 豈容不知有君?"

曰 : "若説到反時更無説. 凡天子命將, 既付以一軍, 只當守法."[92]

어떤 사람이 물었다. "주아부가 '군대에서는 장군의 명령만 따르고 천자의 조칙도 따르지 않는다.'[93]고

을 것이다."라고 했다. 주아부가 "내가 장상이 될 이유도 없겠지만 장상이 된다 하고서 왜 굶어죽는다고 말하는가? 나의 관상 어디가 그런지 지적하라."고 하자, 허부는 "주름살이 입으로 들어갔으니 이것이 굶어죽는 상이다.(從理入口, 此餓死法也.)"라고 하였다. 그 뒤 아버지의 작위를 물려받은 형이 국법에 걸려 작위가 몰수되자 아들 중 가장 어진 사람으로 추천되어 條侯에 봉해졌다. 文帝 때 흉노의 침략을 막고, 景帝 때 吳楚七國의 반란을 진압한 공으로 丞相에 올랐다. 竇太后가 친정오빠를 왕에 봉하고자 하자 한나라는 유씨가 아니면 왕이 될 수 없다고 반대하였고, 흉노에서 귀의한 5명을 경제가 왕에 봉하고자 하자 역시 반대해 경제의 미움을 샀다. 이때 주아부의 아들이 아버지 장례품을 준비하느라 尙房(제왕에게 공급되는 물품을 만드는 관청)에서 만든 갑옷과 방패 5백 벌을 사들여 삯군을 사 그것을 운반하면서 고생만 시키고 삯을 지급하지 않았다. 이에 삯일을 했던 사람들이 주아부의 아들이 반란을 모의한다고 고변하였다. 주아부가 이 일에 연관되어 갇히자 5일 동안 식음을 끊고 피를 토하고 죽었다.(『史記』「絳侯周勃世家」)

90　霍光 : 武帝의 皇妃인 衛皇后의 이종 조카로 흉노 정벌에 큰 공을 세웠던 霍去兵의 배다른 아우. 자는 子孟. 봉호는 博陸侯. 시호는 宣成. 무제의 신임을 얻어 무제가 죽은 뒤 어린 昭帝를 보필하였고, 소제가 죽은 뒤 昌邑王賀를 옹립하였다가 음란한 짓을 저지르자 폐위하고 다시 宣帝를 옹립하여 한나라 사직을 잘 보위하였다. 죽은 뒤 자손이 역모에 걸려 몰락하였다. 자세한 것은 뒤 [61-16-1] 이하 霍光 참고.(『漢書』「霍光傳」)

91　張子房(張良)이 이 … 사람이다. : 『性理大全書』 권60의 [60-11-1] 이하 「張良」 참고

92　『朱子語類』 권135, 35조목

93　'군대에서는 장군의 … 않는다.' : 文帝 때 흉노가 침략하자 문제는 劉禮를 霸上, 徐厲를 棘門, 周亞夫를 細柳에 주둔시켜 흉노에 대비하였다. 문제가 이들 군대를 친히 위로하고자 찾았을 때 패상과 극문에서는 곧바로 진영으로 들어갈 수 있었다. 그러나 주아부를 찾았을 때 주아부의 군영은 기율이 반듯하여 문제의 선발대가 성문에 이르러 문제가 찾아온 이유를 밝혔으나 "군대 안에서는 장군의 명령을 듣고, 천자의 조칙은 듣지 않는다.(軍中聞將軍之令, 不聞天子之詔.)"며 들여보내지 않았다. 문제가 마침내 성문에 이르렀으나 역시 들어갈 수 없자, 문제는 부절을 갖춘 사신에게 조칙을 내려 주아부를 위로하러 왔음을 밝혔다. 그제야 주아부는 성문을 열게 하였다. 문제가 들어가려고 하자 성문 담당 군사는 문제를 호위한 車騎에게 "장군께서 군영에서는 말을 달릴 수 없게 하였습니다.(將軍約, 軍中不得驅馳.)"라고 하였다. 문제는 이에 스스로 말고삐를 잡고서 천천히 나아갔다. 中營에 이르렀을 때 주아부가 나와 揖을 하며 "무장한 군사는 절을 하지 않습니다. 軍禮로 천자에 인사드리기를 청하겠습니다.(介胄之士不拜, 請以軍禮見天子.)" 하였다. 문제가 위로를 마치고 성문을

하였는데 옳은지 모르겠습니다."

주자가 대답하였다. "이는 군법軍法이다."

또 물었다. "대체로 장수된 자의 도리는 당연히 맨 먼저 군대가 군주를 높이고 상관과 친하게 해야 합니다. 만일 단지 장수만 알고 군주가 있음을 알지 못한다면 장수가 모두 주아부 같을 경우는 진실로 해로울 것이 없을 것입니다. 만일 간악한 장수가 한 번 그릇된 마음을 품게 된다면 군대의 군사가 군주가 있음을 알지 못하는 것이 어찌 용납될 일이겠습니까?'

(주자가) 대답하였다. "만일 반역할 때를 가지고 말한다면 다시 말할 것도 없다. 천자가 장수를 임명하면서 이미 군대 전체를 맡겼으니 당연히 법을 지켜야 한다.[94]"

賈誼 가의

[61-8-1]

或問賈誼, 程子曰: "誼之言曰: '非有孔子墨翟之賢', 孔與墨一言之, 其識末矣. 其亦不善學矣."[95]

어떤 사람이 가의에 대해 묻자, 정자程頤가 대답하였다. "가의의 말에, '공자와 묵적 같은 현명함이 있지 아니하면'[96]이라고 하여 공자와 묵적을 똑같이 말하고 있으니 그의 식견은 보잘것없다. 그 역시 학문을 잘하지 못한 것이다."

[61-8-2]

龜山楊氏曰: "賈誼以少年英銳之資, 抱負其器, 頗見識拔. 慨然遂以身任天下, 而絳·灌之徒, 出於織薄販繒之武夫, 先王之典章文物, 彼烏足與議哉? 高帝所與平天下, 定法令, 又皆其身親見之也. 誼以疎逖晚進之人, 欲一日悉更奏之, 彼其心豈能恝然耶? 此讒譖之所由起也. 古之君子自重其身, 常若不得已而後進, 非固要君也. 蓋天下重器不可易爲之, 王業之大必遲久

<hr>

나서며 "이 사람은 참으로 장군이다. 지난 번 패상과 극문은 마치 애들 장난 같았다. 그곳의 장수는 덮쳐서 포로로 잡을 수도 있었다. 그러나 주아부는 범할 수 있겠는가?(此眞將軍矣! 鄕者霸上棘門如兒戲耳. 其將固可襲而虜也, 至於亞夫, 可得而犯邪?)"라고 하였다.(『漢書』「張陳王周傳」)

94 천자가 장수를 … 한다. : 『史記』「馮唐傳」에서 풍당이 "신이 들으니 상고시대에 왕이 장군을 파견할 적에는 무릎을 꿇고서 장군이 탄 수레바퀴를 밀며 '대궐 문 안의 일은 과인이 주관하나 대궐 문 밖은 장군이 주관하라.'고 말한다고 하였습니다.(臣聞上古王者之遣將也, 跪而推轂, 曰闑以內者, 寡人制之 ; 闑以外者, 將軍制之.)"라고 하였다. 바로 이미 이런 명령을 듣고 나갔으니 군대의 일은 장수가 주관하게 해야 한다는 말이다.

95 『二程遺書』 권25

96 '공자와 묵적 … 아니하면' : 가의의 저서인 『新書』 권1「過秦上」에서 "재능이 중용에 미치지 아니하고, 중니와 묵적의 현명함이 있지 아니하면(才能不及中庸, 非有仲尼墨翟之賢.)"이라고 하였다.

而後成. 故人君非有至誠不倦之心, 則不足以有爲也. 其尊德樂義一有不至, 則引而去之, 萬鍾於我何加焉? 非忘天下, 道固然也.

구산 양씨가 말하였다. "가의는 소년의 영명하고 예리한 자질로 자신의 도량을 자부하였고 식견도 크게 뛰어났다. 분연히 자신이 마침내 천하를 책임지고자 하였고, 강후絳侯周勃와 관영灌嬰 무리는 발廝이나 짜고 비단이나 팔던 군인 출신들이니 선왕시대의 전장문물을 저들이 어떻게 논의하는 자리에 참여할 수 있겠는가? 그러나 그들은 고조와 함께 천하를 평정했던 사람들이고 법령 제정도 또 모두 그들이 직접 본 것들이었다. 가의는 관계도 매우 소원하고 늦게야 진출한 사람이었는데 하루아침에 모두를 바꾸고자 아뢰었으니, 저들 마음이 어찌 무심할 수 있었겠는가? 이것이 참소의 단서가 생겨난 까닭이다.[97] 예전의 군자가 자신의 몸을 스스로 무겁게 가져 언제나 마지못하게 된 뒤에서야 (벼슬에) 나간 것은 한사코 군주에게 약속을 받아내려는 것이 아니다. 천하는 중대한 물건이라서 쉽게 다룰 수 있는 것이 아니고, 왕업王業은 큰 것이라서 반드시 더디고 오랜 세월이 지나야 이루어진다. 그러므로 군주의 지극한 정성과 게으름내지 않는 마음이 있지 않으면 무슨 일을 함께 하기에 부족한 것이다. 덕을 존중하고 의義를 즐겁게 여기는 일[98]에 조금이라도 지극하지 않음이 있으면 몸을 이끌고 떠나며, 만종萬鍾의

. . . .

97 참소의 단서가 … 까닭이다. : 가의는 洛陽 사람으로 나이 18세 때 『詩經』을 외고 문장에 능하다는 소문이 고을에 파다하였다. 하남의 수령(河南守) 吳公이 문하에 데려다 두고 사랑하였다. 오공이 뛰어난 치적으로 文帝에 의해 廷尉로 등용되자 가의를 문제에게 추천하였다. 가의가 博士에 등용되니 이때 나이가 20세였다. 어떤 의안이 내려지면 원로대신들조차 입을 열지 못하는 것을 모두 대답하며 원로대신들의 마음을 흡족하게 하였다. 이에 모두가 가의에게 미칠 수 없음을 인정하였다. 1년 만에 몇 등급을 뛰어 太中大夫에 올랐다. 가의의 활동을 『史記』「屈原賈生傳」에 따라 살피면 "가의는 한나라가 국가를 일으켜 문제까지 20여 년에 천하가 화평해졌으니 당연히 10월을 정월로 삼는 진나라의 正朔 제도를 고치고, 의복의 색깔을 바꾸고, 제도를 법령화하고, 벼슬 이름을 새로 정하고, 禮樂을 일으켜야 한다고 생각하고, 이들에 관한 의식과 법령을 모두 초안으로 작성하였다. 색깔은 누른색을 숭상하고, 숫자는 5를 사용하고, 벼슬 이름을 정하고, 진나라의 법령을 모두 바꾸었다. 문제는 막 즉위한 초기라서 겸손과 사양의 뜻을 나타내느라 그럴 경향이 없었다. 그러나 여러 律令이 바뀌고 列侯가 모두 자신의 나라로 부임해간 것은 그 주장이 모두 가의에게서 나온 것이다. 이에 문제는 가의를 公卿의 자리에 임용하려는 의견을 냈다. 그러자 주발과 관영・東陽侯(張相如)・馮敬(당시 어사대부) 등이 모두 그를 음해하고 헐뜯어서 '낙양 사람이 나이 젊은 풋내기 학자로 권력을 혼자서 좌지우지하고자 여러 일을 어지럽힌다.'고 하였다. 이에 문제도 그 뒤로 가의를 멀리하고 그의 주장을 쓰지 않았다. 그리고 가의를 長沙王의 太傅로 삼았다.(賈生以爲漢興至孝文二十餘年, 天下和洽, 而固當改正朔, 易服色, 法制度, 定官名, 興禮樂, 乃悉草具其事儀法, 色尙黃, 數用五, 爲官名, 悉更秦之法. 孝文帝初即位, 謙讓未遑也. 諸律令所更定, 及列侯悉就國, 其說皆自賈生發之. 絳・灌・東陽侯・馮敬之屬盡害之. 乃短賈生曰, 雒陽之人, 年少初學, 專欲擅權, 紛亂諸事. 於是天子後亦疏之, 不用其議, 乃以賈生爲長沙王太傅.)"고 하였다. 가의를 중앙 정계에서 축출한 것이다. 그 뒤 가의는 자신이 사부로서 이끌었던 梁王勝(일설에는 揖이라고 한다.)이 죽자 자신의 잘못이라고 깊이 자책하다가 1년 남짓하여 죽었다. 그의 나이 33세 때였다.

98 덕을 존중하고 … 일 : 이 말은 『孟子』「盡心上」의 말을 인용한 것이다. "맹자가 宋句踐에게 '그대는 유세하기를 즐거워하는가? 내가 그대에게 유세에 대해 말해주리라. 남들이 알아주어도 또한 만족해 하고 남들이 몰라주어도 또한 만족해야 한다.'고 하였다. 송구천이 '어찌해야 만족할 수 있습니까?'하니, '덕을 존중하고 의를

녹봉이 나에게 무슨 보탬이겠는가?[99] 천하를 잊어버리려 함이 아니고 도리가 본래 그러해서다.

誼之草具儀法, 與夫三表五餌, 其術固疎矣. 當是時, 人君方且謙讓未遑也, 誼身非宰輔, 乃汲汲然自進其說, 蓋亦不自重矣. 在我者不重, 故人聽之也輕. 及夫以才見忌, 不容於朝, 出爲王傅. 其論國事, 猶曰: '陛下曾不與如臣者議之.' 則是欲嬰撫在廷之臣而出其上也, 豈不召禍歟? 孔子曰: '爲國以禮, 其言不讓', 於誼有之!"[100]

가의가 기초한 의식 법도는 삼표오이三表五餌[101]와 함께 그 방법이 참으로 엉성하다. 당시에 군주조차도 바야흐로 겸손과 사양에 겨를을 내지 못하는 터인데 가의 자신은 재보宰輔도 아니면서 자신의 주장을 올리기에 급급하였으니, 또한 자중하지 않은 것이다. 자신의 행동에 자중함이 있지 않은 까닭에 듣는 사람 역시 가볍게 취급하였다. 재능으로 시기를 당해, 조정에 붙어 있지 못하고 제후국으로 나가 제후의 스승이 되고서도 나라 일을 논하면서 오히려 '폐하께서 지난날 신과 의논하지 않았던 것입니다.'[102]라고 하였다. 이는 조정 신하를 결박 지워두고 그 윗자리에 서고자 한 것이니, 어찌 화를 부르지 않겠는가? 공자가 '나라를 다스리는 일은 예로써 하는 것인데, 그의 말에 사양함이 없다.'[103]고 하였는데, 가의에게 그런 면이 있다."

....

즐거워하면 만족할 수 있다. 그러므로 선비는 곤궁할 적에도 의리를 잃지 않고 현달하여도 도리에서 떠나지 않는다.(孟子謂宋句踐曰, '子好遊乎? 吾語子遊. 人知之, 亦囂囂; 人不知, 亦囂囂.' 曰, '何如斯可以囂囂矣?' 曰, '尊德樂義則可以囂囂矣. 故士窮不失義, 達不離道.")고 하였는데『주자집해』에서 "덕은 자신이 체득한 선을 이르니 그것을 존중하면 자신을 중시함이 있어 인작(人爵: 조정의 벼슬)의 영광을 사모하지 않는다. 의는 자신이 지키고 있는 바름이니 그것을 즐겁게 여기면 스스로 편안해 함이 있어 외물의 유혹을 따르지 않는다.(德, 謂所得之善, 尊之則有以自重, 而不慕乎人爵之榮. 義, 謂所守之正, 樂之則有以自安, 而不徇乎外物之誘矣.)"고 하였다.

99 萬鍾의 녹봉이 … 보탬이겠는가?: 만종은 많은 녹봉을 이른다. 여기서 종은 곡식을 담는 들이의 크기를 칭하는 단위어로 6섬 4말, 8섬, 10섬이라는 세 가지 해석이 있다. 또 이말은『孟子』「告子上」에서 "만종이라고 하면 예의를 가리지 않고 그것을 받는데 만종이 나에게 무슨 보탬인가?(萬鍾則不辨禮義而受之, 萬鍾於我何加焉.)"라는 말을 인용하여 녹봉에 마음이 흔들려선 안 됨을 말한 것이다.

100 『龜山集』「史論·賈誼」

101 三表五餌: 가의가 문제에게 올린 상서에서 주장한 흉노에 대한 여덟 가지 전략. 삼표는 흉노에게 내보여야 하는 세 가지이니, 곧 믿음과, 사랑과, 그들의 기예를 좋아하는 모습이다. 오이는 다섯 가지 미끼이니, 곧 잘 치장한 수레와 건장한 네 마리의 말로 그들의 눈을 현혹시키고, 훌륭하게 차린 음식으로 그들의 입맛을 현혹시키고, 음악과 미녀들로 귀를 현혹시키고, 높은 집과 창고로 그들의 배腹를 현혹시키고, 항복한 자는 불러서 사랑을 베풀고 함께 오락을 즐기고 친히 술을 따라 손으로 먹여주어 그들의 마음을 현혹시키는 것이다.(『新書』「匈奴」)

102 '폐하께서 지난날 … 것입니다.': 반역죄로 죽은 淮南厲王 長(고조의 아들)의 네 아들에게 모두 列侯의 작위를 내리자, 가의는 장사왕의 태부를 거쳐 무제의 아들 梁懷王 揖의 太傅로 있으면서 이런 말로 무제의 잘못을 지적하였다.(『漢書』「屈原賈生傳」)

103 '나라를 … 사양함이 없다.': 『論語』「先進篇」에서 자로가 자신의 뜻을 말하면서 겸양해 하는 기색이 없음을 두고 공자가 한 말이다.

[61-8-3]

"漢之儒者, 若賈誼用力亦勤矣. 其文宏妙, 殆非後儒能造其域. 然稽其道學淵源, 論篤者終莫之與也."[104]

(구산 양씨가 말하였다.) "한나라의 유자儒者들 가운데 가의 같은 사람은 하는 일에 힘을 쏟음이 또한 부지런하였다. 그 문장의 웅건하고 오묘함은 거의 뒷세상의 유자가 나아갈 수 있는 경지가 아니다. 그러나 도학의 본원을 살펴보면 말만 야무진 사람이어서 끝내 인정할 수 없다."[105]

[61-8-4]

朱子曰 : "賈誼之學雜, 他本是戰國縱橫之學, 只是較近道理, 不至如儀·秦·蔡·范之甚爾. 他於這邊道理見得分數稍多, 所以説得較好. 然終是有縱橫之習, 緣他根脚只是從戰國中來故也. 漢儒惟董仲舒純粹, 其學甚正非諸人比, 只是困苦無精彩. 極好處, 也只有正義明道兩句. 下此諸子皆無足道. 如張良·諸葛亮固正, 只是太麄."[106]

주자가 말하였다. "가의의 학문이 잡스러운 것은 그가 본시 전국시대 종횡가의 학파여서이나 단지 그런 대로 도리에 가깝고 장의張儀·소진蘇秦·채택蔡澤·범수范雎와 같이 심하지는 않다. 그가 이러한 도리에 깨달음이 많았던 까닭에 하는 말들이 비교적 좋다. 그러나 끝내 종횡가의 버릇이 남아 있었으니 그의 뿌리가 단지 전국시대에서 유래한 까닭이다. 한나라 유자에서 동중서董仲舒만이 순수하니 그 학문의 올바름은 다른 사람이 견줄 수 없으나, 다만 너무 딱딱하고 생기 넘치는 기상이 없음이다. 더없이 좋은 곳은 또한 단지 '의리를 바로잡고 도를 밝힌다.'[107]라는 두 구절이다. 이하의 여러 학자들은 모두 말할 만한 사람이 없다. 장량張良과 제갈량諸葛亮 같은 분은 참으로 바르기는 하나 다만 너무 거칠다."

[61-8-5]

南軒張氏曰 : "賈生英俊之才, 若董相則知學者也. 治安之策, 可謂通達當世之務, 然未免乎有激發暴露之氣, 其才則然也. 天人之對, 雖若緩而不切, 然反復誦味, 淵源純粹, 蓋有餘意, 以其自學問涵養中來也. 讀其奏篇, 則二子氣象如在目中. 而其平生出處語黙, 亦可驗於是矣. 以武帝好大喜功多欲之心, 使其聽仲舒之言, 則天下蒙其福矣. 孰謂緩而不切也耶?"[108]

· ·

104 『龜山集』「題跋·題翁士特文編」

105 말만 야무진 … 없다. : 『論語』「先進篇」에서 "말만 야무진 자를 인정한다면 (그 사람은) 군자일까? 겉모양만 장엄한 자일까?(論篤是與, 君子者乎? 色莊者乎?)"라고 하였다. 곧 야무진 말만 가지고 그 사람의 도덕성까지를 인정할 수 없다는 말이니, 가의가 그런 부류의 사람이란 뜻이다.

106 『朱子語類』 권137, 18조목

107 '의리를 바로잡고 … 밝힌다.' : 이는 동중서의 대표적인 말인 "인한 사람은 그 의리만을 바로잡고 그 일로 인한 이익은 따지지 않으며, 도만을 밝히고 그 일로 인한 공은 따지지 않는다.(仁人者, 正其誼不謀其利, 明其道不計其功)"는 말을 줄인 말이다. 동중서가 江都相이 되어 江都王 劉非에게 한 말이다.(『漢書』「董仲舒傳」)

108 『南軒集』「史論」

남헌 장씨가 말하였다. "가의는 출중한 재주를 지녔고 동 상국董相國 같은 분은 학문을 안 사람이다. (가의의) 치안책治安策[109]은 당시대의 시급한 일을 꿰뚫었다고 말할 만하나 격렬하게 폭로하는 기상을 면치 못하였으니 그의 재주가 그래서이다. 하늘과 사람에 관한 대책문對策文[110]은 느슨하여 긴박함이 없는 듯하지만 그러나 거듭해 읽어 음미하면 근원이 순수하여 여운으로 남는 뜻이 있으니, 그것은 학문의 함양 속에서 우러나왔기 때문이다. 그 두 사람이 아뢴 글들을 읽노라면 두 사람의 기상을 마치 눈앞에 보는 듯하니 그들의 평생 출처와 행동을 또한 여기에서 체험할 수 있다. 무제武帝가 큰 것을 좋아하고 공훈을 기뻐하고 욕심이 많은 마음으로 동중서의 말을 따랐다면 천하가 그 복록을 받았을 것이다. 누가 느슨하고 긴박하지 않은 말이라고 말할 수 있으랴?"

[61-8-6]

或問 : "賈誼陳冶安策, 論民俗奢侈, 盜賊乘時而發. 夫文帝躬修玄黙, 移風易俗, 以誼言觀之, 所謂移風易俗者安在?"

潛室陳氏曰 : "誼煞有疎密太過處, 惟文帝能受盡言. 史臣謂誼之言亦略施行. 文帝風俗好處, 誼不爲無助."[111]

어떤 사람이 물었다. "가의가 말한 치안책에서 백성의 풍속은 사치스럽고 도적은 기회를 틈타 일어나고 있다고 하였습니다. 문제가 무위無爲를 몸으로 닦아[112] 풍속을 바꾸었는데, 가의가 한 말로 본다면 소위

----

109 治安策 : 가의가 장사왕의 태부에서 梁懷王 揖의 태부로 바뀐 다음에 문제에게 올린 상소문을 이른다. 이때 흉노의 세력이 강성해져 자주 변경을 침략하고, 천하가 갓 안정되었으나 제도는 엉성하였고, 제후왕들은 참람하게 천자의 의전을 모방하며 국토도 옛 제도가 정한 천자국의 10분의 1을 넘어서고, 회남왕과 제북왕은 모두 역모로 죽임을 당한 때였다. 이에 가의는 이러한 것을 바로잡고자 상소를 올렸다. 지금까지 유명하게 전해지는 가의상소라는 말은 바로 이 상소를 이른다. 그 머리말은 "신이 적이 천하의 형세를 살피건대 통곡할 만한 일이 한 가지이며, 눈물 흘릴 만한 일이 두 가지이며, 긴 한숨을 지을 만한 일이 여섯 가지입니다. 그 밖의 이치에 어긋나고 도리를 해친 것들은 두루 낱낱이 들어서 말씀드릴 수 없습니다.(臣竊惟事勢, 可爲痛哭者一 ; 可爲流涕者二 ; 可爲長太息者六. 若其它背理而傷道者, 難徧以疏擧.)"로 시작되는 유명한 상소이다.(『漢書』「賈誼傳」)

110 하늘과 사람에 … 對策文 : 무제의 물음에 답한 동중서의 책문을 이른다. 그 첫머리에 "신이 삼가 『春秋』에서 살펴보고 앞 왕조가 시행한 일들 속에서 보건대, 하늘과 사람의 상호 관계는 매우 엄중하였습니다. 나라에 도리를 잃는 잘못이 있게 되면 하늘이 먼저 재해를 내보내 경고하였습니다.(臣謹案春秋之中, 視前世已行之事, 以觀天人相與之際, 甚可畏也. 國家將有失道之敗, 而天廼先出災害以譴告之.)"로 시작하여 하늘과 사람이 서로 감응하는 관계를 설파하였다. 그래서 사람들이 이를 天人策이라 불렀다.(『漢書』「董仲舒傳」)

111 『木鍾集』「史」

112 문제가 無爲를 … 닦아 : 이 글의 원문인 玄黙을 『文選』 권9의 「揚雄 長楊賦」에는 "군주가 현묵을 신으로 삼고 담박을 덕으로 삼았다.(且人君以玄黙爲神, 澹泊爲德.)"의 李周翰注에서 "玄黙은 일삼음이 없음이다.(玄黙, 無事也.)"고 하였다. 『漢書』「刑法志」에는 효문제의 치적을 말하며, "효문제가 즉위하여 몸소 무위를 닦고 농사와 누에치는 일을 권면하였다.(及孝文即位, 躬脩玄黙, 勸趣農桑.)"고 하였다. 한나라 초기에는 黃老學이 통치이념이었는데, 이를 武帝가 儒學으로 바꾸었던 것이다.

풍속을 바꾸었다는 것은 어디에 있는 것입니까?'

잠실 진씨가 대답하였다. "가의는 엉성하고 치밀함이 너무 지나친 점이 있어, 문제만이 숨김없이 다하는 말을 잘 받아주었다. 사관史官이 '가의의 말은 또한 대략은 시행되었다.'고 하였으니, 문제 시대의 좋은 풍속은 가의의 도움이 없지 않다."

袁盎 원앙, 賈山 가산, 馮唐 풍당, 鄒陽 추양, 枚乘 매승

[61-9-1]

龜山楊氏曰: "淮南王之驕恣, 其荏禍久矣. 然徵之卽至, 則反形未具, 以檻車遷之, 是將置之必死也. 不早辨之, 養成其禍, 卒至乎敗國亡身, 文帝不無罪也. 鄭共叔不義得衆, 詩人以刺莊公, 而春秋交譏之, 正謂此也. 然則人君不幸有弟如淮南者宜奈何? 若舜之於象, 放之有庫可也. 袁盎不能明義以正其君, 乃以無稽之言謂之, 不亦過乎? 若七國之反, 聞晁錯之欲治己也, 反以奇禍中之, 此戰國策士之常也. 然二人之相賊, 其志一也, 特繫其發之先後耳. 不念國家之大計, 乃欲因禍以釋一己之私怨, 若二人又何足誅哉? 而班固謂盎仁心爲質, 誤矣."[113]

구산 양씨가 말하였다. "회남왕淮南王[114]의 교만 방자는 그 화가 익어온 지 오래다. 그러나 부르자 바로 이르렀으니 모반의 모습이 아직 갖추어진 것은 아닌데, 함거檻車(범인을 운반하는 우리처럼 만든 수레)로 옮기게 하였으니, 이는 반드시 죽이려 함이었다.[115] 일찍 다스리지 않고 그 화를 키워 마침내 나라도

• • • • • • • • • • • • • • • • • • •

113 『龜山集』「史論・袁盎」

114 淮南王: 고조가 趙王 張敖가 추천한 美人(황궁 女官의 한 직계)에게서 얻은 아들로 이름은 長이다. 淮南厲王으로 부른다. 고조 11년(기원전 196)에 봉하여졌다가 효문제 6년(기원전 174)에 모반죄로 폐위되어 함거에 실려 蜀으로 옮겨지던 중 식음을 끊고 雍에 이르렀을 때 함거를 확인하자 죽은 시신으로 발견되어 그곳에 묻혔다.(『漢書』「諸侯王表」;「淮南衡山傳」)

115 부르자 … 함이었다. : 회남왕은 자신의 어머니가 조왕 장오의 신하 貫高 등이 고조를 시해하려 한 사건에 연좌되어 죽을 때 辟陽侯(審食其의 봉호)가 자신의 어머니를 구원하지 않은 것에 앙심을 품고 있었다. 어머니가 죽은 뒤 회남왕은 呂后의 손에 컸고 회남왕으로 지내며 惠帝와 여후 시절 아무런 어려움 없이 지냈다. 문제가 갓 즉위하자 회남왕은 한껏 교만하게 굴며 조정의 법을 받들지 않았다. 문제는 이를 모두 수용하고 너그럽게 용서하였다. 그가 조회를 와서도 문제를 大兄이라 부르며 수레를 함께 타는 등 무례하게 굴었다. 이어 심이기를 찾아가 직접 철퇴로 그를 살해하고, 문제에게 여후가 여러 여씨를 왕으로 봉할 때 심이기가 잘못을 말하지 않는 등 잘못이 많았기에 천하를 위해 그를 죽였노라고 죄를 청하였다. 문제는 회남왕을 용서하여 되돌려 보냈다. 회남으로 돌아와서는 더욱 방자하여져서 천자를 자칭하고 법령을 직접 만드는 등 천자 행세를 하였다. 이때 회남왕의 신하 但이 棘蒲侯 施武의 태자 施奇와 모의하여 40乘의 말과 수레로 谷口에서 반란을 일으키며 이 사실을 閩越과 흉노에게 사신을 보내 알렸다. 이를 안 한나라 조정이 죄를 다스리려 회남왕 장을 부르자 회남왕은 바로 장안에 나아왔다. 회남왕에 대하여는 그동안 조정의 명령에 따르지 않은 정황을 낱낱이 파헤치며 棄市의 죄를 내려야 한다고 하였다. 결국 회남왕에서 폐위되고 蜀으로

없어지고 그 자신마저 죽게 하였으니, 문제에게 죄가 없지 않다. 정鄭나라 공숙共叔이 불의로 민심을 얻었으나[116] 시인은 장공莊公을 풍자하였고[117] 『춘추』에서도 번갈아 비난한 것[118]은 바로 이를 말한 것이다. 그렇다면 군주가 불행하게 회남왕과 같은 아우가 있을 때 어떻게 해야 할까? 순임금이 아우 상象을 유비有庳에 방치한 것[119]과 같이 하는 것이 옳다. 원앙이 의리를 밝혀 군주를 바로잡지 않고 이에 근거

. . . .

옮겨 살게 하는 것으로 결정되었다. 촉으로 옮겨지게 되자 袁盎은 "폐하께서 본래 회남왕을 날뛰게 놓아두고 엄한 스승을 두지 않았으니, 이런 것이 여기에 이른 것입니다. 또 회남왕은 사람됨이 굳세서 지금 갑작스럽게 꺾어버리면 신은 끝내 안개와 이슬에 의한 병을 만나 죽게 될까 두렵습니다. 폐하께서 형제를 죽였다는 소문이 나게 되면 어찌시렵니까?(上素驕淮南王, 弗爲置嚴傅相, 以故至此. 且淮南王爲人剛, 今暴摧折之, 臣恐卒逢霧露病死. 陛下爲有殺弟之名, 奈何?)"라고 하였다.(『史記』「淮南衡山傳」)

116 鄭나라 共叔이 … 얻었으나 : 정나라 공숙은 정나라 군주 武公의 둘째 아들로 공숙은 그의 봉호이고 이름은 段이다. 단의 형은 훗날 아버지를 이어 등극한 莊公이다. 장공이 태어날 때 어머니 武姜을 고생시켜, 어머니는 늘 장공을 미워하고 둘째 공숙단을 사랑하여 그를 태자로 정하려 하였다. 공숙단은 형 장공이 등극한 뒤 어머니 사랑을 믿고 자신의 封地를 키워나갔다. 보다 못한 祭仲이 제재의 필요성을 말하며 "일찍 조처를 취함만 못하니 불어나게 해서는 안 됩니다. 불어나면 도모하기 어렵습니다. 넝쿨풀도 (불어나면) 제거할 수 없는데 하물며 임금님의 총애를 받는 아우겠습니까?(不如早爲之所, 無使滋蔓! 蔓, 難圖也. 蔓草猶不可除, 況君之寵弟乎?)" 하니 장공이 말하기를 "불의를 많이 저지르면 반드시 스스로 무너지니 그대는 잠시 기다리도록 하라.(多行不義, 必自斃, 子姑待之.)"라고 하며 장공은 듣지 않았다. 공숙단이 군사를 준비하고 무강이 안에서 도성 문을 열어주기로 한 소식을 들은 장공은 그제야 그를 토벌하였다.(『左傳』「隱公元年」)

117 시인은 莊公을 풍자하였고 : 이는 『詩經』「鄭風·叔于田」과 「大叔于田」 두 시를 이른다. 이들 시는 공숙단의 훤칠한 모습과 호걸스런 모습, 그리고 사냥 나간 훌륭한 모습들을 그리고 있다. 「叔于田」에 대해 范處義는 "공자가 시를 산삭하며 왜 이 시를 취하였을까? 그것은 훗날의 군주를 경계시키려 함이다. 처음을 신중히 하여, 사람들이 뜻을 활짝 펴 도모할 수 없는 형세가 되게 하지 말라는 것이다. 이것이 공자가 이 시를 남겨둔 뜻이다.(孔子刪詩何取焉? 蓋以戒後之人君. 謹於其初, 勿使人得志以成難圖之勢. 此聖人錄詩之意也.)"라고 하였고 「大叔于田」에 대해 孔穎達은 "공숙이 재주를 믿고 군사를 믿은 것은 반드시 난리의 단계를 만들어가는 것인데도 장공이 이를 금하지 않은 까닭에 풍자하였다.(負才恃衆, 必爲亂階, 而公不知禁, 故刺之.)"고 하였다.

118 『春秋』에서도 번갈아 … 것 : 『春秋』「隱公 원년」의 經에 "여름 5월에 정백이 단을 언 땅에서 이겼다.(夏五月, 鄭伯克段于鄢.)"고 하였다. 이를 『左傳』에서 "단이 (형에게) 공손하지 않았기 때문에 아우라는 말을 쓰지 않았고, 마치 두 나라의 군주 같았던 까닭에 '이겼다'고 말하였으며, 정백이라고 말한 것은 가르치는 일을 하지 않은 것을 비평한 것이니 정장공의 뜻이다. 달아났다라고 말하지 않은 것은 달아났다고 말하기에는 어려운 점이 있어서다.(曰鄭伯克段于鄢, 段不弟, 故不言弟 ; 如二君, 故曰克 ; 稱鄭伯, 譏失敎也, 謂之鄭志. 不言出奔, 難之也.)"라고 하였다. 공숙단이 共으로 달아났지만 이를 기록하지 않은 것은 달아났다고 쓰면 이는 모든 죄를 공숙단에 돌리는 결과가 되어 그렇게 쓰지 않고 이렇게 기록하여 장공에게도 잘못이 있음을 암시했다는 말이다.

119 순임금이 아우 … 것 : 상은 순임금의 이복동생으로 부모와 함께 날마다 순을 어떻게 죽일 것인가를 일삼았던 아우이다. 그런데 순임금이 천자가 되자 아우 상을 유비 땅에 봉해주었다. 이에 대해 『孟子』「萬章上」에서 맹자는 "상이 그 자신의 나라에 정치 행위를 할 수 없도록 하고 천자가 관리를 시켜 그 나라를 다스리고 세금만 象에게 바치게 하였다. 그래서 세상에서 방치한 것이라고 말한다.(象不得有爲於其國, 天子使吏治其國, 而納其貢税焉. 故謂之放.)"라고 하였다.

없는 말을 한 것[120]은 또한 잘못이 아니겠는가? 일곱 나라가 반란을 일으켰을 적에 조조晁錯가 자신의 죄를 다스리고자 한다는 말을 듣고서는 거꾸로 기발한 재앙으로 되돌려 주었으니[121] 이는 전국시대 책사策士들의 예삿일이다. 그러나 두 사람이 서로를 해치려 한 것은 그 뜻이 똑같았으니 다만 그것이 터져 나온 것이 앞이었는가, 뒤이었는가에 달렸을 뿐이다. 국가의 큰 계책을 생각하지 않고 재앙이 일어난 것을 이용하여 자신 한 사람의 사사로운 원망을 풀고자 하였으니, 두 사람을 또 어찌 나무라겠는가? 그런데도 반고班固가 원앙은 '어진 마음을 바탕으로 삼았다.'[122]라고 말한 것은 잘못이다."

[61-9-2]

"孝文之恭儉慈仁, 而賈山乃借秦爲諭, 盛言其侈靡貪狼暴虐, 宜若過矣. 然君臣儆戒, 正在無虞之時. 故舜之臣猶以丹朱戒其君, 則山之借秦不爲過也. 後世驕君諛臣, 恃天下無虞而不知儆戒, 有聞斯言, 必以爲訕矣. 其取禍敗, 不亦宜乎?"[123]

· ·

120 의리를 … 것: 회남여왕 장이 옹 땅에서 죽었다는 말을 들은 문제는 음식을 끊고 매우 슬프게 곡하였다. 이에 원앙은 문제를 위로하여 "폐하께는 세상에 뛰어난 세 가지 행실이 있으니 이 일이 폐하의 명성을 깎아내릴 수 없을 것입니다.(且陛下有高世之行者三, 此不足以毁名.)"라고 하자 문제는 그 세 가지를 물었다. 그러자 원앙은 첫째, 문제가 代王으로 있을 때 모후를 3년 동안 병간호하며 눈을 붙이지 않고 약을 모두 맛보았으니 曾子보다 훌륭한 효성이고, 둘째, 대왕으로 있다가 대신들의 옹립으로 헤아릴 수 없는 위험을 안고 장안에 들어왔으니 賁育보다 뛰어난 용맹이고, 셋째, 장안의 代邸에서 천하를 서쪽을 향하여 두 번, 남쪽을 향해 세 번 사양하였으니 이는 허유의 네 번 사양보다 훌륭한 점이라고 하였다. 이에 문제는 마음을 풀었다. 다시 문제가 수습할 방법을 묻자, 원앙은 회남여왕의 아들들을 모두 왕에 봉하라고 하였다. 이로 인해 원앙은 조정에서 명성이 높아졌다. 여기서 근거 없는 말이라고 한 것은 아마 허유의 일을 이른 듯하다. 허유는 요임금이 천하를 그에게 사양하려고 하자 거절하였다는 전설상의 인물이고, 이들 말은 『莊子』「逍遙遊」와 「讓王」에 실렸다.(『史記』「袁盎晁錯傳」)

121 일곱 나라가 … 되돌려주었으니 : 원앙과 조조는 사이가 좋지 않았다. 그래서 조조가 앉아 있으면 원앙이 떠나버리고 원앙이 앉아 있으면 조조도 떠나버릴 정도였다. 조조는 吳王 濞를 비롯한 楚 지역에 봉해진 유씨 자손들의 국토가 너무 넓어 반역을 도모할 수 있다며 이들 국토를 삭감하여야 한다고 문제에게 자주 주청하였으나 들어주지 않았다. 景帝가 등극하자 다시 제후들의 죄를 들어 그들의 국토를 덜어내야 한다고 주청하였다. 그러자 吳楚七國은 경제 3년에 반란을 일으켰다. 오초칠국은 吳王 濞·膠西王 卬·楚王 戊·趙王 遂·濟南王 辟光·菑川王 賢·膠東王 雄渠가 나서 골육을 이간하는 조조를 다스리겠다는 명분으로 군사를 일으켰다. 이들이 일어나자 경제는 太尉 周亞夫와 大將軍 竇嬰을 보내 그들을 다스리게 하였다. 이보다 앞서 원앙이 御史大夫에 올라 조조가 오왕 비의 상국을 지낼 때 뇌물 받은 것을 찾아내 죄를 다스리려 하자 경제가 조서를 내려 사면하고 庶人으로 강등시켰다. 오초칠국이 반란을 일으키자 조조는 원앙이 오왕의 뇌물을 받고 반란을 일으키지 않는다고 숨겼으니 반란이 일어난 지금 그의 죄를 다스려야 한다고 논의를 제기하였다. 아직 결정하지 못하는 사이 원앙은 경제를 찾아뵙고 오초의 군사는 조조 한 사람을 죽여 오나라에 사과한다면 그들 반란을 중지시킬 수 있다고 하였다. 이에 경제는 조조를 죽이고 원앙을 오왕 비에게 보내 회유하였다. 그러나 오왕은 오히려 원앙을 자신의 장수로 삼고자 하였다. 원앙이 따르지 않자 그를 군대 안에 가두고 수비를 강화시켜, 겨우 달아나 돌아왔다.(『漢書』「景帝紀」; 「袁盎晁錯傳」; 「吳王濞傳」)

122 '어진 마음을 … 삼았다.' : 원앙과 조조를 한 편으로 실은 『史記』 권101과 『漢書』 권49의 열전에 사마천과 반고가 모두 이 말로 원앙을 평하고 있다.

(구산 양씨가 말하였다.) "효문제는 공손하고 검소하며 자애롭고 어진데도, 가산賈山이 진秦나라를 빌려 비유하며 그를 사치스럽고 사납게 탐하며 포학하다고 한껏 주장하였으니,[124] 의당 과한 말인 것 같다. 그러나 군주와 신하의 경계는 바로 아무런 걱정거리가 없을 때 있어야 한다. 그러므로 순임금의 신하가 오히려 단주丹朱를 들어 그 군주를 경계한 것[125]이니, 가산이 진나라를 빌려 말한 것은 지나치지 않다. 후세의 교만한 군주와 아첨하는 신하가 천하에 걱정거리가 없는 것을 믿고서 경계할 줄을 몰랐으니 가산의 이러한 말을 들으면 반드시 헐뜯었다고 여길 것이다. 그들 나라가 재앙과 실패를 당하는 것이 또한 당연하지 않겠는가?"

[61-9-3]

"馮唐謂: '文帝不能用頗‧牧', 其言雖有激, 然亦深中其病也. 夫李牧之爲趙將也, 軍市之租 皆自用, 賞賜皆決於外, 不從中覆, 故能有成功. 魏尚守雲中, 上功首虜差六級, 文吏即以法繩 之. 以是較之, 文帝不能用李牧, 信矣. 楊[126]雄謂: '文帝親詘帝尊以信亞夫之軍, 曷爲不能用 頗牧?' 夫孫武斬吳王之寵姬, 穰苴斬齊君之寵臣, 與其使者僕, 車之左駙, 馬之左驂, 皆在軍 不受君令也. 古之爲將者皆然, 豈獨亞夫乎? 然則文帝未嘗詘, 而亞夫之軍未嘗信也. 謂之有 激云爾, 則得矣."[127]

(구산 양씨가 말하였다.) "풍당이 '문제는 염파廉頗와 이목李牧[128]이 있어도 잘 기용하지 못할 것이다.'라고 하였는데, 그 말이 과격한 점은 있지만 그러나 그의 병통은 깊이 알아맞혔다. 이목이 조趙나라의 장수가 되었을 때 진영에 세운 시장에서 받은 세금을 모두 마음대로 사용하였고, 상을 내리는 일을 모두 밖에서 결정하고 조정을 통해 아뢰지 않은 까닭에 능히 공을 이룰 수 있었다. 위상魏尚이 운중雲中의 수령으로 있을 때 공으로 보고한 수급과 포로 숫자에 수급首級 여섯 개가 틀리자 법을 집행하는 관리[文吏]가 곧바로 법으로 다스렸다. 이를 가지고 비교해 본다면 문제가 이목을 잘 쓸 수 없었으리란

---

123 『龜山集』「史論‧賈山」

124 진나라를 빌려 … 주장하였으니 : 가산은 潁川 사람으로 문제에게 두 차례에 걸쳐 장문의 상소를 올리며 그 말이 매우 격하였으나 문제가 이를 잘 받아들이고 벌하지 않았다. 이때 올린 상소문을『至言』이라 한다. (『漢書』「藝文志」;「賈鄒枚路傳」)

125 순임금의 신하가 … 것 :『書經』「虞書‧益稷篇」에서 禹가 순임금에게 "단주 같은 오만함이 없게 하소서! 부질없이 노니는 것을 좋아하며 백성을 괴롭히는 일만을 밤낮이 쉬지 않고 해댑니다.(無若丹朱傲! 惟慢遊 是好, 傲虐是作, 罔晝夜額額.)"라고 하였다. 단주는 요임금의 아들이다. 대표적인 못된 인물인데, 우가 순임 금에게 이 사람을 들어 이런 짓을 하지 말라고 말한 것이다.

126 楊 :『龜山集』권9「史論‧馮唐」에는 '揚'자이다.

127 『龜山集』권9「史論‧馮唐」

128 廉頗와 李牧 : 염파는 전국시대 조나라의 명장으로 惠文王 때 제나라 군사를 격파하여 유명하여졌다. 藺相如 와 刎頸之交를 맺어 누구도 조나라를 넘보지 못하게 하였다. 이목도 역시 전국시대 조나라의 명장으로 흉노 와 진나라를 크게 깨트렸으나, 郭開의 참소에 의하여 죽음을 당하고 조나라도 망하였다. 『史記』「趙世家」, 「廉頗藺相如傳」

점은 분명하다.[129] 양웅揚雄이 '문제가 친히 제왕의 존귀함을 굽혀 주아부 군대의 기상을 펼치게 하였는데 어찌 염파와 이목을 쓰지 못하겠는가?'[130]라고 하였다. 저 손무孫武는 오吳나라 왕이 총애하는 계집의 목을 베고,[131] 양저穰苴는 제齊나라 군주가 총애하는 신하와 군주가 보낸 사신의 노복과 수레 왼쪽의 지지대左駙와 수레를 끄는 왼쪽 참마驂馬를 베어버렸으니,[132] 모두 군대 안에서는 군주의 명령을 받지

....

129 이목이 … 분명하다. : 모두 『史記』「풍당전」과 『漢書』「풍당전」에 실린 풍당의 말이다. 풍당은 문제 때 사람으로, 조부는 趙나라 사람이었고 아버지는 代 땅으로 옮겨 살았다. 풍당이 郎中署長으로 있을 때 문제가 낭중서를 찾아와 풍당에게 노인께서 왜 낭중으로 있으며 집은 어디인지를 물었다. 풍당이 사실대로 아뢰자, 문제는 자신이 代王으로 있을 때 尙食監(음식 담당 관원) 高祛에게 조나라의 장수 李齊에 대해 듣고서 음식 먹을 적이면 이제의 鉅鹿 전투에서의 현명함을 생각하는데, 노인께서는 그 사람을 아느냐고 물었다. 풍당이 이제는 염파와 이목보다 못하다고 하자, 문제는 어떻게 아느냐고 물었다. 풍당 "저의 조부는 조나라의 장수였고 아버지는 대 땅의 상국이어서 압니다." 하고, 염파와 이목에 대해 자세히 설명하였다. 문제가 무릎을 치며 "내 홀로 염파와 이목 같은 장수를 얻어 장수로 삼지 못하였구나! (만일 그같은 장수를 얻을 수 있다면) 어찌 흉노 정도가 걱정이겠는가?(吾獨不得廉頗李牧爲將! 豈憂匈奴哉?)"라고 하였다. 그러자 풍당이 원문에 실린 말로 문제의 잘못을 지적하자, 문제는 풍당에게 부절을 지니고 위상을 찾게 하여 운중의 수령으로 복직시키고, 풍당을 車騎都尉로 삼았다.(『漢書』「張馮汲鄭傳」)

130 '문제가 친히 … 못하겠는가?' : 양웅의 저서 『法言』「重黎」에 실렸다. 내용을 보면 "어떤 사람이 묻기를 '풍당이 문제의 면전에서 염파와 이목을 얻더라도 잘 쓰지 못할 것이다.'라고 하였는데 참으로 그렇습니까? 하자, 양웅이 다음과 같이 말하였다. '그 장수는 과격함이 있다. 친히 제왕의 존귀함을 굽혀 주아부 군대의 기세를 펼쳐주었다. 염파와 이목인들 어찌 쓰지 못하겠는가?(或問馮唐面文帝, 得廉頗·李牧不能用也. 諒乎? 曰, 彼將有激也. 親屈帝尊, 信亞夫之軍. 至頗牧, 曷不用哉?)"라고 하였다.

131 孫武는 吳나라 … 베고 : 손무는 齊나라 사람이다. 병법의 능력을 가지고 吳王 闔閭를 찾아뵙자, 합려는 손무가 쓴 병법 13편을 잘 읽었다며 이를 군사들과 아녀자들에게 시연시킬 수 있겠는지 물었다. 모두 할 수 있다 대답하고, 아녀자에게 시연시킬 것을 허락받았다. 손무가 궁중의 미녀 180명을 허락받아 좌우로 편을 나누고 왕의 총애가 극진한 두 사람을 대표자로 임명하여 모두 손에 창을 들게 하였다. 명령하기를 너희가 심장과 왼쪽과 오른쪽과 등을 아느냐고 물었다. 모두 안다고 대답하자, 손무는 내가 앞이라고 하면 심장을 보고, 왼쪽하면 왼손을 보고, 오른쪽하면 오른손을 보고, 뒤 하면 바로 등을 보라고 하자, 모두가 그렇게 하겠다고 대답하였다. 이를 거듭하여 세 번 네 번 반복해서 일러주었다. 그리고서 북을 쳐 오른쪽 하자 아녀자들이 모두 큰 소리로 웃어버렸다. 손무는 약속과 알리는 일이 분명하지 못한 것은 장수의 죄라 하고 다시 세 번 네 번 거듭 일러주었다. 다시 북을 쳐 왼쪽 하였으나 아녀자들은 다시 큰 소리로 웃고 말았다. 이에 손무는 약속과 일러주는 일이 끝났는데도 따르지 않은 것은 군관과 사졸의 죄라 하고 좌우 대표자들을 베고자 하였다. 합려가 참관하다가 놀라서 사람을 시켜 "장군이 용병에 능하다는 것은 과인이 이미 알았다. 과인이 저들 두 계집이 아니면 음식이 달지 않으니 베지 말기를 원한다."고 하였으나 "신은 이미 명령을 받아 장수가 되었고 장수가 군영에서는 군주의 명령도 받지 않을 때가 있습니다."하고서 두 대표자를 베어 조리돌리고 다음 사람을 뽑아 명령을 내리자 말소리 하나 없이 규율에 맞췄다. 합려는 손무를 등용하여 초나라를 격파하였고 진나라와 제나라에 위엄을 뽐냈다. 모두 손무의 공이었다.(『史記』「孫子吳起傳」)

132 穰苴는 齊나라 … 베어버렸으니 : 양저는 제나라 사람으로 성은 田씨이다. 景公 때 司馬 벼슬을 지내 司馬穰苴라고 불린다. 경공 때 서쪽의 진나라가 침략하였는데 북쪽의 燕나라도 침공하여왔다. 이에 경공은 晏嬰의 천거를 받아들여 양저를 장군으로 삼았다. 양저는 경공에게 "신이 본래 비천하온데 임금님께서 평민을 발탁하여 대부의 윗자리에 앉으니, 사졸들이 따르지 않고 백성들이 믿지 않습니다. 사람이 미천하여 힘이 허약하

않은 것이다. 옛날 장수들은 모두 그러했다. 어찌 주아부뿐이겠는가?[133] 그렇다면 문제는 굽힌 적도 없으며 주아부 군대의 기상이 신장된 적도 없다. 과격했다고 말하는 것이 옳을 것이다.”

[61-9-4]

“吳王怨望, 陰有邪謀. 鄒陽枚乘之徒不能明義以導其君, 而區區以利說之, 宜乎其無益也. 及吳兵西嚮, 而枚乘猶以民之輕重, 國之大小爲言, 則是使吳重大而漢輕小, 則吳兵可得而進也. 吳亡, 乘不及禍, 而卒以取重於世, 幸矣夫!”[134]

(구산 양씨가 말하였다.) “오나라 왕이 원망하여 몰래 사악한 계책을 꾸미는데, 추양[135]과 매승[136] 무리가

· · · · · · · · · · · · · ·

오니 원컨대 임금님이 총애하고 나라가 존경하는 사람을 군대 監軍으로 두어야 하겠습니다.(臣素卑賤, 君擢之閭伍之中, 加之大夫之上, 士卒未附, 百姓不信, 人微權輕, 願得君之寵臣, 國之所尊, 以監軍, 乃可.)”라고 하였다. 경공은 莊賈를 감군으로 임명하였다. 양저는 장감과 내일 정오에 군영의 문에서 만나기로 하고 이튿날 군영의 정문에서 시간을 재는 물시계를 설치하고 기다렸다. 정오가 지나자 양저는 물시계를 차버리고 진영으로 들어가 군대를 훈련시켜 약속의 중요성을 거듭 알렸다. 장감은 경공의 총애를 믿고 친척과 가까이 지내는 사람들의 전별을 받으며 저녁 무렵에야 나타났다. 양저는 “장수가 명령을 받은 날에서부터 집안은 잊어야 하고, 군영에 임하여 약속을 정하였으면 친구도 잊어야 하며, 북채를 잡고 북을 치는 소리가 급하면 자신 한 몸을 잊어야 한다. 나라가 침략을 받아 소동이 일어 군주가 잠을 이루지 못하는데 무슨 전별하는 일이 있다는 말인가?’ 하고서, 군법을 다스리는 관리에게 물어 장가를 처단하려 들었다. 이에 장가는 급한 소식을 경공에게 알려 구원을 요청하였다. 경공에게서 소식이 오기 전에 양저는 군법에 의해 장가를 목 베어 군영에 조리돌렸다. 조금 지나자 경공이 보낸 사신이 부절을 지니고 장가를 사면시키고자 말을 달려 들어왔다. 양저는 “장수가 군대에서는 군주의 명령도 받지 않을 때가 있다.” 하고서 군법을 관장하는 관원에게 “군영에서 말을 달린 자는 어떤 죄에 해당하는가?” 하고 물으니, 斬刑에 해당한다고 하자, 양저는 군주의 사신을 죽일 수 없다 하고 사신이 타고 온 수레의 왼쪽의 지지대를 베고 수레를 끄는 왼쪽의 驂馬를 베어 삼군에 조리돌렸다. 이렇게 출발한 양저는 진나라 군대를 물리쳤고, 연나라는 소문을 듣고서 제물에 군사를 거두어 돌아갔다. 이 전쟁을 승리로 이끌자 양저에게 大司馬 벼슬이 주어졌다.(『史記』「司馬穰苴傳」)

133 어찌 주아부뿐이겠는가?: 문제가 주아부의 군영을 찾았을 때 문제가 바로 군영으로 들어올 수 없게 하고 군영 안에서 말을 달리지 못하게 한 것을 이른다. 자세한 것은 윗글 [61-7-2] 참고

134 『龜山集』 권9 「史論 · 鄒陽枚乘」

135 추양: 齊 땅 사람. 한나라에서 봉한 여러 제후들이 앞 다투어 어진 사람을 초빙하자 吳王濞에게 귀의하였다. 문제에게 조회 갔던 오왕의 태자가 문제의 태자 劉啓와 장기를 두다가 다투어 죽는 일이 발생하자, 이를 원망하여 병을 핑계하고 조회 가지 않으며 음모를 꾸몄다. 이에 추양이 이를 저지하려 오왕 비에게 상소하며 오왕이 진행하는 반역은 은밀히 꾀하는 것이라서 이를 직접 들어 말하지 않고, 단지 왕실이 서로 화목하게 지내야 할 것과 秦나라가 여러 郡들과 친목하지 않아 패망하였음을 들어 말하고, 이어 흉노족과 越族이 한나라를 넘보는데도 齊나라, 趙나라, 淮南이 한나라 왕조를 도우려 하지 않고 묵은 옛 감정으로 보복하려고만 하고 있는 것은 잘못임을 상세하게 설명하였다. 그리고 형세상 천자의 나라를 제후국이 힘으로 이기지 못한 일들을 나열하였다. 그러나 오왕이 이를 받아들이지 않자 추양은 梁孝王에게 귀의하였다.(『漢書』「賈鄒枚路傳」)

136 매승: 淮陰 사람. 자는 叔이다. 오왕 비에게 낭중 벼슬을 하며, 오왕 비가 꾸미는 반란을 적극 저지하는 상소를 올렸으나 받아들여지지 않자 양효왕에게 귀의하였다. 오왕 비가 楚나라 등과 반란을 일으키자, 또

의리를 밝혀 그 군주를 인도하지 아니하고 구구하게 이익을 가지고 설득하였으니, 도움이 되지 못한 것은 당연하다. 오나라 군사가 서쪽을 향하여 나아감에 이르러서도 매승은 오히려 백성의 많고 적음과 나라의 크기를 가지고 말하였으니, 이는 오나라는 크고 중요하게 여기고 한나라는 하찮고 작게 여겨지도록 하여 오나라 군대를 진격할 수 있게 한 것이다. 오나라가 망하였을 때 매승이 해를 당하지 않고 마침내 세상에서 중시된 것은 요행이다."

田叔 전숙

[61-10-1]

龜山楊氏曰 : "班固謂'田叔隨張敖赴死如歸, 彼誠知所處.' 予謂田叔之隨王, 雖以身死之, 何益於趙? 此與婢妾賤人感慨自殺者何以異哉? 烏在其爲知所處? 孟舒爲雲中守, 而士爭臨城死敵, 此誠長者. 而田叔乃以隨張王事首稱之, 斯言豈特爲舒而發? 抑亦自賢耳. 夫譽人以自賢, 是豈長者之言乎?"[137]

구산 양씨가 말하였다. "반고班固가 '전숙田叔이 장오張敖를 따라서 죽음에 나아가기를 마치 집에 돌아가는 것처럼 생각하였으니 그는 참으로 처신할 줄을 알았다.'고 하였다.[138] 내가 생각하건대 전숙이 왕을

. . . .

다시 오왕 비에게 상소를 올려, "진나라가 천하를 통일한 것은 동방의 여러 나라들에 비겨 지리적인 이점과 백성 숫자에서 상대가 되지 않음에 있었는데, 지금 한나라는 당시 진나라보다 10배나 많은 국토를 소유하고 1백배나 되는 백성을 가지고 있습니다. 그런데도 경제가 오초칠국이 명분으로 내건 국토의 삭감을 사과하는 뜻에서 이를 주장한 量錯를 죽여 유감 표시를 하였습니다. 이는 오왕 비의 위엄이 천하에 드날린 일이며 공훈이 湯王과 武王보다 훌륭한 것입니다. 그리고 오나라가 후미진 곳에 있지만 실지 소득은 한나라보다 많고 여러 이점은 한나라 황제보다 훨씬 많으니 이것은 오왕이 즐거움으로 여길 부분입니다."라고 하였다. 그러나 오왕 비는 끝내 이를 받아들이지 않았다. 오왕 비가 패망한 뒤 매승은 이 상소로 인해 더욱 명성이 알려졌다. 경제는 그를 弘農都尉로 등용하였다. 『漢書』「賈鄒枚路傳」

137 『龜山集』 권9 「史論·田叔」

138 班固가 '田叔이 … 하였다.' : 반고 운운은 『漢書』「田叔傳」의 贊에 언급된 말이다. 장오는 한고조의 사위이자 趙王이다. 陳豨가 代에서 반란을 일으키자 한고조가 진압하러 가는 길에 조나라에 들렀다. 장오가 고조를 극진하게 예우하는데 고조는 발을 쭉 뻗고 앉아서 장오를 꾸짖었다. 이에 장오의 신하들 수십 명이 한고조의 태도에 성을 내고 한고조를 죽이겠다고 하였다. 장오는 한고조 덕분에 아버지가 잃은 나라를 되찾았으니 다시 그런 말을 하지 말라고 달랬다. 조나라의 상국 趙午 등이 이 말을 따르지 않고 일을 추진하다가 들통이 났다. 한고조가 조칙을 내려 조왕과 함께 연루된 모든 신하를 잡아들이게 하였다. 이에 조오 등 연루된 신하는 모두 자살하였다. 오직 관고가 죽지 않고 잡혔다. 다시 한나라가 조칙을 내려 조나라 사람으로 감히 장오를 따라나서는 자는 三族을 죽일 것이라고 하였다. 이때 孟舒와 전숙 등 10여 명이 죄인 옷을 입고, 머리를 깎고서 목에 칼을 쓰고, 왕실의 종을 자칭하고서 장안까지 장오를 따라갔다. 장오가 죄가 없음이 밝혀져 죄를 벗어나자, 자신을 따라 왔던 자들의 어짊을 한고조에게 말하였다. 이에 한고조가 그들을 불러서

따라가 그 한 몸이 죽었다 해도 조나라에 무슨 도움이 되겠는가? 이것이 비첩婢妾이나 천한 사람이 북받치는 감정에 자살하는 것과 무엇이 다르며, 어디에 처신할 줄 알았다 할 것이 있는가? 맹서孟舒가 운중雲中의 수령이었을 때 군사들이 다투어 성에 올라 목숨을 걸고 싸웠으니[139] 이 사람은 참으로 어른다운 사람이다. 그런데 전숙이 장왕張王을 따라간 일을 맨 먼저 꼽아 말하였으니 이 말이 어찌 다만 맹서를 위한 말이겠는가? 또한 자신도 현명한 사람으로 만들고자 했을 뿐이다.[140] 사람을 기리는 말을 하면서 자신을 현명하게 하려 하였으니, 어찌 어른다운 사람의 말이랴?"

[61-10-2]

五峯胡氏曰: "田叔悉燒梁獄詞, 空手來見, 可謂善處人子母兄弟之間者也. 漢景, 忌刻之君也. 而能賢田叔有過人之聰明, 越人之度量者, 何歟? 以太后在上, 不敢肆故也. 天理存亡在敬肆之間耳. 孔子作春秋, 必記災異, 警乎人君, 萬世不死也."[141]

오봉 호씨五峯胡氏[胡宏]가 말하였다. "전숙이 양나라 옥사에 관한 서류를 모두 불태우고서 빈손으로 찾아와 인사하였으니 모자간과 형제간 사이에 잘 처신한 사람이라고 말할 만하다.[142] 한나라 경제景帝는

만나보고 모두 郡守에 임명하였다. 전숙은 漢中郡守를 10여 년 동안 지냈다. 이를 반고가 평가하여 이렇게 말한 것이다.

139 孟舒가 雲中의 … 싸웠으니 : 맹서는 전숙과 함께 장오를 따라나섰다가 그 공으로 운중의 수령이 되었다. 그가 운중에 있을 때 흉노의 침략을 받은 여러 변경 중 피해가 가장 극심하였다 하여 면직되었다. 문제가 등극하여 전숙을 불러 천하에서 어른다운 사람이 누구인지를 물었다. 전숙은 맹서를 추천하였다. 문제는 맹서가 운중에서 그 많은 사람을 죽게 하였는데 어떻게 그가 어른다운 사람일 수 있는지 물었다. 그러자 전숙은 "지난날 맹서가 조왕 장오가 잡혀갈 때 삼족을 모두 죽인다는 데에도 따라 나섰는데 어찌 운중의 수령이 될 것을 생각했겠습니까?" 라고 말하고, 이어 맹서의 사정을 설명하였다. 운중의 수령으로 부임하여 살펴보니 사졸들이 초나라 항우와의 전쟁에 지쳐 있어 흉노가 쳐들어오는 데에도 그들을 전쟁에 나서라고 차마 말할 수 없었다. 그런데, 사졸들이 마치 자식이 아버지 일에 뛰어들 듯 다투어 성위에 올라 생명을 버리고 싸우다가 죽은 사람이 수백 명이었으니, 이점이 바로 어른다운 까닭이라고 하였다. 이에 문제는 맹서를 다시 운중의 수령에 복직시켰다.(『漢書』「田叔傳」)

140 자신도 현명한 … 뿐이다. : 반고는 和帝 초년에 대장군 竇憲의 흉노 정벌에 中護軍으로 참여하여 두헌이 실패하자 연좌되어 면직된 일이 있다. 이를 장오를 따라나선 전숙의 일에 비겨 전숙을 추켜올린 것은 자신의 행위를 합리화하려는 의도였다고 비평한 것이다.(『後漢書』 권70하 「班固傳」)

141 『知言』 권5

142 전숙이 양나라 … 만하다. : 양나라 옥사란, 梁孝王 劉武가 자신이 태자가 못된 것에 앙심을 품고 자신을 반대한 袁盎과 10여 명의 태자 논의에 참여한 신하들을 죽인 사건을 이른다. 양효왕 유무는 先帝인 文帝와 竇太后 사이에 난 아들로, 경제에게 조회하였을 때 "내가 죽은 뒤 왕에게 자리를 전하고자 한다.(千秋萬歲後傳於王.)"고 하여 태자 자리에 관심을 가졌고 태후도 내심 자신의 아들인 효왕을 태자로 세우고자 하였다. 또 제후국 중 가장 큰 봉지를 가지고 있었고, 오초칠국의 반란 진압에 공이 컸다. 경제가 栗太子를 폐위시키자 태후가 효왕을 태자로 삼으려 나섰으나 원앙과 몇몇 신하들이 반대하여 논의가 중지되며 膠東王(武帝)이 태자로 정하여졌다. 이에 앙심을 품은 양효왕이 원앙 등을 살해하였다. 살인한 자들을 잡으려 하였으나 잡을 수가 없었다. 이에 경제는 양효왕을 의심하고 전숙에게 사건을 조사하게 하였다. 전숙이 사건 조사를

투기하고 각박한 군주이다. 그런대도 전숙에게 남들보다 뛰어난 총명과 남들을 초월한 도량이 있는 것을 어질게 여긴 것은 왜일까? 그것은 두태후竇太后가 위에 있어 감히 방자할 수 없었던 까닭이다. 천리天理의 존망存亡은 공경과 방자함의 사이에 달렸을 뿐이다. 공자가 『춘추』를 지으며 재이災異를 반드시 기록하여 군주를 경계하였으니 (전숙의 훌륭함은) 만세에 없어지지 않을 것이다.”

晁錯 조조

[61-11-1]

龜山楊氏曰：“晁錯云：‘人君必知術數.’ 又云：‘五帝神聖, 其臣莫能及, 而自親事.’ 操是説, 蓋未嘗知治體也. 夫天下大器, 非智力所能勝也. 舜之惇五典, 庸五禮, 用五刑, 皆因天而已, 未嘗自爲也. 雖股肱耳目付之臣而不自用, 況以術數而自親事乎? 使後世懷詐者, 誤其君挾術以自用, 必資是言也. 其爲禍豈淺哉? 若吳楚之反不在錯, 天下戶知之矣.[143] 景帝用讒邪之謀以誅錯, 其失計不已甚乎? 當是時兵之勝負, 國之安危, 未可知也. 而誅其謀首, 豈不殆哉? 而在廷之臣無一人爲錯言者, 蓋變起倉卒, 各欲僥幸於無事, 而莫敢以身任之也.

구산 양씨가 말하였다. “조조[144]가 ‘군주는 반드시 술수를 알아야 합니다.’[145]라고 하고 또 ‘오제五帝의 신성神聖을 신하들이 미치지 못함으로 친히 정무를 처리하였습니다.’[146]라고 하였다. 이런 말을 한 것은 정치의 체통을 모른 것이다. 천하는 큰 것이라서 지혜와 힘으로 감당할 수 있는 것이 아니다. 순임금이

....

완료하고 경제에게 양효왕의 지시 사항이었음을 복명하였다. 경제가 조사 보고서를 요구하자, 전숙은 “폐하께서는 양왕의 일은 묻지 마십시오. 지금 양왕을 죽이지 않으면 한나라의 법을 무기력하게 하는 것입니다. 그러나 만일 그를 죽인다면 태후가 수라를 거를 것이고 잠을 이루지 못할 것이니 이 걱정은 폐하가 지셔야 할 것입니다.(上無以梁事爲問也. 今梁王不伏誅, 是廢漢法也. 如其伏誅, 太后食不甘味, 臥不安席, 此憂在陛下.)”라고 하였다. 양왕은 처음에 사건에 연루된 자들을 숨겨, 자살하게 하였으나 나중에 한나라에 내주고, 경제에게 도끼를 등에 지고 찾아가 사죄하였다. 다시 형제 사이가 좋아졌다. 경제도 전숙을 어질게 여기고 魯나라 상국에 임명하였다.(『漢書』「전숙전」；「文三王傳」)

143　戶 : ‘已’의 오자이다. 『龜山集』 권9「史論·晁錯」

144　조조 : 潁川 사람으로 刑名學을 공부하였다. 鼂錯로도 쓴다. 진나라 때 불태워진 서적을 복원할 적에 伏生에게 『書經』을 배워 전하였다. 太子家令으로 지혜가 출중하여 智囊으로 불렸다. 경제 때 御史大夫로 제후들의 봉지를 삭감하여 황실의 권위를 강화하려다가 吳楚七國의 반란이 일어나자 참수되었다.(『史記』「조조전」)

145　‘군주는 반드시 … 합니다.’ : 조조가 博士로 있으면서 문제에게 상소하여 “군주가 높이 드러나고 공명이 만세 후까지도 드날리는 까닭은 술수를 알아서입니다.(人主所以尊顯功名揚於萬世之後者, 以知術數也.)”라고 하였다. 술수에 대해 臣瓚은 “술수는, 법제와 나라를 다스리는 방법을 이른다.(術數, 謂法制治國之術也.)”고 하였다. (『漢書』「鼂錯傳」)

146　‘五帝의 … 처리하였습니다.’ : 이는 경제의 “국가의 대체를 환히 아는 것(明於國家大體)”에 대한 조조의 대책문에서 한 말이다.

오전五典을 두터워지게 하고, 오례五禮를 떳떳해지게 하고, 오형五刑을 시행한 것[147]은 모두 하늘대로 따른 것일 뿐 한 번도 자신의 생각을 쓴 적이 없다. 팔다리股肱와 눈과 귀耳目마저도 신하에게 맡겨버리고[148] 자신의 생각을 쓰지 않았는데 하물며 술수를 쓰고 친히 정무를 처리하겠는가? 후세의 아첨을 생각하는 자가 술수를 끼고 자신 생각대로의 정치로 군주를 오도하며 반드시 이 말을 구실 삼을 것이다. 그 재앙이 어찌 작겠는가? 오나라와 초나라의 반란이 조조에게 있지 않음은 천하 사람이 이미 아는 일이다. 경제景帝가 참소하는 사악한 음모를 채택하여 조조를 죽였으니 그 잘못된 계책이 너무 심하지 않은가? 그 당시 전쟁의 승부와 나라의 안위를 알 수 없었다. 그런데도 자신의 첫손가락에 꼽히는 책사策士를 죽였으니 어찌 위험하지 않겠는가? 조정에 있던 신하들이 어느 한 사람 조조를 위해 말해주는 사람이 없었던 것은 변란이 창졸간에 일어나[149] 각기 요행으로 무사하려고만 하고 감히 자신이 책임지려 하지 않아서이다.

• • • • • • • • • • • • • •

147 순임금이 … 것: 이 말은 『書經』「皐陶謨」에서 皐陶가 순임금에게 한 말을 축약한 것이다. 그 말을 보면 "하늘이 질서를 정한 다섯 가지 典範(五倫)이 있으니 우리의 다섯 가지 전범을 바르게 세워 다섯 가지를 두터워지게 하십시오. 하늘이 등급을 정한 예가 있으니 우리의 다섯 가지 예에서부터 떳떳함이 있게 하십시오. … 하늘이 덕 있는 사람을 임명하거든 다섯 등급의 옷(五服 : 공·후·백·자·남에게 내리는 다섯 가지 복장)을 다섯 등급으로 드러내십시오. 하늘이 죄 있는 사람을 토벌하거든 다섯 가지 五刑(墨·劓·剕·宮·大辟)을 다섯 가지로 시행하십시오.(天敍有典, 勅我五典, 五惇哉. 天秩有禮, 自我五禮, 有庸哉 … 天命有德, 五服五章哉. 天討有罪, 五刑五用哉.)"라고 하였다.

148 팔다리股肱와 … 맡겨버리고: 이는 순임금이 한 말이다. 『書經』「益稷」에서 "신하는 나의 팔다리와 눈과 귀가 되었다.(臣, 作朕股肱耳目.)"라고 하였다.

149 변란이 창졸간에 일어나: 오초칠국이 반란을 일으키자 경제는 조조와 이를 토벌할 계책을 세우며, 한편으로 원앙이 옛날 오나라에서 상국을 지냈기 때문에 그를 불러 계책을 물었다. 원앙은 근심할 것이 없다며 곧 격파될 것이라 하였다. 계책을 묻자 원앙은 곁에 있는 조조가 비켜주기를 청하였다. 그리고서 오초칠국의 반란은 조조가 주장하는 제후국의 국토 삭감 정책에 의해 빚어진 것이니 예전의 국토를 되돌려주고 조조한 사람만 죽여 사죄한다면 진정될 것이라 하였다. 마침내 조조를 죽이는 것으로 결정이 났다. 조조는 이 사실을 깜깜하게 알지 못하였다. 경제가 中尉를 시켜 조조를 부르게 하여 조조가 조정에 나오자 속여서 수레에 싣고는 저자로 데리고 가 사형을 집행하였다. 그 뒤 鄧公을 장군에 임명하여 오초칠국의 반란을 토벌하게 하였다. 등공이 토벌을 끝내고 돌아오자 경제가 물었다. "조조가 죽었다는 말을 듣고 吳楚의 군사가 해산하였는가?(聞鼂錯死, 吳楚罷不?)"라고 하자, 등공은 "오나라가 반란을 획책한 것은 이미 수십 년입니다. 국토의 삭감에 화를 내 조조를 죽여야 한다는 것을 명분으로 삼았으나 그들의 뜻은 조조에 있었던 것이 아닙니다. 또 신은 천하의 선비들이 입을 다물고 감히 말을 다시 하려들지 않을까 걱정입니다.(吳爲反數十歲矣. 發怒削地, 以誅錯爲名, 其意不在錯也. 且臣恐天下之士拑口不敢復言矣.)"라고 하였다. 경제가 무엇 때문이냐고 묻자 등공은 "조조는 제후들이 강대해져 제압할 수 없게 될까를 걱정한 까닭에 그들 국토를 삭감하자고 청해 京師를 높이려 한 것이니 만세에 이로운 일입니다. 계책이 막 시작되려 하다가 마침내 죽임을 당해 안으로는 충신들의 입을 봉해버렸고 밖으로는 제후들의 원수를 갚아주었습니다. 신은 적이 폐하를 위해 원하지 않는 일입니다.(鼂錯患諸侯彊大不可制, 故請削之以尊京師, 萬世之利也. 計畫始行, 卒受大戮, 內杜忠臣之口, 外爲諸侯報仇. 臣竊爲陛下不取也.)"라고 하였다. 경제는 길게 탄식을 토해내며 "공의 말이 옳다. 나 역시 한스러워하는 바다.(公言善. 吾亦恨之.)"라고 하였다. 조조가 경제의 잘못된 판단에 의해 희생되었음을 경제도 안타까워한 것이다.(『漢書』「鼂錯傳」)

然而錯亦有以取之矣. 夫漢之有七國, 未若魯之三家也. 孔子墮三都之城, 而三家無敢不受命者, 則其處之必有道矣. 孟子曰: '子以爲有王者作, 則魯在所損乎, 在所益乎?' 使孟子而得志, 固將損之也. 錯無碩德重望以鎭服其心, 而强爲之謀, 其召亂而取禍, 蓋無足怪者. 武帝時, 淮南王欲反, 獨畏汲黯之節義, 視公孫弘輩如發蒙耳. 則天下果非智力可爲也. 以一汲黯猶足以寢淮南之謀, 況不爲黯者乎?"[150]

그러나 조조도 또한 화를 불러들인 면이 있다. 한나라에 있어 일곱 나라[151]는 노魯나라의 삼가三家 같지는 않았다. 공자가 삼도의 성을 없애려고 하였을 때[152] 삼가가 감히 명을 받아들이지 않는 자가 없었음은 그에 대한 처리가 반드시 도리에 합당했기 때문이다. 맹자가 '새로운 왕이 나온다면 그대 생각에 노나라는 (국토를) 줄여야할 쪽인가 늘여야 할 쪽인가?'[153]라고 물었으니 맹자가 뜻을 얻었다면 틀림없이 줄이려 들었을 것이다. 조조는 그들 마음을 복종시킬 만한 큰 덕이나 무거운 인망도 없으면서 강제로 계책을 세웠으니 난리를 불러들이고 재앙을 얻은 것이 괴이한 일이 아니다. 무제 때 회남왕이 반란을 일으키고자 하면서 홀로 급암汲黯의 절의가 두려웠고 공손홍公孫弘 무리 정도는 머리에 썼던 두건을 벗기는 정도로 생각할 뿐이었다.[154] 그렇다면 천하는 과연 지혜와 힘으로 다스릴 수 없는 것이다. 한 사람 급암으로

150 『龜山集』 권9 「史論·晁錯」

151 일곱 나라: 곧 오초칠국으로 『漢書』「景帝紀」에 의해 살피면 다음과 같다. 吳王 濞·膠西王 卬·楚王 戊·趙王 遂·濟南王 辟光·菑川王 賢·膠東王 雄渠이다. 이들은 이 전쟁으로 죽은 군사가 10만여 명이었다. 오왕 비는 丹徒에서 붙잡혀 참형에 처하여졌고, 나머지 여섯 왕은 전쟁에 지자 모두 자살하였다.

152 공자가 삼도의 … 때: 노나라의 삼가는 곧 孟孫氏, 叔孫氏, 季孫氏이다. 삼도는 이들의 食邑이니, 계손씨는 費, 숙손씨는 郈 맹손씨는 成이다. 이들 삼가가 자신 식읍의 성곽을 노나라의 수도와 대응할 정도로 키웠다. 공자가 魯定公 13년(기원전 497)에 상국 벼슬을 임시 집행하며 子路를 계손씨 집안의 宰가 되게 하고서 이들 삼도를 헐게 하였다. 먼저 숙손씨가 순순히 성 땅의 성곽을 헐고, 이어 계손씨가 비 땅의 성곽을 헐려고 할 때 반란이 일어났으나 이를 진정시키고 비 땅의 성곽도 헐어냈다. 마지막 맹손씨의 성곽을 헐어내려 할 때 맹손씨가 헐려 하지 않았다. 정공이 군사를 거느리고 싸웠으나 실패하였다. 삼도를 헐어내려는 계책도 이로 인해 끝을 보지 못하였다. 그러나 이들이 처음에 순순히 호응한 것은 공자의 합당한 조처가 있어서였다는 말이다.(『史記』「孔子世家」)

153 '새로운 왕이 … 쪽인가?': 『孟子』「告子下」의 말이다. 노나라에서 愼子를 장군으로 삼고자 한다는 말을 맹자가 듣고서, 신자에게 상대 시절에 천자의 국토 사방 1천 리와 제후의 국토 사방 1백 리로 정한 이유를 설명하고서, 지금 노나라가 사방 1백 리 되는 땅이 다섯이니 왕도정치로 천하를 다스릴 군주가 나온다면 노나라는 어느 쪽에 해당되겠느냐고 물은 것이다. 곧 제후국의 국토가 지나치게 클 경우 당연히 줄여야 하는 것은 맹자의 말에 의해서도 입증되는데, 조조는 방법을 잘못 진행했다는 말이다.

154 회남왕이 … 뿐이었다. : 회남왕은 한나라에 반란을 일으켰다 죽은 淮南厲王 劉長의 아들로 이름은 安이다. 그도 반란을 일으키려다 들통이 나자 스스로 목을 찔러 자살하였다. 급암은 자는 長孺이며 濮陽 사람이다. 경제 때 太子洗馬를 지냈고 무제 때 東海太守가 되어 치적을 쌓았다. 직간을 잘하여 무제가 社稷之臣이라 일컬었으며, 급암의 직간이라는 뜻의 汲直이라는 말이 후세까지 유행할 정도였다. 회남왕이 반란을 꾀하며 한나라 조정에 동조 세력을 구축하면서 급암에게 두려움을 느껴 "직간을 좋아하고 절의를 지키며 의리를 위해 죽으려 하니 그릇된 말로 현혹시키기 어렵다. 승상 公孫弘 정도를 설득시키는 것은 벙거지를 벗기고 낙엽을 떨어뜨리는 것보다 쉽다.(好直諫, 守節死義, 難惑以非. 至如說丞相弘, 如發蒙振落耳.)"고 하였다.

도 회남왕의 모의를 잠재우기에 넉넉하였는데 하물며 급암 정도를 하찮게 여기는 사람이랴?"

[61-11-2]

南軒張氏曰: "晁錯在當時, 只合使居論思獻納之職. 觀其言之是者行之, 不是者置之, 而使之爲御史大夫, 則過其才矣. 至如馬謖不是孔明錯看他, 亦是用過其才. 謖平生叅軍事, 然有籌畫, 一旦使之自將兵, 所以敗耳. 使叅謀爲都統, 如何做得?"

남헌 장씨가 말하였다. "조조는 당시에 단지 (군주와) 학문을 논하고 충성된 말을 아뢰는 자리에 두는 것이 옳았다. 그의 말 가운데 옳은 말은 살펴 시행하고 그른 것은 버렸어야 했는데, 어사대부를 수행하게 하였으니 그의 재능을 넘어선 일이었다. 마속馬謖[155] 같은 사람의 경우도 제갈공명이 그를 잘못 본 것이 아니고 역시 그의 재능을 넘어선 일에 등용한 것이다. 마속이 평생에 군대 관계 일에 참여한 것은 단지 계책 세우는 일뿐이었는데, 하루아침에 군대를 거느리게 한 것이 패한 까닭이다. 참모參謀를 도통都統으로 삼았으니 어떻게 해낼 수 있었겠는가?"

竇嬰 두영, 灌夫 관부, 田蚡 전분

[61-12-1]

龜山楊氏曰: "景帝燕兄弟, 欲以天位傳梁王, 竇嬰以漢約直之, 忤大后旨, 可謂不阿矣. 及爲丞相, 推轂士類, 尊用儒術, 雖藉福之辨, 不能遷惑其所守. 直己以往, 不撓權貴, 其節義有足稱者. 至晚節末路, 失位不得志, 而與灌夫相爲引重. 二人者並位公侯, 顯名當世, 其平生意氣何其壯哉! 田蚡以外戚進顯, 溢奢無度, 尊己以下人, 壯夫義士, 宜恥出其門. 而二人者乃幸其臨, 况以爲名高, 其志慕又何其汙也! 蓋騖勢榮者, 勢窮則辱, 而氣隨以奪, 其理然矣. 若灌夫者, 勇悍不遜, 有死之道焉. 終以一朝之忿亡其身, 非自取歟? 竇嬰區區復銳於爲救, 果何益哉? 故卒與俱滅, 是亦不知量也. 田蚡規利賣國, 其不族, 幸矣."[156]

구산 양씨가 말하였다. "경제가 형제들에게 잔치를 열고 황제 자리를 양왕梁王에게 전하고자 하자, 두영이 한나라의 약속으로 그 말을 바로잡아 태후의 뜻을 거슬렀으니 아부하지 않다고 말할 수 있다.[157]

(『史記』「汲鄭傳」 공손홍은 다음에 이어지는 [61-14-1] 이하 참고

155 馬謖: 泣斬馬謖의 사자성어를 낳은 인물이다. 제갈공명이 街亭 전투에서 魏나라 장수 張郃과 맞서게 하였는데 패하였다.(『三國志』「蜀志·馬謖傳」)
156 『龜山集』 권9 「史論·竇嬰灌夫田蚡」
157 경제가 형제들에게 … 있다. : 양효왕이 형 경제에게 조회하러 오자 경제는 형제들을 불러 잔치를 벌였다. 그때 경제는 아직 태자를 정하지 않고 있었다. 경제는 술이 얼근하여지자 은근하게 말하기를, "내가 죽은

승상이 되어서도 선비를 추천하고 유가儒家의 학술을 높이 시행하여 적복籍福 같은 말솜씨[158]로도 그의 지조를 바꾸거나 혼란에 빠뜨리지 못하였다. 한 몸을 곧게 지니고 벼슬에 임하여 권력과 귀척들에게 굽히지 않았으니 그의 절의는 충분히 일컬을 만하다. 늘그막의 말년에 지위를 잃고 뜻을 얻지 못하자 관부와 서로 끌어주고 당겨주며 힘을 삼았다.[159] 두 사람이 함께 공후公侯의 지위를 지내면서 당세에 이름을 드러냈으니 그들 평생의 뜻과 기개는 어찌 그다지 장한가! 전분은 외척으로 현달한 지위에 올라 지나친 사치에 절제가 없었고, 자신을 높이고 남을 깔보아, 호걸스런 사람이나 의로운 사람은 그의 집에 드나드는 것을 의당 부끄러워해야 했다. 그런데도 두 사람은 그가 찾아준 것을 행운으로 여기고 명예가 높아진 것으로 여겼으니 그들 지향志向은 또 왜 그다지 오욕스러운가![160] 형세의 영달을 추구한 사람은

· · · · · · · · · · · · · · · · · · · ·

　　뒤 梁王에게 자리를 전할 것이다.(千秋之後傳梁王.)"라고 하여 양왕의 친어머니인 竇太后가 기뻐하였다. 그러자 두영이 술잔을 들고 경제에게 올리면서 "천하는 고조의 천하이며 부자간에 자리를 이어가는 것은 한나라의 약속입니다. 폐하께서 어떻게 마음대로 양왕에게 전할 수 있습니까?(天下者, 高祖天下, 父子相傳, 此漢之約也, 上何以得擅傳梁王?)"라고 하였다. 두영은 문제의 황후인 두태후의 친정 5촌 조카였다. 두태후는 이때부터 두영을 미워하였고 두영도 벼슬을 하찮게 여겨 병이 있자 벼슬에서 물러났다.(『史記』「魏其武安侯傳」)

158 籍福같은 말솜씨 : 경제 때 문제의 황후 두씨 세력과 경제의 황후 王씨 세력 사이에서, 두씨의 두영과 왕씨의 친정 의붓아버지 동생 田蚡이 옛 세력과 새로운 세력으로 경쟁하였다. 적복은 그 속에서 전분을 도와 전분의 악행을 도왔다. 承相 衛綰이 병으로 면직되자, 경제는 승상과 太尉를 새로 임명하려 하였다. 적복은 이때 전분에게 "폐하께서 장군을 승상으로 삼고자 하시니, 장군이 승상을 두영에게 사양하면 장군은 반드시 태위에 임명될 것입니다. 승상과 태위는 동등한 벼슬이니 사양하였다는 좋은 명예까지 함께 얻을 것입니다."라고 하였다. 적복의 말대로 되자 적복은 두영을 찾아 축하를 올리고 연거푸 위로의 말을 올려, "魏其侯(두영의 봉호)는 타고난 본성이 선을 좋아하고 악을 미워합니다. 지금 악인들이 많으니 또한 그들도 위기후를 헐뜯을 것입니다. 위기후가 그들 둘을 모두 포용하지 않는다면 요행으로 오래 유지하고자 하여도 오래 유지하지 못하고 바로 갈려지게 될 것입니다."라고 하였다. 그러나 두영은 이 말을 따르지 않았다.(『史記』「魏其武安侯傳」)

159 늘그막의 말년에 … 삼았다. : 관부는 潁陰 사람으로 자는 仲孺이다. 아버지 張孟이 灌嬰의 舍人으로 총애를 받아 성을 관씨로 고쳤다. 오초칠국의 반란 진압에 공을 세워 郞將에 오른 뒤 무제 때 燕나라 상국을 지냈다. 사람됨이 강직하고 술주정이 심하였다. 귀한 자들을 존경하지 않았고 자신보다 아랫자리에 있는 사람들 중 빈천한 자를 더욱 공경하여 따르는 사람이 많았으며 집안이 부유하여 식객이 늘 수십 수백 명이었다. 魏其侯 竇嬰이 세력을 잃은 뒤 서로 늦게 만난 것을 한탄하며 아버지를 섬기듯 받들었고, 두영도 아들처럼 사랑하였다.(『史記』「魏其武安侯傳」)

160 찾아준 것을 … 오욕스러운가! : 두영이 자신이 가르친 栗太子가 폐위되고 이어 오촌 고모인 竇太后가 죽으면서 형세를 잃고 오직 관부와 의기투합하여 시로 이겼다. 이느 날 경제의 황후 王씨의 친정 아우로 권력을 잡고 있는 승상 田蚡이 관부에게 "내가 仲孺(관부의 字)와 위기후(竇嬰)의 집을 방문하고 싶은데 중유가 마침 喪服을 입고 계십니다.(吾欲與仲孺過魏其侯, 會仲孺有服.)"라고 하였다. 관부는 "장군께서 기꺼이 만일 위기후의 집을 찾아주신다면 관부가 어떻게 감히 상복을 핑계하겠습니까? 청컨대 위기후에게 음식을 준비하게 할 것이니 장군께서는 내일 아침 일찍 방문하도록 하십시오.(將軍乃肯幸臨況魏其侯, 夫安敢以服爲解. 請語魏其侯帳具, 將軍旦日蚤臨.)"라고 하고서 위기후에게 전하자, 위기후는 부인과 시장에 나가 음식거리를 사오고, 밤새 안팎을 청소하고 새벽같이 휘장이며 자리를 준비하였다. 그러나 전분은 낮이 되도록 나타나지 않았다. 관부가 전분을 찾아가자 전분은 아직 자리에서 일어나지 않고 있었다. 마지못해 길을 나선 전분이 관부는 못마땅하였다. 마침내 술이 거나해지자 관부는 일어나 춤을 추면서 전분에게 일어나라고 청하였다. 전분이 일어나지 않자 관부는 도를 넘는 말을 퍼부었다. 두영이 나서서 관부를 붙들어 내보내고 전분에게

형세가 다하면 욕스러워지고 기개마저도 따라서 잃으니 그 이치가 그러하다. 관부 같은 사람은 용맹하고 사나우면서 공손함이 없었으니 죽게 되어 있는 이치이다. 끝내 하루아침의 분노로 자신 한 몸을 죽게 하였으니 스스로 취한 일이 아니겠는가? 두영이 구구하게 다시 날쌔게 구원에 나섰으나 과연 무슨 도움이 되었겠는가?[161] 그런 까닭에 마침내 함께 죽임을 당한 것이니 이 역시 자신의 역량을 알지 못한 것이다. 전분[162]은 이익을 넘보고 나라를 속였으니 그가 멸족당하지 않은 것은 요행이다."

• • • • • • • • • • • • • • •

사과하였다. 전분은 이날 저녁 늦게까지 한껏 기쁘게 술을 마시고 돌아갔다.(『史記』「魏其武安侯傳」)

161 두영이 … 되었겠는가?: 무제 때 전분이 燕王의 딸을 부인으로 얻자 태후인 경제의 황후는 조서를 내려 宗室과 列侯들을 불러 잔치를 열게 하였다. 이때 두영이 관부에게 함께 갈 것을 종용하였다. 관부가 지난날 두영의 집에서 술 실수한 일을 들어 거절하자, 두영은 그 일은 이미 풀린 일이라며 강요하여 관부가 따라나섰다. 술자리가 무르익어 전분이 건배를 제의하자 자리한 모든 사람이 자리에서 물러나 땅에 엎드렸다. 다시 두영이 건배를 제의하자 일부 옛 친구들만 자리에서 물러나 엎드리고 나머지는 자리에서 무릎만 꿇어, 이를 본 관부는 화가 났다. 자신이 나서 술을 한 사람 한 사람에게 권하며 전분의 자리에 이르렀을 때 전분은 군이 가득 부은 술을 못 받겠다고 하여 화가 더욱 치밀었다. 마침 자신보다 벼슬이 낮은 臨汝侯 灌賢에게 술을 권하는데 程不識과 귓속말을 나누며 자리를 피하는 시늉도 하지 않았다. 관부는 마침 풀길 없는 노여움을 임여후에게 풀었다. "네가 평소에 정불식을 헐뜯기를 한 푼어치도 안 되는 사람이라고 하더니 지금 어른이 너에게 술을 권하는데 계집년들처럼 귓속말을 소곤거리는가?(生平毀程不識不直一錢, 今日長者爲壽, 乃效女兒呫囁耳語.)" 하였다. 이에 전분은 관부에게 "정불식과 李廣이 東宮(太后宮)과 西宮(正宮)의 衛尉인데 지금 여러 사람이 있는 자리에서 정 장군에게 모욕을 주니 관부는 이 장군의 처지는 홀로 배려하지 않는 것인가?(程李俱東西宮衛尉, 今衆辱程將軍, 仲孺獨不爲李將軍地乎?)"라고 물었다. 관부는 "오늘 머리가 베여지고 가슴에 구멍이 난다 하더라도 무슨 정불식과 이광의 사정까지 알아야 할 일인가?(斬頭陷胸, 何知程李乎?)" 하였다. 마침내 사람들이 일어나 자리를 떴다. 두영이 일어나며 관부에게 손짓하여 나가자고 하였다. 전분이 화를 내 관부를 붙잡게 하였다. 그리고 오늘 이 자리는 조서를 받아 마련한 자리였다며 관부를 不敬罪로 탄핵하였다. 두영이 백방으로 재산을 털어가며 석방을 위해 노력하였다. 무제에 의해 조정에서 이에 대한 논의가 열려, 두영과 전분이 서로의 주장을 폈다. 무제가 왕태후를 뵙자 태후는 자신의 의붓아버지 동생이 자신이 살았을 적에도 이렇게 밟히는데 죽고 나면 모두 죽임을 당할 것이라며 무제의 청을 받아들이지 않았다. 무제가 두영이 말한 관부의 일이 사실인지 조사하게 하였으나 크게 사실과 달라 두영조차도 탄핵을 받아 갇히게 되었다. 두영이 예전에 경제가 "불편한 일이 있으면 합당한 사유를 군상에게 말하도록 하라.(事有不便, 以便宜論上)"는 遺詔를 받아둔 것이 있었다. 두영은 일이 다급해지자 집안사람들에게 이 사실을 무제에게 말하게 하였다. 무제가 尙書의 문서를 모두 찾아보게 하였는데 유조가 발견되지 않았다. 유조는 두영의 집안에 보관되어 있었다. 두영도 선황제의 조서를 속인 일로 탄핵을 받아 渭城에서 처형되었다.(『史記』「魏其武安侯傳」)

162 전분: 경제의 황후 王氏의 친정 의붓아버지의 아들로 황후에게 아우가 된다. 두영이 大將軍을 지내고 권세가 한창일 때 郎官으로 두영의 집에 오가며 마치 아들처럼 받들었다. 경제 말년에 太中大夫에 올랐고 이어 武安侯에 봉해졌다. 말주변이 뛰어나 황후 왕씨의 사랑을 받았다. 두영이 권세를 잃으면서 丞相에 올라 계속해서 관리 임명을 혼자서 독단하자, 무제가 "그대의 관리 임명이 아직도 덜 끝났는가? 나도 관리를 임명하고자 한다.(君除吏已盡未? 吾亦欲除吏.)"라고 할 정도였다. 집치장과 전원 가꾸기와 골동품을 사들이는데 힘을 기울여 사방 제후국에서 보내는 물건들이 길에 이어졌다. 두영과 관부가 처형된 뒤 병이 들어 헛것을 보고 죄를 용서해 달라는 말을 계속하자, 무당을 시켜 귀신이 있는가 살펴보게 하였더니 두영과 관부가 함께 지키고 서서 죽이려 한다고 하였다. 끝내 그 병으로 죽었다.(『史記』「魏其武安侯傳」)

卜式 복식

[61-13-1]

潛室陳氏曰: "漢方事匈奴, 而卜式願輸助邊. 方事南越, 而式願父子俱死. 天下方事匿財, 而式猶欲就助公家之費. 凡式之所樂爲者, 皆衆人之所難爲. 而武帝之所欲爲者, 式輒揣其意而逆爲之. 故天下因式獲罪者, 十室而九. 而式之褒寵眷遇, 自以爲有用於天下. 及武帝當封禪, 而式獨以不習文章見棄. 式乎式乎! 何不先衆人而爲之乎?"[163]

잠실 진씨가 말하였다. "한나라가 흉노와 한창 싸울 적에 복식이 자신의 재산을 바쳐 변경을 돕고자 하였고,[164] 남월南越과 한창 싸울 적에 복식은 아비와 아들이 함께 죽기를 원하였다.[165] 천하가 재산 숨기기에 한창인데 복식은 오히려 공가公家의 경비를 조달하고자 하였다. 복식이 즐겨 하고자 한 일들은 모두가 뭇 사람들이 하기 어려운 일들이다. 무제가 하고자 하는 일을 복식이 번번이 그 의도를 헤아리고서 앞서 행하였다. 그런 까닭에 천하에 복식으로 인해 죄를 얻은 자가 열 집 중 아홉 집이었다.[166] 복식은 포상과 총애, 남다른 돌봄으로 스스로 천하에 유용한 사람이 되리라 여겼다. 무제가 봉선封禪할 때에 이르러 다만 복식만 이에 대한 제도에 익숙하지 못하여 버림을 당하였다.[167] 복식아! 복식아! 어째서 여러 사람들보다 앞서 그것을 준비하지 못했더냐?"

---

163 『木鍾集』「史·書卜式傳」

164 한나라가 흉노와 … 하였고: 복식은 河南 사람으로, 가축을 길러 살림을 크게 이루었다. 흉노의 침략을 막느라 전쟁이 격화되자, 자신의 재산 반을 덜어 경비를 조달하겠다고 청하였으나, 승상 公孫弘이 이는 인정에 맞지 않고 법도에 맞지 않는 신하이니 받아선 안 된다고 하였다. 이 말에 따라 복식이 내놓고자 한 재산을 무제는 받아들이지 않았다. 다시 渾邪 등이 항복하여 그들을 안주시킬 경비 지출로 나라의 창고가 비자 다시 20만 錢을 내놓아 경비에 충당시켰다. 이에 무제가 상을 내리고 中郎에 임명하고, 다시 지방 수령에 임명하였다가 계속 치적이 높게 드러나자 齊王太傅가 되었고, 이어 相國에 임명되었다. 남월의 呂嘉가 침략하자 다시 아들을 데리고 싸움에 나가 죽겠노라고 자원하자, 무제는 상을 내리고 關內侯로 삼았다. 이어 어사대부를 지냈다.(『漢書』「卜式傳」)

165 南越과 … 원하였다.: 복식이 제나라 상국으로 있을 때 남월이 침략하자 글을 올려 "신이 들으니 군주가 근심하면 신하는 오욕을 무릅써야 한다고 하였습니다. 남월이 반란을 일으켰으니 신은 아들과 제나라의 배 몰기에 익숙한 자들과 함께 전쟁에 나가 죽겠습니다.(臣聞主憂臣辱. 南越反, 臣願父子與齊習船者往死之.)"라고 하자 무제는 복식에게 상을 후히 내리고 관내후에 봉하였다.(『史記』「平準書」)

166 복식으로 인해 … 집이었다.: 다음의 [61-14-2] 주석 참고

167 封禪할 때를 만나 … 버림을 당하였다.: 복식이 어사대부가 되어 국가가 독점하고 있는 鹽鐵에 대한 폐해가 많은 것을 보고 이의 철폐를 건의하였다가 무제의 미움을 샀고, 봉선을 거행하려는데 이에 대한 의례에 조예가 없자 太子太傅로 전직되었다.(『漢書』「卜式傳」)

公孫弘 공손홍[168]

[61-14-1]

程子曰：“觀武帝問賢良禹湯水旱，厥咎何由? 公孫弘曰：‘堯遭洪水，不聞禹世之有洪水也. 而不對所由，姦人也.”[169]

정자가 말하였다. “무제가 현량들에게 ‘우임금과 탕임금 시절에 홍수와 가물은 그 허물이 어디서 연유한 것인가?'라고 하자, 공손홍이 ‘요임금이 홍수를 만났다 들었고 우임금 시대에 홍수가 있었다는 말을 듣지 못했습니다.'[170] 하고 그 연유를 대답하지 않은 것을 보면 간악한 사람이다.”

[61-14-2]

元城劉氏曰：“公孫弘，姦詐人也，亦有長處. 諫罷西南夷，不用卜式郭解，是也. 且武帝之好征伐，天下皆欲諫而止之. 而式身爲庶人，乃願以家財助邊，以迎合人主，其後又欲父子死南越. 帝由是移怒列侯不肯從軍，坐酎金失侯者百六人，實式激其怒也. 故弘以式爲非人情不軌之臣，不可以爲化而亂法. 且郭解以匹夫而奪人主死生之權. 且聖人之作五刑，固有輕重，今一言不中意而立殺之，此何理也? 考其唱此悖亂之風，解實爲之魁. 故弘之言‘解布衣爲任俠行權，以睚眦殺人，解不知，此罪甚於解知’. 此二事得大臣之體.”[171]

원성 유씨元城劉氏[劉安世]가 말하였다. “공손홍은 간사한 사람이나,[172] 또한 훌륭한 점도 있다. 서남이西南

· · · · · · · · · · · · · · · · · · ·

168 公孫弘：菑川의 薛 땅 사람. 자는 季. 나이 40세가 넘어서야 『春秋』 등 여러 책을 공부하기 시작하였다. 무제 때 나이 60세로 博士로 초빙을 받고 흉노에 사신으로 갔다가 되돌아와 보고한 것이 무제의 마음에 들지 않아 고향으로 돌아갔다. 다시 고향 치천 지역의 추천으로 賢良對策科에 장원하며 벼슬길에 올라 승상을 지내고 平津侯에 봉해져, 한나라 왕조에서 布衣로 승상에 오르는 길을 처음으로 열었다. 主父偃을 죽였고, 董仲舒를 膠西로 귀양보냈다.(『史記』「공손홍전」)

169 『二程粹言』 권하 「聖賢篇」

170 ‘우임금과 탕임금 … 못했습니다.’ : 공손홍이 다시 치천 지역의 추천을 받고 응시한 무제의 물음에서 “우임금과 탕임금 시대에 가물과 홍수가 있었는데 그 잘못은 어디서 연유한 것인가?(禹湯水旱, 厥咎何由.)”라고 하자, 공손홍은 대답에서 “신은 요임금이 홍수를 만나 우에게 다스리게 하였다는 말을 들었으나, 우임금 때 홍수가 있었다는 말은 듣지 못하였습니다. 탕임금 시대의 가물은 걸 시대의 남은 죄가 만든 것입니다.(臣聞堯遭鴻水, 使禹治之, 未聞禹之有水也. 若湯之旱, 則桀之餘烈也.)”라고 하였다.(『漢書』「공손홍전」)

171 『元城語錄解』 「中」

172 공손홍은 간사한 사람이나 : 공손홍이 內史로 있을 때, 공손홍의 말을 무제가 받아들이지 않으면 끝까지 밝혀 관철시키려 하지 않고, 汲黯과 상의하여 급암이 먼저 꺼내면 공손홍이 이어 말하는 방법으로 무제가 받아들이도록 하였다. 한 번은 공손홍이 公卿들과 약속을 정하고 무제에게 들어가서는 말과 다르게 약속했던 것을 모두 저버렸다. 이에 급암이 공손홍을 “齊 땅 사람 공손홍은 속임수가 많고 실지가 없는데, 처음 신들과 이 의견을 건의하기로 하였다가 지금 모두 저버렸으니 不忠입니다.(齊人多詐而無情, 始爲與臣等建此議, 今皆背之, 不忠.)”라고 힐난하였다. 무제가 공손홍에게 묻자, 공손홍은 “신을 아는 사람은 신을 충신이

夷에 군郡을 두는 것을 간하여 중지시키고[173] 복식과 곽해郭解를 쓰지 않은 일[174] 들이 그것이다. 또 무제의 정벌 좋아하는 것을 천하가 모두 간하여 멈추려 하는데 복식은 평민 주제에 자신의 재산을 가지고 변경을 돕고자 하여 군주의 뜻에 영합하였고, 그 뒤로도 또 아비와 자식이 남월과 싸우다 죽기를 원하였다. 무제가 이로 인해 종군從軍을 기꺼워하지 않는 열후列侯들에게 노여움을 전가시켜 주금酎金에 연루되어 열후의 지위를 잃은 사람이 106명이었으니[175] 실상 복식이 무제의 노여움을 격화시킨 것이다.

라 하고 신을 모르는 사람은 신을 불충이라 합니다.(夫知臣者以臣爲忠, 不知臣者以臣爲不忠.)"라고 하였다. 무제는 다음부터 좌우 측근들이 공손홍을 헐뜯는 말을 하여도 공손홍을 더욱 후하게 대하였다.(『漢書』「공손홍전」)

173 西南夷에 郡을 … 중지시키고 : 무제가 西南夷族이 사는 곳에 郡을 설치하고자 하는데 巴와 蜀 땅 사람들이 오가는 사신들의 비용을 걱정하여 괴로워하였다. 공손홍이 이에 대한 타당성을 검토하기 위해 파견되었다가 돌아와 서남이西南夷는 쓸모없는 땅이니 군을 설치할 필요가 없다고 아뢰었으나 무제는 듣지 않았다. 元朔 3년(기원전 126년)에 서남이에 군을 설치하기로 하고 동쪽에 滄海郡을 설치하고 朔方郡에 성곽을 쌓기로 하였다. 공손홍이 반대하자 무제는 朱買臣에게 삭방군을 두어야 하는 편리함으로 공손홍을 힐난하도록 하였다. 주매신이 주장하는 편리성 10가지에 공손홍은 하나도 제대로 반박하지 못하였다. 이에 공손홍은 "산동의 비루한 사람이 그 편리함이 이와 같음을 알지 못하였습니다. 원컨대 서남이와 창해에 군 두는 것은 중지하고 삭방 한 곳만 경영하도록 하십시오.(山東鄙人, 不知其便若是, 顧罷西南夷·蒼海, 專奉朔方.)"라고 하자 무제는 허락하였다.(『漢書』「공손홍전」)

174 복식과 郭解를 … 일 : 복식은 앞 [61-13-1]의 주석에 상세하다. 곽해는 軹 땅 사람으로 협객이었다. 많은 사람을 죽이는 불법을 저지르다 마지막에 선한 사람으로 변하였고, 그를 따르는 사람이 많았다. 무제 시대 국가의 명령에 의하여 부호들을 茂陵으로 옮겨 살게 할 때 곽해도 포함되어 이사하게 되었다. 이때 많은 사람이 곽해를 전송하게 되었는데, 지 고을에 사는 楊季主 아들이 고을의 관리로 있으면서 전송하는 것을 금지시켰다. 이에 곽해 형의 아들이 그 관리의 목을 베어버렸다. 곽해가 무릉으로 이사한 뒤 다시 고향지에서 양계주가 누군가에 의하여 죽임을 당하였다. 또 양계주 집안에서 이를 上書하려던 사람 역시 궁궐에서 살해되었다. 무제가 곽해를 잡아들이게 하자 곽해는 도망쳤다. 나중에 잡혀 사건을 조사하니 곽해가 저지른 일들은 모두 사면령 이전 일에 해당되어 죄가 모두 사면된 것들이었다. 그때 사건을 조사하러 지 고을에 파견된 사람이 어떤 儒生과 술을 먹는데 어떤 사람이 곽해를 어진 사람이라고 칭찬하였다. 그러자 유생은 "곽해는 오로지 국가의 법을 범했는데 어떻게 어진 사람이라 말할 수 있습니까?(解專以姦犯公法, 何謂賢?)"라고 하였다. 곽해의 문객이 이 말을 듣고서는 유생을 살해하고 그의 혀를 잘라버렸다. 관리가 곽해에게 이를 추궁하자 곽해는 자신은 죽인 사람을 모른다고 하였다. 사건을 조사한 관리가 곽해의 무죄를 주장하자 어사대부였던 공손홍은 "곽해가 서민으로 협객을 모아 권세를 휘두르며 눈을 흘긴 정도의 일조차도 사람을 죽였다. 곽해가 모른다지만 이 죄는 해가 안 것보다 심하다. 대역무도죄로 다스려야 한다.(解布衣 爲任俠行權, 以睚眦殺人, 解不知, 此罪甚於解知殺之, 當大逆無道.)"고 하여 마침내 곽해의 일족이 모두 죽음에 처하여졌다. 이 일로 한때 성행하였던 협객들이 점점 형세가 꺾여 줄어들었다.(『漢書』「游俠傳」)

175 酎金에 연루되어 … 106명이었으니 : 주금은 한나라 때 제후들이 천자의 나라에 바쳐 제사에 쓰게 하던 金이다. 제사를 지내고 술을 마실 때 천자가 이들 금을 조사시켜 근량이 모자라거나 질이 나쁠 경우 열후가 그 벌로 封國이 깎였다. 무제 때 南粤이 반란을 일으키고 西羌이 변경을 침략하고 여기저기 새로 屯田을 설치하느라 새로 내는 길이 어떤 곳은 3천여 리에서 1천여 리에 이르는데 이 모두를 大司農이 감당해야 했다. 이에 동원되는 말[馬]이 크게 부족하여 무제는 封君된 사람부터 3백 石 이상의 녹봉을 받는 자까지 암말을 천하의 각 亭에 제공하여 정에서 이 말들을 번식시키게 하였다. 이때 제나라의 상국으로 있던 복식이

그러므로 공손홍이 '복식은 인정에 맞지 않고 법도에 벗어난 신하이니 법으로 삼아 법도를 어지럽힐 수 없습니다.'[176]라고 하였다. 또 곽해가 필부로서 군주가 행하는 사람을 죽이고 살리는 권한을 빼앗아 행하고, 또 성인이 만든 오형五刑 제도에도 본래 경중이 있는데 지금 한 마디 말이 뜻에 맞지 않는다고 바로 죽인다면 이것이 어찌 이치이겠는가? 그가 이런 혼란한 풍조에 앞장선 것을 헤아려본다면 곽해가 실상 괴수이다. 그러므로 공손홍이 '곽해가 서민으로서 협객들을 모아 권세를 휘두르며 눈을 흘길 정도의 일 조차에도 사람을 죽였으니 곽해가 몰랐다 할지라도 이번 죄는 곽해가 안 것보다 더 심하다.'라고 하였으니 이 두 가지 일은 대신의 체통을 얻은 것이다."

張湯 장탕

[61-15-1]
涑水司馬氏曰 : "或稱'張湯矯僞刻薄, 而後嗣顯榮, 七葉不絶. 意者積善餘慶, 積惡餘殃, 近虛語耶?' 應之曰 : '不然. 所謂積者, 繼世相因之謂也. 故傳稱八元八凱, 世濟其美, 饕餮三族, 世

무제에게 글을 올려 자신과 아들이 남월 전투에 나가 죽기를 원한다고 하였다. 이에 무제는 이 사실을 천하에 조서를 내려 칭찬하고 關內侯 벼슬, 황금 40근, 전답 10頃을 내렸다. 다시 이 사실을 천하에 알렸으나 천하에 어느 제후도 더 이상 호응하지 않았다. 당시 列侯가 1백여 명이었는데도 從軍을 원하는 사람이 없었다. 이에 무제는 바로 이 주금 제도를 그들에게 적용시켜 그들이 바친 금을 少府를 시켜 살피게 하였다. 이 일로 인해 열후의 지위를 잃은 자가 1백여 명이나 되었다. 그리고 복식을 어사대부에 임명하였다. 『史記』「平準書」에 의하여 살피면 "술을 마실 때에 이르러 소부가 금을 살펴보아 열후로 주금에 연좌되어 열후의 지위를 잃은 자가 1백여 명이었다.(至酎, 少府省金, 而列侯坐酎金失侯者百餘人.)"고 하고, 司馬貞의 『索隱』에 "주금에 연좌되어 제후의 지위를 잃은 자가 106명이었다고 하였다. 앞서 [61-13-1]에서 '천하에 복식으로 인해 죄를 얻은 자가 열 집 가운데 아홉 집이었다.'라고 한 말은 아마 당시 열후의 숫자가 1백여 명이었고, 『史記索隱』에 의하면 지위를 잃은 자가 106명이었다고 하니까 열후의 지위를 가지고 있던 사람 가운데 열의 아홉은 피해를 본 것으로 말한 것 같다.(『史記』「平準書」)

176 '복식은 인정에 … 없습니다.' : 복식이 가축을 길러 부를 이룬 다음 무제가 흉노와 싸움에 진력하자 스스로 글을 올려 자신의 재산 반을 국가의 재정에 내놓겠다고 하였다. 무제는 사람을 시켜 복식이란 사람을 알아보게 하였다. 사신이 찾아가 벼슬을 원하느냐고 묻자, 어려서부터 가축만 길러 벼슬은 원하지 않는다고 하였다. 다시, 집안에 억울한 일이 있어 그 일을 말하고자 함인가라고 묻자, 원수지고 살지 않아 그런 일이 없다고 하였다. 다시, 그렇다면 그대는 무엇을 위해서 재산을 내놓는 것이냐고 묻자, 복식은 "천자가 흉노를 주벌하시니 어리석은 생각에, 현명한 사람은 의당 변경에서 절의에 죽어야 하고, 재물이 있는 사람은 의당 실어서 바쳐야 흉노를 멸망시킬 수 있을 것이라는 생각에서다.(天子誅匈奴, 愚以爲賢者宜死節於邊, 有財者宜輸委, 如此而匈奴可滅也.)"라고 하였다. 사신 간 사람이 이를 무제에게 아뢰자 무제는 승상 공손홍에게 처리 방법을 물었다. 이에 공손홍은, "이는 사람의 마음이 아니니 법도에 맞지 않는 신하입니다. 법으로 삼아서 법을 어지럽게 할 수 없으니 폐하는 허락하지 마십시오.(此非人情, 不軌之臣, 不可以爲化而亂法, 願陛下勿許.)"라고 하여 무제는 복식의 재산 헌납을 받아들이지 않았다.(『史記』「平準書」)

濟其凶, 此非積善積惡之謂耶? 欒書有惠於晉, 晉人思之. 黶雖剛愎, 猶得保其宗廟, 至盈無德, 卿族遂亡. 然則黶之所以存, 書之餘慶也; 盈之所以亡, 黶之餘殃也. 祖父有德, 子孫爲不善, 未免禍敗, 慶何有焉; 祖父不善而子孫有德, 福祿將集, 殃何有焉? 祖父爲不善, 而子孫又無德以蓋前人之愆, 則餘殃被之. 是以堯舜雖至德, 朱均不能免其災; 瞽鯀雖大惡, 舜禹無所虧其聖. 若張湯者雖險詖人也, 而有子安世保輔漢室, 寔有大功, 子孫嗣之, 率皆忠恪信厚, 恭儉周密, 邦有道不廢, 邦無道免於刑戮. 以是光顯於後, 彌歷永世, 固其宜矣. 又何異焉?"[177]

속수 사마씨涑水司馬氏[司馬光]가 말하였다. "어떤 사람이 '장탕은 속임수가 있고 각박하였는데 자손의 영화로운 현달이 7대 동안이나 끊이지 않았다.[178] 아마도 선한 일을 쌓으면 다하지 않는 경사가 있고 악한 일을 쌓으면 다하지 않는 재앙이 있다는 말은 빈말에 가까운가?'라고 하기에 내가 대답하였다. '그렇지 않다. 이른바 쌓는다는 말은 대를 이어 서로 이어짐을 말한다. 그러므로 옛 책에서 말하고 있는 팔원八元과 팔개八凱[179]는 대대로 그 아름다움을 이루었고 도철饕餮과 삼족三族[180]은 대대로 그 흉악함을 이루었으니, 이것이 선을 쌓고 악을 쌓는 것을 이른 것이 아니겠는가? 난서欒書가 진晉나라에 은혜로운 정사를 펴서 진나라 사람이 사모하니, 난암欒黶이 강퍅하였으나 여전히 자신의 종묘를 보존할 수 있었고,[181]

· · · · · · · · · ·

177 『傳家集』「評 · 張湯有後」

178 장탕은 속임수가 … 않았다. : 장탕은 杜陵 사람이다. 아버지가 長安丞으로 집을 비웠다 돌아와 쥐가 고기를 물고 가버린 것을 알게 되었다. 아들 장탕을 매질하였더니 그 쥐를 심문한 문서를 만들었는데 그 글이 매우 뛰어났다. 이에 옥사에 관한 글을 익히게 하였다. 승상 田蚡의 발탁으로 侍御史에 오르면서 陳皇后의 巫蠱獄事와 淮南王과 衡山王의 모반 옥사를 처리하고, 太中大夫를 거쳐 어사대부에 올랐다. 趙禹와 한나라의 율령을 제정하기도 하였다. 재임기간 五銖錢의 주조를 건의하고, 鹽鐵의 국가 경영을 확고히 다지며, 부호들과 大商들을 힘들게 하였다. 법률 적용이 혹독하여 많은 원성을 샀으며, 무제의 총애를 힘입어 성대한 권세를 누렸으나, 승상 莊靑翟과 장사 長史朱買臣의 중상모략에 빠져 자살하였다. 사마천은 『史記』에서 그를 「酷吏傳」에 편집하여 그의 관리 생활을 낮게 평가하였으나, 무제는 장탕의 죽음을 슬퍼하여 아들 安世를 등용하여 昭帝 때 富平侯에 봉해졌고, 안세의 아들 延壽는 平原侯에 봉해졌고, 아들 勃은 죽은 뒤 繆侯에 봉해졌고, 아들 臨은 成帝의 누나에게 장가들었고, 아들 放은 성제에게 수많은 賞賜를 받아 더할 수 없는 복록을 누렸다.(『漢書』「張湯傳」)

179 八元과 八凱 : 팔원은 상고시대 高辛氏의 신하였던 여덟 사람의 人才를 이르고, 팔개는 高陽氏 시절의 여덟 인재를 이른다. 이들이 처음 거론된 『春秋左傳』「文公 18년」에는 이들이 대대로 아름다움을 이루며 그 명성을 떨어뜨리지 않는데 순임금이 이들을 등용하여 팔개에게는 땅을 다스리게 하고 팔원에게는 五倫을 펴게 하였다고 하였다.

180 饕餮과 三族 : 도철은 『春秋左傳』「文公 18년」의 기사에 의하면 縉雲氏(黃帝의 신하)의 아들로 끝없이 음식과 재화를 탐내고, 사치가 끝없어 사람들이 탐욕스럽다는 뜻의 이 이름으로 불렀다고 하였다. 삼족은 帝鴻氏의 아들인 渾敦과, 少皡氏의 아들 窮奇, 顓頊氏의 아들 檮杌이다. 한결같이 못된 짓만을 저질러 순임금이 귀양 보냈다는 四凶이 바로 이들이다.

181 欒書가 晉나라에 … 있었고 : 난서는 시호인 武子로 불려 난무자로 주로 불린다. 景公 때 齊나라 군사를 鞍에서 크게 이기고, 中軍의 장군이 된 뒤, 厲公 때 초나라 군사를 鄢陵에서 크게 격파하였다. 여공이 정치를 혼란시키자 中行偃과 모의하여 그를 시해하고 悼公을 세웠다. 난암은 난서의 아들로 시호인 桓子로 불려 난환자로 주로 불린다. 下軍將으로 秦나라와의 전쟁에 출전하여 中軍의 장수인 荀偃의 전횡을 미워하여

난영欒盈에 이르러서 덕스러움이 없자 경卿 집안의 지위를 마침내 잃었다.[182] 그렇다면 난암이 보존된 까닭은 난서의 다하지 않은 경사이고, 난영이 망한 까닭은 난암의 다하지 않은 재앙이다. 할아버지와 아버지에게 덕이 있더라도 아들과 손자에게 불선이 있으면 재앙에 의한 실패를 면치 못하는데 경사가 어찌 있겠으며, 할아버지와 아버지가 불선하더라도 아들과 손자에게 덕이 있으면 복록이 모여드는데 재앙이 어찌 있겠는가? 할아버지와 아버지가 불선하고 아들과 손자가 또 앞 사람의 허물을 덮을 만한 덕이 없다면 다하지 않은 재앙이 미치게 된다. 그러므로 요순은 지극한 덕을 지녔으나 단주丹朱와 상균商均[183]이 재앙을 면치 못하였고, 고수瞽瞍와 곤鯀[184]은 더할 수 없이 악독한 사람이었으나 순과 우는 자신의 성덕聖德에 흠이 없었다. 장탕과 같은 사람은 음험하고 사특한 사람이기는 하지만 아들 안세安世가 한나라 왕실을 보존시키고 보필하여 참으로 큰 공훈을 세웠고, 자손이 이를 이어 모두 다 충성스럽고 신중하며 성실하고 두터우며 공손하고 검소하며 주도면밀하여 나라에 도가 있을 때 버려지지 않고, 나라에 도가 없을 때 형벌에 의한 죽임을 면하였다. 이것으로 후대에 빛을 드러내 영원히 오래도록 유지한 것은 진실로 당연한 이이다. 또 어찌 이상할 일인가?"

霍光 곽광

[61-16-1]
朱子曰 : "霍光臨大節, 亦有大虧欠處."[185]
주자가 말했다. "곽광은 큰 절의에 임함에 있어[186] 또한 큰 결점이 있다.[187]"

. . . .

군사를 끌고 돌아왔는데, 아우 鍼이 이를 수치로 여기고 진나라와 싸우다가 죽자, 이를 도리어 范鞅에게 씌워 범앙을 축출하였다.(『史記』 권35 『左傳』 「成公 18년」 ; 「襄公 9년」 ; 「襄公 14년」)

182 欒盈에 이르러서 … 잃었다. : 난암의 아들. 시호는 懷子이다. 어머니의 음행을 근심하다가 오히려 어머니의 무함을 입고 외조부 范宣子에게 쫓겨 초나라와 제나라를 전전하다 돌아와 난을 일으켰으나 패하여, 曲沃으로 도망쳤다. 끝내 씨족이 멸망당하였다.(『史記』 권32)

183 丹朱와 商均 : 단주는 요임금의 아들이고, 상균은 순임금의 아들이다. 모두 불초하여 아버지 뒤를 잇지 못하였다.

184 瞽瞍와 鯀 : 고수는 순임금의 아버지로 아들의 훌륭한 덕을 알아보지 못하고 죽이려고 들어 사람들이 소경이라는 뜻의 고수라는 이름을 붙여주었다. 곤은 우임금의 아버지로 요임금에게서 천하에 꽉 찬 홍수를 다스리라는 명령을 받았으나 이를 이행하지 못해 羽山으로 귀양 가 죽었다.

185 『朱子大全』「書·答張仁叔毅」

186 큰 절의에 … 있어 : 이 글의 원문 臨大節은 『論語』「泰伯」의 증자의 말 "키 6척쯤의 고아가 된 어린 군주를 맡길 수 있고, 1백 리 나라의 운명을 맡길 수 있으며, 큰 절의에 임하여 지닌 뜻을 빼앗을 수 없다면 군자일까? 군자일 것이다.(可以託六尺之孤 ; 可以寄百里之命, 臨大節而不可奪也, 君子人與? 君子人也.)"라고 한 말을 인용하여 한 말이다. 이에 대한 주석에서 주자는 "그 사람의 절의가 죽고 사는 즈음에 이르러서도 빼앗을 수 없다면 군자라 할 수 있다.(其節, 至於死生之際, 而不可奪, 可謂君子矣.)"고 하였다. 여기서 큰 절의는 죽고 사는 일이 나뉘는 일을 이르며, 국가의 군주가 갈리는 과정을 두고 이른 말임을 알 수 있다.

187 큰 결점이 있다. : 곽광은 武帝를 30여 년 섬기고 遺詔를 받들어 당시 8세인 昭帝를 보필하였다. 소제가

[61-16-2]

問: "君臣之變, 不可不講. 且如霍光廢昌邑, 正與伊尹同. 然尹能使太甲自怨自艾而卒復辟. 光當時被昌邑説'天子有爭臣七人'兩句後, 他更無轉側. 萬一被他更咆勃時, 也惡模樣?"

曰: "到這裏, 也不解恓得惡模樣了."

又問: "光畢竟是做得未宛轉."

曰: "做到這裏, 也不解得宛轉了."

良久, 又曰: "人臣也莫願有此, 萬一有此時, 也十分使那宛轉不得."[188]

물었다. "군주와 신하 사이의 변고는 말하지 않을 수 없습니다. 예컨대 곽광의 창읍왕 폐위[189]는 바로 이윤과 동일합니다.[190] 그러나 이윤은 태갑에게 스스로를 원망하고 스스로를 닦게 하여 끝내 군주의 자리에 복귀시켰습니다.[191] 곽광은 당시 창읍왕이 '천자에게는 간쟁하는 신하 일곱 사람이 있다.'는 두

....

아들이 없이 죽자 당시 昌邑王 夏를 옹립하였으나 음탕한 행위를 하자 폐위하고 宣帝를 옹립하였다. 이 과정을 두고, 宋나라 林之奇는 그의 저서 『尚書全解』「咸有一德」의 "이윤이 정사를 임금에게 되돌려주었다. (伊尹既復政厥辟)"의 주석에서, "곽광 같은 충성과 의리는 키 6척쯤의 고아가 된 어린 군주를 맡길 수 있고, 큰 절의에 임하여 지닌 뜻을 빼앗을 수 없음이라고 말할 수 있을 것이다. 그러나 총애가 더없이 성대하고 세력이 존귀해지자 권력이 아까워 기꺼이 선제에게 정사를 되돌려주려 하지 않더니, 의심이 쌓이며 마침내 일가족이 멸망하는 제앙이 이루어졌다.(如霍光之忠義, 蓋所謂可以託六尺之孤, 臨大節而不可奪者. 然而寵盛勢尊, 則固惜權柄, 不肯還政於宣帝, 而積其疑似之釁. 卒成族滅之禍.)"고 하였다. 또 『漢書』「霍光傳」에는 "선제가 처음으로 등극하여 고조의 종묘를 찾아뵐 적에 대장군 곽광이 선제의 車駕를 모시고 탔는데 선제는 마음속으로 두렵기가 마치 가시가 등에 있는 듯하였다. 나중에 거기장군 장안세가 곽광을 대신해 거가를 모시고 타자 천자가 편안하게 몸을 쫙 펴시며 매우 편안해하고 친근해하였다. 곽광이 죽으면서 종족이 마침내 베임을 당한 까닭에 세속에서 전하기를 '위엄이 군주를 놀라게 하는 자는 두지 않는 것이니 곽씨 집안의 재앙은 천자의 어가를 모시고 탄 데에서 시작되었다'는 말이 돌았다.(宣帝始立, 謁見高廟, 大將軍光從驂乘, 上內嚴憚之, 若有芒刺在背. 後車騎將軍張安世代光驂乘, 天子從容肆體, 甚安近焉. 及光身死而宗族竟誅, 故俗傳之曰, '威震主者不畜, 霍氏之禍萌於驂乘.')"고 하였다.

188 『朱子語類』 권135, 50조목

189 곽광의 창읍왕 폐위: 소제가 천자의 자리에 오른 지 13년째 되던 해 나이 22세로 죽었다. 그러나 아들이 없었다. 이때 무제의 여섯 아들 중 廣陵王 胥가 살아 있어 여러 신료들이 모두 광릉왕으로 세울 것을 주장하였다. 그러나 광릉왕은 본시 무제에게서 제외된 아들이었던 까닭에 그를 옹립하지 않고 무제의 손자인 창읍왕 하를 옹립하였다. 그런데 창읍왕이 등극하자마자 상중인데도 음란한 짓을 저질렀다. 이에 곽광은 大司農田延年의 의견을 받아들여 여러 신료들과 함께 황태후에게 이 사실을 고하고 창읍왕을 그 자리에서 폐위시켰다. 등극한지 불과 27일이었다.(『漢書』「霍光傳」)

190 이윤과 동일합니다. : 이윤은 湯을 도와 夏나라의 桀을 정벌하고 殷나라 건국에 공을 세운 신하이다. 탕임금이 죽은 뒤의 은나라의 제왕 승계는 『史記』「殷本紀」에 의하면 태갑은 탕의 손자이다. 그가 제위에 올라 이윤의 말을 받아들이려 하지 않고 변화의 조짐을 보이지 않자, 이윤은 "태갑은 못된 버릇이 굳어졌다, 나는 태갑이 의롭지 않은 자들과 친하게 지내도록 하지 않겠노라." 하고서 탕임금의 무덤이 있는 桐 땅에 집을 지어 태갑을 내보냈다. 그것은 탕임금의 가르침과 가깝게 지내도록 하여 종신토록 미혹에 빠져 지내지 않게 하겠다는 생각에서였다.(『書經』「伊訓」;「太甲」)

구절의 말을 듣고서도 그는 다시 잠을 이루지 못하며 몸을 뒤척이는 일이 없었습니다.[192] 만에 하나 창읍왕이 더더욱 성이 나 펄펄 뛸 때를 만났다면 어떤 모양을 하였겠습니까?'

(주자가) 대답하였다. "이런 경우를 만났어도 또한 어떤 모양을 해야 할지 알지 못하였을 것이다."

또 물었다. "곽광이 한 일들은 원숙하게 귀결되지 못했습니다."

(주자가) 대답하였다. "한 일들이 이렇다보니, 또한 원숙하게 해낼 방법을 찾지 못하였다."

한참 있다가 다시 말하였다. "신하로서 이런 일이 있기를 원하는 사람은 없다. 만에 하나 이런 때가 있으면 또한 십분 원숙하게 해낼 길이 없다."

[61-16-3]

問: "霍光小心謹厚, 而許后之事不可以爲不知. 馬援戒諸子以口過, 而裹屍之禍乃口過之所致. 二人之編在小學, 無亦取其一節耶?"

曰: "采葑采菲, 無以下體. 取人之善爲己師法, 正不當如此論也."[193]

물었다. "곽광은 마음을 졸이고 매우 신중하였으나 허후許后의 일[194]을 알지 못했다고 할 수 없습니다. 마원馬援이 자식들에게 말실수를 조심시켰으나 시체가 거적자리에 말리는 재앙은 말실수에 의한 것이었

----

191 태갑에게 스스로를 … 복귀시켰습니다. : 이를 『書經』의 「太甲上」에 의하면 "태갑이 동 땅의 궁으로 가서 근심으로 지내며 끝내는 자신의 덕을 능히 성취하였다.(王徂桐宮居憂, 克終允德.)"고 하고, 이어 이윤이 곤복晃服을 갖추어 입고 태갑을 받들고 수도인 亳으로 돌아왔다고 하였다. 『孟子』「萬章上」에는 "태갑이 탕임금의 전형을 전복시키자 이윤이 동 땅에 내보내 3년을 있게 하자, 태갑이 허물을 뉘우쳐 자신을 원망하고 자신을 닦아 동 땅에서 仁에 마음을 두고, 義로움으로 옮겨가기를 3년을 하고서야 이윤이 자신을 훈계한 말들을 따르자 박 땅에 다시 돌아왔다.(太甲顚覆湯之典刑, 伊尹放之於桐三年, 太甲悔過, 自怨自艾, 於桐處仁遷義三年, 以聽伊尹之訓已也, 復歸于亳.)"고 하였다.

192 창읍왕이 '천자에게는 … 없었습니다. : 창읍왕을 폐위해야 한다는 말을 들은 황태후는 그 자리에서 창읍왕을 불러들이고, 그를 폐위시켜야 한다는 신하들의 폐위 상소문을 읽어가는 일이 다 끝나자 조칙을 내려 그렇게 하라고 하였다. 곽광이 창읍왕을 시켜 일어나 황태후의 조칙을 받으라고 하자 창읍왕은 "천자에게 간하는 신하 일곱 사람이 있으면 무도하더라도 천하를 잃지 않는다.'라는 말을 들었다.(聞'天子有爭臣七人, 雖無道不失天下'.)"고 하였다. 들었다는 이 말은 『孝經』에 있는 말이다. 창읍왕의 이 말은 너희 신료가 나에게 간하는 말을 하지도 않고서 나를 폐위시키는 짓부터 하느냐는 비난이었다. 이 말을 듣고서도 곽광이 자신의 행위를 뉘우치거나 고민하지 않았다는 말이다.(『漢書』「霍光傳」)

193 『朱文公文集』 권39 「答王近思」 10書

194 許后의 일 : 허후는 선제의 황후로 선제가 아직 황제의 지위에 오르기 전에 혼인한 황후였다. 곽광의 처 顯은 자신의 딸 成君을 사랑하여 그를 귀한 신분으로 만들어주고 싶었다. 이에 女醫인 淳于衍을 시켜 독약으로 허황후를 살해하게 하였다. 그리고 곽광에게 권하여 자신의 딸 성군을 선제의 황후로 삼게 하였다. 그러나 허황후가 갑자기 죽은 뒤 병 치료에 관련된 여러 의원들을 조사하여 순우연이 잡혀들었다. 獄官이 순우연을 다그치자 현은 사실이 들통날 것을 두려워하여 곽광에게 사실을 고백하였다. 곽광은 사실을 그대로 밝히려 하다가 차마 못하고 망설였다. 마침 순우연에 대한 죄상을 보고하는 문서가 올라왔다. 이에 곽광은 순우연의 죄상을 다시 거론하지 말라고 서명하였다. 그러나 이 사건은 들통이 나 결국 선제가 알게 되었다. 여기서 허황후 살해에서부터 곽광이 알았을 것이란 말이다.(『漢書』「霍光傳」; 「外戚傳」)

습니다.[195] 두 사람이 『소학小學』에 열거되어 있는 것[196]은 또한 그 사람들의 한 가지 일만을 취한 것이 아니겠습니까?”

(주자가) 대답하였다. “‘봉葑나물을 캐고 비菲나물을 캐면서는 밑뿌리로 판단하지 말라.’[197]라고 하였다. 남의 선한 점을 취하여 자신의 스승으로 삼아야 하는 것이니 절대 이같이 말하는 것은 옳지 않다.”

[61-16-4]

南軒張氏曰: “霍光天資重厚, 如朝謁進止常不差尺寸, 似乎知學者. 後人往往輕加詆毀, 使之當大事必不能. 然立君豈易事? 呂氏之難, 或言齊王可立, 大臣以爲王舅駟鈞虎而冠, 即立齊王, 復爲呂氏矣. 遂定議立文帝, 須謹擇於其初. 至如昌邑王在國素狂縱, 光不能察知而輕立

---

195 馬援이 자식들에게 … 것이었습니다. : 마원은 後漢의 장수로 王莽 아래서 新成大尹을 지내고 光武帝에게 귀의하여 隗囂의 반란을 평정하고, 이어 交阯와 흉노, 烏桓을 정벌하였다. 伏波將軍으로 흔히 불린다. 그가 형의 아들 嚴과 敦이 사람들을 비평하는 말을 좋아하자, 교지에 머물면서 편지로 이를 경계시켰다. “너희들은 남의 과실을 듣거든 마치 부모의 이름을 듣는 것과 같이 하여 귀로는 들을지언정 입으로는 말하지 말라. (聞人過失, 如聞父母之名, 耳可得聞, 口不可得言也.)”고 하였다. 마원이 나이 62세 때 五溪 지역의 蠻夷가 깊숙이 침입하자 정벌을 자원하였다. 정벌에 나가 첫 전쟁에서는 이겼으나 지역의 험난함과 더위를 이기지 못해 많은 병사들이 돌림병으로 죽었다. 이에 광무제는 사위인 梁松을 보내 마원의 책임을 묻게 하고 이어 그를 監軍에 임명하였다. 이를 『後漢書』「馬援傳」에 의거하여 살피면 다음과 같다. “복파장군이 병을 앓을 때 양송이 문병 와서 홀로 침상 아래서 절을 올렸는데 마원은 아무런 답례의 말을 하지 않았다. 양송이 떠난 뒤에 여러 아들들이 묻기를 ‘양송은 천자의 사위라서 조정에서도 귀중한 사람이고 公卿 이하 모든 관원들이 두려워하지 않는 사람이 없는데 아버지께서는 왜 유독 아무런 답례를 하지 않았습니까?’ 하자 마원은 ‘나는 양송의 아버지와 친구이니, 아무리 귀하게 되었다지만 長幼의 질서를 잃겠는가?’라고 하였다. 양송은 이 일로 인해서 마원에게 원한을 가졌다.(援嘗有疾, 梁松來候之, 獨拜牀下, 援不答. 松去後, 諸子問曰, 梁伯孫帝壻, 貴重朝廷, 公卿已下莫不憚之, 大人奈何獨不爲禮? 援曰, 我乃松父友也, 雖貴, 何得失其序乎? 松由是恨之.)”고 하였다. 이런 감정을 가지고 있던 양송이 마원의 군대에 도착했을 때 마원은 병으로 죽었다. 양송은 옛날의 앙심을 풀고자 마원을 함정에 빠뜨리는 글을 올렸다. 이에 광무제는 마원의 작위 新息侯를 몰수하였다. 또 마원이 예전 교지에서 돌아올 때 율무 종자 한 수레를 싣고 왔는데 이를 세상에서 남쪽 지역의 귀중한 보화를 싣고 온 것으로 여기고 권력층 사람들이 모두 선망하였다. 그러나 총애를 받고 있어 아무도 이를 문제 삼지 못하였다. 그런데 마원이 죽자 이것이 율무가 아니었고 좋은 주옥과 코뿔소의 아름다운 犀角이었다는 참소가 이어졌다. 이에 마원의 처와 조카 馬嚴은 마원의 시신을 선산에 장례 치르지 못하고 한쪽 외진 지역의 땅을 사서 거적자리로 싸 임시 무덤을 마련하였다. 그리고 조정에 올라와 마원의 무고함을 하소연하였다. 여섯 번째 글을 올리자 광무제는 양송이 오계에서 올린 글을 내서 보여주고 마원의 죄를 사면하여 장례를 치를 수 있게 하였다. 결국 말을 조심시킨 마원이 양송을 잘못 대하여 장례 치르지 못하는 고초를 겪었다는 말이다.

196 두 사람이 … 것 : 『小學』은 주자가 친구 呂祖謙과 편집한 책으로 마원의 일은 그가 조카들에게 보낸 편지 일부가 「嘉言篇」의 ‘廣立敎’에 실려 있고, 곽광이 창읍왕을 폐위한 일이 「嘉言篇」의 ‘廣明倫’에 실려 있다.

197 葑나물을 캐고 … 말라.’ : 이 시는 『詩經』「邶風·谷風」의 한 구절이다. 봉과 비라는 채소는 잎과 뿌리를 모두 먹을 수 있는 식물인데 뿌리의 맛은 간혹 맛이 있기도 하고 없기도 하다. 그래서 뿌리가 맛이 없다고 그 잎까지 버려서는 안 된다는 말이다.

之, 豈得無罪? 其後幸而能立宣帝. 劉元城謂取其無黨, 此則未然.”

남헌 장씨南軒張氏[張栻]가 말하였다. “곽광은 타고난 자질이 중후하여 조회나 알현 같은 때에 나아가고 물러나는 것이 늘 한 자[尺] 한 치[寸]도 어긋나지 않았으니[198] 학문을 아는 자인 듯하다. 뒷사람들이 왕왕 가볍게 헐뜯으며 그에게 큰일을 맡게 했으면 틀림없이 해내지 못했을 것이라고 한다. 그러나 군주를 세우는 일이 어찌 손쉬운 일인가? 여씨呂氏의 환난에 어떤 사람은 제왕齊王을 세울 만하다 하고, 대신들은 제왕의 장인 사균駟鈞은 호랑이에 관을 씌워놓은 것이라고 말하였으니, 제왕을 세웠던들 다시 여씨의 나라가 되었을 것이다.[199] 마침내 문제를 세우기로 의견을 결정지었으니 모름지기 그 처음에 신중히 선택했어야 했다. 예컨대 창읍왕에 이르러서도 자신의 나라에 있을 적에 본래 미친 짓들을 했었는데[200] 곽광이 잘 살피지 못하고 가볍게 그를 세웠다. 어찌 죄가 없을 수 있겠는가? 그 뒤 다행히 선제宣帝를 세웠다. 유원성劉元城이 ‘선제는 당여黨與가 없는 점을 취하였다.’고 말하였으나[201] 이는 그렇지 않다.”

• • • • • • • • • • • • • •

198 곽광은 타고난 … 않았으니 : 곽광은 한나라의 명장 霍去兵의 배다른 동생이다. 자는 子孟. 봉호는 博陸侯. 시호는 宣成이다. 형 거병을 따라 나이 10여 세 때 궁중에 들어오며 郎 벼슬이 주어졌다. 거병이 죽으면서 奉車都尉光祿大夫에 올라 무제를 20여 년 모시면서 늘 마음을 졸이며 신중하였다. 그가 궁궐을 드나들 적마다 나아가고 물러나는 일정한 지점이 있어 郎僕射가 몰래 그것을 살폈는데 한 자 한 치도 어긋나지 않았다고 하였다. 이런 일로해서 무제가 그를 신임하여 周公이 成王을 업고서 제후들의 조회를 받는 그림을 그에게 내려 나이 어린 昭帝의 보필을 부탁하였다.(『漢書』「霍光傳」)

199 여씨의 나라가 … 것이다. : 이는 여씨의 반란을 평정하고 代王을 모셔다가 文帝로 추대한 전후 사정을 말한 것이다. 周勃과 陳平이 여러 대신들과 어떤 사람을 제왕으로 추대할가를 논의하는 과정에 齊王이 고조의 맏아들이었던 齊悼惠王의 맏아들이니 세워야 한다고 주장하였다. 이에 여씨가 외가 집안으로서 악행을 저질러 종묘가 위태롭게 되었는데 제왕의 장인 사균도 사람이 악하니 제왕을 세웠다가는 다시 여씨 꼴이 날 것이라며 반대하였다. 이리하여 여러 사람을 논하다가 결국 대왕의 사람됨과 외가 집안까지를 택하여 사람을 보내 문제를 모셔다 추대하였다.(『史記』「呂太后本紀」; 「齊悼惠王世家」)

200 창읍왕에 이르러서도 … 했었는데 : 창읍왕 賀가 제후로 있을 때 中大夫를 長安으로 보내 많은 仄注冠을 만들어 대신들에게 선물하게 하고 이 관을 종들에게 씌워주기도 하였으며, 소제가 병이 침중하다는 말을 듣고서도 사냥질하고, 말먹이를 맡은 자와 음식을 맡은 자들과 어울려 거리낌 없이 놀았다.(『漢書』 권27 「五行志中之上」)

201 劉元城이 ‘그에게는 당여黨與가 없는 점을 취하였다’고 말하였으나 : 유원성은 宋나라 사람으로 이름은 安世이다. 원성은 그가 살던 지명이다. 司馬光의 제자로 諫議大夫를 거치며 殿上虎라는 별칭을 얻었다. 그를 유원성이라 부른 것은 그의 제자 馬永卿이 선생의 말을 엮은 『元城語錄』 中 속에 이 말이 실려 있어서이다. 그 내용은 다음과 같다. “선생께서 나와 곽광이 선제를 세운 일을 말하다가 선생이 말씀하시기를, ‘곽장군이 선제를 세운 것은 참으로 좋은 일이었으나 博陸侯(곽광의 봉호)의 뜻은 또한 따로 있었다.’라고 하였다. 내가 ‘무슨 말씀입니까?’라고 하자, 선생께서는 다음과 같이 말씀하셨다. ‘소제가 붕어한 뒤 광릉왕 서광릉王 胥와 연왕 단燕王旦이 아직 남아 있었는데도 곽광이 창읍왕을 세울 것을 의논하여 두 왕은 부득이 곽광과 권력을 다툴 수밖에 없었다. 하루아침에 (창읍왕을 따르던 사람) 2백 명을 죽이자 그들이 저자에서 울부짖기를 「당연히 처단했어야 할 자를 처단하지 않았다가 거꾸로 그들의 난리를 당하게 되었다.」고 하였다. 당시에 또한 곽광을 죽이고자 함이 있었던 것인데 단지 그것이 후세에 전하여지지 않았을 뿐이다. 나중에 선제를 세우니 선제는 외톨이이고 외가도 許伯老인데 환관이라서 제압하기 손쉬웠던 까닭에 그를 세운 것이다.’(先生與僕論霍光立宣帝事, 先生曰, 霍將軍立宣帝固是好事. 然博陸之意亦有在也. 僕曰, 何以言之? 先生. 昭

[61-16-5]

"霍光天資重厚, 故可以當大事. 而其所以失, 則由於不學之故也. 人臣之功, 至於周公無以加矣. 而詩人形容其盛德, 則曰: '公孫碩膚, 赤舃几几.' 夫何其溫恭謙厚也? 是則雖以天子叔父之尊, 處人臣之極位, 有蓋世之功業, 而玩其氣象, 豈有一毫權勢之居, 而人之視之也, 但見其道德之可尊, 而亦豈覺權勢之可憚哉? 孟子曰: '事親若曾子可也.' 而後之君子亦曰, '事君若周公可也.' 如曾子之事親, 適爲人子之能盡其分者耳, 非有加也. 如周公之事君亦然, 蓋在其身所當爲者, 而何一毫有於己也? 周公惟無一毫有於己也, 是故德盛而愈恭, 事業爲無窮也.

(남헌 장씨가) 말하였다. "곽광은 타고난 자품이 중후했던 까닭에 큰일을 감당할 수 있었다. 그의 실수는 학문을 하지 않음에서 기인한 것이다. 신하로서의 공훈은 주공周公 정도이면 덧붙일 것이 없다.[202] 시인이 그의 성대한 덕을 형용하기를 '공께서 큰 아름다움을 사양하시니 붉은 신이 편안하도다.'[203]라고 하였으니 어찌 그다지 온화하고 공손하며 겸손하고 후덕한가? 이는 천자의 숙부라는 존귀함으로 신하의 가장 높은 자리에 앉아, 천하를 뒤덮을 공훈과 업적을 지녔으면서도 그의 기상을 이모저모 살펴보면 일호도 권세를 차지하고 있다는 모습이 어찌 있으며, 사람들이 보았을 적에도 단지 그 분 도덕의 높음만 볼 수 있지 또한 권세의 두려움을 어찌 느낄 수 있는가? 맹자가 '어버이 섬김은 증자와 같이 해야 옳다.'[204]라고 하였는데, 뒷날 군자가 '군주 섬김을 주공과 같이 해야 옳다.'[205]라고 하였다. 예컨대 증자의 어버이 섬김은 다만 자식이 자식으로서의 직분을 다한 것일 뿐 더함이 있지는 않다. 예컨대 주공의 군주 섬김도 역시 그러하여, 자신의 처지에서 당연히 해야 할 일이니 일호라도 자신이 티낼 것이 있겠는가? 주공은 일호도 티내려 함이 있지 않았다. 그런 까닭에 덕이 성대할수록 더욱 공손하여 사업이 무궁하여 졌다.

帝既崩, 廣陵王胥 · 燕王旦尚在, 霍光議立昌邑, 二王不得不與光争權, 一旦殺二百人, 呼號於市, 曰當斷不斷, 反受其亂. 蓋當時亦欲殺光, 但未聞耳. 後乃立宣帝, 只一身, 外家乃許伯老, 宦者易制故立之." 이어서 문제가 代王에서 천자로 옹립되자마자 중앙의 주발과 진평의 권세를 박탈하고 자신이 代에서 데려온 자들로 南軍과 北軍의 지휘권을 장악하게 한 고사를 이어 말하며, 선제를 세운 것은 선제가 당여가 없는 외톨이였기 때문이라고 하였다.

202 신하로서의 공훈은 … 없다. 주공은 周나라 文王의 아들이자 武王의 아우. 무왕을 이어 어린 조카 成王이 등극하지 섭정히며 형제인 管叔과 蔡叔이 殷나라의 武庚과 일으킨 반란을 긴압히였다. 이 과정에서 성왕의 의심을 사 한때 어려움에 처하였으나 성심으로 잘 대처하여 성왕이 후회하였다.(『書經』「金縢」)

203 '공께서 큰 … 편안하도다.': 이 시는 주공이 성왕을 보필하고 있으나 어린 왕에게 불리하게 할 것이라는 유언비어가 퍼지는 과정에서 주공이 어려운 형국에 처해서도 아무런 동요 없이 일상적인 모습을 그대로 유지하는 훌륭한 덕을 읊은 시로, 『詩經』「豳風 · 狼跋」편의 한 구절이다. 붉은 신은 예복을 차려야 할 때 신게 되어 있는 신이다.

204 '어버이 섬김은 … 옳다.': 이 말은 『孟子』「離婁上」에 실린 말이다. 맹자가 증자가 아버지 曾晳을 섬긴 養志와 증자의 아들 曾元이 증자를 섬긴 養口體에 대해 논하며 증자의 양지가 아버지를 섬기는 도리에 옳다고 하였다.

205 '군주 섬김을 … 옳다.': 이는 『二程遺書』권4「游定夫所錄」에 실린 정자의 말이다.

光之所建立, 想負於其身, 橫於其心, 而不能以弭忘. 惟其不能以弭忘, 故其氣燄不可掩, 威勢
日以盛. 權利之途, 人爭趨之, 非惟家人子弟, 門生故吏, 馴習驕縱而不可戢, 光之身亦不自知
其安且肆矣. 此凶于乃國, 敗于乃家之原也, 可不畏哉? 故其一時用舍進退, 例出於私意. 以
蘇武之忠節, 進不由己, 僅得典屬國, 而大司馬長史雖如楊敞之庸謬, 亦得爲宰相. 至於如魏
相蕭望之之才, 皆擯不用; 田千秋小不當意, 則其壻卽論死. 作威作福蓋如此. 陰妻之邪謀,
未論其不能白發於後, 使其妻邪謀至此, 而人敢爲之助, 而無復言其姦. 則履霜堅氷馴致其道,
夫豈一日之故哉? 光至此, 亦無全理矣. 原其始, 皆由於其心以寵利居成功, 不知爲人臣之分,
故曰: 不學之過也.

곽광은 이룬 것을 아마도 자신이 짊어지고 마음에 끼워두고서 잊지 못한 성싶다. 그가 그것들을 잊지
못한 까닭에 그 불길 같은 형세를 가릴 수 없었고 위세가 날로 성대하여졌다. 권세와 잇속의 길에는
사람들이 다투어 모여드는 것이어서 집안의 자제뿐만 아니라 문생門生들이며 예전의 부하들까지 교만과
방종에 길들여져 거두어 잡을 수 없었고, 곽광 자신도 역시 그것이 안락과 방종임을 스스로 알지 못하였
다. 이것이 자신의 나라를 재앙에 빠지게 하고, 자신의 집안마저 패망하게 한 원인이다. 두려워하지
않을 수 있겠는가? 그러므로 그가 한때에 등용하고 버리고 천거하고 물러나게 한 일이 으레 사사로운
마음에서 나온 것이었다. 소무蘇武 같은 충절이었지만 벼슬에 오름이 곽광의 추천에 의해 이루어지지
않아 겨우 전속국典屬國 벼슬을 얻었고,[206] 대사마大司馬이자 (곽광의) 장사長史인 양창楊敞 같은 용렬하고
오류투성이인 자는 또한 재상이 될 수 있었다.[207] 위상魏相[208]과 소망지蕭望之[209]와 같은 재능 있는 사람

• •

206 蘇武 같은 … 얻었고 : 소무는 蘇建의 아들로 武帝 때 匈奴에게 사신으로 갔다가 붙잡혀 19년 동안 눈을
먹고 부절로 가져간 깃발의 가죽을 씹으면서도 항복하지 않았다. 昭帝 때 흉노와의 관계가 우호적으로 변하
며 돌아왔다. 이때 그가 얻은 벼슬이 전속국이었다. 이를 『漢書』「蘇武傳」에 의하여 살피면 "上官桀이 아들
上官安과 함께 대장군 곽광과 권세를 다투며 여러 차례 곽광의 잘못을 적어 燕王에게 보내 소제에게 글을
올려 아뢰게 하였다. 덧붙여 '소무는 흉노에게 사신 가 20년 동안 항복하지 않았는데도 돌아와 전속국이
되었는데, 대장군의 장사로 있는 楊敞은 공훈도 없이 搜粟都尉가 되었으니, 곽광의 권력을 독점하는 것이
이 같다.'라고 하였다.(初, 桀安與大將軍霍光爭權, 數疏光過失于燕王, 令上書告之. 又言蘇武使匈奴二十年不
降, 還廼爲典屬國, 大將軍長史無功勞, 爲搜粟都尉, 光顓權自恣.)"고 되어 있다.
207 大司馬이자 (곽광의) … 있었다. : 『漢書』「楊敞傳」에는 대장군 곽광의 幕府에서 軍司馬를 지냈다 하였고,
「霍光傳」에는 대장군 곽광의 장사(大將軍長史)였다고 하였다. 대사마 벼슬은 그의 이력에서 확인되지 않는
다. 그의 이력을 살피면, 대장군 막부에서 장사를 지내며 곽광의 총애를 얻어 벼슬이 훌쩍 大司農에 올랐다.
上官桀의 모반 사실을 안 燕蒼이 이를 양창에게 알리자, 양창은 감히 입을 열지 못하고 이를 諫大夫 杜延年
에게 알리도록 하였다. 뒷날 어사대부를 거쳐 丞相에 올랐다. 곧 승상이 재상벼슬이다. 승상 시절 소제가
죽어 昌邑王賀를 추대하였으나 음란한 행위가 있어 곽광의 주도로 폐위를 결정하고 승상인 양창에게 이
사실을 알리자, 양창은 놀라서 말을 잊고 정신이 멍멍하였다. 이에 양창의 부인이 곁에서 거들어 이 논의에
동의하였다. 이것이 그의 용렬함이다.(『漢書』「公孫劉田王楊蔡陳鄭傳」)
208 魏相 : 아래 [61-19-1] 참고
209 蕭望之 : 東海 蘭陵 사람. 자는 長倩. 『齊詩』를 공부하고 甲科에 올라 郎에 임명되었다. 宣帝 때 平原太守‧
左馮翊‧御史大夫와 太子太傅를 지내고, 元帝 즉위 후 師傅로서 우대되었다. 中書令 弘恭‧石顯의 모함을

까지도 모두 배척하여 등용하지 않았고, 전천추田千秋는 조금 마음에 들지 않자 그의 사위까지 바로 죽음 판결을 내렸다.[210] 위엄을 부리고 복을 받게 함이 이와 같았다. 음탕한 처의 사악한 음모[211]를 뒷날 분명하게 밝혀내지 못한 것은 말할 것도 없거니와, 처의 사악한 음모가 이 지경에 이르렀는데도 사람들이 감히 그를 돕도록 하고 다시 그 간악함을 말할 수 없게 하였다. '서리를 밟게 되면 얼음이 꽁꽁 어는 것'[212]은 그 이치가 저절로 그렇게 이루어지는 것이니, 어찌 하루의 일로 인해서이겠는가? 곽광이 이 지경이었으니 또한 온전할 이치가 없다. 그 시작을 유추해 본다면 모두 그의 마음이 총애와 녹봉을 이롭게 여기며 성공에 안주하고, 신하된 분수를 알지 못함에서 기인한 것이다. 그러므로 '학문을 하지 않은 잘못이다.'라고 말하는 것이다.

雖然, 後之儒生如班固輩, 蓋知以不學病光矣. 然使其當小利害僅如毫髮, 鮮不喪其所守, 望其如光, 凜然當大事, 屹如山嶽, 其可得哉? 然則光雖有不學之病, 而其自得於天資者, 蓋有不

받아 자살하였다.(『漢書』「蕭望之傳」) 자세한 것은 아래 [61-23-3] 참고

210 田千秋는 조금 … 내렸다. : 전천추는 본이름이고 『漢書』에는 「車千秋傳」으로 그의 성이 차씨로 나타나 있다. 그것은 천추가 나이 늙자 昭帝가 자그만 수레를 내려주며 궁궐에 나아올 때 타고 오게 하면서 사람들이 그를 車丞相이라고 불러 마침내 성씨가 田에서 車로 바뀌었다. 차천추는 본래 한고조 사당의 郎이었다. 權臣 江充이 태자 據가 무제를 저주했다고 참소하며 戾太子가 군사를 일으켜 강충을 죽이고 자살하자, 마침내 이 일로 수만 명이 연루되어 죽거나 유배되었다. 이때 전천추가 무제에게 글을 올려 "자식이 아버지의 병장기로 장난을 치면 죄가 笞刑에 해당하는데 천자의 아들이 잘못 사람을 죽이면 당연히 어떤 죄이겠는가? 신이 꿈에 머리가 하얗게 센 한 노인을 만났더니 신에게 말해보라고 하였습니다.(子弄父兵, 罪當笞 ; 天子之子過誤殺人, 當何罪哉? 臣嘗夢見一白頭翁, 教臣言.)"라고 하였다. 이때 무제는 태자가 군사를 일으켜 강충을 죽이고 자살한 것이 두려움에서 나온 것이었음을 알고 있었다. 마침 차천추가 이 말을 하자 차천추를 불러 부자간에 대해서는 말하기 어려운 것인데 그대가 홀로 분명하게도 그런 태도를 취하지 않았으니 고조의 신령이 공을 시켜 나를 깨우치신 것이라 하고서, 그 지리에서 大鴻臚 벼슬을 내리고 몇 달 뒤 丞相에 임명하였다. 그 뒤 무제의 유조를 받아 곽광과 함께 소제를 등극시키고 보필하며, 곽광이 섭정하는 정사를 전연 시비를 말하지 않아, 곽광도 차천추를 고맙게 생각하였다. 그 뒤 燕王이 벌인 모반에 어사대부 桑弘羊이 참여하였다가 죽임을 당하자 그의 아들 桑弘遷이 달아나며 자기 아버지 휘하에서 일했던 侯史吳의 집을 다녀간 일이 있었다. 상홍천이 잡히며 이 일이 들통나 후사오의 죄를 가리게 되었다. 王平과 차천추의 사위 徐仁이 이 조사를 담당히여 "상홍친이 이비지의 모반죄에 연좌된 깃을 후사오가 숨겨주있으니 모반 죄인을 숨겨준 것이 아니고 隨從을 숨겨준 것이다.(桑遷坐父謀反, 而侯史吳藏之, 非匿反者, 廼匿爲隨者也.)"라고 하고서 마침 사면령이 내려지자 바로 풀어주었다. 그러나 후일 侍御史를 시켜 사건을 다시 조사하게 하였다. 이에 차천추는 후사오의 무죄를 거듭 주장하였다. 곽광이 이를 들어줄 것 같지 않자 二千石 이상과 博士들을 모아 후사오의 죄를 논하게 하고 여기서 모아진 의견들을 작성하여 소제에게 올렸다. 곽광이 이 소식을 듣고서 바로 왕평과 서인을 감옥에 가두고 죄를 심리하게 하고 마침내 棄市의 형을 내렸다. 조정에서 차천추에까지 죄가 미칠까 두려워하였으나 곽광이 차천추에게는 죄를 묻지 않았다.(『漢書』「杜周田」 ;「公孫劉田王楊蔡陳鄭傳」)

211 음탕한 처의 … 음모 : 위 [61-16-3] 참고
212 '서리를 밟게 … 것' : 『周易』「坤卦」 初六의 爻辭이다.

可及. 後之儒生, 雖自號爲學者, 譏議前人而反無以自立, 則亦何貴乎學哉? 予謂人才如光輩, 學者要當觀其大節, 先取其所長, 而後議其所蔽, 反身而察焉, 則庶幾爲蓄德之要. 不然, 所論雖似高, 亦爲虛言而已矣."²¹³

그렇지만 뒷날의 유생 반고班固와 같은 무리도 학문이 없음을 가지고서 곽광을 흠으로 말할 줄 알았다. 그러나 미미한 이해의 극히 털끝만 한 것을 맡게 하여도 자신이 지켜왔던 마음을 잃지 않은 자가 드문데, 물망이 곽광과 같은 처지에서 늠름히 큰일을 맡아 높은 기상이 산악과 같았으니 그것이 할 수 있는 일인가? 그렇다면 곽광에게 학문을 하지 않은 병통은 있었지만 그가 타고난 자질에서 얻어진 것은 따라잡을 수 없는 것이 있다. 후세의 유생이 자칭 학문을 한 자라면서 옛사람을 비난하는 주장을 하지만, 도리어 자신의 힘으로 세운 것이 없다면 또한 학문이 귀한 것이 무엇인가? 내가 말하건대 재능이 곽광과 같은 사람은 학자들이 당연히 그 사람의 큰 절의를 관찰하고자 해야 하니, 먼저 그의 훌륭한 점을 취하고 그 뒤에 그의 병폐를 논하여 자신의 몸에 되돌려 살핀다면 거의 덕을 쌓아가는 중요한 덕목이 될 것이다. 그렇지 않다면 논하는 말이 높더라도 또한 빈말이 될 뿐이다."

[61-16-6]

或問: "周勃 · 霍光, 在漢均有擁立之功, 優劣如何?"

潛室陳氏曰: "霍光仗忠義, 擧動光明. 平勃任智術, 蹤跡踈昧."²¹⁴

어떤 사람이 물었다. "주발과 곽광은 한나라에 있어서 똑같이 천자를 옹립한 공이 있는데²¹⁵ 우열이 어떻습니까?"

잠실 진씨가 대답하였다. "곽광은 충의에 의지하여 행동이 광명하였고, 진평과 주발은 지혜와 술수를 써 한 일이 거칠고 분명하지 못하다."

汲黯 급암

[61-17-1]

龜山楊氏曰: "周勃起布衣, 蓋椎朴鄙人, 以其重厚故可屬大事. 則天下重任, 固非狷忿禍迫者所能勝也. 武帝時, 淮南王欲反, 獨畏汲黯之節義, 至論公孫弘輩若發蒙爾. 夫汲黯之直, 爲天下敬憚如此. 予獨疑其狷忿禍迫, 臨大事不能無輕動, 輕動則失事機, 難與成功. 故武帝謂'古

213 『南軒集』「史論 · 霍光得失班固所論之外尙有可議否」
214 『木鍾集』「史」
215 주발과 곽광은 … 있는데 : 주발은 여씨의 반란을 제압하고 문제를 옹립한 공이 있다. 자세한 것은 『性理大全書』 권60 [60-15-1] 이하 참고

有社稷臣, 黯近之矣', 其有得於此乎!"216

구산 양씨가 말하였다. "주발은 평민 출신이니 대체로 투박한 촌사람이나 그가 중후하였던 까닭에 큰일을 맡길 수 있었다. 그렇다면 천하라는 막중한 책임은 외골수로 벌컥 화나 내며 속 좁은 사람들이 감당할 수 있는 것이 아니다. 무제武帝 때 회남왕淮南王이 반란을 일으키고자 하면서217 홀로 급암의 절의218를 두렵게 여기면서도, '공손홍公孫弘 같은 자는 벙거지를 벗기는 것과 같다.'219고 말할 정도였다. 급암의 올곧음을 천하가 공경하고 어려워함이 이 같았다. 내가 다만 의심하는 것은 그의 외골수로 벌컥 화나 내며 속 좁음으로는 큰일에 임해 경솔한 행동이 없을 수 없으니, 경솔히 행동하다 보면 일은 기회를 잃게 되어 함께 성공을 거두기 어렵다. 그러므로 무제가 '옛날에 사직과 생명을 함께 하는 신하社稷臣가 있더니 급암이 거기에 가까운 사람이다.'220라고 말한 것이니, 그 말은 여기서 얻어진 말일 것이다!"

· · · · · · · · · · · · · ·

216 『龜山集』「史論·汲黯」

217 淮南王이 반란을 … 하면서 : 회남왕은 劉安으로 고조의 손자이다. 아버지 劉長의 봉호를 문제 16년(기원전 164년)에 이어받은 것이다. 유장도 문제 연간에 반란을 일으켰다가 들통 나 음식을 끊고 죽었다. 유안이 오초칠국의 반란 때 참여하려다가 상국의 반대로 참여하지 못하여 목숨을 부지했으나, 무제가 즉위하자 더욱 준비를 강화하다 끝내 들통이 나 자살하였다.(『漢書』「淮南衡山濟北王傳」)

218 급암의 절의 : 급암은 東郡 北陽 사람으로 자는 長孺이다. 경제 때 太子洗馬를 지냈고, 무제 때 謁者를 거쳐 東海太守를 지내며 많은 치적을 쌓았고, 황제의 면전에서 直言을 잘하였다. 무제가 문학에 능한 儒者들을 불러 모으고서 내가 어떤 사람이 되고자 한다고 운운하자, 급암이 "폐하께서는 마음속에 욕심이 많은 채 겉으로만 仁義를 베푸시면서 어찌 요순의 정치를 본받고자 하십니까?(陛下內多欲而外施仁義, 奈何欲效唐虞之治乎?)"라고 하자, 무제가 성을 내 낯빛이 변하며 조회를 파하였다. 사람들이 책망하였으나 급암은 조정에서 비위만 맞추는 것은 군주를 옳지 않은 곳으로 빠뜨리는 것으로 조정을 욕되게 하는 것이라고 할 정도였다. 그래서 무제는 그를 社稷之臣이라 불렀다. 河內 지역의 화재를 살피러 갔다가 河南의 재해 상황이 극심한 것을 보고서 독단으로 창고의 문을 열게 하여 이재민을 구휼한 뒤 스스로 죄를 청하기도 하였다.(『史記』「汲黯傳」)

219 '公孫弘 같은 … 같다.' : 회남왕 유안이 반란을 획책하며 조정의 대신들을 회유한 계책까지 꼼꼼하게 세우면서 "급암은 직간을 좋아하고 절의를 지켜 의리를 위해 죽는 사람이고, 공손홍 등을 설복시키는 일쯤은 벙거지를 벗기는 것과 같다.(黯好直諫, 守節死義 ; 至說公孫弘等, 如發蒙耳.)"고 하였다.(『漢書』「張馮汲鄭傳」)

220 '옛날에 사직과 … 사람이다.' : 급암이 병이 많아 늘 휴가를 썼는데 병이 낫지 않았다. 嚴助가 급암을 대신해 그의 휴가를 무제에게 아뢰자 무제가 물었다. "급암은 어떤 사람인가?" 엄조가 "급암에게 벼슬을 맡아 일을 하게 하면 남들보다 나을 것은 없습니다. 그러나 어린 군주를 보필하여 이미 이룩된 사업을 지키게 하는 일에 이르러선 孟賁과 夏育(옛날의 힘이 쎘던 사람들)이라도 빼앗지 못할 것입니다.(使黯任職居官, 亡以瘉人. 然至其輔少主守成, 雖自謂賁育弗能奪也.)"라고 하자, 무제가 "그렇다. 예전에 사직과 목숨을 함께 하는 신하가 있더니 급암 같은 사람이면 가깝다고 할 것이다.(然. 古有社稷之臣, 至如汲黯近之矣.)"라고 하였다.(『漢書』「張馮汲鄭傳」)

疏廣 소광, 受 소수

[61-18-1]

或論: "二疏不合徒享爵位而去, 又不合不薦引剛直之士代己輔導太子."

朱子曰: "疏廣父子, 亦不必苛責之. 雖未盡出處之正, 然在當時親見元帝懦弱不可輔導, 他只得去, 亦是避禍而已. 觀渠自云: '不去懼貽後悔', 亦自是省事恬退底. 世間自有此等人, 他性自恬退, 又見得如此只得去. 若不去, 蕭望之便是樣子. 望之即剛直之士."[221]

어떤 사람이 논하였다. "소광疏廣과 소수疏受 두 사람이 다만 작위만을 누리다가 떠난 것[222]은 합당한 일이 아니고, 또 강직한 사람을 천거하여 자신을 대신해 태자를 보좌하고 인도하게 하지 않은 것도 합당하지 않다."

주자가 대답하였다. "소광 숙질叔姪[223]을 또한 가혹하게 책망할 필요는 없다. 출처의 바른 도리에 모두 맞지 않지만, 그러나 당시 원제가 나약하여 보좌해 인도하기에 불가하다는 것을 직접 보았으니 그로서는 단지 떠나갈 수밖에 없었으나, 역시 화를 피하려 함이었을 뿐이다. 그가 스스로 '떠나지 않았다가 후회를 남길까 두렵다.'[224]는 말을 하고 있음을 보더라도, 또한 스스로 일을 줄이고서 조용히 떠나려 함이었다. 세상에 본시 이런 유의 사람들이 있으니, 그들의 성향은 본시 조용히 떠나려고만 드는데, 또 이 같음을 보았으니 단지 떠날 수밖에 없었다. 만일 떠나지 않았으면 바로 소망지蕭望之 꼴이었으리라.[225] 소망지는 바로 강직한 사람이다."

· · · · · · · · · · · · · · ·

221 『朱子語類』 권135, 58조목

222 疏廣과 疏受 … 것: 소광은 蘭陵 사람으로 자는 仲翁이다. 『春秋』를 공부하여 고향에서 많은 학자를 가르쳤다. 선제가 태자를 세우고서 丙吉을 太傅, 소광을 少傅로 삼았다가 병길이 어사대부가 되면서 태부에 올랐다. 소수는 소광의 형의 아들로 자는 公子이다. 역시 賢良으로 천거되어 太子家令에 임명되었다가 소부가 되자, 조정에서 이들 숙질을 영광스럽게 생각하였다. 소광과 소수가 태부와 소부로 있은 지 5년 동안 세자(후일의 元帝)가 『論語』 『孝經』을 다 공부하자 소광은 조카 소수에게 물러나 돌아가자고 하였다. 이에 소수는 그 의견을 받아들여 떠나갔다. 이들 숙질이 떠나갈 때 그들을 전송하는 수레가 東都門에 수백 대가 모여들었고 도로에 구경 나온 사람이 모두 "어질도다, 두 대부여!"라고 하였다.(『漢書』「雋疏于薛平彭傳」)

223 소광 叔姪: 이 글의 원문 父子는 여기서는 숙질을 이르는 말이다. 본시 숙질 사이를 부자라고 일컫기도 한다.

224 '떠나지 않았다가 … 두렵다.': 소광이 조카 소수에게 떠나기를 권하면서 "나는 들으니 '만족할 줄 알면 욕됨이 없고, 그칠 줄 알면 위험이 없다.'고 하고, '공을 이루었으면 물러나는 것이 하늘의 도리이다.'라고 하였다. 지금 벼슬이 二千石에 이르렀으니 벼슬도 성공하였고 명예도 이룬 것이다. 이 같은데 떠나지 않았다가 후회가 있을까 두렵다. 어찌 숙질이 서로 뒤따라 장안을 떠나 고향으로 돌아가 노년을 보내고 천명대로 살다 죽는 것이 또한 좋지 않겠는가?(吾聞'知足不辱, 知止不殆,' '功遂身退, 天之道'也. 今仕官至二千石, 宦成名立. 如此不去, 懼有後悔. 豈如父子相隨出關, 歸老故鄉, 以壽命終, 不亦善乎?)"라고 하자 소수는 그 의견에 따랐다.(『漢書』「雋疏于薛平彭傳」)

225 蕭望之 꼴이었으리라.: 소광과 소망지 모두 원제를 보필한 신하들이었기 때문에 그들의 운명을 같이 본 것이다. 자세한 것은 다음 [61-23-3]~[61-23-4] 참고

魏相 위상, 趙充國 조충국

[61-19-1]

南軒張氏曰: "魏相所存不得爲正, 觀其有許史之累則可見矣. 夫欲其說之行, 而假許史以爲重, 此詭遇獲禽之心, 君子不道也. 然其爲相亦有可取者. 四方有異聞, 或有逆賊災變輒奏言之, 此誠宰相事也. 其諫伐匈奴書有曰, '今郡國守相多不實選, 風俗猶薄, 水旱不時. 按今年子弟殺父兄, 妻殺夫者, 凡二百二十二人, 臣愚以此非小變也.' 凡此在他人, 不知爲憂者, 而相獨知憂之, 亦犖乎有聞矣. 故予甚惜其進之不能以正也. 進不以正, 則牽制徇從之事必多, 而感格正揆之風或鮮矣."[226]

남헌 장씨가 말하였다. "위상[227]의 마음가짐은 바르다 할 수 없으니 그의 허사許史에 대한 잘못을 살펴보면 알 수 있다.[228] 자신의 주장을 시행시키고자 허사의 힘을 빌려 중시되게 하였으니 이는 속임수로

. . . .

226 『南軒集』「史論・丙吉得失」

227 魏相: 定陶 사람으로 자는 弱翁. 봉호는 高平侯. 시호는 憲이다. 昭帝 때 賢良으로 추천되어 河南太守를 지냈다. 이때 승상 車千秋가 죽고 차천추의 아들이 洛陽에 있는 武庫의 令이었는데, 위상이 고을을 다스리는 것이 엄격한 것을 보고 죄를 얻을까 두려워 벼슬에서 물러났다. 이에 곽광은 "나이 어린 소제가 등극하여 국가가 믿는 것은 함곡관의 험준함과 무고의 무기들인 까닭에, 함곡관은 차천추의 아우에게, 무고는 차천추의 아들에게 맡겼던 것인데, 위상이 국가의 이런 뜻을 알지 못하고 승상이 죽자 그 아들을 쫓아냈으니, 어찌하여 그다지 천박하단 말이냐?" 하며 그를 괘씸하게 생각하였다. 이때 위상이 무고한 사람을 죽였다는 글이 올라와, 위상이 수사를 받는 입장에 놓이게 되었다. 이때 하남의 군사들도 수도 장안으로 차출되어 여러 관청에서 수자리 살던 3천 명이 곽광의 행차를 막아서서 위상을 위해 1년간 더 부역하여 위상의 죄를 속죄하겠다고 청하고, 하남 지역의 노약자들 1만여 명이 함곡관을 지키며 자신들의 글을 올려주기를 청하였다. 그러나 곽광은 위상을 獄官에게 넘겨 죄를 다스리게 하여 한 해 겨울을 감옥에서 나야 했다. 이때 사면령이 내려져 다시 예전의 武陵令에 임명되었다. 이때 丙吉이 光祿大夫로 있으며 위상에게 편지를 보내 앞으로 크게 등용할 것이니 자중하라고 말하였다. 선제가 즉위하고 곽광이 죽자, 곽광 집안의 권세를 제거하게 하였고 성급한 흉노 정벌을 간하여 중지시켰다.(『漢書』「魏相傳」)

228 그의 許史에 … 있다.: 허사는 한나라 때 왕실의 外戚을 이르는 말이다. 여기서 許는 宣帝의 황후 허씨 집안을 이르고, 史는 선제의 외가 성씨이다. 대표적인 인물로 허씨는 선제 황후의 친정아버지 許伯, 사씨 집안의 인물은 史高였다. 『漢書』「蓋寬饒傳」 "上無許史之屬, 下無金張之託."의 顔師古의 주석에서 "허백은 선제 황후의 아버지이고, 사고는 선제 외가이다.(許伯, 宣帝皇后父 ; 史高, 宣帝外家也.)"라고 하였다. 위상이 곽광의 미움을 사 벼슬길이 순탄치 않았으나, 곽광이 죽은 뒤 곽광 집안의 권력을 제거해야 한다는 글을 선제에게 올리면서 선제의 장인인 許伯을 통하였다. 허백을 통한 이유는 당시 제도가 임금에게 글을 올리려면 尙書省을 통했는데 반드시 副本을 갖추게 하여 상서성에서 검토한 뒤 내용에 문제가 없으면 원본이 천자에게 올려졌다. 위상은 이 상서성에 올리는 글이 곽광 세력에 의하여 폐기될 것을 걱정하여 허백을 통하여 부본 없이 바로 천자인 선제에게 올린 것이다. 선제가 위상이 올린 글을 읽고서야 자신의 첫째 황후 허씨가 곽광의 부인 顯에게 독살당한 사실을 알았다. 이에 곽광 집안의 벼슬들을 제거하기 시작하며 위상을 등용하여 승상으로 삼았다.(『漢書』「魏相傳」)

짐승을 사냥질하는 마음[229]이라서 군자들이 바르게 보지 않는다. 그러나 그가 승상承相이 되었을 적에 또한 취할 만한 점이 있다. 사방의 별다른 소문들 중에서도 혹여 역적이나 재이災異의 변괴가 발생하면 바로 아뢰었음은, 이것은 참으로 재상다운 일이다. 그가 흉노의 정벌에 대해 간하는 글에 '지금 군郡의 수령과 나라의 상국이 대부분 실재에 근거하여 선발되지 않아 풍속이 여전히 야박하며 홍수와 가뭄이 때 없이 발생하고 있습니다. 살펴보면 올해 아들과 아우가 아버지와 형을 살해하고, 아내가 지아비를 살해한 것이 모두 222명이니, 신의 어리석음으로는 이는 작은 변괴가 아닙니다.'라고 한 말이 있다.[230] 이런 일은 다른 사람들의 경우 걱정할 일인 줄조차도 모르는데, 승상 혼자서 걱정해야 할 일인 줄 알았으니, 또한 학문이 있어서이다. 그러므로 나는 그가 벼슬에 나아가는 것이 바르지 못하였음을 애석해 한다. 나아가는 것이 바르지 못하면 발목이 잡혀 순종해야 할 일이 반드시 많아지며 (군주를) 감동시키고 바르게 구원하는 기풍이 아무래도 적어지게 된다."

[61-19-2]

"漢將誠當以趙充國爲最. 凡將之病, 患於勇而不詳也. 充國蓋更軍事多矣, 及聞西羌之事則不敢以遽, 而曰: '兵難遙度, 願馳至金城圖上方略', 其不敢忽如此. 蓋思慮之深, 經歷之多, 孔子所謂'臨事而懼, 好謀而成者'也. 將之病, 在於急近功也. 充國則圖其萬全, 陳屯田十二利, 持久而爲不可動之計. 其規模與孔明渭上之師, 何以異哉? 將之病, 在果於殺而不恤百姓也. 充國任閫外之寄, 而爲國家根本之慮, 要使百姓安邊圉疆, 而西戎坐消焉. 此殆三代之將, 非戰國以來摧鋒折敵者所可班也. 反覆究其規模, 味其風旨, 遠大周密拔出倫輩. 予謂充國在宣帝時, 且不獨爲賢將, 殆可相也. 使其爲相, 必能爲國家, 圖回制度爲後世慮, 安養百姓爲邦本計, 如魏相輩, 皆當在其下風耳."[231]

(남헌 장씨가 말하였다.) "한나라 장수에서는 당연히 조충국趙充國[232]을 최고로 쳐야 한다. 모든 장수의 병통은 용맹스러우나 자상하지 않다는 점이 걱정거리이다. 충국은 군사 관계에 대한 경험이 많으면서도, 서강西羌의 일을 듣고서 감히 대뜸 말하려 들지 않고,[233] '전쟁은 멀리서 헤아리기 어려우니, 금성金城으

229 속임수로 짐승을 … 마음: 자기가 얻고자 하는 것을 정당하지 않은 방법을 사용하여 얻으려는 것을 비판한 말이다. 『孟子』「滕文公下」에서 말몰이꾼 王良이 "내가 말 몰기를 법대로 하자 종일 한 마리 짐승도 잡지 못하더니, 속임수로 짐승과 만나게 해주자 하루아침에 열 마리의 짐승을 잡았다.(吾爲之範我馳驅, 終日不獲一; 爲之詭遇, 一朝而獲十.)"고 한 말에서 연유한 것이다.

230 흉노의 정벌에 … 아닙니다.: 위상이 승상이 된 초기에 올린 글이다. 흉노가 한나라의 屯田을 공격하자 선제는 趙充國과 흉노 정벌을 계획하였다. 그러나 위상의 이 글을 읽은 선제는 흉노 정벌을 중지하였다.(『漢書』「魏相傳」)

231 『南軒集』「史論·自高帝諸將之外其餘漢將孰賢」

232 趙充國: 上邦사람. 자는 翁孫. 봉호는 營平侯. 시호는 壯. 벼슬은 中郎, 後將軍, 衛尉. 무예에 능하였고 변방의 실정에 밝았다. 昭帝가 죽은 뒤 곽광과 함께 宣帝를 옹립하였다. 벼슬에서 물러난 뒤 86세에 죽을 때까지 변방의 일을 결정할 때는 언제나 그에게 계책을 구했다. 成帝 때 서강이 다시 침입하자 성제가 그의 예전 공을 추모하여 揚雄을 시켜 未央宮에 그려진 畵像의 贊을 짓게 하였다.(『漢書』「趙充國傳」)

로 달려가서 방략方略을 도모해 올리고자 하옵니다.'라고 하였으니, 그의 감히 가볍지 않음이 이와 같다. 그의 깊은 생각과 많은 경험은 공자가 말한 '일에 임하여 두려워하고 계책 내기를 좋아하여 일을 성공시킨 자'일 것이다.[234] 장수의 흠은 금방의 공을 급하게 여기는 데에 있다. 그런데 충국은 만전을 도모하여 둔전屯田의 열 두 가지 이로운 점을 진술하여, 오랫동안 버텨내며 까딱하지 않을 계책을 만들고자 하였다.[235] 그 규모가 공명孔明의 위상渭上의 군사[236]와 무엇이 다른가? 장수의 흠은 살상에 과감하고 백성들을 걱정하려 하지 않음에 있다. 충국은 곤외閫外를 맡기는 책임을 맡고서 국가 근본에 대한 생각을 시도하여 백성들이 변경을 편안하게 여기는 것으로 국경을 막아, 서융西戎이 앉아서 소멸되게 하려는 것이었다. 이는 거의 삼대 시절의 장수가 하던 일이니, 전국시대 이후의 예봉을 꺾는 것으로 적을 굴복시키려 하던 자들이 짝할 수 있는 수준이 아니다. 거듭 그 제도에 대해 연구해 보고 그것에 담긴 뜻을 음미해 보노라면, 원대하고 주밀함이 무리들 중 단연 뛰어났다. 나의 생각으로는 충국이 선제宣帝 시대에 있어서 또한 단지 어진 장수만 될 수 있지 않고 거의 승상을 시킬 만한 사람이었다. 그에게 승상을 시켰으면 반드시 국가를 위해 제도의 회복을 도모하여 후세를 위한 생각을 했을 것이고, 백성을 편안히 살게 하는 것으로 나라의 근본을 삼는 계책을 했을 것이다. 위상魏相 같은 무리[237]는 모두 당연히 그 아래

* * * * * * * * * * * * * * *

233 西羌의 일을 … 않고, : 조충국은 어려서부터 장수가 되기를 원하여 병법을 배우고 서쪽 오랑캐들을 연구하였다. 武帝 때 장수로 출전하여 여러 차례 그들을 격파하였다. 이때 安國이 서쪽 지역을 돌며 여러 羌族들의 부화를 돋웠다가 도리어 군사를 잃고 되돌아왔다. 이에 무제는 70여 세의 조충국에게 서쪽 강족의 형세를 묻고 군사 얼마 정도를 내야 그들을 물리칠 수 있을 것인지 물었다. 그러자 조충국은 멀리서 헤아리기는 어려우나 오래지 않아 멸망시킬 것이라며 모든 것을 조충국 자신에게 맡겨달라고 하였다.(『漢書』「趙充國傳」)

234 공자가 말한 … 것이다. : 『論語』「述而」에 실린 말이다. "자로가 '선생님께서 三軍을 지휘하신다면 누구와 함께하시겠습니까?'라고 묻자, 공자는 '호랑이를 맨손으로 잡고 황하를 맨몸으로 건너며 죽음도 후회하지 않을 사람이 내가 함께 하지 않을 것이다. 반드시 일에 임하여 두려워하며 계책 내기를 좋아하여 성공시키는 자일 것이다.'라고 하였다.(子路曰, 子行三軍則誰與? 子曰, 暴虎馮河, 死而無悔者, 吾不與也. 必也臨事而懼, 好謀而成者也.)"

235 屯田의 열 … 하였다. : 조충국이 서쪽의 강족 토벌에 나서 여러 가지 계책을 조정에 올렸으나 그때마다 무제는 그것을 조정 회의에 붙였다. 이 둔전 계책을 올리자 조정에서는 지금 시급하게 그들을 물리쳐야 하는데 무슨 둔전이냐는 반론이 일었다. 이에 무제는 조충국에게 자세한 내용을 다시 써 올리게 하였다. 이에 조충국은 둔전의 열 두 가지 이로운 점을 나열하여 올렸다. 드디어 조정에서 둔전을 허락하였다.(『漢書』「趙充國傳」)

236 孔明의 渭上의 군사 : 제갈공명이 後主 建興 11년(233년)에 魏나라를 치기 위해 斜谷口에 군량을 집결시키고 斜谷의 관청을 손질하였다. 제갈량이 한나라 공격에서 군량을 조달할 길이 없어 퇴각한 일이 앞서 陳倉과 祈山 등 두 곳에서 있었고, 앞으로의 전투에서 그것이 늘 걱정이었다. 마침내 건흥 12년 사곡에서 나와 渭南에서 司馬懿와 대치하였으나 군량이 걱정이었다. 이에 군사를 나누어 둔전시키며 오랫동안 머무를 계책을 꾸렸다. 둔전하는 군사를 渭水 주위의 민간인들 사이에 섞어 농사짓게 하자 백성들도 위나라로부터 위험을 덜 수 있어 안심하고 군사들도 사사로운 생각을 갖지 않게 되었다. 그러나 이 전투에서 서로 1백여 일을 버티다가 결국 제갈공명은 생명이 다해 이곳에서 죽게 된다.(『三國志』「諸葛亮殿」)

237 魏相 같은 무리 : 조충국이 서쪽 지역의 강족을 토벌하면서 계책들을 조정에 올려 보내면 무제는 늘 이를 조정 회의에 붙여 논의하였는데, 처음에는 조충국의 계책을 지지하는 사람이 열 사람에 세 명 정도, 중간에는 5명 정도, 마지막에는 8명이나 되었다. 이에 무제가 앞서 옳지 않다고 말한 자들을 힐난하자 모두 머리를

반열일 것이다."

丙吉 병길

[61-20-1]

涑水司馬氏曰: "丙吉爲丞相, 出逢群盜格鬪死傷橫道, 過之不問, 見牛喘而問之, 以爲'詰禁盜賊, 守令之事, 陰陽不調, 此乃宰相職耳,' 談者美之. 愚竊以爲不然. 夫宰相所以治陰陽者, 豈拱手端冕, 無所施設, 而陰陽自調? 蓋亦佐人主治庶政, 安四海, 使和氣洋洋, 薄於宇宙, 旁暢周達, 浸潤滲漉, 明則百姓洽, 幽則鬼神諧. 然後寒暑時至, 萬物阜安. 雖古昔聖人之治天下, 至於陰陽和寒暑時而至治極矣, 豈庸人所能致哉?

속수 사마씨涑水司馬氏[司馬光]가 말하였다. "병길丙吉[238]이 승상이 되어 나들이 가던 길에 떼강도가 치고받고 싸우다 죽고 다쳐 길에 이리저리 널브러져 있었는데 지나쳐 버리고 묻지 않다가 소가 헐떡이는 것을 보고서는 그 사유를 물으며 '도적 떼를 법령에 따라 다스리는 것은 수령의 일이고, 음양陰陽(날씨)을 조화

. . . .

조아리며 잘못을 시인하였다. "승상 위상은 '신이 어리석어 군사 일에 관한 이해가 부족했습니다. 후장군 조충국이 세운 여러 가지 군사 책략은 그의 말이 늘 옳습니다. 신이 그 계책의 쓸 만함을 반드시 보증할 수 있습니다.'라고 하였다.(丞相魏相曰, 臣愚不習兵事利害. 後將軍數畫軍册, 其言常是. 臣任其計可必用也.)" 위상 스스로가 조충국의 식견에 미치지 못했다고 인정한 사실을 살펴볼 수 있는 곳이다.(『漢書』「趙充國傳」)

238 丙吉: 성은 邴으로 쓰기도 한다. 자는 少卿. 魯나라 사람으로 法을 공부하여 魯나라 獄司로 등용되었고, 많은 공을 쌓아 한나라의 廷尉右監에 올랐다. 죄에 연루되어 고향으로 돌아갔다가 武帝 말년에 巫蠱의 獄事가 일어나자 징발되어 각 郡의 감옥을 돌며 罪案 처리의 일을 맡았다. 이때 宣帝가 태어난 지 몇 달도 안 된 몸으로 감옥에 수금되어 있었다. 병길은 무고의 옥사에 戾太子의 죄가 없고 태자의 손자인 皇曾孫에게도 죄가 없음을 알았다. 이에 선제를 감옥의 여자 죄수에게 맡겨 보호하게 하고 무고의 옥사에 대한 판결을 내리지 않았다. 훗날 어떤 사람이 長安의 감옥에 天子의 기운이 서려 있다고 하자 무제는 장안 감옥의 죄수들을 모두 죽이라는 명령을 내렸다. 이에 병길이 명령 받은 사신을 감옥 문에서 막아서서 들여보내지 않으며 황증손이 이곳에 살아 있노라고 하였다. 사신이 어쩔 수 없이 돌아가 이 사유를 무제에게 아뢰자 무제도 깨닫고서 "하늘이 시킨 것이다.(天使之也)" 하고서 천하에 사면령을 내려 갇혔던 사람들이 수없이 살아났다. 그 뒤 사재를 털어 황증손의 양육을 돌보았다. 대장군 곽광의 長史로 있으며 昌邑王賀가 폐위되자 황증손을 제위에 등극시킬 것을 건의하여 마침내 선제가 등극하였다. 이어 太子太傅에 오르고 博陽侯에 봉하여지고 승상에 올랐다. 정치가 늘 관대하였고, 관원이 돈을 받거나 직책을 수행하지 못하면 장기 휴가를 보내 면직시키고 직접 죄를 내리지 않았다. 이를 두고 "어떤 사람이 병길에게 '당신이 한나라 승상이 되면서 간사한 관원들이 사사로운 이익을 챙기는데도 아무 죄를 받고 있지 않습니다.'라고 하자, 병길은 '삼공의 관서에서 조그만 관원들의 죄나 조사하고 있다는 말이 있는 것을 나는 비루하게 여긴다.'고 하였다. 나중에 병길을 대신하여 승상에 임명된 사람들이 이를 고사로 삼아, 삼공의 관서에서는 조그만 관원의 죄를 조사하지 않는 것이 병길로부터 시작되었다.(或謂吉曰, 君侯爲漢相, 姦吏成其私, 然無所懲艾. 吉曰, 夫以三公之府, 有案吏之名, 吾竊陋焉. 後人代吉, 因以爲故事, 公府不案吏, 自吉始.)"라고 하였다.(『漢書』「丙吉傳」)

시키는 일은 바로 재상이 책임져야 할 일이다.'[239]라고 말한 것을 두고, 사람들이 이를 찬미하고 있다. 나는 혼자서 그렇게 생각하지 않는다. 재상이 음양을 다스린다는 일이, 어찌 두 손을 공손히 마주잡고 현단복玄端服(검은색의 예복禮服을 입고 면류관冕旒冠을 쓰고서 아무 일을 하지 않아도 음양이 저절로 조화되겠는가? 또한 군주를 도와 여러 정사를 다스리고 천하를 편안하게 하여, 화기和氣가 그득히 넘쳐나 우주에 피어나고 사방 구석구석에 퍼져 적셔지고 스며들어야 이승에서는 백성이 흡족하고 저승에서는 귀신이 기뻐할 것이다. 그런 뒤에 추위와 더위가 때에 맞고 만물이 풍족하고 편안하여질 것이다. 예전 성군聖君의 천하 통치도 음양이 조화를 이루고 추위와 더위가 시절에 맞아 지극한 정치가 극에 이르렀다. 어찌 용렬한 사람이 이룰 수 있는 것이겠는가?

當丙吉爲政之時, 政治之不得, 刑罰之失中, 不肖之未去, 忠賢之未進, 可勝紀哉? 釋此不慮, 而慮於牛喘以求陰陽, 不亦疎乎? 且京邑之內, 盜賊縱橫, 政之不行, 孰甚於此? 詩云: '商邑翼翼. 四方之極.' 近不能正, 如遠人何? 若曰: '守令之職', 守令不賢, 當責何人? 非執政者之過而又誰歟? 昔士會爲政, 晉國之盜逃奔於秦, 子産爲政, 桃李垂於街者莫援. 若盜賊不禁, 而曰長安令之職, 風俗不和, 而曰三老之職; 刑罰不當, 而曰廷尉之職; 衣食不足, 而曰司農之職. 推而演之, 天下之事, 各有其官, 則宰相居於其間, 悉無所與. 而曰: '主調陰陽', 陰陽固可坐而調耶? 愚以爲丙吉自知居其位而無益於世, 飾智譎問以撝其迹, 抑亦自欺而已矣."[240]

병길이 정사를 집행할 적에 정치가 제자리를 얻지 못한 것, 형벌이 합당함을 잃은 것, 불초한 자가 제거되지 않은 것, 충현忠賢이 진출하지 못한 것을 죄다 기록할 수 있겠는가? 이는 제쳐두고 걱정하지 않으면

239 '도적 떼를 … 일이다.' : 이를 『漢書』「丙吉傳」에 의거하여 자세하게 보면 다음과 같다. "병길이 또 한 번 나들이하게 되었는데, 병길의 나들이 길을 위해 도로의 잡인들을 단속하는 일을 맡은 자들끼리 싸움을 벌여 죽고 다친 자가 길에 널브러져 있었다. 병길이 그곳을 지나가면서도 사유를 묻지 않아 관원이 이를 혼자서 괴이하게 여겼다. 병길이 계속 길을 가다가 어떤 사람이 소를 끌고 가는데 소가 헐떡이며 혀를 길게 빼고 있는 모습을 만나게 되었다. 병길이 수레를 멈추게 하고 말을 타고 따르던 관원을 시켜 '소를 몇 里 정도 끌고 왔습니까? 하고 묻게 하였다. 관원이 혼자서 승상이 앞서 물을 것은 묻지 않고 뒤에 물지 않을 것은 묻는다고 여겼다. 어떤 사람이 병길에게 비평하자, 병길은 '백성들끼리 서로 싸워 죽고 다친 것은 長安令과 京兆尹이 직책상 마땅히 금지시키고 수사해서 체포해야 할 일이니, 12월에 가서 승상은 그들의 치적에 등급을 정하여 상과 벌을 아뢰어 시행할 뿐이다. 재상은 작은 일은 직접 하지 않으니 도로에서 물어야 할 일이 아니다. 지금 봄철은 少陽이 기후를 관장할 때라서 크게 더운 것은 옳지 않다. 소가 가까운 길을 걷고서도 더위 때문에 헐떡이는가 두려웠으니, 이는 기후가 철과 맞지 않은 것이라서 그로 인해 피해가 발생할까 두려웠다. 三公은 음양의 조화를 맡았으니 당연히 근심하여야 할 일이라서 물었던 것이다.'라고 하자, 관원이 이에 감복하며 병길이 '대국적인 大體'를 안다고 여겼다.(吉又嘗出, 逢淸道羣鬪者, 死傷橫道. 吉過之不問, 掾史獨怪之. 吉前行, 逢人逐牛, 牛喘吐舌. 吉止駐, 使騎吏問, '逐牛行幾里矣?' 掾史獨謂丞相前後失問. 或以譏吉, 吉曰, '民鬪相殺傷, 長安令京兆尹職所當禁備逐捕, 歲竟, 丞相課其殿最, 奏行賞罰而已. 宰相不親小事, 非所當於道路問也. 方春少陽用事, 未可大熱. 恐牛近行, 用暑故喘, 此時氣失節, 恐有所傷害也. 三公典調和陰陽, 職當憂, 是以問之,' 掾史乃服, 以吉知大體.)"

240 『傳家集』「論·邴吉論」

서 소가 헐떡이는 것을 걱정하여 음양의 조화를 탐구해보고자 하였으니, 또한 생뚱맞지 않은가? 또 서울 안에 도적이 종횡으로 활보한다면 정치가 제대로 작동하지 않는 것 가운데 이보다 심한 경우가 있겠는가. 『시경』에 '서울이 정연하니 사방의 법도로다.'[241]라고 노래하였다. 가까운 곳도 바로잡지 못한다면 먼 지역 사람은 어찌겠는가? 만일 '수령의 직책이다.'라고 말한다면 수령이 현명하지 못한 것은 당연히 누구의 책임일까? 집정자執政者의 허물이 아니고 또 누구의 것이겠는가? 예전에 사회士會가 정사를 집행하자 진晉나라의 도적이 진秦나라로 도망쳤고,[242] 자산子産이 정사를 집행하자 복숭아나무와 자두나무의 길가로 드리운 가지를 휘어잡는 자가 없었다.[243] 만일 도적이 없어지지 않음을 '장안長安 수령의 직책이다.'고 말한다면, 풍속이 화평하지 못함은 삼로三老의 직책이라 말할 것이고, 형벌이 합당하지 않음은 정위廷尉의 직책이라 말할 것이고, 의복과 식량이 부족한 것은 사농司農의 직책이라 말할 것이다. 미루어 넓혀가면 천하의 일에는 각기 해당 관원이 있으니 그렇다면 재상은 그 사이에서 모든 일에 관계될 일이 없다. 그런데 '음양의 조화를 주관한다.'고 말하고 있으니, 음양은 참으로 가만히 앉아서도 조화되는 것인가? 나의 생각으로는 병길이 그 자리에 앉았으나 세상에 도움을 줄 만한 것이 없음을 스스로 알고서 지혜로운 양 가장하여 속임수를 쓴 물음으로 자신을 숨기려한 것이나, 또한 자신만을 속였을 따름이다."

[61-20-2]

南軒張氏曰 : "丙吉深厚不伐, 在他人亦無所難者, 其德厚可稱也. 其爲相若寬緩者, 雖天資則然. 意亦以宣帝之政尙猛, 而有矯之之意歟! 然抑亦太甚矣. 至於韓延壽楊惲之死, 則亦莫能救也. 吉見謂不親小事知大體, 二卿之死, 夫豈事之小者耶? 濫刑若是, 其於大體何有? 若語其才識, 蓋不逮魏相遠矣."[244]

- -

241 『詩經』「商頌·殷武」
242 士會가 정사를 … 도망쳤고 : 사회는 춘추시대 晉나라의 正卿으로 시호는 武子이다. 처음에 食邑을 隨 지역으로 받았다가 다시 范 지역으로 받은 데에서 그의 시호에 식읍을 붙여 范武子라고도 부르고, 隨會, 隨季로도 불린다. 그가 宣公 16년(기원전 593년)에 진나라의 中軍에 오르며 太傅를 겸직하자 진나라의 도적들이 모두 秦나라로 도망쳤다. 이것을 두고 羊舌職이 "나는 듣자하니 '禹임금이 선한 사람을 등용하자 선하지 않은 사람들이 멀어졌다.'고 하였는데, 이를 두고 한 말이다. 『詩經』에 '두려워하고 조심하여 마치 깊은 연못 위에 있는 듯, 살얼음을 밟는 듯하라.'고 말한 것은 선한 사람이 군상의 자리에 있어서이다. 선한 사람이 군상의 자리에 있으면 나라에 요행으로 살아가는 백성이 없어진다.(吾聞之, 禹稱善人, 不善人遠, 此之謂也. 夫詩曰, 戰戰兢兢, 如臨深淵, 如履薄冰, 善人在上也, 善人在上, 則國無幸民.)"고 하였다. 사회가 선인이라는 칭찬이다.
243 子産이 정사를 … 없었다. : 자산은 춘추시대 鄭나라 상국으로 자산은 그의 자이고, 본명은 公孫僑이다. 穆公의 손자로 아버지 公子發의 字가 子國이어서 國을 성씨처럼 써서 國僑로 부르기도 한다. 『呂氏春秋』「愼大覽下賢」에서 "정자산이 정나라의 상국이 된 지 18년 동안 형벌을 내린 사람이 3명, 사형을 집행한 사람이 2명이었고, 길로 드리운 복숭아나무나 자두나무 가지를 타고 오르는 자 없었으며 송곳이나 칼이 길에 흘려진 것을 줍는 자가 없었다.(相鄭十八年, 刑三人, 殺二人, 桃李之垂於行者, 莫之援也 ; 錐刀之遺於道者, 莫之舉也.)"고 하였다.
244 『南軒集』「史論·丙魏得失」

남헌 장씨가 말하였다. "병길은 (사람됨이) 깊고 두터우면서 (자신의 공을) 자랑함이 없었고 남들과도 또한 어렵게 지내는 사람이 없었으니 그의 두터운 덕은 칭찬할 만하다. 그가 승상이 되어 관대하고 느슨한 듯 보인 것은 타고난 자질이 그러하여서이지만, 아마도 또한 선제의 정사가 사나움을 위주한데에서 그것을 바로잡고자 하는 의도가 담겨서일 것이다. 그러나 또한 너무 심하다. 한연수韓延壽[245]와 양운楊惲[246]이 죽어가는 데도 또한 구원하지 못하였다. 병길의 견해는 자잘한 일을 직접 하지 않는 것이 '대국적인 도리[大體]'를 아는 것으로 생각하였겠지만, 경卿 두 사람의 죽음이 어찌 작은 일일 수 있겠는가? 형벌의 남용이 이 같은데 그의 대체란 어떤 것인가? 그의 재주와 식견을 두고 말한다면 위상魏相에 한참 못 미칠 것이다."

黃霸 황패

[61-21-1]

象山陸氏曰: "黃霸爲潁川守, 鰥寡孤獨死無以葬者, 霸爲區處, 曰'某所木可爲棺, 某亭豬可以祭', 吏徃皆如其言. 遣吏司察事, 旣還, 而勞其食於道傍, 爲烏所攫肉. 事每得實, 人無敢欺, 皆以爲神. 史家載其得之之由, 以爲'語次尋繹, 問他陰伏, 以相參考'. 後世儒者乃以爲鉤距而鄙之, 此在黃霸雖未盡善, 而後儒非之者猶爲無知. 蓋不論其本而論其末, 不觀其心而遽議其行事, 則皆不足以論人. 原霸之心, 本欲免人之欺, 求事之實而已."[247]

상산 육씨象山陸氏[陸九淵]가 말하였다. "황패[248]가 영천潁川의 수령이 되었을 때, 홀아비와 홀어미, 고아와

245 韓延壽: 京兆의 杜陵 사람. 자는 長公. 아버지의 공으로 諫大夫에 등용되어 淮陽太守와 東郡太守를 지내며 교화에 힘써 백성들이 잘 다스려졌다. 蕭望之기 左馮翊에서 御史大夫로 옮겨가며 자리를 이어받았는데, 한연수의 명성이 자신보다 더 유명해지는 것을 시기한 나머지 병길에게 한연수의 이전 죄를 조사할 것을 의논하였다. 병길은 그것들은 이미 사면령 이전의 일이니 조사할 필요가 없다고 하였으나, 어사대부의 직함을 이용하여 결국 선제의 미움을 사게 하였고 棄市刑에 처해지게 했다. 이때 한연수를 전송하는 사람들이 서로 술을 권하여 형장으로 가는 동안에 마신 술이 한 石 남짓이었으며 눈물을 흘리지 않는 자가 없었다. (『漢書』「趙尹韓張兩王傳」)

246 楊惲: 楊敞의 아들이자 司馬遷의 외손자. 자는 子幼. 宣帝 때 霍光 집안의 모반을 고발하여 左曹에서 中郎將에 오르고 平通侯에 봉해졌다. 재물에 청렴하여 많은 재산과 생기는 재산을 번번이 집안사람들에게 모두 나누어 주었다. 남의 과오를 말하기 좋아하여 庶人으로 강등되었고, 孫會宗에게 보낸 편지가 빌미가 되어 이를 본 선제가 대역무도죄로 다스려 腰斬刑에 처해지고, 그와 친했던 사람들도 면직되었다.(『漢書』「公孫劉田王楊蔡陳鄭傳」)

247 『象山集』「書·與趙推」

248 황패: 淮陽 陽夏 사람. 자는 次公, 봉호는 建成侯, 시호는 定이다. 武帝 말년부터 법 적용이 까다로워지다가 곽광이 어린 昭帝를 보필하며 더욱 매섭게 형벌을 적용하여 가혹한 것이 유능한 것으로 받아들여졌다. 宣帝가 민간에서 살며 백성들이 가혹한 형벌에 시달리는 것을 알고는 등극하여 황패의 정사가 평소 관대함을

자식 없는 늙은이들로서 죽은 뒤 장례 치러줄 사람이 없는 자를 황패가 장례 치러주며, '어느 곳의 나무가 관을 짤 만하고 어느 정亭의 돼지가 제사 지낼 만하다.'[249]고 하여, 관리가 찾아가보면 모두 그의 말과 같았다. 관원을 파견하여 일을 조사하게 하고서 끝내고 돌아오자, 길가에서 밥을 먹으려다 까마귀에게 고기를 빼앗기게 된 것을 위로하였는데[250] 일마다 실지와 부합하여 백성들이 감히 속일 수 없자 모두들 귀신이라고 말하였다. 역사가 그가 이렇게 된 까닭을 기록하기를, '말을 나누는 속에서 실마리를 찾아내 감춰진 사실을 묻고 이리저리 참고하였다.'[251]고 하였다. 후세 유자들은 그것을 가지고 꼬투리를 잡아 파내는 것이라며 비루하게 여겼으나, 황패의 처지에서 본다면 십분 완전한 것은 아니지만 후세 유자들이 이를 그르게 여기는 것은 오히려 무지無知한 것이다. 그 근본을 논하지 않고 그 지엽만을 가지고 논하고, 그 사람의 마음을 살피지 않고 대뜸 그 사람이 한 일만을 가지고 말하는 일은 사람을 논하는 일에 있어 충분한 것이 아니다. 황패의 마음을 추구해보면, 본시 남에게 속지 않고 일의 실상을 찾아보고자 한 것일 따름이다."

匡衡 광형

[61-22-1]
朱子曰: "嘗見一人云: '匡衡做得相業全然不是. 只是所上疏議論甚好, 恐是收得好懷挾.'
又云: "如答求史遷書淮陽王, 其詞甚好."
又曰: "如宣元間詔令, 及戒諸侯王詔令皆好, 不知是何人做. 漢初時却無此議論, 漢初却未曾

알고 廷尉正에 등용하였다. 밀려있는 여러 의심난 옥사를 다스리며 공평하게 잘 처리하여 억울한 사람이 없었으나, 夏侯勝의 죄에 연관되어 감옥에서 갇혀 지내는 3년 동안 하후승에게 『書經』을 배웠다. 이어 揚州刺史와 영천태수를 지내고 승상에 올랐다. 후세에 龔遂와 함께 循吏의 대표적인 인물로 추앙되어 龔黃으로 불린다.(『漢書』「循吏傳」)

249 어느 亭의 … 만하다. : 亭은 『漢書』「循吏傳」에 의하면 郵亭을 이르고 우정은 후세의 驛館과 같은 곳이다. 「循吏傳」에 따르면 황패는 영천의 수령으로 부임하여 "우정과 鄕官에 모두 가축을 기르게 하여 홀아비와 홀어미와 가난한 자들에 대한 구휼에 쓰이게 하였다.(使郵亭鄕官皆畜雞豚, 以贍鰥寡貧窮者.)"고 하였다. 곧 그곳에서 기르는 가축의 실정을 낱낱이 알아 그것을 이용하였다는 말이다.

250 관원을 파견하여 … 위로하였는데 : 황패가 어떤 일을 조사하고자 하여 나이 많고 청렴한 관원을 파견하여 조사시키면서, 비밀리에 일을 진행하고 오가는 길에도 郵亭에 머무르지 못하게 하였다. 그래서 이 관리가 우정에 들지 못하고 길가에서 밥을 먹으려는데 까마귀가 고깃점을 채서 날아가 버렸다. 어떤 백성이 수령 황패를 찾아가 말할 일이 있어 길을 나섰다가 이 일을 목도하였다. 백성이 황패와 말을 나누다가 이 일을 말하였다. 후일 그 관리가 돌아와 황패에게 인사하자, 황패는 맞이해 위로하며 "까마귀에게 고깃점까지 잃어가며 매우 고생하였다."라고 하자 관리는 대경실색하였다. 그리고서는 일 하나하나를 털끝만큼도 숨기지 않고 모두 말하였다.(『漢書』「循吏傳」)

251 '말을 나누는 … 참고하였다.' : 『漢書』「循吏傳」의 황패에 대한 기사 내용을 그대로 인용한 것이다.

講貫得恁地."

又曰: "匡衡説詩關雎等處甚好, 亦是有所師授, 講究得到."[252]

주자가 말하였다. "일찍이 어떤 사람을 만났더니, '광형[253]이 승상으로서 한 일들은 전연 옳지 않다. 단지 상소하여 논한 일들만큼은 매우 좋으니, 아마도 좋은 말들을 모아 마음에 간직했던 듯하다.'고 하였다.

또 이르기를 "예컨대 회양왕淮陽王에게 사관史官으로 전직되기를 구하는 편지는 그 말이 매우 좋다."라고 하였다.

또 말하였다. "선제宣帝와 원제元帝 사이의 조령과 제후왕諸侯王들을 경계시킨 조령詔令들이 모두 좋으니 어떤 사람이 지었는지 알지 못하겠다. 한나라 초기에는 이러한 말이 전연 없었고 한나라 초기에는 일찍이 이런 것을 공부하지도 않았다."

또 말하였다. "광형의 『시경』「관저關雎」장 등에 대한 설명[254]은 매우 좋으니, 역시 스승에게 배운 것이 있었기에 터득해 낸 것이리라."

---

252 『朱子語類』 권135, 59조목

253 광형: 東海 承 땅 사람. 자는 稚圭. 后倉에게 『齊詩』를 배워 『詩』를 잘 설명하였다. 宣帝 때 甲科에 합격하여 平原文學에 임명되자, 학자들이 선제에게 글을 올려 그를 당시 최고의 학자로 손꼽으며 "경사의 벼슬에 등용하여 학자들이 쉽게 공부할 수 있게 해야 한다."하였고, 당시 太子太傅였던 蕭望之도 광형은 經學에 정통하였다고 하였다. 그러나 선제가 儒者를 존숭하시 않았기 때문에 경사의 벼슬에 등용되지 못하였다. 그러나 선제의 태자였던 元帝가 훌륭하게 여겼는데, 등극하면서 외할버지 史高가 추천하자 郎中을 우선 수여하였다가 이어 博士에 임명하고 給事中으로 등용하였다. "조정에서 정사에 대한 논의가 있을 적이면 경전의 뜻에 근거하여 대답하니 말마다 대부분 법과 의리에 합당하였다.(朝廷有政議, 傳經以對, 言多法義.)"는 평을 얻으며 원제의 믿음을 사 어사대부를 거쳐 승상에 오르고 樂安侯에 봉해졌다. 成帝가 등극하면서 中書令 石顯의 잘못을 말하지 않고 비위를 맞췄다는 비판을 받자 물러났고, 이어 식읍에서 세금을 과다하게 거둔 일로 庶人으로 면직되었다.(『漢書』「匡張孔馬傳」)

254 「關雎」장 등에 … 설명: 관저장은 『詩經』「周南」의 맨 첫머리에 실린 시이다. 문왕과 太姒와의 훌륭한 짝을 雎鳩 새의 화목하고 난잡하지 않은 관계를 빌려 노래한 것이다. 주자가 전을 지은 『詩經集傳』에서 광형의 말을 다음과 같이 인용하고 있다. "한 나라 광형이 말하기를 '「요조한 숙녀여 군자의 훌륭한 짝이로다.」는 그 정숙함을 이뤄내 가진 마음을 바꾸지 않으니 情欲의 감정이 容儀 사이에 전연 묻어나지 않고 안일함이나 사사로움이 행동 사이에 나타나지 않는다. 이런 다음이라야 지존의 짝이 되고, 종묘의 주인이 될 수 있다. 이것이 기강의 첫 번째이고 제왕 교화의 시작이다.'라고 하였으니, 시를 잘 설명한 말이라고 할 수 있다.(漢 匡衡曰, '「窈窕淑女君子好逑」, 言能致其貞淑, 不貳其操, 情欲之感, 無介乎容儀; 宴私之意, 不形乎動静. 夫然後可以配至尊, 而爲宗廟主. 此綱紀之首, 王化之端也.' 可謂善説詩矣.)"

劉向 유향, 蕭望之 소망지

[61-23-1]

龜山楊氏曰 : "漢武元鼎元封之間, 燕齊之士, 爭言神仙祭祀致福之術者以萬數, 故淫祠於漢世爲多. 雖當時名儒碩德, 繼登宰輔, 莫有能是正之者. 元成之際, 衡譚用事, 始奮然欲盡去淫祠, 正以古義, 又幸世主從之, 其志行矣. 未幾以劉向一言, 而廢祠復興, 豈不惜哉? 蓋人情狃於禍福而易動, 鬼神隱於無形而難知. 以易動之情, 稽難知之理, 而欲正百年之謬, 宜乎其難矣. 以劉向之賢, 猶溺於習見, 況餘人乎?"255

구산 양씨가 말하였다. "한무제의 원정元鼎과 원봉元封 연간 사이에, 연燕과 제齊 땅 사람들이 신선술과 제사로 복을 이루는 술법을 다투어 말하는 자가 수만 명이었다.256 그런 까닭에 한나라 시대 음사淫祠가 많았다. 당시 명성 높은 선비와 큰 덕을 가진 사람이 연이어 재보宰輔의 지위에 올랐지만 이를 바로잡는 자가 있지 않았다. 원제와 성제成帝 연간에 광형匡衡과 장담張譚이 권력을 잡으면서 비로소 분연히 음사를 모두 제거하여 옛 의리를 바로잡고자 하였고,257 또 다행스럽게 당시 군주가 따라주어 그 뜻이 시행되었다. 얼마 가지 않아 유향258의 한 마디 말로 폐기되었던 음사가 되살아났으니259 어찌 애석한 일이

---

255 『龜山集』「史論 · 郊祀」

256 한무제의 元鼎 … 명이었다. : 이 말은 『漢書』 권25下 「郊祀志」에 "원정과 원봉 연간에 연나라와 제나라 사이에서 방사들이 눈을 부릅뜨고 팔뚝을 내저으며 신선술과 제사로써 복을 이루는 방법을 다투어 말하는 자가 수만 명이 있었다.(元鼎元封之際, 燕齊之間, 方士瞋目扼掔, 言有神僊祭祠致福之術者以萬數.)"고 한 말을 인용한 것이다. 연과 제 땅에 이렇게 많은 術士들이 있었던 것은, 진시황이 신선술에 마음을 쏟아 불사약을 구하러 제 지역을 순회하고, 또 五行의 운행에 의해 천하가 돌아간다는 설에 귀가 솔깃하였는데, 이를 주장한 대표적인 사람 騶子의 학술을 연 지역 사람들이 이어받았기 때문이다.(『漢書』 권25上 「郊祀志」)

257 匡衡과 張譚이 … 하였고, : 원제가 儒者를 좋아하여 貢禹와 韋玄成과 광형 등을 公卿으로 등용하며 종묘 제사 의식을 바로잡고 또 지방에 널린 선왕의 사당을 헐어냈다. 그러나 원제가 죽을 무렵 꿈에 신령들이 나타나 이것을 꾸짖자 다시 복구하였다. 그러다가 성제가 등극하자 승상 광형과 어사대부 장담이 하늘제사와 땅제사(郊祀)를 지내는 곳을 바로잡자고 건의하여 받아들여졌고, 이어 광형이 지방에 널린 683곳의 제사 가운데 예의에 합당하거나 당연히 철폐해야 하나 합당한 근거가 없는 208곳의 제사만을 남기고 나머지 475곳의 제사는 철폐하자고 건의하여 마침내 받아들여졌다.(『漢書』 권25下 「郊祀志」)

258 유향 : 沛 땅 사람. 본래 이름은 更生이고, 자는 子政이다. 楚元王交의 현손자이다. 『春秋穀梁傳』을 공부하여 기후의 災異로 정치의 잘잘못을 논하였다. 여러 차례 상소를 올려 외척 세력의 발호를 탄핵하였다. 벼슬은 宣帝와 元帝, 성제를 섬겼다. 원제 때 환관인 弘恭과 石顯을 제거하려다 도리어 참소를 입고 하옥되었다. 성제가 즉위하며 석현이 벌을 받아 죽자, 유경생은 이름을 유향으로 바꾸고 다시 벼슬에 등용되어, 외척 王鳳 세력 제거에 힘을 기울였다. 그가 죽은 뒤 13년 만에 왕망에 의하여 한나라는 망하는 치욕을 겪게 되었다. 수많은 저서를 남겼다. 지금 전하여지는 것들은 『新序』 · 『說苑』 · 『列女傳』 등이다.(『漢書』 「楚元王傳」)

259 유향의 한 … 되살아났으니 : 음사가 광형의 주장에 의해 없어졌으나, 광형이 서인으로 면직되면서 이 일의 잘못을 말하는 자들이 많았다. 또 甘泉에 있던 泰畤를 없애고 남쪽 교외로 옮겨 하늘제사를 지낼 적에 태풍

아니겠는가? 사람 마음이란 화복설禍福說에 익숙해 쉽게 동요되고, 귀신은 무형無形 속에 숨어 있어 알기 어렵다. 쉽게 동요되는 마음으로 알기 어려운 이치를 살펴 백년의 오류를 바로잡고자 하였으니, 어려운 것은 의당하다. 유향 같이 현명한 사람도 여전히 보통의 상식에 빠져 있는데, 하물며 여타의 사람이겠는가?"

[61-23-2]

"自孟子没, 王道不傳, 故世無王佐之才, 旣無王佐之才, 故其治效終不如古. 若要行道, 纔説做計較要行便不是. 何故, 自家先負一箇不誠了, 安得事成? 劉向多少忠於漢, 只爲做計較大甚, 纔被見破, 手足俱露, 是甚模樣?"[260]

(구산 양씨가 말하였다.) "맹자가 죽으면서 왕도王道가 전해지지 않은 까닭에 세상에 왕도를 실행할 왕을 보좌할 인재가 없었고, 왕도를 실행할 왕을 보좌할 인재가 없었던 까닭에 치적의 효험이 끝내 옛날만 못하였다. 만일 도道를 행하고자 하면서 꾀를 써서 행하고자 한다면 절대 옳지 않다. 왜 그런가 하면, 자신부터 우선 성실치 못한데 어떻게 일이 이루어질 수 있겠는가? 유향이 한나라에 충성스러운 것은 다소 있으나, 단지 따지고 셈하는 것이 너무 심하였던 까닭에, 그것이 들통 나면서 수단이 모두 드러나 버렸으니, 이 무슨 몰골인가?"[261]

[61-23-3]

"初, 孝宣循武帝故事, 招置名儒, 劉更生以通達善屬文, 與選中, 可謂遇主矣. 其後上復興神仙方術之士, 而更生得淮南枕中鴻寶秘書獻之,[262] 言黃金可成. 其所爲未免長君之過也, 豈其逢世希合而爲之歟? 抑年少學猶未能無惑於異端歟! 其後與望之堪猛輩並立于朝, 爲羣小側目, 更生乃令外親上變事, 其義安在哉? 夫君子小人相爲盛衰, 蓋天地之大義也. 消息盈虛, 天地且不能不以其漸, 況於人乎? 且許史恭顯之於漢也, 憑藉私暱寵嬖之恩, 非一日矣. 其培根深, 其滋蔓遠, 非所以朝升而暮罷. 而君子之去小人, 又非智謀之足恃也, 亦有吾之仁義而已.

이 불어 감천의 竹宮이 파괴되고 태치의 제사 터에 있던 열 아름이 넘는 나무 1백여 그루가 뽑혔다. 천자가 이를 이상하게 여기고 이를 유향에게 물었다. 유향은 하늘제사와 땅제사를 지내오던 터는 이미 수백 년 내려오던 곳이고 조종조에서 군주와 신하가 함께 결정했던 곳이어서, 제사를 지낼 때마다 붉고 누른 기운이 4~5길 정도 뻗히는 기이한 일이 나타나곤 했는데 지금 많은 곳을 움직였으니, 『易大傳』에 '재앙은 3대까지 간다.'고 하였으니 그 재앙이 (처음 이 설을 제기한) 貢禹 한 사람에게만 그치지 않을 것이라고 하였다. 이 말을 들은 성제는 제사지내는 곳을 옮기거나 철폐한 것을 후회하였다. 성제는 이때 마침 아들을 두지 못하고 있었다. 이에 옮겨왔던 제사를 본래 제자리로 되돌리고 철폐했던 제사들도 거의 원상으로 회복시켰다.(『漢書』 권25 下 「郊祀志」)

260 『龜山集』「語録 4・餘杭所聞」

261 따지고 셈하는 … 몰골인가? : 다음에 이어지는 [61-23-3] 참고

262 枕中鴻寶秘書 : 『漢書』「楚元王傳」에는 枕中鴻寶苑秘書라고 하였다.

彼方欲肆欺以罔吾之信, 爲數以敗吾之義, 而吾且欲決而去之, 而自爲不信, 其見乘也不亦宜乎? 予讀更生傳, 見其惓惓於其君, 未嘗不爲之歎息也. 惜其不知義命之歸, 故一蹶而不振, 悲夫!"[263]

(구산 양씨가 말하였다.) "본래 효선제孝宣帝가 무제武帝가 하던 예전 일에 따라 명유名儒를 초치할 적에, 유갱생劉更生이 사리에 통달하고 문장 짓는 일에도 능하다는 까닭으로 선발 인원 속에 끼었으니, 자신을 알아주는 군주를 만난 것이라 말할 수 있을 것이다. 그 뒤에 다시 군주가 신선에 관한 방술方術에 마음을 두자 갱생은 회남淮南의 침중홍보비서枕中鴻寶秘書를 얻어 바치며 황금을 만들 수 있다고 말하였다.[264] 그가 한 짓은 군주의 악행을 조장한 허물을 면할 수 없는 것이나, 어찌 때를 만났다며 영합을 바라한 짓이겠는가? 나이 젊다 보니 학문이 오히려 이단에 미혹됨이 없지 못하여서일 것이다! 그 뒤 소망지蕭望之[265]와 주감周堪[266]과 장맹張猛[267]과 함께 조정에서 벼슬하며 소인들이 눈을 흘기자, 갱생은 마침내

• • • • • • • • • • • • • • • •

263 『龜山集』「史論·劉向」

264 淮南의 枕中鴻寶秘書를 … 말하였다. : 『漢書』「楚元王傳」에 의하면 "침중홍보원비서는 신선이 귀신을 부려서 황금을 만드는 방법과, 鄒衍이 말하기 어려워했던 생명을 연장하는 방법들에 대한 것들이 있었다. 세상 사람들은 볼 수 없었던 것인데 갱생의 아버지 德이 무제 때 회남 지역의 옥사를 다스리면서 그 책을 얻었다. 갱생이 어렸을 적에 읽어보고서는 기이하게 생각하여 그것을 선제에게 바치며 황금을 만들어낼 수 있다고 하였다. 선제가 尙方을 책임지고 있는 자에게 명령하여 황금을 만들어보게 하였으나 비용만 많이 들고 비방은 영험이 없었다. 선제가 이에 갱생을 관리에게 내려 죄를 조사하게 하였다. 관원은 갱생이 거짓 황금을 만들었다고 탄핵하며 감옥에 수금하여 사형에 처하여야 한다고 하였다.(淮南有枕中鴻寶苑祕書, 書言神僊使鬼物爲金之術, 及鄒衍重道延命方. 世人莫見, 而更生父德武帝時治淮南獄得其書. 更生幼而讀誦, 以爲奇, 獻之, 言黃金可成. 上令典尙方鑄作事, 費甚多, 方不驗. 上乃下更生吏, 吏劾更生鑄僞黃金, 繫當死.)"고 하였다. 그 뒤 유향은 그의 형의 주선으로 속전을 내고 살아났다.

265 蕭望之 : 소망지는 『漢書』「蕭望之傳」에 의하여 살피면 다음과 같다. 蘭陵 사람으로 자는 長倩이다. 벼슬은 宣帝 때 御史大夫와 太子太傅 등을 지내고, 元帝가 즉위하며 師傅로서 우대되었다. 弘恭과 石顯의 모함을 받자 자살하였다. 그가 后倉에게서 『齊詩』를, 夏侯勝에게 『論語』를 공부하여 京師의 선비들로부터 받들어졌다. 곽광이 나이 어린 昭帝를 보필하며 권력을 잡고 있을 때 長史로 있던 丙吉이 王仲翁과 소망지 등 몇 사람을 추천하여 그들이 곽광에게 초빙되었다. 이때 곽광은 그와 권세를 다투던 上官桀 등의 살해 계획이 발각되었다. 이에 사람을 만날 때면 옷을 벗게 하여 병장기를 찾는 몸 뒤짐을 하였다. 소망지가 이를 거부하고서 만나기를 원하지 않는다며 나가려고 하였다. 관리가 이를 제지하는 사이 승강이가 벌어졌고, 곽광이 몸 뒤짐을 중지시켰다. 이에 소망지가 곽광의 이런 행동은 옛날 주공이 成王을 보필하며 천하의 인재를 얻기 위해 밥 먹는 사이에도 찾아오는 사람을 만나려 입에 있던 음식을 뱉고 나간 고사와 다르다고 그의 행위를 논박하였다. 이로 인해 그날 곽광을 만난 사람 모두가 등용되었으나 소망지는 등용되지 못하였다. 그 3년 뒤 왕중옹은 光祿大夫에 올랐는데 소망지는 과거에 급제하여 겨우 郎이 되었다. 반고는 그의 열전 贊에서 "유생의 泰斗로 황제를 보좌할 수 있는 재능을 갖추었으니 옛날 말하던 社稷臣에 가까울 것이다.(身爲儒宗, 有輔佐之能, 近古社稷臣也.)"라고 하였다.

266 周堪 : 齊 땅 사람. 자는 少卿. 大夏侯勝에게 공부하여 博士에 오르며 경서에 대한 공부는 당시 최고라는 명성을 들었다. 원제의 태자 때 少傅를 지내 원제가 등극하며 光祿大夫에 올라 소망지와 함께 尙書事를 겸직하였다. 홍공과 석현의 모함에 의해 소망지와 함께 면직되며 소망지가 자살하자, 원제가 다시 그를 光祿勳을 삼았다.(『漢書』「儒林傳」)

외척外戚을 시켜 변고를 상소하게 하였으니,[268] 의리가 어디에 있는 것인가? 소멸과 성장, 차고 이지러짐에는 하늘과 땅도 또한 차츰차츰 하지 않는 경우가 없는데, 하물며 사람 세상이겠는가? 또 허씨許氏와 사씨史氏,[269] 홍공弘恭과 석현石顯[270]은 한漢나라에서 사적인 가까움과 총애를 의지한 것이 하루 이틀이 아니다. 그 북돋워진 뿌리는 깊고 그 무성한 덩굴은 멀리에 미쳐, 아침에 떴다가 저녁나절에 사라질 수 있는 것이 아니었다. 군자가 소인을 제거하는 일에는 또 지혜나 계책은 믿을 수 있는 것이 아니니, 또한 나의 인仁과 의義가 있을 뿐이다.[271] 저들은 바야흐로 속임수를 한껏 휘둘러 나의 믿음을 무너뜨리고 술수를 부려 나의 의를 깨뜨리고자 하는데, 나는 우선 결단코 제거하려고만 하고 스스로의 행위는 성실하지 못하였으니, 밟힘을 당함이 또한 당연하지 않겠는가? 내가 「갱생전更生傳」[272]을 읽다가 그가 그의 군주를 못 잊어 하는 마음[273]을 보고서 그를 위해 일찍이 탄식하지 않아본 적이 없다. 애석하게도

• • • • • • • • • • • • • • • • • • • •

267 張猛 : 주감의 제자. 소망지가 홍공과 석현의 모함을 받고 자살하자, 원제가 모함을 함께 받고 벼슬에서 쫓겨난 신하들을 안타깝게 생각하여 주감을 다시 등용하며 그를 光祿大夫給事中으로 발탁하였다.(『漢書』「楚元王傳」)

268 外戚을 시켜 … 하였으니 : 유향이 소망지·주감 등과 尙書事를 겸직하며 함께 원제의 신임을 극진하게 받았다. 그러나 원제의 외척 세력인 허씨와 사씨, 환관인 홍공과 석현의 전횡이 심하였다. 이에 유향이 저들과 전횡 세력 축출을 꾀하였다. 그러나 누설되면서 소망지는 면직되고 주감과 유향은 감옥에 갇혔다. 지진이 나고 客星이 나타나자 원제는 소망지를 다시 등용하고, 주감과 유향을 諫大夫로 등용하려다가 홍공과 석현의 반대로 中郞에 임명하였다. 겨울에 지진이 다시 일어나자 허씨와 사씨 집안사람과 홍공과 석현의 일파들이 또 무슨 일이 일어날까 하여 소망지 등에게 눈을 흘겨댔다. 이에 두려움을 느낀 유향은 자신의 외척에게 변고를 상소하게 하였다. 그 내용은 소망지 등은 충성스럽고 바른 사람으로 지금 다시 등용되었으나 그들이 다시 참소를 입을까 세상에서 걱정하고 있으며, 지진이 일어난 것도 환관 홍공과 석현 등 때문이니 저들을 벌하여야 소망지 등의 벼슬길이 트여 태평세상이 이루어지리라는 것이었다. 이 상서를 본 홍공과 석현은 소망지와 주감·유향을 모두 거짓을 지어낸 불충한 신하로 몰아, 유향은 서인으로 강등되고, 소망지는 자살하였다.(『漢書』「楚元王傳」)

269 許氏와 史氏 : 허씨는 宣帝의 황후 허씨 집안이고, 사씨는 선제의 외가 성씨이다. 대표적인 인물로 허씨는 선제 황후의 친정아버지 許伯, 사씨 집안의 인물은 史高가 있다.

270 弘恭과 石顯 : 홍공은 沛 땅 사람. 어려서 宮刑을 받고 환관이 되어, 선제 때 中書令에 올랐다. 법령과 고사에 밝았고 천자에게 아뢰는 말솜씨가 뛰어나 신임을 얻었다. 원제가 즉위하며 석현과 함께 총애를 입어 정권을 농락하며 소망지를 자살하게 하였다. 석현은 濟南 사람. 자는 君房. 어려서 궁형을 받고 환관이 되었다. 선제 때 中書僕射, 원제 때 中書令이 되어 모든 결정을 좌지우지하며 정권을 휘둘렀다. 蕭望之·京房 등의 大臣을 謀害하였다. 성제가 즉위하며 長信中太僕으로 옮겨지며 세력을 잃었다. 관직에서 면직되어 고향으로 돌아가던 중 음식을 끊고 병으로 죽었다.(『漢書』 권93 「佞幸傳」)

271 나의 仁과 … 뿐이다 : 이는 『孟子』「公孫丑下」의 曾子가 한 말을 인용하여 군자가 해야 할 도리를 제시한 것이다. 증자는 "진나라와 초나라의 부유함은 따라잡을 수 없다. 저들이 부유함을 내세우면 나는 나의 인을 내세우고, 저들이 그들의 작위를 내세우면 나는 나의 의리를 내세울 것이니, 내게 무엇이 부족한가?(晉楚之富, 不可及也. 彼以其富, 我以吾仁 ; 彼以其爵我以吾義, 吾何慊乎哉?)"라고 하였다.

272 「更生傳」 : 갱생은 유향의 본래 이름이고 「更生傳」은 유향의 전을 가리킨 말인데, 『漢書』에는 그의 고조인 「초원왕교전」이 유향과 그의 아들 劉歆의 사실로 거의 채워져 있다. 아마도 「更生傳」은 이 「초원왕교전」에 실린 유향의 일을 이른 듯하다.

273 그가 그의 … 마음 : 유향은 늘 자신이 한나라의 종실이라는 점을 마음에 잊지 못하며 외척 세력의 발호를

그가 의義와 천명天命의 귀결을 알지 못했던 까닭에, 한 번 넘어지고서 떨쳐 일어나지 못하였으니, 슬프도다!"

[61-23-4]
南軒張氏曰: "蕭望之劉更生輔元帝初政, 以元帝天資之弱, 而外有史高總朝廷之事, 內有恭顯制樞機之權. 二子居其間, 可謂孤弱之勢, 危疑之時矣. 所以處之之道, 要當艱深其慮, 正固其守, 誠意懇惻以廣上心; 人才兼收以彊國勢. 謹其爲, 勿使有差; 密其機, 勿使或露. 積之以久, 上心開明, 人才衆多, 群心歸而理勢順, 庶幾有可爲者, 此在易屯膏小貞之義也. 而二子處之, 蓋甚疎矣. 其綢繆經理, 未嘗有一日之功也. 遽白罷中書宦官. 其機蓋已盡露而無餘策, 旣不蒙信用, 而中外小人並起而乘之, 身之死逐不足道, 而當時之事遂不可復救. 甚矣! 二子之疎也!

남헌 장씨가 말하였다. "소망지와 유갱생이 갓 등극한 원제의 정사를 보필할 적에 원제의 타고난 자품이 허약하였는데, 밖에는 사고史高가 조정의 정사를 총괄하고 있었고, 안에는 홍공弘恭과 석현石顯이 정권의 핵심 권력을 장악하고 있었다. 두 사람이 그 사이에 끼었으니 외롭고 허약한 형세이고 위험하고 의심받는 때라 할 것이다. 따라서 처신하는 도리는 당연히 생각은 어렵고 깊게 구상하고 지킴은 바르고 굳세게 지녀, 정성된 뜻의 간절하고 애틋함이 군주의 마음을 넓어지게 하고, 인재를 광범하게 망라하여 국가의 형세를 강화해 가면서, 일마다 신중하여 착오가 있지 않게 하고, 계책이 은밀하여 혹여도 드러나지 않게 하여야 했다. 오랜 세월이 쌓여 군주의 마음이 열려 밝아지고 인재가 많아져서, 뭇 사람의 마음이 모아들고 정세가 순조로워지면 거의 일을 해볼 수 있었을 것이니, 이는 『주역』 둔괘屯卦의 '은택이 적체됨이니 차츰 바르게 해야 한다.'[274]라는 뜻이다. 그런데 두 사람의 처신은 매우 거칠었다. 그들이 물샐틈없는 계책을 하루의 공도 들인 적이 없이, 뜬금없게 중서령中書令인 환관들을 아뢰어 면직시키려 하였다.[275] 그 비밀 계책이 이미 남김없이 드러났는데도 더 이상의 책략도 없었다. 믿음에 의한 등용도 기왕에 없는 터에 안팎의 소인들이 함께 일어나 짓밟으려 들었으니, 몸뚱이가 죽거나 쫓겨나는 것은

걱정하였다. 그리하여 재이 현상이 나타나면 밤새 잠을 이루지 못하기도 하였다. 『漢書』 「초원왕교전」에는 "유향이 매번 불려가면 공족은 국가의 지엽이니, 지엽이 떨어지면 뿌리를 비호해줄 것이 없다고 수없이 말하였다. 지금 동성의 친족이 소원해 있고 외척 무리가 정권을 독차지하여, 녹봉의 권한은 왕실에서 떠나 있고 권력은 외척에게 가 있으니, 한나라 종실을 강화하고 개인 집안을 낮추며 사직을 보호해 지키고 後嗣를 편안하고 굳게 하는 것이 아니다.(向每召見, 數言公族者國之枝葉, 枝葉落, 則本根無所庇廕. 方今同姓疏遠, 母黨專政, 祿去公室, 權在外家, 非所以彊漢宗, 卑私門, 保守社稷, 安固後嗣也.)"고 하였다. 성제는 그를 九卿의 지위에 앉히려 하였으나, 그때마다 당시 외척 세력인 왕씨 세력에 막혀, 끝내 등용하지 못하였다.

274 '은택이 적체됨이니 … 한다.': 이는 『周易』 「屯卦」 九五의 효사이다. 그 효사는 "九五는 그 은택이 적체됨이니 차츰 바르게 하면 길하고, 단번에 바르게 하면 흉하다.(九五, 屯其膏, 小貞, 吉; 大貞, 凶.)"고 하였다. 小貞을 程傳에서 "소정은 차츰 바르게 해가는 것이다.(小貞, 漸貞之也.)"라고 하였다.

275 뜬금없게 中書令인 … 하였다.: 이 사실은 윗글 [61-23-3]의 외척에 대한 주석 참고

말할 것도 없고, 당시의 일은 마침내 다시 구원해볼 수조차 없게 되었다.[276] 심하다! 두 사람의 거칢이여!

況其所爲自多不正. 用人要當公天下之選, 而二子者, 不惟其賢, 惟其附己. 不知小人迎合於外者, 詎可保耶? 故以鄭朋之傾邪而使之待詔, 至於華龍之汚穢亦欲入其黨, 彼蓋有以召之也. 在易有之, '君子以遠小人, 不惡而嚴.' 所謂嚴者, 嚴其在我者也. 二子處群小之間而不嚴如是, 其可得乎? 袁安任隗, 當梁冀强橫之時, 非惟不能加害而卒能去之, 以安隗所處之嚴故也. 故史稱安隗素行高, 冀未有以害之, 斯言誠有味也, 二子曾不知此耶? 至於使外親上變事與子上書, 則又其甚矣. 予觀二子所執雖正, 然懇誠之心不篤, 勢利之念相交, 以天下之公義, 而行之以一己之私, 蓋不知學之弊也, 吁可惜哉.

더욱이나 자신들이 한 일도 본래 바르지 않은 것이 많았다. 사람을 등용하면서는 당연히 천하의 공정한 선발이 되도록 했어야 하는데, 이들 두 사람은 현명할 뿐만 아니고 자신을 따르는 사람이어야 했다. 알지 못할 일은, 소인들이 겉모양만 영합하고 있는지 어찌 보장할 수 있겠는가? 그러므로 정붕鄭朋 같이 부정하고 사악한 사람을 대조待詔 벼슬에 임용하고,[277] 화룡華龍처럼 추잡한 사람을 자신의 무리에 들이고자 하였으니,[278] 저들이 그러한 화를 불러들인 것이다. 『주역』에 '군자가 법 받아서 소인을 멀리하되, 악하게 하지 않고 엄격하게 한다.'[279]라고 한 말이 있다. 소위 엄격함이란 내가 할 수 있는 것을 엄격하게 한다는 말이다. 두 사람이 소인들 사이에서 엄격하지 않기가 이 같았으니 옳을 수 있었겠는가? 양기梁冀가 한창 발호하면서도 원안袁安[280]과 임외任隗[281]를 해를 입히지도 못하고 끝내 내보내지 못한 것[282]은

• • • • • • • • • • • • • • • • • • • •

276 당시의 일은 … 되었다. : 이 일이 차츰 확대되어 소망지가 자살하면서 환관과 외척 세력을 제거하는 일은 다시 생각할 수도 없는 일이 되었음을 이르는 말이다.

277 鄭朋 같이 … 임용하고 : 소망지와 周堪이 외척과 환관들을 제거하기 위해 학식이 있는 儒者와 재능이 있는 사람들을 諫官으로 천거하자, 정붕이 소망지에게 붙고자 허씨와 사씨 집안사람들의 잘못을 상소하였다. 소망지가 이 글을 주감에게 보여주자, 주감이 정붕을 추천하여 金馬門에서 조직을 관장하는 일(待詔)을 관장하게 하였다. 이에 정붕은 소망지를 한껏 추기는 글을 올려 추앙하였고, 소망지는 그를 진심으로 받아들였다. 뒷날 정붕의 행실이 바르지 않자 소망지가 왕래를 끊었고, 주감이 정붕을 다시 대조 벼슬에 추천하지 않았다. 그러자 정붕은 허씨와 사씨 세력에 붙고자, 자신이 했던 말은 모두 주감과 유갱생이 나에게 시킨 말이고, 자신은 본시 關東(楚) 사람이어서 그들의 일을 아무것도 몰랐다고 하였다. 이에 허씨 집안의 許章이 황제를 알현하게 하여 소망지의 죄상을 말하도록 하였다. 뒤에 화룡과 어울려 "소망시와 유갱생이 붕당을 지어 대신을 참소하고 친척을 이간시켜 권력을 독점하려 하였다."고 말하였다. 이로 인해 결국 소망지는 자살하고, 유갱생과 주감은 서인으로 면직되었다.(『漢書』「蕭望之傳」)

278 華龍처럼 추잡한 … 하였으니 : 선제 때 待詔 벼슬을 지냈으나 행실이 깨끗하지 않아 다시 더 이상 올라가지 못하자, 주감 등에게 붙고자 하였다. 주감 등이 받아들이지 않자 정붕과 어울려 홍공과 석현의 사주를 받아, 소망지와 유향 등이 당시 외척 세력인 사씨와 허씨 집안사람들을 파직시키고자 모함하였다고 하였다.(『漢書』「蕭望之傳」)

279 '군자가 법 … 한다.' : 『周易』「遯卦·象傳」의 말이다.

280 袁安 : 후한 汝南 汝陽 사람. 자는 邵公. 洛陽에 큰 눈이 내려서 낙양의 수령이 실태를 조사하기 위해 곳곳을 찾아 살폈다. 사람들이 모두 눈을 치고 걸식을 나갔는데 원안의 집 앞에 이르자 눈을 쓴 흔적이 없어, 원안이

원안과 임외의 처신이 엄격하였던 까닭이다. 그리하여 역사에서는 원안과 임외는 평소의 행동이 고결하여 양기가 해칠 수 없었다고 칭찬하는 것이니 이 말이 참으로 음미해볼 만하다. 두 사람이 일찍이 이를 몰랐을까? 외척外戚을 시켜 비상한 변고를 상소하게 한 일[283]과 아들을 시켜 글을 올리게 한 일[284]들은 또한 심한 일이다. 내가 보기에는 두 사람이 가진 마음은 옳았을망정 그러나 정성어린 마음이 돈독하지 못하고, 형세와 이익이 마음속에서 오락가락하여 천하의 공정한 의리를 한 개인의 사사로움으로 행하려 한 것이었다. 학문을 알지 못한 폐단이니, 아! 애석하다.

- - - - - - - - - - - - - - - - - - -

죽었다 짐작하고서 문을 열고 들어가자, 원안은 꼼짝하지 않고 드러누워 있었다. 왜 나가지 않았는가라고 묻자, 큰 눈이 내려 사람들이 모두 굶주리고 있으니, 남에게 무엇을 얻으려는 것은 옳지 않다고 하였다. 이에 수령이 그를 孝廉으로 추천하였다. 이 일은 후세에 袁安高臥라는 사자성어로 만들어지기도 하였다. 永平 14년에 楚郡太守가 되어, 楚王 劉英의 역모에 연루된 수천 명 중 혐의가 없는 4백여 집안을 가려내 석방하였다. 벼슬은 太僕과 司徒 등을 역임하였다. 외척 竇氏가 전횡했으나 바른 도리를 지켜 아부하지 않았다. 자손 대대로 公卿이 끊이지 않아 명문이 되었다.(『後漢書』 권35)

281 任隗: 후한 宛 땅 사람. 자는 仲和. 벼슬은 司空과 光祿勳 등을 지내며 원안과 함께 당시 발호한 두씨 집안의 전횡을 막는데 힘을 쏟았다.(『後漢書』 「袁張韓周傳」)

282 梁冀가 한창 … 것: 여기서 양기는 竇氏 집안 사람 누구를 가리키는 말이라야 한다. 양기는 두 누이가 順帝와 桓帝의 后였고, 黃門侍郎과 大將軍을 지내며, 質帝를 시해하고 환제를 세우는 등 온갖 악행을 저지르다가, 환관 單超에게 몰리자 자살하였다. 따라서 양기는 원안이 벼슬한 明帝와 和帝 시대보다 약 60년 뒤이다. 두씨 집안의 발호를 살펴보면 다음과 같다. 원안이 司徒로 재직할 때 和帝가 10세의 나이로 즉위하여, 竇太后가 조정에서 황제의 일을 섭정하였다. 이때 두태후의 친정 형제 竇憲은 車騎將軍, 竇篤은 衛尉, 竇景은 執金吾로 조정의 권세를 좌지우지하였다. 화제가 막 즉위하며 두헌이 흉노 정벌에 나서자, 원안은 太尉 宋由, 司空 任隗, 당시 九卿 벼슬에 있는 사람들과 이를 반대하는 글을 올렸다. 두태후가 들어주지 않자, 처음 함께했던 사람들이 하나둘 떨어져 나갔다. 그러자 원안은 혼자서 조정에 나아가 이를 반대하는 글을 10차례나 올렸다. 사람들이 모두 원안을 걱정하였으나, 원안은 굽히지 않았다. 또 두헌 형제가 사람을 내보내 길을 막고 사람들의 재물을 약탈하게 하고, 변경에 격문을 보내 돌격대에 필요한 정예 병사와 騎射에 능한 사람들을 자신의 집으로 보내게 하고, 재물을 거두어 오게 하는 일을 공공연하게 벌였다. 아무도 말하는 사람이 없었으나 원안이 임외와 함께 그때마다 낱낱이 탄핵하여, 두씨 집안사람들의 비위를 맞춘 자들 40여 명이 면직되었다. 두씨 집안에서 크게 한스러워하였으나, 원안과 임외의 평소 행실이 높았던 까닭에, 두씨들이 감히 두 사람을 해치지 못하였다.(『後漢書』 「袁張韓周傳」)

283 外戚을 시켜 … 일: 윗글 [61-23-3] 참고

284 아들을 시켜 … 일: 소망지가 환관인 홍공과 석현의 사주를 받은 정붕과 화룡의 참소로 감옥에 갇혔다가 원제의 명령에 의해 풀려났는데, 소망지의 아들 蕭伋이 아버지가 감옥에 갇혔던 일이 억울하다는 상소를 올렸다. 이에 소망지와 유향 등이 환관을 제거하고자 했던 내용을 다시 조사하게 하였다. 조사한 결과가 아뢰어졌다. "소망지의 이전 죄는 명명백백하여, (정붕과 화룡이) 참소함이 없었는데 아들을 시켜 글을 올리게 하며 자신이 무고한 양 지은 시를 인용해 일컫도록 한 것은 대신의 체통을 잃은 것이니, 천자에 대한 불경입니다. 체포해야 합니다.(望之前所坐明白, 無譖訴者, 而敎子上書, 稱引亡辜之詩, 失大臣體, 不敬. 請逮捕.)"라고 하였다. 소망지는 체포하러 온 사람이 집에 이르자 자살로 생을 마감하였다. 원제는 소망지가 죽었다는 말을 듣고 "내 현명하신 스승을 죽였구나.(果然殺吾賢傅.)"라고 탄식하며 마침 밥상이 들어오자 이를 물리고서 측근에 있는 사람들의 눈시울을 적실 정도로 서럽게 통곡하였다.(『漢書』 「蕭望之傳」)

然而昔人未可以一失斷其平生, 若更生經歷憂患, 晚歲氣象殊勝於前, 處王氏之際, 庶幾爲憂
國敦篤者矣."[285]

그러나 옛날 사람을 한 가지 잘못으로 그의 평생을 단정 지으려는 것은 옳지 않다. 갱생은 걱정과 근심을
거치면서 만년의 기상이 예전보다 훨씬 좋아져, 왕씨王氏 세상에서의 처신[286]은 거의 나라 걱정이 돈독했
던 사람이라 말할 것이다."

龔勝 공승

[61-24-1]

涑水司馬氏曰 : "王莽慕龔君賓之名, 誅以尊爵厚祿, 刼以淫威重勢而必致之, 君賓不勝逼迫,
絕食而死. 班固以薰膏之語譏焉, 未聞有爲辨之者也, 可不大哀歟? 昔者紂爲不道, 毒痛四海,
武王不忍天下困窮而征之, 斯則有道天子, 誅一亂政之匹夫爾. 於何不可? 而伯夷叔齊深非
之, 義不食周粟而餓死. 狷隘如此, 仲尼猶稱之曰 : '仁', 以爲不殞其節而已.

속수 사마씨가 말하였다. "왕망이 공군빈龔君賓[287]의 명성을 사모하여 높은 작위와 후한 녹봉으로 달래
고, 큰 위력과 중대한 권세로 협박하여 그를 기필코 불러들이려 하자, 군빈이 핍박을 견디지 못하고
음식을 끊고 죽었다.[288] 반고班固가 '향초와 기름'[289] 등의 말로 비평하고, 그를 위해 변론하는 것을 들을

- -

285 『南軒集』「史論·蕭望之劉向所處得失」

286 王氏 세상에서의 처신 : 성제가 즉위하며 유갱생이 다시 벼슬에 나가면서 이름을 유향으로 바꾸었다. 벼슬은
領護三輔都水에서 光祿大夫로 옮겨졌다. 이때 원제의 장인 王鳳이 大將軍으로 정권을 잡고 있었고, 그의
형제 일곱 사람이 列侯의 반열에 있었다. 이즈음 재변이 자주 일어나자 유향은 이를 왕씨의 외척 세력이
나라를 잘못 다스려 일어난 것이라고 여기고서, 「洪範」에 의거하여 역대 이래 기상의 상서와 재변에 의하여
어떤 일들이 일어났는지를 모아 『洪範五行傳論』이라 이름 붙여 성제에게 올렸으며, 『列女傳』, 『新序』, 『說苑』
등을 지어 성제의 정치를 돕고자 하였다. 끝까지 한나라 종실을 보호하고 외척을 멀리해야 함을 성제에게
강조하였다.(『漢書』「楚元王傳」)

287 龔君賓 : 공승을 그의 字로 이른 말이다. 공승은 한나라 때 楚나라 彭城 사람으로 벼슬은 諫大夫와 渤海太守
를 지냈다. 哀帝에게 누차 형벌과 세금을 줄일 것을 주청하였다.(『漢書』「王貢兩龔鮑傳」)

288 기필코 불러들이려 … 죽었다. : 왕망이 新나라를 세우고서 공승에게 羊고기와 술을 갖춰 인사를 닦고, 다음
해 講學祭主의 벼슬을 내리자 병을 핑계하고 나가지 않았다. 또다시 2년이 지난 뒤 太子師友祭主 벼슬을
옥새를 찍은 詔書와 함께 내리며, 말 네 필이 끄는 安車(노인이나 부녀자가 타는 앉아서 타는 수레)로 영접하
게 하고서, 공승이 벼슬에 나오면 上卿의 작록을 내릴 생각을 하며 여섯 달치 녹봉을 미리 내려 그가 서울에
오는 동안의 비용에 쓰게 하였다. 이를 전하러 온 사신이 공승이 사는 고을의 수령과 우두머리 관원, 三老
소속의 관원 등 1천여 명을 대동하고 공승의 집 대문 밖에서 그가 영접하기를 오랜 시간을 기다렸다. 공승은
병이 위중하다 하고서 서쪽 방의 남쪽 창문 아래 침상을 마련하여, 머리를 동쪽으로 두르고, 누워 朝服을
몸 위에 덮고, 띠를 그 위에 걸쳐 놓게 하였다. 사신이 들어와 벼슬을 내리고 왕망의 뜻을 전하였다. 이에

수 없으니, 크게 슬프지 않을 수 있겠는가? 옛날에 주_紂가 무도하여 그 독이 천하를 병들게 하자, 무왕이 천하가 곤궁에 빠지는 것을 참을 수 없어 정벌하였으니, 이는 도를 갖춘 천자가 정사를 어지럽히는 한 남자를 제거한 것일 뿐이다.[290] 무엇이 잘못이겠는가? 그런데도 백이_{伯夷}와 숙제_{叔齊}가 매우 비난하며 의리상 주_周나라 곡식을 먹을 수 없다고 굶어죽었다.[291] 고집스럽고 속 좁음이 이 같은데도 중니가 오히려 칭찬하여 '인_仁'이라고 한 것은[292] 절의를 떨어뜨리지 않았다고 생각하신 것이다.

· · · · · · · · · · · · · ·

공승은 "본디 어리석은데다 더하여 나이 늙고 병까지 들어 죽음이 아침일지 저녁일지 모르게 위태롭습니다. 사신을 따라 길에 오른다 하여도 반드시 길에서 죽을 것이니 만에 하나도 도움 될 것이 없습니다.(素愚, 加以年老被病, 命在朝夕. 隨使君上道, 必死道路, 無益萬分.)"라고 하였다. 사신이 권유하는 말을 하며 인끈을 공승의 몸에 걸쳐주려 하자, 공승은 밀쳐내고 받지 않았다. 사신이 여름철 날씨가 더우니 가을이 되면 길을 나서게 하겠다고 왕망에게 허락을 청하고서, 5일마다 수령을 대동하고 안부를 살폈다. 이에 공승의 두 아들과 제자들이 공승에게 병중이지만 驛站으로 몸을 옮겨서 시늉이라도 보여주기를 원하였다. 아울러 사신이 가을을 기다리겠다는 말을 허락 받고 기다린다는 말을 전하였다. 공승은 자신의 뜻이 관철되지 않을 것을 알고서 "내가 한나라의 두터운 은혜를 받고서 갚을 길이 없게 되었다. 지금 나이 들어 아침나절이나 저녁나절이면 땅에 묻힐 것이다. 의당 어찌 한 몸으로 두 왕조를 섬기고서 지하에서 옛 군주를 뵐 수 있겠는가?(吾受漢家厚恩, 亡以報. 今年老矣, 旦暮入地, 誼豈以一身事二姓, 下見故主哉?)" 하고서 치상 준비 시키는 말을 끝내고서는 입에 음식을 끊고서 14일 만에 죽었다.(『漢書』「王貢兩龔鮑傳」)

289 班固가 '향초와 기름' : 반고는 한서를 편찬한 사람이다. 반고가 공승의 열전을 쓰면서 공승이 죽은 뒤 "왕망이 보낸 사신과 공승의 고향 팽성의 수령이 제사의 예를 올리고, 제자들 수백 명이 상복을 갖춰 입고 참여하였는데, 어떤 노인이 와서 조문하면서 애통하게 울고서는 말하기를, '슬프다! 향나무는 향기가 있어 자신을 불사르고, 기름은 불 밝히는 기능이 있어 자신을 녹인다. 공생이 마침내 천명을 마치지 못하고 죽으니 나의 무리가 아니다.'라는 말을 하고서는 잰 걸음으로 나가버렸다. 아무도 그 사람이 누구인지 몰랐다.(使者太守臨斂, 賜複衾祭祠如法. 門人衰絰治喪者百數. 有老父來弔, 哭甚哀. 既而, 曰嗟乎! 薰以香自燒, 膏以明自銷, 龔生竟夭天年, 非吾徒也. 遂趨而出, 莫知其誰.)"고 기록하였다. 반고가 공승의 죽음을 충절을 지킨 곧은 선비의 위상으로 기록하지 않고 마치 자신의 잘못에 의해 죽을 수밖에 없는 것인 양 기술한 것은 잘못이라는 말이다.

290 도를 갖춘 … 뿐이다. : 여기서 한 남자는 은나라의 마지막 군주 紂를 지칭하는 말이다. '한 사람의 남자[匹夫]'라는 말은 잔혹하고 무도하여 백성들 마음과 친척마저 떠난 통치자를 이르는 말이다. 이 말은 『書經』「泰誓下」에는 "獨夫受"라고 쓰고 있다. 독부나 필부 모두 똑같은 말로, 蔡沈의 集傳에는 "독부란 천명이 이미 끊어지고 백성들 마음이 이미 떠나 단지 한 남자일 뿐이라는 말이다.(獨夫, 言天命已絶, 人心已去, 但一獨夫耳.)"라고 하였다. 受는 주의 이름이다. 『孟子』「梁惠王下」에서는 '一夫'라고 쓰고 있다.

291 伯夷와 叔齊가 … 굶어죽었다. : 백이와 숙제는 은나라 말기 孤竹나라의 두 왕자로, 백이는 형이고 숙제는 셋째 아우이다. 아버지가 숙제에게 임금 자리를 넘기려 한 것을 알고 백이가 자리를 승계하지 않고 달아나버리자, 숙제도 함께 형의 자리를 물려받을 수 없다하고서 함께 도망쳐 버렸다. 뒤에 문왕이 선정을 편다는 소문을 듣고 찾아갔는데, 마침 문왕이 죽고 무왕이 자리를 이어받아 은나라를 치려고 군사를 일으킨 때였다. 이에 백이와 숙제가 무왕의 말고삐를 붙들고 "신하로 군주를 시해하는 것이 인한 사람이라 할 수 있겠는가?(以臣弑君, 可謂仁乎?)"라고 하자, 무왕의 측근 사람들이 그들을 죽이려 들었다. 太公이 의로운 사람이라 하고서 붙들어 떠나가게 해주었다. 무왕이 은나라를 평정하여 천하가 주나라를 떠받들자 백이와 숙제는 이를 부끄럽게 생각하였다. 의리상 주나라의 곡식을 먹을 수 없다하고서는 수양산으로 숨어 고사리를 캐 먹다가 굶주려 죽었다.(『史記』「伯夷傳」)

況於王莽憑漢累世之恩, 因其繼嗣衰絕, 飾詐僞而盜之. 又欲誣洿清士, 以其臭腐之爵祿, 甘言諛禮, 期於必致. 不可以智免, 不可以義攘, 則志行之士, 舍死何以全其道哉? 或者謂 : '其不能黜芳棄明, 保其天年. 然則虎豹之鞹, 何以異於犬羊之鞹? 庸人之行孰不如此? 又責其不詭辭曲對若薛方然. 然則將未免於詔, 豈曰能賢? 故君賓遭遇無道, 及此窮矣. 失節之徒, 排毀忠正, 以遂己非, 不察者又從而和之. 太史公稱'伯夷叔齊, 不有孔子, 則西山之餓夫, 誰識知之?' 信矣哉!"

하물며 왕망은 한나라 왕실 여러 대의 은혜에 기대,[293] 제왕 자리를 이을 사람이 쇠하여 끊긴 것을 틈타[294] 속임수와 거짓을 꾸며 제왕 자리를 도둑질하였다. 덧붙여 깨끗한 선비를 더럽히고자 하여 썩은 냄새가 도는 작록, 달콤한 말, 아첨에 가까운 예의로 반드시 불러들이려 하였다. 지혜로도 면할 수 없었고, 의리로도 물리칠 수 없었으니, 행실을 맑게 가지려 한 선비가 죽음이 아니면 어떻게 자신의 도리를 온전히 할 수 있었겠는가? 어떤 사람들은 '그가 꽃다움을 몸에서 지우고 밝은 지혜를 팽개쳐 자신의 천수天壽를 보전하지 못하였다.'고 말한다. 그렇다면 털을 깎아버린 호랑이와 표범의 가죽이 털을 깎아버린 개나 양의 가죽과 무엇이 다르겠는가?[295] 보통사람들이 하는 일이야 뉘라서 이 같지 않겠는가? 또 그가 속이는 말과 거짓 대답을 설방薛方[296]처럼 하지 못했다고 책망한다. 그렇게 하는 것은 거의 아첨을

. . . .

292 중니가 오히려 … 것은 : 『論語』 「述而」에서, "(자공이 공자에게) '백이와 숙제는 어떤 사람입니까?'하고 묻자 공자는 '옛날 현인이다.' '원망하였습니까?' '인하기를 구하여 인을 얻었는데 또 왜 원망하였겠는가!'(伯夷叔齊何人也? 曰古之賢人也. 曰怨乎? 曰求仁而得仁, 又何怨!)"라고 하였다.

293 한나라 왕실 … 기대 : 왕망은 元帝의 황후인 元后의 친정조카이다. 이때 원후의 아버지와 형제들이 원제와 成帝 때 侯에 봉해지고 정사를 보조하는 자리에 있는 사람이 아홉 사람의 侯와 다섯 사람의 大司馬가 있을 정도였다. 다만 왕망의 아버지만이 일찍 죽어 후에 봉해지지 않았다. 큰아버지 王鳳의 추천으로 黃門郎에 올라 이런 배경을 이용하여 결국 나라를 찬탈한 것이다.(『漢書』 「王莽傳」)

294 제왕 자리를 … 틈타 : 원제를 이어 성제, 哀帝, 平帝가 섰는데 평제는 당시 9세였다. 왕망은 평제에게 자신의 딸을 들여보내 황후로 삼았으나 평제를 독살하였다. 이때 元帝의 손자로시는 천자의 지리를 이을 사람이 없었다. 이에 원제의 아버지인 宣帝의 증손자 가운데 가장 어린 두 살짜리 嬰을 복된 관상을 가졌다는 명분으로 황제로 삼고, 왕망이 섭정의 명분으로 천자 위에 앉아 조회할 때 자신을 假皇帝라 칭하였다. 그리고는 新나라를 세우고 유씨를 제거하였다.(『漢書』 「王莽傳」)

295 털을 깎아버린 … 다르겠는가? : 이는 『論語』 「顏淵」편의 말을 인용하여 한 말이다. 棘子成이 "군자는 바탕만 갖출 뿐이다. 왜 꾸미는 일을 하겠는가?'라고 하사 사공이 '애석하다! 그대의 말이 군자다우나 네 마리의 말이 끄는 수레로도 혀를 놀려 한 말은 따라잡지 못할 것이다. 꾸밈도 바탕과 같이 (중요하며) 바탕도 꾸밈과 같이 (중요하니) 털을 깎아버린 호랑이와 표범의 가죽은 털을 깎아버린 개와 양의 가죽과 같을 것이다.(君子質而已矣, 何以文爲? 子貢曰, 惜乎! 夫子之說君子也, 駟不及舌. 文猶質也, 質猶文也, 虎豹之鞹, 猶犬羊之鞹.)"라고 하였다. 곧 그렇게 순종하며 목숨만 부지하려 든다면 사람에게 있어 차이란 없어진다는 말이다.

296 薛方 : 설방은 齊 땅 사람이다. 그에 대한 이야기가 『漢』에 보인다. "설방이 郡掾祭主로 있을 때 조정에서 초빙하였으나 나가지 않았다. 왕망이 신나라를 세우고서 安車로 설방을 맞이하려 하자, 설방은 사신을 통하여 거절하기를, '요순이 군주로 있을 때 백성으로 許由(요임금이 천하를 전하려 하자 사양한 사람)와 巢父(허유가 요임금의 말을 듣고 귀를 씻자, 자신의 소에게 더러운 물을 먹일 수 없다고 상류에 가서 먹인 사람)가 있었습니다. 지금 밝으신 군주가 요순의 덕을 한창 융성시키시니, 소신은 箕山(소부와 허유가 살았던 산)의

면하지 못하는 것이니, 어찌 재능이 있고 현명하달 수 있겠는가? 그렇기에 군빈이 무도함을 만나자 이처럼 궁색해진 것이다. 실절失節한 무리가 충성스럽고 정직한 사람을 배척하고 헐뜯어 자신의 잘못을 끝까지 미화하려는 것인데, 그것을 살피지 못한 사람들은 덩달아 따르며 맞장구를 쳤다. 태사공太史公이 '백이와 숙제는 공자가 아니었다면 서산西山에서 굶어죽은 사람을 뉘라서 알았겠는가?[297]라고 일컬었으니 참으로 맞는 말이다!'

王莽 왕망

[61-25-1]

潛室陳氏曰："莽拔於族屬, 繼四父而輔政, 時人未之信也. 於是刻心屬行以著其節；禮賢下士以釣其名；分布黨與以承其意；諂事母后以市其權；延見吏民以致其恩意. 上下之勢旣成, 而人皆知有莽矣. 於是力爲險異之行, 以焜耀當時. 封邑不受, 位號不居, 視天下爵祿若將浼焉. 天下之人見其苦心如此, 遂以其無他, 而謂伊周復出. 故其避丁傅也, 莫不稱其賢；其罷歸也, 天下莫不訟其寃. 一辭采女而詣闕上書者千數；辭益封而吏民上書者八千人；辭新野田而前後上書者至四十八萬. 蓋當時惟恐莽之一日去漢, 擧國以授之, 惟恐其不受. 夫莽斗筲之才, 賈豎之智, 兒曹之恩, 妾婦之行, 徒以驅委庸人, 籠絡小孺, 媚事婦人女子可也, 而乃掩竊大物, 豈非厄會然歟?"[298]

잠실 진씨가 말하였다. "왕망이 집안사람들 중 우뚝하여 네 아버지를 이어 정사를 보좌하게 되었으나[299] 당시 사람들이 그를 믿으려 하지 않았다. 이에 마음에 각오를 다지며 행실에 힘써 자신의 절의를 드러내고, 현명한 사람을 예우하고 선비들에게 몸을 낮춰 명예를 낚시질 하였으며, 무리를 분포시켜 자신의 뜻을 받들게 하고, 모후母后를 아첨으로 섬겨[300] 자신의 권세를 과시하였으며, 관리와 백성들을 맞이해

절의를 지키겠습니다.'라고 하였다. 사신이 이 말을 왕망에게 아뢰자 왕망은 그 말이 흡족해서 억지로 초치하려 하지 않았다.(薛方嘗爲郡掾祭酒, 嘗徵不至. 及莽以安車迎方, 方因使者辭謝曰, '堯舜在上, 下有巢由. 今明主方隆唐虞之德, 小臣欲守箕山之節也.' 使者以聞, 莽說其言, 不強致.)(『漢書』「王貢兩龔鮑傳」)

297 '백이와 숙제는 … 알았겠는가?': 태사공은 『史記』를 편찬한 사마천을 이른다. 그는 「伯夷傳」에서 "백이 숙제가 어질었지만 공자를 만나 이름이 더욱 드러났다.(伯夷叔齊雖賢, 得夫子而名益彰)"고 하였다. 서산은 백이가 고사리를 캐먹은 수양산의 별칭이다.

298 『木鍾集』「史·王莽」

299 네 아버지를 … 되었으나: 왕망의 네 아버지는 王鳳, 王商, 王音, 王根이다. 이들이 모두 大司馬를 지냈는데, 왕망도 나이 38세 때 이 대사마의 벼슬에 임명되었다.(『漢書』「王莽傳」)

300 母后를 아첨으로 섬겨: 원제의 황후인 元后를 이른다. 원후는 왕망의 고모이다. 왕망이 고모 원후에 의지하여 권력을 키웠으나 신나라를 세우자 원후는 왕망을 따르지 않았다.(『漢書』「元后傳」)

접견하여 은혜로운 뜻을 극진히 하였다. 위아래의 형세가 갖추어지고서야 사람들은 모두 왕망이 있음을 알게 되었다. 이에 험하고 기이한 행동에 힘을 써 당시 세상에 빛났다. 봉해주는 고을을 받지 않고, 작위爵位와 봉호封號를 쓰지 않으면서 천하의 작록이 마치 자신을 더럽히는 것처럼 보았다.[301] 천하 사람들이 그의 고충 어린 마음이 이 같음을 보고서는 마침내 그를 다른 욕심이 없는 사람으로 여기고, 이윤伊尹과 주공周公[302]이 다시 나타났다고들 말하였다. 그러므로 그가 정태후丁太后와 부태후傅太后를 피하자 그 현명함을 칭찬하지 않는 경우가 없고,[303] 그가 벼슬에서 파직되어 돌아가자 천하가 그의 억울함을

301 봉해주는 고을을 … 보았다. : 애제가 죽으면서 아들이 없자 원태후는 바로 왕망을 불러 대사마를 제수하고 후사를 의논하여 당시 아홉 살인 平帝를 세웠다. 원태후가 섭정하며 모든 정사를 왕망에게 일임하였다. 왕망은 이때부터 자신이 좋아하는 사람과 싫어하는 사람을 가려 싫은 사람은 아랫사람을 시켜 죄상을 아뢰게 하여 원태후에게 파직시키게 하고, 자신이 부리기 좋은 사람은 여기저기 핵심 요직에 심어서 자신은 은근히 뜻만 비치고 실행은 그들에게 맡겼다. 왕망이 益州 지역에 넌지시 일러 국경 너머 오랑캐 지역에서 흰 꿩白雉을 올리게 하였다. 흰 꿩이 올라오자 왕망은 원태후에게 아뢰어 이를 종묘에 올리자고 하였다. 그러자 뭇 신하들이 왕망이 정사를 잘 다스려 종묘가 안정되고 흰 꿩이 나타나는 상서로움이 생겨났으니, 곽광이 宣帝를 세워 종묘를 안정시킨 공으로 3만 戶가 더 봉해지고 봉해진 작위와 고을은 자손에게 전해지도록 법으로 정하여, 蕭相國(蕭何)의 공에 비긴 것처럼, 왕망의 공을 기려서 당연히 그렇게 해야 한다고 아뢰었다. 원태후가 이를 신하들에게 거듭 확인하자, 신하들은 왕망이 한나라를 안정시킨 큰 공이 있으니 安漢公의 칭호를 내리고 戶를 더 늘려주고 이를 자손에게 세습되게 법으로 정해야 한다고 하였다. 이에 원태후는 왕망의 공을 기록하여 올리게 하였다. 왕망은 자신은 공이 없고 평제 옹립에 함께 한 자신의 측근 孔光, 王舜, 甄豐, 甄邯 등의 공에 대하여 상을 내리고 자신의 일은 거론하지 말 것을 청하였다. 그러자 견감 등이 다시 왕망이 공을 사양해선 안 된다고 하였다. 다시 왕망이 사양하자 원태후는 왕망을 正殿의 동쪽 방으로 모셔오게 하였다. 왕망은 병을 핑계하며 굳게 전에 오르기를 사양하였다. 다시 원태후가 세 사람에게 왕망을 데리고 정전으로 오르게 하였으나 왕망은 끝내 오르지 않았다. 이에 신하들은 우선 왕망이 말한 네 사람의 공에 대한 상을 내리고 왕망의 공도 그대로 둘 수 없다고 하였다. 원태후는 그 말에 따라 네 사람에게 상을 내렸다. 그러나 왕망은 일어나지 않았다. 원태후는 왕망에게 召陵과 新息 두 고을을 2만 8천 호를 더 봉해주고, 작위와 고을은 소상국의 예처럼 자손에게 세습되게 하며, 벼슬을 太傅, 봉호는 안한공, 저택은 예전 곽광의 집을 왕망에게 내린다고 하였다. 함께 이를 국법으로 남겨 영원히 전해지게 하라고 하였다. 왕망이 그제야 일어나 태부와 안한공의 봉호만을 받고 자손에게 세습되는 작위와 고을은 받을 수 없다며, 백성들이 풍족해지면 그때야 받겠다고 하였다.(『漢書』「王莽傳」)

302 伊尹과 周公 : 이윤은 탕임금을 도와 商나라 왕조를 세운 사람이고, 주공은 주나라를 세운 무왕이 죽자 나이 어린 조카 成王을 보필하여 주나라 왕조의 기틀을 다진 사람이다. 이윤은 탕임금이 죽은 뒤 자리를 이은 太甲이 무도하자, 탕임금의 무덤이 있는 桐 땅으로 태갑을 옮겨 살게 하였다가, 마음을 바로잡자 다시 데려와 임금 자리를 잇게 하였다.(『書經』「太甲」;「金縢」)

303 丁太后와 傅太后를 … 없고 : 성제가 죽고 애제가 등극하니 애제는 元帝의 庶孫이었다. 어머니는 定陶恭王의 비 丁姬였고, 할머니는 원제의 비 傅后였다. 애제가 등극하며 어머니는 皇太后, 할머니는 太皇太后로 존호를 올렸다. 애제가 즉위하며 태황태후가 왕망에게 조서를 내려 벼슬에서 물러나 집으로 돌아가, 지금 황제의 외가에 권력을 사양하라고 하였다. 왕망이 벼슬에서 물러나고자 글을 올리고 돌아가자, 애제는 조서를 내려 "그대가 물러나는 것은 내가 선왕의 뜻을 받들지 못함을 세상에 드러내는 것"이라며 돌아오기를 독촉하였고, 다시 사람을 시켜 태황태후가 왕망에게 내린 조서 소식을 듣고 황제가 매우 애통해하고 있으니 이를 거두어 줄 것을 청하였다. 부태후는 하는 수 없이 왕망에게 돌아와 정사를 보살피라고 하였다.(『漢書』「王莽傳」)

말하지 않는 사람이 없었다.[304] 채녀采女를 한 차례 거절하자 궁궐에 나아와 글을 올린 자가 수천 명이었고,[305] 높은 봉호를 사양하자 글을 올린 관리와 백성들이 8천 명이었으며,[306] 신야新野의 전답을 사양하자 전후 글을 올린 사람이 48만 명에 이르렀다.[307] 당시 왕망이 하루라도 한나라를 떠날까 두려워하며 온 나라를 들어서준다 해도 그가 받지 않을까 두려워하였다. 왕망은 하찮은 재능과 장사치의 지혜와 어린애 같은 은혜와 아녀자 같은 행실로 단지 녹록한 사람들을 몰고 다니고, 어린아이들을 제압하고 부인이나 여자들을 아첨으로 섬기는 일이 적당하였는데, 갑자기 천자 자리를 훔쳤으니, 어찌 횡액의 운세에 의해 그렇게 된 것이 아니겠는가?"

. . . .

304 그가 벼슬에서 … 없었다. : 애제가 황후 傅氏를 맞이하며 董宏이 "어머니는 자식으로 인해 귀하여진다.(母以子貴)"는 설에 따라 황태후는 恭皇太后, 어머니는 恭皇后라고 하였다. 앞서 애제의 어머니와 할머니에게 공황태후와 공황후의 존호를 올리자고 董宏이 청하였을 때, 왕망이 조정을 오도하고 있다고 비판하여 그 논의가 성립되지 못하였다. 그러나 그 논의가 다시 이루어지면서 왕망을 효도하는 일을 훼손하였다는 죄목으로 서인으로 강등시키고, 작위와 봉토를 회수하여야 한다는 논의가 제기되었다. 애제는 왕망에게 작위와 봉토는 그대로 유지하고 자신의 봉토로 돌아가라고 하였다. 왕망이 떠나 있는 3년 동안 왕망이 억울하다는 수백 통의 상서가 이어졌다. 日蝕이 일어나자 애제가 현량과에 응시한 선비들에게 일식이 일어나게 된 사유를 묻자 몇 사람이 왕망의 공덕을 극찬하였다. 애제는 다시 왕망을 불러올렸다.(『漢書』「王莽傳」)

305 采女를 한 … 명이었고 : 채녀는 평제의 황후를 정하는 일을 이른다. 왕망이 자신의 권력을 공고히 하고자 자신의 딸을 평제의 황후로 들이고자 하였다. 그래서 원태후에게 평제가 즉위한 지 3년이 지났는데도 황후를 정하지 못하고 궁녀도 제 수를 채우지 못하고 있다며, 예전에 皇孫이 끊겨 평제를 세우는 과정에 힘이 들었으니, 古禮에 있는 12女의 의례에 따라 그 수를 선발하여 자손이 많아지게 할 것을 말하였다. 아울러 뽑는 여자들도 예전 요·순·우·탕·문왕·무왕의 자손과 周公·孔子의 시대 列侯로 현재 長安에서 살고 있는 자들로 하자고 하였다. 이렇게 하여 뽑힌 규수들 중에는 왕씨 집안사람이 단연 많았다. 왕망은 자신의 딸이 뽑히지 못할 것이 우려되었다. 이에 자신의 딸은 빼주기를 청하였다. 마침내 조서가 내려져 왕망의 딸은 빼라고 하였다. 그러자 서민들과 유생, 郎吏들이 대궐문에 날마다 1천여 명의 사람이 모이고, 공경대부들마저 조정에 나아가거나 자신의 고을에서 왕망의 공이 저처럼 높은데 황후 선발에 유독 제외하는 것은 옳지 않으니, 왕망의 딸을 國母로 삼자고 청하였다. 왕망은 사람을 파견하여 이런 말들을 중지하라고 조정과 각 고을에 내려보냈다. 그러자 그 수가 더욱더 늘어났다. 원태후는 왕망의 딸을 평제의 황후로 정하였다. 왕망이 다시 여러 규수를 널리 정하라고 하자, 공경대부들은 여러 규수를 정하여 정통을 어지럽혀선 안 된다고 하였다. 결국 왕망의 딸 한 사람이 평제의 황후로 정하여졌다.(『漢書』「王莽傳」)

306 높은 봉호를 … 명이었으며 : 왕망이 공훈이 높은데도 늘 높은 작위와 賞賜를 사양하자, 大司徒司直으로 있던 陳崇이 글을 올려 왕망의 그동안의 공을 나열하며 경전 속의 성인의 글에 근거하여 그의 덕을 한없이 표창하고, 예전에 성왕이 周公의 아들 伯禽에게 노나라를 봉한 것처럼, 왕망에게 그런 지위를 부여하자고 아뢰었다. 이를 찬성하는 사람이 전국에서 8천 명에 이르렀다. 이에 왕망에게 이윤의 阿衡과 주공의 太宰를 아우른 宰衡의 칭호를 내리고, 왕망이 사양하였던 예전의 食邑을 다시 내리고 아들 두 사람을 侯에 봉하였다. 그 밖에도 그의 지위는 上公보다 높고, 三公들이 재형에게 글을 올릴 때는 맨 앞에 "감히 말씀드립니다.(敢言之.)"를 써야 한다는 등의 여러 의전을 결정하였다. 그러나 왕망은 이를 굳이 사양하였다.(『漢書』「王莽傳」)

307 新野의 전답을 사양하자 전후 글을 올린 사람이 48만 명에 이르렀다. : 앞서 왕망은 재형에 임명되며 식읍으로 받은 신야의 전답과 黃郵聚의 전답들을 받지 않았다. 이에 전국에서 이를 받게 해야 한다는 사람들이 487,520명이었다.(『漢書』「王莽傳」)

總論 총론

[61-26-1]

朱子曰: "漢興之初, 人未甚繁, 氣象劃地較好, 到武宣極盛時, 便有衰底意思."[308]

주자가 말하였다. "한나라가 나라를 세운 초기에는 인재가 그토록 많지는 않으나 기상은 반대로 비교적 좋았는데, 선제와 무제의 인재가 더할 수 없이 융성한 시대에 이르러 쇠한 기상이 나타났다."

[61-26-2]

"周人繁密,[309] 秦人盡掃了, 所以賈誼謂'秦專用苟簡自恣之行'. 秦又太苟簡自恣, 不曾竭其心思. 太史公董仲舒論漢事, 皆欲用夏之忠, 不知漢初承秦掃去許多繁文, 已是質了."[310]

(주자가 말하였다.) "주나라의 번거롭고 세밀함을 진秦나라가 모두 쓸어내, 가의賈誼가 '진나라는 구차하고 촌스럽고 방자한 행위만을 오로지 구사하였다.'[311]고 말한 까닭이다. 진나라는 또 권력에 너무 집착하고 인의仁義를 소홀히 한 채, 멋대로 행동하며 한 번도 자신의 마음이나 생각을 다하려 들지 않았다. 태사공太史公(사마천)과 동중서董仲舒가 한나라의 일을 말하며, 모두 '하夏나라의 충후忠함을 숭상하는 도리를 쓰고자 하였다.'[312]고 하였으나, 한나라 초기는 진나라가 번거로운 꾸밈을 수없이 쓸어낸 것을

---

308 『朱子語類』 권135, 4조목

309 周人繁密: 『朱子語類』 권135, 2조목에는 人자가 太자로 되어 있다.

310 『朱子語類』 권135, 2조목

311 '진나라는 구차하고 … 구사하였다.': 동중서가 賢良으로 천거되어 武帝의 책문에 대답한 내용 가운데 한 구절이다. 『漢書』 권56 「董仲舒傳」에서, "주나라 말기에 크게 망할 짓만을 저질러 천하를 잃었습니다. 진나라가 그 뒤를 이어서 그것들을 바꾸지 않았을 뿐만 아니라 또는 더욱 심하였습니다. 문학을 강하게 금하여 책을 끼고 다니지 못하게 하였고 예의를 팽개쳐 듣기를 싫어하였습니다. 그들 의도는 선왕시대의 성인의 도를 모두 없애고 오로지 방자하고 구차하고 촌스러운 정치를 구사하고자 하였습니다. 그러므로 천자국이 된 지 14년 만에 나라가 망하였습니다.(周之末世, 大爲亡道, 以失天下. 秦繼其後, 獨不能改, 又益甚之. 重禁文學, 不得挾書, 棄捐禮誼, 而惡聞之. 其心欲盡滅先聖之道, 而顓爲自恣苟簡之治. 故立爲天子十四歲, 而國破亡矣.)"라고 하였다.

312 太史公(사마천)과 董仲舒가 … 하였으나: 하나라의 충후함이란, 『論語』 「爲政」에서 '子張의 앞으로 10王朝를 알 수 있습니까?(子張問, 十世可知也?)'라는 물음에 공자가 은나라와 주나라가 앞 나라에서 덜어내고 더 보탠 것을 알 수 있다고 대답한 글이 있다. 그에대한 朱子 주석에, "질박하면 문채는 없고, 충후하면 온통 성실하여 거기에 질박이라는 말은 할 수 없다.(質朴則未有文, 忠則渾然誠確, 無質可言矣.)"고 하였다. 이를 大全에서 주자는 "충후함은 단지 있는 그대로 해내는 것이고, 질박은 형질과 제도를 점차 갖추면서 아직 문채는 없는 것이며, 문채는 제도상으로 일마다 문채를 더 보태는 것이다.(忠, 只是朴實頭白直做將去 ; 質則漸有形質制度, 而未有文采 ; 文則就制度上, 事事加文采然.)"라고 하였다. 태사공은 그의 저서 『史記』 「高祖本紀」의 찬에서 "하나라의 정치는 충후하였고 충후의 폐단은 백성들이 야박한 까닭에 은나라는 공경으로 이어받았다. 공경의 폐단은 백성들이 귀신 받드는 일에 집착하는 까닭에 주나라는 문채로 이어받았다. 문채의 폐단은 백성들이 성실하지 않은 까닭에 성실하지 않은 것을 구원하는 데는 충후함 만한 것이 없다. 삼왕

이어받아 이미 질박해 있었던 것을 알지 못한 것이다."

[61-26-3]

"董仲舒才不及陸宣公, 而學問過之; 張子房近黃老, 而隱晦不露."[313]

(주자가 말하였다.) "동중서는 재주는 육선공陸宣公[314]에게 미치지 못하나 학문은 넘어섰고, 장자방張子房[315]은 황로黃老에 가까우나 감추고 드러내지 않았다."

[61-26-4]

南軒張氏曰: "西漢末世, 風節不競, 居位大臣號爲有正論者, 不過王嘉何武師丹耳. 在波蕩風靡之中, 誠亦可取. 比之光禹, 則甚有間矣. 然西漢末年, 正如病者元氣先敗, 凡疾皆得以入之, 而皆得以亡之. 爲當時大臣者, 要當力陳國勢根本之已蹶, 勸人主以自强於德, 多求賢才以自輔, 庶可以扶助元氣, 消靡沉痼. 若不循其本, 而姑因一事之謬, 一人之進而指陳之, 縱使一事之正, 一人之去, 亦將有繼其後者, 終無益也.

남헌 장씨가 말하였다. "서한 말기에는 기풍과 절의가 떨쳐지지 않아, 대신의 자리에 앉아 정론正論을 펼쳤다고 호칭할 수 있는 사람은 불과해야 왕가王嘉[316]와 하무何武,[317] 사단師丹[318] 정도 뿐이다. 물결처럼

의 道는 둥근 고리를 따라 도는 것 같아서 끝이 나면 다시 시작한다. 주나라와 진나라 사이는 문채의 폐단이 었다고 말할 수 있다. 진나라 정치는 이를 바꾸지 않고 도리어 형법을 가혹하게 하였으니, 어찌 잘못이 아니겠는가? 그러므로 한나라가 일어나며 폐단을 이어받아 바꾸고 변화시켜 백성들을 게으름피우지 못하게 하였다.(夏之政忠, 忠之敝, 小人以野, 故殷人承之以敬. 敬之敝, 小人以鬼, 故周人承之以文. 文之敝, 小人以僿, 故救僿莫若以忠. 三王之道若循環, 終而復始. 周秦之間, 可謂文敝矣. 秦政不改, 反酷刑法, 豈不繆乎? 故漢興, 承敝易變, 使人不倦.)고 하였다. 동중서는 武帝에게 올린 현량과 대책문에서 "치세를 이은 나라는 그 다스리는 도리가 동일하고, 난세를 이은 나라는 다스리는 도리를 변화시킵니다. 지금 한나라는 큰 난세의 뒤를 이었으니 의당 주나라의 문채를 약간 줄이고 하나라의 충후함을 써야 할 것입니다.(繼治世者其道同, 繼亂世者其道變. 今漢繼大亂之後, 若宜少損周之文致, 用夏之忠者.)"고 하였다.

313 『朱子語類』 권137, 35조목
314 陸宣公: 唐 陸贄를 그의 시호로 이르는 말. 蘇州 嘉興 사람으로 자는 敬興이다. 代宗의 大曆 연간의 진사로 博學宏詞科에 급제하였다. 德宗이 즉위하면서 監察御使를 거쳐 翰林學士에 올랐다. 朱泚의 반란에 덕종을 수행하여 奉天으로 파천하는 동안 기초한 조서가 너무도 간절하여, 보는 사람마다 감동하여 눈물을 흘렸다. 병부시랑, 중서시랑을 거쳐 同門下平章事를 지냈다. 호부시랑 裴延齡의 모함으로 파직 당하였다. 奏議로 올린 글들이 조리가 정밀하고 문장이 명쾌하여, 후세 주의의 전범으로 추앙되었다. 저서로 『翰苑集』이 있다. (『唐書』 「陸贄傳」)
315 張子房: 한고조를 도와 한나라 건국에 공을 세운 張良을 이른다. 자방은 그의 字이다.
316 王嘉: 平陵 사람. 자는 公仲. 봉호는 新甫侯. 시호는 忠. 哀帝 때의 丞相. 애제가 간신 董賢의 봉토를 더해주는 조서를 내리자, 이를 간하다가 옥에 갇혀 죽었다.(『漢書』 「何武王駕師丹傳」)
317 何武: 郫縣 사람. 자는 君公. 『周易』을 공부하여 갑과로 급제하며 郎에 올랐다. 鄂와 揚州의 수령을 지냈으며, 成帝 말년에 어사대부를 거쳐 대사공에 오르고 汜鄕侯에 봉해졌다. 哀帝 말년에 승상 孔光과 限田과

출렁이고 바람에 휩쓸리는 속에서도 참으로 또한 취할 만한 점이 있었다. 공광孔光[319]과 장우張禹[320]에 비긴다면 매우 차이가 있다. 그러나 서한 말년은 바로 환자의 원기가 먼저 무너지자 모든 질병이 다 침입할 수 있고, 어느 질병이건 다 사람을 죽게 할 수 있는 정황과 같았다. 당시 대신의 지위에 있는 자는 당연히 국가 형세의 근본이 이미 넘겨졌음을 역설하여 군주가 덕 쌓는 일에 스스로 힘쓰도록 권면하여, 현명하고 재능진 자를 널리 구하여 자신을 보필하게 했어야, 원기를 붙잡아 세우고 굳어진 고질병을 녹여낼 수 있었을 것이다. 만일 그러한 근본책을 따르지 않고 고식적으로 한 가지 일의 오류와 한 사람의 등용을 지적해 말하려들면, 한 가지 일은 바로잡을 수 있고 한 사람은 내보낼 수 있겠지만, 또한 그러함은 그 뒤로도 이어짐이 있게 되어 끝내 무익할 것이다.

故哀帝之末, 董賢雖去而王氏即起, 遂以亡漢矣. 自成帝以來, 受病之痼且大者, 乃在王氏. 如丁傅·董賢之徒, 又特一時乘間之疾耳. 在位者, 當深以王氏爲慮, 以王氏爲慮, 當如予所言, 先勸人主以自强於德. 自强於德, 則不宜少有差失. 顧反尊傅氏, 寵董賢, 以重失天下之心, 是益自削而增助王氏之勢耳. 故莽得以拱手而乘其後, 惜當時論者, 皆不知及此也, 可勝歎哉!」[321]

그러므로 애제哀帝 말년에 동현董賢[322]이 제거되었으나 왕씨王氏가 바로 일어나 마침내 한나라를 무너뜨

· ·

限奴婢 등 일정 이상의 수량은 정부에 바치게 하는 제도의 확립을 논의하였으나, 당시 권문세가의 방해로 시행하지 못하였다. 평제 때 왕망이 자신을 따르지 않는 사람들을 몰래 해칠 적에 무함을 받자 자살하였다. (『漢書』「河武王駕師丹傳」)

318 師丹 : 琅邪 東武 사람. 자는 仲公. 匡衡에게 『詩』를 배웠다. 孝廉으로 郎에 오르고 이어 博士가 되었다. 成帝 때 東平王太簿가 되었다. 翟方進의 천거로 光祿大夫에 오르고 哀帝가 즉위하며 大司馬에 오르고 高樂侯에 봉해졌다. 한전제와 한노비 등 제도를 도입하려다 성공하지 못하였다. 외척 丁氏와 傅氏를 벼슬에 임명하고 아버지 共王을 共皇으로 추존하려 하자, 이를 간하다가 서인으로 면직당하였다.(『漢書』「河武王駕師丹傳」)

319 孔光 : 공자의 후손. 자는 子夏. 元帝 때 明經으로 議郎에 올랐고, 成帝 때 博士에 천거되고 이어 尙書를 거쳐 丞相에 올랐다. 哀帝 때 참소를 입고 면직되어 고향으로 돌아갔다가, 傅太后가 죽으며 등용되어 한 급 아래인 光祿大夫에 임명되었다. 平帝 때 王莽의 추천으로 太傅에 올랐다. 공광이 세 왕을 섬기며 어사대부와 승상을 두 차례 역임하고 大司徒, 태부, 太師를 지내며 公輔의 지위를 17년간 역임하였다. 『漢書』「匡張孔馬傳」에 의하면, "간하는 말이 혹 받아들여지지 않아도 굳이 다시 간하려 하지 않아 이로 인해 오랫동안 벼슬에 남아 있을 수 있었다.(如或不從, 不敢强諫爭, 以是久而安.)"고 하였고, 부태후의 强暴함을 알고 성제가 죽은 뒤 애제의 옹립을 반대하여, 내내 부씨와 사이가 좋지 않았다.

320 張禹 : 河內 軹 땅 사람. 자는 子文. 박사로 등용되어 원제 때 成帝의 사부가 되었고 성제가 즉위하며 스승으로 예우하여 여러 벼슬을 거쳐 승상에 올랐다. 관원들과 백성들이 災異가 끊임없이 일어나는 것은 왕씨의 전횡에서 비롯된 것이라고 비난하여, 성제가 친히 스승 장우의 집에 나아가 좌우 사람들을 모두 물리치고 관원들과 백성들이 왕씨를 탄핵하는 말을 묻자, 장우는 자신의 아들들이 허약하여 왕씨의 비위를 거스를 수 없음을 판단하고, 백성들의 잘못된 말이라고 반박하여 성제로 하여금 왕씨의 세력을 믿게 하는 빌미를 제공하였다.(『漢書』「匡張孔馬傳」)

321 『南軒集』 史論, 「自元成以後居位大臣有可取者否」

322 董賢 : 馮翊 雲陽 사람. 자는 聖卿. 恭의 아들. 외모가 빼어나 哀帝와 침식을 함께할 정도로 총애를 받으며,

렀다. 성제成帝시대 이후 난치병이자 큰 병이 된 것은 비로 왕씨였다.[323] 정씨丁氏와 부씨傅氏,[324] 동현 같은 무리는 또한 단지 한때 틈을 비집고 들어온 병일 뿐이다. 벼슬에 있는 자들은 당연히 왕씨를 깊이 우려해야 했고, 왕씨를 우려했다면 마땅히 내가 말한 바와 같이 먼저 군주가 덕을 쌓는데 스스로 노력하도록 권면하여야 했다. 덕을 쌓는데 스스로 노력하였다면 당연히 조금의 잘못도 없어졌을 것이다. 도리어 부씨傅氏를 높이고 동현을 총애하여 거듭 천하의 마음을 잃었으니, 이것은 자신을 더욱 깎아내리고 왕씨의 형세를 도왔을 뿐이다. 그런 까닭에 왕망이 팔짱을 끼고서 그 뒤를 노릴 수 있었는데도, 안타깝게 당시 이런저런 말을 했던 자들이 모두 이를 알지 못하였으니, 탄식을 억누를 수 없다!"

. . . .

그의 나이 22세에 三公이라 할지라도 반드시 그의 입을 거쳐야 천자의 윤허를 얻을 수 있었다. 따라서 집안 사람들까지 모두 벼슬에 올라 애제의 외갓집인 丁氏와 할머니 傅氏의 친정 세력보다 그 위세가 당당하였다. 생활도 천자의 생활과 다를 것이 없었다. 벼슬은 大司馬·衛將軍에 이르고 高安侯에 봉해졌다. 애제가 죽은 뒤 王莽에 의하여 퇴출되자 자살하였다.(『漢書』「佞幸傳」)

323 成帝시대 이후 … 왕씨였다. : 왕씨는 宣帝의 倢伃였던 왕씨가 元帝를 양육하게 된 인연으로 황후로 봉해지며 세력을 얻기 시작하였다. 원제를 이어 등극한 성제도 母后가 왕씨였던 까닭에 이때 한껏 세력을 떨쳤다. 선제의 황후인 왕씨는 나중에 邛成太后로 존호가 올려지며 그가 조정의 세력을 49년 동안 나이 70여 세에 이르도록 좌지우지하다 죽었다. 이때 왕씨 세력들이 크게 조정에 진출하였으니 대표적인 인물은 王鳳이고, 왕봉의 조카가 왕망이다. 왕망은 한때 부태후 세력에 밀려 고향으로 쫓겨나 있다가, 애제가 죽으며 다시 조정에 나와, 마침내 한나라를 무너뜨리고 찬탈하였다.(『漢書』「王莽傳」;「外戚傳上下」)

324 丁氏와 傅氏 : 정씨는 애제의 어머니 성씨이고, 부씨는 애제의 할머니 친정 성씨이다. 애제는 元帝와 부씨 사이에서 태어난 定陶王의 아들이니 정통이 아닌 庶孫에 해당한다. 나이 3세에 등극하면서 할머니 부씨가 수렴청정하여 부씨의 세력이 조정의 실권을 거의 장악하였다. 그리하여 태후의 친정 형제 네 사람의 아들들과 부씨의 同母弟 鄭氏 집안에서 侯에 봉해진 사람이 6명, 大司馬 2명, 九卿과 二千石의 녹봉을 받는 사람이 6명, 여러 관청에서 侍中에 있는 사람이 10명이었다. 어머니 丁氏 집안은 후에 봉해진 사람이 2명, 대사마 1명, 장군·구경·이천석이 6명, 여러 관청에서 시중에 있는 사람이 10여 명이었다.(『漢書』「外戚傳下」)

歷代四 역대 4

歷代四
역대 4

東漢 동한¹

光武 광무²

[62-1-1]

南軒張氏曰: "光武之不任功臣爲三公, 蓋鑒高帝之弊而欲保全之, 前史莫不以爲美談. 以予觀之. 光武之保全功臣, 使皆得以福祿終身, 是固美矣. 然於用人之道, 則有未盡也. 蓋用人之道, 先以一說橫於胷中, 則爲私意, 非'立賢無方'之義矣. 高祖之待功臣誠非也. 如韓彭黥布之徒, 雖有大功, 要皆天資小人. 在易之師, '開國承家, 小人勿用.' 蓋於用師旣終成功之後, 但當寵之以富貴, 而不可使之有國家而爲政也. 高帝正犯此義, 是以不能保功臣之終.

남헌 장씨南軒張氏[張栻]가 말하였다. "광무제가 공신을 임명하여 삼공三公으로 삼지 않은 것³은 고조의

---

1 東漢: 後漢의 별칭. 王莽이 劉씨 왕조의 한나라를 무너뜨리고 新나라를 세우자, 광무제가 이를 무너뜨리고 세운 나라이다. 도읍지 洛陽이 예전 한나라의 수도 長安의 동쪽에 있어서 붙은 별칭이다. 14대 196년 만에 망하였다.(『後漢書』)

2 光武: 한고조의 9대손. 이름은 秀. 蔡陽 사람. 자는 文叔. 광무는 시호이다. 왕망이 한나라를 찬탈하자 군사를 일으켜 春陵에서 왕망의 군대를 격파하고, 낙양에 도읍을 정하여 천하를 평정하였다. 廟號는 世祖. 연호는 建武와 中元이었다.(『後漢書』)

3 공신을 임명하여 … 것: 광무제의 공신 등용에 대한 말은 『後漢書』「馮岑賈傳」의 「賈復傳」에 의거하면 "(가복이) 열후의 신분으로 집으로 돌아가자 특진의 벼슬을 더 높여주었다.(復以列侯歸第, 加位特進.)"고 하고, 그 注에 『東觀記』에 '광무제가 천하가 안정되고 난 뒤, 공신들의 작위와 봉해준 땅들을 온전히 해주고자 관리의 직책을 지워 허물을 짓게 하지 않으려 하였다. 그런 까닭에 모두 열후들을 집으로 돌아가게 하였다.(東觀記曰, 上以天下旣定, 思念欲完功臣爵土, 不令以吏職爲過, 故皆以列侯就第也.)'고 하였다. 또 「馮岑賈傳」에 "광무제

폐단을 거울삼아 그들을 보존시키고자 한 것이어서, 앞 시대의 역사책들에 모두 미담으로 기록하고 있다. 내가 보기에도 광무제가 공신을 보존시켜 모두가 복록 속에서 한 몸을 마칠 수 있게 한 것은 참으로 아름다운 일이다. 그러나 인재를 부리는 도리에는 미진한 점이 있다. 인재를 부리는 도리는 먼저 어떤 선입견이 가슴속에 놓여 있으면 그것은 사사로운 뜻이 끼는 것이니 '현인을 등용하면서는 그가 어떤 부류인지 따짐이 없어야 한다.'[4]는 도리가 아니다. 고조의 공신 대우는 참으로 잘못된 것이다. 예컨대 한신韓信·팽월彭越·경포黥布[5] 같은 무리는 큰 공훈은 있지만 요약하면 모두 타고난 소인이다. 『주역』의 「사괘師卦」에 '나라를 봉해주고 경대부로 임명하되 소인은 쓰지 말라.'[6]고 하였다. 그것은 전쟁의 일이 이미 끝나는 공훈이 이루어졌을 때는 단지 부귀로써 총애할 뿐 국가를 소유하고 정치를 하게 해선 안 된다는 말이다. 고조는 바로 이러한 의리를 어겼으니, 그런 까닭에 공신이 복록 속에 세상을 마치도록 보장하지 못하였다.

爲光武者, 要當察吾大臣有如韓彭之徒者乎, 則當以是待之. 若光武之功臣則異於是. 至冠鄧賈復, 則又識明而行脩, 量洪而器遠. 以光武時所用之大臣論之, 若三子者類, 過之遠甚. 與共圖政, 豈不可乎? 顧乃執一隙之嫌, 廢大公之義, 是反爲私意而已矣. 抑光武之所責於大臣者, 特爲吏事, 大臣之職顧如是乎? 惟其不知大臣所當任之職, 故不知用大臣之道, 而獨以吏事之督責爲憂, 抑亦末矣. 方當亂定之後, 正宜登用賢才, 與共圖紀綱, 以爲垂世長久之計, 而但知吏事責三公, 其貽謀之不競, 亦宜矣."[7]

광무제로서는 응당 나의 대신 중에 한신과 팽월 같은 무리가 있는가 하고 살펴서 당연히 이를 기준으로 그들을 대우했어야 한다. 그러나 광무제의 공신들은 이 사람들과는 달랐다. 구순寇恂[8]과 등우鄧禹,[9] 가복

....
는 관리의 일을 삼공에게 책임 지우려 했던 까닭에 공신은 모두 (삼공에) 등용하지 않았다.(帝方以吏事責三公, 故功臣並不用.)"고 하였다.

4 '현인을 등용하면서는 … 없어야 한다.' : 이는 『孟子』「離婁下」에서 공자가 탕임금의 훌륭한 점을 거론하면서 한 말의 일부이다. 맹자가 "탕임금은 중용의 도를 지키셨고, 현인을 등용하면서는 운운하셨다.(湯執中, 立賢無方)"라고 하였다. '立賢無方'을 주자는 "현인이기만 하면 지위에 등용시키고 그가 어떤 부류인지는 묻지 않았다.(立賢無方, 惟賢則立之於位, 不問其類也.)"고 하였다.

5 韓信·彭越·黥布 : 모두 한고조를 도와 항우를 물리치고 한나라의 건국에 공을 세운 공신들이다. 그러나 모두 모반의 혐의로 죽임을 당하였다. 경포의 본 이름은 英布이다. 한신은 『性理大全書』 권60 [60-10-1] 이하 「韓信」, 팽월은 동권 [60-12-1] 이하 「彭越」 참고.

6 '나라를 봉해주고 … 말라.' : 「師卦」上六의 爻辭이다.

7 『南軒集』「史論·光武不任功臣以事」

8 寇恂 : 上谷 昌平 사람. 자는 子翼. 상곡의 功曹로 있을 때 王郎이 봉기하여 상곡의 수령 耿況에게 군사의 징발을 재촉하자, 경황을 설득하여 광무제에게 귀의하게 하고, 그 일을 주선하러 광무제를 만나러 갔다가 偏將軍에 임명되고 承義侯에 봉해졌다. 이때 鄧禹가 구순을 알아보고 사이가 친하여졌다. 광무제가 河內를 평정하고 군사를 옮겨 燕과 代 땅을 치려하면서 하내를 맡길 사람을 찾자, 등우가 구순을 천거하였다. 이후 광무제가 가는 곳마다 군량미 조달, 군사 징발과 훈련을 마치 한고조 시절 蕭何처럼 잘 처리하여, 광무제가 이것들에 대해서 한 번도 어려움을 겪지 않았다. 이후 潁川 태수를 지내며 세운 공으로 雍奴侯에 봉해졌다.

賈復[10]에 이르러선 또 식견이 밝았고 행실이 단정하였으며, 도량이 컸고 그릇이 원대하였다. 광무제 때 등용되었던 대신들을 가지고 논한다면 세 사람 같은 부류는 그들보다 훨씬 뛰어났다. 그들과 함께 정사를 도모하는 것이 왜 불가하겠는가? 이는 다만 한 잣대로 재단하여 미워하려 한 고집이고 크게 공정해야 하는 도리를 폐한 것이니, 도리어 사사로운 뜻이 되었을 따름이다. 또 광무제가 대신들에게 책임지우고자 했던 것은 단지 관원의 일이었으니, 대신의 직책이 어찌 이런 것이겠는가? 대신이 당연히 책임져야 할 직분을 알지 못했던 까닭에 대신을 부릴 도리를 알지 못하고, 단지 관리의 일을 독촉하고 책임지우는 것을 근심으로 삼았으니 또한 하찮은 짓이다. 바야흐로 난리가 평정된 뒤 의당 현명하고 재능 있는 사람들을 등용하여, 그들과 함께 기강을 도모하여 세상에 남길 장구한 계책을 삼았어야 하는데, 단지 관리가 해야 할 일을 삼공에게 책임 지우려 하였으니, 그가 남긴 책략이 떨쳐지지 못한 것이 또한 마땅하다."

· · · · · · · · · · · · · · · · · · · ·

汝南 태수를 지내며 민심을 잘 진정시켰으며, 隗囂의 군대가 격파된 뒤, 계속 남아 준동하는 高峻을 꾀로 항복 시키기도 하였다. 학문을 좋아하여 여남태수로 있으며 『左氏春秋』를 친히 배우기도 하였고, 조정에서 내리는 녹봉은 친구나 예전 자신의 휘하에서 벼슬하던 사람들에게 나누어주며 "내가 사대부로 이 지위에 이르렀는데 이것을 혼자 누릴 수 있겠는가?(吾因士大夫以致此, 其可獨享之乎?)"라고 하였다.(『後漢書』「鄧寇傳」)

9 鄧禹: 南陽 新野 사람. 자는 仲華. 나이 13세 때 長安에서 유학하다 마침 유학 와 있던 광무제를 만나 예사 사람이 아님을 알아보고 친하게 지냈다. 왕망 말기에 광무제가 河北에서 봉기하자 황하를 건너 찾아가 천하 평정을 권유하자, 광무제가 기뻐하며 그를 鄧將軍이라 부르고, 잠자리를 함께하며 계책을 논의하였다. 이때 정세는 更始帝(劉玄)가 王莽을 무너뜨리고 關西를 근거로 군사를 일으키고 있었고, 山東에는 赤眉와 靑犢의 군대가 있었으며, 여러 곳에서 수많은 봉기가 있었다. 이때 적미의 군대가 함곡관으로 진격하자, 경시제는 장군 王匡과 成丹 등을 파견하여 관문을 봉쇄하였다. 광무제는 적미의 군대가 관중을 격파하겠지만 경시제와의 싸움에서 손실이 많을 것이니, 이틈에 그들을 치고자 하였다. 그러나 산동이 안정되지 않아 자신은 산동을 공략하고 관중을 격파 하는 일은 등우에게 맡겼다. 등우는 왕광과 성단을 격파하고 河東을 함락하였다. 이때 광무제가 鄗 땅에서 즉위하며 등우를 大司徒에 임명하고 鄷侯에 봉하였다. 이때 등우의 나이 24세였다. 적미 군대와 장안 함락을 다투며 한때 군사 1백만을 거느렸으나, 적미가 먼저 관중을 함락시켰다. 적미 군대와의 싸움에서 연달아 패하며 휘하 군사를 모두 잃자, 스스로 면직을 청하였다. 뒤에 右將軍에 임명되었다. 천하가 평정된 뒤 高密侯에 봉해졌다. 顯宗이 즉위하며 太傅에 임명되었다. 시호는 元.(『後漢書』「鄧寇傳」)

10 賈復: 南陽 冠軍 사람. 자는 君文. 왕망 말기 군사들이 사방에서 봉기할 때 羽山에서 군사를 일으켰다. 漢中王 劉嘉의 추천으로 광무제에게 귀의하여, 광무제와 등우에게 용맹을 인정받아 破虜將軍에 임명되었다. 邯鄲을 함락시키고, 이어 광무제를 따라 射犬에서 靑犢軍을, 眞定에서 五校를 물리치며 모두 맨 선봉에서 죽음을 두려워하지 않고 싸웠다. 오교와의 싸움에서 큰 상처를 입은 것을 본 광무제 "내가 가복을 별장에 임명하지 않은 것은 그가 적군을 가볍게 생각해서이다. 짐작대로 나의 명장을 잃을 뻔하였다. 그의 부인이 임신 중이라는 말을 들었으니 딸을 낳으면 내 아들을 장가들일 것이고, 아들을 낳으면 내 딸을 시집보내, 그가 처자식을 걱정하게 하지 않을 것이다.(我所以不令賈復別將者, 爲其輕敵也. 果然, 失吾名將. 聞其婦有孕, 生女邪, 我子娶之; 生男邪, 我女嫁之, 不令其憂妻子也.)"라고 하였다. 가복이 병이 회복된 뒤 광무제가 천자에 등극하며 執金吾에 임명되고 冠軍侯에 봉하여졌다. 경시제의 군대와 적미 군대의 항복에 공을 세워 膠東侯에 봉해졌다. 광무제가 천하를 평정한 뒤 文敎를 숭상하자, 무기를 버리고 儒學에 노력하여 朱祐 등이 그를 재상에 추천하기도 하였다.(『後漢書』「馮岑賈傳」)

[62-1-2]

東萊呂氏曰 : "光武治天下, 規模不及高帝, 其禮嚴光, 用卓茂, 所以養得後來許多名節."[11]

동래 여씨東萊呂氏[呂祖謙]가 말하였다. "광무제의 천하 다스리는 일은 규모에서 고조高祖에게 미치지 못하나, 엄광嚴光[12]을 예우하고 탁무卓茂[13]를 등용한 것은 후세에 명분과 절의를 가진 사람을 허다하게 길러내었다."

[62-1-3]

"光武罷郡縣材官等事, 其識見與秦皇相去不遠."[14]

(동래 여씨가 말하였다.) "광무제가 군현郡縣의 재관材官 등을 없앤 일[15]은 그 식견이 진시황과 서로 멀지 않다.[16]"

· ·

11 『東萊外集』 권6 「庚子所記」

12 嚴光 : 會稽 餘姚 사람. 자는 子陵. 이름은 遵으로 쓰기도 한다. 광무제와 함께 공부하였다. 광무제가 즉위하자 성명을 바꾸고 숨어버린 것을 찾아내, 사신을 세 차례 보내서야 겨우 낙양으로 초치할 수 있었다. 광무제가 그가 머무는 곳으로 찾아갔으나 엄광이 일어나지 않자, 광무제가 그가 누워 있는 방으로 찾아들어가 배를 어루만지며 "오! 자릉이여! 나라 다스리는 일을 도와주지 않겠나?"라고 하였으나, 엄광은 잠이 들어 알아듣지 못한 척하였다. 한참 시간이 흐른 뒤 엄광은 잠에서 깨 눈을 크게 뜨고서 바라보다가 "예전에 요임금은 덕이 고상하였으나 巢父는 귀를 씻었습니다. 사람이란 예전부터 가진 뜻이 있는 법인데 왜 그렇게 사람을 핍박하시오!(昔唐堯著德, 巢父洗耳. 士故有志, 何至相迫乎!)"라고 하였다. 광무제가 며칠 머물며 옛날 일들을 얘기하면서 함께 누워 지내는데 엄광의 발이 광무제의 배 위에 걸쳐지는 일이 있었다. 다음 날 天文을 살피는 관원이 "客星이 御座를 매우 긴박하게 범하였습니다."라고 하자, 광무제는 허허! 웃으며 "짐의 친구 엄자릉과 함께 누워 있었을 뿐이다."라고 하였다. 諫議大夫를 제시하였으나 끝내 뜻을 굽히지 않고 富春山에서 농사를 지으며 살았다. 훗날 다시 특별히 불렀으나 벼슬에 나오지 않았다.(『後漢書』「逸民傳」)

13 卓茂 : 南陽 宛 땅 사람. 자는 子康. 西漢 元帝 때 長安에 유학하여 博士 江生에게 『詩』와 『禮』와 歷算을 배워 남김없이 터득하자, 세상에서 '통달한 通儒'로 불리었다. 儒術로 侍郎 벼슬과 密의 수령을 지내며 仁政을 베풀었다. 왕망이 정권을 잡자 벼슬에서 물러났고, 更始帝가 등극하며 侍中祭酒로 부르자 장안에 나왔으나, 정사의 어지러움을 보고서 되돌아갔다. 광무제가 즉위하여 맨 먼저 탁무를 찾아 太傅에 임명하고 襃德侯에 봉하고서 수많은 상을 내렸고, 두 아들도 모두 벼슬에 등용하였다.(『後漢書』「卓魯魏劉傳」)

14 『東萊外集』 권6 「庚子所記」

15 郡縣의 材官 … 일 : 재관은 진나라와 한나라 시대 지방에 양성한 예비 병력을 이른다. 이를 建武 7년(서기 31년) 3월에 조서를 내려 "지금 나라에 여러 종류의 군대가 있고 아울러 대부분 정예의 용맹한 군사들이니, 의당 우선 경거와 기사와 재관, 누선사와 군대 안에 임시로 둔 관리를 혁파하여 다시 백성으로 복귀하게 하라.(三月丁酉詔曰, 今國有衆軍, 並多精勇, 宜且罷輕車·騎士·材官·樓船士及軍假吏, 令還復民伍.)"고 하였다.

16 진시황과 서로 … 않다. : 진시황이 봉건제를 폐하고 郡縣制를 둔 것을 이른 말인 듯하다. 광무제가 지방 군사력이 계속 존재하는 것을 국가의 권력 분산과, 미래에 봉기의 빌미로 작용할 것을 걱정하고 이를 미리 해체 시킨 것으로 판단하고, 진시황이 제후국이 난립하여 서로 끝없이 다투며 천하가 어지러워진 것을 보고서 봉건제를 혁파한 것에 비긴 것이다.

[62-1-4]

或問 : "光武之失正在攬權, 而史乃稱其總攬權綱, 擧無過事, 何耶?"

潛室陳氏曰 : "光武再造於僵仆之後, 如何不總攬權綱? 但末流之幣, 至不任三公, 乃矯枉過正, 非謂全不是."[17]

어떤 사람이 물었다. "광무제의 잘못은 바로 권력을 틀어쥐고 있었던 것인데 역사에서 '권력의 근간을 모두 틀어쥐었으나 하는 일에 잘못은 없었다.'[18]고 칭하였습니다. 어째서입니까?"

잠실 진씨潛室陳氏陳埴가 말하였다. "광무제는 나라가 쓰러진 뒤에 다시 일으켜 세웠으니, 어떻게 권력의 근간을 손아귀에 틀어쥐지 않을 수 있었겠는가? 단지 말류의 폐단이 삼공에게 책임지우지 않는 것에까지 이르렀으나 잘못을 바로잡는 일이 정도를 지나친 것이지, 전연 잘못이라고 말할 수는 없다."

和帝 화제[19]

[62-2-1]

致堂胡氏曰 : "和帝幼沖, 能誅竇憲, 自是威權不失, 無大過擧. 尊信儒術, 友愛兄弟, 禮賢納諫, 中國乂安. 方之章帝, 實過之矣."

치당 호씨致堂胡氏胡寅가 말하였다. "화제는 나이는 어렸으나 두헌竇憲의 목을 능히 베었으며[20] 이때부터 위엄과 권세를 실추시키지 않고 큰 잘못도 없었다. 유가儒家의 학술을 높이 신봉하였으며, 형제가 우애하고, 현명한 사람을 예우하고, 간하는 말을 받아들여 나라가 태평하였다. 장제章帝에 비긴다면 실제 더 낫다."[21]

. . . .

17 『木鍾集』 권11 「史」

18 '권력의 근간을 … 없었다.' : 范曄이 편찬한 『後漢書』 「光武帝紀」의 끝에 "몸소 대업을 이루었으나 조심조심 마치 따라잡지 못해 안달하듯이 하였다. 그러므로 정치의 핵심에 밝고 신중하였으며, 권력의 근간을 모두 틀어쥐고서 시대를 헤아리고 자신의 역량을 헤아리는 일에 잘못이 없었다.(雖身濟大業, 兢兢如不及. 故能明愼政體, 總攬權綱, 量時度力, 擧無過事.)"고 광무제를 칭송하였다.

19 和帝 : 후한의 제4대 황제. 이름은 劉肇. 肅宗(章帝)의 넷째 아들이다. 10세에 즉위하여 나이 27세에 죽었다. (『後漢書』 「孝和孝殤帝紀」)

20 竇憲의 목을 … 베었으며 : 두헌은 後漢 扶風 平陵 사람. 자는 伯度. 봉호는 冠軍侯. 融의 증손이자 章帝 竇皇后의 오빠였다. 和帝가 즉위하며 두황후가 조정에서 정사를 집행하자 국가의 기밀과 밖으로 내보내는 조서를 모두 관장하며 위세를 떨쳤다. 한때 죄를 짓자 흉노의 정벌을 자청하여 車騎將軍으로 北鮮于를 대파하고, 그 공덕을 班固에게 글로 짓게 하여 燕然山에 비를 세웠다. 두헌이 대장군에 오른 뒤 아우 竇篤·竇景과 모반을 꾀하자, 화제가 당시 14세였는데 그들의 벼슬을 몰수하고 封地로 돌아가게 한 뒤 자살하게 하였다. (『後漢書』 「竇融傳」)

21 章帝에 비긴다면 … 낫다. : 장제는 후한 3대 황제로 이름은 劉炟이다. 顯宗(明帝)의 다섯째 아들로, 나이

鄧禹 등우, 吳漢 오한

[62-3-1]

朱子曰 : "古人年三十時, 都理會得了, 便受用行將去.[22] 如鄧禹十三歲學於京師, 已識光武爲非常人. 後來杖策謁軍門, 只以數言定天下大計."[23]

주자朱子가 말하였다. "옛 사람들은 나이 30세가 되었을 때 모든 것을 깨달아 그것을 바탕삼아 행동한다. 등우鄧禹 같은 사람은 13세에 경사에서 공부하며 광무제가 예사 사람이 아님을 알아보았다. 후일 말채찍을 잡고 군문軍門으로 알현하여 단지 몇 마디 말로 천하의 큰 계책을 결정지었다."[24]

[62-3-2]

"古之名將能立功名者, 皆是謹重周密, 乃能有成. 如吳漢朱然, 終日欽欽常如對陳, 須學這樣底方可. 如劉琨恃才傲物, 驕恣奢侈, 卒至父母妻子皆爲人所屠. 今人率以才自負, 自待以英雄, 以至恃氣傲物, 不能謹嚴, 以此臨事, 卒至於敗而已. 要做大功名底人, 越要緊密, 未聞粗魯闊略而能有成者."[25]

....

19세에 즉위하여 나이 33세에 죽었다. 장제의 친어머니는 賈貴人이었고 키워준 분은 현종비 馬皇后(馬援의 딸)였다. 장제가 마황후를 극진히 섬겨 마씨 집안을 외가로 섬기고, 자신의 어머니 가귀인에게는 아무런 예우를 하지 않다가, 마황후가 죽자 어머니 가황후에게 諸侯王들에게 해당하는 '붉은 인끈(赤綬)'을 차게 하고 安車(앉아서 타는 수레)와 宮人 2백 명을 내리는 등 예우를 극진히 하였다. 화제는 자신을 낳아준 어머니는 梁貴人(梁竦의 딸)이었으나, 竇皇后(숙종의 妃)가 데려다 아들로 삼아 키우며 양귀인을 시기하여 양송을 음해하여 죽게 하자, 양귀인 자매는 그 일로 근심에 싸여 죽었다. 두황후가 죽자 아직 장례도 치르기 전에 양귀인이 억울하게 죽은 것을 밝히는 글이 올라오며 조정 신료들이 두태후의 태후 尊號를 삭제하고 숙종 능에 합장할 수 없다고 하였다. 이에 화제는 조서를 직접 작성하여 내리기를 "두씨 집안 사람들이 비록 법도를 따르지 않았으나 태후는 늘 자신을 억제하여 왔다. 짐이 10년을 받들고 대의를 깊게 생각해보건대, 禮에 신하와 자식이 존상을 폄하하고 깎아내리는 글은 없다. 은혜를 차마 떨칠 수 없고 의리를 차마 손상시킬 수 없다. 앞 시대에 上官太后(昭帝의 后로 친정아버지가 모반죄로 죽었다.)도 존호를 깎거나 쫓아내는 일은 없었으니, 다시 말하지 말라.(竇氏雖不遵法度, 而太后常自減損. 朕奉事十年, 深惟大義, 禮, 臣子無貶尊上之文. 恩不忍離, 義不忍虧, 案前世上官太后亦無降黜, 其勿復議.)" 하고서 아버지 숙종의 능에 합장시켰다. 두 황제가 자신들의 생모를 대하는 태도에서 아들인 화제의 처신이 훌륭하였다는 말이다.(『後漢書』「肅宗孝章帝紀」 ; 「皇后紀」)

22 便受用行將去 : 『朱子語類』 권135, 61조목에는 이 글 다음에 "今人都如此費力" 일곱 글자가 더 있다.

23 『朱子語類』 권135, 61조목

24 軍門으로 알현하여 … 결정지었다. : 왕망의 新나라에 반발하여 한나라의 세력들이 일어나 경시제가 천자에 추대되었다. 이때 경시제의 주변에서 등우를 추천하였으나 나가지 않았다. 광무제가 河北에서 봉기하였다는 소식을 듣고서 말을 채찍질하여 鄴 땅으로 찾아가, 광무제와 천하 정세를 논하고 高祖의 옛 王業을 회복시켜야 한다고 말하였다. 이때부터 광무제가 등우를 늘 곁에 두고 천하를 도모하였다.(『後漢書』「鄧寇傳」)

25 『朱子語類』 권135, 62조목

(주자가 말하였다.) "옛 명장 중에 공명功名을 세운 사람은 모두 신중하고 주도면밀하여 비로소 성공할 수 있었다. 예컨대 오한吳漢[26]과 주연朱然[27]은 하루 종일 공경하고 신중하기를 늘 전쟁터에 있는 것처럼 하였으니[28] 모름지기 이런 모습을 배워야 가능하다. 유곤劉琨[29] 같은 사람은 재주를 믿고 오만하게 굴며 교만 방자하고 사치스럽더니 마침내는 부모와 처자식마저 모두 남의 손에 도륙되는 데 이르렀다. 지금 사람들도 대부분 재주를 자부하여 스스로를 영웅으로 여기거나, 기세를 믿고 오만하게 굴며, 신중하거나 엄격하지 않으니, 이렇게 일을 처리하다가 결국 실패에 이르고 만다. 큰 공명을 이뤄내고자 하는 사람은 훨씬 긴밀해야 하니, 거칠고 데면데면 하고서 성공한 자가 있다는 말은 듣지 못하였다."

嚴光 엄광

[62-4-1]

南軒張氏曰:"嘗怪嚴子陵竟不爲帝少屈, 何邪. 玆子陵之言論風旨, 亦非素隱行怪, 必欲長往而不反者. 彼與光武少而相從, 知其心度爲寂詳也. 以謂光武欲爲當時之治, 則當時之人才固

26 吳漢: 광무제의 장수. 南陽 宛 땅 사람. 자는 子顔. 시호는 忠. 王莽 말기에 죄를 짓고 도망쳐 말을 파는 일로 생계를 꾸리다가 광무제에게 귀의하여, 王郎 정벌에 따라서 세운 공으로 偏將軍에 임명되었다. 여러 장수들과 광무제를 황제로 옹립하고서 대사마에 임명되고 舞陽侯에 봉해졌다. 이후 銅馬·重連·高湖·靑犢·五校 등 군대를 진압하고, 秦豐·劉永·董憲 등 군대를 쳐 궤멸시켜 山東을 평정하였다. 광무제를 따라 隗囂를 치고, 建武 11년(서기 35년)에는 蜀을 쳐 멸망시키고 公孫述의 종족을 모두 죽였다.(『後漢書』「吳蓋陳臧傳」)

27 朱然: 삼국시대 오나라 사람. 자는 義封. 본성은 施. 외숙인 朱治의 아들로 양자 갔다. 關羽를 사로잡은 공으로 昭武將軍에 올랐고, 呂蒙이 죽으며 그를 천거하기도 하였다. 촉나라의 劉備가 공격하자 陸遜과 후미를 끊어 물러나게 한 공으로 征北將軍에 임명되고, 위나라 曹眞이 江陵을 포위하였을 때 衆寡不敵이었으나 끝까지 버텨내며 물리친 공으로 當陽侯에 봉해졌다. 위나라의 조중祖中을 공격하여 수많은 首級을 얻어 左大司馬 右軍師에 임명되었다.(『三國志』「吳書·朱然傳」)

28 하루 종일 … 하였으니: 두 장수가 실패를 모르고 수많은 공을 세웠으나 오한은 『後漢書』 그의 열전에서 "조정에 있을 때는 무엇엔가 묶여 있는 듯 신중하고 질박한 모습이 몸에서 드러났다.(及在朝廷, 斤斤謹質, 形於體貌.)"고 하였고, 주연은 "하루 종일 공경하고 신중하기를 늘 전쟁터에 있는 것처럼 하였으나 위급하였을 때 담략이 안정되기는 남들보다 더욱 우뚝하였다.(終日欽欽, 常在戰場, 臨急膽定, 尤過絶人.)"고 하였다.

29 劉琨: 西晉 中山 魏昌 사람. 자는 越石. 시호는 愍. 惠帝를 長安에 모셔온 공으로 廣武侯에 봉해졌고, 懷帝 때 幷州刺史에 임명되었다. 愍帝가 즉위하며 대장군에 임명되었다. 東晉의 元帝가 즉위하자 진나라를 위해 흩어진 백성들을 모아 원제에게 귀의하게 하였다. 劉聰(前趙의 군주)에게 부모를 잃었고, 石勒(後趙의 군주)에게 패하여, 서로 처남 남매 사이였던 鮮卑族 幽州刺史 단필제段匹磾에게 도망쳤으나, 결국 단필제에 의해 죽임을 당하였다. 그의 어머니가 유곤에게 "너는 책략을 키워 호걸을 부리지 않고, 자신보다 나은 사람들을 죽이는 것으로 편안하려고 드니, 어찌 성공할 수 있겠는가? 이러다간 재앙이 반드시 나에게 미칠 것이다.(汝不能弘經略, 駕豪傑, 專欲除勝己以自安, 當何以得濟? 如是, 禍必及我.)"라고 하였다.(『晉書』「劉琨傳」)

足辨之, 而無待乎己; 若欲進乎兩漢之事, 則又懼有未能信從者. 不然徒受其高位, 饗其尊禮之虛名, 則非子陵之本心也. 故寧不就之. 然而以子陵爲光武之故人, 名高一世, 而竟高臥不屈, 光武亦不敢屈之. 其所以激頑起懦, 扶植風化, 助成東京風俗之美, 人才之盛 其爲力固亦多矣. 豈不美哉.”[30]

남헌 장씨가 말하였다. “지난날 엄자릉嚴子陵이 끝까지 무제를 위해 조금도 굴복하려 하지 않은 것은 무엇이었을까 하고 괴이하게 여겼다. 자릉이 한 말들과 의도를 살펴보면, 또한 색은행괴索隱行怪가 아닌 기어코 영원히 떠나가 돌아오려 하지 않으려는 사람이다. 엄릉은 광무제와 어린 시절부터 서로 친구로 지내 그의 마음과 도량을 짐작함이 가장 정확할 수 있었다. 그리하여 광무제가 당시를 위한 정치를 하고자 하면 당시의 인재만 가지고서도 충분히 해낼 수 있어 자신을 필요로 할 것이 없다 생각하였고, (광무제가) 만일 양한兩漢의 사업을 끌어올리고자 할 것 같으면 또 믿고 따를 수 있는 것이 있지 않은 점이 두려웠을 것이다. 이러한 사연들이 없이 그가 주는 높은 지위를 하는 일없이 받고 그가 떠받드는 예우의 헛된 명성을 누리는 것은 자릉의 본마음이 아니다. 그런 까닭에 차라리 나가지 않은 것이다. 그러면서도 자릉이 광무제의 친구라는 까닭으로 명성이 한 세상에 높았고, 끝내 한가롭게 산중에 누워 뜻을 굴복하지 않자, 광무제도 역시 감히 굴복시키려 하지 않았다. 이것이 우직한 자를 감격시키고 게으른 자를 일으켜 세우며 풍기를 붙잡아 북돋우는 것이니, 동경東京[31]의 풍속이 아름다워지고 인재가 성대해지도록 도와, 거기에서 비롯된 힘이 참으로 또한 많았다. 어찌 아름답지 않은가?”

黃憲 황헌

[62-5-1]
龜山楊氏曰 : “黃叔度學充其德, 雖顏子可至矣.”[32]
구산 양씨龜山楊氏[楊時]가 말하였다. “황숙도黃叔度[33]가 학문으로 그 덕을 채웠다면 안자의 경지도 이를

....

30 『南軒集』「史論·光武崇隱逸」
31 東京 : 동한의 수도 洛陽이 서한의 수도 장안의 동쪽에 있어서 낙양을 이르는 말로 쓰였다. 또 동한을 이르는 말로도 쓰였다. 여기서는 동한을 이른다.
32 『龜山集』「語錄·荊州所聞」
33 黃叔度 : 황숙도는 황헌을 字로 부른 말이다. 그의 구체적인 덕은 알 길이 없고 다만 『後漢書』「周黃徐姜申屠傳」의 그의 열전에 의거하면 대략 다음과 같다. 汝南 慎陽 사람이다. 대대로 빈천하였고, 아버지는 소의 병을 치료하는 의사였다. 후한에서 명망이 높았던 荀淑이 우연히 客舍에서 14세 소년 황헌을 만나서는 깜짝 놀라 말을 나누기 시작하여 하루를 지나서도 떠나지 못하며 “그대는 나의 스승이다.(子, 吾之師表也.)”고 하였으며, 袁閎에게 찾아가 “그대의 나라에 顏子가 있는 줄을 아는가?”라고 하자, 원굉이 “우리의 숙도를 보았는가?(子國有顏子, 寧識之乎? 閎曰, 見吾叔度邪?)”라고 하였다. 또 한 고을에 살던 陳蕃은 “잠시라도 황생을 만나지 않으면 비루한 생각이 내 마음에 생겨난다.(時月之間, 不見黃生, 則鄙吝之萌復存乎心.)”라고 하였고, 郭林宗은

수 있었을 것이다."

[62-5-2]
或問: "黃憲不得似顏子."
朱子曰: "畢竟是資禀好."
又問: "若得聖人爲之依歸, 想是然好."
曰: 又不知他志向如何. 顏子不是一箇衰善底人. 看他多少聰明, 便敢問爲邦, 孔子便告以四代禮樂."[34]

어떤 사람이 물었다. "황헌黃憲이 안자와 같을 수는 없을 것입니다."

주자가 대답하였다. "필경은 자품이 좋아서일 것이다."

또다시 물었다. "만일 성인을 얻어 귀의하였다면 생각건대 매우 좋았을 것입니다."

(주자가) 대답하였다. "또 그의 지향이 어떤 것이었는지 알 수도 하다. 안자는 단지 한 사람의 매우 좋은 사람만은 아니었다. 안자를 살펴보면 매우 총명하였기에 감히 나라의 통치에 대해 물었을 것이고, 공자도 바로 네 왕조의 예악禮樂을 가지고 대답해 주었을 것이다."[35]

李固 이고, 杜喬 두교

[62-6-1]
南軒張氏曰: "李杜二公, 精忠勁節, 不憚殺身, 百世之下, 凛乎猶有生氣. 其視胡廣趙戒輩, 眞不翅如糞土也. 但恨於幾會節目之間, 處之未盡要. 是於春秋提綱之法, 講之不素耳. 李固方擧於朝, 即就梁商之辟. 商雖未有顯過, 然如固之志業, 其進也將以正邦, 殆不可以苟也. 一爲之屬, 即涉梁氏賓客, 事必有牽制者矣, 此其失之於前也.

남헌 장씨가 말하였다. "이고李固[36]와 두교杜喬[37] 두 사람의 순결한 충정忠情과 굳은 절개는 한 몸의 죽음

. . . .

숙도를 평하기를 "숙도는 넘실넘실 1천 頃 넓이의 호수를 이루어, 맑게 하려 해도 맑아지지 않고, 흐리게 하려 해도 흐려지지 않아 헤아릴 수 없다.(叔度汪汪若千頃陂, 澄之不清, 淆之不濁, 不可量也.)"라고 하였다. 『後漢書』의 편자 范曄는 "황헌의 말과 의도는 전해들을 길이 없다.(黃憲言論風旨, 無所傳聞.)"고 하였다.

34 『朱子語類』 권135, 65조목

35 감히 나라의 … 것이다. : 이 말은 『論語』「衛靈公」에 실려 있다. "안연이 나라의 통치에 대해 묻자, 공자는 다음과 같이 말하였다. '夏나라의 역법을 시행하고, 은나라의 수레를 타고, 주나라의 면류관을 쓰고, 음악은 순임금의 음악을 쓰고 정나라의 음악은 내쳐야 하며, 말솜씨가 있는 사람은 멀리해야 한다. 정나라 음악은 음탕하고, 말솜씨가 있는 사람은 위험스럽다.'(顏淵問爲邦, 子曰, 行夏之時 ; 乘殷之輅 ; 服周之冕 ; 樂則韶舞 ; 放鄭聲 ; 遠佞人. 鄭聲淫, 佞人殆.)"고 하였다.

조차도 두려워하지 않아, 1백세世 후에도 늠름하게 마치 살아 있는 듯한 기상이 있다. 호광胡廣과 조계趙 戒[38]의 무리를 보면 참으로 똥 흙 정도뿐이 아니다. 단지 기회의 관건이 되는 곳에서 내린 조치가 모두 요긴하지 못한 것이 한스러울 뿐이다. 이는 『춘추』의 제강법提綱法[39]을 평소에 공부하지 않아서이다. 이고의 조정 벼슬은 바로 양상梁商의 천거에 의한 것이다.[40] 양상에게 현연한 과실이 있지 않았지만, 그러나 이고의 뜻과 하고자 한 일은 나아가서 나라를 바로잡으려 한 일이었으니, 절대 구차하여서는 안 된다. 한 번 그를 위해 청탁하게 되면 바로 양씨의 빈객처럼 되어 일마다 꼭 견제를 받게 될 수 있으니, 이는 벼슬에 나가기 앞서의 잘못이다.

方質帝之弒也, 固爲首相, 又質帝忍死, 有語之以被毒之事, 則任是責者, 非固而誰? 質帝既不 幸, 固便當召尚書發冀姦, 正大義, 顯言于朝, 則忠臣義士孰不應固? 冀雖勢盛, 然名其爲賊,

. . . .

36 李固 : 漢中 南鄭 사람. 司徒 郃의 아들이다. 학문을 좋아하여 선생이 있는 곳이면 천리라도 걸어서 찾아가 공부하곤 하였다. 順帝 때 지진으로 산이 무너지고 화재가 발생하는 변고가 일자 대신들이 이고를 대책문을 제출할 사람으로 추천하였다. 이에 당시의 잘못된 정사까지 적어 올리라는 조서가 내려졌다. 이고는 황제 유모들과 외척 세력의 발호를 지적하며, 당시 順帝의 장인인 梁商 집안을 거론하며 양상의 아들 梁冀와 양씨 집안사람들 중 侍中으로 黃門 벼슬을 겸하고 있는 자들을 모두 본래의 관직으로 되돌려 보내, 권력이 외척으 로부터 떠나 국가로 돌아오게 해야 한다고 주장하였다. 황제를 추대하는 일에서 양기와 마찰을 빚어, 양기의 무고로 죽임을 당하고 시체가 내걸리는 극형을 당했다.(『後漢書』「李杜傳」)

37 杜喬 : 河內 林慮 사람. 守光祿大夫에 올라 兗州를 순찰하게 하자, 太山太守 이고가 천하 제일이고, 양기의 막내아버지 梁讓과 양기와 친히 지내는 자들의 잘못을 지적하여 아뢰었다. 이어 대사농과 光祿勳을 거쳐 太尉벼슬을 지내며 연거푸 양기의 잘못을 비판하고, 양기의 누이가 桓帝의 皇妃로 간택되어 전에 없던 후한 예로 맞이하려 하자 이를 시정하여 예전의 예대로 거행하게 하는 등 양기의 미움을 샀다. 지진이 일어난 일로 면직되자, 이때를 틈타 환관들이 이고와 함께 무고하자, 양기가 독단으로 이들을 감옥에 가두어 죽게 하고 시체를 저자에 내걸었다.(『後漢書』「李杜傳」)

38 胡廣과 趙戒 : 호광과 조계는 質帝가 양기에 의해 시해당하고 다음 황제를 추대할 적에 비교적 나이 많은 淸河王蒜을 이고와 함께 추대하였다. 그러나 나이 많은 청하왕이 즉위하였을 때 자신의 비행이 거론될 것을 두려워한 양기가 자신의 사위를 추대하려고 조정회의에서 위세를 보이자, 이고와 두교는 끝까지 반대하여 죽임을 당하였고 이들은 양기의 위세에 눌려 양기의 사위 桓帝의 추대에 동의하였다. 이후 이들은 그 공으로 호광은 育陽安樂鄕侯에 봉해지고 이어 太尉에 올랐으며, 조계는 司空에서 司徒가 되었다. 양기가 역모를 도모 하다 죽자, 호광은 사형에서 감형되고 작위와 봉지를 모두 빼앗겼으나 곧 다시 회복하여 계속 영화를 누렸다. (『後漢書』「鄧張徐張胡傳」;「李杜傳」)

39 『春秋』의 提綱法 : 제강은 그물에서 큰 벼릿줄만 들면 수많은 그물코가 펼쳐져 고기를 잡듯이 어떤 일에서 그 핵심만 내세우면 그 다음의 자잘한 일들은 저절로 추진됨을 이른 말이다. 이를 『春秋』에서 공자가 일의 핵심을 들어 經을 작성하고 그 자잘한 일들은 언급하지 않은 것에 비유해 이른 말이다. 곧 대신이 시대의 핵심이 무엇인지를 들어 행하면 나머지 자잘한 일은 절로 행해진다는 말이다.

40 梁商의 천거에 … 것이다. : 이고가 대신들의 천거로 순제에게 대책문을 올리자, 순제는 그의 말을 채택하고 議郞벼슬을 내리고자 하였다. 그러나 이고에 의해 쫓겨나거나 벼슬에서 밀려난 여러 유모들과 환관들이 이고 를 음해하여 벼슬이 내려지지 못하였다. 이에 대사농 黃尙이 양상에게 청하여 이고에게 벼슬을 내리게 하자, 한참 만에 이고는 의랑에 임명되었다.(『後漢書』「李杜傳」)

逆順理殊, 蓋可誅也. 此間不容髮之時, 而固昧夫大幾, 獨推究侍醫等. 舉動迂緩, 使冀得以措手, 大義不白, 人心日以懈弛, 其幾旣失. 固身據大位, 當大權, 持大義, 而反聽命受制於賊, 豈不惜哉? 此其失之於後也.

질제質帝가 바야흐로 시해 당하였을 때 이고는 수상首相이었고, 또 질제가 죽음을 참고서 그에게 독을 먹게 된 내용을 말하였으니[41] 이를 책임질 사람은 이고가 아니고 누구이겠는가? 질제가 불행을 당한 뒤, 이고가 즉시 상서尙書를 불러 양기梁冀의 간악함을 밝히고 대의를 바로잡아 조정에 분명히 공표하였다면, 충신과 의사義士가 뒤라서 이고에게 호응하지 않았겠는가? 양기의 형세가 성대하였지만 역적으로 지목받으면 군주를 두고서 역적이냐 순응이냐의 이치는 사뭇 달라 아마도 그를 죽일 수 있었을 것이다. 이 순간은 털끝만큼의 틈도 용납되지 않을 때인데도 이고가 이런 큰 기회에 어두워 홀로 시의侍醫 등만을 닦달해 조사하였다. 행동이 굼떠 양기에게 손을 쓸 수 있는 시간을 제공함으로써 대의大義가 밝혀지지 못하였고, 백성들 마음이 날로 해이해져 그 기회를 잃고 만 것이다. 이고가 자신 한 몸 존귀한 자리를 차지하여 큰 권세를 쥐고 대의를 잡고 있었으면서도, 도리어 역적의 명령을 따르고 제재를 받았으니, 어찌 애석하지 않은가? 이 점은 벼슬에 나간 뒤의 잘못이다.

夫以冀之悖逆, 而固且奏記, 與議所立, 固豈不知冀心之所存哉. 失太阿之柄, 而陵遲至此耳. 度固之不白發冀罪, 非黨梁氏也, 恐事之不成無益. 故欲隱忍以待淸河王之立, 庶幾可扶社稷. 而不知天下大變, 己爲冢宰, 理當明義以正之, 事之成與不成, 蓋非所問. 况如前所論逆順之理, 冀決無以逭死邪? 固之隱忍, 乃所以成冀姦謀, 殺身不足道, 而社稷重受害矣. 若固者, 盡其忠國之心, 而無克亂之才, 可勝惜哉! 杜喬在九卿中若懷是見, 必贊固爲之矣. 及繼固爲相, 已制命於冀矣, 相與就死, 嗚呼悲夫!"[42]

양기가 도리에 어긋나고 순리를 거스르는 것에 대해서는 이고도 또한 의견을 아뢰었으니, 황제 세우는 것에 대해 의논할 적에 이고가 양기의 속셈이 어디에 있는지 어찌 몰랐겠는가? 태아太阿의 칼자루를 잃고서도[43] 늦잡음이 이 지경이었다. 이고가 양기의 죄악을 밝히지 않은 것을 추측해 보면, 양기와 무리 지어서가 아니고 사건이 성공하지 못하면 도움 될 것이 없을 두려워한 것이리라. 그리하여 몰래 참으

---

41 질제가 죽음을 … 말하였으니 · 沖帝가 나이 2세 때 황제에 즉위하여 3세 때 주자 양기는 자신의 누이 梁太后 (順帝의 황후)와 나이 8세의 質帝를 세웠다. 질제가 총명한 모습을 보이자 양기는 위험을 느끼고 다음 해 짐독으로 질제를 시해하였다. 질제가 짐독을 먹고 고통이 오자 급히 이고를 불러들이게 하였다. 이고가 들어와 증상을 묻자 질제는 "煮餠를 먹었더니 지금 배 속이 견딜 수 없으니 물을 먹으면 살 것 같다.(食煮餠, 今腹中悶, 得水尙可活.)"고 하였다. 곁에 있던 양기가 "토할 수 있으니 물을 잡수시게 해선 안 된다.(恐吐不可飮水.)"고 말렸다. 말이 끝나기도 전에 질제가 죽었다. 이에 이고는 侍醫를 조사하게 하였다. 양기는 혹여 비밀이 새어나갈까 하여 몹시 못마땅해 하였다.(『後漢書』「孝順孝沖孝質帝紀」; 「李杜傳」)
42 『南軒集』「史論 · 李固杜喬所處如何」
43 太阿의 칼자루를 잃고서도 : 태아는 춘추시대 楚나라에서 만들어진 名劍이름이다. 그 태아를 휘둘러 양기의 세력을 제거할 수 있는 좋은 기회를 잃었다는 말이다.

며 청하왕淸河王의 등극44을 기다리고자 한 것이니, 거의 사직을 붙잡을 수 있을 것으로 생각한 것이다. 그러나 천하에 큰 변고가 일어난 상태에서 자신이 총재冢宰였으니, 이치상 당연히 의리를 밝혀 바로잡아야 하고, 일의 성공과 실패는 따질 일이 아닌데 그것을 알지 못한 것이다. 하물며 앞서 논한 군주를 두고서 역적이냐 순응이냐의 이치에서 양기는 결단코 죽음을 도망칠 수 없음이겠는가? 이고가 몰래 참은 것은 양기의 간악한 책략을 이뤄지게 한 것이니, 자신의 죽음은 말할 것도 없고 사직마저 심하게 피해를 입었다. 이고와 같은 사람은 나라에 충성하는 마음은 다하였으나 반란을 평정할 재주가 없었으니, 애석한 마음을 누를 길 없다! 두교는 구경의 지위에 있으면서 만일 이러한 견해를 가졌다면 기어코 이고를 도와 일을 했어야 할 것이다. 이고에 이어 승상이 되면서는 이미 목숨을 양기에게 잡힌 것이어서 서로 함께 죽어갔으니, 아 슬프도다!"

朱穆 주목

[62-7-1]

龜山楊氏曰: "蔡邕謂朱穆貞而孤, 有羔羊之節, 觀其立朝論議, 有足稱者. 然乃從梁冀之辟, 何也? 孟子曰, 觀近臣以其所爲主, 觀遠臣以其所主, 以穆之賢而主梁冀, 烏在其爲貞孤哉? 然邕之從董卓, 無異於梁冀, 宜其不以朱穆爲過也."45

구산 양씨가 말하였다. "채옹蔡邕이 주목46을 평하기를 '올곧고 홀로 우뚝하여 고양羔羊의 절의가 있다.'47

. . . .

44 淸河王의 등극: 청하왕 蒜은 질제가 즉위할 때도 가장 유력한 황제 후보였다. 질제가 죽은 뒤 다음 황제를 논의할 때 이고는 당시 司徒 호광과 司空 조계를 끌어들여 두교와 함께 나이 많은 청하왕 산을 세우고자 하였다. 양기에게 편지를 보내 황제 추대에 여러 대신들과 함께 논의하여 천하의 바람을 모아야 한다고 주장하였다. 이에 양기가 대신들을 불러 모아 회의를 열었다. 이고와 호광·조계·두교가 청하왕 산을 세워야 한다고 하였다. 그러나 양기는 자신의 사위 蠡吾侯志를 세우고자 하여 의견이 분분한 가운데 결론을 내리지 못하였다. 환관 등이 밤에 양기를 찾아가 청하왕이 섰을 때 양기 당신은 멀지 않아 화를 당할 수 있다고 위협하였다. 다음날 양기는 기세가 흉흉하였고 말이 격렬하였다. 이에 호광과 조계는 기세에 눌려 "대장군의 명령대로 하겠습니다.(惟大將軍令)"라고 하였고, 이고와 두교는 청하왕을 끝까지 주장하였으나, 양기가 버럭 "회의는 끝났다."는 말로 결정을 내렸다.(『後漢書』「孝順孝沖孝質帝紀」; 「李杜傳」)

45 『龜山集』「史論·朱穆」

46 주목: 南陽 宛 땅 사람. 자는 公叔. 順帝 말년에 양자강과 淮水 지역에 도둑떼가 성하여 진정시킬 수 없자 당시 대장군이던 梁冀가 그를 이들 지역에 천거하여 다스리게 하였다. 양기가 자신의 누이 梁太后(順帝의 황후)의 힘에 의지하여 발호하는 것이 너무 심하자 양기에게 세 차례나 글을 보내 과도함을 중지할 것을 간하였으며, 환관 趙忠이 자신의 아버지 장례에 천자의 제도를 쓴 것을 알고 해당 郡에 조사하도록 지시하여 무덤을 파고 관을 쪼개 사실을 확인하고 그 집안사람들을 구속시켰다. 이를 안 桓帝(양기의 사위)가 화를 내 주목을 감옥에 가두고 죄를 조사하게 하자, 太學生 등 수천 명이 대신 죄를 받겠다고 자원하여 마침내 사면되었다. 또 환관들의 발호를 미워하여 광무제 때처럼 몇 사람만 두어야함을 상소하기도 하였다. 죽은

고 하였고, 그가 조정에서 한 말들을 살펴보면 충분히 칭찬할 만한 말들이 있다. 그러나 양기의 추천을 따라 벼슬에 나간 것은 어째서일까? 맹자가 말하기를 '주위의 신하를 살피고자 할 때에는 그가 어떤 사람의 주인이 되어 있는가를 가지고 하고, 먼 곳에서 온 신하를 살피고자 할 때에는 그가 어떤 사람에게 주인을 정하고 있는가를 가지고 하라.'[48]라고 하였다. 주목 같은 현명함으로 양기에게 주인을 정하였으니 어디에 올곧고 홀로 우뚝하였다고 할 수 있는 것이 있는가? 그러나 채옹이 동탁董卓[49]을 추종한 것은 (주목이) 양기를 추종한 것과 다를 바가 없으니 그가 주목의 행위를 잘못이라고 말하지 않는 것은 의당하다."

荀淑 순숙

[62-8-1]
朱子曰: "近看溫公論東漢名節處, 覺得有未盡處. 但知黨錮諸賢趨死不避, 爲光武明章之烈, 而不知建安以後, 中州士大夫只知有曹氏, 不知有漢室, 却是黨錮殺戮之禍, 有以敺之也. 且以荀氏一門論之, 則荀淑正言於梁氏用事之日, 而其子爽, 已濡跡於董卓專命之朝. 及其孫彧, 則遂爲唐衡之壻, 曹操之臣, 而不知以爲非. 蓋剛大直方之氣, 折於凶虐之餘, 而漸圖所以全身就事之計. 故不覺其淪胥而至此耳. 想其當時父兄師友之間, 亦自有一種議論, 文飾蓋覆, 使驟而聽之者, 不覺其爲非, 而眞以爲是. 必有深謀奇計, 可以活國救民於萬分有一之中也. 邪說橫流, 所以甚於洪水猛獸之害, 孟子豈欺予哉?"[50]

주자가 말하였다. "근자에 사마온공이 동한의 명예와 절의를 논한 글을 보다가 미진한 점이 있음을 깨달았다. 단지 당고黨錮의 화[51]를 당한 여러 어진 사람들이 죽음에 몸을 던지며 피하지 않은 것은 광무제의

· ·

　　뒤 蔡邕이 그의 문인들과 시호를 文忠先生이라 하였다. 『漢書』「朱樂何傳」
47　'올곧고 홀로 … 있다.' : 주목이 세상 사람들이 너무 편당을 지어 사사로운 이익을 챙기는 것을 보고서 이를 경계하기 위해 「絶交論」을 지었는데, 이에 대해 채옹은 "주목은 올곧으며 홀로 우뚝하다.(穆貞而孤.)"고 생각하고서 「正交論」을 지어 친구와의 바른 사귐을 논하였다. 羔羊은 『詩經』「召南」에 실린 시로, 사대부의 바른 조행을 칭송한 시이다. 정교론에서 채옹은 "야박한 사람을 비난하는 사람은 널리 잘 어울리고, 교유를 끊는 사람은 올곧고 홀로 우뚝하니 홀로 우뚝함에는 羔羊의 절의가 있다.(刺薄者, 博而洽 ; 斷交者, 貞而孤, 孤有羔羊之節.)"고 하였다.(『漢書』「朱樂何傳」 ; 『蔡中郎集』「正交論」)
48　'주위의 신하를 … 하라.' : 『孟子』「萬章上」에 있는 말로 사람을 평가하는 기준을 설명한 말이다.
49　董卓 : 後漢 隴西 臨洮 사람. 자는 仲穎. 벼슬은 靈帝 때 東中郎將·幷州牧. 少帝를 폐위시키고 獻帝를 세운 뒤 스스로 太師가 되어 조정을 장악하고 횡포를 부리다가 王允·呂布에게 살해되었다. 대표적인 逆臣이다. 『後漢書』「董卓傳」
50　『朱子大全』「書·答劉子澄」 제5書
51　黨錮의 화 : 동한 桓帝 때 사대부인 李膺과 陳蕃이 태학생 郭泰·賈彪와 힘을 모아 환관 집단을 공격하였다가,

밝고 빛나는 공업功業 때문인 줄로 알고 있으면서, 건안建安(獻帝의 연호) 연간 이후 중국의 사대부들이 단지 조씨曹氏(曹操 집안)만을 알았고, 한나라 왕실이 있음을 알지 못한 것은 바로 당고가 빚은 살육의 재앙이 그렇게 몰아갔음을 알지 못하고 있었다. 우선 순씨荀氏 한 집안을 가지고 논해보면, 순숙荀淑은 양씨梁氏가 권세를 부릴 때 올바른 말을 하였으나,[52] 그 아들 순상荀爽은 동탁董卓이 명령을 독단하는 조정에 이미 발을 들여놓았고,[53] 그의 손자 순욱荀彧에 미처서는 마침내 당형唐衡의 사위와 조조의 신하가 되었으면서도 잘못인 줄 몰랐다.[54] 그것은 강직하고 정대正大하며, 올곧고 방정方正한 기상이 흉학한 사나움에 꺾인 나머지, 한 몸을 온전히 하면서 일을 성취시킬 계책을 점차 도모하게 된 까닭에서이다. 그리하여 나도 모르게 빠져들어 이 지경에 이른 것이다. 생각건대 당시 부형父兄과 사우師友들 사이에도 본디 한 부류의 주장들이 이를 아름답게 꾸며주고 덮어주어, 갑작스럽게 듣는 경우이면 그 잘못을 깨닫지 못하고 참으로 옳은 것으로 여겼을 것이다. 반드시 깊은 책략과 기발한 계책이 만분지일의 가능이나마 그 속에서 나라를 살리고 백성을 구제할 수 있을 것이라 여겼을 것이다. 사악한 말이 넘쳐나는 것은 홍수와 맹수의 피해보다 심하다는 것이 어찌 맹자가 나를 속이신 말이겠는가?"[55]

· ·

환관들이 도리어 그들이 朋黨을 지어 조정을 비방한다고 무고하여 화를 당한 사건. 이 일로 이응 등 2백여 명이 옥에 갇혔다가 후에 석방되었으나 죽을 때까지 벼슬에 등용하지 않는다는 처분이 내려졌다. 靈帝 때 이응 등이 다시 기용되며 대장군 寶武와 환관을 제거하려 하였으나 실패하여 이응 등 1백여 명이 죽임을 당하고, 뒤이어 또 죽임을 당하고, 귀양 가고, 갇힌 사람이 6~7백 명에 이르렀다.(『後漢書』「黨錮傳」)

52 荀淑은 梁氏가 … 하였으나, : 순숙은 後漢 潁川 潁陰 사람으로, 자는 季和이다. 당시의 명현 李固 · 李膺 등의 스승이다. 벼슬은 郎陵侯相. 일을 명쾌히 처결하여 神君으로 칭송되었다. 아들 8명이 모두 명망이 있어 八龍으로 불리었다. 양씨는 順帝의 황후인 梁皇后의 친정 사람들을 이르며, 대표적으로 梁冀가 있었다. 安帝가 13세에 즉위하여 양황후가 섭정하게 되었는데 일식과 지진이 일어나자 조서를 내려 공경들에게 어진 사람을 천거하게 하였다. 光祿勳 杜喬와 少府 房植이 순숙을 추천하여 책문을 올리게 하자, 순숙은 외척으로 고위직에 올라 사랑을 받고 있는 자들을 비난하였다. 이일로 순숙은 당시 실권자인 대장군 양기의 미움을 샀다. 『後漢書』「荀韓鍾陳傳」

53 荀爽은 董卓이 … 들여놓았고, : 순상은 나이 12세에 『論語』와 『春秋』에 능통하여 두교로부터 "스승이 될 만하다.(可爲人師)"는 칭송을 들었다. 여러 차례의 천거에 모두 나가지 않다가 黨錮의 금령이 풀리며 여러 사람의 천거를 받아 대장군 何進의 從事中郎에 추천되었다. 獻帝가 즉위하며 동탁이 정권을 잡고서는 한사코 순상을 붙잡아 광록훈과 司空에 연이어 임명하였다. 순상이 동탁의 잔인함을 보았으나 그가 발탁한 인물들이 모두 인재들임을 보고서, 사도 王允 등과 董卓을 제거하려다가 병으로 죽었다.(『後漢書』「荀韓鍾陳傳」)

54 荀彧에 미처서는 … 몰랐다. : 순욱의 이름은 郁으로도 쓴다. 자는 文若. 封號는 萬歲亭侯. 시호는 敬. 中平 연간의 孝廉. 曹操의 謀士였다. 董昭 등이 조조에게 魏公의 작위를 올리려 하자, 의리에 반대된다고 하여 동의하지 않아, 조조의 불평을 사기도 하였다. 당형은 당시 권력의 중심이던 中常侍 벼슬에 있던 환관이다. (『後漢書』「鄭孔荀傳」 ; 『三國志』「魏書 · 荀彧傳」)

55 사악한 말이 … 말이겠는가? : 이는 맹자가 직접 하신 말씀은 아니다. 다만 요약하면 이런 뜻으로 한 말이라는 것을 주석문에서 살필 수 있다. 『孟子』「滕文公下」에서, 제자 公都子가 맹자에게 "남들이 모두 선생님을 말하기를 좋아한다고 합니다."라고 한 말에 대하여, 천하의 一治一亂을 설명하며 맹자가 '지금 세상에 楊朱와 墨翟의 말이 천하에 횡행하니 이를 막기 위해 부득이 말을 할 수밖에 없다'고 대답한 것을, 주자가 注에서 요약하며 "사악한 말이 넘쳐흘러 사람 마음을 무너뜨리는 것이 홍수와 맹수의 재앙보다 심하다.(邪說橫流, 壞人心術, 甚於洪水猛獸之災.)"고 하였다.

陳寔　진식

[62-9-1]

勉齋黃氏曰：“陳太丘送張讓父之喪, 人以爲善類賴以全活者甚衆. 前輩亦以爲太丘道廣, 嘗竊疑之, 如此則枉尺直尋而可爲歟? 士君子行己立身自有法度, 有義有命, 豈宜以此爲法? 天地如此其廣, 古今如此其遠, 人物如此其衆, 便使東漢善類盡爲宦官所殺, 世亦曷嘗無善類哉? 若使是眞丈夫, 又豈畏宦官之禍, 而藉太丘如此之屈辱以全其身哉. 吾人於此等處, 直須見得分明, 不然, 未有不墮坑落壍者也.”[56]

면제 황씨勉齋黃氏[黃榦]가 말하였다. “진태구陳太丘가 장양張讓의 아버지 초상에 조문한 것[57]을 두고 사람들이, '선한 사람들이 그의 덕으로 생명을 온전히 건진 자가 매우 많았다.'고 하였다. 앞 시대의 무리들도 역시 태구가 지닌 도道가 넓다고들 말하나, 적이 의심스러운 것은, 그렇다면 왕척직심枉尺直尋을 할 수 있는 것일까? 사군자士君子의 몸가짐과 행위에는 본래 법도가 있어, 의로워야 하고 천명에 순응해야 하는데, 어찌 의당 이를 법 삼을 수 있겠는가? 하늘과 땅이 이처럼 넓고, 옛날부터 지금까지 이처럼 세월이 오래고, 사람들이 이처럼 많았는데, 동한東漢의 선한 무리가 모두 환관에게 죽임을 당하였다 하여 세상에 또한 어찌 일찍이 선한 무리가 없겠는가? 만일 이들이 참으로 대장부였다면 또 어찌 환관의 재앙이 두려워, 태구의 이 같은 굴욕에 힘입어 자신의 한 몸을 온전히 해야 하겠는가? 우리가 이러한 곳에 응당 식견이 분명해야 하니, 그렇지 않으면 구덩이로 떨어지는 자가 없지 않을 것이다.”

竇武　두무, 何進　하진, 陳蕃　진번

[62-10-1]

龜山楊氏曰：“桓靈之間, 昏弱相仍. 女后臨朝, 權移近習久矣. 王甫曹節, 以臺廝之賤, 便嬖寵昵之私, 竊弄神器, 固天下之所同疾也. 竇武倚元舅之親, 操國重柄, 招集天下名儒碩德, 布

56　『勉齋集』「書・與李貫之」 第2書
57　陳太丘가 張讓의 … 것 : 진태구는 진식이 태구의 수령을 지낸 까닭으로 그를 호칭하는 말로 대신 쓴 것이다. 진식은 潁川의 許 땅 사람으로, 집안이 한미하고 가난을 면하지 못해 늘 낮은 벼슬살이에서 얻은 녹봉으로 생계를 유지했다. 진식이 대장군 竇武 밑에서 벼슬하고 있을 때 당시 권력을 휘두르던 중상시 장양이 潁川에서 아버지 장례를 치르게 되었다. 그런데 영천 사람들이 모두 조문 오는 데에도 名士는 한 사람도 오지 않아 매우 한스럽게 여겼다. 이때 진식이 한 고향 사람으로 조문을 갔다. 장양은 당고의 사건을 다시 다스릴 적에 진식의 은혜를 고맙게 생각하여 온전히 살려 준 사람이 많았다. 학문에 정진하고 사람이 후덕하여 집에 든 도둑을 梁上君子라고 칭하였다하여 더욱 유명하다.(『後漢書』「荀韓鍾陳傳」)

在王庭. 相與仗義恊謀, 勦絶凶類, 正猶因迅風之勢, 以揚秠秕耳, 豈不易哉? 然而身敗功穨,

貽國後患者, 幾事不密, 而禍成於猶豫也. 方武之不受詔, 馳入步軍營, 召會北軍五校士數千

人, 勢猶足以有爲也.

구산 양씨가 말하였다. "환제桓帝와 영제靈帝 시기에는 혼매하고 허약함이 연이어져 여후女后가 섭정하면서 가까이서 총애를 받는 자들에게 권력이 옮겨간 지 오래였다. 왕보王甫와 조절曹節[58]은 노복奴僕 지위의 천한 자로서 사사로이 사랑과 굄을 받자 신기神器를 도둑질하였으니,[59] 참으로 천하가 함께 미워해야 할 자이다. 두무竇武[60]는 황제의 장인이라는 친함에 의지하여 나라의 막중한 권력을 잡고 천하의 명망 높은 선비와 큰 덕을 가진 사람을 불러 조정에 포진시켰다. 서로 함께 의리를 떠받들고 계책을 세워서 흉한 무리를 무찔러 없앴다면, 바로 태풍의 형세를 타고서 쭉정이를 날려버리는 것 같았을 텐데, 어찌 쉽지 않았겠는가? 그런데도 자신도 죽고 하려던 일마저 무너져 나라에 후환을 남긴 것은 비밀스럽게 해야 할 일을 치밀하게 하지 못하고, 머뭇거리다가 화가 이루어지게 한 것이다. 바야흐로 두무가 조서를 받지 않고 보군步軍의 군영으로 달려들어가 북군北軍의 다섯 교위校尉의 군사 수천 명을 불러 모았으니, 그 형세는 일을 이루어내기에 충분하였다.[61]

- - - - - - - - - - - -

58 王甫와 曹節 : 모두 환관들이다. 靈帝 때 竇太后(章帝의 황후)의 친정아버지 竇武와 太傅 陳蕃을 군사를 동원하여 살해하였고, 桓帝의 아우 발해왕 회(悝)를 모반죄로 무고하여 죽게 하였다. 이런 일로 왕보는 黃門令·中常侍 벼슬을 지내며, 冠軍侯에 봉해졌으나, 司隷校尉 陽球의 진정에 의하여 아들들과 감옥에서 죽었다. 조절은 수많은 벼슬을 거치며 育陽侯에 봉해졌다.(『後漢書』「宦者傳」)

59 神器를 도둑질하였으니 : 영제의 조서를 위조하여 두무와 진번을 살해한 사건을 이른다.

60 竇武 : 後漢 扶風 平陵 사람. 자는 游平. 봉호는 槐里侯·聞喜侯. 桓帝의 장인. 벼슬은 大將軍. 환제가 죽자 靈帝를 세우고 陳蕃과 함께 정사를 도왔으나, 환관 曹節 등을 제거하려다 실패하여 자살하였다.(『後漢書』 권99)

61 이 단락의 전후 사정을 『後漢書』「竇何傳」에 의거하여 살피면 다음과 같다. 두무는 큰딸이 桓帝의 황후로 책봉되었다. 두무도 槐里侯에 봉해졌다. 이때 환관들이 정치를 좌지우지하여 잘못이 많았다. 환제가 아들 없이 죽자 두무가 주선하여 靈帝를 옹립하고 대장군에 올랐다. 두무가 늘 환관을 제거하려는 뜻을 품고 있었는데 太傅 陳蕃이 환관 제거를 제의하였다. 이에 뜻을 함께할 명사를 사방에서 모아 조정에 포진시켰다. 이때 일식이 일어났다. 진번이 이 일식을 이용하여 저들 환관을 제거하자고 제의하자, 두무는 이를 당시 황태후인 자신의 딸에게 말하였다. 두태후는 환관은 한나라에서 예전부터 두었던 것이니 죄가 있는 자들은 다스릴 수 있으나 모두를 제거할 수는 없다고 하였다. 두무가 管霸와 蘇康, 曹節을 죽여야 한다고 아뢰었으나 태후는 망설이며 허락하지 않았다. 조금 지나 太白星이 서쪽 하늘에 나타났다. 劉瑜가 태후에게 궁궐의 문이 닫히고 將相이 불리할 징조이니 빨리 대비를 해야 한다 하고, 이런 내용을 두무와 진번에게도 알렸다. 두무가 당시 환관의 우두머리인 鄭颯(정삽)을 北寺獄에 가두고 자신과 친한 山冰을 환관의 우두머리로 임명하였다. 진번이 두무에게 이들 무리는 바로 죽일 일이지 무얼 죄를 조사시키는가라고 하였으나, 두무는 따르지 않고 정삽의 죄상을 조사할 관리를 선정하였다. 죄상을 조사하자 조절과 왕보에게도 연관되어 이들을 잡아들여야 함을 유유를 시켜 두태후에게 아뢰게 하였다. 이때 두무가 휴가를 얻어 집에 나가 있었다. 이에 아뢰는 글을 담당한 환관이 長樂宮五官史 朱瑀에게 전하였다. 주우가 이를 몰래 뜯어보고서는 "환관 중 방종한 자들은 당연히 죽어야 할 것이다. 우리 무리가 무슨 죄가 있다고 집안까지 모두를 죽여야 한단 말인가?(中官放縱者, 自可誅耳. 我曹何罪, 而當盡見族滅?)" 하고서는 큰소리로 "진번과 두무가 태후에게 아뢰어 황제를 폐하려는

張奐北州人豪, 素非中人之黨, 可以義動也. 不能乘機決策, 收爲己用, 而乃遲回達旦, 使逆賊得與奐等合, 豈不惜哉? 何進親見竇氏之敗, 而不用陳琳鄭公業之諫, 躬蹈覆轍, 引姦凶而授之柄. 卒成移鼎之禍, 進實兆之也. 范曄乃引天廢商之言, 豈不謬哉."[62]

장환張奐[63]은 북주北州의 호걸로, 본래 환관의 무리가 아니었으니, 의리로 움직일 수 있는 사람이었다. 기회를 틈타 책략을 결행, 거두어 자기편이 되게 했어야 하는데 미적대며 아침까지 끌다 역적 무리들이 장환 등과 합세하게 하였으니, 어찌 애석한 일이 아니겠는가? 하진[64]은 직접 두무의 실패를 목견하고서도 진림陳琳과 정공업鄭公業의 간하는 말[65]을 쓰지 않고 실패한 전철前轍을 답습하여, 간흉을 이끌어다가

- -

대역을 꾸미고 있다.(陳蕃竇武奏白太后廢帝, 爲大逆.)"고 외쳤다. 이어 자신과 친한 환관들 17명을 모아 두무를 함께 죽이기로 맹서하는 歃血 의식을 행하였다. 조절이 이 소식을 듣고 잠에서 깨어나 황제를 급히 다른 곳으로 피신시키고, 상서성의 관속을 불러 거짓 조서를 작성해 왕보를 黃門令으로 임명하였다. 그리고 두태후를 협박하여 황제의 옥쇄를 탈취하였다. 감옥에 갇힌 정립을 다시 불러내 황제의 부절을 앞세우고 두무를 체포하게 하였다. 이에 두무는 조서를 받지 않고 步兵營으로 도망쳐 조카 竇紹와 北軍五校 병사 수천 명을 집결시켰다. 환관들도 군사를 집결시켜 날이 밝아올 무렵 서로 대치 전선이 형성되었다. 그러나 환관들이 본래 우위를 형성하고 있었던 터라 시간이 가며 두무의 군대는 이탈하는 세력이 늘어났다. 마침내 두무와 진번이 도망치다가 자살하였다. 두태후도 본래의 거처인 장락궁에서 雲臺로 옮겨졌다. 이 일을 겪으며 환관들은 뜻을 얻었고 사대부들은 모두 기세를 잃게 되었다.

62 『龜山集』「史論 · 竇武 何進」
63 張奐 : 敦煌 淵泉 사람. 대장군 梁冀의 府中에서 일하다 물러난 뒤, 현량으로 對策에서 1등하여 議郎에 등용되었다. 南匈奴와 匈奴, 鮮卑族과의 싸움에 공을 세웠으나, 양기가 죽으면서 벼슬에서 물러났다. 곧 다시 武威太守에 임명되어 선정으로 生祠堂이 세워졌다. 大司農이 되어 변경을 떠나며 선비족 등이 다시 침략을 일삼자 다시 護匈奴中郎將에 임명되어 변경을 관장하게 되자, 변경의 여러 異族들이 항복하고 소요를 일으키지 않았다. 靈帝 원년에 오랑캐를 물리치고 개선하였을 때 두무와 진번이 환관을 제거하려던 책략이 누설되어 두 군영이 서로 싸움을 벌였다. 영문도 모르고 曹節이 위조한 조서에 속아 군사를 이끌고 두무와 진번을 포위하였으나, 이를 두고두고 후회하여 벼슬에서 물러나고 이들의 억울함을 풀어주길 원하는 상소문을 올려, 환관들의 미움을 사기도 하였다. 동탁의 선물을 물리치기도 하였다.(『後漢書』「皇甫張段傳」)
64 하진 : 南陽 宛 땅 사람. 이복여동생이 靈帝의 황후가 되며 侍中과 將作大匠에 올랐고, 생질 弘農王辯이 즉위하며 누이 하태후가 섭정하자 錄尙書事에 올라 정사를 보좌하였다. 환관을 제거하려고 袁紹와 함께 계책을 세웠으나, 누이가 따라 주지 않아 망설이고 있는 사이 환관들이 알아채고 하진을 죽이면서 계책이 수포로 돌아갔다. 그러나 원소가 군대를 동원하여 궁궐을 불사르고 환관들을 압박하자 마침내 환관들은 홍농왕을 인질로 삼아 궁궐을 빠져나갔다. 결국 환관들은 모두 처단되었고, 환관 제거의 책략에 참여했던 동탁이 군사를 동원하여 하황후를 죽이고 황제를 폐위하여, 한나라는 동탁의 손으로 넘어가는 운명이 되었다.(『後漢書』「竇何傳」)
65 陳琳과 鄭公業의 … 말 : 하진이 원소와 환관을 제거하는 일을 함께 시작하고서도 하태후의 재가를 받지 못해 날짜를 마냥 미루자, 원소는 사방의 猛將을 수도로 집결시켜 태후를 협박하자고 하였다. 하진이 이를 받아들였다. 이때 主簿 진림이 나서서 하진에게 "장군이 황실의 위엄을 총괄하고 병권을 손에 쥐어 용이 머리를 쳐들고 일어나고 호랑이가 어슬렁이는 듯합니다. 어떤 수단을 동원하든 그것을 마음대로 할 수 있으니 화롯불에 부채질하여 털을 불사르는 것과 매한가지입니다 … 도리어 이런 좋은 것들을 버리고 다시 밖의 도움을 구하고 있습니다. 많은 군사가 모이면 강자가 대장이 되게 마련이니, 소위 창을 거꾸로 돌리게 하는 일이고

권력을 내주었다. 마침내 나라가 망하는 재앙이 이루어진 것은 하진이 실상 빌미를 만든 것이다. 범엽范曄이 '하늘이 상商나라를 망하게 하였다.'[66]는 말을 인용했으니 어찌 오류가 아니냐?"

[62-10-2]

朱子曰: "東漢誅宦官事, 前輩多論之. 然嘗細考其事, 恐禍根不除, 終無可安之理. 後人據紙上語, 指點前人甚易爲力, 不知事到手頭實要處斷, 毫髮之間, 便有成敗, 不是容易事. 若使陳寶只誅得首惡一二人, 後來未必不取王允五王之禍也."[67]

주자가 말하였다. "동한이 환관을 제거하려 한 일에 대해 선배들이 논한 말들이 많다. 그러나 세밀히 그 일을 살펴보니 아마도 환난의 근원을 제거하지 않고서는 결코 안정될 수 있는 이치는 없었다. 후인들은 쓰인 글에 근거하여 예전 사람을 지적해가며 매우 손쓰기 쉬웠을 것으로 여기나, 자신이 실지 단안을 내려야 할 때에 부닥치게 되면 털끝만 한 차이에서 성패가 이루어져 용이한 일이 아님을 알지 못하고 있다. 설사 진번과 두무가 단지 맨 우두머리의 한두 악독한 사람을 처벌하였더라도 후일 왕윤王允과 오왕五王의 환난[68]이 없으리란 보장은 없다."

· ·

칼자루를 남의 손에 넘겨주는 일입니다. 일이 꼭 이루어진다는 보장은 없고 다만 난리의 단계만 만들어질 것입니다.(今將軍總皇威, 握兵要, 龍驤虎步, 高下在心, 此猶鼓洪爐燎毛髮耳 … 而反委釋利器, 更徵外助. 大兵聚會, 彊者爲雄, 所謂倒持干戈, 授人以柄, 功必不成, 祇爲亂階.)"라고 하였으나, 따르지 않았다. 정공업은 본이름은 태(泰·太)이고 공업은 字이다. 하진이 원소와 함께 동탁을 불러들이자, 尙書侍郞 정공업이 '동탁은 매우 잔인하고 의로움이 없으며 욕심이 끝이 없으니 조정을 잘못 어지럽히는 일이 될 것'이라고 하였으나 받아들이지 않자, 벼슬을 버리고 떠났다.(『後漢書』「寶何傳」; 『通志』 권113 「後漢·鄭太傳」)

66 하늘이 商나라를 … 하였다. : 범엽이 편찬한 『後漢書』「寶何傳」의 論에서 두무와 하진이 똑같이 황후의 친정 형제이고 황제의 장인으로, 똑같이 천하의 영웅을 끌어들여 환관을 제거하려다 실패하고 죽임을 당하자, "자신은 죽고 도모한 일은 무너져 세상에서 슬퍼하는 바가 되었으니, 지혜가 부족하였고 가진 권세만큼은 여유가 있었다 할 수 있겠는가? 『左傳』에 '하늘이 상나라를 망하게 한 것이 오래인데 군주가 일으키시렵니까?'라고 하더니, 이것이 宋襄公이 泓에서 패한 까닭이다.(身死功頹, 爲世所悲, 豈智不足而權有餘乎? 傳曰, '天之廢商久矣, 君將興之?' 斯宋襄公所以敗於泓也.)"라고 하였다. 송양공은 바로 상나라가 망한 뒤 상나라의 선왕 제사를 받들도록 微子에게 봉해준 나라의 후대 왕이다. 초나라가 쳐들어와 송양공이 전쟁을 벌이려 하자, 신하 子魚 "하늘이 상나라를 버린 지 오래인데, 공이 일으키려 하시니, 불가합니다.(天之棄商久矣, 公將興之, 不可.)"라고 하였다. 송양공은 끝내 전쟁을 벌였다가 泓에서 패전하였다. 송양공의 패전이 하늘에 의한 것이듯, 두무와 하진의 실패도 하늘이 한나라를 버린 것에서 나온 실패라는 말이다.

67 『朱子大全』「書(知舊門人問答)·答潘叔昌」 제7書

68 王允과 五王의 환난 : 왕윤은 漢 太原 祁 땅 사람. 자는 子師. 靈帝 때 豫州刺史로서 黃巾賊을 쳐서 공을 세웠다. 이때 황건적 중에서 中常侍 張讓과 주고받은 글이 발견되었다. 이에 왕윤은 그 실상을 영제에게 알렸다. 장양은 영제에게 사죄하고 목숨을 부지하였다. 이후 장양은 왕윤을 한 달 사이 두 차례나 무고하여 죽이려 하였으나, 三公의 도움으로 목숨을 부지하였다. 바로 이러한 환난은 없지 않았을 것이란 말이다. 이후 少帝(弘農王) 때 大將軍 何進이 주도하는 환관 주살 모의에 참여하였다. 獻帝 때 司徒가 되어 呂布와 함께 董卓을 죽였고, 뒤에 동탁의 장수 李傕(이곽)과 郭汜(곽사)에게 살해되었다. 오왕은 누구를 이르는 말인지 분명하지 않다.(『後漢書』「陳王傳」)

[62-10-3]

南軒張氏曰: “竇武陳蕃, 雖據權處位, 而事當至難. 主弱, 一也. 政在房闥, 二也. 宦者盤錯, 其勢已成, 三也. 武等雖漸引類於朝, 而植根未固, 上則太后之心未明禍亂之原, 下則中外之情未識朝廷之尊. 而武等之謀, 但欲速決爲誅小人之計. 夫當時宦者雖有罪, 然豈無輕重先後之倫, 乃一槩欲施之? 擧動草草, 今日誅數輩, 明日誅數輩, 輕重失其權, 先後失其序, 非天討矣. 且使之人人自疑, 反締其黨與而速其姦謀, 善處大事者顧如是邪?

남헌 장씨가 말하였다. “두무와 진번이 권세를 휘어잡고 높은 지위에 있었으나, 일은 당연히 매우 어려울 수밖에 없었다. 군주가 나약해서가 첫째이고, 정사가 태후들에게 있어서가 둘째요, 환관들이 반근착절盤根錯節하여 그들 형세가 이미 이루어져 있어서가 셋째다. 두무 등이 점차 자신의 무리를 조정에 끌어들였으나 뿌리가 아직 굳지 않았는데 위로는 태후의 마음이 환난의 근원을 밝게 알지 못하였고, 아래로는 안팎의 사람들이 조정의 존엄을 식별하지 못하고 있었다. 그런데도 두무 등이 꾀하는 것은 단지 하루속히 소인들을 벌하는 계책만을 결행하고자 하였다. 당시 환관들에게 죄가 있기는 하였지만 그렇다고 어떻게 경중과 선후의 등급조차 없이 마침내 한 잣대로 벌할 수 있겠는가? 행동한 일마저도 너무 서툴러 오늘 무리 몇 사람을 벌하고 다음 날 무리 몇 사람을 벌하여, 경중의 잣대를 잃고 있고 선후의 순서도 잃어, 하늘의 뜻을 받들어 처벌하는 태도도 아니었다. 또 사람들마다 자신도 형벌을 받는 것인가 의심하도록 만들어, 도리어 저들이 무리를 결성하게 하여 간악한 모의를 불러들였으니, 큰일을 잘 처리하는 자가 어찌 이럴 수 있겠는가?

觀朱瑀’所謂中官放縱者自可誅耳, 我曹何罪而當盡族滅?’ 使蕃武施之有道, 行之有序, 則雖此曹蓋亦有心服者矣. 殲厥渠魁, 脅從罔治, 此待盜與小人之法, 而亦天心也. 況其所自處者又自有失. 方是時, 非衆志允從, 其何以濟事? 宦者竊柄已久, 人知有此曹而已. 爲大臣者, 要當深自刻苦, 至誠惻怛, 擧動無失. 而後人有以孚信, 而趨向於我. 人心向信, 則勢立而形成, 然後可以消弭禍亂. 而武於靈帝踐位之初, 一門三侯. 妄自封殖如此, 其誰心服乎? 故王甫後來亦得以藉口, 則可見此曹平日之所竊議, 而衆志之所不平者矣.

주우朱瑀가 ‘소위 환관 중 방종한 자들이야 본시 벌을 내려야 하겠지만 나 같은 무리에게 무슨 죄가 있어 일가족 모두가 멸살당해야 한다는 말인가?’[69]라는 말을 살펴보더라도, 만일 진번과 두무의 조치에 도리가 있고 시행에 순서가 있었다면, 이들 무리에서도 또한 마음으로 복종하는 자가 있었을 것이다. 괴수는 죽이고 위협을 못 이겨 따라나선 자는 죄를 묻지 않는 것이 도적떼와 소인을 다스리는 방법이고 또 하늘의 마음이다. 하물며 저들은 자신들의 처신에도 또 본디 실수가 있었다. 바야흐로 이러한 때에 여러 사람이 믿고 따라주지 않으면 어떻게 일을 성사시킬 수 있겠는가? 환관이 권력을 도둑질한 지 이미 오래여서 사람들은 이들 무리만을 알 따름이었다. 대신이 된 자는 당연히 스스로 매우 고생스러운

---

69 朱瑀가 ‘소위 … 말: 위 [62-10-1]의 주석 참고

지극한 정성과 애틋함으로 행동에 잘못이 없고자 했어야 한다. 그런 뒤에야 사람들의 미더움이 생겨나 기대가 나에게 모아질 것이다. 사람들 마음이 미더워하게 되면 형세가 확립되고 모양도 갖추어질 것이니, 그런 다음에야 환난의 어지러움을 쓸어낼 수 있을 것이다. 그런데 두무는 영제靈帝가 등극한 초기에 한 집안에 세 사람의 후侯가 있었다.[70] 부질없이 스스로 세력을 불리려는 것이 이 정도였으니, 뉘라서 마음으로 복종했겠는가? 그러므로 왕보王甫가 훗날 또한 이를 말거리로 삼았던 것이니,[71] 이들 무리가 평일에 몰래 나누었던 의견과 여러 사람들이 마음에 가졌던 불평을 알 수 있다.

及難之作, 雖曰忠義, 而無或應之. 以張奐之賢, 猶且被紿而莫知逆順之所在, 則以武平日所爲, 未有以慰士大夫故也. 蕃雖辭爵而不能力止武之封, 是亦潔身之爲耳. 任天下之重, 顧止如是哉? 然予每讀蕃辭爵之疏, 未嘗不三復歎息. 其辭達, 其義正, 東京之文, 若此者蓋鮮. 亦足以見其忠義之氣也, 可勝惜哉."[72]

환난이 일어났을 때에 미쳐서 충성스럽고 의롭다고 할 수 있을 터인데도, 누구도 그들을 호응하지 않았다. 장환張奐 같이 현명한 사람도 오히려 속임수에 넘어가 온당함과 부당함이 어디에 있는지 알지 못하였으니, 두무의 평소 행동이 사대부들을 어루만지고 위로해주지 못한 까닭에서이다. 진번이 작위는 사양하였을망정 두무에게 내리는 봉작을 힘써 막지 않았으니, 이는 또한 자신의 결백만을 지니고자 함이다.[73] 막중한 천하를 책임지고서 어찌 이 같을 수 있겠는가? 그러나 내가 진번의 작위를 사양하는 상소문을 읽을 적마다 세 번을 거듭 탄식하지 않은 적이 없다. 그 말이 매우 조리지고 그 의리가 올바르니 동경東京[東漢] 시대의 글로서 이 같은 글은 드물다. 또한 그의 충성스럽고 의로운 기상을 충분히 볼 수 있으니, 안타까움을 억누를 길이 없다."

. . . .

70 한 집안에 … 있었다. : 영제가 즉위하였을 때 두무는 槐里侯에서 聞喜侯에 봉해지고, 아들 機는 渭陽侯에 봉해져 시중에 임명되고, 조카 紹는 鄠侯에 봉해져 步兵校尉에 임명되고, 소의 아우 靖은 西鄕侯에 봉해져 시중이 되었다.(『後漢書』「竇何傳」)

71 王甫가 훗날 … 것이니 : 왕보는 환관이다. 두무의 환관 제거에 함께 했던 진번이 두무가 환관들에게 몰려 조카가 있는 步兵營으로 도망쳤다는 말을 듣고 집안사람들을 이끌고 칼을 뽑아들고 대궐로 달려 나왔다. "대장군이 충성으로 나라를 호위하고 있는데 환관들이 반역을 도모하고서 어떻게 두씨가 무도하다고 말하는가?(大將軍忠以衛國, 黃門反逆, 何云竇氏不道邪?)" 하니, 마침 왕보가 밖으로 나가려다가 진번과 마주쳐 하는 말을 듣고서는 진번을 꾸짖으며, "선제가 막 천하를 버려 산릉조차도 아직 마련하지 못했는데, 두무가 무슨 공이 있어 형제와 부자가 한 집안에 侯가 셋인가?(先帝新棄天下, 山陵未成, 竇武何功, 兄弟父子, 一門三侯?)" 라고 하였다.(『後漢書』「陳王傳」)

72 『南軒集』「史論·竇武陳蕃得失」

73 진번이 작위는 … 함이다. : 환제가 황후를 정하고자 하면서 田貴人으로 정하려 하자, 진번이 전씨 집안은 한미하여 안 된다고 굳이 고집하여 竇皇后로 정하였다. 그래서 두황후는 진번을 늘 두호하였다. 靈帝가 즉위하며 두태후가 섭정하자, 진번이 그동안 환관들에게 미움을 사면서도 나라에 진력한 공을 인정하여 高陽鄕侯에 봉하고 食邑 3백 戶를 내렸다. 이에 진번은 열 번 상소를 올려 끝내 봉작을 받지 않았다. 그런데 자신에게 고양향후가 내려질 때 두무의 집안에 두무를 제외하고도 세 사람에게 봉작이 내려졌는데도 이를 지적해 말하지 않았으니 진번의 잘못이라는 말이다.(『後漢書』「陳王傳」)

趙苞 조포

[62-11-1]

程子曰: "東漢趙苞爲邊郡守, 虜奪其母, 招以城降, 苞遽戰而殺其母, 非也. 以君城降, 而求生其母, 固不可. 然亦當求所以生母之方, 奈何遽戰乎? 不得已身降之可也. 王陵母在楚, 而使楚質以招陵, 陵降可也. 徐庶得之矣."[74]

정자程頤가 말하였다. "동한의 조포가 변경의 군수郡守가 되었을 때[75] 오랑캐가 그의 어머니를 포로로 잡고서는 그의 휘하 고을로 항복하기를 요구하자, 조포가 대뜸 전쟁을 벌여 그 어머니를 죽게 한 것은 잘못이다. 군주의 성으로 항복하여 자신의 어머니를 살리고자 구하는 것은 참으로 옳지 않다. 그러나 또한 당연히 어머니를 살릴 방도를 강구해야지 어찌 대뜸 전쟁부터 벌일 일인가? 부득이하면 자신의 항복도 괜찮다. 왕릉王陵의 어머니가 초나라에 있을 적에[76] 가령 초나라가 인질로 잡고서 왕릉을 불렀다면 왕릉이 항복하는 것도 괜찮다. 서서徐庶[77]는 처신을 잘하였다."

• • • • • • • • • • • • • • • • • • • •

74 『二程遺書』 권24 「鄒德久本」

75 조포가 변경의 … 때: 조포는 甘陵 東武城 사람으로 字는 威豪다. 종형 趙忠이 환관으로 있는 것을 매우 부끄럽게 여겨 서로 내왕하지 않았다. 遼西太守로 임명된 다음 해에 사람을 보내 어머니와 처자식을 자신의 任地로 모셔오게 하였다. 어머니가 오는 도중에 鮮卑族의 공격을 받아 붙들렸다. 선비족은 어머니와 처자식을 인질로 삼고 요서를 공격하였다. 이에 조포는 군사 2만을 동원하여 적과 대치하였다. 선비족이 조포의 어머니를 전면에 내세우자, 조포는 '자식이 보잘것 없어 어머니를 조그만 국록으로 봉양하고자 하였다가 생각지 못한 화를 만들어냈다.'며, '예전에는 아들이었으나 오늘은 왕의 신하이니 의리상 사사로운 은혜를 살펴 충절을 훼손시킬 수 없다.'고 하였다. 이에 어머니도 화답하여 "위호야! 사람에게는 각기 해야 할 일이 있는데 어찌 양쪽을 다 살피려다 忠義를 훼손해야겠는가! 예전에 왕릉의 어머니는 한나라의 사신을 상대하여 칼에 엎어져 죽어서 그의 뜻을 굳혀주었으니 너는 노력하여라.(威豪! 人各有命, 何得相顧以虧忠義. 昔王陵母對漢使伏劒, 以固其志, 爾其勉之.)"라고 하였다. 이에 조고는 군사를 휘몰아 공격하여 그들을 물리쳤다. 이때 그의 어머니와 처는 모두 죽었다. 이에 영제는 조포를 鄃侯에 봉하였다. 조포는 어머니를 고향으로 모셔 장례 치르고 고향 사람들에게 "국록을 먹으면서 난리를 회피하는 것은 충성이 아니고, 어머니를 죽게 하고 의리를 온전히 하는 것은 효성이 아니다. 이 같은데 내가 무슨 면목으로 세상에 설 수 있겠는가!(食祿而避難, 非忠也 ; 殺母以全義, 非孝也. 如是有何面目立於天下!)" 하고서는 피를 토하고 죽었다.(『後漢書』 「獨行傳 趙苞」)

76 王陵의 어머니가 … 적에: 왕릉은 漢 泗水 沛 땅 사람. 시호는 武. 劉邦이 군사를 일으키기 전에 형으로 대하였다. 왕릉이 군사를 모아 유방을 따르자, 항우가 자신에게 돌아오게 하려고 왕릉이 보낸 사람이 찾아오자 왕릉의 어머니를 자리에 초빙하여 앉히고 은근히 왕릉을 부르게 하려 하였다. 이에 왕릉의 어머니는 아들이 유방을 잘 섬기게 하라 하고서 칼에 엎어져 스스로 죽었다. 왕릉은 유방이 황제가 되면서 安國侯에 봉해지고 右丞相이 되었다.(『漢書』 「王陵傳」)

77 徐庶: 蜀漢 穎川 사람. 劉備를 섬기다가 어머니가 曹操에게 납치되자 諸葛亮을 추천하고 조조에게 귀순하였다. 御史中丞에 임명되었으나, 어머니가 아들이 조조에게 속은 것을 알고 자결하자, 그 뒤 조조를 위한 어떤 일도 하지 않았다.(『三國志』 권35)

臧洪 장홍

[62-12-1]

龜山楊氏曰: "臧洪初爲張超功曹, 後遇袁紹以爲靑州刺史. 二人之遇洪, 其義均矣. 而洪之報二人者, 何其異哉? 方曹公圍超於雍丘也, 洪欲赴難而請兵於紹. 袁曹方睦, 而紹之與超素無一日之觀, 則雍丘之圍, 非切於己也. 欲其背好用師, 以濟不切之難, 則紹之不聽未爲過. 而洪之絶紹, 豈亦不量彼己歟? 其不屈而死也, 蓋亦匹夫匹婦之爲諒也已."[78]

구산 양씨가 말하였다. "장홍이 처음에 장초張超의 공조功曹였다가 나중에 원소袁紹를 만나 청주자사靑州刺史가 되었다. 두 사람의 장홍에 대한 예우는 그 의리가 똑같다. 그런데도 장홍의 두 사람에 대한 보답은 왜 그다지 다를까? 조조曹操가 장초를 옹구雍丘에서 포위하였을 적에 장홍은 환난에 뛰어들면서까지 원소에게 군사를 청하고자 하였다. 원소와 조조는 한창 화목한 사이였고, 원소와 장초는 본래 어느 날 한 번 만나본 적도 없었으니 옹구의 포위는 원소에게는 긴급한 일이 아니었다. 좋은 관계를 저버리고 군사를 동원하여 친절하지도 않은 사람의 환난을 구제하는 일이었으니 원소가 들어주지 않은 것이 잘못일 것은 없다. 그런데도 장홍이 원소와 절교한 것은 또한 상대와 자신의 처지를 헤아리지 못함이 아니겠는가? 그가 굽히지 않고 죽은 것[79]은 또한 한 사내와 한 아낙의 신의[80]일 뿐이다."

---

78 『龜山集』「史論·臧洪」

79 그가 굽히지 않고 죽은 것 : 장홍이 장초를 구원하기 위하여 원소에게 군사를 청했으나 들어주지 않자, 절교하였다. 이에 원소가 장홍이 주둔하고 있는 성을 포위하고 항복을 받으려 하였다. 1년을 버티며 항복하지 않자 군사를 증원하여 장홍을 사로잡았다. 원소가 그의 재주를 아껴 항복을 권유하였으나 장홍은 끝내 굽히지 않고 죽었다.(『後漢書』「虞傅蓋臧傳」)

80 한 사내와 … 신의 : 큰 것을 보지 못한 자의 부질없는 죽음을 이른 말이다. 『論語』「憲問」에서 "자공이 '관중은 어진 사람이 아닐 것입니다. 환공이 공자 규를 죽였는데도 능히 죽지 못하였습니다.'라고 하자 공자가 다음과 같이 대답하였다. '관중이 환공을 도와 제후의 패자가 되게 하며 천하를 완전히 바로잡아 백성들이 지금까지 그 은혜를 힘입었다. 관중이 아니었다면 우리는 머리를 풀어헤치고 옷깃을 왼쪽으로 여몄을 것이다. 어찌 한 사내, 한 아낙의 신의를 위하듯이 스스로 도랑에서 목을 매 죽어 세상에서 그 사람이 있었는지조차 알지 못하게 함과 같이하랴!'(子貢曰, '管仲非仁者與? 桓公殺公子糾, 不能死, 又相之.' 子曰, '管仲相桓公霸諸侯, 一匡天下, 民到于今受其賜. 微管仲, 吾其被髮左衽矣. 豈若匹夫匹婦之爲諒也, 自經於溝瀆而莫之知也.')"라고 한 데서 온 말이다.

總論 총론

[62-13-1]

或有問: "'甯武子邦有道則智, 邦無道則愚, 其智可及, 其愚不可及', 初理會不得. 武子當衞成公無道失國之時, 周旋其間, 盡心竭力而不去; 及成公因京師, 武子求掌橐饘, 賂醫薄酖, 免衞侯於死, 終以復國. 及元咺之訟, 武子又獨以忠而獲免. 其能保身以濟其君如此, 雖謂之知可也. 而夫子曰, '其愚不可及'. 又嘗曰, '君子哉蘧伯玉! 邦有道則仕, 邦無道則可卷而懷之'. 以伯玉之事責武子, 雖謂之愚不識時亦可也. 然惓惓忠君不避險艱, 能爲人所不能爲, 抑亦難矣. 故謂之愚, 蓋閔之也. 其稱南容曰, '邦有道則仕, 邦無道則免於刑戮', 武子之免亦幸矣. 然武子仕衞兩世, 其君信任之, 義不可棄之而去, 其幾於東漢王允乎! 允又不免被害.

어떤 사람이 물었다. "'영무자甯武子는 나라에 도가 있을 적엔 지혜로웠고, 나라에 도가 없을 적엔 바보스러웠으니, 그의 지혜로움은 따라잡을 수 있지만 그의 바보스러움은 따라잡을 수 없다.'[81]란 말은 전연 이해할 수 없습니다. 무자가 위성공衞成公이 무도하여 나라를 잃은 상황을 맞닥뜨려서는 그 사이에서 이리 뛰고 저리 뛰어 몸과 마음을 다 바치며 떠나지 않았고, 성공이 (주나라의) 경사京師에 갇히자 무자는 (성공의) 옷가지며 음식 바라지 일을 구해 수발하며, 의원에게 짐독鴆毒의 양을 적게 타도록 뇌물을 써서 위성후를 죽음에서 구원하여 끝내 군주의 지위를 회복시켰습니다. 원훤元咺이 송사를 제기하자 무자는 또 혼자서 충성을 다해 죄를 면하게 하였습니다. 그가 자신 한 몸을 잘 보전하면서 군주를 이

---

81 '甯武子는 나라에 … 없다.': 『論語』「公冶長」에서 공자가 한 말이다. 영무자는 춘추시대 衞나라의 대부로 이름은 兪이다. 『論語』의 集注와 大全의 소주에 의하면 다음과 같다. 영무자는 위나라의 임금을 섬겼다. 文公과 成公이다. 문공 시대는 나라가 비교적 안정되어 아무런 일이 없어 영무자의 활동이 기록된 것이 없다. 성공은 無道하여 나라를 띠나 楚나리와 陳나라를 전전히였다. 성공이 크게 잘못한 것은 초나라와 어울리고 晉文公의 진나라를 따르지 않은 일이었다. 초나라와 진나라가 싸워 초나라가 지자 성공은 초나라로 망명하였다가 陳나라로 다시 떠나며, 元咺을 시켜 아우 叔武를 받들고 진나라와 맹약을 맺게 하였다. 이때 어떤 사람이 성공에게 원훤이 숙무를 위나라의 군주로 옹립하려 한다고 하였다. 원훤의 아들이 마침 성공을 따르고 있었다. 성공은 그 말을 듣고 원훤의 아들을 죽였다. 그러나 원훤과 숙무는 진나라와의 맹약을 성사시키고 위나라로 돌아와 성공을 기다렸다. 성공이 맹약에 의해 위나라로 돌아오게 되자, 영무자는 성공을 위해 위나라 사람들과 그 사이의 허물을 서로 묻지 말자는 맹약을 맺었다. 아우 숙무가 머리를 감다가 형이 돌아온다는 소식을 듣고 머리를 손으로 감아쥐고 맞이하려 나섰는데 성공의 일행이 그를 활로 쏘아 죽였다. 이에 원훤은 晉나라로 망명하였다. 이 일로 성공은 원훤과 소송이 벌어졌다. 성공은 이 소송에서 져, 위나라의 士榮과 鍼莊子는 죽임을 당하고, 영무자는 충성을 인정받아 죽음을 면하였다. 아울러 성공은 진나라에 의해 천자 나라인 周의 경사로 보내져 깊숙한 감옥에 갇혔다. 영무자는 성공의 옥바라지를 책임졌다. 이 사이 원훤은 위나라로 돌아와 公子瑕를 군주로 옹립하였다. 진나라는 2년여 갇혀 있는 성공을 鴆毒으로 살해하려 하였다. 이를 안 영무자가 짐독을 책임한 衍에게 뇌물로 짐독의 강도를 약하게 하여 성공을 살려냈다. 이때 魯나라 僖公이 周와 진나라에 뇌물을 써서 성공은 마침내 풀려나 복귀하였다.(『左傳』「僖公 28년」~「僖公 30년」; 『國語』「魯語上」)

같이 구해냈으니, 지혜로운 사람이라 평하여도 옳을 것입니다. 그런데도 부자가 '그의 바보스러움은 따라잡을 수 없다.'고 하였습니다. 또 일찍이 말씀하기를, '군자로다 거백옥蘧伯玉이여! 나라에 도가 있으면 벼슬할 만하고, 나라에 도가 없으면 거두어 감출 만하다.'[82]라고 하였습니다. 백옥의 일로 무자를 꾸짖는다면, 바보라서 시세를 몰랐다고 평하여도 옳을 것입니다. 그러나 일편단심 군주에게 충성을 바쳐 어려움을 피하지 않고 남들이 해내지 못할 일을 해냈으니 또한 어려운 일입니다. 그리하여 바보스럽다고 평한 것이니 아마도 애달파 한 말씀일 것입니다. 공자가 남용南容을 칭찬하기를 '나라에 도가 있으면 벼슬할 것이고, 나라에 도가 없으면 형벌이나 죽임을 면할 것이다.'[83]고 하였으니, 무자가 형벌을 면한 것은 또한 요행입니다. 그러나 무자가 위나라에서 벼슬하던 두 군주 시대에 그들 군주가 그를 신임하였으니 의리상 버리고 떠날 수 없었음은, 거의 동한의 왕윤王允과 어금지금할 것입니다![84] 그러나 왕윤은 또한 해 당함을 면하지 못하였습니다.

伊尹以天下爲己任, 治亦進, 亂亦進, 使成湯不興, 聘幣不至, 雖五就桀, 其志曷施? 陳蕃漢代人豪, 驅馳險阨之中, 與刑人腐夫同朝爭衡, 屢退而不去者, 以仁爲己任, 非人倫莫相邮也. 卒以謀踈見殺, 亦昧於夫子免刑戮之戒. 然陳蕃王允, 猶是當時朝廷倚任, 身居鼎軸, 義當與國存亡. 故程子曰, '亦有不當愚者, 比干是也'. 若無言責官守, 則如東漢逢萌, 當先漢之亂, 憤三綱之斁絶, 挂冠東都門, 浮海而去, 惟恐其或緩也. 君子之道, 詎可不識時幾?"

• • • • • • • • • • • • • • • • • •
82 '군자로다 蘧伯玉이여! … 만하다.' : 『論語』 「衛靈公」에서 공자가 한 말이다. 거백옥은 위나라 대부이고 이름은 瑗이다. 공자가 위나라에 머무를 때 주인을 정해 묵었던 어진 인물이다. 여기서 '벼슬할 만하고 감출 수 있다.'는 그가 때를 만나면 펼칠 수 있는 경륜을 지녔고 때를 만나지 못하면 벼슬에 연연해하지 않고 자신의 덕과 재능을 거두어 감출 수 있다고 칭찬한 것이다. 곧 거백옥은 감출 수 있어서 칭찬한 것인데, 영무자는 감추지 않고 마치 바보스러운 사람처럼 모든 사람이 피할 위험한 상황을 이리저리 주선하여 성공을 거둔 것이, 서로 상반됨을 말한 것이다.
83 '나라에 도가 … 것이다.' : 『論語』 「公冶長」에서 공자가 한 말이다. 그러나 『論語』의 글과는 약간 다르나 뜻에 있어서는 별로 달라질 것은 없다. 남용은 공자의 제자이자 조카사위이다. 그의 이름은 南宮适, 南宮縚 둘이다. 공자는 그가 言行에 각별하여 어지러운 세상에서도 환난을 면할 수 있다며 그를 조카사위로 삼았다.
84 동한의 王允과 … 것입니다! : 왕윤은 후한 太原 祁 땅 사람으로, 자는 子師이다. 黃巾賊 토벌에 공을 세웠고 大將軍 何進이 환관을 토벌하려 할 때 함께하였다. 獻帝 때 太僕에 임명되고 이어 尙書令과 司徒 벼슬에 올랐다. 이때 도읍을 關中으로 옮겨 長安에 머무를 때, 실권자 동탁은 洛陽에 그대로 머무르며 조정의 모든 일을 왕윤에게 맡겼다. 이로 인해 헌제와 신하들이 그에게 크게 의지하며 한나라 왕실의 부흥을 기대하였다. 여포와 결탁하여 동탁을 죽인 뒤 동탁 휘하의 군대를 해산시키려다 동탁의 부하 李傕가 郭汜가 일으킨 반란에 죽었다. 이때 여포가 쫓겨 달아나며 왕윤에게 함께 달아나자고 청하자 왕윤은 "사직의 신령한 기운을 힘입어 위로 국가를 편안하게 하는 것이 나의 소원이었소. 만일 그것을 이룰 수 없다면 한 몸 바쳐 죽을 것이오. 천자가 아직 어려 나만을 믿고 계실 뿐인데 난리를 만나 구차하게 모면하는 것은 내가 차마 못할 일이오. 노력하여 관동의 여러분께 사죄하고 애써 국가만을 생각하도록 하오.(若蒙社稷之靈, 上安國家, 吾之願也. 如其不獲, 則奉身以死之. 朝廷幼少, 恃我而已, 臨難苟免, 吾不忍也. 努力謝關東諸公, 勤以國家爲念.)"라고 하였다.(『後漢書』 「王允傳」)

이윤伊尹은 천하를 자신의 책임으로 여겨 다스려진 나라에도 나아갔고 혼란한 나라에도 나아갔지만, 만일 성탕成湯이 나오지 않고 맞이하는 폐백도 이르지 않았다면, 걸桀에게조차 다섯 차례 나아갔더라도 어찌 그의 뜻을 펼쳤겠습니까?[85] 한나라 시대의 호걸인 진번陳蕃[86]은 험한 어려움 속에서 활약하며, 불알을 까인 환관들과 한 조정에서 승부를 겨루어 여러 차례 물러나는 일을 당하면서도 떠나지 않았으니, 인仁을 자신의 책임으로 여기고 인륜에 관계된 일이 아니면 거들떠보지 않아서입니다. 끝내는 책략이 엉성하여 죽임을 당하였으니 역시 공자가 말씀한 형벌이나 죽음은 면할 것이라는 경계에 어두웠던 것입니다. 그러나 진번과 왕윤은 여전히 당시 조정이 의지해 미더워함이 있었고, 자신은 재상의 지위에 있었으니 의리상 당연히 나라와 존망을 함께하여야 했습니다. 그런 까닭에 정자程子가 '또 당연히 바보스러울 수 없는 사람이 있으니 비간比干이 그 사람이다.'[87]라고 하였습니다. 만일 말을 책임지는 벼슬에 있거나 어떤 책무를 관장하는 벼슬에 있지 않았다면, 동한의 방맹逄萌처럼 한漢나라가 어지러워지기에 앞서 삼강三綱이 끊어진 것에 분개하여 관冠을 동도東都洛陽의 성문에 걸어두고 바다에 배를 띄워 떠나며 혹여 늦을세라 두려워할 수도 있습니다. 군자의 도가 어찌 시세의 기미를 알지 않을 수 있겠습니까?'

朱子曰: "所疑甯武子事大槪得之. 但爲蘧伯玉南容之愚則易, 爲武子之愚則難, 所以聖人有不可及之歎. 陳蕃‧王允固不得爲伯玉南容之愚. 然蕃事未成而謀已泄, 允功未就而志已驕, 則又不能爲甯武子之愚, 此其所以取禍也. 然爲逄萌則甚易, 爲二公則甚難, 又不可以彼而責此. 但當問其時義之如何, 與其所處之當否可也."[88]

주자가 대답하였다. "의심하는 영무자의 일은 대체로 맞는 말이다. 단지 거백옥과 남용의 바보스러움은 행하기 쉽지만 무자의 바보스러움은 행하기 어려우니, 때문에 성인이 따라잡을 수 없다고 탄식하신 것이다. 진번과 왕윤은 절대 백옥과 남용의 바보스러움을 행할 수 있는 처지가 아니다. 그러나 진번은

•••••••••••••••••••••

85 伊尹은 천하를 … 펼쳤겠습니까?: 이윤은 夏나라 말년에 桀의 학정을 못이기는 백성의 고통을 덜어주고자 탕임금을 도와 商나라 건국을 도왔다. 『孟子』에 의거하여 살펴보면 다음과 같다. 이윤은 莘나라 사람으로 堯舜의 道를 즐기며 살았는데 탕이 그에게 세 차례나 사람을 보내 초빙하였다. 처음에는 응하지 않았다가 뜻을 바꾸고 탕의 초빙에 응하였다. 탕은 이윤을 천자인 걸의 나라에 보내 천하를 화평하게 다스리도록 하였다. 그러나 걸은 이윤을 등용하지 않았다. 이에 이윤은 다시 탕에게 돌아왔다. 이렇게 오가는 일이 다섯 차례에 이르렀다. 이것이 다스려진 나라나 혼란한 나라라도 나아갔다는 말이다. 이를 두고 맹자는 이윤을 평하여 "성인 중에서 천하를 자신의 책임으로 자임한 분이다.(聖之任者)"고 하였다.(『孟子』「萬章下」;「告子下」)

86 한나라 시대의 … 陳蕃: 앞의 [62-10-1] 이하 참고

87 또 당연히 바보스러울 … 比干이 그 사람이다.: 비간은 殷나라의 마지막 군주 紂의 숙부 중 한 사람으로 주에게 간하다가 죽임을 당하였다. 공자는 그를 은나라의 세 사람의 仁者 중 한 사람이라고 하였다. 정자는 비간과 영무자가 똑같이 혼란한 군주를 만났으나 영무자는 지혜로우면서도 그 지혜를 바보스러운 사람처럼 깊이 감추고 환난을 피하지 않았지만 비간은 지혜를 깊이 감출 수 있는 사람이 아니었으므로 죽임을 당할 수밖에 없었다는 말이다. 이 글은 『論語』「公治長」의 영무자에 대한 공자의 말에 注로 인용된 말이다. 세 사람의 인자 운운은 『論語』「微子」의 말이다.

88 『朱文公文集』권45 「書‧知舊門人問答‧答廖子晦 제14書」

일이 이루어지기 전에 계책이 누설되었고, 왕윤은 일이 아직 이룩되지 않았는데 뜻이 벌써 교만에 빠져서 또한 영무자의 바보스러움을 행하지 못했으니, 이것이 화를 초래한 까닭이다. 그러나 방맹逢萌[89]처럼 행하기는 매우 쉽고 두 사람처럼 행하기는 매우 어려우니, 또 방맹의 일을 두 사람(진번·왕윤)에게 요구해선 안 된다. 단지 시대 의리가 무엇인지, 조치한 일이 마땅한지의 여부만을 따지는 것이 옳다."

[62-13-2]

南軒張氏曰: "高祖洪模大略, 非光武所及也. 高祖起匹夫, 提三尺取天下, 光武則以帝室之胄, 因人心之思漢而復舊業, 其難易固有間矣. 而高祖之對乃項籍, 亦蓋世之豪也; 光武所與周旋者, 獨張步隗囂公孫述輩, 其去籍蓋萬萬相遠矣. 至於韓信彭越之徒, 皆如泛駕之馬, 實難駕御, 而盡在高祖掌握之中, 指麾使令, 無不如意. 使光武有臣如此, 未必能用也. 然而創業之難, 光武固不及高祖, 而至於光武之善守, 則復非高祖所及也.

남헌 장씨가 말하였다. "고조의 큰 규모와 큰 책략은 광무제가 미칠 수 있는 것이 아니다. 고조는 평민으로 시작하여 칼 한 자루 들고 천하를 얻었고 광무제는 제왕의 후손으로 인심이 한나라를 사모하는 것을 이용하여 옛 왕업王業을 회복시켰으니, 그 쉽고 어려움에는 본래 차이가 있다. 게다가 고조의 상대는 바로 항적이었는데 또한 기개가 한 세상을 뒤덮는 호걸이었고, 광무제가 상대해 싸웠던 사람은 다만 장보張步[90]·외효隗囂[91]·공손술公孫述[92] 같은 무리였으니, 항적과의 차이는 만만 번 크게 서로 동떨어진

....

89 逢萌: 후한 北海 都昌 사람. 자는 子康. 집이 가난하여 縣의 亭長으로 일하는데, 현의 尉가 순시하였다. 순시가 끝난 뒤 방맹이 "대장부가 어찌 남의 밑에서 일할까 보냐!" 하고, 장안으로 떠나 공부하여 『春秋』에 능통하였다. 이때 王莽이 아들 宇를 죽이자 방맹이 친구에게 "삼강이 끊겼으니 떠나지 않으면 재앙이 사람에게 미칠 것이다.(三綱絶矣, 不去, 禍將及人.)"고 하고서, 관을 벗어 동도의 성문에 걸어놓고 집으로 돌아가 집안사람들을 거느리고 바다에 배를 띄워 떠나 요동에서 살았다. 방맹이 陰陽學에 밝아 왕망이 망할 즈음 저잣거리에 나타나 "新나라야! 신나라야!"를 통곡하며 외치다가 종적을 감추었다. 광무제가 즉위하자 琅邪의 勞山에서 수도하며, 여러 차례 조정의 부름을 받았으나 나가지 않고 여생을 마쳤다.(『後漢書』「逸民傳·逢萌」)

90 張步: 후한 琅邪 不其 사람. 자는 文公. 광무제가 왕망의 신나라를 상대로 군사를 일으켰을 때 낭야군을 점거하고 세력을 넓혔다. 更始帝(劉玄)에 의해 梁王에 봉해진 劉永이 그를 輔漢大將軍忠節侯에 봉하고 명령에 따르지 않는 자의 정벌 권한을 내리자 이를 받았다. 이때 그의 아우 弘·藍·壽도 많은 군사를 거느리고 각기 세력을 형성하여 이들 형제가 공격하여 무너지지 않은 곳이 없었다. 광무제가 伏隆을 보내 東萊太守에 임명하려 하자, 유영이 먼저 그를 齊王에 봉하여 장보는 복용을 죽이고 광무제의 군대에 저항하였다. 이때 제 지역의 12郡을 점령하여 세력이 강대하였다. 광무제가 보낸 耿弇에게 패하자 한나라에 항복하여, 安丘侯에 봉해졌다. 뒤에 처자식을 거느리고 臨淮로 도망쳐, 아우 홍·남과 함께 옛날 군사를 모아 바다로 달아나려다 낭야태수 陳俊의 추격을 받아 죽었다.(『後漢書』「王劉張李彭盧傳」)

91 隗囂: 후한 天水 成紀 사람. 자는 季孟. 更始帝(劉玄)가 王莽을 무너뜨리고 關西를 근거로 군사를 일으키자, 隴西에서 외씨 집안과 31장수의 추대로 上將軍에 오르며 10만의 군대로 경시제를 호응하였다. 경시제가 부르자 참모들의 반대를 따르지 않고 나아가 섬겼다. 광무제가 河北에서 즉위하자, 경시제더러 광무제에게 귀환할 것을 종용하다가 따라주지 않자, 무력으로 그를 사로잡으려한 일이 들통 나, 천수로 도망쳐 西州上將軍을 자칭하고 옛 군사를 모아 자립하였다. 赤眉의 군대가 함곡관을 격파하고 관중을 함락시키자, 광무제는 장수

다. 한신韓信[93]과 팽월彭越[94] 같은 무리에 이르러서도 모두 수레를 뒤엎는 말처럼 거세 실로 휘어잡아 부리기 어려웠으나[95] 모두 고조의 손바닥 안에 있어 지휘하고 부리는 것이 뜻대로 되지 않는 경우가 없었다. 광무제에게 설사 이 같은 신하가 있었더라도 잘 쓰지 못하였을 것이다. 그러나 창업의 어려움은 광무제가 절대 고조를 따라잡지 못하겠지만, 광무제가 잘 지켜낸 것에 이르면 또한 고조가 따라잡을 수 있는 것이 아니다.

大抵高祖天資極高, 所不足者學爾. 即位之後, 所以維持經理者, 類皆疎略. 雄傑之氣不能自欲, 卒至平城之辱. 一時功臣, 處之不得其道, 類皆赤族. 此則由其學不足之故也. 光武天資雖不逮高祖, 而自其少時從諸生講儒學, 謹行義, 故天下旣定, 則知兵之不可不戰, 審黃石, 存包桑; 閉玉關以謝西域之質, 安南定北, 以爲單于久遠之計. 處置功臣, 假以爵寵而不使之任事, 卒保全其始終. 凡此皆思處縝密, 要自儒學中來. 至於尊禮隱逸, 褒崇風節, 以振起士氣, 後之人君尤未易及此, 非特高祖也. 嗟乎! 以高祖之天資, 使之知學爲當務, 則湯武之聖亦豈不可至哉? 是尤可歎息也."[96]

고조의 타고난 자질은 더할 수 없이 높았으니 부족한 것은 학문뿐이다. 즉위한 뒤 천하를 유지하고 경영한 일들 대부분이 모두 거칠고 엉성하다. 영웅호걸의 기상을 스스로 자제하지 못하여 마침내 평성平城의 치욕을 겪기에[97] 이르렀다. 당시 공신도 그들에 대한 조치가 그 방법을 얻지 못하여 대부분 모든

鄧禹를 보내 공격하였는데, 등우의 휘하 장수가 등우를 배반하고 천수로 도망쳐오자 외효가 맞아 격파하고, 다시 적미가 패하여 농서로 도망쳐오자 연거푸 공격하여 격파하였다. 이어 광무제에게 글을 올리자 광무제는 그를 대등한 군주로 예우하였다. 이때 公孫述이 그를 왕으로 봉했으나 받지 않고, 사신을 목 베었다. 광무제가 공손술의 군대를 격파하라고 명령을 내렸으나 따르지 않으며, 천하가 화평하여지면 고향으로 돌아갈 것이라는 의견을 피력하였다. 광무제가 외효를 의심하고 군사를 보내 공격하자, 군사를 총동원하여 싸웠으나 계속 밀리며 주림에 허덕이게 되자 분을 이기지 못하고 죽었다.(『後漢書』「隗囂公孫述傳」)

92 公孫述 : 후한 扶風 茂陵 사람. 자는 子陽. 왕망의 신나라 말기 蜀(당시 導江)의 수령에 임명되어 능력을 인정받았다. 경시제가 등극하며 사방에서 군사들이 일어나자, 가짜 한나라 사신을 만들어 자신이 輔漢將軍蜀郡太守兼益州牧에 임명된 것처럼 꾸몄다. 이어 자립하여 蜀王이 되어 成都에 도읍하였다. 建武 원년(서기 25년)에 나라를 成家, 연호를 龍興이라 하였다. 세력을 넓혀 益州 지역을 모두 점거하였고 일대에서 봉기한 장수들이 모두 그에게 귀의하였다. 이효이 군대가 무너질 때 부하들이 세력을 넓혀 양자강 일대 지역을 선제 공격하자고 하였으나 이를 미루고, 공손씨 집안이 아니면 등용하지 않는 등 실책을 거듭하였다. 광무제의 군사와 싸우던 중 칼에 찔려 그날로 죽었다.(『後漢書』「隗囂公孫述傳」)

93 韓信 : 『性理大全書』 권60 [60-10-1] 이하 참고

94 彭越 : 『性理大全書』 권60 [60-12-1] 이하 참고

95 수레를 뒤엎는 … 어려웠으나 : 이 글의 원문 "泛駕之馬"는 『漢書』 「武帝紀」, 元封 5년의 기사, "夫泛駕之馬, 跅弛之士, 亦在御之而已"에서 비롯된 말이다. 여기서 '泛'자의 음은 '봉'이고 그 뜻은 顔師古의 주에 의하면 '뒤엎음'이다. 따라서 "泛駕之馬"는 수레를 뒤엎는 말이란 뜻이다. 곧 쉽게 길들여지지 않는 초월한 힘을 가진 말을 이른다.

96 『南軒集』 권17 「史論 · 光武比高祖」

집안이 멸족되었다.[98] 이것은 다 학문의 부족에서 연유한 것이다. 광무제는 타고난 자질은 고조에 미치지 못하지만 어려서부터 여러 선비를 따라 유학儒學을 익히고 의리를 신중히 행하였던 까닭에, 천하가 평정된 뒤 군사를 거두어들이지 않으면 안 됨을 알고서, 황석黃石의 일을 신중히 살펴, 뽕나무뿌리에 묶어두려는 마음을 담았고,[99] 옥문관玉門關을 닫아걸고 서역西域의 인질을 거절하여[100] 남쪽과 북쪽을 안정시키는 것을 선우單于와의 먼 미래 계책으로 삼았다. 공신에 대한 조치도 총애를 보이는 작위만 내리고 직책은 맡기지 않아[101] 끝내 그들을 마지막까지 보존시켰다. 이러한 모든 것들은 모두 치밀하게

• •

97 영웅호걸의 기상을 … 겪기에 : 한고조 7년에 흉노에게 항복한 韓王信을 고조가 직접 평정하러 나섰다가 겪은 일을 이른다. 이를 『資治通鑑』 漢紀 高帝 7년의 기사에서 살피면 다음과 같다. 韓王信이 고조에게 패하여 흉노로 달아나자 한왕 신의 남은 세력이 다시 형세를 결집하여 흉노에게 달아난 한왕 신과 한고조에게 항거하였다. 이때 흉노도 가세하였다. 고조가 晉陽에 머물러 있는데 흉노의 冒頓이 代谷에 있다는 소식이 들렸다. 사신을 보내 흉노의 형세를 살펴보게 하자 모두가 공격할 수 있다고 하였다. 婁敬을 다시 보내 살펴보게 하고서는 그가 돌아오기 전에 군사 32만을 동원하여 공격에 나섰다. 이때 누경이 돌아와서, 속임수가 있다며 공격할 수 없다고 하였다. 이때 한나라 군대는 이미 출발한 상태여서 누경을 감옥에 가두고 그대로 행군하였다. 고조가 평성에 먼저 도착하고 다른 군대가 미처 도착하기 전에 묵특이 정예 기병 40만 명으로 고조를 白登에서 포위하였다. 그리하여 7일 동안 한나라 군대는 안팎이 서로 소식이 단절되었다. 이때가 한겨울이었다. 연이어 『史記』「匈奴傳」의 기사를 살피면 고조는 진평의 秘策으로 흉노의 포위에서 풀려났다. 풀려난 고조는 흉노와 화친을 꾀하였다. 누경에게 묻자 누경은 딸을 흉노에게 시집보내고, '해마다 일정량의 솜, 비단, 술, 쌀, 다른 음식물 등을 바치고서 형제국가의 화친 조약을 맺어야 한다.(歲奉匈奴絮繒酒米食物各有數, 約爲昆弟以和親)'고 하였다. 고조는 이 의견을 따랐다.

98 당시 공신도 … 멸족되었다. : 한고조의 공신 가운데 항우와의 전투에서 가장 큰 공을 세웠다고 할 수 있는 韓信 · 彭越 · 黥布가 모두 제 명을 누리지 못하고 반역의 罪名을 쓰고 죽었고, 張良마저 한고조를 떠나 그 자취를 알 수 없는 곳에서 생을 마감하였으며, 蕭何도 두 번이나 감옥에 갇히는 치욕을 견뎌야 했다.

99 黃石의 일을 … 담았고 : '황석'은 『資治通鑑』「漢獻帝」 建安 4년 기사 '黃石'에 대한 胡三省 주에 "황석은 바로 장량이 하비의 다리에서 얻었다는 책이다.(黃石, 即張良於下邳圯上所得之書也.)"고 하였다. 본 이름은 『黃石公三略』이고 '황석'은 그 말의 약칭이다. 병법에 신중하였다는 말은 병법을 써야 하는 전쟁에 신중하였다는 말이다. 뽕나무뿌리 운운의 원문 "存包桑"은 『後漢書』「吳蓋陳臧傳論」에 "광무제가 황석의 일을 신중히 살펴 뽕나무뿌리에 묶어두려는 마음을 담았다.(光武審黃石, 存包桑.)"고 하고 李賢은 그 주에서 "包는 뿌리이다. 뽕나무의 뿌리에 묶어둔다는 것은 그 단단히 함을 말한다.(包,本也. 繫於桑本, 言其固也.)"고 하였다. 그러나 이 包桑의 원말은 『周易』「否卦」九五爻辭의 "其亡其亡, 繫于苞桑"에서 온 말이다. 이 苞字를 본에 따라 包字로 쓰기도 한다. 또 이 苞字에 대해 程頤는 『易傳』에서 "총생한 뽕나무이니 그 뿌리가 더 단단히 뻗어 있다.(苞謂叢生者, 其固尤甚.)"고 하였다. 국가를 뽕나무뿌리에 묶어둔 듯 안정시키고자 한 마음을 가졌다는 말이다.

100 玉門關을 닫아걸어 … 거절하여 : 이 글의 원문에서는 옥문관을 玉關으로 표기하고 있다. 한광무제가 지금의 甘肅省의 敦煌 북서쪽 小方盤城에 둔 관문으로 서역에서 생산되는 옥을 이 길로 실어 나른 데에서 붙여진 이름이다. 인질 운운은 『後漢書』「光武帝紀」, 건무 21년의 기사에 "광무제 建武 21년(서기 45년)에 서역의 鄯善王과 車師王 등 16개 나라가 아들을 보내 입시하고 공물을 바치며 都護를 설치해 달라고 청하였다. 이에 광무제는 중국이 막 안정되어 바깥일에 마음 쓸 겨를이 없다며 입시한 아들들을 돌려보내고 후한 상을 내렸다.(鄯善王車師王等十六國, 皆遣子入侍奉獻, 願請都護. 帝以中國初定, 未遑外事, 乃還其侍子, 厚加賞賜.)"고 하였다. 광무제가 이러한 처신으로 그들과 더 이상 대결하지 않고 화평하게 살고자 하였음을 이른다.

생각하고 조치한 일이니 그 중요한 일들이 유학에서 나온 것이다. 숨어 지내거나 벼슬에 나가지 않은 선비를 높이 예우하고 절조 있는 사람을 높이 표창하여 선비의 기상을 진작시킨 일에 이르면, 후세 군주가 더욱 쉽게 미칠 수 있는 것이 아니니, 다만 고조만이 아니리라. 아! 고조의 타고난 자질에 학문이 급선무임을 알게 하였다면 탕왕과 무왕 같은 성군聖君의 경지라도 어찌 이르지 못했겠는가? 이 점이 더욱 한탄스럽다."

[62-13-3]

"名節之稱, 起於衰世. 昔之儒者, 學問素克, 其施於用, 隨時著見. 不蘄於立節, 而其節不可奪, 不蘄乎徇名, 而其名隨之, 在己初無一毫加意也. 至於世衰道微, 於陵遲委靡之中, 而其能拔然自立者, 則世以名節歸之. 而士君子道學未至, 則亦以此自負, 吁! 亦小矣. 然而名節之稱, 雖起於衰世, 而於衰世之中, 實亦有賴乎此. 使併與是焉而俱亡, 則亦無以爲國矣. 西漢之儒者, 予甚病之. 蓋自董相申公數人之外, 其餘往往以佔畢詁訓爲儒, 無復氣象. 上焉旣不能推尋問學之源流, 而其次又不能以名節立於衰世, 其亦何所貴於儒也?

(남헌 장씨가 말하였다.) "명예와 절의에 대한 칭송은 도덕이 쇠퇴한 세상에서 일어난다. 옛 유학자는 본디 학문에 능하여 그 학문이 일상생활에 수시로 적용되어 드러났다. 절의를 세우려 안달하지 않아도 누구도 빼앗을 수 없는 절의를 지니고, 명예를 위해 목숨을 버리려 하지 않아도 그 명예가 따라왔으니, 그 자신이 애당초 전연 염두에 둔 일은 아니다. 세상이 쇠퇴하고 도덕이 쇠미해져 그것들이 무너지고 스러진 가운데서 우뚝이 스스로를 확립시킨 사람이 나오면 세상은 명예와 절의의 이름을 그에게 돌린다. 도학이 지극하지 못하면 사군자마저도 또한 이것으로 자부하려 드니, 아! 또한 그릇이 작도다. 그러나 명예와 절의에 대한 칭송이 비록 도덕이 쇠퇴한 세상에서 일어났으나 도덕이 쇠퇴한 세상은 실상 또한 여기에 힘입는다. 가령 이마저 함께 사라져버렸다면 또한 국가를 다스려 낼 수 있는 길이 없을 것이다. 서한시대의 유학자를 나는 매우 못마땅해 한다. 동상董相[102]과 신공申公[103]에서부터 몇 사람을 제외하고

---

101 공신에 대한 … 않아 : 광무제는 후한을 세운 뒤 공신들을 고을에 봉해 각기 자신의 封地로 나가게 하고 三公 등의 벼슬에는 그들을 참여시키지 않아 후일 공신으로 화를 당한 사람이 아무도 없었다. 『後漢書』 「光武帝紀」의 마지막에서도 "공신을 물리고 문관의 관리를 등용하였으며, 활이며 화살을 거두고 전쟁에 동원한 말과 소를 해산시켰다.(退功臣而進文史, 戢弓矢而散馬牛.)"고 하였다.

102 董相 : 동상은 董仲舒를 이르는 말이다. 漢武帝 때 廣川 사람으로 江都王相과 膠西王相을 지낸 데서 붙여진 호칭이다. 春秋公羊學을 전공하여 무제에게 儒學을 국가의 기본 강령으로 삼게 하였다. 陰陽五行論을 바탕으로 天人感應說을 확립하였다. '도의 큰 근원은 하늘에서 나왔다.(道之大原出於天)'는 등의 말로 송나라 정자와 주자로부터 漢나라 최고의 선비로 추앙받았다. 저서로 『春秋繁露』·『董子文集』 등이 있다.(『史記』 권121 ; 『漢書』 권56 「董仲舒傳」

103 申公 : 신공은 한나라의 魯 땅 사람. 이름은 培, 또는 培公이라 부른다. 어려서 楚元王(劉郢)과 함께 浮丘伯에게 『詩經』을 배웠고, 文帝 때 博士가 되었다. 그가 전한 『詩經』을 노시라 한다. 나이 80세 때 武帝가 불러 천하의 治亂에 대해 묻자, "정치란 많은 말에 달려있지 않고 다만 행동에 힘쓰는 것을 어떻게 하느냐에 있을 뿐입니다.(爲治者不在多言, 顧力行何如耳.)"고 하여 당시 기발한 말에 마음을 쓰고 있던 무제의 바람에

나머지는 왕왕 문장이나 겨우 읽고 훈고訓詁나 붙이는 것을 유학자라 생각하여 기상氣象이라곤 전혀 없다.[104] 그들 가운데서 가장 나은 사람이라 해도 이미 학문의 근원을 더듬어 찾지 못하고, 그 다음에 해당하는 사람들은 또 도덕이 쇠퇴한 세상에서 명예와 절의마저 확립해 내지 못하였으니, 그 또한 유학자로서 귀하게 여길 만한 것이 무엇이겠는가?

考其所自, 亦由上之人, 有以致之. 自高帝鄙薄儒生, 文·景則尚黃老, 武帝雖號爲表章, 然徇其文而不究其實, 適足以爲害. 至宣帝則又明示所以不崇尚之意矣. 則其挫抑摧沮之餘, 不復自振固宜. 然儒者之學, 豈必爲一時貴尚, 而後勉邪? 待文王而後興者, 凡民也. 漢之儒者, 自叔孫通師弟子, 固皆以利祿爲事, 至於公孫丞相取相印封侯, 學士皆歆慕之. 其流如夏侯勝之剛果, 猶有明經取靑紫之言, 況他人乎? 蓋其習俗胥靡之陋, 一至於此. 宜乎王莽簒竊之日, 貢符獻瑞一朝成群, 而能自潔者, 班班僅有見於史也. 故光武中興, 力矯斯弊, 尊德義貴隱逸以變其風. 而中世以後, 人才輩出, 雖視昔之儒者有愧, 然在衰世之中守義不變, 蓋有足尚者矣. 至於桓靈之後, 國勢奄奄, 群狄並起, 睥睨神器未敢卽取者, 亦一時君子維持之力也. 然則名節之稱, 在君子則爲未盡, 而於國家亦何負哉? 蓋不可不思也.”[105]

그렇게 된 연원을 살펴보면 또한 군주에 의해서 빚어진 면이 있다. 고조는 유생을 경시하였고,[106] 문제文

• •

벗어나 마지못해 太中大夫 벼슬을 내리고 더 이상 묻지 않았다. 또 당시 太皇으로 있던 竇太后도 道教를 신봉하자 병을 이유로 사직하고 고향으로 돌아와 제자를 길렀다. 孔安國도 그의 제자이다.(『史記』「儒林傳」)

104 나머지는 왕왕 … 없다. : 한나라 초기는 진시황의 분서갱유 시대를 거친 뒤라서 유자라 할 수 있는 사람이 거의 없었다. 그래서 叔孫通이 조정의 儀節을 제정하면서 魯나라 유생의 힘을 빌려야 할 정도였다. 그리고 군주들도 고조는 전쟁터에서 천하를 얻었기 때문에 학문에 아예 조예가 없다시피 하였고 이어 孝惠帝와 高后(여태후)시대에도 신하들이 고조시대의 공신이었던 까닭에 학문에 관심있는 사람이 없었다. 孝文帝 때에 이르러 비로소 유생을 등용하였으나 문제는 形名學에 관심이 기울어 있었다. 孝武帝 때 武安君 田蚡이 승상에 등용되면서 儒術을 적극 주장하여 公孫弘을 승상에 앉히면서 유자들의 벼슬 진출길이 크게 열려 이후 공경대부가 이들로 채워졌다. 昭帝 때는 五經博士가 가르치는 제자의 수가 각기 1백 명에 달하였고 宣帝 때는 그 숫자가 배로 늘어나 한때 3천 명에 이르기까지 하였다. 그러나 『漢書』의 「儒林傳」에 실린 유자의 행적을 살피면 모두 27명 남짓이나 이들 대부분 훈고학에 종사하였고 유학의 경륜을 세상에 펼친 사람은 없었다. 『漢書』「儒林傳」

105 『南軒集』 권17 「史論·「西漢儒者名節何以不競」

106 고조는 유생을 경시하였고 : 한고조가 유생을 경시한 일은 『史記』「酈生陸賈傳」에서 살필 수 있다. 역이기는 陳留의 高陽 사람이었는데, 陳涉이 진시황의 학정을 못 이겨 군사를 일으키면서 많은 사람이 군사를 일으켜 고양 땅을 지나 서쪽 秦나라로 향하여갔다. 沛公이 군사를 거느리고 진류의 교외를 공략한다는 말을 들었다. 그때 패공 휘하의 騎兵 한 사람이 마침 역생과 한 마을 사람이었다. 패공은 가끔 그 기병에게 고을 사람들 가운데 현인과 호걸을 물었다. 그 기병이 마을로 돌아오자, 역생은 그를 보고 “나는 패공이 거만하고 남을 업신여기지만 원대한 뜻을 가졌다고 들었네. 이 사람은 내가 참으로 교류하고 싶은 사람인데, 나를 소개해 줄 사람이 없네. 자네가 만일 패공을 보거든 ‘신의 고향에 역 선생이라고 하는 사람이 있는데 나이는 60여 세요, 신장은 8척입니다. 사람들은 모두 그를 미치광이 선생이라고 부르지만, 본인은 스스로 나는 미친 사람

帝와 경제景帝는 황로학黃老學을 숭상하였으며, 무제는 구호로는 표창한다 하였지만 겉치레만 따르고 실상은 추구하려 들지 않아 단지 해만 될 뿐이었다. 선제宣帝는 또 숭상하지 않게 된 이유를 분명히 밝히기까지 하였다.[107] 그렇게 좌절하고 억제당하고 꺾인 나머지 다시 스스로 떨쳐 일어나지 못한 것은 너무도 당연하다. 그러나 유학자의 학문이 어찌 꼭 한 시기에 귀히 여기고 숭상한 뒤라야 힘쓰는 것이겠는가? 문왕文王의 출현을 기다려 분발하는 사람은 보통 사람이다.[108] 한나라의 유자는 숙손통叔孫通의 사제간師弟間부터 본시 모두 봉록을 탐하는 것으로 일삼더니,[109] 공손 승상公孫丞相이 상국의 인印을 차고 후侯에 봉해지자[110] 학자들 모두가 그것을 흠모하였다. 그 유폐流弊는 하후승夏侯勝처럼 굳세고 과단성

이 아니라고 합니다.'고 말해주게!"라고 하자, 기병은 "패공은 儒者를 좋아하지 않아 손님 가운데 관을 쓰고 오는 사람이 있으면 패공은 번번이 그 손님의 관을 벗겨내서 그 안에 오줌을 싸 버립니다. 그리고 손님과 이야기할 때는 늘 큰소리로 나무랍니다. 유자의 방법으로 설득하는 것은 옳지 않습니다."고 하였다. 역생이 "어쨌든 나의 말을 전하기만 해주게."라고 하였다. 이리하여 역이기는 한고조에게 등용되어 廣野君에 봉해졌다. 한고조가 유자를 본래 좋아하지 않았음을 살필 수 있다.

107 宣帝는 또 … 하였다. :『漢書』「元帝紀」에 다음과 같은 기사가 있다. 원제는 선제의 태자다. "원제가 나이 두 살 때 선제가 즉위하였다. 8세 때 태자가 되었다. 장성하여서는 유순하고 인자하며 儒家 사상을 좋아하였다. 선제가 등용한 사람들이 대부분 법조문을 강조하는 관료들이고 형명학으로 신하를 다스려 대신인 楊惲과 蓋寬饒 등이 조정을 풍자하고 비방한 말로 죄를 얻어 죽임을 당하는 것을 보았다. 어느 날 잔치자리를 모시다가 조용히 말씀을 올려 '폐하께서 형벌을 집행하심이 너무 각박하니 유생을 등용하는 것이 마땅하실 것입니다.'고 하였다. 선제는 성낸 기색으로 '한나라에는 한나라의 제도가 있어 본시부터 霸道와 王道를 함께 써왔다. 어찌 순수하게 덕스런 교화에 맡겨 周나라 왕실의 제도를 쓸까보냐? 또 세속 유생은 시대의 마땅함을 알지 못하여 옛날만을 옳다 하고 지금은 그르다 하여 백성들에게 명분과 실재를 현혹시켜 해야 할 도리를 알지 못하게 한다. 어찌 맡길 수 있겠는가?' 하고서 이내 탄식하며 '우리 왕조를 혼란에 빠뜨릴 자는 태자다.'고 하면서 이로 인해 태자를 멀리 하였다.(年二歲, 宣帝即位. 八歲, 立爲太子. 壯大, 柔仁好儒. 見宣帝所用多文法吏, 以刑名繩下, 大臣楊惲·蓋寬饒等坐刺譏辭語爲罪而誅. 嘗侍燕從容言, '陛下持刑太深, 宜用儒生.' 宣帝作色曰, '漢家自有制度, 本以霸王道雜之. 奈何純任德敎, 用周政乎? 且俗儒不達時宜, 好是古非今, 使人眩於名實, 不知所守. 何足委任!' 迺歎曰, '亂我家者太子也.' 繇是疏太子.)"

108 文王의 출현을 … 사람이다. :『孟子』「盡心上」의 말이다. 맹자는 이 말에 이어 "호걸스러운 사람은 문왕이 없어도 분발한다.(孟子曰, 待文王而後興者, 凡民也, 若夫豪傑之士, 雖無文王猶興.)"고 하였다. 주자는 이를 "하늘이 내려주어 사람이 지니게 된 본성은 사람마다 똑같이 얻었으나, 상등 지혜의 자질을 갖춘 사람만이 물욕에 가리지 않아 교화를 기다리지 않고서도 스스로 우러나와 행동한다.(蓋降衷秉彝, 人所同得, 惟上智之資, 無物欲之蔽, 爲能無待於敎, 而自能感發以有爲也.)"고 하였다.

109 한나라의 유자는 … 일삼더니 : 숙손통은 한나라의 조정 예절을 제정한 사람이다. 진시황이 제정한 여러 까다로운 예절을 모두 없앤 뒤의 한나라 조정은 그야말로 무법천지와 방불하여, 공신들이 술에 취해 조정의 기둥을 칼을 빼들고 후려치는 일까지 벌어졌다. 이에 숙손통이 노나라의 유생 30명을 초빙하고 자신의 제자 100여 명을 선발하여 예절 제정에 나섰다. 이 과정에서 노나라 유생 2명이 숙손통의 초빙에 응하지 않고 예악이란 100년을 기다려 그 뒤에 만들어지는 것이라며 따라 나서지 않았다. 이렇게 만들어진 예악은 마침내 고조가 "내가 오늘에야 황제의 존귀함을 알게 되었노라.(吾迺今日知爲皇帝之貴也.)"는 칭송을 들었고, 예악 제정에 참여한 숙손통의 제자들은 모두 벼슬에 등용되었다. 숙손통의 예악 제정을 때가 아닌데 봉록을 탐하여 시작한 것이라고 비판한 것이다.(『史記』「叔孫通傳」;『漢書』「儒林傳」)

110 公孫丞相이 상국의 … 봉해지자 : 公孫弘을 이른다. 공손홍은 菑川의 薛 땅 사람으로, 자는 季이다. 나이

있는 사람마저 오히려 경전經傳에 밝으면 청자青紫를 얻을 수 있다는 말을 하였는데[111] 하물며 다른 사람이야 어떠하겠는가? 그것은 세속의 보잘것없는 비루함이 결국 여기에 이른 것이다. 왕망王莽이 왕위를 찬탈하여 도둑질하던 날, 부명符命과 상서祥瑞를 바쳐 올린 자가 온 조정에 무리를 지었고,[112] 자신을 깨끗이 지킨 자는 역사책에서 겨우 몇 사람을 볼 정도였음은 당연하다. 그래서 광무제가 중흥하여 이 폐단을 힘써 바로잡으며, 덕과 의로움을 갖춘 자를 높이고 숨어 지내던 자를 귀히 등용하여 그 풍속을 변화시켰다. 그리하여 중세 이후의 인재 배출이 예전의 유자에 비기면 부끄러움이 있겠지만 도덕이 쇠한 세상 속에서 의리를 지키고 바꾸지 않은 것은 충분히 숭상할 만하다. 환제桓帝와 영제靈帝[113] 이후에는 나라의 형세가 위태위태하여 뭇 교활한 자들이 함께 일어났으나, 제왕 자리를 넘보면서도 감히 바로

· · · · · · · · · · · · · · · ·

40이 넘어서『春秋』등 여러 책을 공부하기 시작하였다. 무제 때 나이 60세로 博士로 초빙을 받고 흉노에 사신 갔다가 되돌아와 보고한 것이 무제의 마음에 들지 않아 고향으로 돌아갔다. 다시 치천 나라의 추천으로 무제의 물음에 대한 대책문에서 장원하여 등용되었다. 유자로서 처음으로 승상에 오르며 平津侯에 봉해졌고 이후 많은 문학에 종사한 선비를 벼슬에 등용시켰다. 그러나 主父偃를 죽였고, 董仲舒를 膠西로 귀양 보내는 등 겉모습과 실제 행동은 서로 달랐다.(『史記』「公孫弘傳」)

111 夏侯勝처럼 굳세고 … 하였는데 : 夏侯勝은 한나라의 魯 땅 사람. 자는 長公. 禮說에 정통하여 博士로 등용되며 光祿大夫에 올랐다. 선제가 즉위하며 태후가 섭정하게 되자 태후에게『尙書』를 가르쳤다. 武帝가 공덕이 높은데 지금의 사당 제사에 연주하는 음악이 걸맞지 않다며 바꾸고자 조서를 내리자, 하후승은 무제는 전쟁으로 많은 생명을 죽게 하고, 백성의 재물을 축내고, 사치가 기준을 넘어서 천하가 텅 비고, 백성이 반 넘게 죽었으니 아무런 공덕이 없다며 새로운 제사 음악 제정을 정면으로 반박하여 벼슬에서 쫓겨났다. 금고형에 처한 지 2년째 되던 해에 지진이 일어나 수많은 산이 무너지며 많은 백성이 죽자 선제는 하후승의 금고를 풀고 諫大夫給事中으로 발탁하고, 나라에 큰일이 있을 때마다 "선생은 바른 말을 곧이곧대로 말하고, 예전의 금고에 관한 일은 생각하지 말도록 하라.(先生通正言, 無懲前事.)"고 하였다. 하후승이 제자들에게 글을 가르칠 적마다 "사람들의 병통은 경술에 밝지 않음이니, 경술에만 밝다면 청자를 얻는 일은 고개를 숙여 땅의 검불을 줍는 것과 같다.(士病不明經術, 經術苟明, 其取青紫, 如俛拾地芥耳.)"고 하였다. 청자는 경대부가 입는 官服이다.

112 符命과 祥瑞를 … 지었고, : 왕망은 新나라를 세워 천자에 등극하기 전 假皇帝의 호칭을 당시 태후의 조칙에 의해 허락받으며, 그의 官署는 攝省, 官衙는 攝殿, 사는 집은 攝宮이라 불렸다. 왕망이 한나라의 찬탈을 노리고 있는데 종실인 廣饒侯 劉京이 글을 올려 "지난 7월 중에 齊郡 臨淄縣 昌興亭 亭長 辛當이 하룻밤에 꿈을 자주 꾸었는데 '나는 하늘의 사신이다. 하늘이 나를 시켜 정장에게「섭황제가 당연히 참 황제가 될 것이다.」는 말을 전하게 하였다. 만일 내 말을 믿지 않거든 이 亭에 새 샘이 하나가 있을 것이다.'고 하여 정장이 새벽에 일어나 정을 둘러보니 참으로 새 샘이 있는데 그 깊이가 1백 尺이었습니다.(七月中, 齊郡臨淄縣昌興亭長辛當一暮數夢, 曰 '吾天公使也. 天公使我告亭長曰,「攝皇帝當爲眞.」即不信我, 此亭中當有新井.' 亭長晨起視亭中, 誠有新井入地且百尺.)"고 하였다. 이어 巴郡에서 石牛가 나타나고, 扶風의 雍 땅에서 돌이 나타났는데 그 돌에 "하늘이 상제의 부명을 알리니 이 말을 올리는 자는 제후에 봉해질 것이다. 하늘의 명을 받들어 신의 명령을 시행하도록 하라.(天告帝符, 獻者封侯. 承天命, 用神令.)"고 하였다. 이러한 말들이 태후에게 전해지며 왕망은 드디어 신나라를 세우는 일을 결정하였다.(『漢書』「王莽傳」)

113 桓帝와 靈帝 : 후한의 황제들로 환제 劉志는 환자인 單超 등을 列侯에 봉하고, 黃瓊과 陳蕃 등의 극간을 물리쳐 黨禍의 빌미를 일으켰다. 영제 劉宏 시기에는 진번과 竇武의 환관 제거가 성사되지 못하고 발각되면서 李膺 등 100여 명이 죽음을 당하는 黨錮의 난이 일어났다.(『後漢書』「孝桓帝紀」;「孝靈帝紀」)

취하지 못하게 되었으니 또한 한 시대의 군자들이 유지시킨 힘이다. 그렇다면 명예와 절의에 대한 칭송은 군자에게는 미진한 말이겠지만 국가로서는 또한 나쁠 것이 무엇이겠는가? 생각해보지 않을 수 없는 일이다."

[62-13-4]

"人言東漢之亡, 黨錮趣之也. 曾不知東漢若無數君子, 其亡也尤速. 譬如羸病者之服丹, 一旦死則歸罪於丹, 不知其所以能延數日之命者丹之力. 使其不服丹, 則其死必速矣."[114]

(남헌 장씨가 말하였다.) "사람들은 동한의 패망을 두고 당고黨錮의 화[115]가 재촉했다고 말한다. 그러나

---

114 『宋名臣言行錄外集』 권13 「張栻南軒先生宣公」

115 黨錮의 화: 환제와 영제 시대에 환관을 제거하려다가 유생들이 거꾸로 화를 당한 사건을 이른다. 이를 『後漢書』 「黨錮傳」에 의해 살피면 다음과 같다. 환제가 蠡吾侯가 되었을 때 甘陵의 周福에게 글을 배웠다. 환제가 즉위하면서 주복을 발탁하여 尙書로 삼았다. 이때 감릉 사람으로 房植이 河南尹으로 당시 조정에서 명망이 높았다. 그래서 감릉에서 "천하의 잣대는 房伯武(백무는 방식의 字)요, 스승 인연으로 벼슬한 사람은 周仲進(중진은 주복의 자)이라네.(天下規矩房伯武, 因師獲印周仲進.)"라는 노래가 불려졌다. 이와 함께 두 사람을 추종하는 사람들이 서로를 비방하고 공격하며, 마침내 각기 당파가 형성되어 점차 서로 틈이 벌어졌다. 이로부터 감릉 지역에 남북 양파가 생겨났다. 그 뒤 汝南太守 宗資가 范滂을 功曹에 임명하고, 南陽太守 成瑨이 岑晊을 공조로 임명하여 권한을 크게 위임하였다. 이에 두 郡에서 그들 두 수령이 비교적 지조 있는 관원을 발탁한 것을 칭송하는 노래가 만들어져 불렸는데, 이 소문은 太學으로 퍼졌다. 여기에서 천하의 유생들은 郭林宗과 賈偉節을 으뜸으로 삼고, 李膺·陳蕃·王暢을 서로 돌아가며 훌륭하게 떠받들어, "천하의 본보기는 李元禮(원례는 이응의 자)요, 강한 자를 두려워하지 않는 것은 陳仲擧(중거는 진번의 자)이며, 천하의 준수한 인재는 王叔茂(숙무는 왕창의 자)이다.(天下模楷李元禮, 不畏强禦陳仲擧, 天下俊秀王叔茂.)"는 말이 떠돌았다. 또 渤海의 公族 進階와 扶風의 齊卿은 준엄한 말과 각박한 평론으로 강한 권세를 지닌 자들을 두려워하지 않았다. 이리하여 공경대부들은 그들로부터 나오는 비난이 두려워 그들과 교류에 나섰다. 이때 河內 사람 張成이 風角(사방에서 부는 바람으로 치는 점)에 능하였는데 大赦令이 곧 내려질 것을 알고서는 아들에게 사람을 죽이도록 하였다. 이응이 당시 河南尹이었다. 체포를 다그쳐 그를 잡아들였는데 사면령으로 풀려나버렸다. 이응이 더욱 분한 생각을 품고서 끝내 그의 죄상을 밝혀내 그를 죽여 버렸다. 장성은 예전부터 자신의 점복술로 환관들과 서로 친하게 지내 황제마저도 장성에게 점치는 일이 있을 정도였다. 장성의 제자 牢脩가 이응을 무고하여 "이응 등이 태학에서 공부하는 유생들을 돌봐주고 여러 군의 유생과 교류를 결성하여, 서로 오가며 함께 파당을 만들어서는 조정을 비방하여 헐뜯고 풍속을 의심과 혼란에 빠뜨리고 있습니다.(膺等, 養太學遊士, 交結諸郡生徒, 更相驅馳, 共爲部黨, 誹訕朝廷, 疑亂風俗.)"고 하였다. 이에 환제는 진노하여 온 나라에 詔令을 내려 파당을 지은 자를 체포하게 하고 천하에 알려 그들을 분노하고 증오하게 하며 이응 등을 잡아들였다. 이 일에 연루되어 잡혀 든 자가 200여 명에 달하고, 달아나 붙잡을 수 없게 된 사람은 모두 현상금을 걸었다. 이 일로 오가는 사신이 사방 길에 널렸다. 이에 상서 霍諝와 城門校尉 竇武가 환제에게 이들의 사정을 밝히는 글을 올리자 환제는 마음이 풀려 이들을 사면하여 고향으로 돌려보냈다. 그러나 종신토록 금고하게 하였고 파당을 지은 사람이라는 이름은 궁중의 문서에 기록하여 두었다. 이때부터 바르고 곧은 사람은 버려지고 사악하고 마음이 곧지 않은 자들이 천하에 한껏 기세를 올리며 서로 뭉쳤고, 이들 비위를 맞추는 자들끼리 마침내 서로가 서로를 추켜세웠다. 그리하여 천하의 名士로 일컬어지는 자 세 사람을 천하에서 떠받드는 사람이라는 뜻으로 三君, 여덟 사람을 영걸이라

만일 동한에 몇몇의 군자가 없었다면 그 나라의 패망은 더욱 빨라졌을 것을 모르고 있다. 비유하자면 병에 쇠약해진 자가 단약丹藥을 복용하다가 하루아침에 죽으면 단약에 죄를 돌리나 며칠의 생명을 잘 연명시킨 것은 단약의 힘이었음을 모른 것이다. 가령 단약을 복용하지 않았다면 그의 죽음은 반드시 빨랐을 것이다."

[62-13-5]

"東京黨錮諸君子, 蓋嘉其志氣之美, 而惜其所處之未盡. 重其天資之高, 而歎其於學有所未足也. 方是時, 乾綱解紐, 陰邪得路, 天下之勢日入於頹敗矣. 而諸君子曾不少貶以徇於世, 慷慨所激, 視死如歸, 至於患難得喪, 寧復肯顧? 其志氣可謂美矣. 雖然昔之君子, 其出處屈伸之際, 蓋各有義. 故當困之時, 則有居困之道, 當屯之時, 則有亨屯之法. 時不我用, 則晦處自脩, 危行而言遜, 其進不可苟也. 若乃居位, 則思其艱而慮其周, 扶持根本, 漸以圖濟, 其爲不可驟也. (남헌 장씨가 말하였다.) "동한東漢 시대 당고黨錮의 화를 당한 여러 군자는 그 뜻과 기개의 아름다움은 가상하나, 그 처신의 미진함이 애석하다. 타고난 높은 바탕은 존경할 만하나 학문이 부족하였던 점이 한탄스럽다. 이때에 군주의 위엄이 풀리며 음험하고 사악한 자들이 권세를 누려 천하의 형세가 날로

는 뜻으로 八俊, 여덟 사람을 덕행이 사람을 이끌 만하다는 뜻으로 八顧, 여덟 사람을 사람을 이끌어 존경하는 성현을 따르게 할 만하다는 뜻으로 八及, 여덟 사람을 재물로 사람을 구제할 만하다는 뜻으로 八廚의 이름을 붙여 지목하였다. 이 사이 환제가 죽고 영제가 즉위하였다. 이때 팔급의 한 사람으로 일컬어지던 張儉과 한 고을 사람인 朱並이 환관 侯覽의 지시로 "자신의 고향 사람 24명이 파당을 지어 사직을 위험에 빠뜨리고자 도모하는데, 아무개와 아무개는 '팔준', 아무개와 아무개는 '팔고', 아무개와 아무개는 '팔급'이라 하면서 터를 닦아 비석을 해 세웠습니다. 그들 파당의 우두머리는 장검이라고 합니다."라고 하였다. 영제는 이 글을 받아보고서, 주병의 이름을 지워 그의 신분을 숨겨주고, 그 글에 거론된 자들을 체포하게 하였다. 이때 大長秋(황후의 뜻을 전달하는 일을 주관하는 벼슬. 주로 환관이 임명되었다.) 벼슬에 있던 曹節이 이 기회를 틈타 담당 관원에게 살며시 예전 파당을 지었다는 죄를 입었던 이응과 杜密 등 100여 명의 체포를 주청하게 하여 이들이 모두 옥중에서 죽었다. 나머지 사람들은 혹 앞서 죽거나 도망쳐 살아난 사람들이었다. 이 일이 일어나자 서로 원한이나 앙금이 있던 사람들이 이 일을 기회 삼아 상대를 죽이고자 하였다. 그리하여 상대를 파당을 지었다는 죄에 끌어들였다. 또 혹 州郡에서 상부의 지시를 받아 전연 관련이 없는 자들까지 이 죄에 걸려들어 죽고, 귀양 가고, 벼슬에서 떨어지고, 금고형을 입게 된 자가 600~700명에 달하였다. 7년이 흐른 熹平 5년(서기 176년)에 永昌太守 曹鸞이 영제에게 글을 올려 파당의 죄로 죽을 자들의 마음을 대변하였는데 그 말이 매우 간절하였다. 이를 본 영제가 크게 성을 내 司隷와 益州에 조서를 내려 檻車에 조란을 붙잡아 올리게 하여 槐里獄에 가두고 고문에 의한 매질로 죽게 하였다. 그리고 또 州郡에 조서를 내려 파당을 지은 자의 제자, 부하 관원, 부자 형제로서 벼슬에 있는 자는 면직시켜 금고형에 처하게 하였는데 그 벌이 五屬(喪服의 다섯 가지에 해당하는 사람들)에게까지 미쳤다. 光和 2년(서기 179년)에 上禄長(상록현의 수령) 和海가 "禮書에 4촌 형제는 별거하며 재산도 각기 관리하여 친속의 은혜가 이미 가벼워졌는데 지금 오속에게까지 죄가 미쳐간 것은 잘못이라"고 하자, 영제는 4촌 이외 사람은 모두 풀어주라고 하였다. 甘陵과 汝南에서 우연히 발단한 파당의 분쟁이 20년에 걸쳐 확대되면서 그 패해는 결국 黃巾賊의 천하 봉기로 나타났다. 한나라는 이로부터 쇠망의 길로 들어섰다.(앞의 [62-8-1] 이하 「荀淑」 참고)

무너져 내렸다. 그런데도 여러 군자들은 조금도 기세를 꺾어 세상에 따르려 하지 않고, 격앙된 마음에 북받쳐 죽는 일을 집에 돌아가는 것쯤으로 여겼으니, 환난이나 이해득실 따위를 어찌 기꺼이 생각하려 들었겠는가? 그들의 뜻과 기개는 아름답다고 말할 만하다. 그렇지만 예전의 군자는 벼슬을 하거나 하지 않거나, 나아가거나 물러나는 데에 대체로 각각에 의리가 있었다. 그러므로 곤궁할 때에 이르러서는 곤궁에 처신하는 도리가 있고 꽉 막힌 때를 당하여서는 막힌 것을 형통시키는 방법이 있었다. 시대가 나를 써주지 아니하면 드러나지 않는 곳에서 자신을 닦으며 행동은 준엄하고 말은 공손하게 하여[116] 벼슬에 나아가는 것이 구차하지 않았다. 만일 지위를 얻게 되면 그 어려움을 생각하고 그 주밀함을 고려하여 근본을 붙들어 세우고 점진적인 성공을 도모해야 하니, 그 행동이 갑작스러울 수 없다.

黨錮諸君子, 在下則噓枯吹生, 自爲題榜, 圭角眩露,[117] 昧夫處困之道矣. 及其有位於朝, 不過奮袂正色, 搏擊豪强數輩, 以爲事業在是矣. 又進而居高位, 則果於有爲, 直欲一施之而不復顧. 身死非所問, 而國勢愈傾, 是又失亨屯之法矣. 是豈非有所未盡爲可恨歟?

당고의 화를 당한 여러 군자들은 낮은 지위에 있을 적엔 마른나무를 불어서 살려내고 산 나무는 불어서 마르게 하는 말재주로[118] 자신을 표방하여 모난 행위가 밖으로 드러났으니 곤궁에 처신하는 도리에 어두웠다. 조정에서 벼슬할 때에도 겨우 소매를 걷어붙이고 근엄한 표정을 짓고서, 기세 좋게 행패를 부리는 무리 몇 사람을 치고 공격하며 해야 할 일이 여기에 있다고 여겼다. 또 벼슬이 올라가 고위직에 있게 되면 일 추진이 과감하여져 다만 한 번 해하려고만 들고 한편으로 고려하려들지 않았다. 자신의 죽음조차 문제 삼으려 하지 않았으나, 나라의 형세는 더욱 기울었으니 이는 또한 막혀 있는 상황을 형통시키려는 방법이 잘못돼서이다. 이 어찌 미진했던 점을 한스럽게 여기지 않을 수 있겠는가?

若諸君子之不爲死生禍福易操, 其間如李膺杜密陳蕃輩卓然一時, 其天資可謂剛特不群矣. 然惟其未知從事於聖門也, 故所行雖正, 立節雖嚴, 未免發於意氣之所動, 而非循乎義理之安; 出於惡其聲之所感, 而未盡夫惻隱之實. 處之有未盡, 固其宜也, 豈非於學有不足歟? 使其在聖門, 則當入於仲由之科, 聖人抑揚矯揉之, 其必有道矣.

여러 군자가 사생死生과 화복禍福을 위하여 지조를 바꾸지 않았으나 그 가운데서도 이응李膺[119]과 두밀杜

116 행동은 준엄하고 … 하여 : 이는 『論語』 「憲問」에서 공자가 한 말이다. 공자는 "나라에 도가 있을 때는 말은 준엄하고 행동은 준엄해야 하나, 나라에 도가 없을 때는 행동은 준엄하게 말은 공손하게 해야 한다.(子曰, 邦有道, 危言危行; 邦無道, 危行言孫.)"고 하였다.

117 圭角眩露: 『南軒集』 「史論·黨錮諸賢得失如何」에는 眩자가 炫자로 쓰여 있다. 炫자를 따른다.

118 마른나무를 불어서 … 말재주로 : 이 글의 원문 "噓枯吹生"은 『後漢書』 「鄭太傳」에서 "공공서의 청아한 말과 고명한 얘기는 噓枯吹生한다.(孔公緒淸談高論, 噓枯吹生.)"를 인용한 말이다. 그 글의 李賢의 注에 "마른나무를 불어서 살려내고, 산 나무는 불어서 마르게 한다는 뜻이니, 말에 깎아내리거나 두둔함이 있음을 말한 것이다.(枯者噓之使生, 生者吹之使枯. 言談論有所抑揚也.)"고 하였다.

119 李膺: 후한 潁川 襄城 사람. 자는 元禮. 孝廉으로 추천되어 靑州刺史와 河南尹 등을 지냈다. 太學生 郭泰

密,[120] 진번陳蕃[121] 같은 무리는 한 시대에 단연 우뚝하였으니 그들의 타고난 자질은 굳세고 남다름이 무리에서 벗어났다고 말할 수 있다. 그러나 성인의 문하에서 공부해야 할 줄 몰랐기 때문에 행한 일은 바르고 세운 절의는 준엄했어도 감정의 충동에서 발로한 것이었을 뿐 의리의 편안함을 따른 것이 아니며, 소문이 나쁘게 돌 것을 싫어한 데서 나온 것일 뿐 측은지심의 실제를 다 구현해내지 못함을 면하지 못하였다. 조치의 미진이 있음은 너무도 당연하니 어찌 학문의 부족이 있어서가 아니겠는가? 그들이 성인 문하에서 공부하였다면 당연히 중유仲由(공자의 제자 자로子路)의 등급에 들었을 것이고, 성인이 그들을 억제하고 발양시키고 바로잡는 일에 반드시 마땅한 방법이 있었을 것이다.

或以爲陳太丘之事爲得其中, 以予觀之, 太丘在諸君子之中持心最平, 蓋天資又加美焉耳, 而其所處張讓之事, 亦非中節. 在當時隱迹自晦, 豈無其方? 何至送宦者之葬? 此又爲矯失之過, 以此免禍, 君子亦不貴也. 不然, 則郭有道乎? 識高而量洪, 才優而處遠, 足爲當時人物之領袖, 然收歛之功猶未之盡, 要亦於學有欠也. 不然, 則黃叔度乎? 言論風旨雖不盡見, 然其氣象溫厚, 圭角渾然, 見之者有所感於心, 其爲最高乎! 使在聖門作成之, 當居顔氏之科矣."[122]

어떤 사람들은 진태구陳太丘[陳寔]의 일[123]이 중도를 얻었다고 말하지만, 내가 보기에는 태구가 여러 군자들 중 마음가짐이 가장 공평했던 것은 타고난 자질이 또한 더욱 아름다워서일 뿐이지, 그가 조치한 장양張讓에 대한 일은 또한 절의에는 맞지 않다. 당시에 자취를 감추고 스스로를 숨기는 데 어찌 방법이 없었겠는가? 어찌 환관의 장례를 조문까지 해야 했겠는가? 이는 또한 지나친 실수의 잘못이 될 것이니, 이렇게 화를 면하는 것을 군자는 또한 귀하게 여기지 않는다. 그렇지 않다면 곽유도郭有道[124]처럼 해야

　　등과 교류하며 환관들이 좌지우지하는 정치를 반대하여 천하에 명성이 높아 "천하의 본보기는 이원례(天下楷模李元禮)"라는 말이 돌 정도였고, 천하의 선비들이 이응과 사귀는 것을 登龍門이라 일컬을 정도였다. 桓帝 때 司隸校尉에 올랐다. 환관 張讓의 아우 張朔이 野王의 수령을 지내며 임신한 부인의 배를 가를 정도로 욕심 사납고 잔학하기 그지없는데 이응이 사례교위에 등용되었다는 말을 듣고서 도망쳐 형 장양의 집 기둥을 파내고 그 안에 숨었는데 이응이 부하들을 이끌고 장양의 집 기둥을 부수고 그를 체포하여 진술서를 모두 받아내고서는 살해하였다. 이 일이 있자 환관들이 무서움에 떨며 감히 정사에 관여하는 말을 꺼내지 못하였고 휴가를 받아서도 私家로 나가지 못하였다. 환제 말에 무고로 파당을 형성하였다는 죄목을 입고서 파직되어 옥에 갇히고, 이어 禁錮刑을 받았다. 靈帝 초기에 풀려나 대장군 竇武의 추천으로 長樂少府에 등용되었다. 진번 등과 환관 제거를 도모하였다가 실패하여 면직되고 당고의 화가 다시 일어나 옥중에서 죽었다.(『後漢書』「黨錮傳·李膺」)

120 杜密 : 동한 潁川 陽城 사람. 자는 周甫. 胡廣의 추천으로 벼슬에 나가 代山太守와 北海相을 지내며 鄭玄을 발탁하고, 환관의 자제들로 수령에 임명되어 간악한 짓을 저지르는 자는 모조리 체포하였다. 桓帝 때 尙書令을 지내고 하남윤에 오른 뒤 太僕에 발탁되었으나 黨錮의 죄목에 걸려 파직되었다. 이응과 명성을 함께하여 세상에서 李杜라 불렸고 八俊의 한 사람으로 일컬어졌다. 영제 초기에 다시 태복에 등용되어 대장군 두무와 환관을 제거하려다 실패하여 감옥에 갇히자 스스로 목숨을 끊었다.(『後漢書』「黨錮傳 杜密」)
121 진번 : 앞의 권62 [62-10-1] 이하 참고
122 『南軒集』권17 「史論·黨錮諸賢得失如何」
123 陳太丘(陳寔)의 일 : 앞의 [62-9-1] 이하 참고

할까? 식견이 높고 도량이 컸으며, 재주가 뛰어나고 일처리가 원대하여 당시 인물의 영수가 되기에 충분하였으나, 자신의 재능을 거두어 감추는 일을 여전히 다하지 못하였으니 요컨대 역시 학문에 부족함이 있다. 그렇지 않다면 황숙도黃叔度[125]처럼 해야 할까? 주장하는 말이나 풍도는 비록 다 살필 수 없으나 그 기상이 온후하고 모나지 않아 만나는 자들마다 마음에 감동이 일었으니 그들 중 최고이리라! 만일 성인의 문하에서 공부하게 하여 배양하였다면 당연히 안자顔子의 반열에 해당할 것이다."

. . . .

124 郭有道 : 후한 太原 界休 사람. 본래 이름은 泰였으나, 范曄이 『後漢書』를 편찬하며 자신의 아버지 이름 泰자를 피하여 太로 표기하였다. 또 다른 이름이 유도이다. 자는 林宗. 成皐의 屈伯彦에게 3년 동안 공부하여 經書에 박통하고 담론에 능하였다. 洛陽 유람 길에 河南尹 李膺과 깊이 교제하여 명성을 떨쳤다. 그가 낙양을 떠나올 때 수천 대의 수레가 그를 황하까지 전송하였으나 이응과 한 배를 타고 황하를 건너자 사람들이 신선처럼 여겼다. 司徒 黃瓊과 太常 趙典이 그를 불렀으나 나가지 않았다. 사람들이 벼슬을 권유하자 "내가 밤에 天文을 살피고 낮으로 사람들이 하는 일을 살펴보았다. 하늘이 망하게 하고 있으니 부지시킬 길이 없다.(吾夜觀乾象, 晝察人事. 天之所廢, 不可支也.)"고 하고, 끝내 나가지 않았다. 그가 陳梁 지역을 다니다가 머리의 사모 뿔 하나가 비에 젖어 축 쳐졌는데 사람들이 그것을 보고 모두 따라하여 후세에 그 모양의 관을 林宗巾이라 칭하였다. 또 汝南 范滂은 그를 칭하여 "은거하면서도 부모를 떠나지 않고, 지조를 굳게 지키면서도 세속과 단절하지 않았다. 천자도 신하 삼을 수 없고 제후도 친구 삼을 수 없을 것이다. 그 밖의 것은 나는 모른다.(隱不違親, 貞不絶俗. 天子不得臣, 諸侯不得友, 吾不知其它.)"고 하였다. 곽태가 사람 품평에 능하였으나 준엄한 말이나 각박한 논의를 하지 않아 환관들이 정권을 잡고 있으면서도 그를 해치지 못하였다. 당고의 화가 일어났을 때도 그는 해를 입지 않았다. 제자가 수천 명에 달하였다. 진번과 두무가 환관들에 의해 죽자 들에 나가 통곡하며 "저 나는 까마귀는 누구 집 지붕에 내려앉나.(瞻烏爰止, 不知于誰之屋耳.)"라고 말하며 한나라가 망할 것을 점쳤다. 나이 44세로 죽자 蔡邕이 비문을 짓고서 "내가 수많은 비문을 지으며 실정에 맞지 않는 말로 마음에 부끄러움이 남았으나, 곽유도의 비문에서만은 부끄러움이 없다.(吾爲碑銘多矣, 皆有慙德, 唯郭有道, 無愧色耳.)"고 하였다.(『後漢書』「郭符許傳」)

125 黃叔度 : 동한 汝南 愼陽의 黃憲을 이르는 말. 숙도는 그의 字이고, 아버지는 소를 치료하는 牛醫였다. 나이 14세의 황헌을 潁川의 荀淑이 客舍에서 우연히 만나 깜짝 기이하게 여겨 하루 동안 말을 나누고서는 "그대는 나의 사표이다.(子吾之師表也.)"라고 하였다. 이어 袁閎을 만나서는 안부도 나누기 전에 "그대의 나라에 顔子가 있는데 알고 있는가?(子國有顔子, 寧識之乎?)"라고 하자, 원굉이 "우리 숙도를 만났는가?(見吾叔度邪?)"라고 하였다. 영천에 戴良이 재주가 높아 오만하였는데, 황헌을 만나서는 용모를 단정히 하지 않은 적이 없었고, 돌아와서는 넋을 놓고 멍하여 그 어머니가 "네가 또 소 익사집의 아들을 만나고 왔느냐?"라고 묻자, 대량이 어머니에게 "제가 숙도를 만나기 전에는 스스로 그만 같지 못하리라고 생각지 못하였는데, 그 사람을 만나면 앞에 있는가 하고 쳐다보면 홀연히 뒤에 가 있어 참으로 헤아릴 길이 없습니다.(良不見叔度, 不自以爲不及, 旣覩其人, 則瞻之在前, 忽焉在後, 固難得而測矣.)"고 하였다. 또 한 군에 사는 陳蕃과 周擧가 늘 서로 주고받기를 "한 계절이나 한 달여 사이에 황헌을 만나지 않으면 비루하여지고 탐욕이 다시 마음에서 싹튼다.(時月之間, 不見黃生, 則鄙吝之萌, 復存乎心.)"고 하였다. 郭林宗은 황헌을 "숙도는 넘실넘실 1천 頃 너비의 물과 같아 맑히려 해도 맑아지지 않고, 흐리려 해도 흐려지지 않아 헤아릴 길이 없다.(叔度汪汪若千頃陂, 澄之不淸, 淆之不濁, 不可量也.)"고 하였다. 처음에 孝廉으로 천거되고 조정에서 불러 친구가 벼슬을 권하자 거절하지 않고 잠시 京師에 나아갔으나, 곧장 돌아와 끝내 벼슬에 나가지 않았다. 죽은 뒤 세상에서 그를 徵君(조정의 초빙에 나아가지 않은 隱士)이라 불렀다.

[62-13-6]

或問：“高帝不免韓彭之誅, 而光武乃能全功臣之世, 何耶?”

潛室陳氏曰：“此大有說. 一則逐鹿之勢, 外相臣服, 事定難制；一則高祖之業, 名位素定, 事已相安. 一則草昧功臣, 豪傑難收；一則中興功臣, 謹守規矩. 一則大度中有嫚罵之失, 人心素疑；一則大度中能動如節度, 人心素定. 一則劫其死力, 封爵過度, 不計後患；一則赤心在人, 監戒覆轍, 務在保全.”[126]

어떤 사람이 물었다. “고조는 한신韓信과 팽월彭越을 죽이는 일을 면하지 못하였는데 광무제는 공신의 한평생을 잘 보전해 주었으니 어째서입니까?”

잠실 진씨潛室陳氏[陳埴]가 대답하였다. “여기에는 크게 말할 수 있는 것이 있다. 고조의 경우는 사슴을 좇는 형세[127]로서 겉으로는 서로가 신하로 복종하였지만 전쟁이 평정되자 제어하기 어려웠고, 광무제의 경우는 고조의 왕업王業으로 명분과 지위가 본래 정하여져 있었기에 전쟁이 그치자 서로 안정되었다. 고조의 경우는 창업 공신이었기에 호걸들을 제어하기 어려웠고, 광무제의 경우는 중흥 공신이었기에 법도를 신중히 지켰다. 고조의 경우는 도량이 컸으면서도 신하들을 오만하게 꾸짖는 실수가 있어서[128]

· · · · · · · · · · · · · · · · · · · ·

126 『木鍾集』 권11 「史」

127 사슴을 좇는 형세: 사슴은 제왕의 자리를 이르는 말이다. 韓信이 齊나라를 차지하고 항우 유방 한신 세 사람이서 천하를 셋으로 나누어 鼎立할 것을 권했던 蒯通이, 한신이 죽으며 내가 괴통의 꾀를 쓰지 않았던 것이 한스럽다고 한 말로 인해 한고조에게 잡혀왔다. 한고조가 “네가 한신에게 반역을 충동질하였는가?” 라고 묻자, 괴통은 “진나라의 법도가 무너지고 기강이 풀려 산동의 여러 나라가 크게 어지러워지며 성씨가 다른 여러 사람이 봉기하여 영웅 준재들이 마치 까마귀 모여들 듯이 운집하였습니다. 진나라가 잃어버린 사슴을 천하가 함께 좇았으니 여기에서 재주가 높고 발이 빠른 사람이 앞서 차지하였습니다.(秦之綱絶而維弛, 山東大擾, 異姓竝起, 英俊烏集. 秦失其鹿, 天下共逐之, 於是高材疾足者, 先得焉.)”고 하였다. 이 말에서 사슴을 좇는다는 말은 천하를 다투는 대명사로 쓰이기 시작하였다.(『史記』 「淮陰侯傳」)

128 도량이 컸으면서도 … 것: 『史記』 「高祖本紀」에 고조를 평하여 “항상 도량이 커 집안사람으로서의 생계를 위한 일은 하지 않았다.(常有大度, 不事家人生產作業)”고 하였고, 오만하게 운운은 한고조의 한 특징이랄 수 있다. 그가 8년 전쟁 끝에 제왕에 등극하고서 하루는 洛陽의 南宮에 잔치를 열고서, 여러 장수와 신료들에게 자신이 천하를 얻은 이유와 항우가 천하를 잃은 이유를 숨김없이 말하게 하였다. 高起와 王陵이 “폐하는 오만하게 남을 업신여기고 항우는 인자함으로 남을 사랑하였다.(陛下慢而侮人, 項羽仁而愛人.)” 운운하는 말을 『史記』의 「高祖本紀」에서 볼 수 있다. 이것이 고조의 본 모습인 것이다. 「酈生陸賈傳」에는 酈食其가 군사를 이끌고 秦나라 공략에 나선 한고조를 만나고자 하면서 “내가 듣자하니 패공은 오만하여 사람을 깔본다고 하지만 큰 책략이 많다고 하니(吾聞沛公慢而易人, 多大畧)” 운운하고 있다. 또 「韓王信盧綰傳」에는 고조 10년(서기전 197년)에 代의 相國 陳豨가 반란을 일으키자 정벌에 나선 고조가 趙나라의 周昌에게 조나라의 사람 중 군사를 거느릴 만한 사람을 추천하라고 하여 네 사람을 추천하자 고조는 댓바람에 “오만하게 꾸짖기를 ‘애송이들이 장수 노릇은 잘 할 수 있겠는가?(慢罵曰, 豎子能爲將乎?)’라고 하여 이들이 부끄러워 모두 땅에 몸을 엎드렸다고 하였고, 『漢書』 「高祖本紀」에는 몸이 아파 죽음이 얼마 남지 않은 상황에서 여후가 의사를 불러 치료하려 하자 “오만하게 꾸짖기를 ‘내가 평민 출신으로 칼 한 자루 들고서 천하를 얻었으니 어찌 천명이 아니겠는가? 목숨은 하늘에 달린 것이니, 편작이라도 무슨 보탬이 되겠는가? 하고 치료받기를 거부하였다.(嫚罵之曰, ‘吾以布衣, 提三尺劍, 取天下, 此非天命乎? 命乃在天, 雖扁鵲何益?’ 遂不使治病.)”고

사람들이 평소에 의심하였고, 광무제의 경우는 통이 큰 속에 행동마다 잘 절도에 맞아서 사람들이 본래 안정되어 있었다. 고조의 경우는 상대를 죽일 수 있는 힘으로 겁을 주고 도를 넘게 작위를 봉하여 주면서도 후환을 생각지 않았고, 광무제의 경우는 진정을 남들에게 심었고[129] 앞 사람의 잘못을 거울삼았기에 보전에 힘을 기울였다.”

[62-13-7]

問: “高帝只因請苑事, 便疑蕭何, 欲置之辟. 光武於馮異, 或譖其威權太重, 百姓歸心, 而帝信之愈篤. 何高帝之介介於其小, 而光武乃釋然於其大?”

曰: “高帝因諸將而疑元臣, 光武鑒往事而全功臣.”[130]

물었다. “고조는 다만 동산을 청한 일로 인해서 소하蕭何를 의심하여 죄를 내리고자 하였습니다.[131] 광무제는 어떤 자가 풍이馮異[132]의 위엄과 권세가 너무 무거워 백성들 마음이 그에게 쏠리고 있다고 하였으나

. . . .

하였다. 한고조의 이 오만함은 때론 상대의 거센 기개를 단번에 꺾는 효험을 헤아린 계산에서 나온 것도 있었다. 『史記』「黥布傳」에 의하면 九江王 黥布가 찾아왔을 때 고조는 평상에 걸터앉아 발을 씻기면서 들어오게 하였다, 경포가 찾아온 것을 후회하고 자살하고자 하다가 물러나 자신의 숙소를 찾았을 때 그 치장이 한고조의 거처와 똑같은 것을 보고서 마음을 바꾸기도 하였다.

129 진정을 남들에게 심었고: 광무제가 更始帝 2년(서기 24년)에 河北지역에서 발호하는 銅馬軍을 공격하여 항복시키고 그들 우두머리를 列侯로 봉해주었다. 그러나 그들은 죽임을 당하지 않을까 하고 마음을 놓지 못하였다. 이에 광무제는 그들을 자신의 군영으로 되돌려 보내 그들 군사를 각기 지휘하게 하였다. 그리고서 자신은 가벼운 무장으로 그들 진영을 하나하나 방문하였다. 그러자 항복했던 자들이 “蕭王(광무제가 당시 경시제로부터 받은 봉호)이 자신의 진정을 열어 우리 가슴에 심어놓았으니 우리들이 어찌 죽음을 바치지 않을 수 있겠는가?(蕭王推赤心, 置人腹中, 安得不投死乎?)”라고 하였다. 이때부터 이들이 모두 심복하며, 광무제의 군사는 수십만을 헤아리게 되었고, 세상에서 광무제를 銅馬帝라고 불렀다.(『後漢書』「光武帝紀」)

130 『木鍾集』 권11 「史」

131 동산을 청한 … 하였습니다.: 소하는 한나라 건국 공신 가운데 그 공이 첫째에 오른 사람이다. 한나라 12년 (서기전 195년)에 경포가 반란을 일으켜 한고조가 스스로 군사를 이끌고 토벌에 나서며 관중은 소하에게 맡겨 지키게 하였다. 한고조가 경포의 반란을 진압하는 과정에 소하의 동정을 자주 물었다. 이에 어떤 사람이 소하에게, 이는 고조가 상국이 백성의 마음을 얻고 있음을 의심하여서이니, 빨리 많은 전답을 사들여 이를 백성들에게 경작하게 하고 도지세를 받는 천한 일로 자신의 행위를 욕되게 함으로써 고조의 마음을 안심시키라고 하였다. 소하는 이 말을 따랐다. 고조가 경포의 반란을 제압하고 돌아오는 길에 많은 백성이 길을 막아서서 소하가 낮은 가격으로 백성들의 전답과 주택을 강제로 사들였다고 하소연하였다. 고조가 돌아와 상국이 백성에게 사과하라고 하였다. 이에 소하는 “장안은 땅이 비좁은데 上林苑(당시 궁중 소유의 동산)은 빈땅으로 버려져 있습니다. 원컨대 백성들이 농사지을 수 있게 해주시고, 농사에서 나온 짚들은 거두어가지 못하게 하여 짐승의 먹이가 되게 하십시오(長安地狹, 上林中多空地棄. 願令民得入田, 毋收稾爲禽獸食.)”라고 하자 고조는 크게 성을 내 “상국이 장사치들에게 많은 재물을 받아먹고 나의 동산을 청하고 있다.(相國多受賈人財物, 乃爲請吾苑.)”고 하고 상국을 廷尉(죄를 담당하는 관리)에게 내려 결박 짓게 하였다.

132 馮異: 동한 潁川 父城 사람. 자는 公孫. 시호는 節. 왕망 말기에 郡의 관리로 다섯 縣을 관장하며 왕망을 위하여 광무제의 군대를 막았으나 뒤에 광무제에게 귀의하였다. 主簿로 발탁되어 광무제에게 湯武가 되기를

광무제가 그를 믿는 마음은 더욱 돈독하였습니다. 어찌하여 고조는 그 조그만 것까지 마음에 두었고, 광무제는 그 큰 것조차도 마음에서 내려놓을 수 있었습니까?'

(잠실 진씨가) 대답하였다. "고조는 여러 장수들의 일[133]로 인해서 대신까지 의심한 것이고, 광무제는 지난 일을 거울삼아 공신을 보전한 것이다."

三國 삼국

漢昭烈 한나라 소열황제

[62-14-1]

或云 : "昭烈知有權而不知有正."

朱子曰 : "先主見幾不明, 經·權俱失. 當劉琮迎降之際, 不能取荊州, 烏在其知權耶? 至於狼狽失據, 乃不得已而出於盜竊之計, 善用權者正不如此. 若聲罪致討以義取之, 乃是用權之善. 蓋權不離正, 正自有權, 二者初非二物也."[134]

어떤 사람이 말했다. "소열황제[135]는 권도만 알았고 정도는 알지 못하였습니다."

....

권유하였다. 更始帝(劉玄)의 장군 李軼을 편지로 설득하여 燕趙 지역의 공략을 원활하게 수행하며 河北과 王郞 격파에 공을 세웠다. 또 이 싸움에서 추위와 굶주림에 시달리는 광무제에게 饒陽의 無蔞亭에서 팥죽을 올리고, 南宮縣을 지나며 길가 정자에서 비를 피할 때에는 장작을 구해와 광무제의 옷을 말리게 하고 보리밥과 토끼 앞다리 고기를 구해 올리기도 하였다. 사람이 겸손하여 장수들이 자신의 공을 주장할 적이면 늘 큰 나무 아래로 물러나 앉아 있어 사람들이 大樹將軍이라 불렀다. 광무제를 권유하여 즉위하게 하고, 그도 陽夏侯에 봉해졌다. 征西大將軍에 임명되어 赤眉의 군대를 崤底에서 격파하고, 이어 延岑이 적미의 군대를 격파하고 관중에서 武安王을 자칭하자 그를 쳐서 대패시켜 그의 많은 장수들이 항복하였으며, 公孫述의 군대를 격파하고 관중을 함락하였다. 이때 어떤 사람이 광무제에게 글을 올려 "풍이가 관중에서 권력을 독차지하고 長安令을 죽여 위엄과 권력이 막대하다 보니, 백성들 마음이 기울어 '咸陽王'이라 부르고 있습니다.(異專制關中, 斬長安令, 威權至重, 百姓歸心, 號爲咸陽王.)"고 하였다. 광무제는 사람을 보내 이를 풍이에게 보여주었다. 이에 풍이는 자기의 진심을 밝히는 긴 글을 올렸다. 광무제가 그 글을 보고 조서를 내려 "장군이 나에게는 군주와 신하라고 말하겠지만 은혜로는 아버지와 아들 같은데 무슨 혐의가 있어 두려운 뜻을 가질 일이겠는가?(將軍之於國家, 義爲君臣, 恩猶父子, 何嫌何疑, 而有懼意.)"라고 하였다. 이후 隗囂가 죽은 뒤 그 뒤를 이은 외효의 아들 隗純의 군대를 공격하다 군영 안에서 죽었다.(『後漢書』「馮岑傳」)

133 여러 장수들의 일 : 소하가 갇힌 일은 고조 12년(서기전 195년)에 있었다. 이보다 앞서 한신이 반란의 죄로 죽었고 팽월도 이러한 죄로 죽었다. 그리고 黥布가 역시 반란을 도모해 고조가 직접 평정에 나섰으며 평정에 나섰다 돌아오는 길에 소하의 이런 일이 있었다.

134 『朱文公文集』 권39 「書·答魏元履」 제2書

주자가 말하였다. "선주先主劉備는 기미에 밝지 못하여 정도正道와 권도權道 모두에 잘못이 있다. 유종劉琮이 영접하여 항복할 즈음에 형주荊州를 취하지 못했으니[136] 권도를 알았다 할 수 있는 것이 어디에 있겠는가? 낭패를 당해 거점을 잃고서야 어쩔 수 없이 훔치고자 하는 계책을 세웠으니[137] 권도를 잘 쓰는 자는 결코 이같이 하지 않는다. 만일 죄를 선포하고 토벌을 행하여 의리로 취하였다면, 권도를 잘 쓴 것이 되었을 것이다. 권도는 정도를 벗어나지 않고 정도는 본래 권도를 담고 있어 둘은 처음부터 두 가지가 아니다."

[62-14-2]

"劉備之敗於陸遜, 雖言不合輕敵, 亦是自不合連營七百餘里, 先自做了敗形. 是時孔明在成都督運餉, 後云'法孝直若在, 不使主上有此行'. 孔明先不知, 曾諫止與否, 今皆不可考. 但孔明雖正, 然盆(去聲), 法孝直輕快, 必有術以止之."[138]

· · · · · · · · · · · · · · · · · · · ·

135 소열황제 : 삼국시대 蜀의 황제. 先主라고도 한다. 이름은 劉備. 자는 玄德. 소열황제는 시호이다. 한 景帝의 아들 中山靖王勝의 후손으로 涿郡 涿縣 사람이다. 일찍 아버지를 여의고 짚신과 자리를 짜서 생계를 유지하였다. 동한 말기에 무리를 이끌고 황건적 진압에 공을 세워 安喜尉에 올랐다. 이어 황제가 되기까지 公孫瓚 陶謙 曹操 袁紹 劉表 등에게 의지하였다. 한 獻帝 建安 24년(서기 219년)에 신하들의 추대를 받아들여 漢中王에 올랐고 서기 221년에 황제의 자리에 올라 나라 이름을 漢이라 하고, 成都에 도읍하였다. 아우 關羽의 원수를 갚는다는 명분으로 吳나라를 치러 나섰다가 夷陵에서 대패하고 白帝城에서 병으로 죽었다. 황제에 등극한 지 3년째였고 당시 나이 63세였다.(『三國志』「先主傳」)

136 劉琮이 영접해 … 못했으니 : 형주는 소열황제가 제갈공명을 南陽의 隆中으로 三顧草廬하였을 때 제갈공명이 소열황제에게, 조조와 손권에 맞서기 위해서는 형주와 益州를 차지해야 한다고 설득한 땅이다. 소열황제가 희망했던 한나라 부흥을 위한 기반으로 이 땅이 꼭 필요하였다. 유비가 조조의 군사에 패하고 잠시 원소에게 의지해 있다가 荊州牧 劉表와 연대하고자 유표를 찾는 길에, 조조가 원소를 물리치고 유비를 공격하려 나섰다. 유표는 유비를 교외에까지 마중하여 반기고 上賓의 예로 극진하게 대우하며, 군사까지 주어 조조의 군사를 물리치게 하였다. 이 사이 형주의 영걸들이 유비에게 마음이 기울었다. 이에 유표는 유비에게 의심을 품었다. 조조가 다시 형주를 공격하려고 군사를 몰아 쳐들어오는 중에 유표가 죽고 그의 아들 유종이 형주목을 이어받았다. 유종은 조조가 쳐들어온다는 소식을 듣고서 두려워 사신을 보내 조조에게 항복하였다. 유비는 그 사실을 모르고 있다가 항복하였다는 소식을 듣고 군사를 이끌고 조조의 군대를 피하여 후퇴하였다. 이때 제갈공명이 유비에게 유종을 공격하면 형주를 차지할 수 있다고 하자, 유비는 "나는 차마 못하겠다.(吾不忍也)"고 하였다. 이에 군사를 잠시 멈추고 유종을 부르자 유종은 두려워 감히 나아오지 않았다. 바로 이때 형주를 공격하여 차지했어야 한다는 말이다. 유종의 아버지 유표에 대한 생각으로 "나는 차마 못하겠다."고 한 말이 권도를 몰랐다는 말이다. 이때가 建安 12년(서기 207년)이었다.(『三國志』「先主傳」)

137 낭패를 당해 … 세웠으니 : 荊州를 취한 계책을 이른다. 선주가 형주의 일부 지역을 취한 시점은 오나라와 함께 조조를 적벽대전에서 이겼을 때이다. 이때 周瑜는 南郡太守였는데 유비의 군사와 적벽대전을 승리고 이끌며 선주의 군사를 油江口 일부를 할양하여 주둔하게 하였다. 그런데 조조의 군대에 항복한 유종의 군사들이 반란을 일으키자 조조는 이들을 유비에게 되돌려 주었다. 이에 선주는 할양 받은 지역이 좁아 군사를 감당할 수 없다며 형주의 일부 지역을 빌려주기를 청하였다. 이때 형주를 빌리는 일이 이뤄진 뒤 선주가 익주를 차지하자 오나라는 형주를 되돌려 줄 것을 청하여 촉과 오 사이에 갈등의 씨앗이 되었다.

138 『朱子語類』권136, 제4조목

(주자가 말하였다.) "유비劉備가 육손陸遜에게 패한 것[139]을 두고 적을 가볍게 보지 말았어야 한다고 말하지만 또한 군영이 7백여 리에 연이어지도록[140] 하지 말았어야 하니, 스스로가 먼저 패전의 형세를 만든 것이다. 이때 공명孔明은 성도成都에서 군량미 운송을 감독하고 있다가 나중에서야 '법효직法孝直이 만일 살았었다면 주상에게 이번 걸음을 하게 하지 않았을 것이다.'[141]고 하였다. 공명이 앞서 몰랐는지, 중지할 것을 간했었는지의 여부는 지금 모두 고증할 길이 없다. 단지 공명은 올바르기는 하였지만 그득히 넘쳤고,[142] 법효직은 재발랐으니 반드시 어떤 방법으로 중지시켰을 것이다."

. . . .

139 陸遜에게 패한 것 : 육손은 오나라 孫策(孫權의 형)의 사위이다. 본래 이름은 陸議이다. 偏將軍 大都督 丞相을 지내며 형주에서 관우를 사로잡아 죽이고, 이 원수를 갚기 위해 공격을 개시한 先主의 군대를 맞이하여 승리하였다. 이를『三國志』「蜀志·先主傳」,「黃李呂馬王張傳」과「吳志·陸遜傳」에 의하여 살펴면 다음과 같다. 선주의 오나라 공격에 함께한 黃權이 "오나라 군대는 싸움에 용맹하고, 또 그들 水軍은 장강의 내려가는 물길을 타고 있어 전진은 쉬우나 후퇴는 쉽지 않습니다. 신이 청컨대 선봉이 되어 그들을 시험해 볼 것이니 폐하께서는 당연히 후방에서 안정시키시는 일을 하십시오.(吳人悍戰, 又水軍順流, 進易退難. 臣請爲先驅, 以嘗寇, 陛下宜爲後鎭.)"라고 하였으나 선주는 황권을 양자강의 북쪽에서 위나라 조조군의 습격을 대비하게 하고 선주는 남쪽에서 친히 오나라 공격에 나섰다가 결국 육손의 군대에게 효정猇亭에서 패하여 永安으로 철수하였다가 그곳에서 생을 마쳤다.

140 군영이 7백여 … 연이어지도록 : 이를『三國志』「魏志·文帝傳」에 의거하여 살펴면 "손권이 夷陵에서 유비의 군사를 이겼다는 소식을 들었다. 처음에 문제가 유비의 군사가 강동의 손권과 싸우는데 木柵을 세워 이어진 진영이 700여 리에 달한다는 소식을 듣고, 여러 신료에게 '유비가 병법을 모르는구나. 어떻게 700리 진영으로 적군을 막아낼 수 있겠는가? 습지의 들녘과 험준한 지역을 배경으로 주둔지를 삼은 적에게 사로잡힐까 해서이니, 이는 병법의 금기다. 손권의 승전보가 금방 이르겠구나.' 하였다. 7일이 지난 뒤 유비를 이겼다는 글이 도착하였다.(孫權破劉備于夷陵. 初帝聞兵東下與權交戰, 樹柵連營七百餘里. 謂群臣曰, 備不曉兵. 豈有七百里營可以拒敵者乎? 苞原隰險阻而爲軍者, 爲敵所禽, 此兵忌也. 孫權上事, 今至矣. 後七日破備書到)"고 하였다.

141 '法孝直이 만일 … 것이다.' : 법효직은 法正을 字로 이른 말이다. 시호는 翼. 법정은 右扶風 郿縣 사람이다. 처음에 蜀의 劉璋에게 몸을 의지해 新都令이 되었다. 유장의 명을 받들고 유비를 맞이하여 촉 땅에 들어오게 한 뒤 益州를 취해야 함을 선주에게 설득하였다. 선주가 익주를 차지한 뒤 蜀郡太守가 되고, 이어 漢中을 취하는 계책을 세워 마침내 夏侯淵을 살해하고 점령에 성공하였다. 선주가 관우의 원수를 갚기 위해 오나라 손권 공격에 나섰을 때 신하들 모두가 중지하기를 간하고 잘하신 일이라고 거드는 사람이 없었다. 결국 실패하여 白帝城으로 후퇴하여 머물자 공명은 "법효직이 만일 살았었다면 주상을 제지하여 東吳로 가시게 하지 않았을 것이고, 설사 오나라를 공격하더라도 반드시 위험에 빠뜨리지 않았을 것이다.(法孝直若在, 則能制主上, 令不東行 : 就復東行, 必不傾危矣.)"고 탄식하였다. 공명이 이 말을 한 것은『三國志』「法正傳」의 裴松之 주에 의거하면 다음과 같은 내용을 볼 수 있다. "선주가 조조와 기세 싸움을 벌여 힘이 달려 당연히 군사를 물려야 하는데도 선주가 대노하여 기꺼이 물러나려 하지 않았으나 감히 간하는 사람이 없었다. 화살이 소나기처럼 쏟아지는데 법정이 나아가 선주 앞을 가로막아 서자, 선주는 '효직아! 화살을 피하라.'고 하였다. 법정이 '공께서 친히 날아오는 화살이며 돌과 맞닥뜨리고 계시는데 하물며 소인이겠습니까?' 하니, 선주는 그제야 '효직아! 나나 너나 함께 떠나가자.' 하고 마침내 후퇴하였다.(先主與曹公爭勢, 有不便, 宜退, 而先主大怒不肯退, 無敢諫者. 矢下如雨, 正乃往當先主前, 先主云, '孝直避箭.' 正曰, '明公親當矢石, 況小人乎? 先主乃曰, '孝直! 吾與汝俱去.' 遂退.)" 이러한 점이 공명이 법정을 생각하며 탄식한 것이다.

142 그득히 넘쳤고 : 이 글의 원문 '盆'자를『朱子語類考文解義』에 "'盆'자는 去聲이라고 주가 달렸다. 옥편에서

[62-14-3]

"先主不忍取荊州, 不得已而爲劉璋之圖. 若取荊州, 雖不爲當, 然劉表之後, 君弱勢孤, 必爲他人所取, 較之取劉璋, 不若得荊州之爲愈也. 學者皆知曹氏爲漢賊, 而不知孫權之爲漢賊也. 若孫權有意興復漢室, 自當與先主協力幷謀, 同正曹氏之罪. 如何先主纔整頓得起時, 便與壞倒? 如襲取關羽之類是也. 權自知與操同是竊據漢土之人. 若先主事成, 必滅曹氏, 且復滅吳矣. 權之姦謀, 蓋不可掩, 平時所與先主交通, 姑爲自全計爾."

或曰: "孔明與先主俱留益州, 獨令關羽在外, 遂爲陸遜所襲. 當時只先主在內, 孔明在外如何?"

曰: "正當經理西向宛·洛, 孔明如何可出? 此特關羽恃才踈鹵, 自取其敗. 據當時處置如此, 若無意外齟齬, 曹氏不足平. 兩路進兵何可當也? 此亦漢室不可復興, 天命不可再續而已, 深可惜哉!"[143]

(주자가 말하였다.) "선주先主[劉備]가 형주荊州를 차마 취하지 못하다가[144] 하는 수 없이 유장劉璋 도모를 감행하였다.[145] 만일 형주를 취하였다면 적절한 일은 아니었겠지만, 그러나 유표劉表가 죽은 뒤 군주는

. . . .

이 글자의 거성에 대한 뜻을 살펴보면 '盆'자의 음은 '坌'이니 '溢'자와 통한다. 동이물이 그득히 넘치는 것이다.(盆注去聲, 按字書去聲, 盆音坌, 與溢通. 盆溢滿起也.)"고 하였다. 곧 제갈공명은 재능이 너무 넘쳤다는 뜻이다.

143 『朱子語類』 권136, 13조목

144 先主(劉備)가 荊州를 … 못하다가 : 형주는 유표가 牧으로 있는 당시 중국의 길목에 해당하는 요충이었다. 건안 12년(서기 207년)에 조조가 烏桓 평정에 성공하자 다음 해 유표를 정벌하려 군사를 출동시켰다. 이때 유비는 형주의 樊에 주둔해 있었다. 조조가 형주 공격에 나선 사이 유표가 죽고 아들 劉琮이 형주를 이어받았다. 유종은 조조에게 사람을 보내 항복하기로 하였다. 이때 유비는 이 사실을 전연 모르고 있다가 조조의 군사가 宛 지역에 이른 뒤에야 알았다. 이에 군사를 거느리고 남쪽으로 군사를 급히 피하였다. 군사가 襄陽 지역에 이르렀을 때 제갈공명은 '선주에게 유종을 치면 형주를 차지할 수 있다.(說先主攻琮, 荊州可有.)'고 하였으나, 유비는 내가 차마 할 수 없다고 사양하였다. 이 사양을 두고서 여러 사연이 있다. 孔衍의 『漢魏春秋』에는 "형주목 유표가 죽을 무렵에 고아로 남게 된 아이들을 나에게 부탁하였는데 신의를 저버리고 내 욕심을 이루는 것은 내가 할 수 없는 일이다. 죽어서 무슨 면목으로 유 형주를 뵐 수 있겠는가?(劉荊州臨亡, 託我以孤遺, 背信自濟, 吾所不爲. 死何面目以見劉荊州乎?)"라고 하였다.

145 하는 수 … 감행하였다. : 유장은 益州牧이다. 아버지 劉焉이 한나라의 종실로 太常 벼슬에 올랐으나 나라가 어지러워지자 몸을 피할 곳을 찾았다. '익주에 천자 기상이 서렸다.(益州分野有天子氣.)'는 말을 듣고 익주목을 자청하여 나가고서는 은근히 천하 경영의 뜻을 가졌다. 유장은 유언의 뒤를 이었으나 아버지의 심복이었던 張魯가 漢中을 차지하고 명령에 따르지 않아 서로 원수가 되었다. 이때 조조가 형주를 공격하며 漢中을 이미 평정하였다는 소문이 들렸다. 유장은 조조에게 사람을 보내 공경의 표시를 다하였다. 조조는 유장에게 振威將軍, 유장의 형 瑁에게 平寇將軍의 벼슬을 내렸다. 유장이 다시 자신의 관원을 조조에게 보내자 다시 조조는 그에게 벼슬을 내렸다. 유장이 다시 張松을 보내자 조조는 이때 이미 형주를 손에 넣고 선주를 물리친 뒤라서 장송에게 아무런 벼슬도 내리지 않았다. 그러나 조조는 적벽대전에서 패하여 급하게 군사를 후퇴시키며 형주마저 포기하였다. 장송은 돌아와 조조를 헐뜯으며 절교하라 하고, 유장에게 "劉豫州(당시 유비가 豫州牧 벼슬에 있었다.)는 使君(수령을 높여 이르는 말)과 한 집안이고 사귈 만한 사람이다.(劉豫州使君之肺

허약하고 형세는 고단하였으니[146] 반드시 다른 사람이 취하게 되어 있었다. 비교해 본다면 유장의 (익주를) 취한 것이 형주를 얻는 것만 못했을 것이다. 학자들은 모두 조조가 한나라의 역적인 줄만 알지 손권孫權이 한나라의 역적인 줄은 모른다. 만일 손권이 한나라 왕조를 일으켜 회복시키는 일에 뜻이 있었다면 당연히 선주와 힘을 합하고 계책을 함께하여 조조의 죄를 함께 바로잡았어야 했다. 어떻게 선주가 겨우 정돈하고 일어나려 할 때 바로 쓰러뜨릴 수 있는가? 예컨대 관우를 습격하여 죽인 일 따위가 그에 해당한다. 손권은 스스로 조조와 똑같이 한나라의 국토를 도둑질하여 차지한 사람임을 알고 있었다. 만일 선주의 일이 성공하였다면 반드시 조조를 멸망시킬 것이고 또다시 오나라도 멸망시켰을 것이다. 손권의 간악한 책략은 숨길 수 없으니, 평소에 선주와 오가며 사귄 것은 우선 자신을 안전하게 하려는 계책이었을 뿐이다."

어떤 사람은 이렇게도 말한다. "공명이 선주와 함께 익주益州에 남아있고 관우關羽 혼자서 밖(형주)에 있게 한 것이 마침내 육손에게 습격당한 것이다. 당시에 선주만 안에 머물고 공명이 밖에 있었다면

. . . .

腑, 可與交通.)"고 하였다. 유장은 그 말을 따라 法正을 형주의 유비에게 보내 우호를 맺고 다시 군사를 지원하여 선주를 보호하게 하였다. 장송이 다시 유장에게 유장의 관원들이 교만한 마음을 갖고 잘 따르지 않고 있으니 만일 외침이 있게 되면 반드시 패할 수밖에 없다며 유비를 맞아올 것을 제안하였다. 선주는 형주에 관우와 장비 제갈공명을 남겨 두고 유장의 초청에 따라 익주로 나아갔다. 유장은 군사 3만을 거느리고 영접하여 1백여 일 동안 주연을 베풀어 그를 후히 대접하고 장로를 쳐줄 것을 부탁하였다. 이때 유장의 신료 張松과 法正, 방통龐統이 유비에게 유장과 만나는 장소에서 유장을 기습하라고 하였다. 유비는 "이는 큰일이라서 창졸히 할 일이 아니다.(此大事也, 不可倉猝.)"고 거절하였다. 이 사이 유장은 유비를 大司馬로 추천하고 장로의 토벌을 부탁하였다. 이때가 건안 16년(서기 211년)이었다. 유비는 유장의 말을 따라 장로 토벌에 나섰다. 그러나 다음 해 조조가 오나라를 공격하자 오나라 손권은 유비에게 구원을 청하였다. 유비는 유장에게 오나라 손권과 자신은 입술과 이빨의 관계이고, 조조의 장수 樂進이 형주의 관우를 공격하고 있으니 구원하지 않으면 악진이 대승할 것이다. 그러면 익주는 장로의 어려움보다 더 큰 재앙을 만날 것이라며 군사 1만 명과 이에 상응하는 물품 지원을 받아 유비 자신이 구원하려 나서겠다고 하였다. 유장은 군사 4천을 지원하고 물품 지원도 반으로 줄였다. 이때 장송과 법정은 유비에게 편지를 보내 "큰일이 거의 확립되어 가는데 어찌하여 이 기회를 버리고 떠나려 하십니까?(今大事垂可立, 如何釋此去乎?)" 하였다. 이때 장송의 친형이 잘못 화가 자신에게 미칠 것을 두려워하여 장송과 유비의 관계를 유장에게 모두 털어놓았다. 유장은 즉시 장송을 잡아들여 죽이고 장수들에게 명을 내려 다시는 선주와 교류하지 못하게 하였다. 이에 선주는 黃忠 등 장수를 시켜 익주의 유장을 공격하게 하였다. 유장이 장수를 파견하여 선주의 군대를 막았으나 모두 싸움에서 졌다. 이에 다시 李嚴을 파견하였는데 이엄은 선주에게 항복하였다. 선주의 군대가 유장의 아들이 지키고 있는 雒城을 공격하여 거의 1년 만에 함락시키고 成都로 진격하자 유장은 스스로 나와 항복하였다.(『三國志』「蜀志·劉二牧傳」; 「先主傳」)

146 劉表가 죽은 … 고단하였으니 : 유표는 장자 劉琦를 두고 후실의 아들인 劉琮에게 형주를 전하였다. 『三國志』「蜀書·諸葛亮傳」에 의하면 제갈량이 삼고초려한 유비를 만나 처음으로 나눈 말 속에서 "형주는 북쪽으로 漢水와 沔水를 의지하고, 남쪽으로 바다의 이익을 독차지하고, 동쪽으로 吳와 會稽 지역과 이어지고, 서쪽으로 巴와 蜀 지역과 통하여 있으니, 이곳은 무력을 이용할 형세를 만들 수 있는 땅인데도 그곳 수령이 잘 지키고 있지 못하니 이는 거의 하늘이 장군을 도와 준 것입니다. 장군은 이에 대한 생각을 갖고 계십니까?(荊州北據漢沔, 利盡南海, 東連吳會, 西通巴蜀. 此用武之國, 而其主不能守, 此殆天所以資將軍, 將軍豈有意乎?)"라고 하여, 유표가 이 지역을 잘 지키고 있지 못함을 지적하고 있다.

어떻게 되었을까?"

(나는 이렇게) 말한다. "바로 당시 서쪽으로 원·락宛洛의 일을 한창 다스릴 때[147]였으니 공명이 어떻게 나갈 수 있었겠는가? 이는 다만 관우가 재주를 믿고 거칠고 경솔하게 굴다가 패전을 스스로 부른 것이다. 당시의 조치가 이 같았음에 의거하건대 만일 뜻밖의 어긋남만 없었다면 조조는 평정할 것도 없었을 것이다. 두 길로 군사를 진격시키면 어떻게 감당할 수 있겠는가? 이 역시 한나라 왕실을 다시 일으킬 수 없었고 천명天命을 다시 이을 수 없어서였을 따름이니, 매우 애석하다!"

[62-14-4]

或問 : "蜀先主以國委孔明, 無言不聽. 伐吳之役, 先主誠失計也, 而孔明曾不以爲非, 及其旣敗, 乃曰 : '法孝直若在, 必能制主上東行,' 何孔明不能諫於知己之主, 而猶有待於孝直也?"

潛室陳氏曰 : "只緣孔明規模在據荊益, 方成伯業. 以荊州爲必爭之地, 爭而不得, 後方悔耳."[148]

어떤 사람이 물었다. "촉나라의 선주는 나라를 공명에게 맡기고 말마다 따라주지 않음이 없었습니다. 오나라 정벌은 선주의 참으로 잘못된 계책이었는데도, 공명이 잘못이라는 말을 하지 않고 있다가 이미 패한 뒤에야 기껏 '법효직이 만일 살았었다면 반드시 주상의 강동江東 걸음을 막았을 것이다.'라고 하였으니 왜 공명은 자신을 알아주는 군주에게 간하지 못하고, 오히려 효직을 필요로 하였습니까?"

잠실 진씨가 대답하였다. "공명의 계책은 단지 형주와 익주를 차지해야만 패업을 바야흐로 이룰 수 있다는 데서 기인한 것이다. 그래서 형주를 반드시 쟁취해야 할 땅으로 생각하고,[149] 다투었으나 차지하지

---

147 宛洛의 일 … 때 : 원은 지금의 河南省 南陽 지역이고, 락은 낙양으로 지금의 하남성 낙양시이다. 당시 모두 형주에 속한 고을이었다. 앞에서 말한 관우가 형주에서 오나라 여몽에게 사로잡힌 것은 건안 24년(서기 219년)이다. 형주는 이보다 앞서 건안 13년(서기 208년)에 유종이 조조에게 항복하면서 조조의 소유가 되고, 유비가 조조의 군대에 쫓기자 손권에게 구원을 청하여 적벽대전이라는 유명한 전쟁을 통해 오나라 소유가 되었다. 그러나 이 땅을 잠시 유비에게 빌려주어 유비의 근거지가 되었다. 이후 유비의 군사는 모두 형주에 머물렀다. 건안 16년(서기 211년)에 익주의 劉璋이 조조가 공격해 온다는 소식을 듣고 휘하 張松의 권유로 유비에게 구원을 요청하였다. 유비는 혼자서 익주로 가고 다른 사람들은 모두 형주에 남았다. 건안 18년(서기 213년) 조조가 손권을 공격하였다. 손권이 유비에게 구원을 청하였다. 유비가 유장에게 도움을 청하였다. 유장은 유비가 두려워 요청한 양의 반을 지원해 주면서 휘하 장병에게 유비와의 교류를 중지하게 하였다. 이에 유비는 유장을 공격하기 시작하였다. 또 형주에 있던 제갈공명과 장수들도 이주 공격에 동원하였다. 이때 관우 혼자서 형주를 지키게 되었다. 이때 유비는 유비대로 싸우고 제갈공명은 제갈공명대로 공격하여 원과 낙양 사이에는 1년이 넘기도록 전쟁이 이어졌다. 건안 19년 여름에 유장의 항복으로 유비는 익주를 차지하였고 건안 24년에 오나라가 여몽에게 형주를 공격하게 하여 관우를 사로잡은 것이다.(『三國志』「先主傳」)

148 『木鍾集』 권11 「史」

149 형주를 반드시 … 생각하고 : 선주가 공명을 남양의 융중으로 삼고초려하였을 때 공명은 당시 천하의 형세를 말하며, 조조는 1백 만 대군으로 천자를 끼고 있으니 누구도 그의 형세와 겨룰 수 없고, 손권은 강동 지역을 점거하였으니, 선주는 형주와 익주를 거점으로 삼아야 한다고 하였다. 그는 형주와 익주를 차지해야 할 이유로, "형주는 북쪽으로는 漢水와 沔水를 배경으로 삼고, 남쪽 바다의 재화를 모두 차지하고 있으며, 동쪽으로는 吳와 會稽와 연이어져 있고, 서쪽으로는 巴와 蜀 땅과 길이 통하니 이곳은 무력을

못하자 나중에 후회했을 뿐이다."

魏曹操 위나라 조조, 吳孫權 오나라 손권

[62-15-1]
元城劉氏謂馬永卿曰: "溫公退居洛, 一日語某曰, '昨夕看三國志識破一事', 因令取三國志及
文選示某, 乃理會武帝遺令也.

公曰, '遺令之意如何?'

某曰, '曹公平生姦至此盡矣, 故臨死諄諄作此令也.'

公曰, '不然. 此乃操之微意也. 遺令者, 世所謂遺囑也. 必擇緊要言語付囑子孫, 至若纖細不
緊要之事, 則或不暇矣. 且操身後之事, 有大於禪代者乎? 今操之遺令諄諄百言, 下至分香賣
履之事, 家人婢妾無不處置詳盡, 無一語語及禪代之事. 其意若曰, 禪代之事, 自是子孫所爲,
吾未嘗敎爲之, 是實以天下遺子孫, 而身享漢臣之名. 此遺令之意. 歷千百年無人識得, 昨夕
偶窺破之.' 公似有喜色. 且戒某曰, '非有識之士, 不足以語之'.

원성 유씨元城劉氏[劉安世]가 마영경馬永卿에게 말했다. "사마온공司馬溫公[司馬光]이 벼슬에서 물러나 낙양洛
陽에서 살 적에 어느 날 나에게 '어제저녁에 『삼국지』를 보다가 한 가지를 깨우쳐 알았다.' 하고서
이어 『삼국지』와 『문선文選』을 가져오게 하여서는 나에게 보여주시며 무제武帝[曹操]의 유령遺令[150]을 이
해해 보라고 하셨다.

공이 '유령의 의도는 무엇이냐?'라고 물으셨다. 내가 '조공의 평생 간악이 여기에서 다하게 된 까닭에
죽음을 앞두고 자세하게 이 유령을 작성한 것입니다.' 하자, 공이 '그렇지 않다. 이는 조조의 은미한
뜻이 담겨 있다. 유령은 세상에서 이르는 죽음 직전의 마지막 부탁이다. 반드시 긴요한 말만을 가려

....

다투려는 나라의 요충입니다. 그런데도 그 땅의 수령이 잘 지키고 있지 못하니 이는 거의 하늘이 장군을
도와주고 있는 것입니다. 장군이 이 점에 뜻을 두고 계십니까? 익주는 험한 요새 지역이자 비옥한 들이
1천 리에 뻗어 있어 재화가 넘쳐나는 하늘이 내린 곡식 창고의 땅입니다. 고조가 이를 의지해서 황제의
공업을 이룩하였습니다.(荊州北據漢沔, 利盡南海, 東連吳會, 西通巴蜀, 此用武之國. 而其主不能守, 此殆
天所以資將軍. 將軍豈有意乎? 益州險塞, 沃野千里, 天府之土. 高祖因之以成帝業.)"고 하였다.

150 武帝[曹操]의 遺令: 무제는 그의 나이 66세 때인 獻帝 25년(서기 220년)에 병으로 죽었다. 그의 유령에
대한 말은 『三國志』「武帝紀」에 의하면, 천하가 아직 안정되지 않았으니 옛날 법을 따를 수 없다면서 장례
일이 끝나면 상복은 벗고, 자신에 대한 殮襲은 당시 계절에 맞는 옷을 입히고 金玉은 묻지 말라는 짧은
내용이다. 『文選』에 실린 陸機가 지은 弔魏帝文에는 육기가 晉나라 惠帝 元康 8년(서기 298년)에 著作 벼슬로
秘閣에서 일하며 조조가 남긴 유령을 보고서 가슴이 아팠다면서 조조가 말한 유령과 자신의 생각을 섞어
이 글을 남겼다.

자손에게 부탁하고, 세세하고 긴요하지 않은 일에 이르면 혹여 겨를을 내지 못할 수도 있다. 우선 조조가 죽고난 뒷일에서 제왕의 자리를 선양禪讓받아 대신하는 것[151]보다 큰 일이 있는가? 지금 조조의 유령은 정성이 넘쳐나는 온갖 말에, 아래로 향香을 나누어 쓰고 신을 삼아 팔라는 일에서[152] 집안사람과 비첩에 이르기까지 어느 하나 자상하지 않은 조치가 없는데, 선양을 받아 제왕의 자리를 대신하는 일에 이르러는 한 마디의 언급이 없다. 그 의도가 만일 선양을 받아 제왕의 자리를 대신하는 일은 본시 자손이 한 일이고, 나는 그것을 시킨 적이 없다는 것을 말하고자 한 것이라면, 이는 천하는 실지 자손에게 물려주면서, 자신은 한漢나라 신하라는 명분을 누리려 한 것이다. 이것이 유령에 담긴 의도이다. 1천 몇 백 년의 세월이 지나도록 누구도 깨우쳐 알지 못했는데 어제 저녁에 우연히 간파하였다.' 하고서 공의 얼굴에 기쁜 낯빛이 도는 듯하였다. 또 나에게 경계시키기를 '식견이 있는 사람이 아니면 말해줄 수 없는 일이다.'고 하셨다.

或云, '非溫公識高不能至此'. 曰, '此無他也. 乃一誠字爾,[153] 惟以誠意讀之. 且誠之至者可以開金石, 況此虛僞之事, 一看即解散也'. 某因此歷觀曹操平生之事, 無不如此. '夜臥枕圓枕', '噉野葛至尺許', '飮鴆酒至一盞', 皆此意也. 操之負人多矣. 恐人報己, 故先揚此聲以誑時人, 使人無害己意也. 然則遺令之意, 亦揚此聲以誑後世耳."[154]

어떤 사람이 '사마온공의 높은 식견이 아니고는 이 경지에 이를 수 없을 것입니다.'고 하자, '이는 다름이 아니다. 바로 성실[誠]이라는 한 글자일 뿐이니 오직 성실한 뜻으로 읽어서이다. 또 정성이 지극하면 쇠와 돌도 뚫을 수 있다는데 하물며 이러한 거짓된 일쯤이야 보자마자 단번에 파헤쳐 낼 수 있다'. 내가 이 일을 계기로 조조의 평생 일을 하나씩 하나씩 살펴보니 이 같지 않은 일이 없었다. '밤에 잠잘 적에 둥근 목침을 벤다.',[155] '야갈野葛[156]을 먹은 것이 한 자尺쯤에 이른다.', '짐독이 든 술을 마신 것이 한

· · · · · · · · · · · · · · · ·

151 제왕의 자리를 … 것: 조조는 魏王으로 한나라 獻帝 밑에서 丞相 벼슬을 수행하였다. 조조가 죽자 그의 아들 曹丕는 헌제 延康 원년(서기 220년)에 아버지 벼슬을 그대로 승계하였다. 그 해에 한 헌제는 조비에게 한나라 천자 자리를 선양하였다. 이에 조비는 천자 자리에 오르면서 연호를 고쳐 黃初라 하였다. 또 아버지의 시호 武王도 武帝로 추존되었다. 조조가 이 천자 자리를 노리고 있었으면서도 유령에 그 말을 전혀 담지 않은 것이 고도의 속임수라는 말이다.

152 香을 나누어 … 일에서: 육기의 글에 조조의 유령을 인용하여, 자신의 婕妤와 妓人들에게 자신이 지어놓은 銅雀臺에 휘장을 두르고 아침저녁으로 脯와 미숫가루를 올리고 초하루와 보름이면 언제나 휘장을 향해 歌舞를 공연하게 하였다고 하였다. 또 "남은 향이 있으면 여러 夫人들과 나누어 쓰고 집안에서 할 일이 없거든 신 끈 꼬는 것을 배워 팔도록 하라.(餘香可分與諸大人, 諸舍中無爲, 學作履組賣也.)"고 하였다. 이 밖에도 아들 조비에게 자신이 사랑하는 姬女의 네 자식을 부탁한다는 말, 자신이 그동안 간직해 두었던 옷을 자신의 형제에게 나누어 주라는 등 여러 시시콜콜한 말이 담겼다.

153 乃一誠字爾: 『元城語錄解』 中에는 이 글 다음에 '老先生讀書, 必具衣冠, 正坐莊色, 不敢懈怠'의 17자가 더 있다. 元城劉氏가 사마온공의 글 읽는 태도를 덧붙인 글인데 여기서는 삭제한 것이다. 사마온공의 성실한 태도를 엿볼 수 있는 글이라서 번역하면 다음과 같다. "선생께서 글을 읽으실 적에는 반드시 의관을 갖추고, 똑바로 앉아 기색이 장엄하였고, 감히 게으른 모습이 없었다."

154 『元城語錄解』 中

잔에 이른다.'는 것들이 모두 이러한 뜻이다. 조조는 남을 저버린 일이 많다. 자신을 향한 남들의 보복이 두려웠던 까닭에 앞서 이런 소문을 퍼뜨려 당시 사람들을 속인 것이니 사람들이 자신을 헤치려는 뜻을 품지 못하게 하려는 것이다. 그렇다면 유령에 담긴 의도도 역시 이런 소문을 퍼뜨려 후세 사람들을 속이고자 한 것일 뿐이다."

[62-15-2]
或論三國形勢, 朱子曰: "曹操合下便知據河北, 可以爲取天下之資. 旣被袁紹先說了, 他又不成出他下, 故爲大言以誑之. 胡致堂說史臣後來代爲文辭以欺後世, 看來只是一時無說了, 大言耳. 此著被袁紹先下了, 後來崎嶇萬狀, 尋得箇獻帝來, 爲挾天子令諸侯之擧, 此亦是第二大著. 若孫權據江南, 劉備據蜀. 皆非取天下之勢, 僅足以自保耳.[157"158]

어떤 사람이 삼국의 형세에 대해서 말하자, 주자가 말하였다. "조조는 본시 하북河北을 거점으로 삼는 것이 천하를 취할 수 있는 밑바탕이 될 수 있음을 알고 있었다. 원소가 그것을 앞서 말해버리자 그로서는 또 그대로 따라가서는 안 되었기에 일부러 큰소리를 쳐 속인 것이다.[159] 호치당胡致堂[胡寅]은 '사관史官이 뒷날 대신 말을 적어 넣어서 후세를 속인 것이다.'고 하였으나, 살펴보면 단지 한때 말이 궁색해지자 큰소리친 것일 뿐이다. 이 수가 원소에게 기선을 제압당하면서 뒷날 갖은 기구한 일을 겪다가[160] 헌제獻帝를 찾아 데려와 천자를 끼고서 제후를 호령하는 일을 벌였으니[161] 이 또한 두 번째에 해당되는 큰

---

155 '밤에 잠잘 … 벤다.' : 깊은 잠을 자지 않으려는 자신의 노력이다. 둥근 목침은 쉬이 굴러가 머리에 비고 깊은 잠을 잘 수 없다.

156 野葛 : 독성이 강한 늘푸른떨기나무의 일종이다. 정식 이름은 鉤吻이고 야갈은 별칭이다. 잎과 줄기, 뿌리 어느 것이나 독성이 강하여 먹으면 생명을 잃는다. 『本草綱目』「草 6 · 鉤吻」에 의하면 "사람이나 가축의 배속에 들어가면 창자에 달라붙어 한나절이면 그 창자가 검게 썩어간다. 그래서 또 세상에서 '창자를 문드러지게 하는 풀[爛腸草]'이라 부른다.(入人畜腹內, 卽黏腸上, 半日則黑爛. 又名爛腸草.)"고 하였다.

157 僅足以自保耳. : 『朱子語類』 권136, 1조목에는 '以'자가 없다.

158 『朱子語類』 권136, 1조목

159 일부러 큰소리를 … 것이다. : 이를 『三國志』「武帝紀」 건안 9년 기사에서 살피면 다음과 같은 조조와 원소의 대화를 볼 수 있다. "조조가 원소와 함께 군사를 일으켰을 때 원소가 조조에게 물었다. '만일 일이 잘 풀리지 않으면 여러 지역 중 어느 지역을 거점으로 삼을 만하겠소?' 그러자 조조는 '족하의 의중은 어떻습니까?'고 물었다. 그러자 원소는 '나는 남쪽으로 河北을 차지하여 燕과 代 지역과 아울러 융적의 군사를 막고, 남쪽으로 내려가 천하를 다툰다면 아마도 성공할 수 있을 것이오.' 하였다. 조조는 '내가 천하의 지혜 있는 사람과 용력이 있는 사람을 등용하여 정도로 다스린다면 안 될 일이 없을 것입니다.'고 하였다.(初, 紹與公共起兵, 紹問公曰, '若事不輯, 則方面何所可據?' 公曰 : '足下意以爲何如?' 紹曰, '吾南據河北, 阻燕代兼戎狄之衆, 南向以爭天下, 庶可以濟乎!' 公曰, '吾任天下之智力, 以道御之, 無所不可.')" 여기서 조조의 소위 '정도로 다스린다.' 운운하는 말이 그의 평소 행동과 전연 다른 말이었던 까닭에, 호치당은 뒤에 사관이 만든 일이라 본 것이고, 주자는 괜히 큰소리 친 것으로 평한 것이다.

160 뒷날 수많은 … 겪다가 : 이후 원소는 하북을 거점으로 천하를 차지하려는 싸움을 벌였고, 조조는 冀州 지역을 거점으로 원소와 대립하다가 마침내 원소를 물리치고 하북을 차지하였다.

161 獻帝를 찾아 … 벌였으니 : 헌제는 즉위하던 해에 동탁의 뜻에 따라 그동안 수도였던 洛陽을 버리고 長安으로

수이다. 손권이 강남江南을 차지하고, 유비가 촉을 차지한 것과 같은 일은, 모두 천하를 취할 수 있는 형세가 아니라 겨우 자신의 나라나 보전할 수 있을 뿐이다."

[62-15-3]

"曹操用兵, 然有那幸而不敗處, 却極能料. 如征烏桓, 便能料得劉表不從其後來."[162]

(주자가 말하였다.) "조조의 군사 지휘는 요행히 패하지 않은 곳도 분명 있지만 매우 잘 헤아렸다. 예컨대 오환烏桓[163] 정벌에서 유표劉表가 뒤쪽에서 공격하지 않을 것을 능히 헤아렸다."[164]

⋯⋯⋯⋯⋯⋯⋯⋯⋯⋯

옮겼다. 동탁은 이때 장안으로 함께 옮기지 않고 2년 동안 더 낙양에 머물며 궁성에 불을 지르는 등 갖은 악행으로 낙양을 남김없이 파괴하였다. 동탁은 장안에 옮겨 온 다음 해인 初平 3년(서기 192년)에 王允 등에게 살해당하였다. 그러자 동탁의 부하 李傕과 郭汜가 반란을 일으켜 장안을 함락하였다. 興平 2년(서기 195년)에 이곽과 곽사 두 사람이 서로 싸움을 벌여 이곽이 곽사에게 밀리자 황제를 北塢로 옮겨갔다. 황제의 이 피난 행렬은 여러 지역을 거쳐 마침내 낙양으로 돌아왔으나, 낙양의 첫날은 마땅하게 머물 곳이 없어 환관 趙忠의 집에 묵어야 했다. 이때가 建安 원년(서기 196년)이었다. 이때 낙양이 얼마나 파괴되었던지 천자를 수행한 사람들이 머물 곳이 없어 풀숲의 담장 사이에서 자야했고, 나물을 캐 주림을 달래야 했다. 조조는 휘하 荀彧의 계책을 받아들여 군사를 거느리고 낙양으로 돌아와 낙양을 지키며, 그동안 천자를 수행했던 楊奉과 韓暹을 제거하였다. 그리고는 수도를 許昌으로 다시 옮겼다. 이때부터 조조는 헌제를 사실상 실권 없는 군주로 앉혀놓고 스스로 자신의 벼슬을 마음대로 올려 丞相에서 魏公, 다시 魏王을 자칭하였다. (『後漢書』「孝獻帝紀」; 『三國志』「武帝紀」; 「荀彧荀攸賈詡傳」)

162 『朱子語類』 권136, 2조목

163 烏桓 : 漢代 東胡族 가운데 내몽고 동쪽에 있던 部族. 『三國志』「魏志」 권30에는 烏丸으로 표기하고 있다. 이 오환은 三郡烏桓으로 표기하고 있는데, 그들 형세가 세 郡 지역에 걸쳐 있어서인 듯하다. 漢初 匈奴에게 내쫓겨 烏桓山으로 이주한 데에서 붙여진 부족 이름이다. 이때 曹操에게 패하면서 쇠퇴하여 점차 다른 민족에 동화되었다. 詩文에서 북방 소수민족이나 그들의 거주지를 두루 이르는 말로 쓰였다.

164 劉表가 뒤쪽에서 … 헤아렸다. : 조조가 오환을 공격한 것은 건안 12년(서기 207년)이다. 이때 죽은 원소의 두 아들 袁尙과 袁熙가 오환으로 도망쳐 중국의 북쪽 변경 10만여 戶가 이들에게 시달렸다. 원소는 조조에게 패하기 전 이들 오환의 부족 추장들을 單于로 삼고, 집안 딸들을 자신의 딸로 삼아 그들에게 시집보내면서 그들과의 사이를 밀접하게 좁혔다. 원소가 죽고 그 아들들이 오환으로 찾아오자, 오환은 그들 형제와 어울려 연이어 북방을 노략질하였다. 그래서 조조는 물길을 내고 산길을 닦아 그들을 평정하고자 하였다. 건안 12년 평정에 나서자 장수와 신료들이 반대하였다. 만일 우리가 북쪽 변경을 공략하느라 수도 許昌을 비워두게 되면, 荊州의 유표가 유비를 시켜 공격할 것이니, 이렇게 되면 큰 위험에 빠진다는 것이었다. 오직 郭嘉만이 오환이 조조에 대한 경계가 없어 쉽게 공략할 수 있다면서 유표가 공격해 오지 못하고 오환을 공격해야 할 이유를 다음과 같이 말하였다. "원소는 일부 지역 백성들과 변경 오랑캐들에게 은혜가 있는데 원상 형제가 살아 있습니다. 지금 네 州의 백성은 단지 위엄이 무서워 귀의해 있고, 우리의 은덕이 그들에게 아직 입혀지지 않았습니다. 그런데 저들을 놓아두고 남쪽 정벌 길에 나선다면 원상 형제가 오환을 근거로 군주를 위해 목숨을 바칠 생각을 하는 신료를 불러들일 것입니다. 胡族이 한번 움직여 우리 백성과 오랑캐가 함께 호응하게 되면, 蹋頓(답돈)의 마음이 꿈틀거려 넘겨다 보려는 계책이 마련될 것이니, 아마 靑州와 冀州는 우리 영역이 아닐 것입니다. 유표는 앉아서 이야기나 나누는 사람일 뿐, 스스로가 유비를 부릴 재능이 없음을 알고 있습니다. 유비를 중임하게 되면 제재하지 못할 것이 두렵고, 가볍게 임용하면 유비가 그의 쓰임이 되어주지 않을 것이니, 나라를 비우고 멀리 정벌에 나서도 공은 걱정이 없을 것입니다.(且袁紹有恩於民夷,

[62-15-4]

"孫權與劉備同禦曹操, 亦是其勢不得不合. 孫權若不與劉備, 即當迎降於操. 然此兩人終非好相識, 到利害處便不相顧. 劉備纔得荆州, 權便遣呂蒙去擒關羽."[165]

(주자가 말하였다.) "손권과 유비가 함께 조조를 막은 것[166]은 역시 그 형세상 연합하지 않을 수 없어서다. 손권이 만일 유비와 연합하지 않았다면 바로 조조를 영접하여 항복하여야 했다.[167] 그러나 이들 두 사람이 끝내 서로 친하게 도울 처지가 아니었기에[168] 이해가 걸린 곳에 이르자 서로가 바로 돌보지 않았다. 유비가 막 형주를 얻자 손권은 바로 여몽呂蒙을 보내 관우를 사로잡아버렸다.[169]"

- -

而尚兄弟生存. 今四州之民, 徒以威附, 德施未加. 舍而南征, 尚因烏丸之資, 招其死主之臣. 胡人一動, 民夷俱應, 以生蹈頓之心, 成覬覦之計, 恐靑・冀非已之有也. 表, 坐談客耳, 自知才不足以御備. 重任之則恐不能制, 輕任之則備不爲用, 雖虛國遠征, 公無憂矣.)" 이때 형주에서 유비는 유표에게 허창을 기습할 것을 설득하였으나 유표는 말을 받아들이지 않았다. 오환과 원상 형제는 조조와의 싸움에서 대패하여 근거지를 버리고 동쪽 요동으로 도망가는 참패를 당하였다. 이때 遼東太守 公孫康은 조조에게 귀의하지 않고 있다가 겁을 먹고 이들 목을 베어 허창으로 보내왔다. 조조는 의외의 소득까지 누린 것이다.(『三國志』「武帝紀」,「郭嘉傳」)

165 『朱子語類』 권136, 제3조목의 글과 문맥은 유사하나 문장은 약간 다르다. 전체 글은 "問, 先主爲曹操所敗, 請救於吳. 若非孫權用周瑜以敵操, 亦殆矣. 曰, 孔明之請救, 知其不得不救. 孫權之救備, 須着救他, 不如此, 便當迎操矣. 此亦非好相識, 勢使然也. 及至先主得荆州, 權遂遣呂蒙擒關羽. 才到利害所在, 便不相顧."로 되어 있고 須着救他와 不如此의 사이에, "必大錄云, 孫權與劉備同禦曹操, 亦是其勢不得不合."의 間注가 있다.

166 손권과 유비가 … 것 : 이는 건안 13년(서기 208년)의 적벽대전을 이른다. 유표의 아들 유장이 형주목으로 조조에게 항복하자 유비는 급히 남쪽으로 피해야 했다. 이때 형주의 많은 백성이 유비에게 귀의하여 유비가 當陽에 이르렀을 때는 그 숫자가 10만에 이르렀다. 이들과 길을 가느라 하루에 겨우 10리밖에 가지 못하였다. 조조는 유비가 江陵을 차지할까 걱정되어 하루 3백 리 길을 달려 급습하였다. 當陽의 長坂에서 유비는 대패하였고 가족마저 모두 조조의 군에 포로로 넘겨주었다. 이에 제갈공명을 오나라에 보내 구원을 요청하였다. 周瑜가 3만의 水軍으로 전쟁에 참여하였다. 바로 적벽대전인 것이다. 유비와 주유의 군대가 水陸에서 공격하자 조조는 대패하여 형주를 포기하고 철수하였다. 유비는 그들을 南郡까지 추격하는 대승을 거뒀다. (『三國志』「先主紀」)

167 조조를 영접하여 … 했다. : 조조는 형주목 유종의 항복을 받아들이며 그들 군대까지 합병하게 되자 그 위세가 한층 성대해졌다. 이들 군대가 강동으로 향한다는 말을 듣고 손권의 신료들은 모두 조조에게 항복하여야 한다고 주장하였다. 이때 魯肅과 주유가 조조에 맞서 싸워야 한다고 주장하였다.(『三國志』「吳主傳」)

168 끝내 서로 … 아니었기에 : 이 글의 원문 好相識은 『朱子語類』 권136, 3조목에 의거하여 『朱子語類考文解義』 권35에는 "친하게 서로 돕는 뜻이다.(親好相與之意)"고 하였다.

169 유비가 막 … 사로잡아버렸다. : 건안 19년(서기 214년) 유비가 益州를 차지하자 손권은 건안 20년에 그동안 빌려준 형주를 돌려달라고 요구하였다. 유비는 涼州를 차지하면 형주를 돌려주겠다고 하였다. 그러자 손권은 呂蒙을 보내 형주의 세 고을을 공격하여 빼앗았다. 유비가 오나라와의 전쟁을 위해 5만의 군사를 이끌고 나서며 관우에게는 益陽을 공격하게 하였다. 이때 조조가 형주와 접경을 이루는 漢中을 공격하여 張魯를 쫓아내고 차지하였다. 이에 유비는 다시 손권과 형주를 반씩 나누기로 결정하였다. 그리고 건안 24년(서기 219) 여몽이 마침내 형주를 공격하여 관우를 사로잡아버렸다.(『三國志』「先主傳」)

[62-15-5]

"人謂曹操父子爲漢賊, 以某觀之, 孫權眞漢賊耳. 先主孔明正做得好時, 被孫權來戰兩陣, 到這裏便難向前了. 權又結托曹氏父子. 權之爲人, 正如偷去劉氏一物, 知劉氏之興, 必來取此物, 不若托曹氏. 以賊托賊, 使曹氏勝, 我不害守得一隅；曹氏亡, 則吾亦初無利害."[170]

(주자가 말하였다.) "사람들이 조조 부자가 한나라의 역적이라고 말들 하나, 내가 보기에는 손권이 참으로 한나라의 역적이다. 선주先主劉備와 공명이 막 일이 잘 되어가고 있을 때[171] 손권에 의해 두 진영으로 싸우게 되었으니,[172] 이 처지에 다다르자 앞으로 나아가기가 어려웠다. 손권은 또 조조 부자와도 결탁하였다. 손권의 사람됨은 바로 유씨 집안 물건 하나를 훔친 것과 같아, 유씨 집안이 일어나면 반드시 찾아와 이 물건을 가져갈 것이기에, 조조에게 의탁함만 같지 못하였음을 안 것이다. 역적으로 역적에게 결탁한 것이니, 설사 조조가 이긴다 하여도 내가 한 지역을 지키는 일에 해로울 것은 없고, 조조가 망한다 하여도 나에게 또한 조금도 해로울 것이 없었던 것이다."

諸葛亮　제갈량

[62-16-1]

程子曰："孔明有王佐之心, 道則未盡. 王者如天地之無私心焉, 行一不義而得天下不爲. 孔明必求有成而取劉璋, 聖人寧無成耳, 此不可爲也. 若劉表子琮將爲曹公所幷, 取而興劉則可也. 孔明不死,[173] 三年可以取魏. 且宣王有英氣, 久不得伸, 必沮死不久也."[174]

정자程頤가 말하였다. "공명은 제왕을 보좌하는 마음은 가졌으나 도리는 미진하였다. 제왕帝王이 될 사람은 천지가 사사로운 마음이 없는 것과 같아, 한 가지 불의를 행하여 천하를 얻는다 하여도 하지 않는다.[175] 공명은 기어코 성공하고자 하여 유장劉璋을 취하였지만[176] 성인은 차라리 성공하지 않을지언

170 『朱子語類』 권96, 78조목
171 先主(劉備)와 공명이 … 때 : 관우가 죽은 건안 24년(서기 219년)에 유비는 기왕의 형주와 익주에다, 조조의 땅이던 漢中을 조조와 싸움 끝에 차지하여 가장 넓은 영토를 획보하였다. 또 한중을 치지히고서 漢中王에 즉위하였다. 바로 이 즉위식이 끝나기 바쁘게 관우가 오나라의 공격을 받고 죽은 것이다.(『三國志』 「先主傳」)
172 두 진영으로 … 되었으니 : 그동안은 유비는 오나라와 손잡고 조조를 적벽대전에서 물리치며 승승장구하였다. 곧 유비의 꿈인 한나라의 중흥을 꾀해 볼 수 있는 때가 왔는데, 그동안 우호적이던 손권이 형주를 공격하여 관우를 잡아가니, 적이 조조와 손권 두 사람으로 늘어난 것이다.
173 孔明不死 : 『二程遺書』 권24 「鄒德久本」에는 '孔明不死'부터 문단을 달리하여 따로 독립시켰다.
174 『二程遺書』 권24 「鄒德久本」
175 한 가지 … 않는다. : 이는 『孟子』 「公孫丑上」에서 맹자가 한 말로, 세상에서 흔히 浩然之氣章이라고 부르는 장의 글이다. 맹자는 伯夷와 伊尹과 孔子를 모두 성인이라고 말하자, 제자 공손추는 백이와 이윤이 공자와 동일한 성인이냐고 물었다. 그러자 맹자는 공자와는 차이가 있으나 공통점이 있다며 이 말을 하였다. 곧

정 이런 일은 하지 않는다. 만일 유표劉表의 아들 유종劉琮이 조조에게 합병되게 되었다면,[177] 그 땅을 취하여 유씨 왕조를 일으켜도 옳을 것이다. 공명이 죽지 않았으면 3년이면 위魏나라를 취할 수 있었다. 또 선왕宣王[司馬懿][178]은 날카로운 기개[英氣]를 지녔으니 오랫동안 펼치고 있을 수 없어 반드시 무너져 내리고 오래가지 못했을 것이다."

[62-16-2]

"孔明營五丈原, 宣王言無能爲, 此僞言, 安三軍耳. 兵自高地來可勝. 先主嘗自觀五丈原,[179] 曰[180]'此地不可據'. 英雄欺人, 不可盡信."[181]

(정자程頤가 말하였다.) "공명이 오장원五丈原에 진영을 차리자 선왕宣王은 아무 일도 해내지 못할 것이라고 말했으나, 이는 속이는 말이니, 자신의 삼군三軍을 안심시키려는 것이었을 뿐이다.[182] 전쟁은 높은

. . . .

이분들이 "사방 1백 리의 땅을 얻어 군주가 된다면 모두 제후의 조회를 받으며 천하를 소유할 수 있겠지만, 한 가지의 불의를 행하고 한 사람의 무고한 사람을 죽여서 천하를 얻는 일은 모두 하지 않을 것이다. 이 점은 동일하다.(有得百里之地而君之, 皆能以朝諸侯有天下, 行一不義殺一不辜, 而得天下, 皆不爲也. 是則同.)"고 하였다.

176 劉璋을 취하였지만 : 유장은 아버지 劉焉으로부터 益州牧을 이어 받았다가 나중에 유비에게 항복하였다. 윗글 [62-14-3] 참고

177 劉琮이 조조에게 합병되게 되었다면 : 유종은 아버지 劉表에게서 荊州牧을 이어받았다. 유종이 형주목을 이어받을 때 조조는 이미 형주를 공격하려 군사를 출동시킨 상태였다. 유종은 형주목에 오르며 조조에게 항복하였다. 이에 제갈공명은 형주를 공격하여 취하자고 선주를 설득하였으나, 선주는 차마 그럴 수 없다고 거절하였다. 여기서 형주가 당시 어차피 유종의 것이 아닌 조조의 것이 될 바에는 형주를 취하여 한나라를 일으키는 기반으로 삼는 것이 유종의 아버지 유표에게 하등 부끄러울 것이 없다는 말이다. 자세한 것은 윗글 [62-14-3] 참고

178 宣王(司馬懿) : 삼국시대 魏나라의 河內 溫 땅 사람. 자는 仲達. 후한 말기에 조조가 丞相에 오르며 불러 黃門侍郞과 主簿 벼슬을 지냈고, 조조가 張魯와 孫權을 공격할 때 기발한 책략을 올렸다. 曹丕(文帝)가 태자로 있을 때 太子中庶子로 신임을 얻어, 조비가 즉위하며 河津亭侯에 봉해지고 丞相長史에 전직되었다. 明帝(曹叡)가 즉위한 뒤 舞陽侯에 다시 봉해지고 大將軍에 올랐다. 宛 지역을 진정시키고 孟達의 반란을 평정하였다. 세 차례에 걸쳐 蜀의 제갈공명의 공격을 막았다. 曹芳(齊王)이 즉위하자 曹爽과 유조를 받들어 정사를 보필하였다. 벼슬도 이 사이 都督中外諸軍錄尙書事가 되었다. 조상이 조방을 따라 高平陵(明帝의 릉)에 나갔을 때 조상을 죽이고 승상에 올라 나라 정사를 독단하였다. 죽은 뒤 아들 司馬師와 司馬昭가 이어 정권을 잡았고, 손자 司馬炎이 晉나라를 세우며 宣帝라 추존하였다.(『晉書』「宣帝紀」)

179 先主嘗自觀五丈原 : 『二程遺書』권24「鄒德久本」에는 先主가 先生으로 되어 있어, 程頤가 직접 五丈原에 올라 확인한 것으로 쓰여 있다. 『二程遺書』를 따라 번역한다.

180 曰 : 『二程遺書』권24「鄒德久本」에는 非자로 쓰여 있다. 非자를 따른다면 이곳이 아니면 거점으로 삼을 만한 곳이 없다는 말이 된다.

181 『二程遺書』권24「鄒德久本」

182 공명이 五丈原에 … 뿐이다. 오장원의 전투는 後主 建興 12년(서기 234년)에 공명이 위나라를 공격하려고 武功을 지나 渭水 가의 오장원에 진영을 차린 것이다. 결과는 공명이 1백여 일 사마의와 대치하다 병으로 죽어 이 전쟁은 승패 없이 끝났다. 공명은 이 전투를 준비하며 앞서 陳倉과 祁山의 전투에서 늘 군량미

곳에서 공격하여야 이길 수 있다. 선주가 스스로 오장원을 살펴보고는 '이 땅은 거점으로 삼을 만한 곳이 아니다.'고 했으나, 영웅은 사람을 속이니 그들 말은 다 믿을 수 없다."

[62-16-3]

問: "文中子謂'諸葛亮無死, 禮樂其有興乎!' 諸葛亮可以當此否?"

曰: "禮樂則未敢望他, 只是諸葛亮已近王佐."

又問: "如取劉璋事, 如何?"

曰: "只有這一事大不是, 便是計較利害. 當時只爲不得此, 則無以爲資. 然豈有人特地出迎, 他却於座上執之? 大段害事, 只是箇爲利. 君子則不然. 只一箇義不可便休, 豈可苟爲?"

又問: "如湯兼弱攻昧, 如何?"

曰: "弱者兼之, 非謂幷兼取他, 只爲助他與之相兼也. 昧者乃攻, 亂者乃取, 亡者乃侮."[183]

어떤 사람이 물었다. "문중자文中子王通가 '제갈량이 죽지 않았다면 예악禮樂이 일어났을 것이다!'[184]고 했습니다. 제갈량이 이 정도에 해당합니까?"

(정자程頤가) 대답하였다. "예악을 감히 그에게서 바랄 수는 없겠지만, 단지 제갈량은 이미 군주를 도와 왕업王業을 이룰 수 있는 인물에 가까웠다."

또 물었다. "예컨대 유장劉璋을 취한 일은 어떻습니까?"

(정자程頤가) 대답하였다. "다만 이 한 가지 일은 크게 옳지 않았으니, 이는 이해만을 따진 것이다. 당시로서는 다만 이 땅을 얻지 못하면 근거지를 확보할 수 없었을 것이다. 그러나 그 사람이 특별히 나와 맞이하기까지 하는데 그는 앉은 자리에서 체포하여 버렸다.[185] 대단히 잘못된 일로 단지 이익만

부족으로 전투를 끝내지 못한 것을 거울삼아, 군량미를 직접 조달하여 오랜 전쟁 기반을 구축할 심산으로 백성들 사이에 군사를 풀어 직접 농사를 짓게 하였다. 이때 위나라의 明帝(曹叡)는 사마의를 파견하여 이를 막게 하였다. 사마의는 군사들에게 "제갈량이 만일 용맹스러운 자라면 당연히 무공을 거쳐 산을 따라 동쪽으로 군사를 진격시킬 것이다. 만일 서쪽 오장원으로 간다면 우리 군사는 모두 평안할 것이다.(亮若勇者, 當出武功依山而東, 若西上五丈原, 則諸軍無事矣.)"고 하였다. 그런데 공명은 오장원에 진영을 차렸다. 여기에서 오장원에 진영을 차린 것을 두고, 사마의는 제갈공명이 별 수 없을 것임을 군사들에게 알린 것이나, 제갈공명이 처지에서 보면 오장원은 진영을 차릴 요충지였고, 높은 곳에서 아래로 공격하는 이로운 점을 확보하여 차린 진영이란 말이다. 그러나 나중에 사마의도 제갈공명을 '천하의 특출한 인재다.'고 칭송한 말에서 보듯 오장원에 차린 공명의 진영은 옳았고, 사마의가 군사들에게 한 말은 자신의 군사를 안심시키기 위한 것이었다는 평가다.(『三國志』「蜀書・諸葛亮傳」; 『晉書』「宣帝紀」)

183 『二程遺書』 권19 「楊遵道録」

184 '제갈량이 죽지 … 것이다!' : 王通이 그의 저서 『中說』 권1 「王道篇」에서 한 말이다. 예악이 일어났다는 것은 곧 왕도사상에 근본한 제도가 정립되었을 것이란 말이다. 왕통은 『性理大全書』 권58 [58-2] 「文中子」 참고

185 앉은 자리에서 … 버렸다. : 이 말은 정자가 당시 사연을 잘못 이해하고 있는 듯하다. 윗글 [62-14-3]의 주석 참고

따진 것이다. 군자는 그렇지 않다. 한 가지 의리라도 버려선 안 되는데 어찌 구차한 짓을 할 수 있겠는가?"

또 물었다. "예컨대 탕임금의 허약한 제후는 겸병하고 혼매한 제후는 공격한 것[186]은 어떻습니까?"

(정자程頤가) 대답하였다. "허약한 제후는 겸병한다는 말은 아울러 그 약자를 겸병하여 취한다는 말이 아니고, 단지 약자를 도와 함께 다스린다는 것이다. 혼매한 제후는 공격하고, 혼란스러운 제후는 취하고, 망해가는 제후는 무너뜨리는 것이다."

[62-16-4]

諸葛亮近王佐之才, 或問: "亮果王佐才, 何爲僻守一蜀, 而不能有爲於天下?"

曰: "孔明固言明年欲取魏, 幾年定天下, 其不及而死則命也. 某嘗謂孫覺曰. '諸葛武侯有儒者氣象'. 孫覺曰, '不然. 聖賢行一不義, 殺一不辜, 雖得天下不爲, 武侯區區保完一國, 不知殺了多少人邪?' 某謂之曰, '行一不義, 殺一不辜, 以利一己則不可, 若以天下之力, 誅天下之賊, 殺戮雖多亦何害? 陳恒弑君, 孔子請討, 孔子豈保得討陳恒時, 不殺一人耶? 蓋誅天下之賊, 則有所不得顧爾."

曰: "三國之興, 孰爲正?"

曰: "蜀志在興復漢室, 則正也."[187]

제갈량은 제왕을 도울 수 있는 인재에 가깝다고 하자, 어떤 사람이 물었다. "제갈량이 과연 제왕을 도울 수 있는 인재였다면 무슨 까닭으로 외딴 곳에 있는 촉 한 나라만을 지키고, 천하의 창업은 이루어내지 못하였습니까?"

(정자程頤가) 대답하였다. "공명이 본래 내년에 위나라를 취하고자 한다고 말하였으니, 몇 년이면 천하를 평정하였을 것인데, 그것을 마치지 못하고 죽은 것은 운명이다. 내가 지난날 손각孫覺에게 '제갈 무후는 유학자다운 기상이 있다.'라고 말하자 손각이 '그렇지 않습니다. 성현은 한 가지도 불의를 행하고 한 사람이라도 무고한 사람을 죽이는 일은 천하를 얻는다 해도 하지 않는데, 무후는 구구하게 한 나라를 보전하려 얼마나 많은 사람을 죽였는지 알 수조차 없는 정도가 아닙니까?'라고 하였다. 내가 그에게 '한 가지라도 불의를 행하고 한 사람이라도 무고한 사람을 죽이는 것이 나 한 사람을 이롭게 하는 것이라면 옳지 않지만, 만일 천하의 힘으로 천하의 역적을 죽이는 것이면, 죽는 사람이 많더라도 또한 어찌 해가 될 일이겠는가? 진항陳恒이 군주를 시해하자 공자가 토벌할 것을 청하였는데,[188] 공자가 진항을

----

186 탕임금의 허약한 … 것: 이는 『書經』「仲虺之誥」에서 탕임금의 左相 仲虺가 탕임금이 하나라의 桀을 무너뜨려 상나라를 건국하고서, 마음속으로 신하가 군주를 정벌한 것이 아닌가 하는 부끄러움을 갖자, 위로와 함께 권면하며 한 말 중의 한 대목이다. 이렇게 해야 나라가 번창한다는 말까지 하고 있다.(佑賢輔德, 顯忠遂良, 兼弱攻昧, 取亂侮亡, 推亡固存, 邦乃其昌.)

187 『二程遺書』 권18 「劉元承手編」

188 陳恒이 군주를 … 청하였는데: 이 일은 魯나라 哀公 14년(서기전 481년)에 있었던 일이다. 이를 『論語』「憲問」에서 찾아보면 다음과 같다. "진성자가 簡公을 시해하자 공자는 목욕재계하고 조정에 나아가 애공에게 말씀

토벌할 때 어떻게 한 백성도 죽이지 않는다는 보장을 할 수 있겠는가? 천하의 역적을 죽이는 일에서는 돌아볼 수 없는 일이 있다."

물었다. "삼국이 일어났는데 어떤 나라가 바른 나라입니까?"

(정자程頤가) 대답하였다. "촉나라는 한나라 왕조를 일으켜 회복시키는데 뜻이 있었으니, 옳은 나라이다."

[62-16-5]
元城劉氏曰: "淮陰 · 武侯二人不同. 若論人品, 則淮陰不及孔明遠甚; 若論功業, 而武侯何寥寥也?"

馬永卿曰: "西南者漢始終之地也. 故漢起於西南而卒終於此. 而淮陰當漢之初興, 故能卓卓如此, 而武侯之時火將燼矣, 故無所成也."

曰: "此固然矣. 然淮陰所以得便宜者, 以平日名太卑; 而武侯所以無成者, 以平日名太高也. 淮陰有乞食胯下之辱也, 而武侯即隱於隆中, 而當時謂之臥龍, 此一事也. 又淮陰旣從項梁, 又事項羽, 又歸漢, 而武侯則必待三顧而後起, 此又一事也. 又楚漢之時, 用兵者皆非淮陰之敵而嘗易之, 故淮陰能取勝也. 三國之時, 若司馬仲達輩, 乃武侯等輩人也, 而又素畏孔明, 故武侯不能取勝也. 譬如奕棋, 有二國手, 一國手未有名, 而對之乃低棋, 不知其爲國手, 而嘗易之, 故狼狽大敗; 有一國手已有名, 對局者亦國手, 而差弱焉, 謹以待之, 故勝敗未分也. 且淮陰旣平魏趙, 而功業如此其卓犖也, 而龍且尙且輕之曰, '吾平生知韓信爲人易與耳. 寄食於漂母, 無資身之策, 受辱於胯下, 無兼人之勇', 以淮陰平日名素卑也; 孔明與司馬宣王對壘, 不能取尺寸地, 宣王受其巾幗之辱, 而不敢出兵. 至其已死, 按行軍壘, 猶曰'天下奇材也'. 故當時有'死諸葛走生仲達'之嘲, 以孔明平日名素高故也. 人品高下不同, 而其功業反相去之遠者由此."[189]

원성 유씨元城劉氏[劉安世]가 말하였다. "회음후淮陰侯[韓信][190]와 제갈무후諸葛武侯는 똑같지 않다. 인품으로 말하면 회음후는 공명에 크게 못 미치고, 공훈으로 말하면 무후는 어찌 이다지 보잘것 없을까?"

마영경馬永卿이 대답하였다. "서남 지역은 한漢나라가 시작하여 끝마친 곳입니다.[191] 그러니까 한나라는

드리기를 '진항이 군주를 시해했으니 청컨대 토벌하십시오.'라고 하자, 애공은 '세 대부들에게 말하십시오.'라고 하였다.(陳成子弑簡公, 孔子沐浴而朝, 告於哀公曰, '陳恒弑其君, 請討之.' 公曰, '告夫三子.')"고 하였다.

189 『元城語錄解』 권中

190 淮陰侯(韓信): 한고조를 도와 항우와의 싸움을 승리로 이끈 장군. 나중에 齊王에 봉해지고 다시 楚王에 봉해졌다가 반역을 도모하였다는 죄목으로 낙양에 잡혀가 죽임을 당하였다. 자세한 것은 『性理大全書』 권 60 [60-10-1] 이하 참고

191 서남 지역은 … 곳입니다. : 유비가 근거하고 있는 지역은 바로 옛날 한고조 유방이 항우로부터 처음 한중에 봉해져 한나라를 세운 그 땅이라는 말이다. 당시 그동안 그나마 명목상이나마 천자로 있던 獻帝가 曹丕에게

서남 지역에서 일어났고 끝내 이곳에서 마쳤습니다. 회음후는 한나라가 처음 일어날 때였던 까닭에 저처럼 우뚝하고 우뚝하였으나, 무후 때는 불이 꺼져갈 때였던 까닭에 이룰 수 있는 것이 없었습니다." (원성 유씨가) 말하였다. "이 점은 참으로 그렇다. 그러나 회음후가 순조로울 수 있었던 까닭은 평소의 명성이 너무 낮았던 까닭에서이고, 무후가 이룰 수 없었던 까닭은 평소의 명성이 너무 높았던 까닭이다. 회음후는 밥을 빌어먹고 바짓가랑이 밑을 기어가는 치욕이 있었고,[192] 무후는 융중隆中에 은거하였으나 당시에 그를 '누워 있는 용臥龍'이라 불렀으니[193] 이것이 한 가지 사례다. 또 회음후는 기왕에 항량項梁을 따랐다가 다시 항우를 섬겼고, 또다시 한나라에 귀의하였으나, 무후는 기어코 삼고초려를 기다린 뒤에 몸을 일으켰으니 이것이 또 한 가지 사례다. 또 초나라와 한나라 시대에 군사를 지휘하는 자는 모두 회음후의 적수가 못 되었는데도 늘 회음후를 가볍게 여긴 까닭에 회음후는 승리할 수 있었고, 삼국시대에

- - - - - - - - - - - - - - - -

천자 자리를 물려주고 물러가자, 유비 휘하 신료들은 그동안 漢中王을 칭하고 있던 것에서 다시 천자 자리에 오를 것을 청하며, 바로 이곳이 옛날 한고조의 발상지였음을 강조하였다. 『三國志』「先主傳」건안 25년(서기 220년)의 기사를 보면 다음과 같다. "저 漢은 본래 고조가 봉기하여 천하를 평정하고 지은 나라 이름입니다. 대왕께서도 先帝의 발자취를 따라 역시 한중에서 나라를 일으키셨습니다.(夫漢者, 高祖本所起定天下之國號 也. 大王襲先帝軌跡, 亦興於漢中也.)"

192 회음후는 밥을 … 있었고: 회음후 한신은 젊은 날 가난에 시달렸으나 별다른 재주가 없어 늘 남의 집에 가서 얻어먹는 신세였다. 늘 南昌亭長의 집에 가서 밥을 얻어먹었는데, 하루아침에는 밥을 먹으러 갔더니 정장의 아내가 한신이 미워 새벽같이 밥을 먹어버리고 한신에게 밥을 주지 않았다. 이에 한신은 그와의 교류를 끊었다. 회음 고을 소재지 강가에서 낚시질을 하고 있는데 빨래품을 팔던 아낙이 그의 주린 기색을 보고 가져온 밥을 나누어 주기를 수십 일 동안 하였다. 이에 한신이 "내가 반드시 소중히 갚아 드리겠습니 다.(吾必有以重報.)"고 하자 그 아낙이 성을 내며 "대장부가 제 한 몸도 먹여 살리지 못하기에 내 당신을 불쌍하게 여기고 밥을 준 것이지, 어찌 갚아주기를 바라겠는가?(大丈夫不能自食, 吾哀王孫而進食, 豈望報 乎?)"라고 하였다. 또 회음 고을 백정을 업으로 삼는 어떤 젊은 사람이 한신을 업신여겨 "네가 키는 커다랗고 칼을 차고 다니기를 좋아하나 속마음은 겁쟁이일 뿐이다." 하면서 여러 사람들이 있는 데서 모욕을 주어 "한신아! 죽음을 두려워하지 않거든 나를 찔러 죽이고, 죽을 수 없거든 내 바짓가랑이 밑으로 기어나가도록 하라." 하였다. 이에 한신은 한참동안 그를 뚫어져라 보다가 고개를 숙이고 그의 바짓가랑이 밑으로 들어가 엉금엉금 기었다. 온 시장 사람이 모두 한신을 비웃으며 겁쟁이로 생각하였다.(淮陰屠中少年, 有侮信者, 曰若雖長大, 好帶刀劍, 中情怯耳. 衆辱之曰, 信能死, 刺我, 不能死, 出我袴下. 於是信孰視之, 俛出袴下, 蒲伏. 一市人皆笑信, 以爲怯.) 그러나 한신은 그가 초왕이 되어 다시 자신의 고향을 찾았을 때 이들을 찾아, 아낙에 게는 후한 상을 내리고, 푸줏간 청년에게는 벼슬을 내리며 내가 당시 그를 죽일 수 없었던 것이 아니나 죽이는 것이 아무 명분이 없는 일이라서 참고서 오늘 이 성공을 이뤘다고 하였다.(『史記』「淮陰侯傳」)

193 '누워 있는 … 불렀으니: 와룡은 아직 때를 못 만나 누워 있는 용이라는 뜻이다. 제갈공명은 자신을 管仲과 樂毅에 비겼으나 아무도 그것을 인정하려 들지 않았다. 오직 博陵의 崔州平과 頴川의 徐庶가 이를 인정하고 친하게 지냈다. 유비가 新野에 주둔하고 있을 때 서서가 찾아오자 유비는 그를 인재로 여기고 대우하였다. 어느 날 서서가 "제갈공명이란 사람이 있는데 臥龍입니다. 장군께서 만나보실 의향이 있으십니까?(諸葛孔明 者, 臥龍也. 將軍豈願見之乎?)"라고 하였다. 유비는 "당신이 함께 오도록 하십시오.(君與俱來.)" 하니, 서서는 "이 사람은 찾아가 만날 수는 있지만 몸을 굽혀 찾아오게 할 수는 없습니다. 장군께서 의당 찾아가셔야 할 것입니다.(此人可就見, 不可屈致也. 將軍宜枉駕顧之.)"고 하였다. 이에 유비의 삼고초려가 시작되어 공명 과 유비의 만남이 마침내 이루어졌다.(『三國志』「諸葛亮傳」)

는 사마중달司馬仲達司馬懿과 같은 무리라야 무후에 비길 수 있는 사람인데, 그는 또 본디 공명을 두려워한 까닭에 무후는 승리할 길이 없었다. 바둑에 비유한다면 두 사람의 국수가 있는데, 한 사람의 국수는 아직 명성이 없어 대국하는 자가 바둑 수가 낮으면서도 그가 국수인지를 몰라 늘 쉽게 여긴 까닭에 낭패하여 대패하고, 또 한 국수는 명성이 이미 나있고 대국자도 역시 국수이지만 수가 조금 약하여 신중히 상대한 까닭에 승패가 나뉘지 않았던 것이다. 또 회음후는 위魏나라와 조趙나라를 이미 평정하여 공훈과 업적이 저처럼 뛰어났건만, 용저龍且가 아직도 여전히 깔보아[194] '내가 평소에 한신의 사람됨이 상대하기 쉽다는 것을 알고 있다. 빨래품을 파는 아낙에게 밥을 의탁해 먹었으니 자신 한 몸 돌볼 책략이 없음이고, 바짓가랑이 밑을 기는 치욕을 당하였으니 남보다 두드러진 용맹이 없음이다.'고 하였으니 회음후의 평소 명성이 본래 하찮았던 까닭이다. 공명이 사마 선왕司馬宣王司馬懿과 진영을 마주하여 한 자尺 한 치寸의 땅도 취하지 못한 것은 선왕이 공명에게서 아녀자의 쓰개를 선물 받는 치욕을 당하면서도[195] 감히 군사를 출동시키지 못하였다. 그가 이미 죽고 난 뒤에야 그의 군영을 둘러보면서도, 여전히 '천하의 특출한 인재다.'라고 말하였다. 그리하여 당시 '죽은 제갈량이 산 사마중달을 도망치게 하였다.'[196]

. . . .

194 龍且가 아직도 … 깔보아 : 용저는 항우의 장군이다. 이때 한신은 한고조의 장군이었는데, 한고조 자신은 항우를 상대해 싸우면서, 한신에게는 위나라 조나라 제나라 등을 평정하게 하였다. 위나라 조나라를 평정하고 제나라를 공격하자 항우는 자신의 우방인 제나라를 돕기 위하여 용저를 보내 구원하게 하였다. 그러나 용저는 한신을 얕보았다. 전쟁은 용저의 패배였다. 이 전쟁으로 한신은 제나라를 이기고 제나라 70여 고을의 齊王에 봉해졌다.(『史記』「淮陰侯傳」)

195 아녀자의 쓰개를 … 당하면서도 : 建興 9년(서기 231년)에 제갈공명과 사마의가 오장원에서 벌인 전투 일화다. 제갈공명이 진을 치고 계속 군사를 내보내 사마의에게 싸움을 걸었다. 그러나 위나라 조정에서는 제갈공명의 군대가 멀리 나와 있어 급히 싸우려 들 것으로 생각하고, 사마의에게 자중하면서 저들의 동태를 살피라고 하였다. 공명이 수없이 싸움을 도발하였으나 사마의는 꼼짝하지 않았다. 이에 공명은 사마의에게 예의 그 쓰개 선물을 보내 사마의의 자존심을 건드렸다. 사마의가 전쟁에 나서고자 조정에 글을 올리자 조정은 오히려 강골의 고집을 지닌 衛尉 辛毗를 보내 제지하였다. "이때 촉의 姜維가 위나라 조정에서 신비를 내보냈다는 말을 듣고서 제갈공명에게 '신비가 부절을 지니고 나왔으니 적군이 다시 싸우려 나오지 않겠습니다.'고 하자, 제갈공명은 다음과 같이 말했다. '사마의에게는 본래 싸우고자 하는 마음이 없으니, 굳이 싸우겠다고 조정에 청하는 일까지 벌인 것은 자신의 군사에게 자신의 무용을 보이고자 해서일 뿐이다. 장수가 군영 안에 있을 때는 군주의 명령도 받아들이지 않는데, 참으로 그가 나를 제압할 수 있다면 왜 천리 머나먼 길에 싸우겠다는 청원을 하겠는가?(初蜀將姜維聞毗來, 謂亮曰, '辛毗杖節而至, 賊不復出矣.' 亮曰, '彼本無戰心, 所以固請者, 以示武於其衆耳, 將在軍, 君命有所不受, 苟能制吾, 豈千里而請戰邪?')"

196 '죽은 제갈량이 … 하였다.' : 제갈공명이 오장원에 진영을 차리고 사마의와의 싸움을 기다렸으나 사마의는 끝까지 싸움에 응하지 않았다. 이 사이 공명이 오장원에서 숨을 거두었다. 촉나라 군사는 진영을 불사르고 하룻밤 사이에 퇴각하였다. 주변에 살던 백성들이 급히 이 소식을 사마의에게 전하였다. 사마의가 군사를 동원하여 추격하자 제갈공명 長史인 楊儀가 군대 방향을 바꾸어 북을 치며 사마의 군대를 향해 나아왔다. 이에 사마의는 추격을 멈췄다. 양의는 진영을 차렸다가는 떠나갔다. 그리고서 하루가 지난 뒤 사마의는 오장원의 제갈공명 진영을 순시하며 "천하의 특출한 인재다."고 하였다. 세상에서 이를 두고 "죽은 제갈공명이 산 사마중달을 도망치게 하였다."고 수군거렸다. 사마중달이 이 소문을 듣고서는 "내가 그의 살았을 적은 잘 헤아렸으나 그의 죽음은 잘 헤아리지 못한 까닭에서다.(吾能料生, 不便料死也.)"고 하였다.(『晉書』「宣帝紀」)

라는 비웃음까지 있었으니 공명의 평일 명성이 본래 높았던 까닭이다. 인품의 높낮이가 똑같지는 않지만 그 공훈과 업적이 도리어 서로 멀리 차이나는 것은 이런 까닭이다."

[62-16-6]

豫章羅氏曰: "西漢人才'可與適道', 東漢人才'可與立', 三國人才'可與權'. 杜欽谷永, '可與適道而不可與立', 故附王氏. 陳蕃竇武, '可與立而不可與權', 故困於宦官. 至於諸葛孔明, 然後'可與權', 夫人才至'可與權', 而不可以有加. 張良近太公之材畧, 諸葛近伊尹之出處. 然良佐高祖, 論其時則宜, 語其德則合. 亮處三國, 則材大任小, 惜哉!"[197]

예장 나씨豫章羅氏[羅仲素]가 말하였다. "서한의 인재는 '더불어 도道에 나아갈 수 있다.'에 해당하고, 동한의 인재는 '더불어 뜻을 확립시킬 수 있다.'에 해당하고, 삼국시대의 인재는 '더불어 권도를 행할 수 있다.'에 해당한다.[198] 두흠杜欽과 곡영谷永[199]은 '더불어 도道에 나아갈 수는 있으나 더불어 뜻을 확립할 수 없다.'에 해당한 까닭에 왕망王莽에게 붙은 것이다. 진번陳蕃과 두무竇武[200]는 '더불어 뜻을 확립할 수는 있으나 함께 권도를 행할 수는 없다.'에 해당한 까닭에 환관에게 곤욕을 겪었다. 제갈공명의 경지에 이른 뒤라야 '더불어 권도를 행할 수 있다.'에 해당하니, 사람의 재능은 더불어 권도를 행할 수 있는 경지에 이르러야 더 이상 보탤 것이 없다. 장량張良은 태공太公의 재능과 책략에 가깝고,[201] 제갈량은 이윤伊尹의 출처出處에 가깝다.[202] 그러나 장량이 고조를 보좌할 수 있었음은, 그 시기로 논하면 알맞았

. . . .

197 『豫章文集』권11「雜著・議論要語」

198 '더불어 권도를 … 해당한다.': 이 말은 앞의 '더불어 道에 나아갈 수 있다.'와, '더불어 뜻을 확립시킬 수 있다.'와 함께 『論語』「子罕篇」의 "공자께서 말씀하시기를 더불어 공부하고서도 더불어 道에 나아갈 수 없으며, 더불어 도에 나아갈 수는 있어도 더불어 뜻을 확립시킬 수는 없으며, 더불어 뜻을 확립시킬 수는 있어도 더불어 권도를 행할 수는 없다.(子曰, 可與共學, 未可與適道 ; 可與適道, 未可與立 ; 可與立, 未可與權.)"고 한 말을 각기 시대의 인재에 비교하여 말한 것이다.

199 杜欽과 谷永: 두흠은 『漢』「杜欽傳」에 의해서 살피면 다음과 같다. 漢나라 南陽 杜衍 사람. 자는 子夏. 재능으로 경사에 명성을 떨쳤다. 成帝 때 대장군 王鳳의 추천으로 武庫令에 올랐다. 성제가 태자 시절에 好色으로 소문이 난 것을 경계 삼아 대책문에서 황후와 첩의 관계를 바로 세우고, 아녀자에 대한 사랑을 억제하고, 사치를 막고, 방종한 놀이를 버리고, 몸소 절약하고, 국정을 친히 집정해야 한다는 글을 올려 곧은 말을 하는 신하로 명성이 있었다. 그러나 大將軍幕府에서 왕봉을 도우며 국가 정사의 대부분을 관장하며 왕봉을 비판하는 경조윤 王章을 모함하여 죽게까지 하였다. 곡영은 『漢書』「谷永傳」에 의하여 살피면 다음과 같다. 京兆 長安 사람. 본 이름은 並이고 자는 子雲. 『京氏易』에 조예가 깊었다. 元帝 때 太常丞이 되었고, 災異를 조정 정사의 득실로 설명하는 많은 글을 올렸다. 成帝 때 光祿大夫給事中에 올랐다. 황태후와 여러 王氏의 사주를 받아 재이로 성제를 간하며 왕씨와 무리를 지어 성제의 신임을 사지 못하였다. 大司農을 지내다 병으로 벼슬에서 물러났다.

200 陳蕃과 竇武: 위 [62-10-1] 이하 참고

201 張良은 太公의 … 가깝고: 태공은 周나라 文王과 武王을 도와 주나라를 건국하고, 장량은 高祖를 도와 漢나라를 건국하였다. 각기 謀臣으로 공을 세운 것이 서로 같다는 말이다.

202 제갈량은 伊尹의 … 가깝다. : 이윤은 湯을 도와 商나라를 건국하였다. 이윤의 사람됨을 『孟子』「萬章」의

고, 그의 덕으로 말하면 합당하였다. 제갈량은 삼국시대를 만나 재능은 컸건만 책임진 범위가 작았으니 아깝도다!'

[62-16-7]

朱子曰 : "孔明天資甚美, 氣象宏大. 但所學不盡純正, 故亦不能盡善. 取劉璋一事, 或以爲先主之謀, 未必是孔明之意. 然在當時多有不可盡曉處. 如先主東征之類, 不見孔明一語議論. 後來壞事, 却追恨'法孝直若在, 則能制主上東行'. 孔明得君如此, 猶有不能盡言者乎?"[203]

주자가 말하였다. "공명은 타고난 자질이 매우 아름답고 기상이 굉장히 컸다. 단지 학문이 완벽하게 순정純正하지 못했던 까닭에 역시 완벽하게 선善하지 못했다. 유장劉璋을 취한 한 가지 일을 두고, 어떤 사람은 선주先主의 계책이고 필시 공명의 뜻은 아닐 것이라고 말한다. 그러나 당시의 일에는 속속들이 알 수 없는 일이 많다. 예컨대 선주가 강동 정벌에 나선 따위에서 공명의 한 마디 언급을 볼 수 없다. 후일 일이 실패에 빠지자 '만일 법효직法孝直이 있었다면 주상의 강동 정벌을 중지시켰을 것이다.'라고 뒤미처 한스러워하였다.[204] 공명이 군주의 신임을 얻음이 저 정도였지만 여전히 다하지 못하는 말이 있었던 것일까?"

[62-16-8]

"南軒言'孔明體正大,[205] 問學未至.' 此語也好. 但孔明本不知學, 全是駁雜了. 然却有儒者氣象, 後世誠無他比."[206]

(주자가 말하였다.) "남헌 장씨南軒氏張栻가 '공명은 그 품성은 바르고 컸으나 학문이 지극하지 못했다.'고 하니 이 말이 또한 좋다. 다만 공명은 본래 학문을 알지 못하여 전연 잡박하다. 그러나 유학자다운 기상이 있었으니, 후세에 그와 견줄 수 있는 사람은 참으로 없다."

[62-16-9]

"程先生云, '孔明有王佐之心, 然其道則未盡,' 其論極當. 魏延請從間道出關中, 侯不聽. 侯意中原已是我底物事, 何必如此? 故不從. 不知先主當時只從孔明, 不知孔明如何取荆取蜀. 若

상·하편에 의하여 살펴면 탕의 처음 초빙을 거절하였으나, 초빙이 세 번에 이르자 마음을 바꾸고 나아가 夏桀을 정벌하여 백성을 구원하면서, 백성 구원을 자신의 책임으로 여겼다고 하였다. 그래서 이윤을 성인 중 천하 구원을 自任한 사람으로 평가하였다. 제갈량도 隆中에서 유비의 삼고초려를 기다린 뒤에 일어나 한나라 부흥을 위하여 노심초사하였으니, 뜻은 이루지 못하고 죽었으나, 천하 구원을 자신의 책무로 여기고 노력한 것은 서로 같다는 말이다.

203 『朱子語類』 권136, 제13조목
204 '만일 法孝直이 … 한스러워하였다. : 법효직의 일은 위 [62-14-2] 참고
205 言孔明體正大는 『朱子語類』 권136 '言其體正大'라고 하여 '孔明' 두 글자가 없다.
206 『朱子語類』 권136, 6조목

更從魏延間道出關中, 所守者只是庸人, 從此一出, 是甚聲勢! 如拉朽然. 後竟不肯爲之.[207]"[208]
(주자가 말하였다.) "정선생[程頤]의 '공명은 제왕을 도우려는 마음은 가졌으나 그 도리는 미진하였다.'는 말[209]은 더없이 옳다. 위연魏延이 샛길로 관중關中으로 나아가기를 청하자 무후는 따르지 않았다. 그것은 무후의 생각이 중원中原은 이미 내 물건인데 하필 이같이 할 필요가 있겠는가? 라고 생각한 까닭에서 따르지 않은 것이다. 선주가 당시에 다만 공명의 말만을 따랐는지도 알 수 없고, 공명이 왜 형주荊州와 촉蜀 땅을 취했는지도 알 수 없다.[210] 만일 위연의 말을 따라 샛길로 관중으로 나아갔다면 그 길을 지키는 사람은 용렬한 사람뿐이었으니 이 계책을 따라 그대로 진행하였다면 이 얼마나 큰 명성과 형세를 이루었겠는가![211] 마치 썩은 나무를 부러뜨리는 것 같았을 것이다. 무후가 끝내 이를 기꺼이 행하려들지 않았다."

[62-16-10]
問孔明出處.

曰: "當時只有蜀先主可與有爲耳. 如劉表劉璋之徒, 皆了不得. 曹操自是賊, 旣不可從. 孫權又是兩間底人. 只有先主名分正, 故只得從之."[212]
공명의 출처에 대해 물었다.[213]

· · · · · · · · · · · · · · · · · ·

207 後竟不肯爲之. : 『朱子語類』 권136, 8조목에는 '後'자가 '侯'자이다. 곧 무후를 가리키는 말이다. 『朱子語類』를 따른다.
208 『朱子語類』 권136, 8조목
209 程頤의 '공명은 … 말: 윗글 [62-16-1] 참고
210 荊州와 蜀 … 없다. : 이들 지역은 모두 漢나라 왕실 집안사람들이 다스린 곳인데 왜 한나라 왕조의 부흥을 말하면서, 이들 한 집안 사람들의 거점을 탈취하였는지 알 수 없다고 한 말인 듯하다.
211 위연의 말을 … 이루었겠는가!: 이는 촉의 후주 建興 6년(서기 228년)에 공명이 위나라를 칠 계획을 세울 때의 일이다. 이를 『자치통감』 권71 「魏紀」 太和 3년 기사에 의거하여 살피면 다음과 같다. "丞相司馬인 魏延이 '夏侯楙가 조조의 사위인데 겁쟁이이고 책략은 없다고 들었습니다. 지금 제게 정예병사 5천과 군량 5천을 주어 곧바로 褒中을 거쳐 秦嶺을 따라 동쪽으로 가다가 子午에서 북쪽으로 나아간다면 10일이 다 못 되어 長安에 이를 수 있을 것입니다. 하후무는 위연이 갑자기 이른 것을 알면 반드시 성을 버리고 도망칠 것입니다. 장안에는 御史와 京兆太守뿐일 것입니다. 橫門에 비치된 양식과 달아난 백성들이 남긴 곡식이면 먹는 것은 충분합니다. 동쪽의 군사가 서로 모이려면 20여 일이 있어야 할 것이고, 공께서 斜谷(야곡)의 길을 통해 오신다면 또한 충분히 도착할 수 있을 것입니다. 이같이 한다면 한 번에 咸陽 서쪽을 평정할 수 있습니다.'라고 하자, 제갈량은 이를 위험한 계책이라 생각하고, 편안히 큰길을 따라 행군하여 隴右를 평탄하게 취할 수 있는, 절대 안전하고 반드시 이길 수 있는 걱정 없는 것만 못하다고 생각하였다. 그리하여 위연의 계책을 쓰지 않았다.(丞相司馬魏延曰, '聞夏侯楙, 主壻也. 怯而無謀, 今假近精兵五千, 負糧五千, 直從褒中出, 循秦嶺而東, 當子午而北, 不過十日, 可到長安. 楙聞延奄至, 必弃城逃走. 長安中惟御史·京兆太守耳. 橫門邸閣與散民之穀, 足周食也. 比東方相合聚, 尚二十許日. 而公從斜谷來, 亦足以達. 如此則一擧, 而咸陽以西可定矣. 亮以爲此危計, 不如安從坦道, 可以平取隴右, 十全必克而無虞. 故不用延計.)"
212 『朱子語類』 권136, 9조목
213 공명의 출처에 … 물었다. : 『朱子語類』 권136, 9조목에는 致道의 물음으로 기록되어 있다.

(주자가) 대답하였다. "당시에는 다만 촉의 선주先主만이 함께 일할 수 있었을 뿐이다. 유표劉表와 유장劉璋 같은 무리[214]는 모두 일을 처리할 줄 몰랐다. 조조는 본시 역적이어서 따를 수 없다. 손권은 또 양다리를 걸친 사람이다. 단지 선주만이 명분의 바름을 가지고 있었기 때문에 그만을 따를 수 있다."

[62-16-11]

問: "孔明殺劉璋是如何?"

曰: "這只是不是. 初間敎先主殺劉璋, 先主不從. 到後來先主見事勢迫, 也打不過, 便從他計. 要知不當恁地行計殺了他. 若明大義, 聲罪致討, 不患不服. 看劉璋欲從先主之招, 傾城人民願留之, 那時郡國久長, 能得人心如此."[215]

물었다. "공명이 유장을 살해한 것[216]은 어떻습니까?"[217]

(주자가) 대답하였다. "이는 결코 옳지 않다. 처음 선주에게 유장을 살해하게 하였으나 선주가 따르지 않았다. 나중에 선주가 일의 형세가 급박해짐을 보고 어쩔 수 없이 그의 계책을 따른 것이나[218] 그러한 계략을 써서 그를 살해한 것은 옳지 않았음을 알아야 한다. 만일 대의를 천명하여 그의 잘못을 성토하고 쳤다면 항복하지 않을 것은 걱정할 필요가 없었다. 유장이 선주의 부름에 따르고자 하였으나 온 주州의 백성이 눌러 있기를 원한 것을 보면,[219] 그때 군국郡國(지방 행정구역을 이르는 말)을 다스린 지가 오래되어 민심을 얻기가 이 같았던 것이다."

----

214 劉表와 劉璋 … 무리: 유표는 황실 집안으로 당시 荊州牧이고, 유장은 劉焉의 아들로 益州牧이다. 자세한 것은 유표는 위 [62-14-1], 유장은 [62-14-3] 참고

215 『朱子語類』 권136, 11조목

216 공명이 유장을 … 것: 공명이나 선주가 유장을 살해하지 않은 것은 위 [62-16-3]의 주석에서 이미 밝혔다. 여기서 정자와 주자가 똑같이 유장을 살해했다고 말한 것은 어떤 근거가 있었던 듯한데 그러한 기록은 아직 찾기 어렵다.

217 물었다. "공명이 … 어떻습니까?": 『朱子語類』 권136, 11조목에는 器遠의 물음으로 기록되어 있다.

218 어쩔 수 … 것이나: 이 글의 원문 也打不過便從他計를 이렇게 번역하였으나, 『朱子語類考文解義』 권35 「歷代 3」에는 打不過를 "사사로운 마음을 제거하지 못했다.(打去私意不得.)"고 하였다.

219 유장이 선주의 … 보면: 항복 전후의 사정을 『三國志』 「劉二牧傳」과 「先主傳」에 의거해 살피면 다음과 같다. "선주가 성도를 포위하여 몇십 일이 지났다. 성 안에 아직 정예 병사 3만 명과 곡식이며 비단이 2년을 지탱할 만큼 남아 있었고, 관리와 백성들도 모두 목숨을 걸고 싸우고자 하였다. 유장이 말하길 '우리 부자가 익주에 머무른 지 20여 년인데 아무런 은덕도 백성에게 베푼 일이 없다. 지금 3년 동안의 전쟁으로 초야에서 죽어간 사람은 유장 때문이다.' 하고서 성문을 열고 나와 항복하자, 뭇 백성들이 눈물을 흘리지 않은 자가 없었다. 이에 유장을 南郡의 公安으로 옮겨 살게 하고 그의 재물과 그가 가지고 있는 振威將軍의 官印은 그대로 지니게 하였다.(進圍成都數十日. 城中尙有精兵三萬人, 穀帛支二年, 吏民咸欲死戰. 璋言, 父子在州二十餘年, 無恩德以加百姓. 攻戰三年, 肌膏草野者, 以璋故也. 何心能安! 遂開城出降, 羣下莫不下淚. 遂遷璋于南郡公安, 盡歸其財物及故佩振威將軍印綬.)" 위 [62-14-3] 주석 참고

[62-16-12]

"孔明之事, 其於荆蜀亦合取. 當日草廬亦是商量準擬在此, 但此時不當恁地. 若是恁地取時, 全不成舉措. 如二人視魏而不伐, 自合當取. 兼在是時, 捨此無以爲資. 若能聲其罪, 用兵而取之, 却正. 但當時劉焉父子, 亦得人情, 恐亦未易取."

或問: "聖人處此, 合如何?"

曰: "亦須別有箇道理, 若似如此, 寧可事不成. 只爲後世事欲苟成, 功欲苟就, 便有許多事. 孔明大綱却好, 只爲如此, 便有班駁處."[220]

(주자가 말하였다.) "공명의 일에서 형荆과 촉蜀은 또한 당연히 취해야 할 곳이다. 그날 초려草廬에서 또한 헤아리고 어림했던 일도 이 일이었으나[221] 다만 이때만큼은 이런 것이 옳지 않았다. 만일 이러한 방법으로 취하였다면 일은 모두 뒤죽박죽이 되었을 것이다. 만일 두 사람이 위나라만 쳐다보고 정벌하려 들지 않는다면 취하는 것이 저절로 합당할 것이다. 겸하여 이 시기에 이 땅이 아니고는 근거지를 마련할 곳도 없었다. 만일 그들 죄를 성토하고 군사를 동원하여 취하였다면 옳았을 것이다. 다만 당시 유언劉焉 부자[222]가 또한 민심을 얻고 있었으니 아마도 또한 쉬이 취하지는 못했을 것이다."

어떤 사람이 물었다. "성인이 이 경우에 처했다면 당연히 어떻게 했겠습니까?"

(주자가) 대답하였다. "또한 당연히 별다른 도리가 있었을 것이고, 이처럼은 차라리 일을 성공시키지 않았을 것이다. 다만 후세에 와서는 일마다를 구차하게나마 이루려 하고, 공이 있는 일마다를 구차하게 나마 이루려 하여 갖은 일들을 벌인다. 공명은 큰 차원에서는 좋으나 다만 이 같은 것에서 흠이 있다."

[62-16-13]

"義利之大分, 武侯知之, 有非他人所及者, 亦其天資有過人處. 若其細微之間, 則不能無未察處, 豈其學有未足故耶? 觀其讀書之時, 他人務爲精熟, 而己則獨觀大旨. 此其大者, 固非人所及, 而不務精熟, 亦豈得無欠闕耶?"[223]

(주자가 말하였다) "의義와 리利의 큰 경계를 무후가 알았으니 남들이 미칠 수 없는 점이나, 또한 그의 타고난 자질이 남들보다 뛰어난 점이 있다. 그러나 자잘한 일들에는 살피지 못한 구석이 없지 않으니, 그의 학문이 부족한 까닭이 아닐까? 그의 독서 방법을 살펴보면 남들은 정밀하고 능숙하기에 힘썼는데, 혼자서 대의大義大旨를 살폈다. 이 대지란 것이 참으로 남들이 미칠 수 있는 것은 아니나, 정밀하고 능숙하도록 힘쓰지 않았으니 또한 어찌 결점이 없을 수 있겠는가?"

---

220 『朱子語類』 권136, 10조목

221 그날 草廬에서 … 일이었으나: 유비가 삼고초려하여 제갈량을 융중으로 찾았을 때, 제갈량은 유비를 맞이하여 천하의 형세를 논하여 말하고, 아울러 유비에게 형주와 익주를 취하여야 한나라 왕조를 일으킬 발판을 만들 수 있다고 하였다. 자세한 것은 윗글 [62-14-3]의 주석 참고

222 劉焉 부자: 유언과 아들 劉璋을 이르니 益州牧이다.

223 『朱文公文集』 권64 「答或人書」 제10書

[62-16-14]

"或論孔明事, 以爲'天民之未粹'者, 此論甚當. 然以爲'畧數千戶而歸, 不肯徒還, 乃常人之態, 而孔明於此亦未能免俗'者, 則熹竊疑之. 夫孔明之出祁山, 三郡響應, 旣不能守而歸, 則魏人復取三郡, 必齬齔首事者墳墓矣. 拔衆而歸, 蓋所以全之, 非賊人諱空手之謂也. 近年南北交兵, 淮漢之間數有降附, 而吾力不能守, 虜騎復來, 則委而去之, 使忠義遺民爲我死者, 肝腦塗地, 而莫之収省, 此則孔明之所不忍也. 故其言曰, '國家威力未擧, 使赤子困於豺狼之吻', 蓋傷此耳. 此見古人忠誠仁愛之心, 招徠懷附之畧, 恐未必如或者之論也."²²⁴

(주자가 말하였다) "어떤 사람이 공명이 한 일을 논하여 '천민天民으로서 정수精粹하지 못한 사람이다.'²²⁵고 한 논평이 매우 온당하다. 그러나 '수천 호戶를 약탈하여 돌아가며²²⁶ 기꺼이 빈손으로 돌아가려 하지 않은 것은 평범한 자의 행태이니, 공명이 이 점에서는 또한 속된 모습을 면치 못하였다.'고 한 것은 나로서는 적이 의심스럽다. 공명이 기산祁山으로 진출하였을 적에 세 군郡이 메아리처럼 호응하였는데,²²⁷ 이미 지켜내지 못하고 돌아가면 위나라가 다시 세 군을 손에 넣을 것이고, 틀림없이 맨 먼저 호응했던 사람의 조상 묘까지 훼손했을 것이다.²²⁸ 백성들을 구원하여 돌아간 것은 그들을 온전히 해주려는 것이지 적에게 빈손으로 돌아간 것을 감추기 위한 것은 아니다. 요 몇 해 남과 북의 전투²²⁹ 중

<hr />

224 『朱文公文集』권40 「答何叔京」제4書

225 天民으로서 精粹하지 … 사람이다. : 천민은 『孟子』 「盡心上」에서, 군주만을 섬기려는 자(事君人者), 사직만을 편안하게 하려는 신하(安社稷臣者), 天民, 大人으로 나눈 사람의 지위 가운데 하나에 해당한다. 맹자는 천민을 "현달한 지위가 자신의 도를 천하에 행할 수 있어야 나서서 벼슬하려는 사람이다.(天民者, 達可行於天下而後, 行之者也.)"라고 하였다. 또 천민에 대해서 주자는 "民은 백성이니, 지위가 없는 사람을 이르는 말이다. 그가 하늘이 자신에게 부여해 준 하늘의 이치를 온전히 다 실천해 내므로 하늘의 백성인 것이니, 그런 까닭에 하늘의 백성이라고 말한 것이다.(民者, 無位之稱. 以其全盡天理, 乃天之民, 故謂之天民.)"고 하였다. 즉 공명이 이런 수준의 사람이기는 하지만 실천에서 약간 다하지 못함이 있다는 말이다.

226 수천 戶를 … 돌아가며 : 공명이 後主의 建興 6년(서기 228년)에 魏나라의 祁山을 공격하자 위나라의 南安, 天水, 安定 세 군이 위나라를 배반하고 공명에게 항복하였다. 놀란 위나라가 張郃을 시켜 막게 하였다. 공명은 馬謖에게 군사를 거느리고 街亭에서 싸우게 하였는데 마속이 공명의 명령을 지키지 않아 장합에게 대패하였다. 이에 공명은 위나라 공격을 중지하고 西縣의 백성 1천 호를 데리고 漢中으로 철수하였다. 이를 약탈 운운한 것이다.(『三國志』 「蜀志 · 諸葛亮傳」)

227 세 郡이 … 호응하였는데 : 『三國志』 「蜀志 · 諸葛亮傳」에 의거하여 살피면 다음과 같다. "공명이 군대를 거느리고 기산을 공격하는데 진영이 가지런하고 상벌이 엄숙하였으며 호령이 분명하자, 남안과 천수와 안정 등 세 군이 위나라를 배반하고 제갈공명에게 호응하여, 관중이 놀라 소동이 일었다.(亮身率諸軍攻祁山, 戎陣整齊, 賞罰肅而號令明, 南安 · 天水 · 安定三郡叛魏應亮, 關中響震.)" 당시 소열황제가 죽은 뒤 촉나라의 명성이 잦아들었는데 기산을 공격하여 탈환하고 세 군이 귀의하자 관중에서 깜짝 놀란 것이다.

228 조상 묘까지 … 것이다. : 『朱子大全箚疑輯補』 권40 「答何叔京六」에 "이 말은 『史記』 「田儋傳」의 注에 '다만 사람만 해치는 것이 아니고 분묘마저도 파헤칠 것이다.(非但害身, 墳墓亦發掘矣.)'고 했다."고 하였다. 「田儋傳」의 기사를 살피면 項梁이 조카 항우를 데리고 군사를 일으켜 秦나라 章邯의 군대와 싸우며 齊나라에 힘을 합하자고 청했을 때, 제나라가 항량에게 요구한 조건 속에 있는 말이다. 곧 조상의 묘까지 피해를 입는 참혹한 재앙이 펼쳐질 것이란 말이다.

회수淮水와 한수漢水 사이의 백성이 자주 항복하여 귀의하였지만 우리의 힘으로 지켜내지 못하여 오랑캐 기병이 다시 몰려오자 버리고 떠나와, 충성스럽고 의로운 나라 잃은 백성 중 우리를 위해 죽은 자의 간과 뇌수腦髓가 땅에 널리고, 그들을 거두어 살펴주지 못하였으니, 이와 같은 일을 공명이 차마 두고 볼 수 없는 일이다. 그리하여 그가 말하기를 '국가의 위세와 역량을 떨치지 못해 백성을 승냥이와 이리의 주둥이 아래 시달리게 한다.'230라고 말한 것은 이 점을 가슴 아파한 것이다. 여기에서 옛사람의 충후하고 진실하며 어질고 자애로운 마음과, 찾아오게 하고 감싸 귀의하게 한 책략을 볼 수 있으니, 아마도 꼭 어떤 사람의 말 같지는 않을 것이다."

[62-16-15]

"孔明失三郡, 非不欲盡徙其民. 意其倉卒之際, 力之所及止是而已, 若其心則豈有窮哉? 以其所謂'困於豺狼之吻者'觀之, 則亦安知前日魏人之暴其邊境之民, 不若今之胡虜哉? 孔明非急近功見小利, 詭衆而自欺者. 徙民而歸, 殆亦昭烈不肯棄民之意歟!"231

(주자가 말하였다) "공명이 세 군을 잃었을 적에 그곳 백성을 모두 이사시키려 하지 않은 것은 아닐 것이다. 추측해보면 갑자기 미칠 수 있는 힘이 단지 그 정도밖에 할 수 없었을 따름이지 그 마음이야 어찌 한정이 있었겠는가? 그가 한 '승냥이와 이리의 주둥아리 아래 시달리게 한다.'는 말을 살펴보면 또한 전날 위나라가 변경의 백성에게 한 포악한 행위가 지금의 북쪽 오랑캐232에 내리지 안 했을 것이라고 어찌 알겠는가? 공명이 눈앞의 공훈에 급급해 조그만 이익에 눈을 돌려 백성을 속이고 자신을 속인 것은 아니다. 백성을 이사시켜 돌아온 것은 아마도 소열황제가 기꺼이 백성을 버리려 하지 않았던 뜻일 것이다!"233

••••••••••••••••••••

229 남과 북의 전투: 宋나라가 元나라 세력에 밀려 江南으로 물러나 南宋이라 불리던 시절, 북쪽의 금나라와 벌인 전투를 이른다.

230 '국가의 위세와 … 한다.' : 제갈공명이 후주 建興 6년(서기 228년)에 祁山을 공격하고 공을 세워 촉나라가 이를 축하하자 제갈공명이 한 말이다. 宋나라 鄭樵가 지은 『通志』 권118 「蜀·諸葛亮」에 의거하여 살펴보면 다음과 같다. "제갈량이 여러 군사를 거느리고 기산을 공격할 때 군사의 대오가 정연하고, 상벌이 엄격하면서 호령이 분명하자, 南安과 天水와 安定 세 군이 위나라를 떠나 공명에게 항복하였다. 이에 關中이 놀라 소동이 일었다. 이에 촉나라 사람들이 모두 공명에게 축하의 말을 올리자, 공명은 낯빛이 변해 슬픈 얼굴로 거절하기를 '하늘 아래 백성이 한나라 백성 아닌 사람이 없건만 국가의 위세와 역량을 떨치지 못해 백성을 승냥이와 이리의 주둥이 아래 시달리게 하고 있다. 한 사람이 죽는 것도 나의 죄이다. 그런데 이것을 가지고 서로 축하하니 부끄럽지 않을 수 있는가!'라고 하였다. 이에 촉나라 사람들은 모두 제갈공명이 위나라를 삼킬 뜻을 지니고 있고 국경을 넓히려는 것만이 아님을 알았다.(亮身率諸軍攻祁山, 戎陣整齊, 賞罰肅而號令明. 南安·天水·安定三郡, 叛魏應亮. 關中響震. 蜀人皆賀亮, 亮愀然有戚容, 謝曰, '普天之下, 莫非漢民, 國家威力未擧, 使百姓困於豺狼之吻. 一夫有死, 亮之罪也. 以此相賀, 能不爲愧!' 於是, 蜀人咸知亮有吞魏之志, 非惟拓境而已.)"

231 『朱文公文集』 권40 「答何叔京」 제6書

232 지금의 북쪽 오랑캐: 남송 시대 금나라를 이르는 말이다.

233 소열황제가 기꺼이 … 것이다!: 소열황제가 아직 나라를 세우지 못하고 잠시 荊州牧 劉表에게 몸을 의탁해

[62-16-16]

問：“孔明興禮樂如何？”

曰：“也不見得孔明都是禮樂中人，也只是粗底禮樂.”[234]

물었다. “공명이 예악을 일으켰다면[235] 어떠했겠습니까?”

(주자가) 대답하였다. “공명이 한결같이 예악의 틀 속에서 행동했던 사람인지는 알 수 없으니, 또한 거친 예악이었을 것이다.”

[62-16-17]

“孔明擇婦, 正得醜女. 奉身調度人所不堪. 彼其正大之氣, 經綸之蘊, 固已得於天資. 然竊意其智慮之所以日益精明, 威望之所以日益隆重者, 則寡欲養心之助與爲多焉.”[236]

(주자가 말하였다.) “공명은 아내를 선택할 때 추녀를 취하였다.[237] 한 몸을 지니는 일에서 남들은 감당하

. . . .

있을 때인 建安 12년(서기 207년)에 조조가 유표를 공격하였다. 이때 마침 유표가 죽고, 아들 劉琮은 조조에게 항복하였다. 유비는 이 소식을 조조가 이미 형주 지역 宛땅에 이르렀을 때에야 알고서 급히 군대를 이끌고 조조 군사를 피하여 남쪽으로 옮겨갔다. 이때 유종의 측근들과 백성들이 유비에게 귀의하여 當陽 지역에 이르렀을 때 그 숫자가 10만을 헤아리고, 짐을 실은 수레가 수천 대가 되어 하루 겨우 10리를 갈 정도였다. 이때 다음과 같은 대화가 있었다. “어떤 사람이 선주에게 ‘걸음을 재촉하여 강릉을 차지해야 합니다. 지금 많은 사람을 가지고는 있으나 군사가 적으니 만일 조조의 군사가 들이닥치면 어떻게 막으렵니까?’ 하자, 선주는 ‘큰일을 이루려면 반드시 사람으로 근본을 삼아야 하는데 지금 저 사람들이 나에게 귀의하였는데 내 어찌 차마 버리고 떠날 수 있겠는가?’라고 하였다.(或謂先主曰, ‘宜速行保江陵. 今雖擁大衆, 被甲者少, 若曹公兵至, 何以拒之.’ 先主曰, ‘夫濟大事必以人爲本, 今人歸吾, 吾何忍棄去?’) 결국 조조에게 따라잡혀 유비는 처자식까지 조조에게 포로로 붙잡히는 참패를 당하였다. 선주의 이러한 끔찍한 백성 사랑이 바로 공명에게 이어졌을 것이라는 말이다. 유비는 참패를 당하고서 오나라에 구원을 청하여 마침내 적벽대전의 승리를 일궜다.(『三國志』「先主傳」)

234 『朱子語類』권136, 7조목. 이 7조목 아래 다음과 같은 문장이 더 첨부되어 있다. 淳錄云：“孔明也粗, 若興禮樂, 也是粗禮樂.” 砥錄云：“孔明是禮樂中人, 但做時也麄疎.”

235 공명이 예악을 일으켰다면 : 이 말은 문중자가 제갈공명의 죽음을 안타까워하며 한 말이다. 윗글 [62-16-3] 참고

236 『朱文公文集』(別集) 권2 劉共甫에게 보낸 편지의 일부이다.

237 공명은 아내를 … 취하였다. : 공명은 일찍 아버지를 잃고 숙부 玄을 따라 荊州에서 자랐다. 元나라 郝經이 지은 『續後漢書』권70上「死國·漢諸葛瞻傳」에 의거하여 살피면 다음과 같은 내용이 있다. “제갈첨은 공명의 아들이다. 공명이 지난날 南陽에서 살 적에, 黃承彦의 사람됨이 활달하고 생각이 트여 沔水 북쪽의 명사로 거론되었다. 제갈량에게 이르기를 ‘그대가 아내를 고르고 있다는 말을 들었네! 내게 못생긴 딸이 있어 머리는 노랗고 얼굴빛은 검으나 재주만큼은 서로 짝이 될 걸세.’라고 하였다. 제갈량이 허락하자 곧바로 수레에 실어 그 딸을 보내 주었다. 그래서 고향 마을에서 그것을 두고 속담처럼 말하기를 ‘행여 공명의 아내 고르듯 하지 마라. 겨우 못생긴 황승언의 딸을 얻었다네!’라고 하였다.(諸葛瞻 … 亮之子也. 初, 亮在南陽, 黃承彦者高朗, 開列爲沔南名士. 謂亮曰, 聞君擇婦! 身有醜女, 黃頭黑色而才堪相配. 亮許諾, 即載送之. 鄉里爲之諺曰, 莫作孔明擇婦, 止得阿承醜女!)”

지 못할 일이다. 그의 정대正大한 기상과 경륜의 온축은 참으로 하늘로부터 받은 자질이다. 그러나 적이 생각해보면 그의 지혜와 생각이 날로 더욱 정명精明해지고, 위엄과 명망이 날로 더욱 융성해진 것은, 욕심을 줄여 마음을 기른 데에서 많은 도움을 받았을 것[238]이다."

[62-16-18]

"看史策, 自有該載不盡處. 如後人多說武侯不過子午谷路. 徃徃那時節, 必有重兵守這處, 不可過. 今只見子午谷易過, 而武侯自不過. 史只載魏延之計, 以爲'夏侯楙是曹操壻, 怯而無謀, 守長安, 甚不足畏'. 這般所在, 只是該載不盡. 亮以爲此危計, 不如安從坦道. 又揚聲由斜谷, 又使人據箕谷, 此可見未易過."[239]

(주자가 말하였다.) "역사책을 보면 본디 해당 내용을 다 싣지 못한 곳이 있다. 예컨대 후세 사람 대부분이 무후가 자오곡子午谷의 길을 지나가지 못했다고 말하는데, 가끔은 필시 그 당시에 많은 군사가 그곳을 지키고 있어 지나갈 수 없었을 것이라고들 한다. 오늘날 보면 자오곡 길은 쉬이 지나갈 수 있는데 무후가 스스로 지나가지 않은 것이 되었다. 역사책에는 단지 위연魏延의 계책만을 실어, '하후무夏侯楙는 조조의 사위로 겁쟁이이면서 책략도 없는데 장안을 지키고 있으니 두려워할 것이 조금도 없다.'고 하고 있다. 이런 내용이 있는데도 해당 내용이 속속들이 실려 있지 않다. 제갈량은 이는 위험한 계책이니 탄탄대로로 편안히 가는 것만 못하다고 생각하였다. 또 야곡斜谷을 거쳐 갈 것이라 소문을 퍼뜨리고는 한편으로 사람을 시켜 기곡箕谷을 점거하게 하였으니 여기에서 쉬이 지나갈 수 없었음을 알 수 있다."[240]

[62-16-19]

問: "孔明出師每乏糧. 古人做事須有道理, 須先立些根本."

曰: "孔明是殺賊, 不得不急. 如人有箇大家, 被賊來占了, 趕出在外墙下住, 殺之豈可緩? 一

------

238 욕심을 줄여 … 것: 이 말은 『孟子』「盡心下」의 맹자 말에 기초한 것이다. 맹자는 "마음을 기르는 데 있어서는 욕심을 적게 갖는 것보다 좋은 것이 없으니 그 사람됨이 욕심이 적으면 본심이 보존되지 못했다 하더라도 (보존되지 못한 것이) 조금일 것이고, 그 사람됨이 욕심이 많으면 본심이 보존되었다 하더라도 (보존 된 것이) 조금일 것이다.(養心莫善於寡欲, 其爲人也寡欲, 雖有不存焉者, 寡矣 ; 其爲人也多欲, 雖有存焉者, 寡矣.)"고 하였다.

239 『朱子語類』 권136, 20조목

240 斜谷을 거쳐서 … 있다. : 이 단락은 [62-16-11]의 주석을 참고하고 이어 이 글을 보아야 한다. 『三國志』「諸葛亮傳」에는 이 기사를 다음과 같이 싣고 있다. 斜谷道 길을 따라 郿땅을 취한다고 소문을 내고, 趙雲과 鄧芝를 시켜 疑軍(허장성세로 상대 진영을 홀리는 군대)으로 箕谷을 차지하게 하자, 위나라는 대장군 曹眞이 이들을 상대하여 막아섰다. (이 틈에) 제갈량은 몸소 여러 군사를 거느리고 祁山을 공격한 것이다. 결국 이 전쟁은 街亭에서 마속이 張郃에게 크게 패한 전투로 끝이 났다. 그런데 이 야곡도로 출병한다는 소문을 퍼뜨리고 기산을 공격한 것과 위연의 관중을 차지하자는 내용들이 역사책에 속속들이 실리지 않아 『資治通鑑』에서 胡三省은 "오늘날 보면 제갈량이 위연의 계책을 따르지 않은 것을 두고 모두가 겁을 내서라고 말하고 있다.(由今觀之, 皆以亮不用延計爲怯.)"라며 그런 판단은 잘못이라고 이어 말하고 있다.

縷縷, 人便一切都忘了. 孔明亦自言‘一年死了幾多人’, 不得不急爲之. 意司馬懿甚畏孔明, 便使得辛毗來遏, 令不出兵, 其實是不敢出也.”[241]

물었다. “공명은 군사를 출동할 적마다 군량이 모자랐습니다.[242] 옛사람은 일을 준비하는 것에 당연히 도리가 있었으니, 당연히 근본을 먼저 세웠어야 할 것입니다.”

(주자가) 대답하였다. “공명이 난적亂賊을 죽여야 했으니 다급하지 않을 수 없었다. 예컨대 어떤 사람이 소유하고 있는 큰 주택이 난적에게 점거당해, 급하게 뛰쳐나와 바깥 담장 아래 머물러야 했다면, 그들을 죽이는 일을 어떻게 늦출 수 있겠는가? 조금이라도 늦추다보면 사람들은 곧장 모든 것을 다 잊어먹게 된다. 공명도 스스로 말하길 ‘1년에 죽어가는 사람이 얼마나 많은가!’라고 하였으니, 다급하게 서두르지 않을 수 없었다. 추측하건대 사마의도 공명이 매우 두려워 곧장 신비辛毗가 사신으로 나와 출동을 막고 군사를 내보내지 못하게 하였으나, 사실은 감히 출병하지 못한 것이다.”[243]

[62-16-20]

“諸葛公是忠義的司馬懿. 司馬懿是無狀底諸葛公, 劉禪備位而已.”[244]

(주자가 말하였다.) “제갈공명은 충성스럽고 의로운 사마의이고, 사마의는 보잘것없는 제갈공명이며,[245] 유선劉禪[246]은 자리만 차지하였을 뿐이다.”

[62-16-21]

南軒張氏曰: “諸葛武侯左右昭烈父子, 立國於蜀, 明討賊之義, 不以强弱利害二其心, 蓋凜凜乎三代之佐也. 侯之言曰, ‘漢賊不兩立, 王業不偏安’, 又曰, ‘臣鞠躬盡力, 死而後已. 至於成敗

---

241 『朱子語類』 권136, 14조목

242 공명은 군사를 … 모자랐습니다. : 공명은 자신이 죽으면 자신을 대신하여 중원을 공격할 사람이 있을 것인지를 걱정하였다. 그래서 선주가 죽은 뒤 위나라를 여러 차례 공격하였지만 거의 소득이 없었고 군량미 걱정으로 군사를 물려야 했다. 윗글 [62-16-2]의 주석 참고

243 辛毗가 사신으로 … 것이다. : 촉의 후주 建興 9년(서기 231년)에 공명이 五丈原에서 魏나라 司馬懿와 1백 일을 겨루는 중에 일어난 일이다. 공명이 군사를 내보내 수없이 도전하였으나 사마의가 응하지 않자 공명은 사마의에게 아녀자가 쓰는 쓰개를 선물하였다. 이에 사마의는 明帝에게 공명과 싸우겠다는 表文을 올렸다. 명제는 衛尉 辛毗에게 符節을 주어 사신으로 내보내 군사 출동을 막게 하였다. 공명이 다시 군사를 내보내 싸움을 걸자 사마의는 군사를 이끌고 출동하려 했다. 이에 신비는 부절을 들고 진영의 문 앞에서 그들을 제지하였다. 이에 사마의는 군사 출동을 중지하였다. 그러나 이를 두고 공명은 姜維에게 이는 사마의의 출동하지 않으려는 속임수라고 말하였다. 더 자세한 것은 위 [62-16-5]의 주석 참고.(『晉書』「宣帝紀」)

244 『朱子語類』 권136, 26조목

245 제갈공명은 충성스럽고 … 제갈공명이며 : 이 말은 제갈공명과 사마의를 대등한 사람으로 본다면 제갈공명은 충성스럽고 의로우며, 사마의는 지략만을 갖춘 소인이라는 말이다.

246 劉禪 : 선주 유비의 아들이다. 아버지를 따라 촉나라 황제의 자리를 이어 41년간 다스리다 그의 炎興 원년(서기 263년)에 위나라가 쳐들어오자 항복하여 낙양으로 옮겨졌고, 安樂公에 봉해졌다.(『三國志』「蜀書·後主傳」)

利鈍, 非臣之明所能逆睹'. 嗟乎! 誦味斯言, 則侯之心可見矣. 雖不幸功業未究, 中道而殞, 然 其扶皇極, 正人心, 挽回先王仁義之風, 垂之萬世, 與日月同其光明可也. 夫有天地, 則有三 綱, 中國之所以異於夷狄, 人類之所以別於庶物者, 以是故耳. 若汩於利害之中, 而亡夫天理 之正, 則雖有天下, 不能一朝居. 此侯所以不敢斯須而忘討賊之義, 盡其心力, 至死不悔者也.

남헌 장씨[張栻]가 말하였다. "제갈무후는 소열황제의 부자를 도와 촉땅에 나라를 세우고서, 난적을 토벌 해야 하는 의리를 밝히고, 형세의 강약과 이해를 따져 마음을 이랬다저랬다 하지 않았으니, 늠름함이 삼대 시절 제왕을 보좌할 만한 그릇이다. 무후가 말하기를 '한漢나라와 난적은 양립兩立할 수 없고 왕조 의 공업은 외진 지역으로 안주할 수 없습니다.'247고 하였고, 또 말하기를 '신이 몸을 다하고 힘을 다하여 목숨이 끊어진 뒤에 그칠 것입니다. 그것이 성공할지 실패할지 순탄할지 어려울지에 이르러는 신의 식견으로는 미리 헤아릴 수 없습니다.'248고 하였다. 아! 이 말을 음미하여 읊조리노라면 무후의 마음을 알 수 있다. 불행히도 공훈과 사업을 끝마치지 못하고 중도에 운명하였으나, 그가 제왕의 법도를 붙잡고 인심을 바로잡았으며, 선왕시대 인의仁義의 기풍을 제자리로 끌어올려 만세에 드리운 것은, 해와 달과 그 광명光明이 똑같다고 하여도 될 것이다. 천지가 있으면 삼강三綱이 있으니,249 중국이 오랑캐 지역과 다르고 인간이 여러 사물과 구별되는 것이 이 때문이다. 만일 이익에 골몰하여 천리天理의 바름을 망친다 면 천하를 차지한다 하여도 하루아침도 지니지 못할 것이다. 이것이 무후가 감히 난적 토벌에 대한 의리를 잠깐도 잊지 못하고 자신의 몸과 마음을 다하여 죽어도 후회하지 않은 것이다.

方天下雲擾之初, 侯獨高臥, 昭烈以帝室之胄, 三顧其廬, 而後起從之, 則夫出處之際, 固已有 大過人者. 其治國, 立經陳紀而不爲近圖, 其用兵, 正義明律而不以詭計. 凡其所爲, 悉本大 公, 曾無纖毫姑息之意, 類皆非後世所可及. 至讀其將沒自表之辭, 則知天下物欲, 擧不足以 動之. 所養者深, 則所發者大, 理固然也. 曾子曰, '士不可以不弘毅', 若侯者, 其所謂弘且毅者 歟! 孟子曰, '富貴不能淫, 貧賤不能移, 威武不能屈, 此之謂大丈夫'. 若侯者, 所謂大丈夫非 耶?"250

· ·
247 '漢나라와 난적은 … 없습니다.' : 촉한 후주 建興 6년(서기 228년) 11월에 오나라의 陸遜이 石亭에서 위나라 의 曹休를 격파하자 위나라 군사가 오나라를 향해 출진하였다. 이 소식을 들은 제갈공명은 위나라가 관중을 비운 사이 위나라를 공격하려 군사를 출동시키고자 하였다. 이때 조정의 신료들이 이 책략에 의구심을 나타 냈다. 이에 공명은 이「後出師表」를 올려 자신의 뜻을 밝혔다. 이 글은 이 글의 맨 머리 구절이다. 여기서 난적은 위나라를 이른다.
248 '신이 몸을 … 없습니다.' : 이 글은「後出師表」의 마지막 구절이다.
249 천지가 있으면 … 있으니 : 천하가 존재하는 한 지켜야 할 불변의 원칙을 삼강으로 이른 말이다. 漢나라 班固의 저서『白虎通』「三綱六紀」에서 "세 가지 강령은 무엇을 이르는가? 군주와 신하, 아버지와 아들, 지아 비와 지어미이다.(三綱者, 何謂也? 君臣·父子·夫婦也.)"고 하였는데, 이 말에서 오늘날의 삼강이란 말이 시작되었다.
250 『南軒集』권10「記·衡州石皷山諸葛忠武侯祠記」

바야흐로 천하가 구름이 일어나듯 소란스럽던 초기에 무후만이 홀로 높은 경륜을 품고 세상에 나서지 않다가, 소열황제가 한나라 제왕의 자손으로 그의 집을 세 번이나 찾고서야 몸을 일으켜 따라나섰으니, 출처에서 벌써 남들보다 크게 뛰어났다. 그는 나라를 다스리는 데 있어 경상經常의 기강을 세우고 펼쳤지 천근淺近한 일은 도모하지 않았고, 군사를 출동시키는 의리와 법도를 바로잡아 밝혔지 속임수를 쓰지 않았다. 하는 일이 모두 더없이 공정함에 뿌리를 두고 일찍이 털끝만큼도 임시방편적인 뜻이 없었으니, 이런 것들 대부분이 모두 후세가 따라잡을 수 없는 점이다. 그가 죽음을 눈앞에 두고 자신을 밝힌 글을 읽노라면 천하의 어떤 물욕도 그의 마음에 동요를 일으킬 수 없음을 알 수 있다. 수양이 깊으면 우러나오는 것도 큰 것이 이치상 당연하다. 증자曾子가 '선비는 폭넓고 굳세지 않아선 안 된다.'[251]고 하였는데, 무후와 같은 분은 증자가 말한 폭넓고 굳센 사람이라 말할 수 있다. 맹자가 '부富와 귀貴가 흔들지 못하고, 가난과 천함이 변절하게 하지 못하고, 위엄과 무력武力이 굽히게 할 수 없으니, 이런 사람을 대장부라 한다.'[252]고 하였는데, 무후 같은 분은 맹자가 말한 대장부가 아니겠는가?

[62-16-22]

問 : "孔明不死, 能取中原否?"

曰 : "屯田渭上, 根本已固, 必能取中原. 司馬懿亦是能者, 常不敢與戰."

又問 : "蔣琬特守常之才乎?"

曰 : "誠不可以應變."

물었다. "공명이 죽지 않았다면 중원中原[253]을 취할 수 있었겠습니까?"

(남헌 장씨가) 대답하였다. "위수渭水가에 둔전하여[254] 근본이 이미 탄탄하였으니 반드시 중원을 취할 수 있었을 것이다. 사마의도 역시 재능이 있는 사람이라서 늘 감히 싸우려 들지 않았다."

또 물었다. "장완蔣琬[255]은 다만 투식에 얽매여 있는 인재입니까?"

. . . .

251 '선비는 폭넓고 … 된다.' : 이는 『論語』 「泰伯」에 실린 증자의 말이다. 증자는 "선비는 폭넓고 굳세지 않을 수 없으니, 책임이 막중하고 갈 길이 멀다. 인으로 자신의 책임을 삼아야 하니 막중하지 않겠으며, 죽은 뒤에야 그쳐야 하니 또한 멀지 않겠는가?(士不可以不弘毅, 任重而道遠. 仁以爲己任, 不亦重乎? 死而後已, 不亦遠乎?)"라고 하였다.

252 '富와 貴가 … 한다.' : 『孟子』 「滕文公下」에 실린 맹자의 말이다. 맹자는 "천하의 넓은 집에 살고, 천하의 바른 지리에 서고, 천하의 큰 도를 행하여 뜻을 얻으면 백성들과 함께 그 도를 행하고, 뜻을 얻지 못하면 혼자서 그 도를 행하여, 부와 귀도 (마음을) 흔들지 못하고 … (居天下之廣居, 立天下之正位, 行天下之大道, 得志與民由之, 不得志獨行其道, 富貴不能淫, 貧賤不能移, 威武不能屈, 此之謂大丈夫.)" 운운하였다.

253 中原 : 황하 유역을 이르는 말이다. 제갈공명의 「前出師表」에서 말한 "지금 남쪽이 이미 평정되었고 군사와 무기가 충분하니 당연히 삼군의 사기를 북돋워 거느리고 북쪽으로 중원을 평정하겠습니다.(今南方已定, 兵甲已足, 當獎率三軍, 北定中原.)"고 한 중원은 당시 조조가 차지하고 있던 위나라 지역 중에서도 위나라의 수도였던 낙양 지역을 이른다.

254 渭水가에 둔전하여 : 제갈공명이 후주 建興 9년(서기 231년)에 五丈原에서 벌인 사마의와의 전투를 이른다. 이때 제갈공명이 군량미 조달을 위해 위수에 둔전을 설치하여 군사들에게 농사를 짓게 하며 위나라 정벌을 도모하다 병으로 죽어 이 일은 끝이 났다.

(남헌 장씨가) 답하였다. "참으로 임기응변은 불가한 사람이다."

[62-16-23]

"馬謖議論與孔明畧相似, 其才非不可用. 但置之帷幄則可, 以之爲將帥則違其才. 孔明使之領衆爲前鋒, 於此小有差爾."

(남헌 장씨가 말하였다.) "마속은 주장이 공명과 서로 대략 흡사하였으니 그 재능이 쓸 수 없는 것이 아니었다. 다만 계책을 세우는 자리에 두었으면 좋았을 것을, 그를 장수로 삼은 것은 그 재능과 어긋난 것이다. 공명이 그에게 군사를 거느리고 선봉이 되게 하였으니, 여기에서 약간의 차질을 빚었다."[256]

[62-16-24]

或問: "魯兩生謂'禮樂必百年可興', 文中子輕許孔明, 何也?"

潛室陳氏曰: "叔孫通人物汚下, 故兩生却之; 孔明人物正大, 故文中子許之."

어떤 사람이 물었다. "노魯나라의 두 유생儒生이 '예악은 반드시 1백 년이 되어야 일어날 수 있다.'고 하였는데[257] 문중자가 가볍게 공명을 인정한 것[258]은 무슨 까닭입니까?"

· · · · · · · · · · · · · · · ·

255 蔣琬: 蜀 零陵 湘鄕 사람. 자는 公琰. 시호는 恭. 建興 연간 諸葛亮이 漢中에 주둔할 때 丞相長史가 되어 府를 다스리면서 군량과 군인을 잘 조달하였다. 제갈량이 후주에게 "신이 만일 죽으면 저의 뒷일은 의당 장완에게 맡기십시오.(臣若不幸, 後事宜以付琬.)"라고 아무도 모르게 표를 올린 일로 인해, 제갈공명이 죽은 뒤 촉의 정사를 맡아 집행하며, 尙書令·大將軍·錄尙書事·大司馬를 역임하였다.(『三國志』 권44)

256 마속은 제갈공명이 신임하던 사람이다. 공명이 그의 군대에 대한 계략을 크게 인정하여 그와 만나면 밤을 세워가며 얘기를 나누곤 하였다. 선주가 죽으며 "마속은 말이 넘치는 사람이니 크게 등용하여선 안 되니 그대는 잘 살피도록 하시오.(馬謖言過其實, 不可大用, 君其察之.)"라고 하였으나 공명은 그 말을 깊이 믿지 않았다. 건흥 6년(서기 228년) 祁山으로 출병할 때 魏延과 吳壹을 선봉으로 세우자고 하였으나, 공명이 이를 듣지 않고 마속을 선봉으로 삼아 출병하였다. 결국 위나라의 장수 張郃과 街亭 전투에서 크게 패하여 공명은 漢中으로 물러나야 했다. 아울러 이 전쟁에 책임을 물어 눈물을 흘리며 마속을 죽이는 결단을 내려야 했다. 이를 세속에서 泣斬馬謖이라 한다. 이 전쟁 실패를 제갈공명도 자신의 죄로 받아들여 자신의 벼슬을 세 등급을 깎아 승상에서 右將軍으로 자청해 강등하였다.(『三國志』「諸葛亮傳」;「董劉馬陳董呂傳」)

257 魯나라의 두 … 하였는데: 숙손통이 한나라 조정의 예법을 제정하고자 예악에 조예가 있는 학자들을 모으면서 노나라에 찾아가 학자들을 초빙하였다. 이때 두 유생이 숙손통의 초빙에 응하지 않았다. 그러고는 하는 말이 "지금 천하가 막 안정되어 (전쟁에서) 죽은 자들 장례도 아직 치르지 못하고 다친 사람들도 아직 치유하지 않았는데 또 예악을 만들려 하고 있습니다. 예악이 만들어지려면 덕스러운 정사가 1백 년이 쌓여진 뒤라야 일어나는 것입니다. 나는 차마 공이 하려는 일을 할 수 없습니다. 공이 하려는 것은 옛날과 맞지 않으니 나는 갈 수 없습니다. 공은 떠나가고 나를 더럽히지 마십시오!(今天下初定, 死者未葬; 傷者未起, 又欲起禮樂. 禮樂所由起, 積德百年而後可興也. 吾不忍爲公所爲. 公所爲不合古, 吾不行, 公往矣, 無汙我!)"라고 하였다. 이에 숙손통은 "그대들은 참으로 비루한 儒者들이다. 시대의 변화를 알지 못하고 있다.(若眞鄙儒也, 不知時變.)"라고 하고서 초빙에 응한 30명을 데리고 서쪽 진나라로 떠났다.(『史記』「叔孫通傳」)

258 문중자가 가볍게 … 것: 문중자는 隋나라 絳州 龍門 사람인 王通에게 그의 제자들이 올린 私諡號다. 詩·書·易·禮에 밝았고 유학자로 처신하였다. 河汾에서 강학하여 房玄齡·魏徵 등이 그에게 王佐의 도를 배웠

잠실 진씨[陳埴]가 대답하였다. "숙손통叔孫通은 인물이 비루하였던 까닭에 두 유생이 물리친 것이고, 공명은 인물이 공명정대했던 까닭에 문중자가 인정한 것이다."

[62-16-25]

問: "文中子曰, '諸葛亮而無死, 禮樂其有興乎!'『近思錄』程子亦以此許之. 敢問孔明自比管樂, 使果能興復漢室, 恐未必便能興禮樂如三代."

曰: "孔明是天資帶得, 又從學問中攛出來. 據他用事行師調度, 若當升平之時, 做出必須光明, 不止漢唐人物."[259]

물었다. "문중자는 '제갈량이 죽지 않았다면 예악이 일어났을 것이다!'고 하였고,『근사록』에서도 정자가 이를 인정하였습니다.[260] 감히 여쭙자면 공명은 자신을 관중管仲과 악의樂毅에 비견하였으니[261] 설사 한나라 왕조를 일으켜 회복할 수 있었더라도, 아마도 예악을 삼대시절과 같게 일으키지는 못했을 것입니다."

(잠실 진씨가) 대답하였다. "공명은 타고난 자질에 또 학문으로부터 축적되어 나온 것이다. 그의 일 처리와 군사를 운용하는 능력에 근거한다면, 만일 화평한 때를 만났으면 하는 일마다 반드시 빛나 한당漢唐 시대의 인물로 그치지 않았을 것이다."

[62-16-26]

問: "巴蜀四塞, 非進取之地, 惟一江陵, 然諸葛亮不勸先主都之. 及關羽之危, 又不聞救之, 何也?"

曰: "江陵屬荊州, 武侯首陳取荊州之策, 先主不能用. 其後爭之於吳而不得, 吳止分數郡以與之, 至關羽之敗, 幷數郡而失之, 況得而都之耶? 況荊襄爲南北咽喉, 在三國爲必爭之地, 乃戎馬之場, 非帝之都也."[262]

물었다. "파촉巴蜀은 사방이 막힌 지역이라서 발전시킬 수 있는 지역이 아니고 오직 강릉江陵 한 곳만이

다. 大業 연간에 여러 차례 조정의 부름을 받았으나 나아가지 않았다. 그의 저서『中說』「王道篇」에서 "제갈량이 죽지 않았다면 예악이 일어났을 것이다.(使諸葛亮而無死, 禮樂其有興乎!)"고 하였다.

259 『木鍾集』 권10 「近思雜問附」

260 『近思錄』에서도 정자가 … 인정하였습니다. :『近思錄』 권14에서 명도선생의 말을 인용하여 요순에서부터 당나라의 韓愈까지 도를 전한 실마리를 거론하며 "공명은 예악을 거의 실현하였다.(孔明庶幾禮樂.)"고 하였다.

261 공명은 자신을 … 비견하였으니 :『三國志』「諸葛亮傳」에 의하면 공명이 아직 벼슬하지 않았을 때, 자신을 이들 두 사람에게 비견하였으나 세상 사람들은 이를 인정하지 않았고, 단지 崔州平과 徐庶가 공명과 친하게 지내며 그 말을 믿었다고 하였다. 관중은 춘추시대 齊桓公을 도와 그를 霸者로 이름을 떨치게 하였고, 악의는 전국시대 燕나라의 장수로 燕昭王의 명령을 받고 齊나라를 공격하여 크게 이겨 제나라 70여 고을을 항복받는 승리를 거두었다.

262 『木鍾集』 권11 「史」

발전시킬 수 있었는데, 제갈량이 선주에게 이곳에 도읍하도록 권하지 않았으며, 관우가 위험에 처하였는
데도 그를 구원하는 말을 들을 수 없었으니 무엇 때문입니까?"

(잠실 진씨가) 대답하였다. "강릉은 형주에 속한 땅으로 형주를 취할 계책을 무후가 맨 먼저 말하였으
나263 선주가 채택하지 못하였다. 그 뒤 오나라와 그 땅을 다투다가 차지하지 못하여, 오나라가 몇 곳의
군郡을 분할하여 주는 데 그쳤고,264 관우가 실패하면서는 몇 개의 군마저 함께 잃었는데 하물며 그곳에
도읍할 수 있겠는가? 더욱이 형주의 양양襄陽은 남북의 길목이라서 세 나라에 있어서는 반드시 다투어야
할 땅이었으니, 군사와 말이 치달리는 전쟁터이지 제왕의 도읍터는 아니다."

[62-16-27]

魯齋許氏曰 : "不問利害, 只求義理, 孔明見得眞. 當時只有復漢討賊爲當然, '至於成敗利鈍,
非臣之明所能逆睹,' 歸之於天而已. 只得如此做, 便是聖賢之心. 常人則必計其成敗利害也."265

노재 허씨魯齋許氏許衡가 말하였다. "이해를 따지지 않고 다만 의리만을 강구하였으니 공명은 참된 의리를
본 것이다. 당시 다만 한나라 왕실 회복과 난적 토벌을 당연한 것으로 여겼을 뿐 '성공과 실패, 순탄할지
어려울지에 대해서는 신의 현명함으로는 앞서 헤아릴 수 없다.'266며 하늘에 맡길 따름이었다. 단지 이같
이 하는 것이 바로 성현의 마음이다. 보통사람은 반드시 그 일에 따른 성패와 이해를 따진다."

[62-16-28]

臨川吳氏曰 : "開誠心, 布公道, 集衆思, 廣忠益, 諸有忠慮於國, 但勤攻吾之闕, 漢丞相諸葛忠
武侯語也. 可以爲萬世相天下者之法矣, 孔明豈不知爲相之體哉? 於主簿楊顒之諫也, 生旣謝
之, 死又哀之, 孔明豈不知其言之忠哉? 然而罰二十以上皆親覽, 食少事繁, 至爲敵國所窺, 而
慶幸其不久, 孔明豈不知愛重其身哉? 其若是者何也? 嗚呼! 是未可以常情度, 淺識議也. 夫
知相之體而未免自勞, 知言之忠而未見樂取, 知一身繫國之存亡, 而竟取敵國慶幸之計. 苟非
甚愚者或有所不爲, 而謂蓋世絶人之智者爲之乎? 予故曰, '是未可以常情度淺識議也.'

임천 오씨臨川吳氏吳澄가 말하였다. "'성심誠心을 드러내고, 공명한 도리를 펼칠 것이며',267 '여러 사람의

263 형주를 취할 … 말하였으나 : 윗글 [62-14-3], [62-14-1] 참고
264 오나라가 몇 … 그쳤고 : 선주가 형주에서 조조의 군사를 피하여 남쪽으로 쫓기며 제갈공명을 오나라에
　　보내 구원을 요청하자, 오나라는 이를 허락하고 군사를 출동시켰다. 이때 형주의 많은 군사와 식견 있는
　　사람들이 선주에게 귀의하였다. 이에 오나라는 선주에게 형주의 일부 지역을 빌려주어 군사를 주둔시키게
　　하였다. 자세한 것은 [62-14-1] 참고
265 『魯齋遺書』 권1 「語錄上」
266 '성공과 실패, … 없다.' : 「後出師表」의 마지막 구절이다.
267 '誠心을 드러내고, … 것이며' : 임천 오씨의 말에 따르면 이 말과 또 뒤에 이어지는 말은 제갈공명의 말이라
　　고 하였으나 현재 확인된 전거로는 이 말은 『三國志』 「諸葛亮傳」의 끝에 붙은 評에 실린 말이다. 제갈공명의
　　말이 아니고 『三國志』를 쓴 陳壽의 평론 중 일부이다. 여기서는 임천 오씨의 말을 따라 제갈공명의 말로

생각을 모으고, 충성과 도움이 될 수 있는 길을 넓힐 것이며'[268] '나라에 충성스런 생각이 있는 사람들은 다만 나의 잘못을 애써 지적하도록 하라.'[269]는 한漢나라의 승상 제갈충무후諸葛忠武侯의 말이다. 천하의 상국이 된 자들이 만세토록 법으로 삼을 수 있는 말이니, 공명이 상국의 체통을 어찌 몰랐겠는가? 주부主簿 양옹楊顒이 간하자, 살아서는 감사하였고 그가 죽자 또 애통해하였으니[270] 공명이 어찌 그의 말의 충성됨을 몰랐겠는가? 그러면서도 20 이상을 벌하는 일[271]은 문서를 모두 직접 챙기고 먹은 음식은 적으

· ·

처리하였다.

268 '여러 사람의 … 것이며': 이 말은 『三國志』「蜀書 9 · 董和傳」에 제갈공명이 승상의 자리에 처음 임명되었을 때 한 말로 기록되어 있다.

269 '나라에 충성된 … 하라.': 이 말은 『資治通鑑』 권71 「魏紀 3 · 烈祖明皇帝」 太和 2년(서기 228년)의 기사이다. 이때 공명은 祁山에 진출하였다가 마속의 잘못으로 패전하고 스스로의 잘못을 반성하고 있을 때였다. 내용은 다음과 같다. "어떤 사람이 제갈량에게 군사 징발을 권유하자, 제갈량은 '우리 대군이 기산과 箕谷에서 모두 상대 적군보다 숫자가 많았으나 적을 깨뜨리지 못하고 적에게 깨뜨려졌습니다. 잘못은 군사 숫자가 적은 데에 있지 않고 장수 한 사람에게 있습니다. 지금 군사 숫자를 줄이고 장수도 줄여 벌을 분명히 밝히고 잘못을 생각해야 합니다. 변통의 도리를 앞으로 점검해보아야 하니, 만일 그런 것들을 잘 처리하지 못하면 군사 숫자가 많아봐야 무슨 도움이겠습니까? 지금부터 나라에 충성스런 생각이 있는 사람들은 다만 나의 잘못을 애써 지적해 준다면 일도 안정될 수 있고, 적도 죽일 수 있고, 공업도 발뒤꿈치를 세우고 기다릴 수 있을 것입니다.(或勸亮更發兵者, 亮曰, 大軍在祁山箕谷, 皆多於賊而不破賊, 乃爲賊所破. 此病不在兵少也, 在一人耳. 今欲減兵省將, 明罰思過, 校變通之道於將來, 若不能然者, 雖兵多何益? 自今已後, 諸有忠慮於國者, 但勤攻吾之闕, 則事可定, 賊可死, 功可蹻足而待矣.)"고 하였다.

270 主簿 楊顒이 … 애통해하였으니?: 양옹은 제갈공명의 主簿이다. 『三國志』「蜀書 권15 · 楊戲傳 · 贊王元泰」 기사에 딸린 『襄陽記』에 이런 기사가 실려 있다. "제갈량이 어느 날 문서들을 점검하자, 양옹이 불쑥 들어와 간하기를 '다스림에는 체통이 있어서 위아래 사람이 서로 넘나들어서는 안 됩니다. 청컨대 공을 위해 어느 집으로 비교해 말씀드리겠습니다. 지금 어떤 사람이 사내종에게 농사일을 맡기고, 여자 종에게 부엌일을 맡기고, 닭에게는 새벽을 알리는 일을 맡기고, 개에게는 도둑을 맡아 짖는 일을 맡기고, 소에게는 짐 지는 일을 맡기고, 말에게는 먼 길 가는 일을 맡겼습니다. 한 집안의 일 어느 하나도 잘못된 것이 없이 하는 일마다 모두 충분하여 만족해하고 편안한 잠을 이루며 먹고 마시기만 하였습니다. 갑자기 하루아침에 그 모든 일을 자신이 직접 해보고자 하여 다시 맡기지 않고 자신의 체력을 고생시켜가며 이런 잗다란 일들을 해나가느라 몸이 수척해지고 정신이 힘들었으나 끝내 하나도 이루지 못하였습니다. 어찌 지혜가 노비나 닭이나 개만 못하여서이겠습니까? 집안 주인으로서의 법도를 잃었기 때문입니다. … 지금 공께서 정사를 하시면서 몸소 문서까지 점검하시느라 하루 종일 땀을 흘리고 계시는데 또한 힘드시지 않습니까?'라고 하자 제갈공명은 고마워하였다. … 양옹이 죽자 공명은 3일 동안 눈물을 흘렸다.(亮嘗自校簿書, 顒直入諫曰, '爲治有體, 上下不可相侵. 請爲明公以作家譬之. 今有人使奴執耕稼, 婢典炊爨, 雞主司晨, 犬主吠盜, 牛負重載, 馬涉遠路. 私業無曠, 所求皆足, 雍容高枕, 飮食而已. 忽一旦, 盡欲以身親其役, 不復付任, 勞其體力, 爲此碎務, 形疲神困, 終無一成. 豈其智之不如奴婢雞狗哉? 失爲家主之法也 … 今明公爲治, 乃躬自校簿書, 流汗竟日, 不亦勞乎?' 亮謝之 … 顒死, 亮垂泣三日.)"

271 20 이상을 … 일: 20 이상의 20이 구체적으로 무엇을 이르는 말인지 알 수 없다. 다만 그것이 매우 사소한 형벌인 것만은 살필 수 있다. 『論語』「雍也」 편에 "原思를 공자가 자신의 채지로 받은 고을의 수령으로 삼고서 곡식 900을 주었는데 사양하였다.(原思爲之宰, 與之粟九百, 辭.)"라는 말이 있다. 여기서 900은 그 양을 알 길이 없다. 900 다음에 그 부피를 나타내는 말斗이나 섬斛이라는 말이 써 있지 않아 그 양의 구체적인

면서 하는 일이 많은 것을 적국이 알아채고 그가 오래가지 못할 것을 경사와 다행으로 여기는 데까지 이르렀으니,[272] 공명이 어찌 자신의 몸을 아끼고 진중해야 한다는 사실을 몰랐겠는가? 그런데도 이같이 한 것은 어인 까닭일까? 아! 이는 보통 사람의 마음으로 헤아리거나 옅은 식견으로 말할 수 있는 것이 아니다. 상국의 체통을 알면서도 스스로 고생에서 벗어나지 못하였고, 충성된 말인 줄 알았으면서도 즐겁게 받아들인 것을 볼 수 없으며, 자신의 한 몸에 나라의 존망이 달렸음을 알았으면서도 끝내 적국이 경사와 다행으로 여기는 계책을 취하였다. 진실로 더없이 바보스러운 자가 아니더라도 혹여 하지 않을 일을, 천하를 뒤덮고 보통 사람을 초월한 지혜를 가진 자가 하였다고 말할 수 있겠는가? 그런 까닭에 나는 '이는 보통 사람의 마음으로 헤아리거나 옅은 식견으로 말할 수 있지 않다.'고 말하는 것이다.

且當時事勢如何耶? 以一木支大廈之傾. 事君而致其身, 盡瘁於國, 遑恤其他, 夫豈可已而不已者? 楊顒之諫, 謂之愛孔明則可, 謂之知孔明則未也. 杜子美詩云, '三分割據紆籌策, 萬里雲霄一羽毛.'[273] 又云, '運移漢祚難恢復, 志決身殲軍務勞.' 此詩字字有意, 細味之庶乎知孔明之心. 而豈常情淺識之所能測度擬議者哉."[274]

또 당시의 형세가 어떠했는가? 기울어가는 큰집을 기둥 하나로 버티는 꼴이었다. 군주를 섬기면서 자신의 한 몸을 바쳐 나랏일에 병이 나도록 진력하였으니 다른 것은 돌볼 겨를이 있었겠으며, 어찌 그만둘 수 있었는데 그만 두지 못했으랴? 양옹이 간하는 말이, 공명을 아끼는 것이었다고 한다면 옳겠지만, 공명을 알아본 것이라 한다면 옳지 않다. 두자미杜子美의 시[275]에,

三分割據紆籌策　천하를 삼분하여 차지한 것에 책략이 스몄으니

萬里雲霄一羽毛　만 리 하늘 한 마리 새처럼 높고 높아라!

라고 하였고, 또 이어서

. . . .
　　　내용을 알 수 없다. 그래서 주자는 "900은 그 양을 말하지 않아 고증할 수 없다.(九百, 不言其量, 不可考.)"고 하였다. 여기서 20도 그러한 예다. 따라서 곧장 20대라는 주장은 있으나 근거할 길이 없다.

272　적국이 알아채고 … 이르렀으니 : 제갈공명이 숨을 거둔 오장원 전투에서의 고사다. 『晉書』「宣帝紀」에 의하여 살피면 다음과 같다. 여기서 선제는 司馬懿를 이른다. "제갈량의 사신이 선제에게 이르자 '諸葛公께서는 지내시는 정도는 어떠하신지요? 식사는 얼마나 하시는지요?'라고 묻자 '3~4되[升] 정도이십니다.'라고 대답하였다. 이어서 정사하시는 것은 어떠시느냐고 묻자, '20 이상을 처벌하는 일은 모두 직접 살피십니다.'고 대답하였다. 선제는 시간이 흐른 뒤 사람들에게 말하기를 '제갈공명이 오래 버틸 수 있겠는가?'라고 하였다. 마침내 그의 말과 같이 되었다.(亮使至帝, 問曰, '諸葛公起居何如? 食可幾米?' 對曰, '三四升.' 次問政事, 曰, '二十罰已上皆自省覽.' 帝既而告人曰, '諸葛孔明其能久乎?' 竟如其言.)"

273　萬里雲霄一羽毛. : 이 시구는 조선 성종시대 편찬한 『分類杜工部詩諺解』와 인조시대 李植이 편찬한 『纂註杜詩澤風堂批解』에 의거하면 '萬里'가 '萬古'로 쓰여 있다.

274　『吳文正集』 권58 「題跋·跋楊顒諫諸葛武侯之辭後」

275　杜子美의 시 : 이 두자미는 唐나라의 시인 杜甫를 그의 字로 이른 말이다. 그의 시는 詠懷古跡五首 중 제갈량을 노래한 시이다. 이 시의 번역은 조선 성종시대 편찬된 『分類杜工部詩諺解』와 李植이 주를 낸 『纂註杜詩澤風堂批解』에 의거하여 번역하였다.

運移漢祚難恢復　운 떠난 한실 왕조 회복하기 어려운데
志決身殲軍務勞　뜻 세운 군사 일에 지쳐 몸이 죽어 갔구려!
하였다. 이 시의 글자 한 자 한 자마다 뜻이 담겼으니, 자세히 음미해보면 공명의 마음을 알 수 있다. 어찌 보통사람의 마음과 옅은 식견으로 능히 헤아리고 어림할 수 있겠는가?"

荀彧 순욱

[62-17-1]

龜山楊氏曰: "議者謂'曹公非取天下於漢', 其說非也. 方曹公以强忍之資, 因亂假義, 挾主威以利諸侯. 其包藏禍心, 天下庸人知之矣. 而荀彧間關河冀, 擇其所歸, 卒從曹氏. 志欲扶義奮謀, 以舒倒懸之急, 迹其行事, 可謂勇智兼人矣. 乃獨不知曹氏之無君乎? 其拒董昭之議何也? 夫豈誠有忠貞之節歟? 抑欲以晚節蓋之歟? 由前則不智, 由後則不忠. 不智不忠而求免於亂臣, 宜乎其難矣. 嗚呼! 荀君安得無罪歟? 觀其臨大義, 斷大謀, 操弄强敵於股掌之間, 輔成曹氏之霸業. 至其威加海內, 下陵上逼, 乃欲潛杜其不軌, 是猶揚瀾潰堤, 以成滔天之勢, 而後徐以一葦障之, 尙可得乎? 而范曄猶謂'或有殺身成仁之美', 吾不知其說也."[276]

구산 양씨龜山楊氏[楊時]가 말하였다. "말하는 자들이 '조조는 천하를 한漢나라에서 빼앗은 것이 아니다.'고 한 것은 잘못이다. 조조는 포악하고 잔인한 자질로 천하의 어지러움을 틈타 의리를 위장하고서 천자의 권위를 겨드랑에 끼고 제후를 이용할 때[277] 그가 감추고 있는 흉악한 마음은 천하의 하찮것없는 사람도 알 수 있었다. 그런데 순욱[278]이 황하의 기주冀州에서 이 고생 저 고생을 겪다가 귀의할 사람을 선택하여

• •

276 『龜山集』 권9 「史論·荀彧」

277 천자의 권위를 … 때: 천자의 권위를 자신의 이익에 이용함을 이르는 말이다. 곧 속으로 자신의 이익을 도모하면서 겉으로는 대의명분을 내세워 아랫사람들에게 명령하는 것을 이른다. 조조가 당시 後漢의 마지막 황제 獻帝를 명분상 보필하는 것처럼 꾸미고서 실상은 헌제의 천자 권위를 이용하여 자신의 세력을 형성한 행위를 이렇게 말한 것이다. 이를 『三國志』 「蜀書·諸葛亮傳」의 기사에 의하면 제갈량이 자신을 융중으로 세 번째 찾아온 유비에게 한 말에서 확인할 수 있다. "조조는 원소에 비하면 명성도 하찮고 군사도 어림없었으나 조조가 마침내 원소를 이기고 약한 형세를 강하게 만들어 낸 것은 天時의 유리함이 아니고 또한 사람들의 계책으로 인해서입니다. 지금 조조는 이미 1백 만 대군을 보유하고 천자를 겨드랑에 끼고 제후를 호령하고 있으니 참으로 겨룰 수 없고 손권은 강동을 차지한 지 이미 3대째 이른 데다가 지리적으로 험하고 민심이 그에게 귀의하여 있으니 후원세력으로 삼아야 하고 도모해서는 안 됩니다.(曹操比於袁紹, 則名微而衆寡, 然操遂能克紹, 以弱爲彊者, 非惟天時, 抑亦人謀也. 今操已擁百萬之衆, 挾天子以令諸侯, 此誠不可與爭鋒, 孫權據有江東, 已歷三世, 國險而民附, 賢能爲之用, 此可與爲援, 而不可圖也.)" 하면서 형주와 익주를 거점으로 삼아야 함을 설득하였다.

278 순욱: 後漢 潁川 潁陰 사람. 彧은 郁으로도 쓴다. 자는 文若. 封號는 萬歲亭侯. 시호는 敬. 永漢(헌제의

마침내 조조를 따라나섰다.[279] 뜻은 의리를 붙잡고 책략을 힘껏 펼쳐 거꾸로 매달린 위급함을 풀어내고자 함이었고,[280] 그가 한 일도 추적해보면 용맹과 지혜를 겸한 사람이라 말할 수 있다. 그런데 유독 조조가 군주를 무시하고 있는 것만을 알아보지 못했을까? 그가 동소董昭의 의견을 거부한 것[281]은 왜였을까? 그에게 참으로 충성과 올곧음의 절의가 있어서였을까? 아니면 늘그막의 절의로 (자신의 지난날을) 덮고자 함이었을까? 전자에서 비롯되었다면 지혜롭지 못하고, 후자에서 비롯되었다면 충성스럽지 못하다. 지혜롭지 못하고 충성스럽지 못하면서 난신亂臣의 (이름을) 면하기는 당연히 어렵다. 아! 순욱荀彧이 어떻게 죄가 없을 수 있겠는가? 그가 대의에 임하여 큰 계책을 결단하는 것[282]을 살피면, 가랑이와

. . . .

연호) 연간에 孝廉으로 천거되어 守宮令에 임명되었다. 曹操의 謀士로 활동하였으나, 언제나 조조를 따라다니며 전쟁에 나서지는 않았고 조정에 남아 헌제를 보필하였다. 뒤에 董昭 등이 조조에게 魏公의 작위를 올리려 하자, 의리에 반대된다고 동의하지 않아 조조의 미움을 산 나머지 손권을 정벌하러 가는 조조의 군대에 차출되어 가던 중 병이 나서 지체하다 약을 먹고 자살하였다.(『後漢書』 권100 ; 『三國志』 권10)

279 황하의 冀州에서 … 따라나섰다. : 순욱의 형제 8명이 모두 재주가 있어 당시 영천에서 八龍으로 불렸다. 순욱이 효렴으로 추천되어 벼슬하다가 동탁이 천하를 어지럽히는 것을 보고서 벼슬에서 물러나와, 고향 父老들에게 영천은 사방에서 싸움이 일어날 지역이니 빨리 떠나야 한다고 설득하였으나 아무도 따라나서는 사람이 없었다. 이때 친구인 冀州牧 韓馥이 그에게 수레를 보내 초빙하였다. 이에 순욱은 자신의 집안사람들을 모두 거느리고 기주로 이사하였다. 이사가는 과정에 친구 한복이 袁紹에게 지위를 빼앗겼다. 원소가 순욱을 上賓의 예로 극진하게 받들었으나 순욱은 원소를 함께하지 못할 사람으로 보았다. 형제들은 원소에게 나가 벼슬하였으나 그는 벼슬에 나가지 않았다. 조조의 소식을 듣고서 원소를 버리고 조조에게 귀의하자, 조조는 "나의 자방이다.(吾之子房也)"고 하면서 그를 司馬에 임명하였다. 당시 나이 29세였다.(『三國志』「魏書·荀彧荀攸賈詡傳」)

280 거꾸로 매달린 … 함이고, : 백성이 도탄에 빠져 시달림을 비유한 말이다. 『孟子』「公孫丑上」에서 맹자는 "지금 세상에 만승의 나라가 인정을 베푼다면 백성들은 그 기쁨이 마치 거꾸로 매달린 데에서 풀려난 것과 같을 것이다.(當今之時, 萬乘之國行仁政, 民之悅之, 猶解倒懸也.)"고 하였다. 곧 백성을 도탄에서 건져내고자 하는 마음으로 조조를 따라나섰다는 말이다.

281 董昭의 의견을 … 것 : 建安 17년(서기 212년)의 일이다. 이때 조조는 형주와 익주, 강동을 제외한 모든 지역을 차지하여 강성한 세력을 형성하였다. 『三國志』「魏書·荀彧荀攸賈詡傳」에 의하면, "(이때 모사로 있던) 동소가 조조의 작위를 國公으로 올리고, 아홉 가지 특수한 의장九錫을 갖추어 남다른 공훈을 드러내야 한다며 순욱에게 비밀히 물었다. 순욱은 '조조는 본래 의병을 일으켜 조정을 바로잡고 나라를 안녕하게 하였으니, 굳은 충성의 정성을 가져야 하고 사양의 실상을 지켜야 한다. 군자는 남을 덕으로 사랑해야 하니, 이 같은 일은 온당하지 않다.'고 반대하였다. 조조는 이 일로 인해 마음이 편치 못하였다.(董昭等謂太祖宜進爵國公, 九錫備物, 以彰殊勳, 密以諮彧. 或以爲太祖本興義兵, 以匡朝寧國, 秉忠貞之誠, 守退讓之實. 君子愛人以德, 不宜如此. 太祖由是心不能平.)"라고 하였다. 이때 손권을 정벌하는 일로 조조가 전쟁에 나서며 헌제에게 표를 올려 순욱이 군대를 위로하는 일을 할 수 있게 해달라고 하였다. 순욱이 위로하는 일에 나서자 조조는 순욱을 붙잡아 두고 자신의 군대 일에 참여케 하였다. 조조의 군대가 濡須에 이르렀을 때 순욱은 병이 나 壽春에 남게 되었다. 이때 조조가 그에게 음식을 보냈는데 순욱이 받아 뚜껑을 열어보니 아무 음식도 담겨 있지 않았다. 이에 순욱은 약을 먹고 자살하였다. 당시 나이 50세였다. 다음 해 조조는 魏公에 올라 제후를 칭하였다.(『後漢書』「荀彧傳」; 『三國志』「魏書·荀彧荀攸賈詡傳」)

282 대의에 임하여 … 것 : 조조가 여포 정벌을 서두르자, 순욱은 먼저 조조가 현재 거점으로 차지하고 있는 兗州를 공고히 한 다음으로 미룰 것, 헌제를 맞이하여 그를 받드는 것으로 명분을 잡을 것, 원소의 형세가

손바닥 사이에 강적을 붙잡아두고서 조롱해 가며 조조의 패업을 도와 성공시키고 있다. 조조의 위엄이 천하를 뒤덮으며 아랫사람을 깔보고 윗사람을 압박하기에 이르자, 그제야 반란을 도모하려는 의도를 몰래 막고자 하였으나, 이는 파란을 일으키고 둑을 터뜨려 하늘까지 넘실거리는 형세를 만들어 낸 뒤에 천천히 갈대 한 묶음으로 막으려는 것과 같으니 가능한 일이겠는가? 범엽范曄은 오히려 '순욱은 살신성인의 아름다움이 있다.'고 말하였으나,[283] 나는 그 말뜻을 알지 못하겠다."

[62-17-2]

"東坡謂'荀文若其才似子房, 其道似伯夷', 予以謂'其才似子房'則有之矣. 伯夷不事非君, 不立於惡人之朝, 寧忍事操乎? 以爲'其道似伯夷', 吾不知其說."[284]

(구산 양씨가 말하였다.) "동파東坡蘇軾가 '순문약荀文若荀彧은 그 재주는 자방子房과 같고, 그의 도道는 백이伯夷와 같다.'고 하였는데, 나는 '그 재주가 자방과 같다.'라는 말에는 (순욱에게) 그런 점이 있다고 생각한다. 그러나 백이는 올바르지 않은 군주는 섬기지 않았고 악한 군주의 조정에서는 벼슬하지 않았는데,[285] 어떻게 차마 조조를 섬길 수 있겠는가? 그가 말한 '그의 도는 백이와 같다.'는 말을 나는 이해하지 못하겠다."[286]

[62-17-3]

朱子曰 : "荀彧之死, 胡文定引宋景文說以爲劉穆之宋齊丘之比, 最爲得其情狀之實, 無復改評矣. 考其議論本末, 未見其有扶漢之心, 其死亦何足悲? 又據本傳, 彧乃唐衡之壻, 則彧之失其本心久矣."[287]

주자가 말하였다. "순욱의 죽음에 호문정胡文定胡安國이 송경문宋景文[288]의 말을 인용하여 유목지劉穆之와 송제구宋齊丘[289]에 비교한 말이 그 실정을 가장 잘 말한 것이니, 다시 고쳐 평할 것이 없다. 그가

결코 무섭지 않다는 것들을 조조에게 설득하여, 마침내 원소를 겁내지 않고 무너뜨리게 하였고, 형주의 유표를 공격하여 승리하는 등의 일을 성공시켰다.(『三國志』「魏書 · 荀彧荀攸賈詡傳」)

283 范曄은 오히려 … 말하였으나 : 범엽이 편찬한 『後漢書』「荀彧傳」의 論에서 "자신의 한 몸을 희생하여 인을 이룬 의리이다.(殺身以成仁之義也)"라고 하였다.

284 『龜山集』권27 雜著, 「雜說」

285 백이는 올바르지 … 않았는데 : 맹자가 백이를 두고 한 말이다. 『孟子』의 「公孫丑上」과 「萬章下」에 실려 있다.

286 나는 이해하지 못하겠다. : 조조가 보내온 음식 그릇에 아무런 음식이 담겨 있지 않은 것을 보고, 그가 바로 약을 먹고 죽은 것을 평가하여 백이와 같다고 말한 것인데, 이를 옳지 않은 평가라고 한 것이다.

287 『朱文公文集』권46「書(知舊門人問答) · 答潘叔昌」제9書)

288 宋景文 : 송나라 安陸 사람으로, 자는 子京, 시호는 景文이다. 歐陽脩와 『唐書』를 편찬하였다.

289 劉穆之와 宋齊丘 : 유목지는 南朝宋의 東莞 莒 땅 사람으로 자는 道和, 시호는 文宣이고, 죽은 뒤 南康郡公에 봉해졌다. 東晉 安帝 義熙 3년(서기 407년)에 뒷날 남조송을 일으킨 劉裕의 주부가 되어 죽을 때까지 유유를 보필하였다. 송제구는 오대시대 南唐의 廬陵 사람. 자는 子嵩. 시호는 醜穆. 후일 남당의 군주가 된 李昪(이

했던 말의 근원을 더듬어보면, 그에게서는 한漢나라를 붙잡으려는 마음을 볼 수 없는데, 그의 죽음에 또한 무슨 슬퍼할 일이 있겠는가? 또 그의 전기에 의거하면 순욱은 당형唐衡[290]의 사위였으니, 순욱이 본심을 잃은 지 오래였다."

<hr />

변 : 烈祖)에게 등용되어 벼슬하다가, 李璟(元宗)이 자립하자 다시 이경에게 벼슬하였다. 黨與를 심어 찬탈을 도모한다는 죄목으로 벼슬을 그대로 지닌채 九華山으로 추방되어 굶어 죽었다. 목매달아 죽었다는 설도 있다.(『宋書』「劉穆之傳」; 陸游 『南唐書』 권1)

290 唐衡 : 후한시대 환관으로, 潁川 郾 땅 사람이다. 桓帝 초기에 小黃門史에 오른 뒤 延熹 2년(서기 159년)에 單超·徐璜 등과 권신 梁冀 등을 제거하여 죽이면서 中常侍에 오르고 汝陽에 봉해졌다. 이때 함께 후에 봉해진 다섯 사람의 환관을 세상에서 五侯라 불렀다. 이때부터 한나라는 환관에게 권력이 기울면서 사직이 기울었다. 이후 이들 오후는 권력을 믿고 온갖 행패를 부려 세상에서 그들에게 별칭을 붙여 주었는데 당형에게는 두 개의 구덩이를 만들어 두고 마음 가는 대로 사람을 떨어뜨려 못살게 한다는 뜻에서 唐兩墮라고 불렀다.(『後漢書』 권108)

해제解題

성리대전 권56 「학 14學十四 : 논시論詩, 논문論文」 해제

권56은 논시論詩 논문論文에 대한 성리학자들의 어록을 수집하여 정리하였다. 우선 논시論詩에서는 이정二程, 구산 양씨龜山楊氏, 주희朱熹, 남헌 장씨南軒張氏, 상산 육씨象山陸氏, 서산 진씨西山眞氏, 임천 오씨臨川吳氏 등의 어록이 수록되어 있다. 또한, 이백李白과 두보杜甫 등 수 많은 역대 문인들의 시를 부분적으로 소개하고 아울러 이에 관한 품평을 하고 있다.

정자程子는 평소에 시를 짓지 않는 이유가 시를 짓는 것을 금지하려는 것이 아니라 다만 한가로운 말을 만들고 싶지 않기 때문이라고 한다. 주희는 『시경詩經』「주남서周南序」를 인용하여 시詩를 뜻이 지향하는 것으로 규정하고 마음에 있으면 뜻이고 말로 나오면 시라고 평가했다. 그렇다면 시인의 뜻이 지향하는 것이 어떻게 높은지 낮은지를 볼 뿐이다.

시는 성정性情의 진실을 말하는 것이다. 시를 지으려면 마음을 가라앉혀야 한다. 주희는 알지 못하기 때문에 아름다운 것을 아름답지 않게 만들고 아름답지 않은 것을 아름다운 것으로 만든다고 하면서 마음속이 번잡하여 텅 비워 고요하지 않기 때문이라고 평가한다. 텅 비지 않고 고요하지 않기 때문에 밝지 않고, 밝지 않기 때문에 알지 못한다. 만약 텅 비고 고요하여 밝다면 아름다운 일을 알게 된다는 것이다.

역대 시인들에 대한 평가에서 주희는 선비들이 경전에 근거해서 공부하듯이 시를 지을 때는 먼저 이백李白과 두보杜甫의 시를 보아야 하고 근본이 서고 나면 다음 차례로 소식蘇軾과 황정견黃庭堅을 보고, 다음 차례로 여러 작가들의 시를 보아야 한다고 했다.

주희는 유학자답게 시에서도 의리의 중요성을 강조한다. "지금 사람들은 의리를 강론하지 않고 단지 시문만을 배우려고 하니 이미 의리는 두 번째 의미로 추락하였다. 하물며 또 아름다운 것은 배우지 않고 단지 아름답지 않은 것을 배워서 지음에 있어서랴! 시를 지을 때 육조六朝 시대의 것을 배우지 않고 또 이백李白과 두보杜甫의 시를 배우지 않고 단지 기이한 것만을 배우려고 한다."

주희는 이백李白의 시를 법도가 없는 것은 아니지만 법도 속에 차분하니 시詩 성인聖人이라고 평가한다. 이백의 시는 오로지 호방한 것만이 아니고 또한 조용하며 포용하고 화평하여 느긋한 것도 있다고 하고 도연명陶淵明의 시는 사람들이 모두 평담平淡하다고 하지만 도연명은 본래 호방하지만 다만 호방함을 느낄 수 없을 뿐이라고 평가한다.

주희는 두보杜甫의 시를 초년에는 매우 정세精細하지만, 만년에는 횡역橫逆을 감당할 수 없는데, 시의詩意가 이른 곳에는 한 개의 압운押韻을 하고 있다고 평가한다. 도연명陶淵明의 시는 평담平淡

함은 자연스러움에서 나온 것이고 평가하고 후대 사람들이 그의 평담함을 배웠으나 거리가 멀다고 한다.

위응물韋應物의 시는 왕유王維·맹호연孟浩然보다 높은 것은 소리도 색깔도 냄새도 맛도 없기[無聲色臭味] 때문이라고 평가한다. 한유韓愈의 시는 평이하고 맹교孟郊는 밥을 배불리 먹은 듯하니, 남들이 이르지 못한 경지를 생각해낸다고 하였다.

유우석劉禹錫의 시는 두보杜甫를 비교 대상으로 하여 낮은 평가를 내리고 있다. 한산寒山에 대해서 주희는 시인들이 쉽게 이 경지에 이르지 못한다고 극찬한다. 석연년石延年의 시는 웅장하고 호걸스러우면서도 엄밀하고 방정하여 지극히 아름답다고 평가한다. 황정견黃庭堅의 시는 정밀하고 뛰어나서 많은 공부를 했다고 평가한다.

이상에서 살펴 본 역대 시인들에 대한 평가와 관련하여 여기서 한 가지 주목할 내용은 여류시인에 관한 주자의 평가이다. 주희는 "지금 시대에 문장에 능한 부인은 다만 이이안李易安(李淸照)과 위부인魏夫人 뿐이다. 이이안 씨의 시에 대략 이르기를 '양한兩漢은 본래 계승하였으니, 신新나라는 그 속의 혹과 같네[兩漢本繼紹, 新室如贅疣]'라고 하고, '혜중산嵇中散은 죽을 때까지 은나라와 주나라를 야박하다고 하였네[所以嵇中散, 至死薄殷周]'라고 하였으니, 혜중산이 탕왕과 무왕의 나라 얻은 것을 비난하였는데 이를 이끌어다가 왕망을 비유하였다. 이와 같은 말을 어찌 여자가 할 수 있는 것인가!"라고 평하였다.

문장을 논한 논문論文에서는 이정二程, 구산 양씨龜山楊氏, 주희朱熹, 남헌장씨南軒張氏, 상산육씨象山陸氏, 자호양씨慈湖楊氏, 노재허씨魯齋許氏 등의 어록이 수록되어 있다. 여기서는 『육경』으로부터 맹자孟子, 한유韓愈, 유종원柳宗元, 구양수歐陽修 등 역대 문장가의 글을 평하고 있다.

주희는 기본적으로 도道는 문장의 근본이고, 문장은 도의 지엽이라고 생각한다. 그러므로 도에 근본하여 문장으로 발현된 것이 문이재도文以載道의 기본 취지이다. 따라서 육경六經 등의 저술과 문장이 단지 언어에 의탁하여 이루어지는 것이 아니라 성현의 마음과 행동거지가 드러나는 것임을 말하고 있다.

이정二程 역시 성인의 덕德과 마음의 글임을 역설하고 있다. 그래서 문장의 근본이 도道이기 때문에 기교를 부려서 글을 짓고자 전념하는 것은 매우 위험하다. 문장을 짓는 것이 도에 해롭다고 보는 이정은 글을 짓는 것에만 전념하게 되면 뜻을 잃는 완물상지玩物喪志가 되어 버린다.

당연히 주희도 이치를 알면 저절로 문장이 나온다는 입장을 가진다. "지금 문장을 배우는 이들이 어찌 한 편이라도 지은 적이 있었는가? 많은 기력만 헛되이 허비하였다. 대의大意를 학문에 두어 이치를 밝히면 자연히 아름다운 문장을 지어낼 수 있을 것이다. 시 또한 그렇다." 그러나 후세 사람들은 문장을 갈고 닦아 꾸며대어 기교를 쓰기만 하여 기교의 극치이다.

따라서 주희의 언급대로 좋은 문장을 지으려면 반드시 도리를 이해해야 한다. 그래서 문장의 본령은 이치를 말하는 일이다. "문장을 지을 때는 모름지기 사실에 의거해야 말이 조리가 있어 좋으니, 가공駕空의 세밀한 기교를 부려서는 안 된다. 대개 칠팔 할은 사실이어야 하고 단지 이삼 할만이 문식文飾이라야 한다. 구양수歐陽修의 문장이 좋은 것은 단지 사실에 의거하여 조리가 있는 것이다."

그 다음으로 고금의 문인과 문인들의 문장에 관한 평가가 수록되어 있다. 주희朱熹는 문장을 세 가지로 구분한다. 치세治世의 문장도 있고 쇠퇴한 세상의 문장도 있으며 난세亂世의 문장도 있다. 육경六經이 바로 치세의 문장이고 『국어國語』와 같은 것은 위축되어 번다하니 참으로 쇠퇴한 세상의 문장일 뿐이다. 난세의 문장은 『전국책戰國策』이다. 그러나 탁월한 기상이 있으니 쇠퇴한 세상의 『국어』와 비교할 것은 아니다.

주희는 맹자孟子와 한유韓愈의 문장을 높이 평가한다. 한유는 단락을 사용하지 않고 곧바로 말을 시작하면 한 편篇 끝까지 이어가니 자연스럽게 순수하여 문체文體가 이루어져 파탄이 없다고 하였다.

특히, 여기서는 문장가로 한유韓愈에 관한 언급이 풍부하게 망라되어 있다. 이정二程은 한유가 만년에 쓴 문장은 허술하게 보아서는 안 된다고 높이 평가한다. 구산 양씨龜山楊氏는 한퇴지韓退之와 유종원柳宗元이 모두 고문古文으로 천하에 이름을 날렸다고 하면서도 도학자들처럼 성인의 묘리妙理를 살펴본 이는 없었다고 낮게 평가한다. 주희는 한유의 문장은 높고 구양수歐陽修의 문장은 배울 만하다"고 하여 평가를 높게 하고 있다.

또한, 주희는 문장은 구양수歐陽脩와 증공曾鞏과 소식蘇軾에 이르러서, 그리고 도리는 이정二程에 이르러서 바야흐로 밝게 되었다고 평가하고 왕안석의 문장은 어둡다고 낮게 평가한다. 호안국胡安國의 문장에는 강령이 있는데, 양구산楊龜山의 문장에는 강령이 없다고 하여 문인들에 관한 다양한 평가를 내리고 있다.

아울러 사마천司馬遷의 문장은 웅건하고 의미는 평담平淡하지 않아서 전국시대 문장의 기상이 있고, 가의賈誼의 문장도 마찬가지라고 평가한다. 동중서董仲舒의 문장은 알차고 유향劉向의 문장도 비교적 알차고 또 아름다워서 조금도 헛된 기상이 없다고 한다.

마지막으로 주목할 만한 점은 허형許衡의 언급이다. 허형은 이정二程·주자朱子 등의 학문을 높이 평가하면서 문장에 전념하여 기교 솜씨를 부리는 것을 비판한다. 그러나 이어서 "송나라 문장은 리理에 접근하는 것이 많기는 하지만 실제 리를 얻은 것은 역시 적다. 세상에서 말하는 '이치에 더욱 가까워서 진실을 크게 어지럽힌다彌近理而大亂眞'는 것이 송나라 문장에 많이 있으니 글을 읽는 이들은 반드시 안목을 밝게 해야 한다."고 하여, 글과 문장이 갖는 근본적인 한계를 지적하고 있으며 아울러 이론적 측면으로 지나치게 치우쳐 본질로부터 벗어난 송나라 유학자들의 오류를 거울삼아 당시 학인들의 각성을 촉구하고 있다.

성리대전 권57~58 「제자諸子」 해제

　'제자諸子'에 대한 성리학자들의 평가를 수집한 내용이다. '제자'는 선진先秦부터 한漢나라 초기까지의 '여러 유파流派의 학자'를 뜻하는데, 『한서漢書』 「예문지藝文志」에는 유가儒家 도가道家 등 모두 10가家를 수록하였으나, 『성리대전性理大全』에서는 유학자儒學者들을 권38~42까지 성현聖賢 제유諸儒로 특별히 제시하여 제자諸子에 넣지 않았다. 그리하여 여기 제자에서는 '유학자儒學者들을 제외한 나머지 유파의 학자들 가운데 출중한 인물'들을 수록하였는데, 한나라 이후 원대元代의 학자까지 범위를 넓혔다.

　권38에서는 '성현聖賢'이란 제하題下에 공자孔子와 안자顔子 증자曾子 자사子思 맹자孟子 및 공맹문인孔孟門人을 제시하고, 권39~42에서는 '제유諸儒'란 제하에 북송오자北宋五子로부터 주자朱子 등 남송南宋의 제유 및 원대元代의 허형許衡 오징吳澄까지 제시하였다. 이들은 춘추春秋 전국戰國과 송宋 원元의 학자들만 제유에 채록되어 한漢 당唐의 제유, 예컨대 동중서董仲舒 한유韓愈가 빠지고, 이들을 제자諸子에 편입시킨 것이다. 여기서 호광胡廣 등 『성리대전』 편찬자들이 한 당의 유학자儒學者들을 무시하고 성리학과 관련된 유학자만 제유諸儒로 인정한 경향이 드러나는 것이다. 이는 전국시대의 성악설性惡說을 주장한 유학자 순자荀子도 제자에 넣은 것에서 더욱 극명하게 드러난다.

　권57 '제자1諸子一'에는 노자老子, 李耳, 열자列子, 列禦寇, 장자莊子, 莊周, 묵자墨子, 墨翟, 관자管子, 管夷吾, 손자孫子, 孫武, 공총자孔叢子, 신불해申不害, 한비자韓非子, 순자荀子, 荀況, 동자董子, 董仲舒, 권58 '제자2諸子二'에는 양자揚子, 揚雄, 문중자文中子, 王通, 한자韓子, 韓愈, 구양자歐陽子, 歐陽脩, 소자蘇子, 蘇軾, 왕안석王安石 등이 제시되었다. 그 중에 대표적인 학자 몇 명을 소개하면 다음과 같다.

　노자老子에 대해 정자程子는 "노자는 도덕을 말하면서도 권모權謀와 사술詐術이 섞여져 본말이 어긋난다. 신불해申不害 한비韓非 소진蘇秦 장의張儀의 주장은 모두 그에게서 유래한 폐해."라고 부정적으로 평했다. 주자朱子는 "노자의 학술은 겸허하고 검약하여 기꺼이 전혀 정신을 쓰려 들지 않는다. 스스로가 매우 편안해야만 비로소 하려 들고 털끝만큼이라도 자신에게 불편하면 곧 하려 들지 않는다."라고 했고, "노자의 학문은 고요히 텅 비워 아무 것도 하지 않는 것과 물러나 스스로를 지키는 것을 일삼는다. 그러므로 그의 말은 늘 나약하고 겸손히 자신을 낮추는 것으로 겉모습을 삼고, 텅 비우고 만물을 훼손하지 않는 것을 실질로 삼는다. 그가 정치에 대해서, '내가 아무 것도 하지 않아도 백성이 저절로 교화된다.'라고 말하고 있으나, 교화되지 않는 자에 대해서는 또한 문제 삼지 않았다. 그의 말은 매번 이러하다."라고 하여, 장단점 중에 단점에다 비중을 두어 평했다.

장자莊子에 대해 정자는 "그의 학문은 예禮도 없고, 근본도 없다. 그러나 도리를 형용한 말에는 또한 잘된 말도 있다."라고 하여, 근본이 없는 중에 일부 잘된 말을 인정했고, 주자는 "노자와 장자의 학문은 의리상 옳고 그름을 따지지 않고, 단지 그 중간을 따르는 것으로 몸을 온전히 하고 환란을 피하는 계책으로 삼고자 하였으니, 바로 정자가 말한 '순간순간 간악하게 거짓을 저지른 다.'이다. 그러므로 그 마음에 '선을 행하더라도 명예를 가까이 하려는 것은 선을 행하는 자의 지나침이고, 악을 저지르더라도 형벌에 가까이 가는 것은 또한 악을 저지른 자의 지나침이다.'라 고 여겼을 것이다. … 이에 양쪽 사이에서 주저주저하면서 대충 처리하는 것을 '중간'의 도리로 여기고서 따르고자 하니 기탄이 없음이 또한 더욱 심하다."라고 하여 선악의 중간 사이에서 대충 처리하면서 기탄이 없다고 부정적으로 평했다. 한편 진덕수眞德秀는 "하안何晏과 왕필王弼이 『노자』 『장자』와 같은 책으로 『주역周易』을 주석하면서 왕연王衍과 갈현葛玄이 뒤질세라 서로 우러러 본 받아, 오로지 청담淸談을 일삼고 오경五經은 찌꺼기처럼 여겨, 본래의 진실은 무시하여 팽개치고 바람처럼 물결처럼 흔들리다 진晉나라가 마침내 망하였다."라고 하여, 망국亡國의 원인으로 작용 했다고 혹평했다.

묵자墨子에 대해 정자는 "양주楊朱는 본래 의義를 배웠고 묵자는 본래 인仁을 배웠으나, 단지 그의 배운 것에 조금 치우치다보니 그 흐름이 마침내 아버지도 무시하고 군주도 무시하는 데까지 이르렀다."라고 하여, 인의仁義에 치우쳐서 부모와 군주를 무시했다고 평했고, 주자는 "양주와 묵 자의 말은 모두 사특하다. 더욱이 묵자의 말은 작위적이고 거짓되어서 인정에 가깝지 않고 행하기 도 어렵다."라고 하여, 사특한 거짓이라고 평했다.

관자管子에 대해 주자는 "관이오管夷吾의 뜻은 강국強國에 있었으니 내정을 펼치는 것이 어찌 백성들에게 있었겠느냐? 단지 국내 정치라는 이름만을 빌려 군령軍令을 시행했을 뿐이다. 이러므 로 겉으로 왕도 정치의 이름을 빌리고 안으로 나라를 강화시킬 이점만을 손질한 것이니 그의 교묘한 속임수가 본래 이렇다. … 속임수로 그 일들을 시행하여 이웃 나라를 속였으니 그것이 어찌 패권을 추구하는 자의 사사로움이 아닐 수 있겠느냐?"라고 하여, 속임수의 패권을 추구했다 고 평했다. 이는 공자孔子가 관중管仲의 인仁을 인정한 것과는 차이가 큰 견해이다.

상앙商鞅과 한비자韓非子에 대해 소동파蘇東坡는 "상앙과 한비자는 노자가 천하를 가볍게 여긴 것에서 터득하였기 때문에 잔인한 짓을 용감하게 저지르면서도 의심하는 마음을 두지 않았다."라 고 하여, 의심 없이 잔인한 짓을 했다고 평했다.

순자荀子에 대해 조치도趙致道는 "순자의 '성性은 악하고, 예禮는 인위人爲이다.'란 말은 그 잘못 이 한 곳에서 나왔으니 크게 요약한다면 그 근원된 곳을 알지 못하고 두 말이 서로의 말을 밑받침해 주고 있다."라고 하여, 성악설은 근원을 알지 못한 것이라고 평했고, 진덕수陳德秀는 "『순자』에 '물과 불은 기氣만 있고 생명은 없으며, 풀과 나무는 생명은 있으나 지혜가 없고, 새와 짐승은 지혜는 있으나 의로움이 없고, 사람은 기도 있고 생명도 있고 지각도 있고 또 의로움도 있는 까닭에 천하에 가장 존귀하다.'고 하였다. 그 말이 그럴 듯하다. 그런데 성을 논함에 이르러서는 악하다 하고 예를 논함에 이르러서는 인위라고 하니 어찌하여 스스로 서로 어긋날까?"라고 하여, 순자의 사람이 가장 귀하다는 견해에 찬동하였으나 성악설과 예禮의 인위人爲라는 견해에는 어긋나는 것이라고 평했다.

동자董子에 대해 정자는 "동자의 '어진 사람은 의리를 바로잡고 이익은 도모하지 않으며 도道를 밝히고 공功은 꾀하지 않는다.'란 말은 제자諸子를 훨씬 초월한 말이다."라고 하여, 도의道義를 밝힌 제자를 초월한 인물이라고 하고, "한나라 선비로서 도에 가까이 간 사람은 세 사람이니, 동중서대모공毛公 양웅揚雄이다."라고 하여, 도에 가까이 간 인물로 평했다. 그러나 진덕수는 "애석하게도 학문이 끊긴 뒤에 태어나 큰 학업에 마음을 기울였으나, 끝내 큰 도道의 전체를 보지 못하고 재이災異에 관한 학술로 흘러들어 갔도다. 아! 한탄스럽다."라고 하여, 도의 부분만 파악한 재이의 학술이라고 평했다.

양자揚子에 대해 정자는 "양웅揚雄 이후의 사람들은 단지 그의 저서만을 본 까닭에 그를 옳은 사람으로 보고자 하나, 어찌 옳은 사람일 수 있겠느냐!"라고 하여, 그가 왕망王莽의 신新나라에 출사하여 진나라를 비판하고 신나라를 찬미하는 글 「극진미신劇秦美新」을 지어 왕망의 신나라를 미화했던 일을 상기시켰다. 양웅의 글만 보고 옳은 인물로 평가할 수 없다는 것이다.

문중자文中子에 대해 주자는 "문중자는 당시에 이윤伊尹과 주공周公의 사업을 해보고자 하였으나 도가 행해지지 않음을 보고서는 다급하게 공자처럼 되어보려 하였다. 문중자가 이윤과 주공을 배워보고자 하였으니 그 뜻은 결코 낮지 않았다. 단지 높은 것을 좋아하고 스스로 존대尊大하려 하며 속히 이루고자 하는 마음을 감당하지 못하여 도리어 얽매여졌다. 이제삼왕二帝三王을 배우려 하지 아니하고 양한兩漢을 배워보고자 한 이 점이 그가 도를 어지럽힌 곳이다."라고 하여, 이상은 높았으나 속히 이루려 하고 양한을 배우려 한 섬에서 노를 어시럽혔나고 핑했다.

한자韓子에 대해 정자는 "「원도原道」의 작품은 그 말이 모두 훌륭한 것만은 아니나, 맹자孟子 이후에 도학道學의 전수傳授를 알았으니, 참으로 터득함이 있지 않았다면 이같이 분명하게 단정지어 말하지 못하였을 것이다. 그 식견은 훌륭하다."라고 하여, 깊이 터득한 맹자 이후의 도학 전수자라고 했으나, 주자는 "그는 또한 공부라고는 해본 적이 없다. … 단지 그 이면裏面에서 성찰한 적이 없고 자신의 몸에서 세밀히 공부해 봄이 없이, 단지 대략적인 것만을 따라 말하고 근원의 유래를 보지 못하였다. … 그러므로 조정에 있을 때 논의와 풍채가 또한 볼만한 것들이 있었으나 마음속으로부터 나온 것이 아니었다."라고 하여, 공부를 못해 근원의 유래를 알지 못했다고 혹평했다.

구양자歐陽子에 대해 소동파는 "진晉나라는 노장학老莊學으로 패하였고 남조南朝 양梁은 불교로 망하였는데에도 이를 바로잡는 이가 없었다. 5백여 년이 지난 뒤 한유韓愈를 얻게 되자 학자들은 그를 맹자孟子에게 짝 지웠으니, 거의 옳은 주장이다. 한유 이후 3백여 년이 지난 뒤 구양자를 얻으니, 그의 학문은 한유와 맹자를 추켜올려서 공자孔子에게 이른 까닭에 천하가 흡족하게 그를 존경하고 스승으로 여겨 '구양자는 지금 시대의 한유다.'라고 하였다."라고 하여, 한유와 동등하게 높이 평했다. 소동파는 구양수의 제자로서, 스승에 대해 추숭한 것이다. 그러나 주자는 "대개 모두 문장으로 자립한 사람들은 평소 글을 읽을 적에 단지 고금의 다스려짐과 어지러워짐, 흥성하고 쇠락한 일들만을 살펴서 문장에 적용하려고 한다. 전연 자신의 몸에서 공부를 해보려 하지 않으며, 평일에는 단지 시를 읊조리고 술을 마시며 농지거리로 날을 보낸다."라고 하여, 공부를 안한 시주詩酒로 소일하는 사람으로 혹평했다.

소자蘇子에 대해 주자는 "소씨 문장의 탁월하고 화려함은 근세에 짝할 자가 없으니 문장 공부를 하고 싶다면 본보기로 삼음이 해롭지 않을 것이다. 단지 그의 문장은 거만하고 호방하며 속임수를 써서, 또한 도道를 아는 군자로서는 보고자 하지 않음이 있다."라고 하여, 문장가의 본보기이지만 속임수가 있어 도학자道學者와는 거리가 멀다고 하였고, "그는 심보가 부정하여, 탕湯 무武를 '시해하고 찬탈했다'고 말하고, 순욱荀彧을 훌륭하게 칭송하여 '성인의 학도'라고 말하기까지 했다."라고 하여, 심보가 부정하여 성현聖賢 평가의 전도된 점을 지적했다. 주자는 또한 소동파를 왕안석의 아류로 규정하여 "두 사람의 학문이 모두 바르지 않다. 단지 동파의 덕행 속에서는 형공荊公(왕안석)과 유사함을 찾을 수 있다. 동파가 초년에 만일 등용되었다면 그로 인한 환난이 형공보다 심하지 않았을 것이라고 단정하지 못할 것이다. 단지 동파가 나중에 형공의 낭패를 보고서 모든 것을 스스로 바꾼 것이다. 초년에 재물의 생산에 대해 심하게 주장하더니 나중에 청묘법靑苗法의 낭패를 보고서 다시 재물의 생산에 대해 말하지 않았다. 초년에 군사 전략에 관해 심하게 주장하여 예컨대 '신의 말을 채용하면 북쪽으로 거란을 빼앗을 수 있을 것입니다.'고 하더니 나중에 형공의 무력 사용이 낭패하는 것을 보고서 다시 군사 전략에 대해 말하지 않았다. 그 사람은 분명히 전후로 다른 주장을 한 사람이다."라고 하여, 왕안석의 아류로서 전후로 주장이 다르다고 혹평했다.

이상에서 '제자諸子'에 대한 성리학자들의 평을 간단히 소개하였다. 이제 그 특징을 정리해보기로 한다.

첫째, 노자老子 열자列子 장자莊子 묵자墨子 관자管子 손자孫子 신불해申不害 한비자韓非子 등은 통상 '제자백가'로 분류되는 선진先秦 시대의 학자들이다. 『성리대전』에서는 동자董子 양자揚子 문중자文中子 한자韓子 등 한당漢唐 시대의 저명한 학자들도 '제자'로 분류하고, 구양자歐陽子 소자蘇子 왕안석王安石 등 송대宋代의 저명한 학자들도 '제자'로 분류했다. 이는 이들이 '출중한 학자'임은 인정하나 '도통道統의 반열에 드는 유학자'는 아니라는 의미를 담고 있다.

둘째, 동자董子 양자揚子 문중자文中子 한자韓子 등 한당漢唐 시대의 저명한 학자들이 '제자'로 분류됨으로써, '한당시대'는 '도통이 끊어졌던 시기'로 규정된 것이다. '맹자 이후 천여 년 동안 끊어졌던 도통을 북송오자北宋五子가 이었다'는 것이 성리학자들의 일반적 인식이었는데, 이러한 인식이 『성리대전』에 계승되었음을 확인할 수 있다.

셋째, 순자荀子가 '제자'로 분류된 것이다. 순자는 유학사儒學史에 큰 족적을 남긴 인물임에도 불구하고, "성性은 악하고, 예禮는 인위人爲이다"라는 한 마디 말로 인해 유교적 도통의 반열에 끼일 수 없었던 것이다.

넷째, 신불해申不害·한비자韓非子 등을 노자老子의 아류로 본 것이다. 사마천司馬遷은 『사기史記』 권63에서 '노자 장자 신불해 한비자'를 한 편篇 「열전列傳」으로 함께 다루고 "이들 셋(장자 신불해 한비자)은 노자의 도道와 덕德에 근원을 두고 있으니, 노자의 사상이 깊고도 먼 것"이라고 평한 바 있다. 이처럼 도가道家가 법가法家에 중요한 영향을 끼쳤다는 점은 예로부터 자주 거론된 바였다. 그런데 도가와 법가의 매개 지점에 대해 사마천은 노자의 '도와 덕'을 그 매개체로 들었으나, 『성리대전』에서는 노자의 '권모權謀와 사술詐術'을 그 매개체로 들었다. 이 점이 사마천과 성리학자들 사이의 '인식의 차이'일 것이다.

다섯째, 제자에 대한 평가에는 항상 긍정적 평가와 부정적 평가가 함께 소개되어, 제자의 공과功過를 정확히 진단한다는 의의가 있는 것이다. 도통에 들지 않으면서 지대한 영향을 끼친 학자들의 공과를 제시하여 도학道學의 실상實狀을 파악하는 데에 일조가 되게 했던 것이다.

성리대전 권59~62 「역대歷代」 해제

　'역대歷代 인물人物 평가'로, 요堯 순舜부터 북송北宋의 장구성張九成 이춘李椿까지 주요 군주와 유명한 정치가 등 수백 명의 행적을 성리학적 관점에서 비평한 것이다.

　권59에서는 당우삼대唐虞三代, 춘추전국 시대, 진秦 시대를 다루고 있다. 당우삼대는 요堯 순舜 우禹 탕湯 문文 무武와 주나라의 중흥주中興主 선왕宣王, 이윤伊尹 부열傅說, 춘추전국에서는 노魯 위衛 관중管仲 순식荀息 호언狐偃 조최趙衰 조문자趙文子 자산子産 상앙商鞅 악의樂毅 손빈孫臏 모수毛遂 조괄趙括 노중련魯仲連 인상여藺相如 염파廉頗 소진蘇秦 장의張儀 굴원屈原 범수范睢(范雎로도 씀), 진秦에서는 시황始皇 모초茅蕉 진승陳勝이 논의되었다.

　권60~61에서는 서한西漢 시대의 제왕과 신하들에 대해 비평하였다. 권60에서 제왕들로는 고제高帝 문제文帝 경제景帝 무제武帝 선제宣帝 원제元帝 항우項羽가 거론되고, 신하들로는 동공董公 소하蕭何 한신韓信 장량張良 팽월彭越 조참曹參 누경婁敬 주발周勃이 논의되었다.

　권61은 앞의 권60을 이어 서한西漢 시대의 신하들에 대해 비평했는데, 진평陳平 왕릉王陵 숙손통叔孫通 사호四皓 조요趙堯 계포季布 유장劉章 장창張蒼 역기酈寄 장석지張釋之 주아부周亞夫 가의賈誼 원앙袁盎 가산賈山 풍당馮唐 추양鄒陽 매승枚乘 전숙田叔 조조晁錯 두영竇嬰 관부灌夫 전분田蚡 복식卜式 공손홍公孫弘 장탕張湯 곽광霍光 급암汲黯 소광疏廣 소수疏受 위상魏相 조충국趙充國 병길丙吉 황패黃霸 광형匡衡 유향劉向 소망지蕭望之 공승龔勝 왕망王莽이 논의되었다.

　권62에서는 동한東漢과 삼국三國 시대의 군주와 신하들에 대해 비평했다. 동한의 군주로는 광무제光武帝 화제和帝가 거론되고, 신하로는 등우鄧禹 오한吳漢 엄광嚴光 황헌黃憲 이고李固 두교杜喬 주목朱穆 순숙荀淑 진식陳寔 두무竇武 하진何進 진번陳蕃 조포趙苞 장홍臧洪 등이 거론되었다. 그리고 삼국의 군주로는 한소열漢昭烈과 위조조魏曹操 오손권吳孫權이 거론되고, 신하로는 제갈량諸葛亮 순욱荀彧이 논의되었다.

　이상 인물들에 대한 평가에서 대표적인 것을 몇 가지 들어 간략하게 논의하기로 한다.

　당우삼대唐虞三代 시기에 대한 비평에서 초점이 된 것은 '선양과 세습' 문제로, 정자程子는 "오제五帝는 천하를 공공의 것으로 생각한 까닭에 어진 사람에게 천하를 물려주고 삼왕三王은 천하를 자신 한집안의 것으로 생각한 까닭에 아들에게 천하를 물려주었다. 최상의 선善을 가지고 논한다면 (천하를) 공공의 것으로 여겨 어진 사람에게 물려주는 것이 바꿀 수 없는 도리이다. 그러나 어진 사람을 얻기 어렵고 쟁탈이 일어나게 되어 있는 까닭에 자식에게 천하를 물려주는 것으로 만대를 안정시켰다. 이 역시 지극히 공정한 법이다."라고 하여, 남에게 물려준 선양과 자식에게 물려준 세습이 모두 공정한 것이라고 했고, 허형許衡은 "오제가 제왕의 자리를 남에게 물려주고, 삼대三代가 아들에게 계승시킨 것은 모두 운수가 그렇게 된 것이다. 그 사이에 예컨대 요 순의 자식들이 불초한 것은 돌발적인 것이다! … 성인이 돌발적인 상황을 만나 융통하는 것도 저절로 그렇게 된 운수에 도달한 것이지, 조금도 자신의 사사로운 마음이 관여하지 않았다."라고 하여, 선양과 세습이 운수를 따른 공평무사한 것이라고 했다. 이는 선양도 세습도 모두 공평하다는 양시론兩是論이다. 선양은 폐해가 없는 가장 훌륭한 정권이양으로 찬양할 일이지만, 세습은 초기에 선왕의 치적을 이어받더라도 몇 대代 안가서 폐단이 생기는 이기주의적 정권이양으로 금지할 일이다. 세습이 일단 이루어지자 하나라 이후 20세기 초까지 몇 천 년 동안 정치의 성패여부에 상관없이 이어져서 선양은 자취를 감추고 말았다. 성리학자들은 선양을 지향해야 하고 세습을 금지해야 한다는 논의까지 진전시키지 못한 것이다. 세습이 당연한 일로 굳어진 의식 속에 선양은 이상적인 먼 옛날이야기로서 회복될 여지가 없었다. 이 점은 성리학자들의 한계라고 할 것이다.

진秦의 비평에서 주자朱子는 "진나라의 법은 모두 군주를 높이고 신하를 낮추는 일이었던 까닭에 후세에 즐겨 바꾸려하지 않은 것이다. 예를 들면 삼황三皇은 황皇을 칭하고, 오제五帝는 제帝를 칭하고, 삼왕三王은 왕王을 칭하였는데 진나라는 황皇과 제帝의 호칭을 겸하였다. 단지 이 한 가지 일도 후세에서 어찌 기꺼이 바꾸려들겠는가?"라고 하여, 후세 제왕들이 진나라의 '황제皇帝' 호칭을 이어받은 것을 비판하였다. 그리고 총론叢論에서 호굉胡宏은 "(도덕이) 진나라에서 크게 무너져 인仁으로 천하를 감싸는 정치는 사라졌다. … 그들이 왕도정치를 못한 것은 사람이지 하늘이 아니며, 그들이 나중에 망한 것은 하늘이지 사람이 아니다. 아! 누가 지금 이후에는 삼왕三王을 이을 인재가 없을 것이라고 말하는가? 그 병통은 세상의 선비가 왕도 정치의 근본을 알지 못하여, 삼왕이 천하를 소유한 것을 논하면서 그분들의 도에 대해 말하지 아니하고, 거꾸로 망한 진나라를 본받을 만한 것으로 여기는 데에 있다."라고 하여, 사람이 왕도정치를 하지 않은 것이고 천운에 의해 늦게 망하였으며 삼왕을 이을 인재가 나타나지 않는 것은 망한 진나라를 본받기 때문이라고 분석하였다. 이에 의하면 망한 진나라를 본받지 말아서, '황제' 호칭을 쓰지 말아야 할 것이고 왕도정치를 하여 왕조를 오래 유지할 것이며 삼왕을 이을 인재가 나타나게 해야 할 것이라는 개선책이 제시된 것이다. 그러나 '황제' 호칭은 청나라까지 수 천 년 동안 변함없이 쓰였던 것이다.

서한西漢의 비평에서 무제武帝에 대해 주자朱子는 "무제는 병통이 참으로 많으나 타고난 자질이 높고 세운 뜻이 커서 업적을 이루기에 충분하였다. 만일 등극 초기에 바로 참된 유자儒者의 보좌를 받았다면 어찌 크게 볼만한 사업이 있지 않았겠는가? 애석하게도 참된 유자儒者의 보좌도 없었고, 자신의 욕심 많은 사사로움도 이겨내지 못하였다."라고 하여, 사심을 부린데다 유자의 보좌가 없었다고 평했고, 장식張栻은 "무제가 사치하고 무력을 남용해 벌인 전쟁은 진시황과의 차이가 어찌 척촌尺寸이나 되겠는가?"라고 하고, 망하지 않은 네 가지를 들었는데, 고조高祖의 관대함과 문제와 경제의 은택과 양육이 백성의 마음을 깊이 얻어 그 은택이 지워지지 않은 점, 무제가 한 일들은 매번 육경六經과 어그러졌으나 육경을 현양顯揚시켜 드러내고 유생儒生을 초빙해 옛 예악과 제도에 관한 일들을 살피게 한 점, 윤대輪臺의 조서를 발표해 전쟁을 참회하여 하늘과 백성의 마음을 돌리게 한 점, 태자 보필을 부탁할 자 곽광霍光을 잘 살펴 낸 점이다. 무제는 진시황과 비슷하였으나 이 네 가지에 의해 국가가 보존되었다고 평했다. 유자儒者의 보좌도 없었다고 하였으나 동중서董仲舒의 도움을 받아 황노학黃老學에서 유학儒學으로 국교를 바꾸어 오경박사五經博士를 두는 등 큰 업적은 도외시되었고, 흉노匈奴의 침탈을 물리쳤을 뿐만 아니라 국토를 넓히며 서역을 개척하는 등의 발전시킨 업적도 전쟁을 한 진시황에 견주어져 국가를 보존시킬 정도로 평가절하였다. 무엇보다 도덕적인 관점에서 평가한 견해라고 하겠다.

장량張良에 대해 정자程子는 "장량은 역시 유자儒者이다. 벼슬에 나아가고 물러나오는 것에 매우 도리가 있다. 사람들이 한고조가 장량을 잘 썼다라고 말하나, 장량이 고조를 잘 쓴 것을 모르고 있다. 장량은 계책을 함부로 내지 않았고 냈을 적에는 반드시 적중하였다."라고 하여 장량이 고조를 썼다고 평했고, 양시楊時는 "장량은 공훈을 이루고서도 지혜를 숨기고 권세를 가까이 하지 않았다. 권세와 재화財貨를 버리는 것을 마치 헤진 신짝 벗어던지듯이 하였다. … 한나라가 등용한 장상將相으로 물러나고 나아가는 사이에 모두 기회에 적중하고 의리에 어긋나지 않은 사람은 내가 홀로 자방에서 찾을 수 있었다."라고 하여, 기회와 의리에 알맞게 했다고 극찬했다. 한고조가 장량을 잘 썼다기보다 장량이 고조를 잘 썼다는 획기적인 평가가 나온 것이다. 그리고 장량은 권세를 가까이 하지 않고 의리에 맞게 했다는 것이다. 그러나 천하가 통일된 뒤 인간사를 버리고 적송자赤松子를 좇아 놀겠다고 한 신선을 추구한 인물인데 유자로 인정된 것은 재고할 일이다.

누경婁敬에 대해 양시는 "누경이 화친책和親策을 건의하며 적실 소생의 맏 공주公主를 선우單于의 아내로 삼아주고자 하면서 말하기를 '묵특冒頓의 생전에는 당연히 사위이며, 사위가 죽으면 외손자가 선우가 될 것이니 외손자가 감히 외할아버지와 예절을 대등하게 하려 한다는 말을 들었는가? 싸우지 않고서 점차 신하로 삼을 수 있는 일이다.'라고 하였으니 그 말이 얼마나 오류인가? 사위와 외손자가 부자 사이의 친함만 하겠는가? 저 선우는 아버지를 시해하고 대신 등극하였는데 하물며 아내의 아버지이랴! 그것을 어찌 믿을 수 있겠는가?"라고 하여, 아버지를 시해한 선우에게 장인이나 외할아버지의 안전을 꾀하려는 잘못을 지적했다. 흉노는 한나라와 화전和戰 양면 정책을 구사하여 한나라의 골칫거리였는데 자기 아버지를 시해한 선우에게 공주를 시집보내어 자손이 나오면 그 자손은 외가를 공격하지 않는다는 누경의 논의에 대해 오류라고 간파한 것은 매우 예리한 분석이라고 할 것이다.

숙손통叔孫通에 대해 주자는 "숙손통이 끈으로 줄을 긋고 띠 풀로 자리를 표시해가며 만든 의례는 그 효험이 뭇 신하들을 놀래고 두렵게 하여 감히 말썽을 피우거나 예절을 거스른 자가 없는 데에 이르렀다. 그러나 삼대 시절의 (군주가) 뭇 신하들과 잔치하던 기상에 비기면 사뭇 같지 않다. 그것은 단지 진나라의 군주는 높이고 신하는 낮추려는 예법이기 때문이다."라고 하여, 예절을 따르게는 하였으나 진나라 예법에 불과하다고 평했다. 예절을 중흥시킨 공적을 인정하지 않은 것이다.

급암汲黯에 대해 양시楊時는 "무제武帝 때 회남왕淮南王이 반란을 일으키고자 하면서 홀로 급암의 절의를 두렵게 여기면서도, '공손홍公孫弘 같은 자는 벙거지를 벗기는 것과 같다.'고 말할 정도였다. 급암의 올곧음을 천하가 공경하고 어려워함이 이 같았다."라고 하여, 절의의 인물로 평했다.

동한東漢의 평가에서 엄광嚴光에 대해 장식張栻은 "엄자릉嚴子陵, 엄광의 말과 의도를 살펴보면 또한 색은행괴가 아니고 기어코 영원히 떠나고 돌아오려 하지 않는 자였다. … 한갓 광무제가 주는 높은 지위만을 받고 그가 떠받드는 예우의 헛된 명성만을 누리는 것은 자릉의 본마음이 아니다. 그런 까닭에 차라리 나가지 않은 것이다. 그러면서도 자릉이 광무제의 친구라는 까닭으로 명성이 한 세상에 높았고, 끝내 한가롭게 산중에 누워 뜻을 굽히지 않자 광무제도 역시 감히 굽히려하지 않았다. 이것이 우직한 자를 감격시키고 게으른 자를 일으켜 세워, 풍기를 붙잡아 북돋음으로써 동경東京, 동한의 풍속이 아름다워지고 인재가 성대해지도록 도와, 거기에서 비롯된 힘이 참으로 또한 많았다. 어찌 아름답지 않은가?"라고 하여, 풍속이 아름다워지고 인재가 성대해지게 한 은자隱者로 평했다. 은자에 대해 후한 점수를 준 것이다.

동한의 총론叢論에서 장식張栻은 "사람들은 동한의 패망을 두고 당고黨錮의 화가 재촉했다고 말한다. 그러나 만일 동한에 몇몇의 군자가 없었다면 그 나라의 패망은 더욱 빨라졌을 것을 모르고 있다. 비유하자면 병에 쇠약해진 자가 단약丹藥을 복용하다가 하루아침에 죽으면 단약에 죄를 돌리나 며칠의 생명을 잘 연명시킨 것은 단약의 힘이었음을 모른 것이다. 가령 단약을 복용하지 않았다면 그의 죽음은 반드시 빨랐을 것이다."라고 하여, 군자들 때문에 패망이 늦춰졌다고 하였다. 군자들의 효용을 인정한 것이다.

삼국三國 형세에 대해 주자朱子는 "조조는 본시 하북河北을 거점으로 삼는 것이 천하를 취할 수 있는 밑바탕이 될 수 있음을 알고 있었다. … 이 수가 원소에게 기선을 제압당하면서 뒷날 갖은 기구한 일을 겪다가 헌제獻帝를 찾아 데려와 천자를 끼고서 제후를 호령하는 일을 벌였으니 이 또한 두 번째에 해당되는 큰 수이다. 손권이 강남江南을 차지하고, 유비가 촉을 차지한 것과 같은 일은, 모두 천하를 취할 수 있는 형세가 아니라 겨우 자신의 나라나 보전할 수 있을 뿐이다."

라고 하여, 조조는 하북을 차지하며 헌제를 끼고서 제후를 호령하는 큰 수를 썼으나, 손권의 강남과 유비의 촉은 자국自國이나 보전할 형세라고 하였다. 주자는 정통正統을 유비에게 주면서도 형세가 떨치지 못한 점을 인정한 것이다.

손권孫權에 대해 주자朱子는 한소열漢昭烈 논평 중에서 "학자들은 모두 조조가 한나라의 역적인 줄만 알지 손권孫權이 한나라의 역적인 줄은 모른다. 만일 손권이 한나라 왕조를 일으켜 회복시키는 일에 뜻이 있었다면 당연히 선주와 힘을 합하고 계책을 함께하여 조조의 죄를 함께 바로잡았어야 했다. 어떻게 선주가 겨우 정돈하고 일어나려 할 때 바로 쓰러뜨릴 수 있는가? 예컨대 관우를 습격하여 죽인 일 따위가 그에 해당한다. 손권은 스스로가 조조와 똑같이 한나라의 국토를 도둑질하여 차지한 사람임을 알고 있었다. 만일 선주의 일이 성공하였다면 반드시 조조를 멸망시킬 것이고 또다시 오나라도 멸망시켰을 것이다. 손권의 간악한 책략은 숨길 수 없으니, 평소에 선주와 오가며 사귄 것은 우선 자신을 안전하게 하려는 계책이었을 뿐이다."라고 하여, 손권이 한나라의 역적으로서 자신을 안전케 하는 계책만 썼다고 하였다. 오로지 유비의 편만 들어 손권은 조조 다음으로 유비에게 망할 존재로서 유비를 도왔어야 한다는 편향을 가지고 있다. 도덕적 사관史觀에 의해 촉한을 위해 다른 나라는 희생되어야 하는 것이다. 유비는 후한의 마지막 황제 헌제獻帝가 조비曹丕에게 선위禪位한 뒤 13년을 더 살았는데도 풍문에 조비가 시해하였다는 것을 믿고 시체도 없이 발상發喪을 하고서 그 뒤에 황제에 올랐던 것이다. 이러한 잘못을 지적함이 없이 촉한을 옹호하기에 바빴던 것이다. 이는 주자의 『자치통감강목資治通鑑綱目』에서 촉한을 정통으로 기술한 것과 맥락을 같이하는 것이다.

제갈량諸葛亮에 대해 정이程頤는 "제갈공명은 제왕을 보좌하는 마음은 가졌으나 도리는 미진하였다. 제왕이 될 사람은 천지가 사사로운 마음이 없는 것과 같아, 한 가지 불의를 행하여 천하를 얻는다 하여도 하지 않는다. 공명은 기어코 성공하고자 하여 유장劉璋을 취하였지만 성인은 차라리 성공하지 않을지언정 이런 일은 하지 않는다. 만일 유표劉表의 아들 유종劉琮이 조조에게 합병되게 되었다면, 그 땅을 취하여 유씨 왕조를 일으켜도 옳았을 것이다. 공명이 죽지 않으면 3년이면 위魏나라를 취할 수 있었다."라고 하여, 제왕을 보좌하는 마음은 가졌으나 도리는 미진하였고, 위나라를 취할 능력자라고 하였다. 도덕적 관점에서는 미진한 인물이라는 것이다. 또 장식張栻은 "불행히도 공훈과 사업을 끝마치지 못하고 중도에 운명하였으나, 그가 제왕의 법도를 붙잡고 인심을 바로잡았으며, 선왕시대 인의仁義의 기풍을 제자리로 끌어올려 만세에 드리운 것은, 해와 달과 그 광명光明이 똑같다고 하여도 될 것이다. … 맹자가 '부富와 귀貴가 흔들지 못하고, 가난과 천함이 변절하게 하지 못하고, 위엄과 무력武力이 굽히게 할 수 없으니, 이런 사람을 대장부라 한다.'고 하였는데, 무후 같은 분은 맹자가 말한 대장부가 아니겠는가?"라고 하여, 인의의 기풍을 만세에 드리워서 일월과 광명이 같고, 굳센 분이며 대장부라고 극찬하였다.

　순욱荀彧에 대해 양시楊時는 "그가 대의에 임하여 큰 계책을 결단하는 것을 살피면, 가랑이와 손바닥 사이에 강적을 붙잡아두고서 조롱해 가며 조조의 패업을 도와 성공시키고 있다. 조조의 위엄이 천하를 뒤덮으며 아랫사람을 깔보고 윗사람을 압박하기에 이르자, 그제야 반란을 도모하려는 의도를 몰래 막고자 하였으나, 이는 파란을 일으키고 둑을 터뜨려 하늘까지 넘실거리는 형세를 만들어 낸 뒤에 천천히 갈대 한 묶음으로 막으려는 것과 같으니 가능한 일이겠는가?"라고 하여, 조조의 패업을 도와 성공시키다가 뒤에 조조의 반란음모를 막고자 하였으나 역부족으로 불가능하였다고 평하였다.

性理大全 研究飜譯 役割 分擔表

卷	書名/大主題	飜譯	校閱	潤文	解題
	序・表	金在烈			尹用男, 金暎鎬
1	太極圖	尹用男			郭信煥
2~3	通書	李哲承			郭信煥
4	西銘	李哲承			李基鏞
5	正蒙 1	李哲承			李基鏞
6	正蒙 2	金炯錫			李基鏞
7~13	皇極經世書	沈義用			洪元植
14~17	易學啓蒙	尹元鉉			李善慶
18~21	家禮	秋琦淵			李迎春
22~23	律呂新書	尹元鉉			李善慶
24~25	洪範皇極內篇	秋琦淵			李迎春
26~27	理氣	李致億			李致億, 金演宰
28	鬼神	尹元鉉			李致億, 金演宰
29~31	性理 1~3	尹元鉉			李致億, 鄭相峯
32~34	性理 4~6	沈義用	共同研究員	鄭修卿	李致億, 鄭相峯
35~37	性理 7~9	金炯錫	李忠九		李致億, 鄭相峯
38	道統・聖賢	尹元鉉			沈義用, 金演宰
39~40	諸儒 1~2	金炯錫			沈義用, 金演宰
41~42	諸儒 3~4	沈義用			沈義用, 金演宰
43~45	學 1~3	李致億			沈義用, 鄭炳碩
46~48	學 4~6	沈義用			沈義用, 鄭炳碩
49~50	學 7~8	金炯錫			沈義用, 鄭炳碩
51	學 9	金昡炅			沈義用, 池俊鎬
52~54	學 10~12	尹元鉉			沈義用, 池俊鎬
55~56	學 13~14	李忠九			沈義用, 池俊鎬
57~58	諸子	金在烈			李忠九, 李相益
59~64	歷代	金在烈			李忠九, 李相益
65	君道	金在烈			李忠九, 李相益
66~69	治道	金在烈			李忠九, 李相益
70	詩・文	金在烈			李忠九, 池俊鎬

性理大全 研究飜譯 研究陣

완역 성리대전 ❾

초판 인쇄 2018년 7월 15일
초판 발행 2018년 8월 10일

역 주 자 | 윤용남·이충구·김재열·윤원현·추기연
　　　　　이철승·심의용·김형석·이치억·김현경
펴 낸 이 | 하운근
펴 낸 곳 | 學古房

주　　소 | 경기도 고양시 덕양구 통일로 140 삼송테크노밸리 A동 B224
전　　화 | (02)353-9908 편집부(02)356-9903
팩　　스 | (02)6959-8234
홈페이지 | http://hakgobang.co.kr/
전자우편 | hakgobang@naver.com, hakgobang@chol.com
등록번호 | 제311-1994-000001호

ISBN　　978-89-6071-769-5 94150
　　　　978-89-6071-760-2 (세트)

값 : 800,000원 (전10책)